中华传世藏书

續資治通鑑

[清]畢　沅◎著

線裝書局

续资治通鉴卷第一百六十七

【原文】

宋纪一首六十七　起昭阳大荒落【癸巳】四月,尽阏逢敦牂【甲午】十二月,凡一年有奇。

理宗建道备德大功复兴　烈文仁武圣明安孝皇帝

绍定六年　金天兴二年,蒙古太宗五年【癸巳,1233】　夏,四月,壬寅,葬恭圣仁烈皇后于永茂陵。

金崔立以天子衮冕、后服进于苏布特,又括在城金银,搜索薰灌,讯掠惨酷,金主姨郧国夫人、平章拜驻妻、右丞李蹊妻皆死杖下。贵族富人不堪其毒,或相语曰:“攻城后七八日中,诸门出葬者百万,恨不早预其数!”立时与其妻入宫,两宫赐之不可胜计。立因讽太后作书陈天时人事,遣金主乳母入归德招降。

立遂以太后、皇后、梁王、荆王及诸妃嫔,凡车三十七两,宗室男女五百馀人,衍圣公孔元(楷)〔楷〕等及三教、医、卜、工匠、绣女赴青城。刘祁窃叹曰:“此国初受宋降处也,今乃复至此乎!”苏布特杀梁、荆二王及族属,而送后、妃等于和林。宝符李氏行至宣德州,自缢于摩诃院佛像前,且书其门曰:“宝符御侍此处身故。”见者哀之。诸后妃不知所终。

苏布特入汴京,以金人擅杀唐庆,取诸宰执家属治罪,故相侯挚见杀。崔立时在城外,兵先入其家,取其妻、姜、宝玉以出。立归,大恸而已。

初,蒙古之制,凡攻城不降,矢石一发则屠之。汴京既破,苏布特遣使言于蒙古主曰:“此城相抗日久,士卒多伤,请屠其城。”耶律楚材闻之,驰见蒙古主曰:“将士暴露数十年,所争者土地人民耳;得地无民,将焉用之!”蒙古主未许。楚材又曰:“凡弓矢、甲仗、金玉等匠及官民富贵之家,皆聚此城,杀之则一无所得,是徒劳也。”乃诏除完颜氏一族外,馀皆原免。时避兵在汴者尚百四十万户,皆得保全。遂为定制。

苏布特以汴多饥民,下令纵其北渡就食。

金唐、邓州行省武仙次于顺阳,与唐州守将武天锡、邓州守将伊喇瑗相犄角,谋迎金主入蜀,遂侵光化,其锋甚锐。孟珙逼天锡垒,一鼓拔之。壮士张子良,得天锡首以献,俘将士四百馀人。又败金人于吕堰,俘获不可胜计,遂攻顺阳,武仙败走马登山,县令李英及申州安抚张林皆以城降。珙言于史嵩之曰:“归附之人,宜因其土地而使之耕,因其人民而立之长,少壮籍为军,俾自耕自守,才能者分以土地,任以职事,使各招其徒以杀其势。”嵩之从之。

乙酉,录行都系囚。

五月，金邓州节度使伊喇瑗以其州来降。初，金主遣右司郎中白华召邓兵入援，事久不济，淹留于馆。会瑗以邓降，华亦从至襄阳，帅臣署华为制干，寻改钧州提督。其后州将范用吉杀长吏，送款于蒙古，华因北归。华以宿儒贵显，国危不能以义自处，为时所贬。

卫州白公庙之溃，富察官努母为蒙古所获，金主命官努因其母以请和。官努乃诣亳州，密与特穆尔岱言，欲劫金主以降。特穆尔岱信之，还其母，因定和计，官努乃日往来讲议，或乘舟中流会饮。其遣来使者二十馀辈，金主密令官努以金银牌与之，勿令还营，因知王家寺大将所在，官努乃定斫营之策。端午日，祭天，军中因备火枪战具，官努夜率忠孝军四百五十人登舟，杀守堤逻卒，径至王家寺特穆尔岱之营。金主御北门，系舟待之，虑不胜则走徐州。四更，接战，忠孝军却而复进，官努以小船分军五七十出栅外，腹背攻之，持火枪入蒙古军。特穆尔岱不能支，大溃，溺死三千五百馀人，官努尽焚其栅而还。遂拜真左副元帅、参知政事，命习显总其军以守亳州。

官努既败特穆尔岱，势益暴横，居金主于照碧堂，诸臣无一人敢奏对者。金主悲泣，语近侍曰："自古无不亡之国，不死之君，但恨我不知人，为此奴所困耳！"于是内〔侍〕局令宋珪、奉御纽祜禄温绰、乌古逊爱实等，密谋诛官努，且闻蔡州城池坚深，兵众粮广，咸劝如蔡州。会蔡、息、陈、颍等州便宜总帅乌库哩镐运米四百斛至归德，且请临幸，金主遂决策如蔡。六月，乙卯，官努自亳州还，力陈不可，至于扼腕顿足，意趣叵测，因出，号于众曰："敢言南迁者斩！"众讽金主早为计，金主遂与珪等谋召宰相议事，而令温绰伏照碧堂门间，官努入，温绰从后刺其肋，金主亦拔剑斫之。官努中创，投城下以走，温绰、爱实追杀之。忠孝军闻变，皆擐甲，温绰请金主亲抚慰之。于是金主御双门，敕忠孝军以安反侧。

金主以齐克绅守中京有功，降诏褒谕，授中京留守，又以参政内族色埒自南山领军十馀万入洛行省事。齐克绅建一堂于洛州驿东，名曰报恩，刻诏文于石，愿以死自效。蒙古自汴驱色埒之子于金昌府东门下，诱色埒降，色埒命左右射之。既而闻崔立之变，病不能语而死。总帅乌凌阿呼图代行省事，齐克绅行总帅府事；月馀，粮尽，军民稍散。蒙古兵复至，陈于洛南，齐克绅陈于水北。蒙古韩元帅匹马立水滨招降，齐克绅跃而射之。韩奔还陈，率步卒数百夺桥，金军有一卒，独立拒之，杀数人，齐克绅即手解都统银牌佩之，士气复振。初，〔筑战垒于〕城外，四隅至五门内外皆有屏，谓之迷魂墙，蒙古以五百骑迫之，齐克绅率卒二百鼓噪而出，蒙古退走。呼图以蒙古兵强，即以轻骑挈妻子奔蔡州，鹰扬都尉献西门以降。齐克绅率死士数十突东门出，转战至偃师，力尽就执，载以一马，拥迫而行，将见蒙古帅塔齐尔。齐克绅语不逊，兵卒诱之曰："汝能北面一屈膝，当贷汝命。"齐克绅不从。左右持使北面，齐克绅拗（须）〔头〕南向，遂杀之。

辛卯，金主发归德，留元帅王璧守之。时久雨，朝士扈从者徒行泥水中，掇青枣为粮，足胫尽肿。明日，至亳州，金主黄衣、皂笠、金兔鹘带，以青黄旗二导前，黄伞拥后，从者二三百人，马五十匹而已。城中父老拜伏道左，金主遣近侍谕以"国家涵养汝辈，百有馀年，今朕无德，令汝涂炭。朕不足言，汝辈无忘祖宗之德。"众皆呼万岁，泣下。留一日，进次亳南六十里，避雨双沟寺中，蒿艾满目，无一人迹。金主太息曰："生灵尽矣！"为之一恸。己亥，入蔡州，父老罗拜于道，见仪卫萧条，莫不感泣，金主亦歔欷久之。

遂以完颜仲德为尚书右丞，总领省院事；乌库哩镐为御史大夫，总帅如故；张天纲权参知政事;富珠哩小洛索签书枢密院事。

仲德有文武材,事无巨细,率亲为之,选士括马,缮治甲兵,未尝一日忘奉幸秦、巩之志。近侍久困迁播,幸即安于蔡,皆娶妻营业,不愿迁徙,旦夕言西幸不便。时蒙古兵去蔡差远,商贩渐集,金主亦安之,命修见山亭为游息之所,遣内侍宋珪选室女备后宫,已得数人。完颜仲德谏曰:"小民无知,将谓陛下驻跸以来,不闻恢复远略,而先求处女以示久居。民愚而神不可不畏!"金主曰:"朕以六宫失散,左右无人,故令采择。今承规诲,敢不敬从!"止留解文义者一人,馀皆放还。

仲德定进马迁赏格,得马千馀匹,又遣使分诣诸道,选兵诣蔡,得精锐万馀,兵威稍振。忠孝军提控李德,率十馀人乘马入省大呼,以月粮不优,几肆骂詈,仲德缚德杖之。金主谕仲德曰:"此军得力,方以倚用,卿何不容忍?"仲德对曰:"时方多故,录功隐过,自陛下之德。至于将帅之职则不然。小犯则决,大犯则诛,强兵悍卒,不可使一日不在纪律。盖小人之情,纵则骄,骄则难制。睢阳之祸,岂独官努之罪,亦有司纵之太过耳。今欲更易前辙,不宜爱克厥威。赏必由中,罚则臣任其责。"军士闻之,无复敢犯法者。

时从官近侍皆穷乏,悉取给于乌库哩镐,镐不能人满其欲,日夕谮于金主,至以尚食阙供为言。金主怒,遂疏镐。镐忧愤成疾,多不视事。

蒙古耶律楚材请以孔元楷袭封衍圣公,从之。

秋,七月,乙卯,权知广德军石孝隆,进奏民力当惜,帝曰:"州县催科,岁有增益,朕每闻之,此心恻然。宜以爱民为念,无负所言。"

孟珙大败金武仙于马蹬山,降其将刘仪。珙问仙虚实,仪言:"仙所据九寨,其大寨石穴山,以马蹬山、沙窝、岵山三寨蔽其前。三寨不破,石穴未可图也。若先破离金寨,则岵山、沙窝孤立矣。"珙乃遣兵攻离金,掩杀几尽。是夕,复令壮士捣王子山寨,斩金将首而出,遂围马蹬,杀戮山积。还,至沙窝西,与金人战,大捷。未几,丁顺复破默候里寨。于是仙之九寨,六日破其七。珙召仪曰:"此寨既破,板桥、石穴必震,汝能为我招之乎?"仪请选妇人三百,伪逃归,怀招安榜以往。

珙料仙势穷蹙,必上岵山绝顶窥伺,乃令樊文彬驻军其下。已而仙众果登山,文彬麾旗,伏兵四起,仙众失措,枕藉崖谷,杀其将乌沙惹,擒七百三十人,弃铠甲如山。薄暮,珙进军至小水河。仪言:"仙谋往商州依险以守,然老稚不愿北去。"珙曰:"进兵不可缓。"夜,漏下十刻,召文彬等授方略,丙辰,蓐食启行。时积雨未霁,文彬患之,珙曰:"此雪夜擒吴元济之时也!"策马直至石穴,分兵进攻,自寅至巳,破之。仙走,追至鲇鱼寨,仙望见,易服而遁。复战于银葫芦山,又败之。仙与五六骑奔,追之,隐不见;降其众七万。珙还襄阳。

八月,蒙古都元帅塔齐尔使王檝至襄阳,约攻蔡州。塔齐尔,博勒呼之从孙也。

史嵩之先以兵会伐唐州,时城中粮尽,人相食,金将乌库哩黑汉,杀其爱妾以啖士,士争杀其妻子。官属聚议欲降,黑汉持之益坚。有总领赵丑儿者,开门纳南军,黑汉率兵巷战,为南军所获,胁使降,黑汉不屈,遂杀之。主帅富察某为部曲兵所食,城遂降。南军驻息州南,降者日众,息州刺史乌库哩呼噜惧,请益兵为备,金主以参知政事穆延乌登、签书枢密院富珠哩中洛索帅忠孝军五百行,金主谕之曰:"蒙古所以常取胜者,恃北方之马力,就中国之技巧耳,我实难与之敌。至于宋人,何足道哉?朕得甲士三千,纵横江、淮间矣。"以呼噜畏缩,命瓜勒佳玖珠代之。

九月，壬寅朔，日有食之。

辛亥，大飨于明堂，大赦。

辛酉，经筵官请以御制敬天、法祖、事亲、齐家四十八条及缉熙殿榜殿记宣付史馆。

蒙古库裕克攻辽东，舒穆噜扎拉率黑军先登，诸军继之，擒万努，遂平辽东。扎拉，额森之子也。万努据辽东十九年，至是始灭。

金使完颜阿古岱来乞粮，将行，金主谕之曰："宋人负朕深矣。朕自即位以来，戒饬边将，无犯南界，边臣有请征讨者，未尝不切责之。向得宋一州，随即付与。近淮阴来归，彼多以金币为赎，朕若受财，是货之也，付之全城，秋毫无犯。清口临阵，生获数千人，悉资遣之。今乘我疲敝，据我寿州，诱我邓州，又攻我唐州，彼为谋亦浅矣。蒙古灭国四十，以及西夏；夏亡，及于我；我亡，必及于宋。唇亡齿寒，自然之理。若与我连和，所以为我者，亦为彼也。卿其以此意晓之。"阿古岱至宋，宋不许。

庚戌，金主以重九拜天于节度使厅，群臣陪从成礼。金主面谕之曰："国家自开创，涵养汝等百有馀年，汝等或以先世立功，或以劳效起身，披坚执锐，积有年矣。今当厄运，与朕同患，可谓忠矣。比闻北兵将至，正汝等立功报国之秋，纵死王事，不失为忠孝之鬼。往者汝等立功，常虑不为朝廷所知；今日临敌，朕亲见之矣。汝等勉之。"因赐卮酒。酒未竟，逻骑驰报敌兵数百突至城下，将士踊跃，咸请一战，金主许之。是日，分防守四面及子城众出战，蒙古兵溃奔。塔齐尔以数百骑复驻城东，金主遣兵接战，又败之。自是蒙古不复薄城，分筑长垒围之。

冬，十月，孟珙、江海帅师二万，运米三十万石，赴蒙古之约。塔齐尔大喜，益修攻具，斫木之声，闻于城中，城中益恐，往往窃议出降。完颜仲德日以国家恩泽、君臣分义抚循其民，且营画御备，未尝入私室。军民感奋，始有固志。

金裁冗员，汰冗军，及定官吏、军兵月俸。辛巳，纵饥民老稚羸疾者出城，既而出城者多言城中虚实，复禁之。

甲申，金徐州节度副使郭恩，约原州叛将麻琮袭破徐州。州中将士以蔡州被围，朝命阻绝，逼于蒙古兵，议出降，行省萨布不从，恐被执，投河，军士援出之，萨布自缢死。麻琮以州降于蒙古。

金人自被围，惧食不给，妖人乌库哩先生，自言能使军士服食可不费粮，议者欲援田单假神师故事以骇敌人，金主颇然之，参知政事张天纲力辨以为不可，遂止。员外郎王鹗发其从前奸恶，金主曰："朕几为妖人所诳。"遂杀之。

丙戌，以史弥远为太师、左丞相，郑清之为右丞相，并兼枢密使，加食邑千户，薛极为枢密使，乔行简、陈贵谊参知政事。帝谕贵谊曰："顷闻忧国之言，朕所不忘。"

弥远拜左相，一日，以疾求解政。诏："弥远有定策大功，勤劳王室，宜加优礼。"于是授保宁、昭信节度使，充醴泉观使，封会稽郡王，奉朝请，二子、一婿、五孙皆加官秩。越八日，乙未，卒。弥远为相凡二十六年，用事专且久，权倾内外。初欲反韩侂胄所为，收召贤才老臣，布于朝廷。及济王不得其死，论者纷起，遂专任憸壬为台谏，一时君子贬斥殆尽。帝德其拥立，惟言是从，殁而赠官锡谥，恩宠不衰。

十一月，乙巳，给事中莫泽，言提举千秋鸿禧观梁成大，暴很贪婪，苟贱无耻，遂寝成大祠命，泽迁刑部尚书。既而台臣交劾泽贪淫忮害，又论工部尚书李知孝侵欲无厌，皆罢之。三人党附史弥远，排斥诸贤；成大尤心术崄峨，凡可贼害忠良者，率攘臂为之，四方赂遗，列置堂庑，导宾客观之，欲其效尤。夺占宇文氏赐第，既摈归，讼之者数百人，朝命毁其庐。虽知孝亦鄙其为人，尝曰："所不堪者，他日与成大同传耳！"至是皆贬，寻谪居远州，尽追爵秩，天下快之。

丙午，诏改明年为端平元年。帝始亲政，厉精求治。郑清之亦以更化为己任，收召贤才，擢用之。

召陈埙为枢密院编修官。入对，首言："天下之安危在宰相。南渡以来，屡失机会。秦桧死，所任万俟禼、沈该耳；韩侂胄死，所任史弥远耳。此今日所当谨也。"次言："内廷当严宦官之禁，外廷当严台谏之选。"宦者陈洵益阴中之，监察御史王定劾埙，出知常州。

进魏了翁为华文殿待制、知泸州。了翁应诏上章论十弊，请复旧典以彰新化：一，复三省之典以重六卿；二，复二府之典以集众议；三，复都堂之典以重省府；四，复侍从之典以来忠告；五，复经筵之典以熙圣学；六，复台谏之典以公黜陟；七，复制诰之典以谨命令；八，复听言之典以通下情；九，复三衙之典以强主威；十，复制阃之典以黜私意。疏列万言，先引故实，次陈时弊，分别利害，粲若白黑，帝读之感动。

丙寅，权工部侍郎赵范入见。帝问："近日何者为急？"范奏曰："事有本末，有缓急。奖廉退，去奸邪，此国之本务；国未富，兵未强，此今日之急务也。大农课额，大亏于昔，要必有由。至于兵之未强，则缘诸边近年筑城太多，遂分兵力。国家之兵，聚则不少，散则不多。若能散能聚，可守可战，使江、淮表里皆有可恃之势，则戎马侵突，足以御之矣。"帝问蒙古议和事，范曰："为羁縻之策则可。宣和海上之盟，其初坚如金石，缘倚之太重，备之不至，迄以取祸，此近事之可鉴者。"帝曰："和岂可恃耶！"丁卯，诏："赵葵措置沿边备御，缓急调遣，并听便宜。"

戊辰，礼部郎中洪咨夔请召用崔与之、真德秀、魏了翁，帝然之，命咨夔与王遂并拜御史。咨夔谓遂曰："朝无台谏久矣，要当极本原而先论之。"乃上疏曰："臣历考往古治乱之原，权归人主，政出中书，天下未有不治。权不归人主，则廉级一夷，纲常且不立，奚政之问？政不出中书，则腹心无寄，必转而他属，奚权之揽？此八政驭群臣所以独归之王，而诏之者必天官冢宰也。陛下亲政以来，威福操柄，收还掌握，扬庭出令，震撼海宇，天下始知有吾君；元首既明，股肱不容于自惰，撤副封，罢先行，坐政事堂以治事，天下始知有朝廷；此其大权大政亦略举矣。然中书之弊端，其大者有四：一曰自用，二曰自专，三曰自私，四曰自固。愿陛下于从容论道之顷，宣示臣言，俾大臣克初志而加定力，惩往辙而图方来，以仰称励精更始之意。"帝嘉纳。

己巳，赵葵入见，帝问："金与蒙古交争，和议如何？"葵对曰："今边事未强，军政未备，且与之和。一年无警，当作两年预备；若根本既壮，彼或背盟，足可御敌。臣至淮东，当修车马，备器械，为野战之计，固城壁壕隍，为强边之图，更欲为陛下经理屯田。"帝曰："卿规模甚远，其殚意为朕展布。"

蔡州攻围益急，金尽籍民丁防守，民丁不足，复括妇人壮健者假男子衣冠运木石，金主亲出抚谕之。

金人自东门出战,孟珙遮其归路,得降人,言蔡城中饥,珙曰:"已窘矣,当并力守之,以防突围。"珙与塔齐尔约,南、北军毋相犯。塔齐尔遣张柔帅精兵五千薄城,金人钩二卒以去。柔中流矢如猬,珙麾先锋救之,挟柔以出。

十二月,珙进逼柴潭,立栅潭上,命诸将夺柴潭楼。金人来争,诸军鱼贯而上,遂拔柴潭楼。蔡州恃潭为固,外即汝水,潭高于汝五六丈,城上金字号楼,伏巨弩。相传其下有龙,人不敢近,将士疑畏,珙召麾下饮,再行,谓曰:"柴潭楼非天造地设,伏弩能射远而不可射近。彼所恃此水耳,决而注之,涸可立待。"遂凿堤,潭果决入汝。珙命实以薪苇,蒙古亦决练水,于是两军皆济。

己卯,攻外城,破之,进逼土门。金人驱其老稚熬为油,号人油炮,人不堪其楚,珙遣道士说止之。金帅富珠哩中洛索帅精锐五百,夜出西门,人荷束藁,沃油其上,将烧两军寨及炮具。蒙古兵先觉之,伏于隐处,挽强弩百馀,火发,矢亦发,金兵却走,伤者甚众,洛索仅以身免。两军合攻西城,克之,因堕其城。先是完颜仲德命筑寨浚壕为备,及西城堕,两军皆未能入,但于城上立栅自蔽。仲德摘三面精锐,日夕战御。

金主谓侍臣曰:"我为金紫十年,太子十年,人主十年,自知无大过恶,死无所恨。所恨者,祖宗传祚百年,至我而绝,与古荒淫暴乱之君等为亡国,独为此介介耳!"又曰:"亡国之君,往往为人囚执,或为俘献,或辱于阶庭,或闭之空谷。朕必不至于此!卿等观之,朕志决矣!"以御用器皿赏战士。已而微服率兵夜出东城,谋遁去,及栅,遇敌兵,战而还。杀厩马以犒将士,然其势不可为矣。

庚辰,枢密使薛极罢。极与胡榘、聂子述、赵汝述并附史弥远,最为亲信用事,人谓之"四木"。至是罢,知绍兴府兼浙东安抚使。

戊申,洪咨夔言提举洞霄宫袁韶,仇视善类,谄附史弥远;诏罢祠禄。又劾赵善湘、郑损、陈晐纳赂弥远,怙势肆奸,失江淮、荆襄、蜀汉人心,罪状显著;诏善湘有讨李全功,特寝免,晐与祠,损落职与祠。

是岁,蒙古敕修孔子庙及浑天仪。

端平元年　金天兴三年,蒙古太宗六年【甲午,1234】　春,正月,庚子朔,诏求直言。太府卿吴潜应诏陈九事,忤执政意,罢,奉千秋鸿禧祠。秘书郎董重珍上五事,且曰:"隐蔽君德,昔咎故相,故臣得以专祇权臣;昭明君德,今在陛下,故臣得以责难君父。请召真德秀、魏了翁用之。"帝谓之曰:"人主之职无他,惟辨君子、小人。"重珍对曰:"君子指小人为小人,小人亦指君子为小人。人主当精择人望,处之要津,正论日闻,则必知君子姓名,小人情状矣。"诏兼崇政殿说书。重珍戒家事勿以白,务积精神以窬上意。每草奏,斋心盛服,有密启,则手书削稿,帝称其忠实。

诏举堪为将帅者。

以曾从龙为沿江制置使。

丙午,诏赵范兼淮西制置副使,任防御。

以不擅嗣濮王。

孟珙同蒙古兵围蔡州,会饮,歌吹声相接,城中饥窘,叹息而已。先是辛丑,黑气压城上,日无光,出降者言:"城中绝粮已三月,鞍靴败鼓皆糜煮,且听以老弱互食,诸军日以人畜骨和芹泥食之。又往往斩败军全队,拘其肉以食,故欲降者众。"珙乃令诸军衔枚,分运云梯布城下。

金自被围以来,将帅战没甚众,戊申,以近侍分守四城。蒙古兵凿西城为五门以入,督军鏖战,及暮乃退,声言来日复集。是夕,金主集百官,传位于东面元帅承麟。承麟,世祖之后拜姓之弟也,拜泣不敢受。金主曰:"朕所以付卿者,岂得已哉!以朕肌体肥重,不便鞍马驰突。卿平日趫捷有将略,万一得免,祚嗣不绝,此朕志也。"承麟乃起受玺。己酉,即位。

时孟珙之师向南门,至金字楼,列云梯,令诸将闻鼓则进。马义先登,赵荣继之,万众竞入,大战城上。乌库哩镐及其将帅二百人皆降。时百官称贺,礼毕,亟出捍敌,而南城已立宋帜。俄顷,四面鼓噪夹攻,声震天地。南面守者弃门走。孟珙招江海、塔齐尔之师以入,完颜仲德帅精兵一千巷战,不能御。金主自经于幽兰轩。仲德闻之,谓将士曰:"吾君已崩,何以战为!吾不能死于乱兵之手,吾赴汝水从吾君矣,诸君其善为计!"言讫,赴水死。将士皆曰:"相公殉国,吾辈独不能耶?"于是参政富珠哩小洛索、乌凌阿呼图、总帅元志、元帅裕珊尔、赫舍哩柏寿、乌库哩和勒端及军士五百馀人皆从死焉。

仲德状貌不逾常人,平生喜怒未尝妄发,闻人过,常护讳之,虽在军旅,手不释卷。家素贫,敝衣粝食,终其身晏如也。雅好宾客及荐举人才,人有寸长,必极口称道。其掌军务,赏罚明信,号令严整,故所至军民咸乐为用,危急死生之际,无一人有异志者。南迁以后,将相文武忠亮,始终无瑕者,仲德一人而已。

承麟退保子城,闻金主殂,率群臣入哭,因谓众曰:"先帝在位十年,勤俭宽仁,图复旧业,有志未就,可哀也已!宜谥曰哀。"奠未毕,城破,诸将禁兵共举火焚之,奉御完颜绛山收其骨,将瘗之汝水上。江海入宫,执参政张天纲以归,孟珙问金主所在,天纲以实告曰:"城危时,即取宝玉置小室,环以草,号泣自经,曰:'死便火我。'"烟焰未绝,珙乃与塔齐尔分金主骨及宝玉、法物。承麟亦为乱兵所杀。金亡。

先是金有都提控毕资伦者,为边将所获,因于镇江土狱,胁诱百端,终不肯降,至此已十四年矣。及闻金主自经,叹曰:"吾无所望矣,容吾一祭吾君乃降耳。"主者信之,为屠牛羊,设祭镇江南岸。资伦祭毕,伏地大哭,投江而死。

戊辰,史嵩之露布告金亡,以陈、蔡西北地分属蒙古,蒙古命刘福为河南道总管。嵩之遣郭春按循故壤,诣奉先县汛扫祖宗诸陵。孟珙还屯襄阳,江海还屯信阳,王旻戍随州,王安国守枣阳,蒋成守光化,杨恢守钧州,并益兵饬备,经理屯田于唐、邓。

金穆延乌登行省于息州,与诸将日以歌酒为乐,军士淫纵;蔡州破,与富珠哩中洛索、瓜勒佳玖珠等送款请降,为金主发丧设祭,上谥曰昭宗。州民因奉乌登为丞相,中洛索为平章,举城南迁,遂焚其楼橹。蒙古望见火起,追及于罗山,自万户以下凡七百人皆被杀。

二月,辛未,御史洪咨夔言:"陛下亲政之始,斥逐李知孝、梁成大,天下固已快之。其馀诇事权奸,党私罔上,倡淫黩货,罪大罚轻者,尚在仕籍。"诏俱削秩罢祠。

丁亥,诏:"端平元年正月以前,诸命官贬窜物故者,许令归葬。"

是月,蒙古都元帅张荣破徐州,国安用投水死。

三月,己酉,以贾似道为籍田令。似道,涉子,贵妃弟也。少落魄,为游博,不事操行,以

4003

荫补嘉兴司仓。帝以贵妃故，累擢至太常丞，益恃宠不检，日纵游诸伎家，夜即燕游湖上不返。帝尝夜凭高望西湖中灯火异常时，语左右曰："此必似道也。"明日询之，果然。使京尹史岩之戒之，岩之对曰："似道虽有少年气习，然其才可大用也。"

史嵩之上所获辽道宗、金太宗、世宗宝玺七颗，诏贮封桩库。

辛酉，诏遣太常寺主簿朱扬祖、阁门祗候林拓诣洛阳省谒八陵。

蒙古兵自河南还，俘获甚众，中途逃者十七八，诏居停逃民及资给者灭其家，乡社亦连坐。由是逃者莫敢舍，多殍死道路。耶律楚材从容进曰："河南既平，民皆陛下赤子，走复何之！奈何因一俘囚，连死数十百人乎？"蒙古主悟，命除其禁。

夏，四月，史嵩之遣使以孟珙所获金哀宗遗物及宝玉法物并俘囚张天纲、完颜海罕等献于行都。时相侈大其事，洪咨夔曰："此朽骨耳，函之以葬大理寺可也。第当以金亡告九庙，归诸祖宗德泽。况与大敌为邻，抱虎枕蛟，事变叵测，顾可侈因人之获，使边臣论功，朝臣颂德！且陛下知慕崇政受俘之元祐，独不鉴端门受降之崇宁乎？"帝虽颔之，不悉从也。丙戌，备礼告于太庙，藏金哀宗骨于大理狱库。加孟珙带御器械，江海以下论功行赏有差。

知临安府薛琼问张天纲曰："有何面目到此？"天纲曰："国之兴亡，何代无之！我金之亡，比汝二帝何如？"琼叱之。明日，奏其语，帝召天纲问曰："汝真不畏死耶？"天纲对曰："大丈夫患死之不中节耳，何畏之有！"因祈死不已，帝不听。初，有司令天纲供状，必欲书金主为虏主，天纲曰："杀即杀，焉用状为！"有司不能屈，听其所供，天纲但书故主而已。

监察御史王遂言："史嵩之本不知兵，矜功自侈，谋身诡秘，欺君误国，留之襄阳一日，则有一日之忧。"不报。洪咨夔亦言："残金虽灭，邻国方强，益严守备，犹恐不逮，岂可动色相贺，涣然解体，以重方来之忧？"

丁酉，臣僚言："江淮、荆襄诸路都大提点坑冶吴渊，恃才贪虐，籍人家资，以数百万计。其弟潜，违道干誉，引用匪类。"诏并落职放罢。

五月，庚子，观文殿大学士、致仕薛极卒。

左司郎官李宗勉言四事："守公道以悦人心，行实政以兴治功，谨命令以一观听，明赏罚以示劝惩。"次言楮弊："愿诏有司，始自乘舆宫掖，下至百司庶府，核其冗蠹者节之，岁省十万，则十万之楮可捐，岁省百万，则百万之楮可捐也。行之既久，捐之益多，钱楮相当，所至流转，则操吾赢缩之柄不在楮矣。"拜监察御史。

时方谋出师汴、洛，宗勉言："今朝廷安恬，无异于常时。士卒未精锐，资粮未充衍，器械未犀利，城壁未缮修，于斯时也，守御犹不可，而况进取乎？借曰今日得蔡，明日得海，又明日得宿、亳，然得之者未必可守。万一含怒蓄忿，变生仓猝，将何以济？臣之所陈，岂曰外患终不可平，土宇终不可复哉？亦欲量力以有为，相时而后动耳。愿诏大臣，爱日力以修内治，合众谋以严边防，节冗费以裕邦财，招强勇以壮国势。仍饬沿边将帅，毋好虚名而受实害，左控右扼，勿失机先，则以逸待劳，以主御客，庶可保其无虞。苟使本根壮固，士马精强，观衅而动，用兵未晚也。"

召前江东提点刑狱徐侨为太常少卿，趣入觐；手疏数十言，皆感愤剀切。帝数慰谕之，顾见其衣履垢弊，愀然谓曰："卿何以清贫若此？"侨对曰："臣不贫，陛下乃贫耳。"帝曰："何为？"侨曰："陛下国本未建，疆宇日蹙，权幸用事，将帅非材，旱蝗相仍，盗贼并起，经用无艺，帑藏空虚,民困于横敛,军怨于掊克,群臣养交而天子孤立,国势阽危而陛下不悟。臣不贫,陛下乃贫耳!"又言:"今女谒、阉宦相为囊橐,诞为二竖以处膏肓,而执政大臣又无和、缓之术,陛下此之不虑而耽乐是从,世有扁鹊,将望见而却走矣。"时女冠吴知古得幸,内侍陈洵直用事,故侨论及之。帝为之改容太息。明日,手诏罢边帅之尤无状者,申警群臣,以朋党为戒,命有司裁节中外浮费。赐侨金帛甚厚,侨固辞不受。

丁未,主管官告院张煜进对,帝问以边计,煜对曰:"蒙古非金仇可比,但和议难恃,须选将、练兵、储财、积粟,自固吾圉。俟小使回,可和则姑与之和,然不可撤备。"帝然之。

丙寅,诏:"黄干、李燔、李道传、陈宓、楼昉、徐宣、胡梦昱等,皆阨于权奸而各行其志,没齿无怨,其赐谥复官,仍录用其子。"

建阳县盗发,众数千人,焚劫邵武、麻沙、长平。

金武仙奔泽州,戍兵杀之。

蒙古主大会诸王,申严条令。郭德海尝请试天下僧尼道士,选精通经文者千人,有能工艺者则命小通事哈珠领之,馀皆为民。又请天下置学廪,育人材,立科目,选之入仕。蒙古主颇采其言。

六月,壬申,知建宁府兼福建运判袁甫,请蠲漳州岁纳丁米钱,泉州、兴化军一体蠲放;从之。

戊寅,以乔行简知枢密院事,资政殿学士曾从龙参知政事,大中大夫郑性之签书枢密院事。

先是性之入对,言:"陛下大开言路以通壅蔽,心苟爱君,谁不欲言!言不切直,何能感动!譬如积水,久壅一决,其势必盛,其声必激。故言者多则易于取厌,言之激则难于乐受。若少有厌倦,动于辞色,则谗谄乘间,或不自知矣。愿陛下恐惧戒谨,尤防其微,以保终誉,则朝纲肃而国体尊矣。"

太常少卿徐侨侍讲,开陈友爱大义,帝悟。己卯,诏复巴陵县公竑官爵,有司检视墓域,以时致祭,仍存恤其家。时竑妻吴氏自请为尼,特赐号慧净法空大师,绍兴府月给衣资缗钱。

侨又请从祀周敦颐、程颢、程颐、张载、朱熹,以赵汝愚侑食宁宗,帝皆听纳。

召许应龙为礼部郎官。初,应龙知潮州,盗陈三枪起赣州,出没江西、闽、广间,与钟全相结,势甚炽。枢密陈韡帅江西,任应龙讨捕。应龙调水军、土兵分扼要害,断桥开堑,斩(本)〔木〕塞途,谕统领官齐敏曰:"兵法攻瑕。今钟全残寇将尽,而陈三枪势方猖獗,若先破钟,则陈不战禽矣。"敏如其言,于是诸寇皆平。至是召入对,帝谓之曰:"卿治潮有声,与李宗勉治台齐名。"应龙曰:"民无不可化,顾牧民者如何耳。"迁国子司业。徐侨议学校差职,欲先誉望,应龙以为不若资格,资格一定,则侥幸之门杜而造请之风息,侨然之。

诏殿司选精锐千人,命统制娄拱、统领杨辛讨捕建阳盗。

癸巳,禁毁铜钱作器用并贸易下海。

史嵩之进兵部尚书。

时赵范、赵葵欲乘时抚定中原,建守河、据关、收复三京之议,朝臣多以为未可,独郑清之力主其说。乃命赵范移司黄州,刻日进兵。范参议官邱岳曰:"方兴之敌,新盟而退,气盛锋锐,宁肯捐所得以与人耶?我师若往,彼必突至,非惟进退失据,开衅致兵,必自此始。且千里长驱以争空城，得之当勤馈饷，后必悔之。"范不听。

嵩之亦言荆襄方尔饥馑，未可兴师。

淮西运判杜杲上言曰："臣备员边郡，切见沿淮旱蝗连岁，加以调发无度，辇运不时，生聚萧条，难任征发。中原板荡，多年不耕，无粮可因。千里馈运，士不宿饱。若虚内以事外，移南以实北，腹心之地，岂不可虑？"

乔行简时在告，上疏曰："方今境内之民，困于州县之贪刻，扼于势家之兼并，饥寒之氓，常欲乘时而报怨，茶盐之寇，常欲伺间而窃发。萧墙之忧，凛未可保。万一兵兴于外，缀于强敌而不得休，潢池赤子，复有如江、闽、东浙之事，其将奈何？夫民至愚而不可忽，内郡武备单弱，民之所素易也。往时江、闽、东浙之寇，皆藉边兵以制之。今此曹犹多窜伏山谷，窥伺田里，彼知朝廷方有事于北方，其势不能以相及，宁不动其奸心？臣恐北方未可图，而南方已先骚动矣！愿坚持圣意以绝纷纷之说。"

淮西总领吴潜，亦告执政，论"用兵复河南，不可轻易。以金人既灭，与蒙古为邻，法当以和为形，以守为实，以战为应。自荆襄首纳空城，合兵攻蔡，兵事一开，调度浸广，百姓狼狈，死者枕籍，得城不过荆榛之区，获俘不过暧昧之骨，而吾之内地，荼毒已甚。近闻有进恢复之画者，可谓俊杰。然取之若易，守之实难，征行之具，何所取资？民穷不堪，激而为变，内郡率为盗贼矣。今日之事，岂容轻议！"皆不听。

诏知庐州全子才合淮西兵万人赴汴。时汴京都尉李伯渊、李琦、李贱奴等为崔立所侮，谋杀之，及闻子才军至，伯渊等以书约降，而阳与立谋备御之策。伯渊夜烧封丘门以警动立，立殊不安，一夕百卧起。比明，伯渊等约立视火，从苑秀、折希颜等数骑往。既还，伯渊送之，仓卒中就马上抱立，立顾曰："汝欲杀我耶？"伯渊曰："杀汝何伤！"即出匕首横刺之，立坠马死。伏兵起，元帅三合杀苑秀；折希颜后至，亦被杀。伯渊系立尸马尾至内前，号于众曰："立杀害劫夺，烝淫暴虐，大逆不道，古今无有，当杀之否？"万口齐应曰："寸斩之未称也！"乃枭立首，望承天门祭哀宗，伯渊以下军民皆恸，或剖其心生啖之。以三尸挂阙前槐树上，树忽拔，人谓树有灵，亦不欲为其所污云。

全子才次于汴，赵葵自滁州以淮西兵五万取泗州，由泗趋汴以会之。葵谓子才曰："我辈始谋据关守河，今已抵汴半月，不急攻洛阳、潼关，何待耶？"子才以粮饷未集对，葵督促益急，乃檄钤辖范用吉、樊辛、季先、胡显等提兵万三千，命淮西制置司机宜文字徐敏子为监军，先令西上，又命杨谊以庐州强弩军万五千继之，各给五日粮。

秋，七月，蒙古主谓群臣曰："先帝肇开大业，垂四十年。今中原、西夏、高丽、回鹘诸国，皆已臣附，唯东南一隅，尚阻声教。朕欲躬行天讨，卿等以为何如？"国王塔斯对曰："臣家累世受恩，图报正在今日。臣愿仗天威，扫清淮、浙，何劳大驾亲临！"蒙古主喜曰："塔斯虽年少，英风美绩，简在朕心，终能成我家大事矣。"厚赉而遣之。塔斯，穆呼哩之孙也。

徐敏子启行，遣和州宁淮军正将张迪以二百人趣洛阳。迪至城下，城中寂然无应者，至晚，有民庶三百馀家登城投降，迪与敏子遂帅众入城。蒙古国王塔斯已引兵南下。时汴堤决，水潦泛溢，粮运不继，所复州郡皆空城，无兵食可因。敏子入洛之明日，军食已竭，乃采蒿和面作饼而食之。

杨谊至洛东三十里，方散坐蓐食，蒙古塔齐尔前锋将刘亨安，横槊跃马，奋突而前，南师奔溃,拥入洛水死者无数,谊仅以身免。塔齐尔拊亨安背曰:"真骁将也!"是晚,有溃卒奔告于洛者,在洛之师皆夺气。

八月朔,旦,蒙古兵至洛阳城下立寨,徐敏子与战,胜负相当。士卒乏粮,因杀马而食,敏子等不能留,乃班师。

赵葵、全子才在汴,亦以史嵩之不致馈,粮用不继;蒙古兵又决黄河寸金淀之水以灌南军,南军多溺死,遂皆引师南还。

甲戌,朱扬祖、林拓以《八陵图》上进。帝问诸陵相去几何及陵前涧水新复,扬祖悉以对。帝忍涕太息久之。

初,扬祖等行至襄阳,会谍报蒙古哨骑已及孟津,陕府、潼关、河南皆增屯戍,设伏兵,又闻淮阃刻日进师,众畏不前。孟珙曰:"淮东之师由淮西溯汴,非旬馀不达。吾选精骑疾驰,不十日可竣事。逮师至东京,吾已归矣。"于是珙与二使昼夜兼行,至陵下,奉宣御表,成礼而还。

是月,权知邵武军王埜讨平建阳盗。

九月,壬寅,赵范以入洛之师败绩,上表劾赵葵、全子才轻遣偏师复西京,赵楷、刘子澄参赞失计,师退无律,致后阵覆败。诏:"赵葵削一秩,措置河南、京东营田边备;全子才削一秩,措置唐、邓、息州营田边备;刘子澄、赵楷并削职放罢。"又言杨谊一军之败,皆由徐敏子、范用吉怠于赴援,致不能支;诏:"用吉降武翼郎,敏子削秩放罢。谊削四秩,勒停,自效。"

京湖制置使史嵩之罢,以赵范代之。

冬,十月,召真德秀为翰林学士,魏了翁直学士院。德秀上封事曰:"移江淮甲兵以守无用之空城,运江淮金谷以治不耕之废壤,富庶之效未期,根本之弊立见。惟陛下审之重之!"旋进户部尚书。入见,帝谓曰:"卿去国十年,每切思贤。"德秀以《大学衍义》进,因言于帝曰:"天之所助者顺,人之所助者信。陛下欲祈天永命,唯存乎敬而已。敬者德之聚,仪狄之酒,南威之色,盘游弋射之娱,禽兽狗马之玩,有一于此,皆足害敬。陛下傥能敬德,以迓续休命,中原终为吾有。若徒力求之而不反其本,天意难测,臣实忧之。"

魏了翁入对,首乞明君子、小人之辨,以为进退人物之本,以杜奸邪窥伺之端。次论故相十失犹存。次及修身、齐家、选宗贤、建内学等,皆切于上躬者。他如和议不可信,北军不可保,军实财用不可恃,凡十馀端。复口奏利害,昼漏下四十刻而退。帝皆嘉纳之。

辛卯,参知政事兼同知枢密院事致仕陈贵谊卒。

孟珙留襄阳,招中原精锐之士万五千馀人,分屯漢北、樊城、新野、唐、邓间,以备蒙古,名镇北军。十一月,壬子,诏以襄阳府驻劄御前忠卫军为名,命珙兼领之。

壬戌,太白经天。

十二月,己卯,蒙古遣王檝来责败盟。辛卯,遣邹伸之、李复礼、乔仕安、刘溥报谢。自是河、淮之间无宁息之日矣。

蒙古济南行省严实入觐于和林,授东平路行军万户,偏裨赐金符者八人。先是实之所统凡五十馀城,至是惟德、兖、济、单隶东平。

【译文】

宋纪一百六十七　起癸巳年(公元1233年)四月,止甲午年(公元1234年)十二月,共一年有余。

绍定六年　金天兴二年,蒙古太宗五年(公元1233年)

夏季,四月,壬寅(二十八日),将恭圣仁烈皇后葬于永茂陵。

金国崔立将金国皇帝的礼服、礼帽和皇后的服装进献给蒙古将领苏布特,又搜刮城中金银财宝,并派人四处搜索,用烟熏熏、用水灌,刑讯残酷,金国皇帝的姨母郕国夫人、平章拜牲的妻子、右丞李蹊的妻子都死于棍棒之下。贵族富人不堪忍受其毒打,大家都说:"蒙古攻城的七八天里,从各个城门送出去下葬的人有百万之多,真恨不能当初和他们一同去死。"崔立当时与其妻子入宫,太后和皇后赐给他的财物不计其数。崔立劝太后给金主写信,陈说天时人事,派金主的乳母到归德去劝金主投降。

接着,崔立把太后、皇后、梁王、荆王及诸妃嫔,共用了三十七辆车,送往青城,同时送去的,还有皇族宗室男女五百余人、衍圣公孔元楷以及儒生、和尚、道士、医生、卜者、工匠、绣女等。刘祈暗地感叹道:"汴京是当初我们金国接受宋朝投降的地方,现在我们也到了这个地步了!"苏布特杀死了梁王、荆王及其家属,然后将太后、皇后和妃嫔送到和林。负责管理代表天命的符节的李氏行至宣德州时,在摩诃院的佛像前自缢身亡,死前在院门上写道:"宝符御侍死于此处。"见到的人都十分痛心。后来太后、皇后以及诸妃嫔们,下落不明。

苏布特进入汴京以后,以金国人擅自杀害唐庆为由,逮捕各宰执的家属治罪,从前的宰相侯挚被杀。当时崔立正在城外,蒙古兵进到他家,带走了他的妻、妾,抢走了他家的珠宝玉器。崔立回城后,见状大哭,但也只好如此了。

当初,蒙古有一条规定,凡是所攻之城,如不投降,只要一开战就要屠杀全城官兵及百姓。汴京被攻破以后,苏布特派使者向蒙古君主建议道:"这座城抵抗了我们很长时间,致使我们的士兵有很大伤亡,请允许我杀死全城的官兵及百姓。"耶律楚材听说以后,骑马赶去见蒙古君主,说:"我们的将士在疆场上拼搏几十年,所争夺的就是土地和百姓。得到了土地,却没有百姓,那还有什么用呢!"蒙古君主没有同意苏布特的意见。耶律楚材又说道:"凡是制造弓箭、甲杖、金银玉器的工匠以及官吏富贵之家,都集中在汴京城中,杀了他们,我们就会一无所得,这是徒劳无益的事。"于是,蒙古君主下令,除完颜氏一族以外,其余官民一律赦免。当时因躲避战乱而居信在汴城中的有一百四十万户人家,因此都得到了保全。这一做法为制度确定了下来。

由于汴京城中有很多饥饿的百姓,苏布特便下令允许他们北渡黄河,去寻找生路。

金国总揽唐州、邓州军政事务的武仙临时驻扎在顺阳,与唐州守将武天锡、邓州守将伊喇瑗成掎角之势,计划迎接金主入蜀,于是便前去攻打光化,来势十分凶猛。孟珙率兵逼近武天锡的营垒,一下就夺了过来。壮士张子良,取了武天锡的首级献上,俘获了金军的将士四百余人。孟珙又在吕堰击败金军,俘虏缴获不可胜数。接着又进攻顺阳,武仙败走马蹬山,县令李英和申州安抚张林,都举城前来投降。孟珙对史嵩之说:"对于前来归附的人,应当利用他们的土地,让他们耕种,在他们当中指定长官,征用其中年轻人及壮年人组成军队,让他们自己耕种，自己保卫自己，将土地分给有才能的人，委任给他们一定的职务，交给他们一定的任务，让他们分别招募部属以扼制他们的势力。"史嵩之采纳了这一建议。

乙酉(疑误)，审查行都中的在押囚犯。

五月，金国邓州节度使伊喇瑗举州前来投降。当初，金主派右司郎中白华召集邓州的军队前往汴京救援，但过了很久，此事也没有成功，他一直淹留在驿馆中。等到伊喇瑗率邓州军投降宋朝时，白华也跟随来到襄阳，帅臣任命他为制干，不久改任钧州提督。后来襄阳守将范用吉杀了长吏，效忠蒙古，白华又去依附蒙古。白华作为一个素有声望的学者和权势显赫的官员，在国家危难之时，不能以忠义自处，所以被当时的人所不齿。

金军在卫州百公庙战败以后，富察官努的母亲被蒙古军捕获，金主命令富察官努利用母亲请示议和。富察官努便前去亳州，私下对特穆尔岱说，要劫持金主前来投降。特穆尔岱信以为真，放回了他的母亲，并议定了讲和的计策，富察官努每天来回为议和之事奔走于两军之间，有时与蒙军乘船在河上畅饮。蒙古方面二十余次派遣使者前来议和，金主密令富察官努把金银牌给这些人，不让他们回到蒙古营中去，因此知道了王家寺蒙古营寨中主将所处的位置，富察官努便定下了劫营的计策。端午节这一天，祭天以后，金军准备好发火枪和作战的器具，富察官努乘夜晚率领四百五十名忠孝军登上战船，杀死守卫堤岸的蒙古兵，直奔王家寺特穆尔岱的大营。金主亲临北门，准备好船只，等待富察官努的消息，一旦没有打胜，就准备逃往徐州。到四更的时候，金军与蒙古军交战，忠孝军先是退却，然后开始进击，富察官努分派五、七十名兵卒乘小船从栅栏以外出击，两面夹击，士兵们手持火枪，突入蒙古军中。特穆尔岱支撑不住，大败，淹死三千五百多人，富察官努烧毁蒙古所有营寨，大胜而还。于是，富察官努被金主任命为真左副元帅、参知政事，命习显率其部下守卫亳州。

富察官努打败特穆尔岱以后，气势愈发暴横，他把金主安顿在照碧堂居住，大臣们没有一个人敢前去奏事应对的。金主十分悲愤，流着泪对近侍说："自古以来没有一个国家不灭亡，没有一个国君不死去，但只怨我不能知人善任，才被富察官努这个奴才困在这里。"于是，内侍局令宋珪、奉御纽祜禄温绰、乌古逊爱实等人，秘密商议要诛杀富察官努，又听说蔡州城墙坚固，护城河很深，兵多粮广，大家都劝金主前往蔡州。正好蔡、息、陈、颍等州便宜总帅乌库哩镐押运四百斛米粮到归德，又请求金主前去，金主便决定去蔡州。六月，乙卯(疑误)，富察官努从亳州回来，竭力主张不能去蔡州，甚至扼腕顿足，心怀叵测。从宫中出来以后，向众人发布号令道："敢说南迁者，一律处死。"大家都劝金主早做打算，金主便与宋珪等人谋划，召宰相富察官努前来议事，令纽祜禄温绰在照碧堂门内设下埋伏，富察官努一进门，纽祜禄温绰从后面直刺富察官努的腰肋，金主也拔剑向富察官努砍去，富察官努受伤，跳城逃跑，被纽祜禄温绰、乌古逊爱实追上杀死。忠孝军听说发生事变，都穿上铠甲，纽祜禄温绰请求金主亲自前去抚慰。于是，金主来到双门，赦免忠孝军，以防止他们反叛。

金主因为齐克绅守卫中京有功，下诏书予以褒奖，任命他为中京留守，又派参政、皇族色埒从南山率十余万军队去洛州，总管军政事务。齐克绅在洛州馆驿东侧，营建了一座殿堂，名叫报恩堂，将诏文刻在石头上，愿意以死报效。蒙古军将色埒的儿子从汴京押送到金昌府的东门之下，想劝诱色埒投降，色埒命令左右兵卒用箭射他，以示不屈。不久听说崔立投降的消息，急得患了重病，无法说话，而后死去。金国总帅乌凌阿呼图代替色埒管理军政事务，齐克绅负责管理总帅府事务。一个多月后,粮食吃尽,军民渐渐逃散。蒙古兵再次袭来,列阵于洛水以南,齐克绅列阵于洛水以北。蒙古将领韩元帅单枪匹马立在水边向齐克坤招降,齐克绅跃身上马,拈弓搭箭向他射去。韩元帅奔回本阵,率数百名步兵前来夺桥,金军中有一名兵卒,单独站在桥上抵挡,奋力杀死数名蒙古兵,齐克绅立即亲手解下都统的银牌给他佩戴上,金军的士气重新振作起来。当初,金军在城外筑起了壁垒,四个城角到五个城门,内外都有屏障,称为"迷魂墙",蒙古军派五百名骑兵前来攻打,齐克绅率二百名士兵擂鼓出战,蒙古军退去。总帅乌凌阿呼图认为蒙古兵强势大,便率轻骑携妻子儿女逃往蔡州,金军鹰扬都尉献出西门向蒙古军队投降。齐克绅率领数十名敢死的士兵从东门突围而出,转战到偃师,终因力进而被蒙古军捕获,蒙军将他放在一匹马上,簇拥着胁迫他去见蒙古主帅塔齐尔。齐克绅出言不逊,蒙古士兵劝诱他说:"如果你能向北面弯一下膝,就可以饶你不死。"齐克绅不从。左右的蒙古兵强迫他面向北,齐克绅将头扭向南面,最后被蒙古兵杀死。

辛卯(十八日),金主自归德出发,留下元帅王璧守城。当时因为长时间下雨,大臣和侍从们都徒步行走在泥水之中,采摘青枣作粮食,腿脚都肿了。第二天,到达亳州,金主身穿黄衣,头戴皂笠,腰系金兔鹘带,用一面青旗一面黄旗做前导,用黄伞拥后,仅仅带领二三百名侍从,五十匹马而已。亳州城中的父老百姓都跪倒在路旁,金主派近侍对他们说:"国家养育你们已经有一百多年了,现在因为我没有德行,才让你们生灵被涂炭。我算不上什么,只是希望你们不要忘记我祖上对你们的恩德。"大家都高呼万岁,声泪俱下。金主在城中停留了一天,然后驻扎在亳州城南六十里处,在双沟寺中避雨,寺中满目蒿草,没有人迹,金主叹息道:"生灵已经死尽了。"不禁为此大哭。己亥(二十六日),金主进入蔡州城中,城中百姓在路上排列成行,向金主下拜,大家见金主的仪仗卫队十分萧条,都很感慨悲泣,金主也哽咽了好久。

于是金主便任命完颜仲德为尚书右丞,统管省院事务,任命乌库哩镐为御史大夫,仍为总帅,任命张天纲暂代参知政事,富珠哩小洛索为签书枢密院事。

完颜仲德有文材武略,事无巨细,都亲自去做,他选拔兵士,搜集战马,修缮盔甲兵器,不曾有一天忘掉迎接金主到秦州、巩州的计划。但金主的近侍长期苦于漂泊不定,幸而在蔡州安定了下来,都娶下妻子,治了产业,不愿再迁到秦州、巩州,早晚都说金主不便于西迁。当时蒙古军队距离蔡州尚远,因此商贩们渐渐聚集到此处,金主也安于现状,命令工匠修建见山亭作为游玩休息的地方,又派内侍宋珪选择女子充实后宫,已经选定了数人。完颜仲德进谏道:"普通百姓无知,就会说陛下来到蔡州以后,不想收复国土,谋取大业,而先访求未婚女子来表示要长期居住在这里,百姓虽然愚昧,但却不能不敬畏神明呀!"金主道:"朕因为六宫失散,左右没有人陪伴,所以才让人挑选女子。现在承蒙你规劝,我怎么能不听从你的意见呢?"于是只留下一个能知书识字的女子,其余的人都放还回家了。

完颜仲德决定对献马有功者提高奖赏规格,于是得马一千余匹,他又分别派使者到各道,让他们挑选士卒前来蔡州,这样得到了一万余名精锐士兵,军威才稍微振作了一些。忠孝军提控李德率十余人乘马进入省衙大声喊叫,因为每月的粮食不好,便肆意漫骂,完颜仲德便将李德绑了起来,用杖责打。金主对完颜仲德说:"这支军队作战十分得力,现在又正要倚仗他们,你为什么不容忍他们呢?"完颜仲德回答道:"现在正是多事之秋,弘扬功绩,隐去过错,这自然是陛下的恩德。但对将帅却不能这样做。犯小错误就要处罚,犯大错误就应当诛杀,对于这些强兵悍将,一天都不能不用纪律去约束他们。这是因为,小人的心理是一放纵,他们就会骄横,一骄横,就难以制约。睢阳的变故,也不只是富察官努的罪过,也是因为有关官吏过于放纵他们了。现在应该改弦更张,不应当为了要打胜仗就容忍他们而丧失威仪。凡有功者由陛下奖赏,凡有过者由我来惩罚。"士兵们听说此事以后,再没有敢违犯军法的了。

当时金主的随从近侍都很贫穷匮乏,所用之物都由乌库哩镐供给,由于他不能满足所有人的欲望,这些随从近侍便每天在金主面前说他的坏话,甚至有人说他连饭食都不能满足供应。金主十分生气,便开始疏远乌库哩镐。乌库哩镐忧愤成疾,由此便基本上不再管理事务了。

蒙古耶律楚材请求蒙古君主恩准让孔元楷世袭封为衍圣公,意见被采纳。

秋季,七月,乙卯(十三日),权知广德军石孝隆进奏说,应当珍惜百姓的劳力,宋理宗说:"州县里的课税,年年增加,朕每次听说此事,心里都觉得十分同情。应当爱护百姓,不要违背了这个宗旨。"

孟琪在马蹬山大败金将武仙以后,迫使武仙的部将刘仪投降。孟琪向刘仪询问武仙的虚实,刘仪说:"武仙所占据的九个营寨中,大寨是石穴山,马蹬山、沙窝、岾山三寨阻挡在前面,不攻破这三寨,就无法进击石穴山。如果先攻破离金寨,岾山、沙窝两寨就孤立难支了。"于是孟琪便派兵前去攻打离金寨,几乎杀尽了寨中的金军。当晚,孟琪又命令壮士直捣王子山寨,斩金军将领的首级而还。接着,孟琪便率军围困马蹬山,杀得金军尸积如山。回军后,又在沙窝寨以西与金军交战,大胜。不久,丁顺又攻破了默候里寨,这样,武仙的九个营寨,在六天之内就被攻破了七个。孟琪又召见刘仪,对他说:"这寨被攻破以后,板桥、石穴两寨守军必然十分震惊,你能替我前去招降他们吗?"刘仪请求挑选三百名妇女,身藏招降金军的榜文,伪装成逃回的人们,进了寨。

蒙古武士像 元

孟琪料定武仙已势穷力竭,一定会登上岾山顶窥视宋军情况,便命令樊文彬率军驻扎在山下。不久武仙果然率金军登上山顶,樊文彬挥动令旗,宋军伏兵四起,武仙的军队惊惶失措,杀得金军在崖谷之中尸体枕藉,宋军杀死金将乌沙惹,俘获金军七百三十人,金军丢弃的铠甲堆积如山。傍晚,孟珙率宋军进至小水河。刘仪说:"武仙想前往商州据险防守,但金军中老幼不愿意北去。"孟珙说:"快速进军,不得迟缓。"深夜,孟珙召集樊文彬等人面授机宜,丙辰(十四日),命士兵在寝席上吃饭后马上出发,当时天阴下雨,尚未放晴,樊文彬十分担心,孟珙说:"这正像从前雪夜生擒吴元济的时候一样。"宋军策马飞奔直抵石穴山寨,然后分兵进攻,从寅时一直战到巳时,终于击败金军。武仙败走,宋军追到鲇鱼寨,武仙望见宋军追来,换了衣服逃走。后宋军与金军再次在银葫芦山交战,又大败金军。武仙仅带五六骑逃走,宋军前去追赶,武仙隐藏了起来,宋军没有发现。这一战,共有七万名金兵投降宋军,孟珙得胜回到襄阳。

八月,蒙古都元帅塔齐尔派使者王楫到襄阳,与宋军相约共同攻打蔡州。塔齐尔是博勒呼的堂房孙子。

史嵩之先率兵与蒙古军会合,共同攻打唐州。当时唐州城中粮食已经耗尽,甚至发生了人吃人的事情。金国将领乌库哩黑汉杀死了自己的爱妾给士兵们吃,做官的争相杀死自己的妻子儿女作食物。城中官员聚集在一起商议想献城投降,但乌库哩黑汉却坚决主张死守城池。有一个叫赵丑儿的总领,打开城门迎接宋军入城,乌库哩黑汉便率兵与宋军展开巷战,被宋军俘获,宋军想胁迫他投降,但乌库哩黑汉不屈服,于是宋军杀了他。唐州主帅富察某被家兵吃掉,唐州便投降了宋军。宋军驻扎在息州以南,前来投降的金兵越来越多,息州刺史乌库哩呼噜十分恐慌,请求金主派兵前来增援防守,金主派参知政事穆延乌登、签书枢密院富珠哩中洛索率五百名忠孝军前来增援,金主对他们说:"蒙古军之所以能够经常战胜我们,是因为他们倚仗北方骑兵的力量,再加上中原地区的先进技术,这样我们很难与之对抗。至于宋军,就不值得一提了!假如我有三千名戴甲壮士,就可以纵横江、淮之间。"由于乌库哩呼噜胆小畏缩,金主任命瓜勒佳玖珠取而代之。

九月,壬寅朔(初一),发生日食。

辛亥(初十),在明堂举行大型祭祀仪式,大赦天下。

辛酉(二十日),经筵官请求将皇帝撰写的敬畏上天、效法祖先、侍奉父母、治理家事等四十八条以及《缉熙殿榜殿记》交付史馆。

蒙古将令库裕克率军进攻辽东,舒穆鲁扎拉率黑军首先登城,其他各路军马相继登城,俘获了万努,于是平定了辽东,舒穆噜扎拉是额森的儿子。万努占据辽东共十九年,到现在才被灭掉。

金国派使者完颜阿古岱到宋朝乞求援助粮食,临行前,金主对他说:"宋朝人欠我太多了。朕自从即位以来,一直告诫戍边将领不要侵犯宋朝疆界,戍边的臣下有人要求征讨宋朝,都遭到我的斥责。从前得到宋朝的一个州,马上就还给了他们。最近淮阴前来归降我们,他们宋朝拿很多金银礼物来赎城,朕如果接受了这些财物,便是用这座城与宋朝做交易,我把整个城都还给了宋朝,秋毫无犯。我军在清口与宋军交战,生擒数千人,我们都发给路费遣送他们回去。现在宋朝乘我国危难疲惫之际,占据我们的寿州,诱降我们的邓州,又攻破我们的唐州,他们宋朝的目光也太短浅了。蒙古总共灭掉了四十个国家,然后攻灭了西夏,西夏亡国了,就来攻打我们;我们如果亡国了,一定会去攻打宋朝。唇亡齿寒,这是很自然的道理。如果和我们联合，一方面是为了帮助我们，同时也是为了他们宋朝本身。希望你把这个意思告诉他们。"完颜阿古岱到了宋朝，宋朝不同意借粮。

庚戌（疑误）重阳，金主在节度使厅祭拜上天，文武众臣陪同祭拜。金主对大臣们说："国家自从创业以来，养育你们已经一百多年了，你们有的仰仗你们的祖先为国家立的功绩，有的依靠你们自己为国效劳，纵横沙场多年。现在国家正在危难之时，你们能与朕同命运，共患难，可以说是忠心耿耿。近来听说蒙古兵马上就要袭来，这正是你们建立功勋、报效国家的时机，即使你们为国捐躯，也会成为尽忠尽孝之鬼。你们从前立功，经常怕朝廷不知道，现在临敌作战，我都能亲眼看见，希望你们加倍努力。"然后赏赐大臣们酒喝。酒还没有喝完，巡逻骑兵飞快跑来报告说，敌兵数百已经进攻到了城下，金军将士们听了，个个非常踊跃，都要求出城与蒙古军作战，得到了金主的同意。这一天，分别防守四边城楼及内城的众兵卒出城迎战，蒙古兵溃败而逃。塔齐尔重新率数百名骑兵驻扎在城东，金主派兵与之交战，再次战败蒙古军。此后蒙古军再也不敢靠近城池，只是在城外构筑很长的壁垒用以围城。

冬季，十月，孟珙、江海率二万军队，运米三十万石，应约与蒙古共同攻打蔡州。塔齐尔大喜，加紧修整攻城战具，砍伐木材的声音，一直传到城中，城中更加惶恐，很多人都在私下里商议出城投降。完颜仲德每天都用国家的恩惠、君臣的名分与礼义来抚慰百姓，而且筹划防卫抵抗的办法，不曾回到家中。军民都十分感动和振奋，才开始有固守的信心。

金国裁减多余的官员和兵士，而且确定官吏、军兵每月的俸禄。辛巳（初十），把老人、儿童、病人等饥饿的百姓放出城，后来因为有很多出城的人向敌军说出城中的虚实情况，又中止了这种做法。

甲申（十三日），金国徐州节度副使郭恩与原州反叛将领麻琼相约共同袭击攻破徐州。由于蔡州被围，徐州城中的金国将士无法得到金国朝廷的命令，又迫于外有蒙古军队围城，都商议要出城投降，行省事务总管萨布不听从，又怕被俘获，投河自尽，被士兵救起，最终萨布还是自缢而死。麻琼举州投降蒙古。

蔡州城中的金国人自从被围困以后，害怕粮食接济不上。有一个装神弄鬼的妖人叫乌库哩先生，自称能使士兵不消耗粮食就可以吃饱，建议效法田单假借神师的故事来吓唬敌人，金主很赞成这个办法。参知政事张天纲竭力辩驳，说不能这样做，才算作罢。员外郎王鄂举发乌库哩先生从前的奸诈恶事，金主说："我几乎被这个装神弄鬼的妖人诓骗了。"于是杀死了乌库哩先生。

丙戌（十五日），任命史弥远为太师、左丞相，郑清之为右丞相兼枢密使，增加食邑一千户。任命薛极为枢密使、乔行简、陈贵谊为参知政事。宋理宗对陈贵谊说："刚听了你忧国忧民的话，朕是不会忘记的。"

史弥远拜为左丞相之后，一天，因有病而请求辞职。宋理宗下诏说："史弥远有定国安邦的大功，勤于国事，应当加以优待。"于是，授予他保宁、昭信节度使、充醴泉观使、封为会稽郡王。遵照朝廷的旨意，他的两个儿子、一个女婿和五个孙子都被授予官职。过了八天，乙未（二十四日），史弥远病逝。史弥远做丞相共二十六年，长期处事专断，在朝廷内外有很大势力。他当初想反对韩侂胄的做法，召集贤良有才干的大臣，分布于朝廷。待到济王未得善终，很多人议论纷纷，他便专门任用巧言谄媚、行为卑鄙的人为台谏，一时间，正人君子几乎全都被贬斥。宋理宗感念他拥戴之德，凡他说的话都照办，他死后仍封官加谥，对他宠爱如故。

十一月，乙巳（初五），给事中莫泽，指控提举千秋鸿禧观梁成太残暴狠毒，十分贪婪，苟且卑贱，十分无耻，于是便停止了梁成大的职务，升莫泽为刑部尚书。不久御史台大臣一起弹劾莫泽贪婪淫邪，刚愎自用，残害忠良，又指责工部尚书李知孝贪得无厌，这些人都被罢免。这三个人一同依附史弥远，排斥贤德的人；梁成大的心术尤其险恶狠毒，凡是遇到能够残害忠良之事，都积极去做，各方面贿赂给他的东西，都陈列在堂屋，引宾客观看，让他们效仿。他还强占皇帝赏赐给宇文氏的宅第。梁成大被停职后，对他提出控诉的有数百人之多，朝廷下令拆毁他的房屋。即使是李知孝也十分鄙视他的为人，他曾说："我所不能忍受的，就是将来史官把我和梁成大写在同一篇列传里。"到了现在，三个人都被贬谪，不久被发配到边远州县，朝廷也追回了封赠给他们的爵位俸禄，天下之人都拍手称快。

丙午（初六），宋理宗下诏将第二年改元为端平元年。宋理宗开始亲自治理朝政，励精图治。郑清之也把改革朝政，兴利除弊作为自己的任务，召纳贤良有才能的人，并提拔使用他们。

征召陈埙为枢密院编修官。他入宫回答宋理宗的提问时首先说："天下的安危在于宰相。国都南迁以来，我们屡次失掉了良机。秦桧死后，任用的是万俟卨、沈该；韩侂胄死后，任用的是史弥远。所以，现在再任用宰相，应该十分慎重。"接着，他又说："在皇宫之内，应该严格对宦官的禁令，在朝廷之外，应该严格选用台谏。"宦官陈洵在暗地里中伤陈埙，监察御史王定也弹劾他，只好把他派往常州当知府。

晋升魏了翁为文华殿待制、兼知泸州府事。魏了翁应理宗之诏，上疏谈论十弊，请求恢复从前的制度以整顿风气：第一，恢复三省制度以重视六卿；第二，恢复二府的制度以搜集众人的意见；第三，恢复都堂的制度以重视省府；第四，恢复侍从制度以招来众人的忠告；第五，恢复经筵制度以兴圣学；第六，恢复台谏制度以公正处理事务；第七，恢复制诰制度以严肃命令；第八，恢复听取各方面意见的制度以了解下面的情况；第九，恢复三衙制度以增强皇帝的威信；第十，恢复制閫制度以杜绝个人专断。魏了翁的上书约有一万字，先引述史实，再陈述时弊，区别利弊，十分清楚，宋理宗看后非常感动。

丙寅（二十六日），代理工部侍郎赵范入宫求见皇帝，宋理宗问他："现在什么事情最紧迫？"赵范回答说："事情都有本末、缓急之分。奖励廉洁谦让的人，除掉奸诈邪恶的人，这是治理国家最根本的事情；国家还没有富足，军队还没有强大，这是现在最紧迫的事情。以前向农民征收很多赋税，如今收不上来，造成很大的亏空，其中必有原因。至于说到军队还不强大，则是因为各个边境地区近年来构筑城池过多的缘故，导致兵力过于分散。国家的兵力，聚集起来数量并不少，但一分散开来，就显得不多。如果做到能聚能散，可守可战，使得江淮内外都出现可以倚仗的形势，那么即使突然发生战事，也是完全可以抵御的。"宋理宗向他询问与蒙古和谈之事，赵范回答说："作为一种束缚对方的策略还是可以使用的。宣和年间与金国的海上之盟，起初坚如金石，坚信不疑，由于过分依赖它，没有做好充分的准备，最后终于导致祸殃，这是发生在最近的事，值得借鉴。"宋理宗说："议和哪能靠得住啊！"丁卯

（二十七日），朝廷下诏书说："由赵葵处理沿边地区的防御战备事务，轻重缓急随时调遣，都由他视情况而定。

戊辰（二十八日），礼部郎中洪咨夔请求征召任用崔与之、真德秀、魏了翁，宋理宗同意，任命洪咨夔与王遂二人为御史。洪咨夔对王遂说："朝廷已经很长时间没有设置御史台和谏官了，我们要首先抓住最根本的问题上奏给皇帝。"于是便上疏道："我们考察从前历代治乱兴衰的原因，只要是权力掌握在皇帝手中，政令由中书省发布，天下没有不安定的，如果皇帝不掌握权力，廉洁奉公的官吏，得不到褒奖，纲常尚且建立不起来，哪里还谈得上政令呢？政令如果不是出自中书省，则皇帝无所倚靠，权力必然会转移到别的地方，还怎么控制权力呢！这就是古人所说的利用八政的方法驾驭群臣，而权力全部归王所有，而代表皇帝行使这种权力的一定要是天官冢宰。陛下亲政以来，显示威仪，权柄收回，自己掌握，朝廷扬威，号令天下，海内震动。天下百姓才知道有陛下；国家首脑的地位既然明确了，股肱大臣也就无法偷懒，撤销副封，罢黜先行，在政事堂处理国家政事，全国各地才知道有朝廷；这样，国家的大权和大政也就大致可以集中管理了。但在中书省方面仍存在弊端，其中最主要的有四个方面：一是刚愎自用，二是擅自专断，三是自私自利，四是故步自封。希望陛下在谈论政事的时候，向大臣们宣示我的话，要他们实现初衷，更加努力，汲取从前的教训，共图未来振兴大业，从而达到励精图治，重新开始的设想。"理宗十分赞成这一建议。

己巳（二十九日），赵葵觐见皇帝，宋理宗问道："金国与蒙古先后争着要与我们议和，我们议和怎么样？"赵葵回答道："现在我们边防的实力还不强大，军事政治方面的准备还不充分，可以暂且与他们议和。如果边境上一年没有警报，我们也要做两年的准备。如果我们根基强大了，对方即使背弃与我们的联盟，我们也有足够的力量抵御它的进攻。我到淮东以后，修整车马，准备作战器具，作野战的准备，加固城墙，挖深护城河，作加强边境防御能力的计划，我还想为陛下经营屯田事务。"宋理宗说："你想得很远，希望你竭尽全力为朕去实施。"

蔡州被围攻，情况更加紧急，金国抽调所有成年男子都来防守城池，由于男子不够，又征集强壮的妇女穿上男子的服装，运送木石，金主亲自出来抚慰他们。

金人从东门出城作战，被孟珙截断回城的归路，据抓到的降卒说，蔡州城中非常缺乏粮食，孟珙说："城中已经十分困难了，我们一定要尽全力防守，以防止金军从城中突围。"孟珙与塔齐尔约定，宋军与蒙古军互不侵犯。塔齐尔派部将张柔率领五千精兵逼近蔡州城，被金军钩去了两名士兵。张柔身上多处中箭像刺猬一般，孟珙率先锋去救他，将他带出。

十二月，孟珙逼近柴潭，在潭上设立棚栏，命令诸将夺取柴潭楼。金军前来争夺，宋军各路人马鱼贯而上，一举夺取了柴潭楼。蔡州城本来倚仗柴潭固守，柴潭靠近汝水，潭水比汝水高出五、六丈，城上有一座金字号楼，设有巨大的弩机。传说下面有龙，人们都不敢靠近，宋军将士都十分疑虑和害怕，孟珙召集部下饮酒，第二次到那里时，孟珙对大家说："柴潭楼并非天造地设，弩箭只能射远处而无法射近处。金军倚仗的只不过就是潭水，我们把柴潭决开，注入汝水，柴潭马上就会干涸。"于是，宋军凿开堤坝，潭水果然流入汝水。孟珙命人在潭中垫上柴草芦苇，蒙古军队也决开练水，于是双方军队都过了河。

己卯（初九），开始进攻蔡州的外城，攻破以后进逼土门。金人将老人、儿童熬炼成油、号称"人油炮",百姓痛苦不堪,孟珙派道士前去劝说,才制止了这种做法。金国元帅富珠哩中洛索率五百名精兵,乘夜从西门出城,每人都扛着一捆柴草,在柴草上面浇上油,准备放火烧毁宋军和蒙古军的营寨以及炮具。蒙古军首先发觉了这一企图,埋伏在隐蔽之处,拉开一百余张强弩,金军刚一放火,蒙古军便开始射箭,金军立即退走,有很多士兵受伤,富珠哩中洛索仅仅逃得活命。宋蒙两军联合攻打西城,打下来以后,拆毁了它的城墙。在此以前,完颜仲德下令构筑营寨,疏浚护城河以防备进攻,到了西城被毁后,宋、蒙两军都未能攻入,只好在城上树立栅栏防护。完颜仲德集中三方面精锐兵力,日夜抵御。

金主对侍臣们说:"我为官十年,做太子十年,做皇帝十年,自以为没有大的过错,也没有做过恶事,所以死而无憾。遗憾的是,祖先创业一百多年,到我这里灭绝了,与古代荒淫暴乱的国君一样亡国,我就为此而耿耿于怀。"又说:"亡国的君主,一般都被囚禁,有的被当作俘虏献上,有的阶下受辱,有的被幽闭在空旷的山谷,朕一定不会沦落到这种地步。你们看着吧,朕已经下了决心了。"金主将御用的器皿赏赐给战士们。然后改换一般服装率士兵乘夜出东城,想逃走,到栅栏时遇到敌兵,交战以后只好退回,杀死厩里的马来犒赏将士,但此时大势已去了。

庚辰(初十),枢密使薛极被罢官。薛极与胡榘、聂子述、赵汝述一起依附史弥远,最受史弥远的信用提拔,人称之为"四木"。这时薛极被罢官,改任知绍兴府事兼浙东安抚使。

戊申(疑误),洪咨夔指责提举洞霄宫袁韶,说他仇视正人君子,向史弥远谄媚讨好,理宗下诏停止袁韶的祠禄。洪咨夔又弹劾赵善湘、郑损、陈晐向史弥远行贿,倚仗其势力,肆意为非作歹,从而丧失了江淮、荆襄、蜀汉的人心,罪恶昭彰。理宗下诏说由于赵善湘讨伐李全有功,特赦免其罪,陈晐担任宫观官,郑损削职,担任宫观官。

这一年,蒙古下诏修建孔子的庙宇和浑天仪。

端平元年　金天兴三年,蒙古太宗六年(公元1234年)

春季,正月,庚子朔(初一),宋理宗下诏征求直言。太府卿吴潜应诏陈述九件事,违背了执政者的意旨,被罢黜,奉管千秋鸿禧祠。秘书郎董重珍上疏陈述五件事,而且说:"隐瞒君主的恩德,从前就归罪于宰相,旧臣能够专门攻击有权有势的大臣;要彰明君主的恩德,就看陛下如何去做,旧臣能够指责君主。请陛下召见真德秀、魏了翁并任用他们。"宋理宗对他说:"人主的职责没有别的,只是辨别谁是君子,谁是小人。"董重珍回答说:"君子指责小人是小人,小人也指责君子是小人。人主要善于分析众人的意见,把君子放在重要职位上,准确辨别每天听到的言论,就一定会知道君子的姓名和小人的情况了。"宋理宗下诏令董重珍兼任崇政殿说书。董重珍告诫家人不要对他讲自己家中的事,好集中精力领会皇帝的意旨。每次起草奏章,都要清心洁身,穿上盛装,凡有秘密奏章,都亲自书写并加以删改,皇帝赞赏他的忠实。

宋理宗下诏举荐能够担任将帅职务的人。

任命曾从龙为沿江制置使。

丙午(初七),下诏任命赵范兼淮西制置副使,负责防御事务。

任命赵不擅为嗣濮王。

孟珙与蒙古军队围困蔡州,共同畅饮,歌舞吹奏之声不绝于耳,城中金人饥饿困迫,听到城外歌舞之声,叹息不已。在此以前,辛丑(初二),蔡州城上方笼罩着一团黑气,太阳也没有了光辉,出城投降的人说:"城中已经断粮三个月了,马鞍、皮靴、破鼓皮都被煮烂吃掉了,而且听任老弱互相食用,各路士兵每天以人和牲畜的骨头和着燕子筑巢的泥做粮食。还往往杀死全部战败的士兵,用他们的肉充饥,所以有很多人想投降。"孟琪命令各路军队口中衔着木片,分头将云梯架到了城下。

金人自从被围困以后,有很多将帅相继战死,戊申(初九),让近侍分别守卫四城。蒙古军队在西城凿开了五个门洞攻进城中,督促各路人马与金军激战,到傍晚方才退回,扬言第二天继续进攻。当天晚上,金主召集百官,将皇位传给东面元帅完颜承麟。承麟是金世祖的后代,拜朓的弟弟,他哭着拜倒在地,不敢接受皇位。金主说:"我把皇位托付给你,也是迫不得已呀!因为我身体又胖又重,不便于骑在马上奔跑。你平时身体矫健,有将帅的才能,万一你能够幸免于死,我们的皇族也不至于灭绝,这就是朕所希望的。"承麟这才起身接受了皇帝的玉玺。己酉(初十),承麟即位。

这时孟琪的军队冲向南门,到达金字楼,架好云梯,命令诸将听见击鼓就进攻。马义率先登城,赵荣紧随其后,众多宋军竞相杀入城中,在城头与金军展开激战。乌库哩镐及其部下将帅共二百人都投降了宋军。当时金国百官正在称贺承麟即位大事,典礼完后,赶快出宫抵抗,这时南城已经树起了宋军的旗帜。不一会儿,四面战鼓大作,两面夹攻,喊声震天动地。金国南面守军弃城门而逃。孟琪招呼江海、塔齐尔的军队入城,完颜仲德率一千名精兵与宋军、蒙古军展开巷战,但无法抵抗。金主在幽兰轩自缢而死,完颜仲德听说后,对将士们说:"我们的君主已经驾崩,还打什么呢?我不能死在乱军之手,我跳汝水之中去追赶皇帝的亡灵了,请各位好自为之吧。"说罢,跳水而死。金国将士们说:"相公以身殉国,我们怎么就不能为国尽忠呢?"于是,参政富珠哩小洛索、乌凌阿呼图、总帅元志、元帅裕珊尔、赫舍哩柏寿、乌库哩和勒瑞以及五百多名士兵也都在此投河而死。

完颜仲德貌不惊人,平时不轻易表露喜怒情绪,听到别人的过失,常常加以护讳,虽然身在军队之中,却手不释卷。家中一直很清贫,穿粗布衣服,吃糙米饭,一生都是这样。喜欢结交宾客和举荐人才,别人有一点长处,他都竭力称赞。他处理军中事务,赏罚分明,言而有信,号令严明,所以他到的地方,士兵、百姓都乐意为他效劳,在危急生死关头,没有一个人背叛他。金国国都南迁以后,在将相文武大臣之中,始终如一,无可挑剔的,只有完颜仲德一人而已。

承麟退保子城,听说金主已死,便率群臣入宫痛哭,然后对众人说:"先帝在位十年,勤俭宽厚仁慈,力图恢复从前的旧业,但却没有实现这一志向,真是值得哀痛啊!应该加谥号为'哀'。"祭奠仪式尚未完成,城池被攻破,诸将和禁卫军一起用火焚烧了哀宗的尸体,奉御完颜绛山收集了哀宗的遗骨,想把它安葬在汝水旁。江海冲入宫中,抓获金国参政张天纲并把他带回军中;孟琪问金主在何处,张天纲以实相告,说:"城池危急时,皇帝拿着宝玉放在小屋之中,四周放上草,号哭自缢而死,临死之前说:'我死后就烧了我。'"火焰还未灭绝,孟琪便与塔齐尔瓜分了金主的遗骨和宝玉、法物,承麟也被乱兵杀死。至此,金国灭亡。

在此以前,金国有一个叫毕资伦的都提控,被宋朝边防将领俘获,囚禁在镇江的土狱之中,虽然百般威胁利诱,最后还是不肯投降,到现在已经十四年了。等到听说金主已经自缢

4017

身亡,他长叹道:"我没有什么可盼望的了,请让我祭奠一下我的君主,然后投降。"主事的人信以为真,为他杀牛宰羊,在镇江南岸设立祭坛。毕资伦祭奠完毕,伏在地上大哭,然后投江而死。

戊辰(二十九日),史嵩之发布公告,告诉大家,金国已经灭亡,将陈州、蔡州西北地区分割给蒙古,蒙古任命刘福为河南道总管。史嵩之派郭春巡视故土,到奉先县洒扫祖先陵墓。孟珙还师屯戍襄阳,江海还师屯戍信阳,王旻戍守随州,王安国戍守枣阳,蒋成戍守光化,杨恢戍守钧州,并在唐州、邓州增兵戒备,经营屯田。

金国穆延乌登总管息州军政事务,与部下诸将每天歌舞,饮酒作乐,士兵也十分淫乐放纵;蔡州被攻破以后,穆延乌登与富珠哩中洛索、瓜勒佳玖珠等送去钱款请求投降,为金主发丧,设祭坛祭奠,追加谥号为"昭宗"。息州百姓推举穆延乌登为丞相,富珠哩中洛索为平章,全城南迁,并将战船器具放火烧掉。蒙古军望见火光,在罗山追赶上金军,金息州官员万户以下共七百人都被杀死。

二月,辛未(初二),御史洪咨夔上书说:"陛下亲理国事以来,贬斥了李知孝、梁成大,天下百姓固然已经拍手称快。但其他向权奸谄媚、结党营私、欺骗陛下、贪财好色、罪大恶极却受罚轻的人,还在做官。"理宗下诏削减这些人的俸禄并免去他们的祠禄。

丁亥(十八日),理宗诏令:"端平元年正月以前,被贬斥或逃跑的官员,凡已死去的,允许回原籍安葬。"

这一个月,蒙古都元帅张荣攻破徐州,国安用投水而死。

三月,己酉(十一日),任命贾似道为籍田令。贾似道是贾涉的儿子,贵妃的弟弟。他年轻时落魄为游民赌徒,不注意操守德行,借助祖先荫功被任命为嘉兴司仓。理宗由于贵妃的缘故,逐渐提拔他做了太常丞,但他更加倚仗恩宠,丝毫不加检点,每天到各家妓院鬼混,到夜里便在湖上设宴,游乐忘返。理宗曾经在夜里登高,望见西湖中灯火与平时不同,对左右侍从说:"这一定是贾似道在那里。"第二天一问,果然是他。皇上派京尹史岩之告诫他,史岩之回答说:"贾似道虽然有年轻人的坏习气,但他却很有才干,可以重用。"

史嵩之将缴获的辽道宗、金太宗、金世宗的七颗宝玺献给皇帝,皇帝下令将其贮存在封桩库里。

辛酉(二十三日),理宗下诏派太常寺主簿朱扬祖、阎门祗侯林拓到洛阳拜祭先祖的八个陵墓。

蒙古军队从河南北还,带回很多俘虏,中途有十分之七、八的人都逃跑了,蒙古君主下诏,凡是收留逃跑的俘虏并资助他们的人,一律杀死其全家,其乡里也要跟着受到株连。所以谁也不敢收留逃跑者,这样又有很多人饿死在路上。耶律楚材从容劝告蒙古君主说:"河南既然已经平定,百姓就都是陛下的赤子,他们能逃到什么地方去呢?为什么因为一个俘虏,而株连数十人甚至上百人呢?"蒙古君主这才醒悟过来,命令解除这一禁令。

夏季,四月,史嵩之派使者将孟珙缴获的金哀宗的遗物以及宝玉、法物和俘获的囚犯张天纲、完颜海罕等进献到行都杭州。

当时有很多人都过分夸大这件事,洪咨夔却说:"这不过是一堆朽骨罢了,把它装在匣子里埋在大理寺就可以了。但是要把金国灭亡的消息告知九庙,并把这一功绩归于祖宗的恩泽就行了。况且现在强大的敌人就在我们的旁边,我们犹如抱着老虎、枕着蛟龙睡觉,以后发生什么事还很难预料。怎么能夸大借他人之力,才取得的一点胜利,而且让边防大臣论功行赏,朝中大臣歌功颂德呢?而且陛下只知羡慕元祐年间在崇政殿接受献俘,怎么不引崇宁年间在端门受降之事为鉴呢?"理宗虽然点头称是,但心里却没有完全同意他的意见。丙戌(十八日),预备礼仪祭告太庙,将金哀宗的遗骨收藏在大理寺监狱的库房之中。作为嘉奖,允许孟珙可以佩戴御赐的器械,江海以下将士都分别论功行赏。

知临安府事薛琼问张天纲:"你有什么面目到这儿来?"张天纲说:"国家的兴亡,哪一个朝代没有呀?我们金国的灭亡,怎么能和你们宋朝二帝被俘的事相比呢?"薛琼大声斥责张天纲。第二天,薛琼把张天纲的话上奏给理宗,理宗召见张天纲,问道:"你真的不怕死吗?"张天纲回答说:"大丈夫怕死的没有气节,怎么能怕死呢?"然后不停地要求杀死自己,理宗不听。当初,有关官吏命令张天纲写供词,让他称金主为"虏主",张天纲说:"要杀就杀,还写什么供词?"有关官吏不能让他屈服,只好随他的意愿书写供词,张天纲在供词上只写"故主"而已。

监察御史王遂上书道:"史嵩之本来不懂军事,但居功自夸,使用阴谋诡计,欺骗君主,贻误国家大事,让他在襄阳多呆一天,就有一天的隐患。"他的意见没有得到答复。洪咨夔也说:"残余的金国虽然灭亡了,可是邻国蒙古还十分强大,加紧防卫,还恐来不及,怎么能动辄就庆功贺喜,使人心涣散,使国家解体,加深即将来临的忧患呢?"

丁酉(二十九日),有大臣上疏说道:"江淮、荆襄诸路都大提点坑冶吴渊,倚仗才能,贪婪暴虐,抄没别人的家财达到数百万之多。他的弟弟吴潜违反制度,追求名誉,任用盗贼。"理宗下诏将二人一起削职流放罢官。

五月,庚子(初二),观文殿大学士、已退休的薛极病故。

左司郎官李宗勉上书陈述四件事:"把握公道以赢得人心,推行切合实际的政策以取得治理的功效,慎重地发布命令以统一人们的视听;赏罚分明以昭示劝诫和惩罚。"然后他又陈述财政方面的问题:"希望陛下命令有关部门,从宫中所用之车辆、房舍开始,下至百官富庶之家,核查那些冗员、蠹虫式的人物,并把他们裁减掉,厉行节俭,一年节省十万,就有十万的钱币可以捐献,一年节省一百万,就有一百万的钱可以捐献。节省的时间越长,捐献的也就越多。积攒到相当数量,就可以逐渐周转。那样我们进退胜负的关键就不在钱财了。"李宗勉因此被任命为监察御史。

当时正计划出征汴京、洛阳,李宗勉说:"现在朝中安定太平,就像平常时一样。士兵训练得还不够精锐,物资和粮食也不充足,作战器械也还不锐利,城墙也没有得到修缮,在这种情况下,防御都不可能,怎么能进攻呢?假如说今天我们可以攻取蔡州,明天攻取海州,后天攻取宿州、亳州,然而我们得到的地方却未必守得住。万一与蒙古积下怨仇,仓促之间发生变故,我们用什么抵挡呢?按我这种观点是不是说外患永远无法平定,国土永远不能收复呢?我只是说要量力而行,伺机而动罢了。希望陛下诏示大臣们,珍惜今天的人力物力以整治内部,综合众人的谋略严守边境,节省多余的费用以充裕国家的财力,招募强健勇敢的人们来壮大国家的势力。还要告诫边防上的将帅们,不要贪图虚名而受到实际的危害,顾了这头,顾不了那头,要不失时机,就能以逸待劳,以主御客,这样就可以保证不发生意外了。假如根基稳固了,兵强马壮,我们就可以相机而动,到那时再出兵也不晚。"

宋理宗召见前江东提点刑狱徐侨,并任命他为太常少卿,徐侨急忙入见,他亲手上疏数十言,都十分令人感动悲愤,非常恳切。理宗多次安慰他,看见他的衣服非常破旧,便不忍地问道:"你怎么清贫到如此地步?"徐侨回答道:"我并不贫穷,陛下才贫穷呢!"理宗问:"为什么?"徐侨道:"陛下还没有将国家的根基建立起来,国土越来越少,宠幸的臣下玩弄大权,将帅不称职,旱灾蝗灾不断,盗贼并起,国家财力物力使用无度,国库空虚,百姓苦于横征暴敛,士兵怨恨克扣军饷,群臣们养尊处优,彼此结党营私,陛下则处于孤立的地步,国家已经如此危急而陛下还不醒悟,所以说我不贫穷,陛下才贫穷呢!"徐侨又说:"现在内宫女眷和宦官互相包庇,这两种人生下了两个病魔,已经进入膏肓,而执掌政务的大臣又没有医和、医缓两位医家那种妙手回春的医术,陛下不考虑这个问题,却沉溺于享乐之中,即使扁鹊那样医术高明的人在世,遇到这样的情况也会望而却步回身逃跑的。"当时皇帝宠幸女道士吴知古,内侍陈洵直当权,所以徐侨这样说。理宗听了以后正色叹息。第二天,理宗亲自下诏书罢斥边防将帅中非常无德行的人,并警告群臣,要以朋党的祸患为鉴戒,同时命令有关部门裁减朝廷内外虚浮不实的支出。赏赐给徐侨很多金银玉帛,徐侨坚决辞让不肯接受。

丁未(初九),主管官告院张煜进宫回答皇帝的询问,理宗向他问起边境事务,张煜回答说:"蒙古不是仇敌之国金国可以比拟的,但议和是很难靠得住的,一定要选拔将帅、训练士兵,储备财物,积蓄粮食,以巩固我们的边防。等去蒙古的使者回来,我们看情况,可以议和就暂时先与蒙古议和,但决不能撤除戒备。"理宗同意这一观点。

丙寅(二十八日),下诏说:"黄干、李燔、李道传、陈宓、楼昉、徐宣、胡梦昱等人,都遭受权奸的迫害,但却依然为公行事,虽死无怨,特赐谥号恢复官职,继续任用他们的后代。"

建阳县出现强盗暴乱,聚众数千人,焚烧抢劫了邵武、麻沙、长平。

金国的武仙逃奔到泽州,被守军杀死。

蒙古君主会集诸王,重申严肃条令。郭德海曾请求让天下僧人、尼姑、道士参加考试,选拔出一千名精通经文的人,有懂得工艺的,就由小通事哈珠统领,其余都让他们还俗做普通百姓。又请求在全国设置学堂,培育人才,建立科目,选拔其中优秀的为官。蒙古君主很愿意采纳他的建议。

六月,壬申(初五),建宁府知府兼福建运判袁甫请求减免漳州每年交纳的丁米钱,对泉州、兴化军的丁米钱也一起减免,朝廷同意。

戊寅(十一日),任命乔行简为知枢密院事,任命资政殿学士曾从龙为参知政事,大中大夫郑性之为签书枢密院事。

在此以前,郑性之曾入宫回答问题,他对理宗说:"陛下广开言路了解情况,如果心里敬爱君主,谁不想提建议呢!如果言辞不正直切中要害,怎么能感动君主呢!这就像积聚的水一样,堵塞的时间长了,一旦决开,水势必然很大,发出的声音也一定很响。所以提建议的人多,容易招致厌恶,言辞过于激烈则难以使君主乐于接受。如果君主对这些提建议的人稍稍感到厌倦,在言辞、脸色上会表现出来,进谗言、谄媚阿谀的人就会乘虚而入,挑拨离间,有时君主也许都不知道呢。希望陛下时刻小心戒备这些人,尤其要防微杜渐,以便始终保持臣下对您的赞誉,这样才能严肃朝纲,而国家体制才会受到尊重。"

太常少卿徐侨为皇帝讲学,讲说友爱之大义,理宗醒悟,己卯(十二日),下诏恢复巴陵县公赵竑的爵位,命有关部门检查其墓地,按时祭奠,继续抚恤他的家属。那时,赵竑的妻子吴氏自动请求做尼姑,理宗特地赐予她慧净法空大师的法号,绍兴府每月资助给她衣物及钱财。

徐侨又请求祭祀周敦颐、程颢、程颐、张载、朱熹,并以赵汝愚配享于宁宗,理宗都听从并采纳了他的意见。

召许应龙任命为礼部郎官。

当初,许应龙任潮州知府时,盗贼陈三枪在赣州起事,出没于江西、闽、广之间,与钟全互相勾结,声势很大。枢密陈韡为江西统帅,派许应龙前去征讨围捕。许应龙调动水军以及当地士兵分别扼守住要害的地方,拆断桥梁、开凿沟堑,将树木砍断堵塞道路,对统领官齐敏说:"兵法上说要攻其不备。现在钟全是残兵败将,即将消灭,而陈三枪的势力还正猖獗,如果首先去破钟全,那么陈三枪就不攻自破了。"齐敏按照许应龙说的去做,于是各地的强盗都被平定了。这时许应龙被召入宫,理宗对他说:"你治理潮州很有声望,与李宗勉治理台州一样有名。"许应龙说:"百姓没有不能教化的,只是看治理百姓的人怎么做。"许应龙被升迁为国子监司业。徐侨在谈论学校的职务时,认为首先应该注重声望;许应龙认为声望不如资格重要,因为资格一旦确定,则投机取巧的门路就被杜绝了,也就制止了登门求情的风气,徐侨也同意他这种说法。

理宗下诏令殿司选拔一千名精锐士兵,命统制娄拱、统领杨辛讨伐围捕建阳的盗贼。

癸巳(二十六日)禁止毁坏铜钱做器物以及出海贸易。

史嵩之升任兵部尚书。

当时赵范、赵葵准备乘机安抚平定中原,提出防守黄河、据有关中、收复三京的建议,朝中大臣大多认为不可行,唯独郑清之竭力主张这种说法。于是命令赵范移驻黄州,约定日期进兵。赵范的参议官丘岳说:"对于蒙古这个正在兴起的敌国,刚与我们结盟以后北还,其气势正盛,锋芒十分锐利,难道肯把它得到的地方让给别人!我们的军队如果前去,蒙古军必然马上打过来,那时我们不仅是前进后退均无所凭依,双方构恶交战,一定会从这里开始。况且我们长驱千里,只是为了争夺一座空城,得到了以后,我们就得经常向那里运送粮饷,将来一定要后悔的。"赵范不听。

史嵩之也说荆襄正在闹饥荒,不能兴师出征。

淮西运判杜杲上疏说:"我在边郡地区任职,亲眼看见淮河沿岸的旱灾、蝗灾连年不断,加上征调无度,水陆运输不及时,繁殖人口,聚积物力十分困难,到处一片萧条景象,难以承受征发任务。中原地区动荡不宁,很多土地已经荒芜多年了,根本无法取得粮食。如果我们从千里之外向那里运粮,战士们也无法保证吃饱。如果在内部空虚的情况下对外用兵,把南部的兵力充实到北方,心腹之地,不就令人担忧了吗?"

乔行简当时正告假在家,也上疏道:"现在国内的百姓,苦于州县官员的贪婪刻毒,受到势家大族的兼并,饥寒交迫的游民,经常企图乘机发泄怨气,贩卖私盐、私茶的强盗,经常企图乘机发难。内部的祸患还难以除掉,万一开始对外兴兵作战,和强敌僵持不下,欲罢不得,皇室赤子,如又发生江、闽、东浙的事情,我们该如何对付呢?百姓虽然愚钝,但我们却不能忽视,内部武装防卫的力量单薄虚弱,这是百姓一向轻视的。从前江、闽、东浙的强盗,都是借助边境上的军队才得以制服的,现在这些人大多逃窜在深山密林中隐藏下来,时刻窥视村社田里,如果他们知道了国家正兴兵与蒙古交战,兵力无法顾及他们,这些人还不萌发奸心,蠢蠢欲动?我担心我们在北方还未取得胜利,而南方已经出现骚乱了,希望陛下打定主意,杜绝目前的种种议论。"

淮西总领吴潜也上报执政,认为:"不能轻易发兵收复河南。由于金国已经灭亡,我们与蒙古为邻,只能与它表面上议和,暗地里加强防守,以应付以后的战事。自从第一次接收荆襄这座空城,与蒙古合兵进攻蔡州,战斗一打起来,往来调度,范围很大,百姓必然陷入困顿,死者众多,即使我们取得了一座城池,里面也不过是一片长满了荆棘的地方,俘获的也不过是一些愚昧之辈,而我国的内部则深受战争之苦。最近听说有人上疏建议收复国土,这些人都是很英明的,但收复国土如果是容易的,要守住就确实困难了。征战行军所需的物资,到哪里取得呢?百姓已经穷苦不堪了,一旦激起民变,内地百姓就会相继成为盗贼了。现在的问题,怎么能这么轻易地就确定下来呢?"这些意见都未被采纳。

理宗下诏,命令庐州全子才会合淮西方面的军队约一万人前往汴京。

当时汴京都尉李伯渊、李琦、李贱奴等人由于受崔立的侮辱,密谋杀死他,等到听说全子才的军队前来,李伯渊等人写信约定投降,但表面上仍与崔立商议防守汴京的办法。李伯渊乘夜在封丘门放火来惊扰崔立,崔立非常不安,一夜起来很多次,等到天亮,李伯渊等人约崔立前去探看着火的地方,崔立带领苑秀、折希颜等几个人骑马前去。回来的时候,李伯渊在送崔立的路上,突然在马上抱住了崔立,崔立回过头来对他说:"你想杀我吗?"李伯渊说:"杀你又怎么样?"说着拔出匕首横着刺了过去,崔立坠马而死。这时伏兵四起,元帅三合杀死了苑秀,折希颜从后面赶来,也被杀死。李伯渊将崔立的尸体绑在马尾上拖至宫前,大声对众人说:"崔立杀人害命,抢掠财物,淫邪暴虐,大逆不道,从古至今没有这样的人,我们该不该杀他?"众人异口同声答道:"把他碎尸万段也不过分。"于是砍掉崔立的脑袋,在承天门祭奠金哀宗,李伯渊以及士兵百姓都十分哀恸,甚至有人挖出崔立的心肝生吃了。然后将崔立、苑秀、折希颜三人的尸体挂在城头槐树上示众,槐树忽然倒下,人们都说大树有灵,也不愿意被他们玷污了。

全子才驻扎在汴京,赵葵从滁州率淮西军队共五万人攻取泗州,然后由泗州赴汴京与全子才会合。赵葵对全子才说:"我们开始计划占据关中以防守黄河,现在我们已经抵达汴京半个月了,不赶快进攻洛阳、潼关,还等什么?"全子才回答说粮饷还未运齐,赵葵催促得更加紧急,于是便传令统辖范用吉、樊辛、季先、胡显等所部一万三千人马,任命淮西制置司机宜文字徐敏子为监军,先命令他们西上,又命令杨谊率庐州的一万五千名强弩军随后,各发给五天的粮草。

秋季,七月,蒙古君主对群臣说:"自从先帝开创大业,已经四十年了。现在中原、西夏、高丽、回鹘各国,都已经臣服,只有东南那一个角落,还阻断拒受命令,朕想亲自前去征讨,你们认为怎么样?"国王塔斯回答说:"我家世代受到恩宠,现在正好设法报答。我愿倚仗陛下的威仪,扫平淮、浙一带,何必劳动陛下的大驾亲自征讨呢?"蒙古君主高兴地说:"塔斯虽然年轻,却具有英雄气概,正适合我的心意,将来一定能成就我们的大事业。"下令重赏,并派他前去。塔斯是穆呼哩的孙子。

徐敏子动身，派和州宁淮军正将张迪率二百名士兵奔赴洛阳，张迪到达洛阳城下，城中寂然无人答应，到晚上，有大约三百余家百姓登上城头投降，张迪与徐敏子便率众军入城。这时，蒙古国王塔斯已经率兵南下。当时由于汴京附近堤岸决口，河水泛滥，粮食无法运到，宋军所收复的州郡都是空城，士兵们无法找到粮食。徐敏子进入洛阳的第二天，军粮已经吃尽，只好采集蒿草和面，做成饼充饥。

杨谊到洛阳以东三十里，正散开坐在地上开饭，蒙古军塔齐尔的先锋官刘亨安，跃马横枪，奋勇当前，宋军四散而逃，跳入洛水而死者不计其数，杨谊仅落得只身逃脱。塔齐尔拍着刘亨安的后背说："真是一员勇将啊！"当晚，宋军败兵逃入洛阳，诉说了宋军战败的情况，洛阳城中的宋军士气都十分低落。

八月朔（初一），黎明时分，蒙古兵到洛阳城下安营扎寨，徐敏子出城与蒙古军交战，不分胜负。宋军由于缺粮，只好杀死战马充饥，徐敏子等人无法停留，只好退兵。

赵葵、全子才驻扎在汴京，也因为史嵩之不给粮饷，粮食接续不上，蒙古兵又快开黄河寸金淀之水来淹宋军，宋军中有许多人被淹死，只好率军向南撤退。

甲戌（初八），朱扬祖、林拓献上《八陵图》，理宗向他们询问，各个陵墓之间的距离以及陵前新恢复的涧水的情况，朱扬祖都一一做了回答。理宗忍住眼泪，叹息了很长时间。

当初，朱扬祖等人行至襄阳，正遇谍报说蒙古兵的前锋巡哨骑兵已经到达了孟津、陕府、潼关、河南都增设了屯戍的兵卒，设置了伏兵，又听说江淮的统帅不久就要进军，众人都畏缩不前，孟珙说："淮东的军队从淮西到汴京，逆流而上，没有十多天到不了。我们选择精兵飞驰，用不了十天，就可以完成任务。等到敌军到汴京，我们已经回来了。"于是，孟珙与二位使者昼夜兼行，到陵下，奉旨宣读御表，完成参谒礼后回来。

当月，权知邵武军王埜讨平了建阳的盗贼。

九月，壬寅（初六），由于进入洛阳的宋军战败，赵范上疏参劾赵葵、全子才，说他们轻率地派军队去收复西京，赵楷、刘子澄由于参谋失误，军队在撤退时又不守纪律，致使后面的队伍全军覆灭。理宗下诏说："赵葵降职一级，发落到河南、京东经营屯田以防卫边境；全子才降职一级，发落到唐州、邓州、息州经营屯田以防卫边境；刘子澄、赵楷都削职流放。"又说杨谊所率军队战败，都是由于徐敏子、范用吉救援缓慢，致使杨谊力不能支，下诏说："将范用吉降为武翼郎，徐敏子削职流放，杨谊削职四级，并勒令停职，以观后效。"

京湖制置使史嵩之被罢官，由赵范代替他。

冬季，十月，召真德秀，任命他为翰林学士，魏了翁直学士院。真德秀上疏说："动用江淮的军队前去守卫没有用的空城，运送江淮的金色的谷子去治理无法耕种的废弃土地，富庶起来的成效是不会见到的，根本上的弊病却已经显现出来了。希望陛下仔细考虑，慎重决策。"不久，真德秀晋升为户部尚书。他入宫见皇帝时，理宗问道："爱卿离开朝廷已经十年了，朕经常思念有才能的人。"真德秀把《大学衍义》献上，并对理宗说道："得到上天帮助的人就会顺利，得到人们帮助的人就会有信誉。陛下要想永保天下，只有心存恭敬。恭敬，是品德的集中表现，仪狄的酒、南威的色，沉溺于游玩射猎、玩赏禽兽狗马，沾染上一项，就足以危及恭敬，陛下假如能够敬德，迎接吉庆的命运，我们就一定会收复中原。如果我们一味追求收复中原而不去寻求解决根本问题的办法,天意很难预测,我为此非常担忧。"

魏了翁入宫回答皇帝的询问,先请求明辨君子和小人的区别,并以此作为选拔、贬斥官员的依据,以此杜绝奸邪之人的钻营。然后他又谈论了从前丞相的十种过失,现在依然存在。接着,他又谈论自身修养、治理家庭、选拔贤良、设立学堂等事,都符合理宗的想法。其他像宋朝与蒙古的和议不能轻信,不能保证蒙古军不来进犯,军事物资不能完全倚仗,共十几个方面的问题。他还陈说利害关系,滴漏已经降了四十个刻度才讲完,理宗很赞赏他的意见,并表示采纳。

辛卯(二十六日),参知政事兼同知枢密院事、已经退休的陈贵谊病故。

孟珙留驻襄阳,招集中原地区一万五千余名精壮勇士,分别屯驻在澟北、樊城、新野、唐州、邓州之间,用以防备蒙古入侵,命名为镇北军。十一月,壬子(十七日),下诏将这支军队命名为"襄阳府驻劄御前忠卫军",命令孟珙兼领该军。

壬戌(二十七日),太白星出现在天空。

十二月,己卯(十五日),蒙古派王檝前来责备宋朝背弃盟约。辛卯(二十七日),宋朝派邹伸之、李复礼、乔仕安、刘溥前往蒙古致歉。从此以后,黄河、淮河之间便没有安宁的日子了。

蒙古济南行省严实到和林入朝觐见太宗,被任命为东平路行军万户,其偏将、禆将八人都赏赐金符。在此以前,严实所统帅的共有五十多座城池,到现在只有德州、兖州、济州、单州隶属于东平路了。

续资治通鉴卷第一百六十八

【原文】

宋纪一百六十八　起旃蒙协洽【乙未】正月,尽柔兆涒滩【丙申】十二月,凡二年。

理宗建道备德大功复兴　烈文仁武圣明安孝皇帝

端平二年　蒙古太宗七年【乙未,1235】　春,正月,乙未朔,帝不视朝。

丙申,诏:"中书后省,将端平改元以来中外言事书疏,科别其申明条目,速与缴入,以便省览;继自今计月类进,送之中书,俾大臣参阅酌行,如绍兴故事。"

诏:"三衙、沿江、京湖、四川、两淮制帅并诸处军帅,非临阵对敌,至干军令,不得遽行诛戮;如罪犯显著,须按实取旨。"

庚子,诏:"荣王府、皇后宅置教授各一员。皇后宅可依绍兴旧典,四姓小侯立《五经》师之遗意。"

丁未,诏:"京湖、四川、两淮制臣、帅臣,所宜练兵恤民,峙粮缮器,经理营屯,控扼险阻,使警伤之严,常如敌至。诸军将士,昨已第赏,所在速与放行。或一时有失条具,并以名姓来上。其中原归附人,忠节可尚,当视功推赏,随材录用,毋使失职。"

辛亥,诏曰:"国家进士之科,得人为盛。比年场屋循习宽纵,易卷、假手、传义之弊,色色有之。深恐真才实能,无以自见。可令监试官严行觉察,犯者依贡举条制,取中人就尚书省覆试,以副亲策之选。"

甲寅,礼部尚书兼侍讲李埴,奏胡瑗、孙复、邵雍、欧阳修、周敦颐、司马光、苏轼、张载、程颢、程颐十人,卓然为学者所宗,宜在从祀之列,又请将子思并与升祀,列在十哲之间;从之。

丙辰,以带御器械兼权主管侍卫马军行司公事孟珙黄州驻扎。珙入对,帝问恢复,珙对曰:"愿陛下宽民力,蓄人材,以俟机会。"问和议,珙曰:"臣介胄之士,当言战,不当言和。"赐赍甚厚。珙至黄,增埤浚隍,搜讨军实,边民来归者日以千数,为屋三万间以居之,厚加赈贷。又虑军民杂处,因高阜为齐安、镇淮二寨,以居诸军。

丁巳,诏经筵所进读《通鉴纲目》。

辛酉,以宁淮军统制程芾为蒙古通好使,浙西路兵马钤辖王全副之,各借金带服系。寻以杜显为添差通好副使。

时江西安抚使史嵩之力主和议,起居舍人袁甫言:"臣与嵩之同里,未尝相知;而嵩之父弥忠,则与臣有故。嵩之易于主和,弥忠每戒其轻易。今朝廷甘心用父子异心之人,臣谓不特嵩之易于主和,朝廷亦未免易于用人也。"疏入,不报。

诏知衢州蔡节削二秩,以本郡会价抵减故也。

二月,甲子朔,日有食之。

丁卯,诏:"诸道提点刑狱,以五月按部理囚徒。"

蒙古城和林,作万安宫。和林本回鹘故城,蒙古以为会同之所,使安抚使刘敏城之,并命营建万安宫,设宫闱司,立驿传,以便贡输。城成,周围五里许。

蒙古以宋子贞为东平行台右司郎中。子贞,长子人也,先在严实幕府,为详议官。时蒙古略定中原,诸事草创,实建行台,统五十馀城,州县之官,或擢自将校,或起由民伍,率昧于从政,甚者专以掊克聚敛为能,官吏相与为贪私以病民。子贞仿前代观察采访之制,命官分三道纠察官吏,立为程式,与为期会,黜贪惰,奖廉勤,官府始有纪纲,民得苏息。东平将校占民为部曲户,谓之乡寨,擅其赋税,几四百所。子贞请罢归州县,实初难之,子贞力言,乃听,人以为便。

三月,乙巳,以曾从龙兼同知枢密院事,真德秀参知政事,守吏部尚书兼给事中、侍读陈卓为端明殿学士同签书枢密院事。

辛亥,以权兵部尚书余铸、监察御史丁伯桂同提领会子所官,公共措置商榷收换事宜。

乙卯,诏吏部尚书兼给事中兼修国史、实录院修撰李埴专提领《高宗正史》。

夏,四月,都省言:"第十六、十七界会子,散在民间,为数浩汗,会价日损,物价日昂,若非措置收减,无由增长。"诏:"令封桩库支拨度牒五万道,四色官资付身三千道,紫衣师号二千道,封赠敕告一千道,副尉减年公据一千道,发下诸路监司、州郡,广收两界会子。"

前权发遣肇庆府陈雷奋入对,言广东民兵首领事,帝曰:"广东民兵之制如何?"雷奋曰:"止为保卫乡井,无调发之扰,无出戍之劳。且臣所奏民兵,不止为广东设。伏见亲政以来,百度振饬,未见成效大验者,何也?良由竭东南之力,养百万之兵,财力既竭,内治不易,兵力既殚,外攘亦难。愿陛下于民兵加之意,非惟可以摧奸雄之胆,绝盗贼之萌,当不费亿万,而尽得天下精勇之用。"帝曰:"广西曾行之否?"雷奋曰:"广西前后帅臣未能行此,然二广赖民兵之用为多。如向者广东峒寇陈三枪之叛,招捕陈韡,正藉民兵协力收获;如近者广州戍卒之叛,既自兵变,自难以本州之兵制之,崔与之实率首领民兵登城捍御,叛卒遂遁,此皆已试之效。陛下若由二广推而行之,泽被生灵者广矣。"帝首肯再三。

丁卯,临安火。

庚辰,宰执言:"节用自贵近始,积财在于节用,律下当以身先。请将俸给自五月始减半帮支,痛自撙节,以示表励。"从之。乙酉,刑部尚书李埴请捐俸给之半,继是卿监亦上捐俸之奏,诏不许。

丁亥,太白昼见。

戊子,大阅。

五月,癸巳朔,监察御史李宗勉言:"庙堂更化之始,将两界会子亟易,劳费特甚,行之日久,折阅如故。不若节用而省退官吏,充为内外营缮,支费浮泛,务从节约。其监司、帅守,既无苞苴、馈运之费,尽可撙节以为称提之助。"从之。

丙申,以军民交哄,罢和州防御使、主管殿前司公事赵胜。以韩昱为带御器械,权主管殿前司公事，王鉴带御器械，权主管步军兼马军司职事。

进知平江府张嗣古、知嘉兴府赵与筜宜各一秩，以和籴有劳也。

甲辰，参知政事真德秀薨，谥文忠。德秀立朝不满十年，奏疏皆切当世要务，直声震朝廷。为史弥远所忌，屡摈不用，而声闻愈彰。仕宦所至有惠政，不愧其言。

庚戌，以乔行简兼参知政事。

六月，癸亥，诏殿前司招制刺一万人，补诸军效用阙额。统制常思训以军哄，削二秩，勒停，从淮西制司自效；将佐责降有差。复令拣汰军士，年老无依尚堪披带者，且与存留。

戊寅，以郑清之为左丞相，乔行简为右丞相，并兼枢密使。己卯，以葛洪为资政殿大学士，仍提举洞霄宫。

庚辰，祈雨，录行在系囚。

时《会要》书成，召李心传赴阙，为工部侍郎。上言："臣闻大兵之后，必有凶年，盖其杀戮之多，赋敛之重，使斯民怨怒之气，上干阴阳之和也。陛下宜与诸大臣扫除敌政，与民更始，以为消恶运、迎善祥之计。而法弊未尝更张，民劳不加振德，既无能改于其旧，而殆有甚焉。廉平之吏，所在罕见，而贪利无耻敢于为恶之人，挟敌兴兵，四面而起，以求逞其所欲，如此而望五福来备，百谷用成，是缘木而求鱼也。臣考致旱之由，曰和籴增多而民怨，流散无所归而民怨，检税不尽而民怨，籍资不以罪而民怨。凡此皆起于大兵之后，而势未有以消之，故愈积而愈极也。成汤，圣主也，而桑林之祷，犹以六事自责。陛下愿治，七年于此，灾祲饥馑，史不绝书，其故何哉？朝令夕改，靡有常规，则政不节矣；行赉居送，略无罢日，则使民疾矣；陪都园庙，工作甚殷，则土木营矣；潜邸女冠，声焰滋炽，则女谒盛矣；珍玩之献，罕闻却绝，则苞苴行矣；鲠切之言，类多厌弃，则谀夫昌矣。此六事者，一或有焉，犹足以致旱。望亟降罪己之诏，修六事以回天心。群臣之中，有献聚敛、剽窃之论以求进者，心重黜之，俾不得以上诬圣德，则旱虽烈犹可弭；不然，民怨于内，敌逼于外，事穷势迫，何所不至，陛下虽谋臣如云，猛将如雨，亦不知所以为策矣。"帝然之。未几，复以言去，奉祠，居潮州。

壬午，以曾从龙知枢密院事，郑性之同知院事，陈卓签书院事。

赐礼部进士吴叔告以下四百五十四人及第、出身。

召崔与之参知政事，不至；帝遣使趣之，且访以政事人材。与之上疏曰："天生人材，自足供一代之用，惟辨其君子小人而已。忠实而有才者，上也；才虽不高而忠实有馀者，次也；用人之道，无逾于此。盖忠实之才，谓之有德而有才者也。若以君子为无才，必欲求有才者用之，意向或差，名实无别，君子、小人消长之势，基于此矣。陛下励精更始，擢用老成；然以正人为迂阔而疑其难以集事，以忠言为矫激而疑其近于好名，任之不专，信之不笃。或谓世数将衰，则人才先已凋谢，如真德秀、洪咨夔、魏了翁方此柄用，相继而去。天意固不可晓，至于敢谏之臣，忠于为国，言未脱口，斥逐随之，一去而不可复留。人才岂易得，而轻弃如此！陛下悟已往而图方来，昨以直言去位者亟加峻擢，补外者早与召还，使天下知陛下非疏远正人，非厌恶忠言，一转移力耳。陛下收揽大权，悉归独断；谓之独断者，必是非利害胸有定见，而后独断以行之。比闻独断以来，朝廷之事体愈轻，宰相进拟，多沮格不行，或除命中出而宰相不与知。大抵独断当以兼听为先，傥不兼听而独断，其势必至于偏听，实为乱阶，威令虽行于上，而权柄潜移于下矣。"又曰："比年以来，变故层出，盗贼跳梁，雷电震惊，星辰乖异，皆非细

4027

故。京城之灾,七年而两见,岂数万户生灵皆获罪于天者?百姓凛凛,在于一人,惟有求直言可以裨君德、格天心。"又曰:"戚畹、旧僚,凡有丝发夤缘者,孰不乘间伺隙以求其大欲;近习之臣,朝夕在侧,易于亲昵而难于防闲。若谓其所言出于无心,岂知爱恶之私,因此而入,其于圣德,宁无玷乎?"帝览奏嘉叹,趣召愈力。与之控辞至十三疏,不许。

蒙古主命皇子库端、库春等侵蜀汉及江淮,又命皇子库裕克、侄莽赉扣伐西域,唐古娄库齐伐高丽。蒙古人每甲一人西征,一人南征,中州户每户一人南征,一人征高丽。初,议者欲遣回回人征江南,汉人征西域,以为得制御之术。耶律楚材曰:"不可。中原、西域,相去辽远,未至敌境,人马疲乏,兼水土异宜,疾疫将生。宜各从其便。"从之。

秋,七月,戊戌,太白经天。

崇政殿说书袁甫言:"并命二相,当尽心副委任之意。今中外多事,而左相辞逊,右相畏避,各事形迹,缓急若何!宜宣谕二相,力行公事。"帝曰:"卿议论极当。"

甲辰,秘书郎兼庄文太子府教授应㬂请建储,帝曰:"此事祖宗自有典故。"㬂曰:"仁宗晚年因大臣有请,方能为此。高宗春秋鼎盛,未诞皇嗣,乃能以天下为公,选宗室子育之禁中,真度越千古。"帝然之。

庚申,礼部尚书魏了翁上十事,不报。

袁甫进言:"刚之一字,最切于陛下。陛下徒有慕汉宣厉精为治之名,而乃堕汉元帝、唐文宗柔弱不振之失。元帝、文宗,果断不用于斥邪佞,反用于逐贤人,此二君不识刚德之真。所谓真刚者,当为之事必行,不当为者则断在勿行也。"

蒙古将昆布哈侵唐州,全子才等弃师走。赵范帅兵败蒙古于上闸而还。

闰月,壬戌朔,秘书省正字王迈,言并命二相,宜钧责任。帝曰:"朕当戒谕二相,使之同心协力,共济国事。"迈曰:"若不戒饬,恐成朋党之风。"帝曰:"朕任清之甚专,但以天下多事,非一相所可理,故以行简辅之。行简之用,断自朕心。"

己巳,魏了翁进读《大学》,因言:"诚字虽系藩邸旧名,考之故事,未尝偏讳。盖此字纪纲斯世,若科举文字皆避,场屋未免疑惑。乞圣语许免回避,以广陛下之谦。"诏不必避。

丁丑,兵部郎官邱岳言军士贫悴,帝曰:"军人所请不多,适值物贵,不足赡给,军心不安,实原于此。"岳请放行战功及去夏河南诸路恩赏,帝曰:"已曾理会。"岳曰:"外间实未施行。"

戊寅,乔行简言"百司庶府,俟宰相每日依时出堂之后,方许退归,庶事务皆得及时剖决,而无滞积之患。"诏:"百司庶府并合遵行,可榜朝堂。"

壬午,臣僚请"宣谕沿江、两淮、荆襄帅,各释私憾,协志同谋,调度通用,急难相济。或玩视诏书,复相疑贰者退。选大臣有实望者,俾居督府,或畀宣抚之任,置之荆、淮之间,统帅列阃,专其节制而总事权,不惟平居暇日调一其心,临事之际亦可如臂指之相使。"从之。

诏:"大理寺、三衙、临安府属县、两浙州军决系囚,杖以下释之。仍蠲赃赏钱。"

丁亥,以全子才及军器监簿刘子澄相继夜遁,遗弃辎重,并夺二秩,子才衡州居住,子澄瑞州居住。

八月,诏:"浙西临安、平江、嘉兴、镇江府、常州、安吉守臣,将未修复围田,许官民户承佃经理。"

乙未,太府寺簿王极言:"迩来星变屡形于天,军变屡作于下,秋成在望,积阴多霖;愿陛下积诚以动天，权度边防，不致卤莽。"帝然之。

军器局监正杜范言："陛下亲览大政，二年于兹。今不惟未睹更新之效，或者有渐不如旧之忧，其弊原不过私之一字耳。陛下以天位之重，而私意未能净尽，天命有德而或滥于私予，天讨有罪而或制于私情，左右近习之言，或溺于私听，土木无益之工，或侈于私费，隆体貌以尊贤，而用之未尽，温词色以纳谏，而行之惟艰，此陛下之私有未去也。和衷之美不著，同列之意不孚，集议盈庭，而施行决于私见，诸贤在列，而密计定于私门，此大臣之私有未去也。君相之私，容有未去，则条教之颁，徒为虚文。近者召用名儒，好议论者从而诋訾讪笑之，陛下一惑其言，即有厌弃儒学之心，此正贤不肖进退之机也！"

甲寅，惠阳、建阳、京口诸军作乱，讨平之。

乙卯，以赵汝愚配享宁宗庙庭，仍图像于昭勋崇德之阁。

主管官告院钱相言："外而诸帅，内而二相，不相协和。事会孔殷，民情叵测。至于佩剑相笑，矛盾相攻。"帝曰："诸帅已戒谕。"相曰："诸帅责任虽分，统制则一。若彼此不知缓急，岂肯相应也！"

丁巳，知建昌军徐槃朝辞，论江淮海道利害。帝曰："淮兵不为不多。"槃曰："义勇、忠义虽多，正兵甚少。"帝曰："义勇亦可。"槃曰："皆沿淮恋土之民，未必人人可用。秋高马肥，当明间谍，严边备。"

九月，丙子，李宗勉请诏大臣"检照郑寅等所陈节略项目，详加审订，始自宫掖，次而朝廷，又次而郡国，皆以节省为务，毋牵私情，毋惑浮议，日计之虽不足，岁计之则有馀。仍出内帑所储，收两界溢数会子，行之数载，自有成功。"从之。

己丑，诏："端平亲政以来，务革前弊，禁约求举驰书事目之类，近闻循习如旧，害政尤甚。自今内而百司，外而台郡，月具无请托事申御史台，仍令常切觉察。"

冬，十月，蒙古塔斯破枣阳，库春徇襄、邓。塔斯引兵攻郢，郢濒汉水，城坚，多战舰；塔斯命造木筏，遣汊上达噜噶齐、刘巴图鲁将死士五百乘筏进攻，江陵统制李复明力拒之。塔斯引骑兵沿岸迎射，复明战殁，士卒多溺死。城坚守，不能下，塔斯乃掳掠而还。

金既亡，郡县以次降于蒙古，巩昌总帅汪世显犹设城守，既乃与众议降。会蒙古库端入蜀，次巩昌城下，世显率耆老持牛羊酒币迎谒道左。库端谓之曰："吾征讨有年，所至皆下，汝独固守，何也？"世显曰："有君在上，卖国市恩之人，谅所不取。"又问曰："金亡已久，汝不降，果谁为耶？"对曰："大军迭至，莫知适从。惟殿下仁武不杀，窃意必能保合城军民，是以降也。"库端大悦，戒其下秋毫无犯，俾世显仍旧职，帅所部从征。世显遂绝嘉陵，进趣大安，库端资其粮械。

十一月，乙丑，诏知枢密院事兼参知政事曾从龙为枢密院使，督视江淮军马；礼部〔尚书〕魏了翁为端明殿学士、同签书枢密院事，督视京湖军马；以同知枢密院事郑性之兼权参知政事。

戊辰，诏给两督视府随军支用之费，金各一千两，银各五万两，度牒各一千道，会子各五百万缗。

壬申，都官郎官葛逢，言赵范、赵葵、陈輷素不同心。帝曰："置两督视，须可使诸将协和。"逢又言："人才难得，过有大小，当多事时，亦当斟酌而用之。"帝曰："有过者不可例弃。"

4029

甲戌,臣僚言:"敌侵蜀境,制臣赵彦呐连年调度,师老财殚,兵分力薄,若上流不固,则吴、楚有冲决之势,愿以保蜀为念。倘有申请,悉为报从,或遣襄阳援兵,早为起发。诸司应于钱物无分彼此,悉力倾助以扶其危。"从之。

戊子,安南国贡方物。

蒙古中书省请契(堪)〔勘〕《大明历》,从之。

十二月,壬寅,魏了翁陛辞,赐便宜诏书,如张浚故事。了翁在朝凡六月,前后二十馀疏,皆当世急务。帝将引以共政,而忌者相与合谋排摈之,且言了翁知兵体国,乃命出视师。会曾从龙卒,兼命督视江淮。了翁开幕府于江州,以吴潜为参谋官,赵善瀚、马光祖为参议官。

甲辰,以余嵘同签书枢密院事。

辛亥,雷。

蒙古库端入沔州,知州事高稼死之。稼在沔,葺理创残,招集流散,民皆襁负归之。及数与蒙古力战,奇功甚多。至是库端自凤州入西川,东路之师多败,遂捣西池谷,距沔九十里。吏民议退保大安,稼言于制置使赵彦呐曰:"今日之事,有进无退。若能进据险地,以身捍蜀,敌有后顾,必不深入。如仓皇召兵,退守内地,敌长驱而前,蜀事去矣。"彦呐曰:"是吾志也。"已而竟行,留稼守沔。

蒙古自白水关入六股株,距沔六十里。沔无城,依山为阻,稼升高鼓噪,盛旗鼓为疑兵。彦呐至置口,帐前总管和彦威以军还沔,召小校杨俊、何磷以兵会,又选精兵千人,命王宣帅以助之。已而蒙古兵大至,璘遁,沔州遂破。众拥稼出户,稼叱之不能止,敌围杀之。

彦呐闻稼死,沔州破,乃进屯青野原,蒙古围之。曹友闻曰:"青野为蜀咽喉,不可缓也。"即往救之。夜半,截战,遂解其围。既而蒙古先锋汪世显捣大安,友闻又救之。指挥甫毕,蒙古众数万突至,友闻迎战,又败之,蒙古乃退。友闻遂引兵入扼仙人关。友闻,彬十二世孙也。

杜范、吴昌裔、徐清叟并擢监察御史,时论翕然称之。

范疏言:"曩者权臣柄用,台谏必其私人,约言已坚而后出命,其所弹击,悉承风旨,是以纪纲荡然,风俗大坏。陛下亲政,首用洪咨夔、王遂,痛矫宿弊,斥去奸邪;然庙堂之上,牵制尚多。言及贵近,或委曲回护,而先行丐祠之请;事有掣肘,或彼此调停,而卒收论罪之章。亦有弹墨尚新而已颁除目,沙汰未几而旋得美官,自是台谏风采日以铄,朝廷纪纲日以坏。"帝深然之。昌裔疏言:"今之朝纲果无所挠乎?言及亲故,则为之留中;言及私昵,则为之迄了;事有窒碍,则节帖付出;情有嫌疑,则调停寝行。屈风宪之精采,徇人情之去留,士气销爽,下情壅滞,非所以纠正官邪,助国脉也。"

是岁,蒙古诏籍民,自燕京、顺天等三十六路,户八十七万三千七百八十一,口四百七十五万四千九百七十五。

端平三年 蒙古太宗八年【丙申,1236】 春,正月,己未朔,诏以星行失度,雷发非时,免天基节上寿宴。

吴昌裔疏言曰:"今大昕坐朝,间有时不视事之文;私第谒假,或有时不入堂之报。上有耽乐怙逸之渐,下无协恭和衷之风。内则嬖御怀私,为君心之蠹;外则子弟寡谨,为明政之累。游言噂沓,宠赂章闻,欲箫勺太和,得乎?"

蒙古万安宫落成，诸王各治具来宴会。蒙古主手觞赐耶律楚材曰："朕之所以推诚任卿者，先帝之命也。非卿，则中原无今日。朕所以得安枕者，卿之力也。"西域诸国及高丽使者来朝，蒙古主指楚材示之曰："汝国有如此人乎？"皆谢曰："无有。殆神人也！"蒙古主曰："朕亦度必无此人。"

蒙古有于元者，奏行交钞，耶律楚材曰："金章宗时初行交钞，与钱通行，有司以出钞为利，收钞为讳，谓之老钞，至以万贯唯易一饼。民力困竭，国用匮乏，当为鉴戒。今印造交钞，宜不过万锭。"从之。

壬申，蒙古兵连攻洪山，张顺、翁大成等御之。

二月，己丑，大理评事赵崇微请谨天变于未然，帝曰："不可不存敬畏之心。"又言今日不可玩者在边兵，帝曰："北军多可虑，方思所以安之。"

甲午，诏以统制李复明战殁江陵，赠三秩，仍官其二子。

前知安丰军王瓒言："今日备边之计，宜于新复州军，留息以卫光，留寿春以卫安丰，留泗以卫招信，留涟水以卫山阳。"帝曰："正欲如此。"瓒又论沿边事宜，以节制多门为虑，帝曰："开督府正欲统一事权。"

壬寅，诏侍从、台谏、给舍条具边防事。甲辰，起居郎吴泳疏论淮、蜀、荆襄捍御十事，不报。

己酉，诏魏了翁依旧端明殿学士、签书枢密院事。时廷臣多忌了翁，故谋假出督以外之，虽恩礼赫奕，而督府陈奏，动相牵制。甫二旬，复以建督为非，遂召还，前后皆非帝意。于是了翁固辞求去。

以陈韡为沿江制置使兼知建康府，史嵩之为淮西制置使兼知庐州。

甲寅，以祈雨，决中外系囚。

蒙古主命应州郭胜、钧州富珠哩玖珠、邓州赵祥，从皇子库春充先锋南伐。

三月，戊午朔，诏前知光化军扈斌，特与贷命，追毁出身以来文字，广东摧锋军拘管，以其弃城也。

辛酉，广东英德大水，赈之。

癸未，太学博士斗祥，进言边事方急，莫有任其责者。帝问如何，斗祥曰："此士大夫畏事之过。愿陛下奋发刚断，大明黜陟，庶几人乐为用。天下无全才，惟陛下兼收并用，随才而器使。"帝曰："然。用其所长，当护其短。"

京湖制置使赵范在襄阳，以北军主将王旻、李伯渊、樊文彬、黄国弼等为腹心，朝夕酣狎，民讼、边防，一切废弛。既而南、北军交争，范失于抚御，旻、伯渊焚襄阳城郭仓库，降于蒙古。时城中官民尚有四万七千有奇，财粟在仓库者无虑三十万，军器二十四万，金银盐钞不与焉，皆为蒙古所有。南军大将李虎，因乱劫掠，襄阳一空。自岳飞收复以来，百三十年，生聚繁庶，城池高深，甲于西陲，一旦灰烬。范削三官，落职，仍旧职任。

左司谏李宗勉上言："均、房、安、蕲、光化等州，兵祸甚烈，然江面可以无忧者，独有襄阳，今又告变矣。襄阳失则江陵危，江陵危则长江之险不足恃。昔之所虑，犹在秋冬；今之所虑，只在旦夕！江陵或不守，则事迫势蹙，必有危亡之忧，悔将何及！"

是月，蒙古复修孔子庙及司天台。

夏,四月,己亥,试将作监兼知临安府事颜颐仲,论用人当久任。帝曰:"用得其人,不必数易。"又言人主一心,攻之者众,帝曰:"常持敬心,则不为外物所移。"

己酉,以魏了翁为湖南安抚使、知谭州。了翁复力辞,诏提举洞霄宫。侍御李韶讼曰:"了翁刻志问学,几四十年,国家人才,焯然有称如了翁者几人?愿亟召还,处以台辅。"不报。

帝追悔开边衅,命学士吴泳草诏罪己。监察御史王万谓泳曰:"用兵固失计之甚,恐亦不可示弱。今边民生意如发,宜以振厉奋发,兴感人心。"泳然之。

癸丑,诏曰:"朕猥以眇躬,获承丕绪,属仇金之浸灭,而蒙古之与邻。不利西南,盖尝蹢阶、成而扰兴、沔;其在辛卯,遽乃穿金、房以瞰襄、樊。逮合谋成破蔡之功,恐假道有及虞之势。心之忧矣,脐可噬乎!固将布失于国中,以志吾过,但使留屯于塞下,自守我疆。忽西陲之弗宁,骇北骑之深入,重以均、房之叛将,发此京湖之祸机,肆荼毒于列城,至蔓延于他路。兵民之死战斗,户口之困流离,室庐靡存,骼胔相望。致援师之暴露,及科役之繁苛,为之骚然,有足悯者。是皆朕明不能烛,德有未孚,上无以格乎天之心,下无以定乎民之志,遂令有众,多告非辜。朕方施令发政,以为缓辑之图,补卒搜乘,以严守御之备。想疮痍之溢目,如疾病之在身。咨尔群僚,体予至意。"

蒙古复破随、郢二州及荆门军。殿中侍御史李宗勉率全台言曰:"蜀之四路,已失其二,成都隔绝,莫知存亡,诸司退保夔门,未必能守。襄、汉昨失九郡,今郢破,荆门又破,江陵孤城,何以能立!两淮之地,人民奔进,井邑丘墟。陛下诚能亟下哀痛之诏,以身率先,深自贬损,出内帑储蓄,以风动四方。然后劝谕戚畹、世臣,随力输财,以佐公家之调度。分上流淮东、淮西为二帅,而以江淮大帅总之,或因今任,或择长才,分地而守,听令而行。公私之财,分给四处,俾之招溃卒,募流民之强壮者,以充游兵,以补军籍,仍选沿流诸郡将士,为捍御之图,犹可支吾。不然,将水陆俱下,大合荆楚之众,扰我上流,江以南震荡矣。或谓其势强盛,宜于讲和,欲出金缯以奉之;是抱薪救火,空国与敌也!"

初,蒙古惟事进取,所降之户,因以予将士,一社之民,各有所主,不相(充)〔统〕摄。至是诏括户口,以大臣呼图克领之,始隶州县。

时群臣皆欲以丁为户,耶律楚材以为不可。众皆曰:"我朝及西域诸国,莫不以丁为户,岂可舍大朝之法而从亡国之政?"耶律楚材曰:"自古有中原者,未尝以丁为户。若果行之,可输一年之赋,随即逃散矣。"蒙古主从之。

及忽图克以所括中州户一百四万上,蒙古主议以真定民户奉太后汤沐,诸州民户分赐诸王、贵戚。楚材曰:"裂土分民,易以生隙。不如多与金帛,足以为恩。"蒙古主曰:"业已许之矣。"楚材曰:"若置官吏,必自诏命,除恒赋外,不令私自征敛,差可久矣。"从之。

楚材又定赋税:每(一)〔二〕户出丝一斤,以供官用;五户出丝一斤,以给受赐贵戚、功臣之家。上田每亩税三升半,中田三升,下田二升半,水田亩五升,商税三十分之一,盐价银一两四十斤,以为永额。朝议皆以为太轻,楚材曰:"作法于凉,其弊犹贪,将来必有以利进者,则今已重矣。"

蒙古近臣议收民牝马,耶律楚材曰:"中原皆田蚕之地,今若行之,后必为民害。"从之。

4032 时工匠制造,糜费官物,十私八九。楚材请皆考核之,遂为定制。

五月,甲申,以赵葵为淮东制置使兼知扬州。葵垦田治兵,边备以饬。

六月,癸巳,直焕章阁、知庆元府、沿海制置赵与𥟖朝辞,论沿海便宜及三边事体。帝曰:"庆元控制海道,如招军造船、团结训练等事宜,留意施行。"

丁酉,录行在系囚。

己亥,洪咨夔上遗表。诏:"咨夔鲠亮忠悫,有助亲政,可特与执政恩数。"

壬寅,权发遣泰州蔡节朝辞,言皇嗣未立,帝曰:"祖宗自有典故,见今讨论。"

甲辰,右正言李韶言:"江西宪司奏吉州太和县豪民陈闻诗,胁取乡民田产,殒死者数人。有司勘究,具得其实,事上于朝,尼而未行。官弱民强,渐不可长。请将闻诗同进士出身驳放,仍照条坐罪。"从之。

戊申,直宝谟阁、知婺州陈庸熙,言当举皇祐典礼,以太祖、太宗、宁考并配于明堂。诏令礼部、太常寺讨论以闻。

蒙古耶律楚材请立编修所于燕京,经籍所于平阳,编集经史;召儒士梁陟充长官,以王万庆、赵著副之。

秋,七月,丁卯,以同知枢密院事兼权参知政事郑性之为参知政事,权刑部尚书兼给事中李鸣复为端明殿学士、签书枢密院事。

甲申,雨血。

八月,癸巳,以久雨,诏出常平仓米千石,赈粜以平市价。

戊申,监察御史王极言:"二浙诸郡,雨水为沴,禾稼害于垂成,请下有司预桩钱米,赈赡灾伤,并下仓漕两司议蠲税赋,仍录贫乏,速议赈济之。"

蒙古破(襄)〔枣〕阳军、德安府。

初,蒙古破许州,获金军资库使姚枢,杨惟中见之,以兄事枢,与之偕谒蒙古主。至是南伐,诏枢从惟中,即军中求儒、释、道、医、卜之徒,枢招至稍众。及破枣阳,特穆尔岱欲坑士人,枢力与辨,得脱死者数十。既破德安,得儒者赵复。复以儒学见重于世,及被获,不欲北行,力求死,枢譬说百端,曰:"徒死无益,随吾而北,可保无他。"复强从之。至燕,名益著,学徒百人。由是北方始知经学,而枢亦得睹程颐、朱熹之书。

九月,己巳,朝飨景灵宫。庚子,朝飨太庙。雷。辛未,有事于明堂,大赦。大雨,震电。癸酉,避正殿,减膳,彻乐,求直言。

乙亥,左丞相郑清之、右丞相乔行简并罢,为观文殿大学士、醴泉观使兼侍读;以崔与之为右丞相兼枢密使。

判漳州王迈应诏上封事曰:"天与宁考之怒久矣。曲蘖致疾,妖冶伐性,初秋逾旬,旷不视事,道路忧疑,此天与宁考所以怒也。隐、剌覆绝,攸、熺尊宠,纲沦法斁,上行下效,京(率)〔卒〕外兵,狂悖迭起,此天与宁考之所以怒也。陛下不是之思,方用汉灾异免三公故事,环顾在廷,莫知所付,遥相崔与之。臣恐与之不至,政柄他有所属,此世道否泰,君子小人进退之分也。"

监察御史唐璘言:"天变而至于怒,民怨而几于离,海宇将倾,天下有不可胜讳之虑。陛下谓此何时,纵欲败德,文过饰非,疏远正人,狎昵戚宦,浊乱朝政,自取灭亡! 宰相用时文之才为经世之具,不顾民命,轻挑兵端,不度事宜,顿空国帑;委政厥子,内交商人,贿涂大开,小雅尽废;琐琐姻娅,敢预邪谋,视国事如俳优,以神器为奇货,都人侧目,朝士痛心。盍正无将之诛,以著不忠之戒! 崔与之操行类杨绾,虽修途暮景,力不逮心,而命下之日,闻者兴起。乔行简颇识大体,朝望稍孚,而降授偏私,事多遗忘。宜择家相,赞宗子,辅民物,以慰父母之望,无使天变寖极,人心愈离也!"帝为改容。又请号召土豪经理荆襄,亟择帅臣安集淮西,帝嘉纳。

壬午,御前诸军统制曹友闻与蒙古战于大安军阳平关,败绩,死之。

初,友闻帅师扼仙人关,谍报蒙古合蕃、汉军五十馀万将至,友闻谓弟万曰:"国家安危,在此一举。众寡不敌,岂容浪战,惟当乘高据险,出奇设伏以待之。"

蒙古攻武休关,败都统李显忠军,遂入兴元,欲冲大安军。制置使赵彦呐,檄友闻控制大安以保置口,友闻驰书彦呐曰:"沔阳,蜀之险要,吾重兵在此,敌有后顾之忧,必不能越沔阳而入蜀。又有曹万、王宣首尾应援,可保必捷。大安地势平旷,无险可守,正敌骑所长而吾步兵所短,况众寡不敌,岂可以平地控御?"彦呐不从。

友闻计以寡击众,非乘夜出奇、内外夹击不可,乃遣弟万及友谅引兵上鸡冠隘,多张旗帜,示敌坚守;自选精锐万人,夜渡江,密往流溪设伏,约曰:"敌至,内以鸣鼓举火为应,外呼杀声。"蒙古兵果至,万出逆战。蒙古巴图鲁及塔尔海帅步骑万馀人往来搏战,矢石如雨,万身被数创,令诸军举烽。友闻分所部为三以御敌,亲帅精兵三千人疾驰至隘下,先遣统领刘虎帅敢死士五百人冲敌前锋,不动。友闻乃伏三百骑道旁,而令虎衔枚突阵。会大风雨,诸将请曰:"雨不止,淖泞没足,宜俟少霁。"友闻叱曰:"敌知我伏兵在此,缓必失计。"遂拥兵齐进。西军素以绵裘代铁甲,经雨濡湿,不利步斗。黎明,蒙古以铁骑四面围绕,友闻叹曰:"此殆天乎! 吾有死而已!"于是血战愈厉,与万俱死,军尽没。蒙古兵遂长驱入蜀。事闻,赐友闻谥毅节。

金既亡,唯秦、巩二十馀州久未下。耶律楚材言:"往年吾民逃罪,或萃于此,故以死拒战。若许以不杀,将不攻自下矣!"诏皇子库端招谕,诸州皆降。惟会州都总管郭斌,犹为金守,蒙古兵攻之,斌聚城中金银铜铁杂铸为炮以击攻者,杀牛马以食战士,蒙古兵不能猝拔。冬,十月,食尽,斌命积薪于州廨,呼集家人及将校妻女,自焚之,率将士于火前持满以待。城破,兵填委以入,战久,士率有弓绝矢尽者,挺身入火中。斌独上大草积,以门扉自蔽,发矢,无不中者,矢尽,自焚。有女奴自火中抱儿出,授人曰:"将军尽忠,忍使绝嗣? 此其儿也,幸哀而收之。"言讫,复投火死。蒙古将安笃尔闻之,命保其孤。

壬寅,蒙古破固始县。淮西将吕文信、杜林率溃卒数万叛。六安、霍丘皆为群盗所据。

丙午,蒙古库端兵破宕昌,残阶州,攻文州。知州刘锐、通判赵汝曩乘城固守,昼夜搏战。安笃尔率炮手为先锋,攻之久不下,谍知城中无井,乃夺其汲道。兵民水不入口者半月,卒无叛志。安笃尔率勇士梯城先登,锐度不免,集家人,授之药,皆死。幼子同哥,才六岁,饮药时,犹下拜受之,左右感恸。城破,锐及二子自刭死,汝曩被执,啇杀之,军民同死者数万人。

行大理寺丞赵綝纠禾言:"近者暴雨疾雷,上下震惧,罔知所自,宜有以答上天之变。"帝曰:"朕未尝不恐惧修省。"綝对曰:"愿此心罔间,庶可回歉岁为丰年。"

安南国陈日(照)〔煚〕遣人入贡。制授安南国王,仍赐效忠顺化功臣。

4034

蒙古安笃尔招徕吐蕃诸部族,赐以银符,略定龙州,遂与库端合兵,进破成都。会闻皇子库春薨,库端旋弃成都而去。

十一月，丙辰，臣僚言："敌践荆襄，士马溃失，诸郡月运钱粮，请下湖广总所具实来上，按月督趣，通前顿积，以备收复招募之用。"从之。

庚申，度支郎官兼权左司郎官赵必愿言："近臣除授，意向不明，况当天下事变方殷之日，虚鼎席以召老成，意者其未必来。"帝曰："崔与之既不至，朕委政事于二参。"必愿曰："二参固同心辅政。然天朝岂容不早命相？"帝曰："然。"

壬戌，仓部郎官蔡节进对，帝曰："崔与之有疏辞免，未知曷日能来？"节曰："与之年高，地远病多，臣料其来未可必。"帝曰："相位固不可久虚，然亦欲委任得人。"节曰："天下之势，危若累卵，不可一日无相。"帝是之。

乙丑，以乔行简〔为〕特进、左丞相兼枢密使，进封鲁国公。

戊辰，诏戒饬百官。

唐璘疏劾"郑清之妄庸误国，乞褫职罢祠。其子士昌，招权纳贿，拔庸将为统帅，起赃吏为守臣，请削籍废弃。郑性之懦而多私，党庇奸庸。臣受其改官举状，尝蒙荐引。陛下国事至此，不敢顾私。"璘论事切劘上躬，尽言无隐，帝严惮之。殿中侍御史杜范亦劾清之"横启边衅，几危宗社，及其子招纳权贿，贪冒无厌，用朝廷钱帛以易货外国，且有实状。"并言："签书枢密院李鸣复，与史寅午、彭大雅以贿交结，曲为之地。鸣复既不恤父母之邦，亦何有陛下之社稷！"帝以清之潜邸旧人，鸣复未见大罪，未即行。鸣复抗疏自辨，范又极言其寡廉鲜耻，合台劾之，不报，范遂去位。

壬申，诏蠲被水州郡新旧苗税、监系赃赏等钱及民间逋欠转息过本者。

蒙古昆布哈入淮西蕲、舒、光三州，守臣皆遁。昆布哈合三州人马粮械趣黄州，游骑自信阳趣合肥。诏史嵩之援光，赵葵援合肥，陈韡过和州，为淮西声援。

蒙古特穆尔岱攻江陵，史嵩之遣孟珙救之。珙遣张顺先渡江，而自以全师继其后，变易旌旗服色，循环往来，夜则烈炬照江，数十里相接。又遣赵武等与战，珙亲往节度，遂破蒙古二十四寨，夺所俘二万口而归。

蒙古将察罕攻真州。知州邱岳部分严明，守具周悉，蒙古薄城辄败。岳乘胜出战于胥浦桥，以强弩射杀其致师者一人，蒙古兵少却。岳曰："敌众十倍于我，不可以力胜也。"乃为三伏，设炮石待之西城。兵至，伏起，炮发，杀其骁将，蒙古众大扰。岳(遗)〔遣〕勇士袭敌营，焚其庐帐。越二日，始引去。

十二月，辛卯，军器监兼权枢密副都承旨王埜，请联络江、淮，赈恤边民，讨捕盗贼。帝曰："江、淮之势如何？"埜言："不过重一阃之权以统之。"帝曰："流民可念。"埜曰："流民纷纷蚁聚，弱者困毙，强者剽掠。"帝为之蹙额，因曰："江西之寇尚未平。"埜曰："寇始于衡之酃县，侵犯吉州，今南安峒寇又发。向有淮兵可调，今无以应，遂集乡丁，合禁军，共为剿除，非以一官兼总两路讨捕之事，则权不一。"帝曰："如三节制之类。"埜曰："事正如此，愿陛下思之。"帝曰："然。"

诏："沿江州郡，如遇江北流民入界，多方措置存著，无令暴露，仍于所管官钱米内支拨救济。其间有强壮愿为军者，填刺军额，收管给请，庶不致失所，以称朕劳来安集之意。"

壬寅，左谏议大夫兼侍读李宗勉言："沿江诸郡，所在单弱，安有馀力为劳来安集之举？若不别作措画，深恐诏旨徒为美观。如安丰、濠梁、历阳管下开顺、六合、含山等处，居民渡江,留在江北强壮,结寨拒守,恃其声势,因而作过。不早收拾,展转滋蔓,猝难殄灭,恐为敌人所得,宜详酌科降钱粮告牒,令沿江、淮西制置司亟作措置。凡流民过江北者,令陈鲧存恤,强壮之留淮北者,令史嵩之遣官招募,不愿者,发还本处,籍为民兵。"从之。

甲辰,诏以来年为嘉熙元年。

诏:"措置会子,务在必行。尚虑监司、守令,纵吏为奸,奉行不力,令两监察御史觉察弹奏。"

国子监主簿丰城徐鹿卿入对,陈六事,曰洗凡陋以起事功,昭劝惩以收主柄,清班著以储实才,重藩辅以蔽都邑,用闽、越舟师以防海,合东南全力以守江。

是岁,蒙古中书省课绩,以济南为第一。先是河南民北徙至济南,都元帅、知府事张荣下令民间分屋与地居之,俾得树畜,且课其殿最,旷野辟为乐土。荣,历城人也。

【译文】

宋纪一百六十八 起乙未年(公元1235年)正月,止丙申年(公元1236年)十二月,共二年。

端平二年 蒙古太宗七年(公元1235年)

春季,正月,乙未朔(初一),皇帝不临朝听政。

丙申(初二),颁布诏令:"中书后省,将端平改元以来朝廷内外谈论政事的书信奏闻,区分其所陈述内容的细目,迅速呈交上来,以便阅览研究。从今以后按月分类进呈,送到中书省,让大臣们参看,斟酌施行,如绍兴年间的旧例。"

颁布诏令:"三衙、沿江、京湖、四川、两淮帅臣以及各地军事统帅,凡不是临阵对敌时违犯军令者,不得随便杀戮。如果所犯的罪行很严重,必须审察属实,听取皇帝的诏谕后执行。"

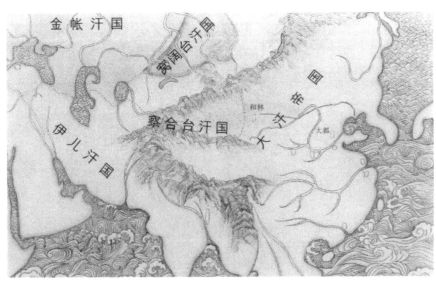

元朝及蒙古四大汗国疆域图

庚子(初六),颁布诏令:"荣王府、皇后宅院分别设置教授各一人。皇后宅院可以依照绍兴年间的旧例,四姓小侯设立《五经》教师的遗意。"

丁未(十三日),颁布诏令:"京湖、四川、两淮节制大臣、军事统帅,都应该训练兵马,体恤民众,储备粮草,修缮武器装备,整治军营,控制扼守险要地形,保持警戒饬备,经常都像敌人来了一样。各军的将士,此前已经按级给予赏赐的,所在之处要迅速发放实行。如果有人偶然遗漏没有分条开列报告,可将姓名呈报上来。中原归顺过来的人,如果忠诚节义可嘉,应视论功行赏,按才能高下给予录用,不要让他们失去应有职位。"

辛亥(十七日),颁布诏令:"国家设置科举制度,以得到人才为美事。近年来考场因循陋习宽容放纵,调换考卷、请人代笔,传递题义等舞弊行为,各种各样都有,深恐有真才实学之人,无从得到表现。可令监考官员严加监察,对违犯考场规则者依照贡举条例予以处置,让考试合格之人到尚书省进行复试,以符合皇上亲自策试选拔的标准。"

甲寅(二十日),礼部尚书兼侍讲李皇,上书奏称胡瑗、孙复、邵雍、欧阳修、周敦颐、司马光、苏轼、张载、程颢、程颐十人,才学高远,为学者所宗仰,应配享在孔庙从祀之列,又奏请将子思一并提升予以祭祀,列于十位哲人之中;皇上听从了他的建议。

丙辰(二十二日),命带御器械兼权主管侍卫马军行司公事孟珙驻节黄州。

孟珙入朝回答皇帝的询问,皇帝问他复兴之策。孟珙回答说:"希望陛下宽恤民力,蓄养人才,以等待时机的到来。"皇上问和议之策,孟珙回答说:"臣下是披甲戴盔的军人,应当谈论战斗之事,而不应当谈论和议之事。"皇上给他很优厚的赏赐。孟珙到黄州后,增筑城墙,深挖护城壕,简阅军事器械,边境地区的民众来归附的每天都数以千计,孟珙建造房屋三万间供他们居住,并拿出很多财物来救济和借贷给他们。又担心军民杂居在一起不便,依高地建起齐安、镇淮两个军营,用于居住军队。

丁巳(二十三日),降旨命经筵所为皇帝讲解《通鉴纲目》。

辛酉(二十七日),任命宁淮军统制程蒂为蒙古通好使,浙西路兵马钤辖王全为副使,分别借给他们金带服饰。不久又任命杜显为添差通好副使。

当时江西安抚使史嵩之竭力主张议和,起居舍人袁甫说:"臣下与史嵩之是同乡,却不曾了解。但史嵩之的父亲史弥忠,则与臣下有旧交。史嵩之轻易主张议和,史弥忠屡次告诫他不要太轻率。现在朝廷甘心于任用父子异心之人,臣下认为不只是史嵩之轻易主张和议,朝廷用人也未免过于简率轻易。"奏疏呈上,不予回答。

降旨命令知衢州蔡节降官两级,因为本郡会子纸币价格低于朝廷规定的价格的缘故。

二月,甲子朔(初一),发生日食。

丁卯(初四),颁布诏令:"各道提点刑狱官,在五月份巡视部属,审理囚禁的罪犯。"

蒙古在和林建城,并修筑万安宫。

和林原来是回鹘的旧城,蒙古把它作为聚会商议大事的地方,命安抚使刘敏在此筑城,并下令营建万安宫,设置宫闱司,建立驿站,以便利朝贡运输。城建起后,方圆五里左右。

蒙古任命宋子贞为东平行台右司郎中。

宋子贞,是长子人。原先在严实幕府中,担任详议官。当时蒙古刚刚攻略平定中原地区,各种事情都才开始做,严实创建行台,管辖五十余城,州县的官员,或从将校中提拔,或从平民中选拔,大都不懂得从事政治,治理民众。严重的专门以聚敛贪狠为能,官吏互相贪污徇私,百姓困苦。宋子贞仿照前代的观察采访制度,并约定期限,罢免贪狠懒惰之人,奖励廉洁勤奋之人,官府从此才开始有了法制,百姓得以恢复孳息,东平将校强占民户为部曲户,称之为乡寨,擅自征收他们的赋税,有将近四百处之多,宋子贞请求尽数撤除,将民户归于州县,严实起初有些为难,宋子贞竭力进言,于是听从了他的建议。百姓以为便利。

三月,乙巳(十二日),命曾从龙兼任同知枢密院事,真德秀担任参知政事,守吏部尚书兼给事中、侍读陈卓担任端明殿学士同签书枢密院事。

辛亥(十八日),命权兵部尚书余铸、监察御史丁伯桂一同掌管会子所官,共同商量处置回收兑换会子事宜。

乙卯(二十二日),降旨命吏部尚书兼给事中兼修国史,实录院修撰李塈专门负责领导《高宗正史》的修撰。

夏季,四月,都省进言说:"第十六、十七界会子,分散在民间,其数量非常多;会子的价格一天天降低,物价一天天增高,如果不采取措施回收减少,没办法使会子价格增长。"颁布诏令:"命令封桩库支出拨发度牒五万道,四类任官资历的凭证三千道,紫衣师号二千道,封赠臣下父母官爵的敕令文书一千道,武散官减少时间的凭据一千道,下发到各路监司、州郡,广泛回收第十六,十七两界会子。"

前任权发遣肇庆府陈雷奋入朝回答皇帝的询问,说到广东民兵首领一事,皇帝说:"广东民兵之制度怎么样?"陈雷奋说:"只为了保卫乡里,没有调遣征发的烦扰,没有到外地戍卫的劳顿。并且臣下所奏请的民兵,不只是为广东而设。自陛下亲政以来,无数次振作整顿,没有见到有多大的成效,是什么原因呢?确实是由于尽东南郡县之力,养为数百万之兵,财力耗用完了,国内的治理还很困难,兵力既耗用竭尽,排除外患也很困难。希望陛下对于民兵一事予以留意,不但可以摧破奸雄之胆,杜绝盗贼之萌发,当能不须花费亿万财物,而可使天下精良勇敢之士尽为国家所用。"皇帝说:"广西曾否实行过这一做法?"陈雷奋说:"广西前前后后的帅臣都没能实行此制,但两广地区依赖民兵之用的情况很多。如以前的广东峒寇陈三枪叛乱,招引捕捉陈铧,正是凭借民兵协助之力才得以捕获;又如前不久广州戍守士兵之叛乱,既然起于兵变,自然难于用本州之兵来制服它,崔与之实际上是率领民兵首领登城捍卫抵御,叛兵于是逃走。这都是已经尝试取得的成效。陛下如果将民兵之制从两广地区推行到各地,天下生灵受其恩泽的就会更广了。"皇帝再三点头表示赞同。

丁卯(初五),临安发生火灾。

庚辰(十八日),宰相执政官们说:"节省开支应从皇帝的亲贵和近侍大臣开始,积蓄财物关键在于节省开支,要求下面的人应当先从自身开始做起。请求将我们的俸禄从五月份开始减少一半支领,痛下决心抑制节省,以示表彰奖励。"皇帝接受了他们的请求。乙酉(二十三日),刑部尚书李塈请求捐出自己俸禄的一半,此后卿监大臣也上呈要求捐出俸禄的奏折,皇帝降旨不准。

丁亥(二十五日),太白星(金星)在白天出现。

戊子(二十六日),大阅兵马。

五月,癸巳朔(初一),监察御史李宗勉进言:"朝廷更新变化之初,将第十六、十七两界会子急速更换,需要费用非常之多,实行的日子长久之后,减价交易之情形依然如故,不如节约用度而减少官吏,用这些钱来充作朝廷内外营建修缮的费用,不必要的费用,务必要进行节约。那些监司、帅守,既然没有馈赠、进献的费用,尽可以抑制节省,把它们作为回收会子之辅助经费。"皇帝接受了他的建议。

丙申(初四),因军民之间相互争斗,罢免和州防御使、主管殿前司公事赵胜。任命韩昱为带御器械,暂时代理主管殿前司公事,王鉴为带御器械,暂时代理主管步军兼马军司职事。

知平江府张嗣古与知嘉兴府赵与慁各加官一级,因为他们购置军粮有劳绩。

甲辰(十二日),参知政事真德秀去世,谥号为"文忠"。

真德秀在朝不满十年,奏折书疏都切中当代要务,正直之声震动朝廷。被史弥远所忌恨,屡遭排斥而不受重用,但声望却更加显著。做官所到之处都有惠民之举,无愧于他自己的言论。

庚戌(十八日),命乔行简兼任参知政事。

六月,癸亥(初二),降旨命令殿前司招募制刺一万人,补充各军缺额。统制常思训因军队内讧,削去官秩两级,除去名籍勒令停止任官员的资格,到淮西制司效力,其他将佐降职处分不等,又下令挑选淘汰士兵,年老无所依靠而又尚能披带盔甲作战的,暂时予以保留。

戊寅(十七日),任用郑清之为左丞相,乔行简为右丞相,都兼任枢密吏。己卯(十八日),任用葛洪担任资政殿大学士,仍旧掌管洞霄宫。

庚辰(十九日),举行求雨的仪式,讯视记录皇帝所在地区囚犯的罪状。

当时《会要》一书编撰完成,征召李心传进京,担任工部侍郎。

李心传上奏章进言:"臣听说大的战争之后,必定发生天灾。这是因为战争中杀戮之多,赋税搜括之重,使得人民怨恨愤怒之气,冲犯了阴阳的和谐平衡。陛下应该与各位大臣一道,扫除混乱之政,与人民更始,以此作为消除厄运、迎接好运吉祥之计。而现在法制弊坏未曾更改,百姓疲困而不施以救济恩德,不但不能改变过去的旧弊,恐怕还有比过去更加厉害的。廉洁公平之官吏,到处罕于见到,而贪利无耻敢于干坏事之人,借御敌之名而兴兵,四面而起,以求实现个人私欲,像这样却想希望五福齐至,百谷丰收,这就好比缘木求鱼一样是不可能的。臣考究导致旱灾之原因,是强行收购粮食的数量增多因而百姓怨恨,流亡离散之人无家可归因而百姓怨恨,检查浮旨不当的税收不周到因而百姓怨恨,没收资产没有罪名因而百姓怨恨。凡属这些都出现在大的战争之后,而又势所不能设法消除这些弊端,所以越来越严重。商朝之成王汤王,是圣明的君王,而在桑林的祷告中,还用六件事未做好来责备自己,陛下希望国家治理好,到现在已经七年了,灾异饥荒,接连不断,其原因是什么呢? 早晨的命令而晚上就改变了,没有正常稳定的规章制度,那么政治就失去了控制,馈赠赏赐,几乎没有停止之日,那么使得百姓有了疾苦;陪都园陵宗庙,工程众多,那么将会大兴土木;旧邸的女道人,其声威气焰日盛,那么通过女人干求请托之风将会盛行;珍宝玩物的进献,很少听到有退还谢绝的,那么馈赠贿赂之风将会盛行;对忠直恳切的言论,大多都厌恶摈弃,那么进谗之风将会更盛。这六件事情,只要有一件存在,就足以导致旱灾。希望陛下迅速下达责备自己的诏书,整治好以上六件事,来挽回天心。群臣之中,如有进聚敛民财、剽窃民物之言来求进用之人,必须重加贬斥,使之不能上诬陛下之圣德,那么旱灾虽然厉害,仍然可以消除。不然的话,百姓怨恨于内,强敌逼迫于外,事势穷迫,什么情况不会出现! 陛下即使谋臣如云,猛将如雨,也不知道拿什么来做对策了。"皇帝认为他说得对。没多久,李心传又因为直言而去职。担任无职事、只领取俸禄的宫观官,居住于潮州。

壬午(二十一日),任命曾从龙为知枢密院事,郑性之为同知枢密院事,陈卓为签书枢密院事。

赐给礼部进士吴叔告等四百五十四人及第、出身资历。

征召崔与之入朝担任参知政事,久没到任;皇帝派使者催请他,并向他访询政事与人才。

崔与之上书说:"上天造就人才,自然足以供应当代之用,只是要分辨其中之小人与君子罢了。忠心诚实而有才能之人,是最上等的人才;才能虽不高但忠心诚实有余之人,是次一等人次。国家用人这道,不过如此。大概忠心诚实之才,称之为有德行而又有才能之人。如果以为君子无才,一定要去寻求有才之人而用之,意向或者发生偏差,名实没有区别开来,君子与小人一消一长之势,就造基于此了。陛下振奋精神改革旧政,擢用见多识广练达世事之人;然而以为正人君子迂远不切实际,从而怀疑他们难于成就事业,以为忠直之言奇异偏激,从而怀疑他们近似于喜好个人名声,任用他们不专一,不能充分信任他们。或者以为国运将衰,则人才首先就已经凋谢,如真德秀、洪咨夔、魏了翁刚刚委用,却都相继去职。天意固然不可知晓,至于敢于谏净之臣,忠心为国效力,话还没出口,贬斥驱逐随之而至,一旦离去就不可使之再留。人才难道容易得到,而像这样的轻易舍弃!陛下觉悟以往的过失而图谋将来,将以前因直言不讳而去位之人速加重用,转任到外地之人尽早召回,让天下之人知道陛下并非疏远正直之人,并非厌恶忠直之言,这不过是轻而易举的事情。陛下收回大权,全归自己一人独断;所谓独断,必须对是非利害胸有定见,然后独断而行。最近听说陛下独断以来,朝廷之事体更加轻微,宰相呈上的建议,大多被阻止不予施行,有些授予官员的命令由宫中直接发出而宰相事先不知道。一般说来实行独断应当以兼听各方面意见作为先导,倘若不听取各方面意见就独断而行,其发展趋势必至于偏听某一方面的意见,这实际上是造成政治混乱的阶梯,虽然威令仍行于上,而权力已暗中移到下面了。"崔与之又说:"近年以来,各种变故层出不穷,盗贼腾跃跳动,雷电震惊,星辰乖背变异,都不是无关紧要的小事。难道是京城数万户居民都得罪了上天?百姓惊恐戒惧,在于陛下一人,唯有求取直言可以裨益君德,纠正天心。"他又说:"外戚、故旧僚属,凡有一丝一毫可以攀附上升的,谁不寻找间隙来求实现其大的欲望。皇帝身边近侍之臣,日夜都在左右,容易亲昵而难于防备。如果说他们之所言是出于无意,却不知其爱憎之个人私见,就会因此而入,这对于陛下圣德,难道不会有玷污?"皇帝看了他的奏疏,感叹称好,派遣使者征召他更加急迫。崔与之上书辞让达十三次,皇帝仍然不准。

蒙古主命皇子库端、库春等率兵进攻蜀汉与江淮地区,又命皇子库裕克、侄子莽赉扣征伐西域,唐古娄库齐征伐高丽。蒙古人每十户出一人西征,一人南征,中原地区之民每户出一人南征,一人征讨高丽。

当初,有人建议派回族人征讨江南,派汉人征伐西域,认为这是控制他们的好办法。耶律楚材说:"不可以。中原与西域之间,相距遥远,还没到敌人之境,人马就已疲劳困乏,加上水土不服,疾病瘟疫将会产生,应当各随其便才是。"蒙古主接受了他的意见。

秋季,七月,戊戌(初七),太白星经天而过。

崇政殿说书袁甫进言："同时任用两位宰相,应当尽心尽力,以符合皇帝委任之意。如今朝廷内外事务繁多,而左相辞让,右相畏惧远避,都为了避免嫌疑,遇到危急大事怎么办呢?应当传谕二位宰相,要努力认真尽职尽责。"皇帝说:"你的议论极为恰当。"

甲辰(十三日),秘书郎兼庄文太子府教授应𦶎请求立太子,皇帝说:"此事祖宗自有旧例。"应𦶎说:"仁宗晚年因为请求大臣,才能行此大事。高宗正当年富力强之时,没有皇子,即能以天下为公,挑选宗族之子养育于宫中,真是超越千古之人。"皇帝认为说得对。

庚申(二十九日),礼部尚书魏了翁上报十件事,不予答复。

袁甫进言："刚这个字,最切合于陛下。陛下徒有仰慕汉宣帝励精图治之名,却有汉元帝、唐文宗柔弱不振的过失。汉元帝与唐文宗,其果断不用于贬斥邪佞之臣,反而用于驱逐贤人,这是他们二位皇帝不懂得刚德的实质。所谓真正的刚毅果断,是应当做的事一定要做,不当做的事,则一定不能去做。"

蒙古将领昆布哈侵入唐州,全子才等将领弃军逃走。赵范率兵击败蒙古兵于上闸而归。

闰七月,壬戌朔(初一),秘书省正字王迈,说同时任用两位宰相,应当均衡责任,皇帝说:"朕当会告诫晓谕二位宰相,让他们同心协力,共济国事。"王迈说:"如不告诫申饬,恐怕会形成朋党相争之风气。"皇帝说:"朕任用郑清之甚为专一,只是因为天下变故正多,一位宰相不能全部处置,所以让乔行简来辅助他。乔行简的任用,决断于朕之意。"

己巳(初八),魏了翁为皇上讲解《大学》,顺便说:"诚字虽系陛下藩邸旧名,查考过去的旧例,诚字单独用时不曾避讳。大概此字乃是治世之本,如果科举文字都要回避,科场中未免产生疑惑,请求陛下出言准许免于回避,以扩大陛下的谦逊之德。"皇帝降旨不必避讳。

丁丑(十六日),兵部郎官丘岳进言士兵贫乏憔悴,皇帝说:"士兵们所求不多,适逢物价昂贵,不足供养,军心不稳定,原因正是于此。"丘岳请求发放战功及去年夏天河南各路的恩赏钱物,皇帝说:"已经处理过了。"丘岳说:"外面实际上并没有施行。

戊寅(十七日,)乔行简奏请"政府各个部门,等到宰相每天按时离开公堂之后,才准许退归,这样差不多政事都能及时分析解决而没有滞留积压之患。"颁布诏令:"政府各部门都应遵照执行,可于朝堂发布告示。"

壬午(二十一日),臣僚奏请"宣示晓谕沿江、两淮、荆襄等处帅臣,各自放弃个人之间的私怨,协心同谋,调遣流通财物,遇有急难之事相互救助。如有轻视诏书,仍然相互猜忌之人,要斥退他们。选择大臣中有实际声望的人,使之居于督府之任,或给予宣抚之位,将他们安置在荆淮之间,统帅列城,统一节制,总揽事权,不但平居,无事之日调和统一其心,遇事之时,也要如臂使指一样指挥调度自由。"皇帝听从了他们的建议。

颁布诏令:"大理寺、三衙、临安府所属各县、两浙州军,判决关押的囚犯,杖刑以下的释放他们,仍然免除赃赏钱。"

丁亥(二十六日),因全子才与军器监簿刘子澄相继乘夜逃跑,抛度军事物资,一并削去两级官秩,全子才外放于衡州居住,刘子澄外放于瑞州居住。

八月,颁布诏令:"浙西临安、平江、嘉兴、镇江府、常州、安吉等地守臣,将尚未修复之围田,允许官家民户承租经营。"

乙未(初五),太府寺簿王极进言:"近来多次出现星象变异和军事变故。秋季收成在望,久阴多雨,希望陛下积蓄诚意以感动天心,权衡审度边境防卫,不至于粗率从事。"皇帝认为他说得对。

军器局监正杜范进言:"陛下亲听朝政,至今已有二年。如今不但未见到气象更新之成效,有时甚至有渐不如旧之忧,其弊病之根源不过是一个私字而已。陛下负有在天之位的重任,而私意没能全无,陛下的天意加于有德之人,而有时滥用于私自给予,天意致讨有罪之人,而有时受制于个人之私情,左右亲近大臣之言,有时不免偏听偏信,无益之土木工程,造成奢侈浪费,有时是出于个人的耗费,举止端庄恭谨以敬重贤士,而运用之中仍有未尽周到之处,以温和之言词与态度来接纳进谏之人,而运用时仍然显得很勉强,这是因为陛下之私心仍有未尽除去的。和衷共济之美德没有显著的表现,同僚之意各不相互信服,集合讨论之人满庭。而施行之时决定于个人私见,众多贤士在朝,而秘密的计策决定于私家之门,这是因为大臣之私心仍有未尽除去的。君上与宰相之私心,如果有未尽除去的,那么政令条文颁布,只不过是一纸空文。近来召用有名望的儒学之士,那些喜欢议论是非之人随之诋毁讥笑他们,陛下一旦为他们的言论所迷惑,就会产生厌倦抛弃儒学之心,这正是贤士与不肖之徒一进一退之关键。"

甲寅(二十四日),惠阳、建阳、京口各路军队发生叛乱,派兵讨伐平定他们。

乙卯(二十五日),将赵汝愚祔祭宁宗庙庭,并画像张挂于昭勋崇德之阁。

主管官告院钱相进言:"朝廷之外的各路将帅,朝廷之内的两位宰相,不能相互协调和睦。如今世事多变,民心不可测。而将相竟至于佩剑互相嬉笑,用武器相互攻击。"皇帝说:"已经告诫晓谕各路帅臣。"钱相说:"各路帅臣责任虽然分开,统帅节制则应该统一。如果彼此之间不了解形势缓急,怎么会去相互应援呢?"

丁巳(二十七日),知建昌军徐橐上朝辞行,论述江淮海道的严重情况。皇帝说:"淮地的兵力不算少了。"徐橐说:"义勇、忠义等民兵虽然很多,正规部队却很少。"皇帝说:"义勇乡兵也可以应付。"徐橐:"都是沿淮地区眷恋乡土之民,不一定人人都可用。现在正当秋高马肥之时,应当辨明敌人的奸细,整饬边境的防备。"

九月,丙子(十六日),李宗勉请求降旨,命大臣"察看郑寅等人所上奏折开列的项目,详细加以审订,自宫中开始,其次为朝廷,又其次为郡国,都必须以节省为紧要之事,不要拘泥于私情,不要为没有事实根据之言论所迷惑。以天计算虽然节省有限,但以年计算则多有剩余。仍拿出宫廷内储藏的金帛,回收第十六、十七两界数量过多的会子。实行几年后,自然会有成效。"皇帝听从了他的建议。

己丑(二十九日),颁布诏令:"自从端平年亲政以来,致力于革除以前的弊政,禁止求举传书之类的名目。近来听说因循沿袭旧时习惯如同既往,危害政体尤为厉害。从今以后,在朝廷内的各衙门,在朝廷外的行台州郡,每月开列没有求请托咐之事,申报御史台,仍令御史台经常切实督察。"

冬季,十月,蒙古将领塔斯攻破枣阳,库春进攻襄、邓。塔斯率兵进攻郢州,郢州城紧靠汉水,城很坚固,有许多战舰,塔斯下令制造木筏,派汶上达噜噶齐、刘巴图鲁率领敢死队五百人乘坐木筏进攻,江陵统制李复明竭力抵御。塔斯率骑兵沿江岸迎面射,李复明战死,手下士卒大多溺水而死。城中将士坚守,无法攻占,塔斯于是掳掠而回。

金国既已灭亡,其郡县陆续投降于蒙古。巩昌总帅汪世显仍设城防守备,然后与部下商议投降之事。适逢蒙古将领库端入蜀,驻军于巩昌城下,汪世显率领当地年高而久负声望之乡绅手持牛羊酒币迎拜旁。库端对他说:"我征伐攻讨多年,所到之处都闻风投降,唯独你一个人固守,是什么缘故?"汪世显说:"有君王在上,卖国求荣之人,料想不为将军所取。"库端又回道:"金国灭亡已久,你还不投降,果真是为谁呢?"汪世显回答说:"蒙古大军更迭而至,不知道怎么办才好。唯有殿下仁慈勇猛,不事杀戮,我私下以为必定能保全全城军民,所以投降于您。"库端非常高兴,告诫其部下秋毫无犯,让汪世显仍任旧职,率领其部下跟随自己征讨。汪世显于是渡过嘉陵江,进趋大安,库端资助其粮食与军械。

十一月,乙丑(初六),降旨任命知枢密院事兼参知政事曾从龙为枢密院使,督视江淮军马。任命礼部尚书魏了翁为端明殿学士、同签书枢密院事,督视京湖军马。任命同知枢密院事郑性之兼权参知政事。

戊辰(初九),降旨给予两督视府随军开支之费用,黄金各一千两,白银各五万两,允许出家为僧免去赋役的度牒各一千道,会子各五百万贯。

壬申(十三日),都官郎官葛逢,上奏说赵范、赵葵、陈铧三人,向来不同心。皇帝说:"设置两督视府,应当可以使诸将协调和睦。"葛逢又说:"人才难得,过失有小有大,当变故繁多之时,也该考虑有所取舍地任用他们。"皇帝说:"有过失的人不可一律弃去不用。"

甲戌(十五日),臣僚们进言:"敌人侵扰四川之境,统制大臣赵彦呐连年调度兵马,军队疲惫,财物耗尽,兵马分散,战斗力薄弱,倘若上游地区不稳固,那么下游的吴、楚地区就有被冲决崩溃之势,希望陛下以保全四川为念。倘若有什么请求,全都予以批准。或者派遣襄阳的援兵,尽早起程。各部门应当对钱物不分彼此,尽全力相助,以扶助蜀地克服危急。"皇帝接受了他的建议。

戊子(二十九日),安南国贡献本国的土产物品。

蒙古中书省请求考核校正《大明历》,蒙古主接受了这一建议。

十二月,壬寅(十四日),魏了翁辞别皇上,皇上赐给他根据具体情况,不拘规制条文,不须请示,可自行处置的诏书,如当年张浚的旧例。

魏了翁在朝共六个月,前后有二十多封奏疏,都是谈论当代极为紧要之事。皇帝正要用他来共同治理朝政,而怨恨他的人相互合谋排斥他,并说魏了翁懂得用兵,体恤国家,于是命他出外督视军队。适逢曾从龙去世,于是命他兼督视江淮军马。魏了翁在江州建立大本营。任用吴潜为参谋官,赵善瀚、马光祖为参议官。

甲辰(十六日),任命余嵘同签书枢密院事。

辛亥(二十三日),打雷。

蒙古将领库端侵入沔州,知州事高稼死于战事。

高稼在沔州,修复战争的创伤,招集流亡离散之人,百姓都扶老携幼归附于他。多次与蒙古军队拼死战斗,屡建奇功。至此时库端从凤州进入西川,东路之军队大都战败,库端于是进捣西池谷,距沔州九十里。官民商议退保大安,高稼对制置使赵彦呐说:"今日之情形,只能前进,不能后退。如果能进兵据守险要地形,用生命捍卫四川,敌人有后顾之忧,必定不会深入;如果匆忙召集兵马,退守内地,敌人就会长驱向前,四川之事就不可为了。"赵彦呐说："这是我的志向。"不久，赵彦呐终于离去，留下高稼守卫沔州。

蒙古军队从白水关进入六股株，距沔州六十里。沔州没有城墙，依山为险阻，高稼登上高地击鼓呐喊，大张旗鼓，作为疑兵。赵彦呐到达置口，帐前总管和彦威率军回沔州，招呼小校杨俊、何璘以兵相会，又命令王宣率领精兵一千人协助他们。不久蒙古兵大量涌来，何璘畏敌逃跑，沔州于是被攻破。大家保护高稼出门，高稼大声呵斥，不能阻止，敌人围上来杀害了他。

赵彦呐听说高稼战死，沔州被攻破，于是进兵屯驻青野原，蒙古军队包围了他。曹友闻说："青野是四川的咽喉，不可延迟。"随即前往营救。半晚，截击蒙古兵，于是解了青野之围。不久蒙古先锋汪世显进攻大安，曹友闻又去救援。指挥部署刚刚完毕，蒙古兵数人突然而至。曹友闻上前迎战，又击败了他们，蒙古兵才退走。曹友闻于是率兵入据扼守仙人关。曹友闻，是曹彬的第十二代孙。

杜范、吴昌裔、徐清叟三人，同时擢任监察御史，受到舆论的一致称赞。

杜范上书说："从前权臣用事，台谏官一定是其心腹之人，相约已定然后发出命令，其所弹劾攻击的事，完全秉承上面的旨意，因此朝廷的法制荡然无存，风气大坏。陛下亲政以后，首先起用洪咨夔、王遂，痛下决心，矫正旧的弊端，除去奸邪，然而朝廷之上，牵制阻碍仍然很多。议论到贵近大臣，或者委婉曲折地加以回护，而让其先提出担任宫观官之请求；事情遇到阻力，或者在彼此之间进行调停，而最终收回论罪的奏章。也有弹劾之奏章墨迹未干而又已颁布新的任命，淘汰没有多久而旋即又得美官的，从此台谏之风采日益消退，朝廷之法制日益败坏。"皇帝非常赞同他的话。吴昌裔上书说："现今的朝廷法律果真没有被阻挠干扰的情形吗？说到亲朋故旧，就将弹劾之奏章留中不予回复；说到亲近宠幸之人，就为之收讫了事。事情有阻碍，就将节帖付出；情况有疑惑难明之处，就调停平息。减少风纪法度之精彩，曲从人情之去留，士气减弱，下情阻隔不能上达，这不是纠正官场邪气，救助命脉的做法。"

这一年，蒙古主降旨令登记百姓户口，包括燕京，顺天等三十六路，户数为八十七万三千七百八十一，人口数为四百七十五万四千九百六十五。

端平三年　蒙古太宗八年(公元1236年)

春季，正月，己未朔(初一)，颁布诏令，因星辰运行有失常度，雷电发作不在正常时节，免去天基节为皇帝祝寿的宴会。

吴昌裔上疏进言："如今皇上黎明坐朝听政，间或有临时不视事之令文下达；臣僚私下相互往来，间或有临时不入都堂之报请。上有沉湎于享乐安逸之趋势，下无和衷共济之风气。内有幸妾怀私情，为君心之蠹虫；外有宗族子弟缺少谨慎，为大政之累赘。虚浮不实之言纷纭不息，宠幸贿赂之事显著可闻。要想以舜周的古乐征伐敌人达到太平之境界，可能吗？"

蒙古万安宫落成竣工，诸王都备办酒食前来宴会庆贺。蒙古主亲手举杯赐酒给耶律楚材说："朕之所以推心置腹地任用您，是因为有先王的遗命。没有您，那么中原就没有今天。朕之所以能安枕无忧，也是您的功劳。"西域各国及高丽使者来朝见，蒙古主指着耶律楚材给他们看，说："你们国家有像这样的人吗？"使者们都推辞说："没有。大概是神人吧！"蒙古主说："朕也料想你们必定没有这样的人。"

蒙古有一个叫于元的人，奏请发行纸币"交钞"，耶律楚材说："金章宗时曾经行用过纸币,与铜钱通行,有关部门以发行纸币为有利可图,以回收纸币为忌讳之事,这种称之为老钞的纸币,贬值到用一万贯才能买一个饼。民力困穷,国家用度匮乏,应当引为鉴戒。现今印造交钞,数额应当不超过一万锭。"蒙古主听从了他的建议。

壬申(十四日),蒙古军队连续攻打洪山,张顺、翁大成等率兵抵御。

二月,乙丑(初二),大理评事赵崇微请求警惕天象变异于未然,皇帝说:"不可以不存有敬畏之心。"又进言现今不可轻视者在于边防之兵,皇帝说:"北方之蒙古兵很值得担忧,正在考虑采取措施来安抚他们。"

甲午(初七),皇帝降旨,因统制李复明战死于江陵,赠官秩三级,还录用他的两个儿子为官。

前任知安丰军王瓒进言:"现今整备边防之计,应当在新近收复之州军,保留息州用以卫护光州,保留寿春用以卫护安丰,保留泗州用以卫护招信,保留涟水用以卫护山阳。"皇帝说:"正想这样。"王瓒又论述沿边地区之事宜,以节制出自多门为忧,皇帝说:"建立督府正是要统一事权。"

壬寅(十五日),降旨命令侍从、台谏、给舍官员分条开列边防事宜报告皇帝。甲辰(十七日),起居郎吴泳上疏论述淮、蜀、荆襄防卫的十件事,不予答复。

己酉(二十二日),降旨命魏了翁依旧担任端明殿学士、签书枢密院事。

当时朝廷大臣大都忌恨魏了翁,所以设计借出外督兵之名把他排斥到外地,虽然恩礼显赫隆重,而实际上督府的奏章,动辄受到牵制。刚过了两旬,又以为建督府是失策,于是征召回朝。前次出外与后来召回,都不是皇帝的主意。于是魏了翁坚决要求辞职离去。

任命陈㷍担任沿江制置使兼知建康府,史嵩之担任淮西制置使兼知庐州。

甲寅(二十七日),为了求雨,判决朝廷内外关押的囚犯。

蒙古主命令应州之郭胜、钧州之富珠哩玖珠、邓州之赵祥,跟随皇子库春,充当先锋往南征伐。

三月,戊午朔(初一),降下圣旨,前任知光化军扈斌,特许宽免性命,追毁取得出身资历以来的所有任命文书,拘押看管于广东摧锋军,这是因为他弃城不守之故。

辛酉(初四),广东英德发生大水灾,官府给予救济。

癸酉(十六日),太学博士斗祥,进言边境之事正很紧急,而没有人来承担此大任。皇帝问怎么办才好,斗祥说:"这是士大夫胆小怕事之过错。希望陛下发奋决断,严明黜陟升降之法,这样才会人人乐为陛下所用。天下没有全才,希望陛下兼收并用,各随其才而加以任用。"皇帝说:"对。用其所长,应该回护其所短。"

京湖制置使赵范在襄阳,以北军主将王旻、李伯渊、樊文彬、黄国弼等为亲信,整天饮酒取乐,民事诉讼与边境防备之事,全部废弛。不久,南、北两军发生争斗,赵范安抚处置不当,王旻、李伯渊放火焚烧襄阳城郭与仓库,投降蒙古。当时城中官吏与百姓仍有四万七千余人,仓库中之钱粮不下三十万,武器有二十四库,其他金银盐钞之类还不在其中,都为蒙古所据有。南军大将李虎,乘混乱之时抢劫搜掠,襄阳城洗劫一空。襄阳自从岳飞收复以来,已有一百三十年,人民繁荣富庶,城墙高厚而护城池深广,为西部边陲第一大城,一下子化为灰烬。赵范削官秩三级,贬职,仍担负原来的职任。

左司谏李宗勉上书进言："均州、房州、安州、蕲州、光化等州,遭受战争之祸十分严重,而长江沿岸可以不用担忧的,只是因为有襄阳,如今也失守了。丢失襄阳那么江陵就很危险,江陵危险那么长江天险就不足依靠。过去所担心的,还只是秋冬季节,如今所担忧的,却是旦夕之祸。江陵倘若失守,那么形势十分急迫,一定会有危亡之忧患,后悔又怎么来得及呢!"

这个月,蒙古重新修建孔子庙与司天台。

夏季,四月,己亥(十三日),试将作监兼知临安府事颜颐仲,论述用人应当使其在位时间较长,皇帝说:"用人得当,不必经常更换。"又进言说帝王只有一个心思,而攻击影响它的人很多,皇帝说:"经常保持戒备谨慎之心,就不会为外界之事所动摇。"

己西(二十三日),命魏了翁担任湖南安抚使、知潭州。魏了翁再次竭力推辞,皇帝降旨命他任提举洞霄宫。

侍御李韶讼称:"魏了翁立志求学,将近四十年,国家之人才,声望显赫如魏了翁的有几个呢? 希望陛下迅速将他召回朝廷,处以宰相之位。"皇帝未予答复。

皇帝后悔首先挑起边境争端,命学士吴泳起草诏书责备自己。监察御史王万对吴泳说:"用兵固然是很大的失策,但恐怕也不能在敌人面前示弱。现在边境之民的处境就像头发丝一样危险脆弱,应当用振奋激励的言辞,来唤起民心。"吴泳认为说得对。

癸丑(二十七日),颁布诏书说:"朕以微眇之身,得以继承皇帝大位,正值仇敌金国逐渐衰亡,而与蒙古为邻。西南失利,由于蒙古曾经蹂躏阶州、成州而侵扰兴州、沔州;辛卯之日,又穿过金州、房州以窥视襄阳、樊城。刚刚与蒙古合谋消灭金国的时候,担心蒙古借机进攻我国。内心十分忧虑,后悔还来得及吗! 本该将失策之过公布于天下,用以记下朕之过错,只想让蒙古留兵于边塞之下,我国则保卫自己的疆土。忽然西部边陲不再安宁,蒙古兵长驱深入令人震惊,加上均州、房州将领叛乱,由此引发京湖地区的祸难,敌军放纵残害各城百姓进而又蔓延到其他地区。兵民死于战斗,百姓困于迁徙离散,房屋无存,白骨相望。致使增援之师暴露于野外无所遮蔽,以及赋役之繁细苛刻,百姓因此人心惶惶,实在值得怜恤。这都是因为朕的才能不足以事先预见这种结局,道德不足以振奋全体军民,因此上不能纠正天心之怒,下不能团结百姓,于是使得天下百姓,遭受无辜之灾难。朕正在颁布政令,作为缓解安辑之策,补充士卒,搜集车马,来加强守备力量。想到天下满目疮痍,就像有疾病在身一样的痛苦。特此告知你等群臣,体谅朕之至诚之意。"

蒙古兵又攻破随、郢二州及荆门军。

殿中侍御史李宗勉率领全台僚属进言道:"蜀的四个路,已经失陷其中两个,成都被隔绝,不知存亡与否,政府机关已撤到夔门据守,也不一定能够守住。襄、汉不久前已经失陷九郡,如今郢州被攻破,荆门又被攻破,江陵是一座孤城,怎么能够守得住! 两淮之地,人民奔走逃散,乡邑成了一片废墟。陛下果真能够迅速发布哀痛的诏书,用自身首先做出表率,深深地自我贬损,拿出宫廷府库所储藏的金帛财物,来像风一样地鼓动四方。然后劝诫晓谕外戚、世袭大臣,根据各自的力量捐献财物,来辅助国家的支出。将上游的淮东、淮西分为两帅,而由江淮大帅来总领,或者就用现任之人,或者再选拔有大才之人,各守本土,听命而行。用公家与私人捐献的财物,分发给各处,以便用它来招收溃散之兵,招募流亡之民中之强壮者,充当机动兵力,用以补充军队之数,并挑选沿江各郡将士,实行捍卫防御之计。这样还可以暂时应付。不然的话,蒙古兵将会水陆俱下,大会荆楚之兵,侵扰我上流之地,长江以南就会动荡不宁了。有人认为蒙古军势力强盛,应该讲和,想要拿金帛来奉献给蒙古人。这是抱着柴火去救火,将国内所有之物尽数送给敌人。"

当初,蒙古人只致力于向前进攻,因此把投降的民户,赐给将士,同一块土地上的民户,各有其主,不相统辖,至此时下诏登记户口,由大臣呼克负责其事,民户有些开始隶属于州县。

当时蒙古群臣都主张以一丁为一户,耶律楚材主认为不可以。群臣都说:"我朝以及西域各国,没有不以一丁为一户的,怎么能放弃我大朝的做法,而去依从亡国之政呢?"耶律楚材说:"自古以来,凡据有中原的,都不曾以一丁为一户。倘若果真这样做,可以收到一年的赋税,但百姓随即便会逃散了。"蒙古主听从了他的意见。

等到呼图克将所登记的中原户数一百零四万呈上,蒙古主提议将真定的民户给太后作汤沐之用,各州的民户分赐给诸王及贵族亲属。耶律楚材说:"分割土地与人民,容易产生纷争。不如多赐给一些金帛,也足以作为恩赏。"蒙古主说:"已经答应他们了。"耶律楚材说:"如果设置官吏,必须出自皇上的诏令,除了额定的赋税外,不许私自征收,比较而言还可以长久维持。"蒙古主接受了他的意见。

耶律楚材又确定赋税的数额,规定每两户上交丝一斤,用来供给官府之用;每五户上交丝一斤,用来供给赏赐的贵族亲属和功臣之家。上等之田每亩收田赋三升半,中等之田每亩三升,下等之田每亩二升半,水田每亩收五升,商税为三十分中取一分,食盐价格为每一两银四十斤盐,以此作为永久不变之额。朝中议论时都认为太轻,耶律楚材说:"创制税法很轻薄,其弊病仍然会是苛蛮,将来一定会有以求利进言之人,那么现在就已经太重了。"

蒙古近侍之臣建议收取民间的雌性马,耶律楚材说:"中原都是耕种育蚕之地,现在如果这样做,以后必定会成为百姓的祸患。"蒙古主听从了他。当时工匠制造器物,过多地耗费公家的物品,其中十分之八九被工匠据为己有。耶律楚材奏请全部进行考校检核,于是形成固定的制度。

五月,甲申(二十九日),任命赵葵为淮东制置使兼知扬州。赵葵开垦荒田,训练军马,边境防备得以整顿。

六月,癸巳(初八),直焕章阁、知庆元府、沿海制置赵与篹上朝辞行,论述沿海应办的事项与边境的情况。皇帝说:"庆元府控扼海路,诸如招收军卒,建造战船,组织训练军队等事宜,要留意施行。"

丁酉(十二日),检视核查皇帝所在地关押的囚犯的罪状。

己亥(十四日),洪咨夔的遗疏呈上来,皇帝降旨:"洪咨夔耿直忠诚,对亲政有辅助之功,可以特许按执政大臣的等级治丧。"

壬寅(十七日),暂任发遣泰州蔡节上朝辞行,进言皇太子未立一事。皇帝说:"祖宗自有旧例,现正在讨论商议。"

甲辰(十九日),右正言李韶进言:"江西提点刑狱公事奏告吉州太和县豪民陈闻诗,强取本乡民户之田产,造成数人死亡。有关部门勘验推究,得到了全部实情,此事上报到朝廷,

4047

受阻而没有施行。官弱民强之势，一开始就不可助长。请求将陈闻诗的同进士出身资历取消，并依照法律条文治罪。"皇帝听从了他的意见。

戊申(二十三日)，直宝谟阁、知婺州陈庸熙，进言应当举行仁宗皇祐年间之典礼，将太祖、太宗、宁宗一并祔祭于明堂。皇帝降旨命礼部、太常寺讨论上报。

蒙古耶律楚材，请求在燕京设立编修所，在平阳设立经籍所，编集经史著作。征召儒学之士梁陟充当长官，用王万庆、赵著来辅助他。

秋季，七月，丁卯(十二日)，任用同知枢密院事兼权参知政事郑性之担任参知政事，权任刑部尚书兼给事中李鸣复担任端明殿学士、签书枢密院事。

甲申(二十九日)，天降血雨。

八月，癸巳(初九)，因久雨不晴，皇帝降旨命令拿出常平仓米一千石，救济饥民，平抑市场粮价。

戊申(二十四日)，监察御史王极进言："两浙各郡，降雨成灾，庄稼受害于即将收获之时。请求通知有关部门预备钱粮，救济灾民，并通知仓库、漕运两个部门商量蠲免赋税，并登记贫穷困乏之民户，迅速商议救济他们。"

蒙古兵攻破枣阳军、德安府。

当初，蒙古兵攻破许州，俘获金国的军资库使姚枢，杨惟中见了，以兄长之礼侍奉姚枢，与他一同拜见蒙古主。至此时南伐，蒙古主命姚枢跟随杨惟中，就在军中寻访儒士、僧人、道士、医生与算命之人，姚枢招来的人日渐增多。等到攻破了枣阳，特穆尔岱要把士人活埋掉，姚枢竭力与他争辩，得以逃生的有数十人。攻破德安之后，得到儒士赵复。赵复以儒学而被世人所看重，被俘获后，不愿往北方去，竭力寻死。姚枢反复开导他，说："这样白白地死没有好处，跟我到北方去，可以保证没有什么别的事。"赵复勉强听从了他。到燕北后，名声更加显著，跟从他求学的有上百人，从此北方开始懂得经学，而姚枢也得以看到程颐、朱熹之书。

九月，己巳(十五日)，皇帝祭祀宗庙于景灵宫。庚子(疑误)，皇帝祭祀太庙。打雷。辛未(十七日)，于明堂举行祭祀，大赦天下囚犯。天降大雨，雷电震响。癸酉(十九日)，回避正殿，减少食馔，撤去音乐，征求直率的言论。

乙亥(二十一日)，左丞相郑清之、右丞相乔行简同时被免职，担任观文殿大学士、醴泉观使兼侍读。命崔与之担任右丞相兼枢密使。

判漳州王迈应皇帝之诏令上密封奏章说："上天与宁宗皇帝愤怒已经很久了。酒曲导致疾病，美女危害身心，初秋之月已经超过一旬时间，荒废不理朝政，到处都忧虑疑惑，这是上天与宁宗皇帝听从愤怒的原因。隐、刺遭覆灭，攸、熹受尊崇，纲纪沦丧，法制废弛，上行下效，京城之卒与外郡之兵，轮番叛逆作乱，这也是上天与宁宗皇帝愤怒的原因。陛下不思考这些，而依照汉代遇上灾变怪异免去三公之旧例，然而环顾在朝之人，不知道谁可托付依靠，只好任命远在外地的崔与之为相。臣担心崔与之不来就任，政权归属别人，这是世道盛衰，君子与小人进退之分界点。"

监察御史唐璘进言："上天变异以至于愤怒，人民怨愤以至于离散，国家即将倾覆，天下有不可尽讳之忧患。陛下以为现在是什么时候，还放纵欲望，败坏德行，掩饰自己的过失，疏远正直之人，亲近外戚宦官，使得朝政混乱，自取灭亡！宰相以作科举应试文章之才来治理国家,不顾惜人民的生命,轻易挑起军事争端,不审度形势利害,使国库所有的财物金帛为之一空;将政权委托给其子,暗中勾结商人,使得贿赂之途大开,而指斥朝政缺失的言论全被废置不听;卑微的姻亲戚属,也敢于参与奸谋,将国家大事视如儿戏,把政权当成珍奇宝货,都城之人畏惧不敢正视,朝中之士为之痛心。可不将心存逆谋之人治罪,用来显明不忠于君的禁制!崔与之的操行似于杨绾,虽已是长途晚景,力不从心,但任命下达之日,闻讯之人欢欣鼓舞。乔行简颇能识大体,稍合朝廷众望,但用人偏心,事情多有遗忘。应当选择臣仆,佐助皇族子弟,辅助百姓生计,来告慰父母之期望,不至于让天象变异越来越急剧,人心更加离散。"皇帝受到感动脸色都为之改变。又请求召集地方豪强经营荆襄,急选帅臣安抚淮西,皇帝赞许并予以采纳。

壬午(二十八日),御前诸军统制曹友闻,与蒙古兵交战于大安军阳平关,失败,战死。

当初,曹友闻率兵扼守仙人关,派出去侦察敌情的人报告说蒙古会集蕃人、汉人军队五十余万人即将到来,曹友闻对其弟弟曹万说:"国家安危,在此一举,但敌众我寡,怎能随便交战!只能凭借高地据守险要,出敌不意设下埋伏等待敌军到来。"

蒙古兵进攻武休关,击败都统李显忠之军,于是侵入兴元,打算进攻大安军。制置使赵彦呐,致信要曹友闻控制大安,以便保卫置口,曹友闻致信于赵彦呐说:"沔阳,是蜀之险要,我军主要兵力在此,敌人有后顾之忧,必定不能越过沔阳进入四川。我军又有曹万、王宣首尾接应,可以确保取胜。而大安地势平坦空旷,没有险要可守,正是敌人骑兵所长而为我军步兵之所短,况且敌我众寡悬殊,怎么能凭借平地来控制抵御呢?"赵彦呐不接受他的建议。

曹友闻预计要以少胜多,非乘天黑之时出动奇兵进行内外夹击不可,于是派弟曹万与曹友谅率兵登上鸡冠隘,多树立一些旗帜,显示出坚守之意给敌人看,而他自己挑选精锐部队一万人乘夜渡江,秘密前往流溪设下埋伏,约定道:"敌人一到,里面击鼓点火为信号,外面呼喊杀声。"蒙古兵果然来了,曹万出兵迎战。蒙古巴图鲁及塔尔海,率领步卒骑兵共一万余人,来回搏战,矢石如雨点般密集,曹万身上多处受伤,下令部下点起火把。曹友闻将部队分成三部分来抵御敌兵,亲自率领精兵三千急速奔到隘下,先派统领刘虎,帅敢死之士五百人冲击敌军先锋,敌阵没有松动。曹友闻于是将三百骑兵埋伏在路旁,而命令刘虎急速冲击敌阵。适逢大风暴雨,部将请示说:"大雨下个不停,满地的泥泞都埋没了脚跟,应等大雨停之后再战。"曹友闻大声呵斥道:"敌军知道我们在此设有埋伏,慢了一定会失策。"于是拥兵齐进。西军将士一直用棉衣皮袄代替铁甲,被雨淋湿后,不利于徒步战斗。黎明时,蒙古用铁甲骑兵从四面包围过来。曹友闻叹息道:"这大概是天意吧,我只有一死罢了!"于是血战更猛,与曹万一起战死,军队全部覆没。蒙古兵于是长驱进入四川。战事上报到朝廷,赐给曹友闻谥号为"毅节"。

金国既已灭亡,唯独秦、巩二十余州一直没有被攻克。耶律楚材进言:"往年我国之人逃避罪责,或许集中在这一地区,所以拼命拒守。如果答应他们不行诛杀,就会不攻自破了。"蒙古主降旨命皇子库端招抚晓谕,各州相继投降。只有会州都总管郭斌,还替金国守城,蒙古兵前来进攻,郭斌聚集城内的金银铜铁,掺和在一起,铸成大炮,来击杀攻城者,并杀牛马慰劳将士,蒙古兵不能很快攻克。冬季,十月,城中粮食已尽,郭斌下令在官署堆积柴草,召集家人及将校妻儿自焚,率领将士在大火前手执弓箭待敌。城被攻破后,敌兵蜂拥而入,交战许久,士卒多有弓断矢尽者,都挺身跳入火中。郭斌单独登上大草堆,用门板遮蔽自己,发箭射敌,没有不中的,箭用完后,也投火自焚。有个女仆从火中抱出一幼儿,交给别人说:"郭将军尽忠报国,能忍心让他绝后吗? 这是他的儿子,拜托哀怜收养他。"说完,自己又投入火中而死。蒙古将领安笃尔听说了此事,下令保护那个孤儿。

壬寅(十八日),蒙古兵攻破固始县。淮西将吕文信、杜林率溃卒数万人叛乱,六安、霍丘都被结伙的强盗所占据。

丙午(二十二日),蒙古皇子库端之兵攻破宕昌,残毁阶州,进攻文州。文州知州刘锐、通判赵汝嵒,登城固守,日夜搏战。安笃尔率领炮手充当先锋,久攻不下,探听到城中没有水井,于是夺占了城中的汲水之道。城中军民水不进口达半月之久,始终没有反叛之意。安笃尔率勇士用云梯首先登上城墙,刘锐估计无法幸免,于是集合家人,给予毒药,都服毒自杀。小儿子名叫同哥,刚刚六岁,服毒药时,还下拜接药,左右之人都感慨悲恸。城被攻破后,刘锐与两个儿子自刎而死,赵汝嵒被俘获,蒙古兵将他割成肉块杀害,全城军民一同死难的有数万人。

行大理寺丞赵綝进言:"近来出现暴雨和急雷,君臣上下都震动恐惧,不知是什么原因造成的,应该采取行动来回答上天的变异。"皇帝说:"我未尝不恐惧警诫。"赵綝回答说:"希望陛下经常保持此心,或者可以变荒歉之年为丰收之年。"

安南国王陈日㷼派人入朝进贡。皇帝授命他为安南国王,同时赏赐效忠顺化功臣。

蒙古将领安笃尔招徕吐蕃各部落,赐给银质符节,攻克平定了龙州,于是与库端合兵,进而攻破成都。正好听到了皇子库春去世的消息,库端旋即弃城都离去。

十一月,丙辰(初三),臣僚们进言:"敌军践踏荆襄,我军兵马溃散损失,各郡每月运送钱粮的数目,请下令湖广总所开列实际数额呈上,按月监督催促,连同以前积累的钱粮,用以准备收复疆土,招募将士之用。"皇帝听从了他的建议。

庚申(初七),度支郎官兼权左司郎宫赵必愿进言:"皇帝左右亲近之臣由谁担任,意向不太明确;况且当此变故繁多之时,空宰相之位以征召阅历多而又练达世事之人,估计他人也不一定会来。"皇帝说:"崔与之既然不到任,朕将政事委托给二位参知政事。"赵必愿说:"两位参知政事固然同心协力辅助皇帝治理朝政,然而朝廷怎能容许不早日任命宰相!"皇帝说:"对。"

壬戌(初九),仓部郎官蔡节入朝回答皇帝的询问,皇帝说:"崔与之有奏章要求辞免宰相之任,不知什么时候能来?"蔡节说:"崔与之年纪大了,离京城很远,他的病又多,臣预计他不一定会来。"皇帝说:"宰相之位固然不可以长久空缺,然而也要委任得人才是。"蔡节说:"天下之形势,如同堆起来的禽蛋一样危险,不能一天没有宰相。"皇帝认为他说得对。

乙丑(十二日),任命乔行简为特进、左丞相兼枢密使,进封鲁国公。

戊辰(十五日),皇帝降旨告诫众官。

唐璘上奏章弹劾:"郑清之平庸凡劣耽误国家大计,请求剥夺职位,罢去祠禄。其子郑士昌,招权纳贿,提拔平庸之将担任统帅,起用贪赃之吏为镇守一方之大臣,请求削去他的名籍,废弃不用。郑性之懦弱而多私心,结交庇护奸邪平庸之人。臣虽然接受过他改任官职的举荐状,曾经受到过他的推荐,陛下国家大事到了这种地步,臣不敢顾念私情。"唐璘论事时经常触及皇帝本人，直言不讳，皇帝非常害怕他。殿中侍御史杜范，也弹劾："郑清之无故挑起边境争端，几乎危及宗庙社稷，以及其子郑士昌招权纳贿，贪图财利没有止境，用朝廷钱币从外国购买货物，这些都有真情实据。"并进言："签书枢密院李鸣复，与史寅午、彭大雅以贿赂相交结，千方百计为他们开脱。李鸣复既然不体恤其父母之国，心目中又怎么会有陛下之社稷！"皇帝因郑清之是当皇帝以前居潜邸时的故旧之人，而李鸣复没有发现有大罪，没有立即施行处罚。李鸣复不服弹劾，上奏章替自己辩解，杜范于是又极力指责他寡廉鲜耻，御史台所有官员一起弹劾他，皇帝不予答复，杜范于是离职。

壬申（十九日），降旨命免除遭受水灾各州郡的新旧苗税，监系赃赏等钱以及民间拖欠官府债务而交纳利息已经超过本金的欠款。

蒙古将领昆布哈侵入淮西的蕲、光、舒三州，三州的守臣都弃城逃跑。昆布哈会合三州的兵马与粮草器械，进趋黄州，派游动骑兵从信阳进趋合肥。皇帝降旨命史嵩之支援光州，命赵葵支援合肥，命陈铧跨越和州，作为淮西之声援。

蒙古将领持穆尔岱进攻江陵，史嵩之派孟珙前往营救。孟珙派张顺率先渡江，自己统率大部队紧跟其后，变换旗帜与衣服颜色，往返循环。晚上则点燃火炬照亮江面，前后相接有几十里。又派赵武等率兵与敌交战，孟珙亲自前往部署指挥，于是击破蒙古二十二座军营，夺回两万被俘之人。

蒙古将领察罕进攻真州。

真州知州丘岳，部署严明，守城战具周全完备，蒙古兵攻城往往失利。丘岳乘胜出击于胥浦桥，用强弩射死敌方挑战者一人，蒙古兵稍稍往后撤退了一点。丘岳说："敌兵的数量十倍于我，不可以凭借力量来取胜。"于是设下三处埋伏，准备好炮石，在西城等待敌人。敌兵一到，伏兵出击，炮石齐发，杀死敌军骁勇之将，蒙古兵大乱。丘岳派勇士袭击敌方营寨，放火焚毁其庐舍军帐。过了两天，蒙古兵才开始退走。

十二月，辛卯（初八），军器监兼权枢密副都承旨王埜，请求联络江淮，赈济边境之民，征讨捉拿盗贼。皇帝说："江、淮之形势如何？"王埜说："不过需要加重一位帅臣之权力来统领它。"皇帝说："流亡之人值得忧虑。"王埜说："流亡之人像蚂蚁一样纷纷聚集在一起，羸弱之人困顿毙命，强干之人剽取掳掠。"皇帝听后皱了一下眉头，于是说："江西之盗匪还没平息。"王埜说："盗匪起源于衡州之酃县，侵犯吉州，如今南安峒人土匪又发作。从前有淮兵可以调遣，如今没兵来应付，于是召集乡民，会同禁军，共同来剿灭它。如果不由一位官员兼领两路讨伐之事，那么权力不能统一。"皇帝说："象三位节制大臣之类吧。"王埜说："事情正是这样，希望陛下予以考虑。"皇帝说："对。"

降下圣旨："沿江州郡，如果遇到江北流亡之民进入境内，要想办法进行安置，不要让他们露宿野外，并从当地官府所有的钱粮中支出一部分救济他们。其中有身体强壮愿意当兵的，填充军额，收留给饷，或者可以不至于没有安身之地，以合于朕慰劳安抚投奔者之意。"

壬寅（十九日），左谏议大夫兼侍读李宗勉进言："沿江各郡，自身力量很薄弱，怎么还有余力来施行安顿流亡之民的举措？如果不另外想办法处置，深恐圣旨只不过是一纸空言。如安丰、濠梁、历阳属下的开顺、六合、含山等处，居民渡过长江，留在江北的强壮者，结寨拒守，凭借其声势，因而做坏事。不早为收拾，辗转蔓延开了，一时间难于平息，恐怕会被敌人利用,应当详细斟酌减征钱粮与告身等事,命令沿江、淮西制置司尽快准备。凡是流亡之民过江到达江北者,令陈铧存抚救济,强壮之民留在淮北者,令史嵩之派官员招募,不愿意就招的,发回到本地,登记为民兵。"皇帝听从了他的建议。

甲辰(二十一日),皇帝降旨以明年为嘉熙元年。

皇帝降旨:"筹措解决会子这事,务必实行。仍担心监司、守令,纵容官吏为奸,奉行不力,命令两监察御史监督检察,如有奉行不力者上奏章弹劾。"

国子监主簿丰城徐鹿卿进宫回答皇帝询问,陈述六件事,即:淘汰平庸浅陋的官吏来振兴事业,严明奖惩来收揽君主的权柄,清理班秩来储备有实际才干的人才,加重地方实力作为屏障来保护都城,用闽、越水军来加强海防,合东南全力来守卫长江。

这一年,蒙古中书省考核评定政绩,以济南为第一。此前河南之民往北迁徙到济南,都元帅、知府事张荣,下令民间分屋给地让他们居住,使他们得以种树养畜,并且考核评定其高下,因而荒原开辟成为乐土。张荣是历城人。

续资治通鉴卷第一百六十九

【原文】

宋纪一百六十九　起强圉作噩【丁酉】正月,尽屠维大渊献【己亥】十二月,凡三年。

理宗建道备德大功复兴　烈文仁武圣明安孝皇帝

嘉熙元年　蒙古太宗九年【丁酉,1237】　春,正月,甲寅,初置财用司。诏京西湖北制置使、副,给犒沿边战士有差。

丁巳,雷。戊午,乔行简请免天基节宴以答天戒,从之。

丙寅,诏以淮、襄避地流民,饥寒可念,沿江诸郡委官赈济。

蒙古安笃尔言于宗王曰:“陇西州县方平,人心犹贰。汉中当陇、蜀之冲,宜得良将镇之。”宗王曰:“安反侧,制盗贼,此上策也。然无以易汝。”遂分蒙古千户五人隶之以往。安笃尔遣将南戍沔州之石门,西戍阶州之两水,谨斥堠,严巡逻,守御遂固。

二月,癸未朔,以郑性之知枢密院事,兼参知政事、礼部尚书邹应龙为端明殿学士、签书枢密院事兼权参知政事,左谏议大夫李宗勉为端明殿学士、同签书枢密院事。甲申,李鸣复罢,以资政殿学士知绍兴府。

乙酉,提举洞霄宫葛洪薨。

癸巳,诏:“故参知政事宣缯,赠太师,谥忠靖。子璧,服阕日与职事官。”以尝预定策也。又诏:“缯宝庆初元所进朕《即位事始》,悉本先帝遗训,可宣付史馆。”

丁酉,诸王宫大小学教授王辰言:“蜀中旧例,乾道初,虞允文以同知枢密为四川宣抚时,汪应辰归班。开禧间,安丙在沔州,杨辅为成都制置,旋即召还。今李𡏖宣抚在内,杨恢制置在外,号令未免牵制。”帝曰:“适与辅臣言,令杨恢参赞安抚矣。”辰曰:“圣算及此,全蜀之幸!”

己亥,屯田郎官王万进对。帝曰:“卿是淮人,熟知边事。”对曰:“臣非知兵。陆贽有言:‘兵法无他,人情而已。’但以人情区处,即是兵法。”帝问其说,万曰:“一和字,沮众误国。”帝曰:“和亦不可废。”万曰:“若专立为题则不可,要当并为战守规模。”

癸卯,诏国子监刊进《通鉴纲目》。

初,蒙古诸府官府自为符印,僭越无度,耶律楚材请中书省依式铸给,名器始重。时诸王贵戚,皆得自起驿马,道路骚扰,所至需索百端;楚材复请给牌札,定分例,其弊始革。

三月,壬子朔,诏曰:“朕更化励精,视民如子,然内治之尚阙,致外患之未平。京、襄既被于创残,淮、蜀重遭于侵扰。道路流离之众,惨不聊生;室庐焚毁之馀,茫无所托;骨肉罹于荼毒,丁壮困于转输。嗟汝何辜,由吾不德! 幸天人犹助于信顺,将帅悉力以捍防,虽烽燧之甫停,奈疮痍之未复。肆颁涣号,用慰群情。发粟以赈贫,蠲租而已责,血战之士,当议优恩,死事之家,宜加恤典。或乘时而啸聚,或失律而逋逃,咸与惟新,同归于治。"

丙辰,诏:"别之杰招募二万人,屯公安、峡州,许晟大募三千人,屯岳州,其廪给等费所合科拨,条具以闻。"

己未,户部侍郎兼权兵部尚书、知临安府赵与懽言:"端平以来,陛下明诏侍从、台谏各举文武大小之臣,应诏者不谓不多,其间岂无魁特奇杰之人! 望申命大臣,集侍从、台谏于都省,以前所荐员,佥谋公议,量才授任,不必拘以资格。若夫内之宰执、侍从、三衙、环尹,外之列屯将帅,又择其才望之相上下者,储之以备缓急,庶无乏才之叹。"从之。

乙亥,资政殿学士魏了翁卒,谥文靖,赐第宅于苏州。

蒙古主以奇彻部长巴齐玛克负固,命皇侄莽赉扣、诸王巴图征之。临行,语之曰:"闻巴齐玛克有胆气,苏布特亦有胆勇,可命为先锋。"苏布特进战屡胜,掳巴齐玛克妻子于衮腾吉斯海,巴齐玛克遁入海岛。会大风刮海水去,其浅可渡。莽赉扣曰:"此天开道与我也。"遂进屠其众,擒巴齐玛克。命之跪,巴齐玛克曰:"我为一国主,岂苟求生! 且身非驼,何以跪人为!"乃囚之。巴齐玛克谓守者曰:"吾之窜入于海,与鱼何异? 然终见擒,天也! 今水还期且至,军宜早还。"莽赉扣闻之,即班师,而水已至,后军有浮渡者。莽赉扣复进围俄罗斯默齐斯城,破之。

夏,四月,壬辰,以保康军承宣使贵谦为保康军节度使;武康军承宣使、提举神祐观舆芮为武康军节度使,提举万寿观。

校书郎刘汉弼言荆、襄制阃当在江陵,帝问收复襄阳之策,对曰:"制使若在江陵,则事权重,收复尚可图也。"帝然之。

甲申,左司谏曹豳言:"陛下以方面付三阃,而和战之议,私自矛盾,忧未艾也。史嵩之在淮西,用清野之说,敌未至而民先罹其祸,用撒花之说,民欲战而禁其不得往,盖以和误国也。赵葵在淮东,定远之破,近在邻境,六合之破,政在属部,葵乃闭城自守,不出一兵援之,是畏怯以辱国也。陈韡在金陵,旷口之衄,天殆少警之,议者乃谓敌兵之难当,非如盗贼之易制。今宜责嵩之以收复襄阳,为江陵捍蔽;经理上流,为下流防拓;葵则结邻阃以御哨骑,备舟师以防海道;韡则以沿江并领淮西,以安淮东。若秋、冬可以遏敌,乃为报效。"帝然之。

五月,壬申,行都大火,延烧民庐五十三万。癸酉,诏蠲临安府城内外征一月。甲戌,避正殿,减常膳。丙子,出内库缗钱二十万给被焚之家。

辛巳,诏求直言。士民上书,咸诉济王之冤。

初,进士潘牥对策曰:"陛下承体先帝,归德匹夫,何异为人子孙,身荷父母劬劳之赐,乃指豪奴悍婢为恩私之地! 欲父母无怒,不可得也。"又曰:"陛下手足之爱,生荣死哀,反不得视士庶人。此如一门之内,骨肉之间,未能亲睦,是以僮仆疾视,邻里生侮。宜厚东海之封,裂淮南之土,以致人和。"语多追咎史弥远。弥远虽死,徒党尚盛,于是侍御史蒋岘,谓火灾天

数,何预故王! 遂疏劾起居舍人方大琮、正字王迈、编修刘克庄等鼓煽异论,并斥牥性同逆贼,语涉不顺,请皆论以汉法。自是群臣无复敢言济王之冤者。

监都进奏院史弥巩上言:"人伦之变,世孰无之?陛下友爱之心,亦每发见。洪咨夔所以蒙陛下殊知者,谓雪川之变,非济邸之本心,济邸之死,非陛下之本心,深有以契圣心耳。矧以先帝之子,陛下之兄,乃使不能安其体魄于地下,岂不干和气、召灾异乎!"弥巩为弥远从弟,心非弥远所为,不登弥远之门者三十年,人皆重之。旋出提点江东刑狱。

枢密院编修官徐鹿卿上疏,略曰:"臣闻不可玩者,上天之怒,不可忽者,人心之疑。知所以解人心之疑,则可以息天地之怒矣。陛下嗣承丕绪,十有四年,其间灾异,何所不有,三变为尤大。辛卯之灾,人以为权臣专擅之应,陛下方且念其羽翼之功,潜晦阴芘,于是天怒不息而警之以丧师失地之变。三京之败,人以为诸臣狂易所致,顾乃委曲调护,三年始下哀痛之诏,于是天怒未息,而警之以迅雷之威。明禋之异,人以为燮理者所致,陛下虽能逐一宰臣,然舛政宿弊,大率多仍其故,于是天怒不息,而郁攸之警至于再矣。火迫于开元、阳德之宫,独不之毁,岂非天以彰我宁宗盛德,以警动陛下之心乎?此众心之所疑也。椒房之亲,滥邀节钺之华,恩宠先之,火亦先之,众心所以重疑也。贵亲懿戚,人颇讥其干请之数,火越两河而径趋之,众心所以愈疑也。今御笔时至于中书,宣谕或及于要地,事关封驳,不免留中,方面置局,以行属托,每有科降,桩留供赏,此钱此物,归之谁乎?除目未颁,已有谓某为某邸之客,某登某人之门,既而有吻合者矣。除目既下,则又曰某出于懿旨之丁宁,某出于御札之训谕,虽卑官小职,有不能不然者矣。伴食故臣,生无锱铢之劳,没乃论定策之功。潜邸外姻,岂不可薄加恩数,而参错于边方守卒之任!臣以为不窒交通之路,则谤不解,不杜侥幸之门,则谤不解,天之所以怒也!"会方大琮、王迈、刘克庄以言事黜,鹿卿赠以诗,言者并劾之,出知建昌军。

六月,甲午,诏以"盛暑,录临安府系囚。常所不原者,俟约法,馀随轻重裁决。大理寺、三衙门、二赤县亦如之。著为令。"

丙午,诏以"新知黄州、淮西安抚李寿朋,被命已三阅月,不即便道之官,乃还家安坐。秋防在近,不知体国,人皆若此,缓急何赖!可夺三官,建昌军居住。"

先是蒙古侍臣托骧,请简天下室女,诏下,耶律楚材尼之不行,蒙古主怒。楚材进曰:"向选女二十有八人,足备使令。今复选拔,臣恐扰民,欲覆奏耳。"蒙古主良久曰:"可罢之。"是月,左翼诸部讹言括民女,蒙古主怒,因括以赐麾下。

秋,七月,己未,诏淮西制参李曾伯等各进秩一等,以去冬敌兵侵合肥、浮光,遣援有劳也。

八月,甲申,追封赵汝愚为福王。

癸巳,以李鸣复参知政事,李宗勉签书枢密院事。

金亡,士人多流寓东平,宋子贞周给之,择其才者,荐于行台严实。由是刘肃、李昶皆见用。掌书记徐世隆,亦劝实收养寒素,四方之士,闻风而至,故东平一时人材多于他镇。实以济阴商挺为诸子师,以永年王磐为诸生师。既而迎元好问校试诸生文,预选者阎复、徐炎、李谦、孟祺四人,后皆知名。

耶律楚材言于蒙古主曰:"制器者必用良工,守成者必用儒业。儒臣之业,非积数十年,殆未易成也。"蒙古主曰:"果尔,可官其人。"楚材请校试之。乃命税课使刘中随郡考试,以经义、词赋、论分为三科,作三日程,专治一科,能兼者听,但以不失文义为中选。儒人被俘为奴者,亦令就试,其主匿弗遣者死。得东平杨奂等四千三十人,免为奴者四之一。楚材又请一衡量,立钞法,定均输,庶政略备。

九月,壬子,刑部侍郎兼侍讲李大同言:"陛下念祖宗付托之重,肆颁御笔,令宗司参酌彝典,建置内学,选育宗贤。臣谓取之属籍,必其家庭之习尚,父兄之教诏,薰然有和平之气,蔼然有礼义之风。师保之官,所以养成其器业,必耆德靖重,有可象之仪,经学通贯,有开明之益。若宫嫔之为保姆,内臣之为承直,亦必年齿老成,禀资纯厚之人。盖内学之建,非王邸讲授比,当置教官三四员,日轮一人,晨人暮出,不许无故辍讲。庶宗贤与正人居而德性成矣。"

先是帝欲建内小学,令选宗子十岁以下质美者以闻。丁巳,遂建学,置教授二员,选宗室子俾就学。戊午,太常丞兼金部郎官陈煜,言内学教导之职,当重其选,帝曰:"难其人。"煜奏:"师儒之官,不但讲授,当随事规益,养成德器。"

庚午,诏淮东制置使赵葵计度边事已,措置奏闻。

蒙古诸将由八柳渡河,入汴城,守臣刘甫置酒大庆殿。塔斯曰:"此故金主所居,我人臣也,不敢处此。"遂宴于甫第。

冬,十月,蒙古宗王昆布哈围光州,史天泽先破其外城;攻子城,又破之,进次复州。南师以舟三千锁湖面为栅,天泽曰:"栅破则复将自溃。"亲执桴鼓,督勇士四十人攻之,不逾时,栅破,复州降。进攻寿春,天泽独当一面,南师夜出斫营,天泽手所击杀无数,麾下兵继至,悉拥南师入淮水。

昆布哈攻黄州,孟珙引师救却之。遂攻安丰,杜杲缮完守御。蒙古以火攻,焚楼橹,杲随陷随补。蒙古招敢死士为巴图鲁,攻城以自效,杲募善射者,用小箭射其目,巴图鲁多伤而退。蒙古填濠为二十七坝,杲分兵扼坝,蒙古乘风纵火。俄而风雪骤作,杲募壮士夺坝路,士皆奋跃力战。会池州都统制安丰吕文德突围入城,合力捍御,蒙古兵遂引还。

文德魁梧勇(捍)〔悍〕,尝鬻薪城中,赵葵见其遗履,长尺有咫,异而访之,值文德出猎,暮,负虎、鹿各一而归。召置帐下,累功,超迁军职。

蒙古兵攻夔府。蜀兵陈江之南岸,蒙古千户郝和尚选骁勇九人,乘轻舸先登,横驰陈中,既出复入,蜀兵大败。

十一月,丙辰,诏湖南帅臣赵师恕进两秩,以平衡州酃县寇也。

甲子,枢密副都承旨赵以夫言:"臣尝历考《春秋》与历代志纪,日食为咎,食浅者祸浅,食深者祸深,大要在修德政以弭之。乃季冬朔日,历家预言日食将既。夫日食,犹曰古所有之异也。然日与金木水火四星俱躔于斗,食将既,则四星俱见,日中见斗,此则古之所无之异也。斗分属(吾)〔吴〕,祸福有归。望陛下亟侧身修行,则太阳当为之不亏。不则如占者言,咎已著明,祸必随应。宗社事重,生灵事重,可不念哉!"

丙寅,诏权免明年正旦朝会。辛未,损膳,避朝。乙亥,大赦。

十二月,戊寅朔,日有食之。

枢密副都承旨兼右司郎官王伯大言:"今天下大势,如江河之决,日趋日下而不可挽。其始也,搢绅之论,莫不交口诵咏,谓太平之期可跂足而待也,未几而以治乱安危之几为言矣,又未几则置治安不言而直以危乱言矣,又未几则置危乱不言而直以亡言矣。呜呼!以亡为言,犹知有亡也,今也置亡而不言矣。人主之患,莫大乎处危亡而不知;人臣之罪,莫大乎知

4056

危亡而不言。

"陛下亲政,五年于兹,盛德大业未能著见于天下,而招天下之谤议者,何其藉藉而未已也!议逸欲之害德,则天下将以陛下为商纣、周幽之主;议戚宦近习之挠政,则天下将以朝廷为恭、显、许、史、武、韦、仇、鱼之朝;议奸侫侫朋之误国,则天下又将有汉党锢、元佑党籍之事。数者皆犯前世危亡之辙,忠臣志士愤激言之。陛下虽日御治朝,日亲儒者,日修词饰色,而终莫能弭天下之议。言者多,听者厌,于是厌转而为疑,疑增而为忿,忿极而为愎,则罪言黜谏之意已藏伏于陛下之胸中,而凡迕己者皆可逐之人矣。彼中人之性,利害不出于一身,莫不破崖绝角以阿陛下之所好;其稍畏名义者,则包羞闵默而有跋前疐后之忧;若其无所顾恋者,则皆攘袂远引,不愿立于朝矣。

"陛下试反身而自省曰:吾之制行,保无有屋漏在上、知之在下者乎?徒见嬖昵之多,选择未已,排当之声,时有流闻,则所谓精神之内守,血气之顺轨,未可也。陛下又试于宫阃之内而加省曰:凡吾之左右近属,得无有因微而入,缘形而出,意所狎言,不复猜觉者乎?徒见内降干请,数至有司,里言除官,每实人口,则谓浸润不行,邪径已塞,未可也。陛下又试于朝廷政事之间而三省曰:凡吾之诸臣,得无有谗说殄行,震惊朕师,恶直丑正,侧言败度者乎?徒见刚方峭直之士,昔者所进,今不知其亡,柔佞阘茸之徒,适从何来,遽集于此,则谓举国皆忠臣,圣朝无阙事,未可也。

"夫以陛下之好恶取舍,无非有招致人言之道;及人言之来,又复推而不受;不知平日之际遇信任者,肯为陛下分此谤乎?无也。陛下诚能布所失于天下,而不必为之曲护,凡人言之所不贷者,一朝赫然而尽去之,务使蠹根尽去,孽种不留,如日月之更,如风雨之迅,则天下之谤自息矣。陛下何惮何疑而不为此哉!"

己亥,诏罢天基节上寿。

壬寅,诏衡州置雄楚军五百人。

丙午,出丰储仓万石,赡临安贫民。

蒙古耶律楚材荐杨奂为河南路征收课税所长官兼廉访使。奂将行,言于楚材曰:"仆误蒙不次之用,以书生而理财赋,已非所长,况河南兵荒之后,遗民无几,烹鲜之喻,正在今日,急而扰之,糜烂必矣。愿假以岁月,使得抚摩疮痍,以为朝廷爱养基本万一之助。"楚材甚善之。奂既至,以简易为治,按行境内,亲阅监务。月课有以增额言者,奂责之曰:"剥下欺上,汝欲我为之耶!"即减元额四之一。公私便之。

嘉熙二年 蒙古太宗十年【戊戌,1238】 春,正月,戊申朔,诏:"侍从、台谏、卿监、郎官、帅臣、监司及前宰执、侍从,举晓畅兵机、通练财计者各二人;三衙及诸军都副统制举堪充将材者二人。"

以吏部尚书兼给事中余天锡为端明殿学士、同签书枢密院事。

己未,诏:"淮西被兵日久,近令荆湖制置使史嵩之应援黄州,淮东制置使赵葵应援安丰,俱能命将出师。捷书上闻,朕深嘉叹,可令学士降诏奖谕。有功将士姓名,令制司等第具上推赏。光州、信阳二城,并当乘胜共图克复。"

辛酉,以华文阁学士史嵩之为端明殿学士,视执政恩数;宝章阁学士赵葵为刑部尚书;制置并如旧。孟珙而下,迁转各有差。

二月,甲申,知蕲州张可大伏诛,知安庆府李士达除名,编管雷州;以弃城宵遁也。

丁亥,以大理寺少卿朱扬祖为蒙古押伴使。

庚寅,以史嵩之为参知政事,督视京西、荆湖南北、江西路军马。

癸巳,大宗正丞贾似道言:"北使将至地界,名称岁例,宜有成说。"又奏:"裕财之道,莫急于去赃吏。艺祖治赃吏,杖杀朝堂;孝宗真决刺面。今日行之,则财自裕。"

戊戌,诏:"近览李罧奏,知蜀渐次收复。然创残之馀,绥靖为急。宜施荡宥之泽,以示忧顾之怀,可令学士院降德音。淮西被兵,近已获捷,亦合一体施行。"

蒙古使王檝入见,议岁币、银绢各二十万。李宗勉言:"轻诺者多后患,当守元约。然比之开禧时物价腾踊,奚啻倍蓰矣!"史嵩之力主和议。宗勉言:"使者可疑者三。嵩之职在督战,如收复襄、光、扼施、澧,招集山砦,保固江流,皆今所当为。若所主在和,则凡有机会可乘,不无退缩之意,必致虚损岁月,坐失事功。"

三月,丁未朔,诏安集淮、蜀军民。

戊申,以将作监周次说为蒙古通好使,濠州团练使、左武卫将军张胜副之。

己未,以著作郎兼权工部郎官李心传为秘书少监、史馆修撰,修高宗、孝宗、光宗、宁宗四朝国史实录。

辛酉,以史嵩之兼督视光、蕲、黄、夔、施州军马。

夏,四月,庚寅,都省言:"国计军需,多仰盐课。乾道以来,岁额六十五万有奇。自钞法变而请买稀少,亭户失业。请饬江淮诸司、诸屯,毋得私买浮盐,令提举司复亭场,委官属依直收买,则利归公上。或以赡军为辞,当核实以闻。"从之。

戊戌,诏:"户部及财用司,应折帛、沙田、酒息、盐袋、租谷、丝绢钱,团田没官田米未催者,悉行拘催,岁终较其数而殿最之。"

闰月,丁卯,右司郎官傅康言:"陛下更化之初,尝置局会计财赋,当时版曹以合发上供之数置籍应诏,今殿最法是也;凡州郡之出纳,则不与知焉。请朝廷给降印册,别其窠名,颁之漕司,下之州郡,每季一册上于朝,会萃为书,藏之计簿房,命近臣董其事。"从之。

壬申,赐进士周坦以下四百二十三人及第、出身。

五月,辛巳,太白昼见。

癸未,以李鸣复知枢密院事兼参知政事,李宗勉参知政事,余天锡签书枢密院事。

甲申,乔行简言:"兵财二端,尤今急务。欲以兵事委之鸣复,财用委之宗勉,楮币委之天锡;凡有利病,各务讨论,有当聚议者,容臣参酌,然后施行。"从之。

以布衣钱时、成忠郎吴如愚讲道著书,隐居不仕,足劝后学,时特补迪功郎,如愚换授从事郎,并充秘阁校勘;乔行简荐之也。

六月,蒙古筑图苏湖城,作迎驾殿。

蒙古贵近臣谮耶律楚材违制庇逃军,蒙古主怒,系楚材;既而自悔,命释之。楚材不肯释缚,进曰:"臣备位公辅,国政所属。陛下初令系臣,以有罪也;当明示百官,罪在不赦。今释臣,是无罪也;岂宜轻易反覆,如戏小儿!国有大事,何以行为!"蒙古主曰:"朕虽为帝,宁无过举耶?"乃温言以慰之。楚材因陈时务十策,曰信赏罚,正名分,给俸禄,官功臣,考殿最,均科差,选工匠,务农桑,定土贡,制漕运,皆适于时务,悉施行之。

秋,七月,甲戌朔,以霖雨,诏求直言。

庚寅,释中外杖以下囚,蠲赃赏钱。

八月,癸亥,诏:"朕亲览中外臣僚封事,多有可采。后省看详,有切朕躬、关时政者,节录奏闻,当议行,仍与旌赏。"

蒙古征收课税使陈时可、高庆民等言诸路旱蝗,诏免今年田租,仍停旧未输纳者,俟丰岁议。

蒙古太原路转运使吕俊、副使刘子俊,以赃抵罪。蒙古主责耶律楚材曰:"卿言孔子之道可行,儒者为好人,何故乃有此辈?"楚材对曰:"君父教臣子,亦不欲令陷不义。三纲、五常,圣人之名教,有国家者莫不欲之,如天之有日月也。岂得缘一夫之失,使万世常行之道见废于我朝乎!"蒙古主意乃解。

九月,壬午,荧惑犯权星。

蒙古宴群臣于行宫,塔斯大醉。蒙古主语侍臣曰:"塔斯神已逝矣,其能久乎!"逾年,果卒。

蒙古察罕帅兵号八十万围庐州,期破庐,造舟巢湖以侵江左,于壕外筑土城六十里,凿两壕,攻具数倍于攻安丰时;杜杲竭力守御。蒙古筑坝,高于城楼,杲以油灌草,即坝下焚之,皆为煨烬。又于串楼内立雁翎七层,俄炮中坝上,众惊,杲乘胜出战,蒙古败走,杲追蹑数十里。又练舟师扼淮水,遣其子庶监吕文德、聂斌伏精锐于要害;蒙古不能进,遂引军归。诏加杲淮西制置使,奖谕有功将士,赏赉有差。

冬,十月,己酉,户部尚书赵与𢜱言:"暴风淫雨,害于粢盛,浙江东、西,室庐漂荡,愿下哀痛之诏,遣䘏恤之使,遍行诸道,许以便宜施惠。"从之。

丁卯,监察御史曹鬐言:"蒙古之兴,劳圣(虏)〔虑〕者五年矣。聘使往来,谓息兵有期。秋风未高,合肥已受重围,和安在哉!愿陛下移畏敌者畏天,易信和者而信守,则天佑人助矣。"

淮东总领吴潜言:"宗子时哽,部集淮东、西流民约十馀万口,团结十七砦内强壮二万,可籍为兵,近调千百人为合肥之援,请与补官。"从之。

蒙古建太极书院于燕京。

时周敦颐之名未至河朔,杨惟中用师于蜀、湖、京、汉,得名士数十人,乃收集伊洛诸书,载送燕京。及还,与姚枢谋建太极书院及周子祠,以程颢、程颐、张载、杨时、游酢、朱熹配食,请赵复为师,王粹佐之,选俊秀有识度者为道学生。由是河朔始知道学。

十一月,己卯,戒饬百官。

衍圣公孔元措言于蒙古主曰:"今礼乐散失,燕京、南京等处,亡金太常故臣及礼册、乐器,多有存者,请降旨收录。"蒙古主从之,命各路管民官,如有亡金知礼、乐旧人,可其家属徙赴东平,令元措领之,于本路税课给其食。

十二月,壬寅朔,诏并淮东、西、湖广总所、四川茶马制置司,犒赏诸摆铺兵。

丙午,光州守臣董世臣伏诛,司户柳具举配海外,以其弃城降敌也。

甲寅,兵部郎官范应铃面对,帝问广中诸郡,应铃云:"虽不及昔,然亦可为。但去天万里,人不守法,二十五郡各得一廉太守,民自受惠。且如宜州卒莫通等叛,提刑张琼亲往招安,通等闻是宜州旧守,即叩头出降;此太守得人之效。"帝然之。

戊辰,诏:"诸路和籴,给时直,平概量,毋得科抑,申严秋苗苛取之禁。"

起李韶为礼部侍郎,辞,不允,诏所在州军护送至阙。史嵩之遣人谓韶曰:"无言济邸、宫嫡、国本。"韶不答,上疏曰:"臣生长淳熙初,犹及见渡江盛时,民生富庶,吏治修举。事变少异,政归私门;绍定之末,元气索矣。端平更化,陛下初意,岂不甚美!国事日坏,其人或死或罢,莫有为陛下任其责者,考论至是,天下事岂非陛下所当自任而力为乎?左氏载史墨言,鲁公世从其失,季氏世修其勤,盖言所由来者渐矣。陛下临御日久,宜深思熟念,威福自己,谁得而盗之哉!舍此不为,悠悠玩愒,乃几于左氏所谓世从其失者。"盖以世卿风嵩之也。疏出,嵩之不悦,曰:"治《春秋》人下语毒。"时人与杜范称为"李杜"。

蒙古诸勋贵,以严实久镇东平,议裂其地为十,分封勋贵,各私其人,与有司无相关。先是实遣奏差官王玉汝至京师,适闻其议,慨然曰:"若是,则严公事业,存者无几矣。"夜静,哭于耶律楚材帐后;明日,召问其故,曰:"玉汝为严公之使,今严公之地分裂而不能救,无面目还报,将死此荒寒之野,是以哭耳。"楚材使诣蒙古主前陈诉,玉汝进言曰:"严实以三十万户归朝廷,崎岖兵间,三弃其家,卒无异志,岂与迎降者同?今裂其土地,析其人民,非所以旌有功也。"蒙古主嘉玉汝忠款,且以其言为直,由是地得不分。

嘉熙三年 蒙古太宗十一年【己亥,1239】 春,正月,癸酉,以乔行简为少傅、平章军国重事,进封益国公;李宗勉为左丞相兼枢密使,史嵩之为右丞相兼枢密使,督视两淮、四川、京湖军马;余天锡参知政事;吏部尚书兼给事中游侣为端明殿学士、同签书枢密院事。

丙戌,诏曰:"朕临御十有六载,愿治徒勤;责成二三大臣,课效犹邈。法元祐尊大老之典,特诿重事于平章;遵绍兴并二相之规,盖欲相应于表里。毋狃旧习,毋玩细娱。"

戊戌,诏:"四川连年扰攘,州县阙官,其赴铨人,年二十已上者免试,发还漕司,帝引放行,注授一次。"

蒙古主素嗜酒,晚岁尤甚,耶律楚材屡谏,不听;乃持酒槽铁口进曰:"麹蘖能腐物,铁尚如此,况五脏乎!"蒙古主悟,语近臣曰:"汝曹爱君忧国之心,能若此乎?"赏以金帛,敕近臣日进酒三钟而止。

蒙古富人刘廷玉等以银一百四十万扑买天下课税,耶律楚材曰:"此贪利之徒,罔上虐下,为害甚大。"奏罢之。

楚材尝曰:"'兴一利不如除一害,生一事不如省一事',任尚以班超之言平平耳,千古之下,自有定论。后之负谴者,方知吾言之不妄也。"

二月,壬寅,以余天锡兼同知枢密院事。

丙午,以史嵩之依旧兼都督江西、湖南军马。

癸丑,诏:"朕比命相臣,往开督府,两淮、西蜀,相距迢遥,要须脉络贯通,易于运掉。其诸制阃、监司、帅守、戎师等,宜皆同心协力,毋徇己私。"

丁卯,以史嵩之都督江淮、京湖、四川军马。

三月,癸未,出丰储仓米二十万石,赈粜临安贫民。

4060

壬辰,决中外系囚。

癸巳,雨雹。甲午,避正殿,损常膳,令中外臣僚讲求阙政。

孟珙与蒙古三战,遂复信阳军及樊城、襄阳,寻又复光化军,息、蔡亦降。珙因上奏曰:"取襄不难,而守为难,非将士不勇也,非军马器械不精也,实在乎事力之不给尔。襄、樊为朝廷根本,今百战而得之,当加经理,如护元气,非甲兵十万,不足分守。与其抽兵于敌来之后,孰若保此全胜!上兵伐谋,此不争之争也。"乃以蔡、息降人置忠卫军,襄、郢降人置先锋军。

夏,四月,庚子朔,再决中外系囚,杖以下释之。

辛丑,知临安府赵与懃言:"潮啮江岸,近谕改作石堤。乞备材石,役军兵,庶可修筑。"帝曰:"卿宜更留意。"寻诏:"览所图江面坍损尤多,可刬下两司,募人夫并力修筑,责以限期,严立赏罚,如王延世之法,疾速施行,毋更弛慢。"

以不雨,复诏州县赈流民,决系囚,蠲赃赏钱。庚戌,以雨未通济,复诏决中外系囚,原减有差。

庚申,诏:"流民艰食,令逐路漕司、常平司下州县,多方存恤。其经战阵处,有遗骸能掩藏者,量与给赐,仍核其实以闻。"

丁丑,帝问蜀事,闻四月哨骑未已,宰执言所传果如此,夔门重地,尤当加意。又言:"战功冒滥,有一年喝转八九官者,人多假此忝躐科第。请照会游侣之请,应军功补官人,须令依旧从军。"帝然之。

庚辰,以久不雨,再决中外系囚。

丙戌,吏部郎中侯子震进对,诏蠲端平三年民畸零租。

五月,己亥朔,诏以江潮为沴,命赵与懽知临安府、浙西安抚使,专任修筑塘岸,以防冲决,仍令两浙运副曾颖秀极力协助。

六月,庚子,以崔与之力辞相位,授观文殿大学士、致仕。

蒙古兵攻重庆。丙寅,诏曰:"秋防将近,边警日闻。朕既命宰臣以督师,正藉诸阃之协济,所宜一乃心力,同应事机。四川急则荆阃援之,和、濡急则江阃援之,真、泰急则淮阃援之,务要脉络贯通,毋或秦、越相视!"

秋,七月,戊辰朔,命诸路提举常平司,下所部州县捕蝗。

庚寅,诏:"户部申严州县受租苛取之禁,诸路转运司察其违者劾之。"

蒙古以山东诸路灾,免其税粮。

八月,戊戌,以潮患,告于天地、宗庙、社稷、宫观。

以游侣为参知政事,礼部尚书许应龙为端明殿学士、签书枢密院事,谏议大夫林略为端明殿学士、同签书枢密院事。

辛卯,以楮轻,诏:"户部下诸路州军,应税赋征榷,其一半见钱,听民间以全会折纳,严戢欺抑等弊。监司、御史台察其违者劾之。"

九月,己卯,朝献景灵宫。庚辰,朝飨太庙。辛巳,大飨于明堂,大赦。

戊子,诏川、广监司,以十一月按部,理囚徒。

辛卯,以江、湖、浙东、建、剑、汀、邵旱伤,诏:"诸路提举常平司,核所部州县常平义仓之储,以备赈济。仍敕制、总司,今后毋辄移用,违者坐之。"从左司谏徐荣叟请也。

陈韡斩殿司崔福,以其不从本司调遣也。初,福从赵葵收李全有功,名重江淮,时论以良将难得,而韡以私忿杀之。

冬,十月,庚申,许应龙、林略罢。

诏出封桩库祠牒三百道,下江东宪司,赈饶、信、南康三郡旱伤之民。

十一月,丙子,以兵部尚书范钟为端明殿学士、签书枢密院事。

戊寅,给诸军薪炭钱,出戍者倍之。

十二月,己未,观文殿大学士、致仕崔与之薨,赠少师,封南海郡公,谥清献。

孟珙谍知蒙古塔尔海等帅众号八十万南下,策其必道施、黔以透湖、湘,乃请粟十万石以给军饷,以二千人屯峡州,千人屯归州,命弟瑛以精兵五千驻松滋,为夔声援,增兵守归州隘口万户谷。及蒙古至,珙密遣诸将御之,又以千人屯施州。蒙古既入蜀,珙增置营寨,分布战舰,遣兵间道抵均州防遏,且设策备御。未几,蒙古渡万州湖滩,施、夔震动。珙兄璟,时知峡州,帅兵迎拒于归州大垭寨,胜之,遂复夔州。

初,耶律楚材定蒙古课税银额,每岁五十万两;及河南降,户口滋息,增至一百十万两。至是,回回部人温都尔哈玛尔请以二百二十万两扑买之,楚材持不可,曰:"虽取五百万两亦可得。不过严设法禁,阴夺民利耳。"反复争论,声色俱厉,言与涕俱。蒙古主曰:"尔欲搏斗耶?"又曰:"尔欲为百姓哭耶?姑令试行之。"楚材力不能止,乃太息曰:"民之困穷将自此始矣!"

【译文】

宋纪一百六十九 起丁酉年(公元 1237 年)正月,止己亥年(公元 1239 年)十二月,共三年。

嘉熙元年 蒙古太宗九年(公元 1237 年)

春季,正月,甲寅(初一),第一次设置财用司。皇帝降旨命京西湖北制置使、副使,供给犒赏沿边战士不一。

丁巳(初五),鸣雷。戊午(初六),乔行简请求免去天基节宴会,以回答上天的告诫,皇帝接受了他的建议。

丙寅(十四日),皇帝降旨以淮、襄迁地以避祸患之流民,饥寒可怜,命沿江各郡委派官吏进行救济。

蒙古安笃尔对宗王说:"陇西州县刚刚平定,人民还有二心。汉中正当陇、蜀之交通要道,应当以良将来镇守它。"宗王说:"安定不顺服之人,制服盗贼,这是上策,但没有人能代替你。"于是分派蒙古千户五人隶属于他前往。安笃尔派部将南守沔州之石门,西守阶州之两水,谨慎侦察,严密巡逻,防守于是变得牢固。

察合台汗国银币 元

二月,癸未朔(初一),命郑性之知枢密院事,兼参知政事礼部尚书邹应龙为端明殿学士、签书枢密院事兼暂理参知政事,左谏议大夫李宗勉为端明殿学士、同签书枢密院事。甲申(初二),李鸣复免官,以资政殿学士知绍兴府。

乙酉(初三),提举洞霄宫葛洪去世。

癸巳(十一日),皇帝颁布诏令:"已故参知政事宣缯,赠太师之号,谥为忠靖。其子宣璧,三年之丧期满除服之日给予一个有具体政务之官职。"因他曾参与定策之故。又颁布诏令:"宣缯宝庆初年所上朕《即位事始》,全部根据先帝之遗教,可以明令交付史馆。"

丁酉(十五日),诸王宫大小学教授王辰说:"蜀地之旧例,孝宗乾道初,虞允文以同知枢密担任四川宣抚时,汪应辰召回待选;宁宗开禧年间,安丙在沔州,杨辅担任成都制置,旋即被召回。如今李𡌴任宣抚于内,杨恢任制置于外,指挥号令未免互相牵制。"皇帝说:"刚才正好跟大臣们言及此事,已命杨恢协助安抚了。"王辰说:"陛下神算至此,乃是整个蜀地之幸运。"

己亥(十七日),屯田郎官王万入朝回答皇帝的提问,皇帝说:"您是淮人,深知边境之事。"王万回答说:"臣不懂得军事。陆贽有句话,用兵之法没有别的,注重人心而已。只要按人心来筹划安排,就是用兵之法则。"皇帝问他的主张,王万说:"一个和字,沮丧士气,贻误国家。"皇帝说:"和议也不可以不行。"王万说:"倘若专门立为题则不行,应当同时进行战守之规制。"

癸卯(二十一日),皇帝降旨命国子监刊印进呈《通鉴纲目》。

当初,蒙古诸府之官府自行制造符信玺印,超越本分行事没有限度,耶律楚材请求中书省按规制铸造给予各府,名器才开始显得有分量。当时诸王贵戚,都可以自行设立驿马,沿途骚扰,所到之处,百般需求索取。耶律楚材又请求给予牌札,确定常规,其弊端才得以革去。

三月,壬子朔(初一),皇帝颁布诏令说:"朕改革旧制,振奋精神,视民如子,然因内治尚有缺失,以致外患未能平息。京、襄既已遭受创伤残害,淮、蜀又遭受侵扰。沿路流亡离散之人,凄惨到无以为生,房屋遭焚毁之余,茫然无所依托,骨肉遭受毒害,壮丁劳于转运。你们何罪之有,是由于我一人德行不够。所幸天人仍帮助我诚信不欺,顺应物理,将帅尽全力捍卫防守,虽然战火刚停息,怎奈战争创伤尚未恢复。尽力颁下恩旨,用以慰藉众情。发放粮食用以救济贫乏,蠲免租赋而停止债务,血战立功之将士,应当商议给予优赏,死于国事之家,应该加以恤典。或有乘机结伙为盗,或者丧失军纪逃跑之人,咸与惟新,同归于治。"

丙辰(初五),皇帝颁布诏令:"别之杰召募二万人,屯驻公安、峡州;许晟大招募三千人,屯驻岳州,其衣食等费用所应科派的,分条陈列奏闻。"

己未(初八),户部侍郎兼暂代兵部尚书、知临安府赵与欢进言:"端平以来,陛下明令侍从、台谏官分别举荐文武大小之臣,奉命之人不能说不多,其中难道没有特异杰出之人!希望陛下申命大臣,召集侍从、台谏会于都堂,将前次所推荐之人,合谋公议,量才授予职任,不心局限于资历。倘若在内之宰执、侍从、三衙、环尹,在外之各营将帅,又都选择其才能声望不相上下之人,储存起来以备情势急迫之用,这样就将不会有缺乏人才之叹息。"皇帝接受了他的建议。

乙亥(二十四日),资政殿学士魏了翁去世,加谥号为文靖,赐给宅第于苏州。

蒙古主因奇彻部长巴齐玛克依仗地势险固而不臣服,命皇侄莽赉扣、诸王之一巴图征讨之。临出发时,对他们说:"听说巴齐玛克有胆量和勇气,苏布特也有胆量与勇气,可以任其为先锋。"苏布特进战屡次取胜,在衮腾吉斯海掳获巴齐玛克之妻与儿女,巴齐玛克逃到海岛上。适逢大风刮走海水,浅到人马可以渡过去,莽赉扣说:"此是上天给我开的道。"于是进前击杀其部众,擒获巴齐玛克。莽赉扣令他下跪,巴齐玛克说:"我是一国之主,难道还苟且求生!并且身非骆驼,为何要下跪于人!"于是把他囚禁起来。巴齐玛克对看守说:"我窜入海中,与鱼有何不同,然而终究被擒获,这是天意!现在海水的回期将至,军队应及早撤回。"莽赉扣听到他的话,随即班师,而海水已至,后军有浮水而渡的。莽赉扣又进兵包围俄罗斯默齐斯城,攻破了它。

夏季,四月,壬辰(十一日),命保康军承宣使贵廉任保康军节度使;武康军承宣使、提举神祐观与芮任武康军节度使,提举万寿观。

校书郎刘汉弼,进言荆、襄统领一方军事之帅应在江陵,皇帝问收复襄阳之计策,刘汉弼回答说:"制使如在江陵,那么事权就重,收复之事尚可谋划。"皇帝以为他说得对。

甲申(疑误),左司谏曹豳进言:"陛下将方面之事付托给三位军事将领,而和战之意见,又自相矛盾,忧虑仍然未尽。史嵩之在淮西,采用清野主张,敌人未到而百姓先遭其祸,采用分散兵力之主张,百姓求战而禁止他们不得前往,都是议和而误国。赵葵在淮东,定远之被攻占,就在邻近之境,六合之被攻占,适在其部下,赵葵竟闭城自守,不派一兵一卒支援,此是畏缩胆怯而辱国。陈铧在金陵,旷口之败,大概是上天稍稍警告他,进议之人并说敌兵难于抵挡,不像盗贼那样容易制服。现在应该责成史嵩之收复襄阳,作为江陵之捍卫屏障;整治上流,为了下流的防御开拓。赵葵则应联结邻近将帅以抵御负责哨探之敌骑,预备水军以防御海道。陈铧则以沿江兼管淮西,以安定淮东。倘若秋冬两季可以阻抑敌兵,才算是为报效国家尽了力。"皇帝以为他说得对。

五月,壬申(二十二日),行都临安发生大火,连续烧毁民房五十三万间。癸酉(二十三日),皇帝降旨命蠲免临安府城内外征税一个月。甲戌(二十四日),回避正殿,减少日常膳食。丙子(二十六日),拿出皇宫府库缗钱二十万贯给予遭火灾之家。

辛巳(疑误),皇帝降旨征求直言。士民上书,都说济王之冤。

当初,进士潘牥回答策问时说:"陛下承体于先帝,使匹夫之民归附于德政,这何异于做人子孙的,身受父母劳累之恩惠,却指豪奴悍婢为恩惠之所,要想父母不生气,是不可能的。"又说:"陛下兄弟手足之爱,生之荣与死之哀,反而不能与士庶之人同等看待。这好比一家之内,骨肉之间,不能亲近和睦,因此奴仆目怒视,邻里相欺侮。应当增厚东海之封赐,分淮南之地,用以招致人心之和乐。"言语多有追咎史弥远之处。史弥远虽然已死,门徒朋党仍然兴旺,于是侍御史蒋岘,说火灾乃是上天的安排,与故王有什么关系!于是上疏弹劾起居舍人方大琮、正字王迈、编修刘克庄等人鼓动兴起异端言论,并指斥潘牥与逆臣贼子同姓,言语涉及叛逆,请以汉法定罪。从此以后群臣之中不再有敢于言及济王之冤的人。

监都进奏院史弥巩上书说:"人伦关系改变之事,哪一代没有!陛下友爱之心,也经常流露。洪咨夔之所以蒙受陛下特殊知遇的原因,在于雪川之变,并非济邸之本心,而济邸之死,又非陛下之本心,只是非常符合陛下之心意而已。况且作为先帝之子,陛下之兄,竟使他不能安身于地下,难道不会干犯上天之和气,招致灾异吗?"史弥巩是史弥远之堂弟,心中不满史弥远所做之事,不登史弥远之门达三十年,别人都敬重他,不久出外担任提点江东刑狱。

枢密院编修官徐鹿卿上书,大略说:"臣听说不可轻视的,是上天之怒,不可忽略的,是人心之疑惑。懂得用什么来解开人心之疑惑,就可以平息天地之怒气了。陛下继承皇帝大位十四年了,其间的灾害变异,什么没有过,而三次变异尤其大。辛卯年之火灾,人们以为是权臣专权擅政之报应,陛下尚且考虑其有辅佐之功,暗中掩蔽庇护,于是上天之怒不息而又以丧师失地之变来给予警告。三京之败,人们以为是诸臣之狂妄轻敌所致,却反而曲意保护,三年之后才下哀痛之诏书。于是上天之怒没有平息,而又以迅猛之雷来予以警告。祭天典礼上出现怪异不祥之事,人们以为是宰执之过失所致,陛下虽然能逐去一位宰臣,然而错乱之政与旧的弊端,大都仍旧没改变。于是上天之怒不止,而火灾之警告再次降临。大火迫近于开元宫、阳德宫,唯独不烧毁它们,难道不是上天用以显扬我宁宗皇帝之盛德,来警戒触动陛下之心吗?这是众心所疑惑的。皇上之姻亲,滥求将帅之华贵,恩宠在前,遭火也在前,众心因此加重了疑惑。贵戚至亲,人们颇为讥刺其干求请托之数,大火越过两条河流而直奔其家,众心因此更加疑惑。如今御笔经常送至中书,宣示晓谕时或下达到各地,遇有封还驳正之事,不免留置宫禁之中不予交办,四处设立机构,以行嘱咐请托,每遇减征赋税,留存起来以供赏赐,这些钱物,归之于谁呢?任免名单尚未颁布,就有说某人为某邸之宾客,某人曾登某人之门,不久确有相吻合的。任免名单既已下达,则又说某人是出于皇太后或皇后懿旨之嘱托,某人是出于皇上御旨之训示晓谕,即使是卑小的官职,都不能不这样的了。陪伴皇帝身边的旧臣,在世时没有丝毫之功劳,死后却论其有定策之功。旧邸外戚,难道不也可以稍加恩典,而让他们参杂交错列于边防守卒之任!臣认为不堵塞交接往返之路,那么指责不可解脱,不杜绝偶然侥幸之门路,那么指责不可解脱,这是上天所以震怒的缘故!"适逢方大琮、王迈、刘克庄因为言事被免官,徐鹿卿赠之以诗,进言之人一并弹劾他,因而被贬建昌军。

六月,甲午(十五日),皇帝降旨,以"盛暑之故,审决临安府关押的囚犯。按通常法令所不能赦免的等待制定办法,其余根据罪行轻重予以裁决。大理寺、三衙门、二赤县也按此办理。定为法令。"

丙午(二十七日),皇帝降旨,以"新任知黄州、淮西安抚李寿朋,接到任命已过三个月,不马上从便路就任,却回家安坐不动。秋季防御已经临近,不懂得体恤国家,别人都像这样,情势急迫将何所依赖呢?可命削除三级官职,居住于建昌军。"

此前蒙古侍臣托骥,请求选择天下未出嫁之女子,诏令已经下达,耶律楚材阻止而不予施行,蒙古主很生气,耶律楚材进言说:"从前选择女子二十八人,足以充任使唤。现在又行选拔,臣担心骚扰百姓,想要详审此事,重新上奏而已。"蒙古主过了很久说:"可以免去此事。"这个月,左翼各部族谣言搜求民女,蒙古主很愤怒,于是搜括起来用以赐给部下将帅。

秋季,七月,己未(初十),皇帝降旨命淮西制参李曾伯等各加官一等,因其去年冬天敌兵侵扰合肥、浮光,派兵支援立有功劳。

八月,甲申(初六),追封赵汝愚为福王。

癸巳(十五日),命李鸣复担任参知政事,李宗勉担任签书枢密院事。

金国灭亡后,士大夫大多流落寓居于东平,宋子贞周济他们,选择其中有才之人,推荐给行台严实。因此刘肃、李昶都被任用。掌书记徐世隆,也劝严实收养家世寒素之士,四方儒士,闻风而至,故东平当时人才比其他镇为多。严实用济阴人商挺担任诸子之师,用永年人王磐担任诸生之师。不久又迎请元好问来考校测试诸生之文才，预选的阎复、李谦、徐炎、孟祺四人，后来都成了知名人士。

耶律楚材对蒙古主说："制造器具一定要用好的工匠，守住先人之成业必定要用儒学。有学问的大臣之学问，不是积累几十年，大概不可轻易成就。"蒙古主说："果真是这样，可以任用他们为官。"耶律楚材请求考较、试验他们。于是命税课使刘中沿郡考试，按经义、辞赋、策论分为三科，立三日的期限，每天专门考试一科，能兼考兼举的也允许，仅以不失文义为中选。儒学之人被俘沦为奴婢的，也让他们参加考试，其主人隐匿不遣的处以死罪。得到东平杨奂等四千零三十人，免去奴婢身份的占四分之一。耶律楚材又请求统一度量衡，建立钞法，制定均输之法，各种政务大体完备。

耶律楚材像

九月，壬子（初四），刑部侍郎兼侍讲李大同进言："陛下考虑到祖宗付托之重，遂颁下御笔，下令执掌祭祀与礼仪之官参考斟酌常典，建置宫内之学，选择教育宗室子弟之贤才。臣认为要根据亲室谱籍来选取，一定要求其家庭之风气习俗，父兄之教诲告语，芳香而有和平之气，和蔼而有礼义之风。设师、保之官，是用来培养他们的才能学识，必须是年高德劭、素孚众望、处事静重，有可以值得仿效之仪容，经学融会贯通，有通达事理之裨益。如宫嫔担任保姆，宦官担任承直，也必须年龄较大，老成持重，天性纯洁厚道之人。大概宫廷内学之建制，不能与王邸讲授相比，应当设教官三四人，每天一人轮班，清晨进去，晚上出来，不准无故停止讲授。不久宗室之贤才与正人相处而使德性得以成就了。"

此前皇帝想要建立宫内小学，下令选择宗室之子十岁以下资质好的上报。丁巳（初九），于是建立学校，设置教授二人，挑选宗室之子使之就学。戊午（初十），太常丞兼金部郎官陈煜，说宫内之学的教导一职，应当重视其人选，皇帝说："难得这样的人。"陈煜上奏："师儒之官，不仅仅是讲授学问，应当随事规劝补益，以便养成其道德修养与才识度量。"

庚午（二十二日），皇帝降旨命淮东制置使赵葵筹划边境之事结束后，将安排处置报告朝廷。

蒙古诸将从八柳渡河，进入汴城，守臣刘甫置办酒席于大庆殿。塔斯说："此是过去金国主所居之地，我是人臣，不敢在此。"于是在刘甫的私第宴会。

冬季，十月，蒙古宗王昆布哈围攻光州，史天泽率先攻破其外城；接着进攻子城，又攻破它，于是进兵驻扎复州。宋朝军队用船三千艘锁住湖面作为栅栏，史天泽说："栅栏被攻破那么复州将会不战自溃。"史天泽亲自击鼓,指挥勇士四十人发动进攻,没过多久栅栏即被攻破,复州投降。进兵攻打寿春,史天泽独当一面,宋朝军队晚上出来偷袭敌营,史天泽亲手击杀无数敌人,部下兵力相继而至,全数将宋军拥入淮水中。

昆布哈进攻黄州,孟珙率兵驰救击退他。昆布哈于是进攻安丰,杜杲修缮好守御之具。蒙古用火攻城,焚毁城上的楼橹,杜杲随陷随补。蒙古招集敢死之士为巴图鲁,攻城以效命。杜杲招募善于射箭之人,用小箭射其眼睛,巴图鲁大多受伤而退。蒙古兵填塞护城壕,建起二七座高南,杜杲分派兵力扼守高坝,蒙古兵乘风放火。不久风雪急起,杜杲招募壮士夺取坝路,士卒都奋勇力战。适逢池州都统制安丰吕文德突围入城,合力抵御,蒙古兵于是退回。

吕文德身材魁梧,勇敢凶悍,曾经卖柴到城中,赵葵见他遗下的鞋印,长一尺有多,惊异而拜访他,正值吕文德出外打猎去了,天黑以后,背着虎鹿各一只而回。赵葵将他召来置于部下,累积战功,得以超迁军职。

蒙古兵进攻夔府。蜀中之兵列阵于长江南岸,蒙古千户郝和尚,挑选骁勇之士九人,乘轻舟率先登上南岸,横驰于对方阵地中,穿出以后又再穿入,蜀中之兵大败。

十一月,丙辰(初九),皇帝降旨命湖南帅臣赵师恕进官两级,因其平定了衡州酃县盗寇。

甲子(十七日),枢密副都承旨赵以夫进言:"臣曾经一一考察《春秋》与历代的志纪,日食为有罪责,食浅的灾祸浅,食深的灾祸深,大要在于施行仁德之政策来消除它。十二月初一,历学家预言将有日食。日食,还可说是自古就有之异象。然而太阳与金木水火四星都躔于斗,日食将尽,则四星都出现,太阳里面见到斗星,这却是古代所没有之异象。斗星属于吴,祸福自然有所归属。希望陛下迅速侧身修行,那么太阳应当会因此而不亏蚀。不然的话,则如占星之人所言,罪责已经显著明确,祸患必将随之应验。宗庙社稷之事重大,天下生灵之事重大,可以不予考虑吗!"

丙寅(十九日),降旨命暂免明年正月元旦朝会。辛未(二十四日),减少膳食,回避听朝;乙亥(二十八日),大赦天下囚犯。

十二月,戊寅朔(初一),发生日食。

枢密副都承旨兼右司郎官王伯大进言:"当今天下之大势,如同江河之决口一样,一天比一天向下发展而不可挽回。开始时,大臣们的言论,没有不交口称赞,说天下太平之时可以跷足而待的,没多久就又以治乱安危之迹象为言了,又没多久则放开治安不说而直接以危乱为言了,又没多久则放开危乱不说而直接以亡国为言了。唉!以亡国之事为言,还知道有亡国的危险,如今却是连亡国也不说了。君王之祸患,没有比处在危亡之地而自己不知道更大的;臣下之罪过,没有比知道国有危亡之祸而不进言更大的。

"陛下亲理政事,到现在已五年了,盛德大业没能显著地被天下见到,而招致天下之非议的,又怎么这样杂乱众多而不止呢!论纵欲之危害德行,那么天下将把陛下视作商纣王、周幽王一样的君主;论亲属、宦官亲信之人扰乱朝政,那么天下将把朝廷视作如东汉宦官弘恭与石显、汉宣帝许皇后与母家史氏、唐高宗后武则天与中宗后韦氏、权臣仇士良与鱼朝恩一样之朝廷;论奸佞之臣结党营私之误国,那么天下又将会有东汉党锢、元祐年间党籍之类事件发生。这几方面都蹈袭了前代危亡之旧辙,忠心之臣有志之士愤怒激昂地说到它。陛下虽然每天临朝治事,每天亲近儒学之士,每天都修饰词色,但最终没能止息天下之非议。说

4067

的人多了,听的人就会厌倦,于是由厌倦转而产生怀疑,由怀疑进而变为愤怒,愤怒已极而变为任性执拗,那么加罪言事之人贬逐进谏之臣之意已经隐藏在陛下之胸中,因而凡是违犯自己的人都成了可以驱逐之人了。那些有权势的近臣之性情,只要利害不出于自己一人,没有不磨除棱角来迎合陛下之喜好的。那些稍稍畏惧名声与道义的,则忍辱含羞闭口不言而有进退两难之忧。若是那种无所顾恋之人,则都奋起远避,不愿在朝为官了。

"陛下试请反身自问:我之道德规范与行为准则,保证没有像屋漏在上面、知之在下面的情况吗? 只看见妃嫔之多,还到处挑选不止,大摆筵席之声,经常听到,那么所谓精神之蓄养,血气之顺畅,是不可以的。陛下又试请于后宫之内加以反省:所有我之左右亲近之人,能没有乘各种机会来求请官职,料想是亲密的话,不再猜疑警觉的情况吗? 只看见从宫内降下干求请托之状,屡次送到有关部门,借皇上之言除拜官职,每每塞人进言之口,那么说逐渐渗透之风已经止住,邪门歪道已经堵住,是不可以的。陛下又试请于朝廷政事之间再三反省:所有我之各位大臣,能没有谗言无行,震惊帝师,厌恶直言之人丑化正直之士,用邪巧之言来败坏法度之人? 只见威严正直之士,过去之所进用者,如今不知到哪里去了,巧言卑贱之徒,不知从哪里来,很快会集于此,那么说举国上下都是忠臣,圣朝没有过失之事,是不可以的。

"按陛下之好恶来取舍,没有不招致舆论议论的;等到舆论出现了,又推开而不接受;不知道平常遭受信任之人,肯为陛下分担此责任否? 没有这样的人。陛下真正能够将过去失策之事公布于天下,而不必为之辩护推托,凡是舆论谴责的,一旦尽数除去,务必使害政之根全部去除,一点也不存留,如同日月之更迭,如同风雨之迅疾,那么天下的谤议自然会止息了。陛下还怕什么还怀疑什么两不这样做呢?"

己巳丑亥(二十二日),皇帝降旨免去天基节上寿之礼节。

壬寅(二十五日),降旨命在衡州设置雄楚军五百人。

丙午(二十九日),拿出丰储仓之粮食一万石,赈济临安贫民。

蒙古耶律楚材推荐杨奂担任河南路征收课税所长官兼廉访使。

杨奂即将出发,对耶律楚材进言道:"我承蒙您的超擢重用,以书生之身份而去管理财赋,已经不是我之所长。况且河南在遭受战乱之后,遗留的百姓已没有几个,所谓烹鲜的比喻,正是现在的情形,再去催促惊扰他们,必定会糜烂不可救。请给我一段时间,让我能抚摩救治战争之疮痍,来为朝廷培育基本提供万分之一的帮助。"耶律楚材认为很好。杨奂到任后,以简易为政,巡行境内各地,亲自过问税收之事。对有进言要求增加月课数额的,杨奂责问他说:"盘剥下面欺骗上面,你要我这样做吗?"随即减少原先数额的四分之一。公家和私人都以他的政策为便利。

嘉熙二年 蒙古太宗十年(公元 1238 年)

春季,正月,戊申朔(初一),降旨:"侍从、台谏、郎官、帅臣、监司以及前任宰执、侍从,举荐通晓用兵之道、熟悉财赋会计之人各二名;三衙以及各军都副统制举荐能充任将领之人才二名。"

任命吏部尚书兼给事中余天锡担任端明殿学士、同签书枢密院事。

己未(十二日),降旨:"淮西遭受兵灾之日已久,最近命令荆湖制置使史嵩之接应救援黄州,命令淮东制置使赵葵接应救援安丰,都能够指派将吏出动军队;捷报上达朝廷,朕非常高兴,可以命学士官降下诏书予以奖励晓喻。有功劳的将士姓名,命制司依次呈报上来给以奖赏。光州、信阳两城,都应当乘战胜的机会一同谋划收复。"

辛酉(十四日),命华文阁学士史嵩之任端明殿学士,与宰相的待遇一样,命宝章阁学士赵葵任刑部尚书,制置之职仍旧不变。孟珙以下将吏,迁官转职不等。

二月,甲申(初八),知蕲州张可大被处死;知安庆府李士达被除去名籍,安置管制于雷州;因为他们弃城不守乘夜逃跑。

丁亥(十一日),命大理寺少卿朱扬祖担任蒙古押伴使。

庚寅(十四日),命史嵩之担任参知政事,督察京西、荆湖南、北、江西路军马。

癸巳(十七日),大宗正臣贾似道进言:"蒙古使臣即将到达我国境内,称呼与每年的例贡标准,应该有确定的办法。"又上奏:"增加财富之方法,没有比去掉贪赃官吏更加急切的。太祖皇帝惩治贪赃官吏的办法,是用木棍击杀于朝堂之上,孝宗皇帝是在脸上刺字。今天如果实行这种做法,那么财物自然就会丰裕。"

戊戌(二十二日),降旨:"最近看了李垕的奏疏,知道蜀地已逐渐收复。但是战争创伤之后,安定最为紧要。应当施行全面的恩泽,来表示对人民的忧怜顾念之意。可以命学士院颁布恩德诏书。淮西遭受兵灾,近来已经获得胜利,也适宜于一同施行。"

蒙古使臣王楫入朝晋见皇帝,议定每年给蒙古钱币、银绢各二十万。李宗勉进言:"轻易答应的话会有许多后患,应当遵守原约。然而比之于开禧年间的物价高涨,何止数倍了!"史嵩之竭力主张和议。李宗勉进言:"蒙古使者可疑之处有三。史嵩之职责在于督战,如收复襄阳、光州,扼守施州、澧州,招集山寨之人,保卫长江,都是他现在应该做的事。如果他主张的是和议,那么凡是有机会可乘时,也不会没有退缩之意,必然导致白费时间,坐失良机。"

三月,丁未朔(初一),皇帝降旨安抚淮、蜀军民。

戊申(初二),命将作监周次说充当蒙古通好使,濠州团练使、左武卫将军张胜充当他的助手。

己未(十三日),命著作郎兼暂代工部郎官李必傅担任秘书少监、史馆修撰,撰修高宗、孝宗、光宗、宁宗《四朝国史实录》。

辛酉(十五日),任命史嵩之兼任督视光、蕲、黄、夔、施州军马。

夏季,四月,庚寅(十五日),都省官进言:"国家与军队的开支,大多依靠盐税。乾道以来,每年的数额为六十五万多。自从盐钞之法改变而使得盐商经营稀少,盐户失业。请求申饬江淮诸司、诸屯,不得私自购买未经官家的'浮盐',下令提举司恢复盐场,派官吏按价收买,那么利润就归于公家。有的以供养军队为借口,应当核实上报。"皇帝听从了这个建议。

戊戌(二十三日),降旨:"户部和财用司,凡折帛、沙田、酒息、盐袋、租谷、丝绢钱等,团田没入归公而田租没有催缴的,全部催征,年终比较其数量来分别高低。"

闰四月,丁卯(二十二日)右司郎官傅康进言:"陛下改革之初,曾经设置机构来统计财赋,当时户部按应发上供之数额登记入册来应付诏命,就是现在的殿最法;凡是州郡的财赋进出,则上面不予过问。请求朝廷颁给印信册簿,分别其款项,颁发给漕司,下达到州郡,每季度将册簿呈上朝廷,荟萃编集成书,收藏于计簿房,任命亲近大臣掌管其事。"皇帝听从了他的建议。

壬申(二十七日)赐予进士周坦以下四百二十三人及第,出身资格。

五月,辛巳(初七),太白星白昼出现。

癸未(初九),命李鸣复担任知枢密院事兼参知政事,李宗勉担任参知政事,余天锡任签书枢密院事。

甲申(初十),乔行简进言:"兵、财两方面,尤其是现今之急务。想要将兵事委托给李鸣复,将财用之事委托给李宗勉,发行会子等纸币之事委托给余天锡。凡属有利或有弊,都务必互相讨论,有应当聚会商议者,让臣参议斟酌,然后施行。"皇帝听从了他的建议。

因平民钱时、成忠郎吴如愚宣讲道义著书立说,隐居乡间不任官职,足以勉励后之学者,钱时特予补为迪功郎,吴如愚改授从事郎,并充任秘阁校勘。这是乔行简举荐的。

六月,蒙古建筑图苏湖城,构建迎驾殿。

蒙古显贵近臣攻击耶律楚材违反制度庇护逃兵,蒙古主很生气,囚系耶律楚材,不久自己又后悔,下令释放他。耶律楚材不肯解去绳索,进言道:"臣位居宰相,是国家政务之所属。陛下当初下令囚系臣,是因为有罪;应当明白晓喻百官,罪在不赦之例。现在释放臣,那么是没有罪了;怎么能轻易反复,如玩弄小孩一般!国家有大的政事,怎么施行!"蒙古主说:"朕虽是皇帝,难道就一定没有过失之举措吗?"于是讲好话来劝慰他。

耶律楚材于是陈述当时政务之十条措施,就是赏罚必行,名分必正,颁给俸禄,加官功臣,考核高下,平均差役,挑选工匠,致力农桑,规定土特产上贡,制定漕运之法。都适宜于当时之事务,全都予以施行。

秋季,七月,甲戌朔(初一),因连绵大雨,皇帝降旨征求直言。

庚寅(十七日),释放京城内外杖刑以下的囚犯,蠲免赃赏钱。

八月,癸亥(二十一日),降旨:"朕亲自省览内外臣僚们的奏疏,有许多可以采纳的建议。门下、中书后省详细察看,如有关于朕自身、关于时政者,节录奏闻,应当讨论施行,还要给予表彰奖赏。"

蒙古征收课税使陈时可、高庆民等上书进言各路遭受旱灾蝗害,蒙古主降旨免去今年的田租,并停止征收以前没有交纳的,等到丰收之年再商议。

蒙古太原路转运使吕俊、副使刘子俊,因贪污当抵罪。蒙古主责备耶律楚材说:"您说孔子之道可行,儒学之士都是好人,为什么却有这种人?"耶律楚材回答说:"君与父教育臣与子,也不想让他们陷于不道德。三纲、五常,是圣人用以正名定分之礼教,有国家的没有不需要它的,如同天上必有日月一样。难道能因为一个人的过失,使得万代常行之道被我朝废弃吗?"蒙古主的气也就消了。

九月,壬午(初十),火星侵犯权星。

蒙古主在行宫宴请群臣,塔斯喝得大醉。蒙古主对身边近臣说:"塔斯的精神已经逝去了,还能活多久呢!"过了一年,果然去世。

蒙古将领察罕领兵号称八十万包围庐州,预计攻破庐州后,于巢湖建造船舰以便侵占江左。在护城河外沿修筑土城长六十里,开凿两条沟,攻城的战具是攻安丰时的数倍;杜杲竭尽全力守御。蒙古军建起堤坝,比城楼还高,杜杲把油灌在草中,就在坝下放火焚烧,都变成灰烬。又在串楼内建雁翎七层,俄顷火炮击中坝上,蒙古兵惊动,杜杲乘胜出城交战,蒙古兵败走,杜杲追击数十里。又训练水军扼守淮水,派他的儿子杜庶监督吕文德、聂斌埋伏精锐部队于要害之处。蒙古军不能进取,于是引兵而归。皇帝降旨加杜杲官为淮西制置使,奖励有功劳的将士,给予赏赐不等。

冬季,十月,己酉(初八),户部尚书赵与懽进言:"狂风暴雨为灾,影响到祭祀所用之黍稷,浙江东、西两路,房屋被大水漂走损坏,希望陛下发布表示哀悼痛心之圣旨,派遣救济抚恤之使臣,遍行各道,允许他们根据具体情况施行恩惠。"皇帝接受了他的建议。

丁卯(二十六日),监察御史曹厨簪进言:"自蒙古之兴起,有劳于皇上圣心思虑已经五年了。双方使者往来穿梭,说是停战有望,而秋季刚到,合肥已经遭受重兵包围,哪里还有和议可言!希望陛下将畏敌之心转到畏天上来,将相信和议改为相信守御,那么就能得到上天保佑与人民相助。"

淮东总领吴潜进言:"皇族子弟时晙,召集淮东、西两路流亡之民约十余万人,团结十七寨内之强壮民丁二万,可以登记成为军兵,最近调遣千余人为合肥之援兵,请求给予补官。"皇帝听从了他的建议。

蒙古在燕京修建太极书院。

当时周敦颐之名声还未到河朔,杨惟中在蜀、湖、京、汉各地传播道学,得到有名学士数十人,于是收集各种理学之书,用车装载运送到燕京。等到回来时,与姚枢谋划修建太极书院及周子祠,同程颢、程颐、张载、杨时、游酢、朱熹配享,延请赵复为老师,王粹辅佐他,挑选才智杰出有见识之人为道学生。从此河朔地区开始知道有理学。

十一月,己卯(初八),训诫申饬各级官员。

衍圣公孔元措向蒙古主进言道:"如今制礼作乐之器散乱亡失,燕京、南京等地,前金国掌管宗庙礼仪等事之旧臣以及礼仪文书、乐器还保存了不少,请求降下圣旨予以收录。"蒙古主听从了他的建议,下令各路管理民众之官,如果有前金国懂得礼乐的旧人,可以连同他们的家属移居到东平,命孔元措统领,从本路税课之中支给其食用之费。

十二月,壬寅朔(初一),降旨命淮东、淮西、湖广总所、四川茶马制置司,犒劳赏赐在各处驿站服役的兵丁。

丙午(初五),光州守土之臣董世臣被处死,司户柳具举发配到海外,因为他们丢弃城池不守投降敌人之故。

甲寅(十三日),兵部郎官范应铃当面回答皇帝之间,皇帝问广中各郡的情况,范应铃回答道:"虽然不如以前,但也还可以治理的。只是离皇上有万里之远,民众不遵守法度,二十五郡每郡各能有一位廉明太守,老百姓自然会受益。并且像宜州兵卒莫通等叛乱,提刑官张琼亲自前往招安,莫通等听说是宜州旧守来了,随即叩头出来投降。这就是太守所用得人之成效。"皇帝认为很对。

戊辰(二十七日),颁布诏令:"各路收购粮食,给予当时之价格,量器要公平,不得强行科配,申令严禁秋粮苛刻征收之令。"

起用李韶担任礼部侍郎,李韶推辞,皇帝不答应,降旨令他所在之州军护送至朝廷。史嵩之派人对李韶说:"不要谈论济邸旧事、宫中妇人、国家根本等。"李韶不予答复。他上奏疏说:"臣生长在淳熙之初,还来得及见到渡江以后之兴盛时期,人民生活富庶,官吏之作风与政绩均很得当。情况变化稍有不同,致使政事归于私人之门;绍定之末期,元气已尽了。端平年间更新变化,陛下之初意,难道不很美妙? 国家之情况一日不如一日,那些人有的死了有的被罢免了,没有替陛下担当其责任者,考究推论至此,天下之事难道不是陛下所应该自己承担而尽力去做的吗?《左传》记载史墨之言,鲁公代代继承其失策之举,季氏代代发扬其勤奋之美德,大概这话由来已很远了。陛下即位已很久,应当深思熟虑,声威恩泽要出自自己,谁敢盗走它呢? 放弃此举不做,悠闲自在,旷废时日,就会近于《左传》所说的代代继承其失策之政的鲁公了。"大概是用世袭大臣季氏之事来劝告史嵩之。奏疏传出后,史嵩之不高兴,说:"研究《春秋》之人说话都很毒。"当时人将李韶与杜范称为"李、杜"。

蒙古各勋官贵臣,因严实长期镇守东平,商议将其土地分为十份,分封给勋官贵族,其收入各归私人,与政府有关部门不相关。此前严实派奏差官王玉汝到京城,正好听到这种言论,愤激地说:"如果这样,那么严公的事业,所存已没有多少了。"夜深人静之时,在耶律楚材帐后哭泣。第二天,耶律楚材召见他,问他是什么缘故,王玉汝说:"我王玉汝作为严公之使者,如今严公镇守之地被分裂而不能相救,没有脸面回去复命,将死在这荒凉寒冷之野外,因此哭泣罢了。"耶律楚材让他到蒙古主面前陈诉,王玉汝向蒙古主进言道:"严实率三十万户归附朝廷,在高低不平的兵阵之间,三次丢弃其家,始终没有二心,难道与投降之人相同! 如今分裂其土地,分散其百姓,这不是用于表彰有功之臣的做法。"蒙古主赞许王玉汝忠诚,并且认为他的话有理,因此严实之地得以不被分裂。

嘉熙三年 蒙古太宗十一年(公元 1239 年)

春季,正月,癸酉(初二),用乔行简任少傅、平章军国重事,晋封为益国公;李宗勉任左丞相兼枢密使;史嵩之任右丞相兼枢密使,督视两淮、四川、京湖军马;余天锡任参知政事;吏部尚书兼给事中游侣任端明殿学士、同签书枢密院事。

丙戌(十五日),颁布诏书说:"朕即位已十六年,为了国家治理勤于政事;委政于二三大臣,离预期目标相距还很远。效法元祐年间尊崇资深大臣之旧例,特地向平章征询国家大事的处置意见;遵照绍兴年间一同任用两位宰相之制度,是想要与之里外相应。不要再循习旧的作风,不要再玩味于细枝末节。"

戊戌(二十七日),颁布诏令:"四川连年混乱不止,州县缺少官吏,那些前往应试受官之人,年龄在二十岁以上者,免去到吏部的考试,交给漕运司,帘试官准予放行,登记授受一次。"

蒙古主一直喜欢喝酒,晚年尤其厉害,耶律楚材多次进谏,蒙古主不听从,于是拿着酒槽上之铁口进言道:"酒能腐坏东西,铁尚且如此,何况人之五脏呢?"蒙古主醒悟,对身边近臣说:"你们爱护国君忧虑国家之心,能像这样吗?"赏赐给耶律楚材金帛。下令身边侍臣每天进酒三盅为止。

蒙古有钱人刘廷玉等人用银一百四十万承包天下的赋税,耶律楚材说:"这些贪利之人,欺骗上面虐待下面的百姓,为害很大。"奏请取消它。

耶律楚材曾经说:"'做一件有益的事不如除去一件有害的事,新增一件事不如省去一件事',任尚以为班超的这句话不过平平常常罢了,若干年之后,自然会有定论。以后遭受责备之人,才会知道我的话没有错。"

二月,壬寅(初二),任用余天锡兼任同知枢密院事。

丙午(初六),命史嵩之仍旧兼任都督江西、湖南军马之职。

癸丑(十三日),颁布诏令,朕近来命令宰相大臣,前往开设都督府,两淮、两蜀、相距遥远,必须脉络连贯畅通,易于运用移动。各路统帅大臣、监司、帅守、戎帅等,都应当同心协力,不要徇一己之私情。"

丁卯(二十七日),任用史嵩之都督江淮、京湖、四川军马。

三月,癸未(十三日),拿出国家粮仓中之米二十万石,平售给临安的贫穷之人。

壬辰(二十二日),判决朝廷内外关押的囚犯。

癸巳(二十三日),天降冰雹。甲午(二十四日),皇帝回避正殿坐朝,减少平常的膳食,下令朝廷内外臣僚议论寻求过失之政。

孟珙和蒙古军三次交战,收复了信阳军及樊城、襄阳,不久又收复光化军,息州、蔡州也降服。孟珙于是呈上奏章说:"攻取襄阳不难,但要守住很困难。不是将士不勇敢,不是军马器械不精良,确实在于力量之不足。襄阳、樊城是朝廷之根本,如今经过百战才得到它,应当加以整治,如同保护元气,没有十万军队,不足以分兵守御。与其在敌人来了之后再抽调兵力,何如保证此全胜之策?用兵之上策是用谋略来战胜敌人,这是表面上没有争斗的争斗。"于是用蔡州、息州投降之人设置忠卫军,用襄阳、郢州投降之人设置先锋军。

夏季,四月,庚子朔(初一),再次判决朝廷内外关押的囚犯,杖罪以下的予以释放。

辛丑(初二),知临安府赵与懽进言:"潮水侵蚀江岸,近来下令改筑石堤,请求预备石料,役使军卒,庶几可以修筑成功。"皇帝说:"您应当再为留心此事。"不久颁布诏令:"看到所画江岸崩坏之处不少,可以行文下达漕运、常平两司,招募民夫合力修筑,规定期限,严格订立赏罚条例,像王延世的做法一样,赶快施行,不要再松懈缓慢。"

因为不下雨,再降旨命州县救济流亡之民,审决关押之囚犯,蠲免赃赏银。庚戌(十一日),因降雨没有全部受益,再降旨命审决朝廷内外关押的囚犯,免罪减刑各有等差。

庚申(二十一日),颁布诏令:"流亡之民难于饮食,命各路漕运司、常平司下令各州县,设法施行救济;那些经受战争之地,有遗留尸体能够掩埋的,酌量给予赏赐,并核查其实情上报朝廷。

丁丑(疑误),皇帝询问四川的情况,听到四月份敌人哨探之骑兵不止,宰执进言所传说的果真如此,那么夔门战略重地,尤其应当加意防范。又进言:"战功假冒失实,有一年之内虚喝转官八九次的,许多人借此辱登科第。请求参照游侣之奏请,凡是有军功而得以补官之人,必须令其依旧随军作战。"皇帝认为说得对。

庚辰(疑误),因为很久不下雨,再次审决朝廷内外关押之囚犯。

丙戌(疑误),吏部郎中侯子震进宫回答皇帝的询问,降旨免除端平三年百姓整数以外零余的租税。

五月,己亥朔(疑误),降旨因江河潮水为害,命赵与懽知临安府、浙西安抚使,专门担负修筑塘岸之责,以防洪水冲决,还命令两浙漕运副使曾颖秀尽力协助他。

六月,庚子(初二),因崔与之竭力辞谢宰相之位,授予观文殿大学士、不担任官职。

蒙古兵进攻重庆。

丙寅(二十八日),降圣旨说:"秋季防御之时临近,边境之警报每天都听到。朕既已命令宰执大臣来督察军马之事,正要依靠各路统帅大臣协力相助,应当统一你们的心力,一同应付事机。四川紧急则荆州大帅支援它,和、濡紧急则江州大帅支援它,真、泰紧急则淮州大帅支援它。一定要使得脉络连贯通畅,不要像秦、越相待一般。"

秋季,七月,戊辰朔(初一),命令各路提举常平司,下令所属州县捕杀蝗虫。

庚寅(二十三日),颁布诏令:"户部申令严格禁止州县收取租赋时苛刻求取,各路转运司如发现违令者要予以弹劾。"

蒙古因山东各路遭受灾害,免去其租税。

八月,戊戌(初一),因潮水为患,祭告天地、宗庙、神稷、宫观。

任命游侣担任参知政事,礼部尚书许应龙为端明殿学士、签书枢密院事,谏议大夫林略为端明殿学士、同签书枢密院事。

辛卯(疑误),因纸币价轻,降旨:"户部下达各路州军,一切税课租赋,其中一半现钱,听任民间用全部会子折价交纳,严格止息欺骗抑配等弊端,监司、御史台如发现违犯者要予以弹劾。"

九月,己卯(十三日),祭祀景灵宫。庚辰(十四日),祭祀太庙。辛巳(十五日),祭祀于明堂,大赦天下罪囚。

戊子(二十二日),降旨命川、广监司,于十一月巡行所属之地,审理囚犯。

辛卯(二十五日),因江、湖、浙东、建、剑、汀、邵等地遭受旱灾,降旨:"各路提举常平司,检核所属州县常平义仓之储蓄,以备救济。并敕令制、总司,今后不要随便挪用,违反者处罪。"这是听从左司谏徐荣叟之请求。

陈辂杀死殿司崔福,因为他不听从本司调遣之缘故。

当初,崔福跟随赵葵收服李全有功劳,名重江淮,时论认为这样的好将领很难得,而陈辂因个人私怨杀了他。

冬季,十月,庚申(二十四日),许应龙、林略被罢免。

降旨拿出封桩库度牒三百道,下发到江东宪司,救济饶、信、南康三郡遭受旱灾之民。

十一月,丙子(十一日),任命兵部尚书范钟为端明殿学士签书枢密院事。

戊寅(十三日),给各路军队柴炭钱,出处戍卫之人数量加倍。

十二月,己未(二十四日),观文殿大学士致仕官崔与之去世,赠官为少师,封为南海郡公,加谥号为清献。

孟珙探知蒙古塔尔海等领兵号称八十万南下,预计他必定取道施、黔以通过湖、湘,于是申请粮食十万石以供应军饷,用二千人屯驻峡州,一千人驻扎归州,令其弟孟瑛领精兵五千驻扎松滋,作为夔州之声援,增加兵力扼守归州之隘口万户谷。等蒙古兵到后,孟珙秘密派各位将领抵御,又用一千人驻扎施州。蒙古兵既已进入四川,孟珙增设营寨,布置战舰,派兵抄小路抵达均州防卫,并制定策略进行防备。没多久,蒙古兵渡过万州湖滩,施州、夔州震动。孟珙之兄孟璟,当时为峡州知州,率兵迎战于归州大垭寨,战胜了蒙古兵,于是恢复了夔州。

当初,耶律楚材制定蒙古的课税银数,每年为五十万两,等到河南降服,户数和人口数增多,课税数增加到一百一十万两。此时回回部人温都尔哈玛尔请求用二百二十万两承包全部课税,耶律楚材认为不行,说:"即使征收五百万两也可以得到。不过是严设法禁,暗中夺取百姓之利益罢了。"反复争论,声色俱厉,声泪俱下。蒙古主说:"你想要搏斗吗?"又说:"你想要替百姓哭吗? 暂且下令试行它看看。"耶律楚材尽力也不能阻止,于是叹息道:"百姓之困顿贫穷,将从此开始了!"

续资治通鉴卷第一百七十

【原文】

宋纪一百七十　起上章困敦【庚子】正月,尽昭阳单阏【癸卯】八月,凡三年有奇。

理宗建道备德大功复兴　烈文仁武圣明安孝皇帝

嘉熙四年　蒙古太宗十二年【庚子,1240】　春,正月,辛未,彗星出于营室。

蒙古以温都尔哈玛尔充提领诸路课税所官。

蒙古皇子库裕克平西域未下诸部。

庚辰,下罪己诏曰:"朕德不类,不能上全三光之明,下遂群生之和,变异频仍,咎证彰灼,夙夜祗惧,不遑宁康。乃正月辛未,有流星见于营室,太史占厥名曰彗,灾孰大焉。天道不远,谴告匪虚,万姓有过,在予一人。今朕痛自克责,岂声利未远而谗谀乘间与?举错未公而贤否杂进与?赏罚失当而真伪无别与?抑牧守非良而狱犴多兴与?封人弛备而暴客肆志与?道殣相望而流离无归与?四方多警而朕不悟,群黎有苦而朕不知,谪见上帝,象甚著明。爰避正殿,减常膳,以示侧身修行之意。"

临安大饥,饥者夺食于路,市中杀人以卖,隐处掠卖人以徼利,日未晡,路无行人。

蒙古遣万户张柔等分道南下。

二月,丙申朔,诏:"礼部贡举,其务崇长学殖,嚅唶道真。"

戊戌,诏求直言,大赦。

癸卯,进知涟水军萧均官一等,以其修举郡政,葺治城壁故也。

甲辰,诏史嵩之赴行在奏事。

戊申,诏督府、制置司,沿江南、北郡,举行便安流民之政。

癸丑,临安府守臣言狱空,诏奖之。

蒙古安笃尔窥万州,蜀帅遣舟师数百艘溯流迎战。安笃尔顺流,率劲兵,乘巨筏,浮草舟于其间,弓弩雨射;蜀兵不能敌,败绩于夔门。

以京西湖北路制置使孟琪为四川宣抚使。

三月,壬辰,诏:"边尘未靖,备御方严,必藉人才相与协济。内而侍从、台谏、两省、卿监、郎官,外而监司、帅守,举文武之臣,晓畅兵机,练习边事,才略卓然可用者各二人。或陆沈常调,或负累家居,亟以名闻,以待擢用。"

右正言郭磊卿除起居舍人,监察御史谢方叔除宗正少卿,以论史嵩之故也。

壬辰,史嵩之入国门;癸巳,嵩之奏事。

夏,四月,己亥,叙复郑损原官。寻以直舍人院程公许言:"损撤关外五州重屯,移之内郡,则丁酉蜀祸,损实为之。使损官可复,不知千亿万之赤子死者可复生乎!"乃诏收成命。

壬寅,前汉川路运判吴申入奏,抗言蜀事,帝感恻久之。帝曰:"蜀从前亦委寄非人。"申言:"弃边郡不守,郑损也;启溃卒为乱,桂如渊也;忌忠勇而不救,赵彦呐也。今彭大雅又险谲变诈,大费防闲。宜进孟珙于夔门,以东南之力助之,夔犹足以自立。"帝是之。

癸卯,特转史嵩之官三等,令归班。

甲辰,监察御史王万除大理少卿,以尝论史嵩之故也。

诏:"祖宗盛时,宰执有轮日当笔者。今二相并命,合仿旧规,而平章总提其纲,应军国重事参酌施行。其三省、枢密印,并令平章掌之。"

辛卯,以绍兴府荐饥,蠲今年夏税。

先是蒙古主命衍圣公孔元措访求知礼乐旧人,元措奉命至燕京,得金掌乐许政、掌礼王节及乐工瞿刚等九十二人。是月,始命制登歌乐,肄习于曲阜宣圣庙。

蒙古复使王檝来。檝前后凡五至,以和议未决,隐忧致疾,卒,遣使归其枢于蒙古。

六月,辛丑,初置国用房。

命近臣祷雨于天地、宗庙、社稷、宫观。

壬子,录行在系囚。

江、浙、福建旱、蝗。诏曰:"亢阳为害,日事祷祈,邈无报应。且闻飞蝗为孽,朕心惕然。自七月一日,避正殿,减常膳,应中外臣僚,并许直言朝廷阙失。"

知宁国府杜范召还都,首言:"旱暵荐臻,人无粒食,楮券猥轻,物价腾踊,行都之内,气象萧条,左浙近辅,殍死盈道,流民充斥,剽掠成风,是内忧已迫矣。新兴北兵,乘胜而善斗,中原群盗,假名而崛起,捣我巴蜀,据我荆襄,扰我淮壖,疆场之臣,肆为欺蔽,是外患既深矣。人主上所恃者天,下所恃者民。近者天文示变,妖彗吐芒,方冬而雷,既春而雪,海潮冲突乎都城,赤地几遍于畿甸,是不得乎天而天已怒矣。人死于干戈,死于饥馑,父子相弃,夫妇不相保,怨气盈腹,谤言载道,是不得乎民而民已怨矣。陛下能与二三大臣安居于天下之上乎?陛下亦尝思所以致此否乎?盖自曩者权相阳进妾妇之小忠,阴窃君人之大柄,以声色玩好内盅陛下之心术,而废置生杀,一切惟其意之欲为,以致纪纲陵迟,风俗颓靡,军政不修,边备废缺,凡今日之内忧外患,皆权相三十年酿成之,如养痈疽,待时而决耳。端平号为更化,而居相位者非其人,败坏污秽,殆有甚焉。自是圣意皇惑,莫知所倚,方且不以彼为仇而以为德,不以彼为罪而以为功,于是天之望于陛下者孤,而变怪见矣,人之望于陛下者觖,而怨叛形矣。陛下敬天有图,旨酒有箴,缉熙有记,持此一念,振起倾颓,宜无难者。然闻之道路,谓警惧之意,只见于外朝视政之顷,而好乐之私,多纵于内庭狎亵之际;名为任贤,而左右近习或得而潜间,政出于中书,而御笔特奏或从而中出。左道之蛊惑,私亲之请托,皆足以蒙蔽陛下之聪明,转移陛下之心术。"于是范去国四载矣,帝抚劳备至,迁权吏部侍郎兼侍讲。

秋,七月,甲子,出封桩库缗钱二十万贯赈临安贫民。

杜范复上疏曰:"天灾旱暵,昔固有之。而仓廪匮竭,月支不继,斗粟一千,其增未已,富户沦落,十室九空,此又昔之所无也。甚而阖门饥死,相率投江,里巷聚首以议执政,军伍诤语所不忍闻,此何等气象,而见于京师众大之区!浙西稻米所聚,而赤地千里。淮民流离,襁负相属,欲归无所,奄奄待尽。使边尘不起,尚可苟活万一。敌骑冲突,彼必奔进南来,或相携从敌,因为之乡导,巴蜀之覆辙可鉴也。窃意陛下宵旰忧惧,宁处弗遑。然宫中宴赐,未闻有所贬损;左右嬖嬖,未闻有所放遣;貂珰近习,未闻有所斥逐;女冠请谒,未闻有所屏绝;朝廷政事,未闻有所修饬;庶府积蠹,未闻有所搜革。秉国钧者惟私情之徇,主道揆者惟法守之侵。国家大政,则相持而不决;司存细物,则出意而辄行。命令朝更而夕变,纲纪荡废而不存。陛下盍亦震惧自省?"诏:"中外臣庶,各悉力尽思,以陈持危制变之策。"范旋授吏部侍郎兼中书舍人。

乙丑,下诏罪己,复求直言。

诏中外决系囚,杖以下释之。仍蠲赃赏钱。

癸酉,主管官告院方来进对,言及诸阃官贩,帝曰:"诸司欲之。"来曰:"正不当如此。"因及科降事,帝曰:"不如明与之钱。"来曰:"正要明白,诸司但说能措置为朝廷备边,不愿科降,世岂有是理!徒使不廉者得以罔利耳。"帝然之。

戊寅,以岳珂权户部尚书、淮南、江、浙、荆湖制置茶盐使。

庚寅,诏:"秋成在望,雨泽愆期。令诸道宪臣按部,将番异驳勘之狱,酌情决遣以闻。其失当官吏,特免推结。"

八月,壬辰,诏:"诸路苗米,毋得多量斛面及过数增收。"

九月,壬戌朔,沂王夫人全氏薨,辍视朝五日。礼部、太常寺议,宜用孝宗为皇伯母秀王夫人张氏举哀成服故事,诏从之。

癸亥,以乔行简为少师、醴泉观使,进封鲁国公。

乙丑,诏知招信军余玠进官三等,以边报敌造船于汴,玠提师溯淮入河,连获捷故也。

丙戌,都省言:"比奉御笔,楮币折阅,多由于守令不职。令措置十八界会子收换十六界,将十七界以五准十八界一券行用。如民间辄行减落,或官司自有违戾,许经台省越诉,必置于罚。"帝从之。

冬,十月,辛卯朔,内侍陈洵益卒,赠昭庆军节度使。

癸巳,诏以明年正月一日为淳祐元年。

丙申,诏:"平江、嘉兴府、安吉州,禁贩米下海。其贩至临安府者,毋得遏籴。"寻诏与懽提领其事,应浙东州县并许浦、金山水军,一体遵守,违者权听按刺。

丁酉,诏曰:"朕惟我朝以仁厚待士大夫,惟于赃吏,罚未尝少贷。比岁以来,贪浊成风,椎剥滋甚,民穷而溪壑不餍,国匮而囊橐自丰。今兹新楮之行,未必不为罔利之地。其令台谏、监司常切觉察。"

十一月,癸酉,诏:"荆、鄂都统制张顺,以私钱招襄、汉溃卒创忠义、虎翼两军及援安庆、池州功,特与官两转。"

十二月,蒙古主以西域诸部俱下,诏皇子库裕克班师。

蒙古千户郝和尚,以善战名,屡从征伐,略地潼、陕,攻襄汉,下兴元,入蜀,俱有功。入觐于帐殿,蒙古主命解衣,数其疮痕二十一,嘉其劳,进拜宣德、西京、太原、平阳、延安五路万户。

丙辰,地震。己未,诏曰:"地道贵静,动则生变,岂朕不德而致与?今民生不遂,边戍未休,变不虚生,必有其证。可令中外臣寮各上封章,凡朕躬之阙失,朝政之愆违,极言无隐,将见之施行,以为消弭之道。"

蒙古敕州县失盗不获者,以官物偿之。国初令民代偿,民多亡命,至是罢之。

闰月,乙丑,宰执乞罢政,不许。

诏赏京湖将士有差,以制司奏去冬敌由忠、万透渡南岸,守嶮而捷故也。

丙寅,左丞相致仕李宗勉薨。宗勉守法度,抑侥幸,不私亲党,乐闻谠言。赠少师,谥文清。

以游侣知枢密院事兼参知政事,范钟参知政事,权吏部尚书徐荣叟为端明殿学士、签书枢密院事。

乙亥,诏:"民间赋输,旧用钱、会中半者,其会半以十八界直纳,半以十八界纽纳。"

诏:"淮东西、京湖、沿江制置使副,并兼本路屯田使。"

壬午,阅军头司武技。

蒙古东平万户严实卒,远近悲悼,野哭巷祭,旬月不已。子忠济嗣。

蒙古官民贷回鹘金偿官者,岁加倍,名"羊羔息",其害为甚。是岁,诏以官物代还,凡七万六千锭,仍命凡假贷久久,惟子母相侔而止,著为令。又籍诸王大臣所俘男女为民。

淳祐元年 蒙古太宗十三年【辛丑,1241】 春,正月,庚寅朔,诏求将才。

甲辰。诏曰:"朕惟孔子之道,自孟轲后不得其传,至我朝周敦颐、张载、程颢、程颐,真见力践,深探圣域,千载绝学,始有指归。中兴以来,又得朱熹,精思明辨,表里浑融,使《中庸》《大学》《语》《孟》之书,本末洞澈,孔子之道,益以大明于世。朕每观五臣论著,启沃良多。其令学宫列诸从祀,以示崇奖之意。"寻以王安石谓天命不足畏,祖宗不足法,人言不足信,万世罪人,岂宜从祀孔子之庙庭!合与削去,于正人心、息邪说关系不少,诏黜之。

戊申,车驾幸太学大成殿,遂御崇化堂,命祭酒曹豳讲《礼记·大学篇》。监学官各进秩一等,诸生推恩赐帛有差。并以绍定三年御制伏羲、尧、舜、禹、汤、文王、武王、周公、孔子、颜子、曾子、子思、孟子《道统十三赞》,就赐国子监,宣示诸生。

蒙古东平万户严忠济,请以千户张晋亨权知东平府事。东平贡赋率倍他道,迎送供亿,簿书狱讼,日不暇给。晋亨居官七年,吏畏而民安之。

二月,辛酉,蒙古主疾甚,医言脉已绝。第六皇后尼玛察氏不知所为,召耶律楚材问之,楚材对曰:"今任使非人,卖官鬻爵,囚系非辜者多。古人一言而善,荧惑退舍;请赦天下囚徒。"后即欲行之,楚材曰:"非君命不可。"俄顷,蒙古主少苏,因入奏,蒙古主已不能言,首肯之。赦下,是夜,医者候脉复生,翌日而瘳。

甲子,诏忠顺军副统制孙栋升都统制,仍赐金带,赏重庆之功也。其馀将士,第赏有差。

庚午,给事中钱相缴大中大夫致仕易祓赠官之命。以其草苏师旦节钺之麻也。

4079

诏以孟珙为京西湖北路安抚制置大使兼夔路制置大使兼本路屯田大使,峡州置司。

己亥,诏:"宰臣具庆,前此罕闻。史嵩之父弥忠,年逾八十,可除端明殿学士,仍致仕;母孙氏,封魏国夫人,令赴行在就养。"

壬子,乔行简薨,辍视朝,谥文惠。

丁亥,诏权礼部尚书高定子修《四朝国史》《宁宗实录》。

三月,乙巳,新知庐州吕文德朝辞,帝曰:"近淮西诸军冒滥虚名甚多,惟游击三万尤甚,须当拣选。"

己酉,同知枢密院事赵以夫罢知建宁府。

蒙古以刘嶷为都总管万户,统西京、河东、陕西诸军。嶷入觐,蒙古主慰劳厚赐之,寻命巡抚天下,察民利病。应州郭志全反,胁从(注)〔诖〕误者五百馀人,有司议尽戮之,嶷止诛其为首者数人,馀悉从轻典。

蒙古以刘敏行省事于燕京。

夏,四月,丙寅,吏部侍郎杜范等,请省试考到取应宗子第一名崇袍附正奏名廷试,从之。

庚午,以经筵进读《仁皇训典》终篇,讲、修注官各进一秩。

辛未,诏沂王、荣王合遵典故袭封。寻以与芮嗣荣王,仍赴朝参;贵谦嗣沂王。

辛巳,以知澧州贾似道为太府少卿、湖广总领财赋。

五月,庚寅,嗣秀王师弥晋太保。

己亥,诏:"沿江制置使兼淮西制置使别之杰,任责边防,缓急假便宜。"

甲辰,诏:"与芮当日亲端士,留意问学。昨已增置教授,合更添一员,择清修直谅之士轮日讲授,朝夕规正,彻章推恩,馀依诸邸体例行。"

甲辰,行秘书郎梅杞言内降或夤缘可得,帝曰:"亦是有例者。"杞曰:"昔我仁祖手诏,谓'背理觊恩,负罪希贷,求内降者,中书、枢密院执奏毋得行。'此仁祖仁中勇也,愿陛下以为法。"帝曰:"正欲法此。"

戊申,赐进士徐俨夫以下三百六十七人及第、出身。

六月,丙寅,以旱、蝗,录行在系囚。

丁丑,诏乔幼闻追三官,送抚州居住,以蔑国宪,存留新楮,转易取赢也。

戊寅,诏曰:"朕曩出亲札,申严赃吏之禁,逾半岁矣。然诸路监司,有务大体而不问者,有摭细故以塞责者。其申饬诸路监司,遍察所部州县,其有贪残掊克者,廉其实迹,悉以名闻,朕将重置于罚。监司庸懦不能举职,台谏弹劾闻奏。"

秋,七月,甲辰,以知婺州赵与懃、常州宋慈、江阴军尹焕、广德军康植济籴有劳,各进一秩。

庚戌,诏以宗学博士、诸王宫大小学教授,轮日赴荣邸讲授。

乙卯,诏:"自今宰执、台谏、侍从,不许发私书,求举削。诸路监司、帅守,宜体国荐贤,毋徇权要。"

八月,丁巳,诏求遗书。

己巳,诏玉牒所、国史实录院长官,会稡史稿,删润归一。秘书省长官点对《日历》、《会要》，并期以十一月终成书。

徽州火，削守臣郑崇官一秩。

甲申，诏：“马军司选子弟强壮者一百人，补云卫、龙卫、武卫三指挥阙额。”

蒙古伐高丽，高丽屡败，乃复入贡请平，蒙古主令其王㬚入朝，当罢兵。㬚乃以其族子綧为质于蒙古。

冬，十月，己卯，诏：“提举司毋得以常平折变侵移，其义仓令项桩收，仍措置上于尚书省。”

蒙古兵围安丰，己亥，淮东提刑余玠以舟师战却之。

蒙古以伊啰斡齐行省事于燕京，同刘敏主管汉民公事，以姚枢为郎中。伊啰斡齐唯事货赂，分及于枢，枢拒绝之，因解职去，隐苏门山。

初，蒙古主赐敏诏曰：“卿之所行，有司不得与闻。”至是，伊啰斡齐耻不得自专，俾所属诬敏以流言，敏出手诏示之，乃已。蒙古主闻之，遣使诘问得实，罢伊啰斡齐，仍令敏独任。

十一月，丁亥，蒙古主将出猎，耶律楚材以太乙数推之，亟言其不可。左右皆曰：“不骑射，何以为乐？”出田四日，庚寅，还至乌特古呼兰山，温都尔哈玛尔进酒，蒙古主欢饮极夜，乃罢。翌日，辛卯，殂于行殿，年五十六。葬起辇谷，庙号太宗，谥英文皇帝。

太宗性宽恕，量时度力，举无过事。境内富庶，旅不赍粮，时称治平。

初，有旨以孙实勒们为嗣。实勒们，太宗第四子库春之子也。至是皇后尼玛察氏召楚材问之，楚材曰：“此非外姓臣所敢知，自有先帝遗诏，幸行之。”后不从，遂称制于和林。

蒙古塔尔海部汪世显复入蜀，进围成都。制置使陈隆之固守弥旬，誓与成都存亡。部将田世显，潜送款于蒙古，夜开北门，纳蒙古兵，隆之举家数百口皆死，槛送隆之至汉州，命招守将王夒降，隆之大呼曰：“大丈夫死则死尔，勿降也！”遂见杀。城中出兵三千，战败，夒夜驱火牛突围出奔，汉州遂为蒙古所屠。

己酉，诏：“内地州县官阙，以见任官兼，毋得以待次及白帖人摄职。”

十二月，丙寅，太学博士刘应起言：“大有为之君，常使近幸畏宰相，今宰相畏近幸；使宰相畏台谏，今台谏畏宰相。愿陛下官府事一以付之中书，而言官勿专用大臣所引，则权一归于公上矣。”帝然之。

丁卯，观文殿学士致仕余天锡卒。赠太师，谥忠惠。帝之得立，天锡实始其事，故恩礼为优。

丁丑，左司谏方来，言岳珂比已罢斥，乃卜居吴门，蔑弃君命；监察御史谢公旦，又言珂创增盐额，国课益亏，况作俑言利，请重镌削；诏更镌一秩。

侍御史金渊，言彭大雅贪黩残忍，蜀人衔怨，罪大罚轻；诏除名，赣州居住。

蒙古东平万户严忠济，请以宋子贞参议东平路事，兼提举太常礼乐；从之。时经历商挺，亦劝忠济兴学养士。忠济尤敬子贞，听其言。子贞作新庙学，延前进士康晔及王磐为教官，招致生徒几百人，出粟赡之，俾习经艺；每季程试，必亲临之。齐、鲁儒风，为之一变。

蒙古伊垎默色来议和，从行者七十馀人。伊垎默色曰：“吾与汝等奉命南下，楚人多诈，倘遇变，当死焉，毋辱君命。”己而驰抵淮上，守将以兵胁之曰：“尔命在我，死生顷刻间耳！若

4081

能降,官爵可立致;不然,必不汝贷!"伊埒默色慷慨誓曰:"吾持节南来,以通国好,反诱我以不义,有死而已!"守将知其不可逼,乃囚之长沙飞虎寨。

淳祐二年 蒙古太宗皇后称制元年【壬寅,1242】 春,正月,丙申朔,诏省刑、薄征。

戊戌,右丞相史嵩之等进呈《四朝史》。嵩之改校勘官高斯得所草《宁宗纪》,于济王及帝潜邸事,妄加毁誉,斯得等争之不能得。李心传藏斯得所草,题其末曰"前史官高斯得撰"而已。嵩之等又进孝宗《经武要略》《宁宗玉牒》《日历》《会要》《实录》《皇帝玉牒》。庚戌,上《淳祐重修敕令格式申明》。诏史嵩之等进秩有差。

壬戌,别之杰入觐,帝问边境曾无加备,之杰言当修复寿春,又言上流之势全在于蜀。帝又问金陵兵粮及居巢屯兵几何,之杰言金陵见屯三万,钱粮仅给;居巢所系甚重,见屯不过三千,遇秋增戍至二万方足用;帝并然之。

甲子,军器监兼尚书左郎官范应铃进对,言宗社大计,举嘉祐、绍兴事。帝曰:"两朝自有典故,非不知之,但难得其人。"应铃言:"与贤与子,天实为之。天若祐宋,必有其人,以俟采择。"

以游侣为资政殿大学士、知绍兴府、浙东安抚使,寻提举洞霄宫,从所请也。

蒙古后称制,崇信奸回,庶政多紊。温都尔哈玛尔以货得政柄,廷中悉畏附之。耶律楚材面折廷争,言人所难言,人皆危之。

二月,甲戌,以范钟知枢密院事兼参知政事,徐荣叟参知政事,赵葵赐进士出身、同知枢密院事,别之杰为端明殿学士、签书枢密院事。

己卯,权兵部侍郎、淮东安抚制置使兼知扬州李曾伯朝辞,言今若主必守之规,宜谕大臣,明示意向。帝曰:"当为必守之规。赵葵久任淮东,且有规画。"曾伯曰:"敢不循其成规!"

三月,戊子,诏:"沿江、两淮,唇齿相依,其和州、无为军、安庆府,听沿江制置司节制。"

丙申,诏:"刑部戒饬诸道帅阃、边戍司,今后州县官犯罪,毋加杖责。"

癸卯,经筵进读《孝宗圣政》终篇,讲读、修注、说书官各进一秩,馀补转赏犒有差。

侍御史兼侍讲金渊言:"请明谕宰辅近臣,谨选宗姓之贤德,参稽仁宗、孝宗之典故,次第举行。"

夏,四月,癸亥,仓部郎官赵希塈,言蜀自易帅之外,未有他策。帝曰:"今日救蜀为急,朕与二三大臣无一日不议蜀事。孟琪亦欲竭力向前。"希塈曰:"当择威望素著之人当夔、峡要害,建一大阃。"帝曰:"重庆城坚,恐自可守。"希塈曰:"重庆在夔、峡之上,敌若长驱南下,虽城坚如铁,何救东南之危?"帝然之。

诏:"明堂大礼,惟祀神仪物、诸军赏给依旧制外,其乘舆服御,中外大费,并从省约。"

丙子,考功郎刘汉弼,言吏部考功条法十六事,帝曰:"当付外施行。"

五月,甲午,知梧州赵时学陛辞,言吴玠守蜀三关,今胥失之,固宜成都难守。帝曰:"嘉定可守否?"时学曰:"若论形势,当守重庆。"帝曰:"若守重庆,成都一路便虚。"时学曰:"重庆亦重地,可以上接利、阆,下应归、峡。"

己亥,淮东安抚制置副使余玠入奏,言事无大小,须是务实;又言:"方今世胄之彦,场屋之士,田里之豪,一或即戎,则指之为粗人,斥之为呰伍。愿陛下视文武为一,勿令偏重,偏则必激,非国之福。"帝曰:"卿人物议论皆不寻常,可独当一面。"

蒙古兵破遂宁、泸州。乙巳,郎官龚基先入对,言上流事。帝曰:"上流可忧。"基先言:"施、夔国之门户,荡无关防,存亡所系,岂可不虑?"帝曰:"屯田今岁如何?"基先曰:"屯田有名无实,牛种既贵,军耕又惰,所收不偿所费。"

丁未,右正言刘晋之言:"蜀祸五六年间,历三四制臣,无地屯驻,独彭大雅城渝,为蜀根本,不然,蜀事去矣。今宜于重庆立阃,庶可运掉诸戍。愿早定至计,料简边臣,俾往经理,则蜀可为也。"

戊申,知建宁府吴潜夺职,以台谏论之也。

己酉,以赵葵为资政殿学士、知潭州、湖南安抚使。

六月,壬子朔,徐荣叟乞归田里,从之。

甲寅,仓部郎官李铸,请广求备御之方。帝曰:"去岁蜀事大坏,今当如何?"铸曰:"陈隆之因成都城故基增筑,未为非是。第功力苟且,识者逆知其难守。臣尝问其方略,但云誓与城存亡而已。未几,为田世显所卖,城门夜开,隆之衄焉。"帝嗟蹙久之。

以余玠权工部侍郎、四川宣谕使,应事干机速,许同制臣公共措置,先行后奏。寻诏四川官吏、军民等,悉条陈大计以闻。

以久雨,诏决中外系囚。

癸亥,参知政事徐荣叟罢为资政殿大学士、提举洞霄宫。

丙寅,录行在系囚。

以别之杰同知枢密院事兼权参知政事,翰林学士、知制诰高定子为端明殿学士、签书枢密院事,权礼部尚书兼中书舍人杜范为端明殿学士、签书枢密院事。范既入都堂,凡行事有得失,除授有是非,悉抗言无隐情。史嵩之外事宽容,心实忌之。

戊寅,诏:"淮西制置大使司,出十七界楮币十万,米二万斛,令安丰军修武备。"

是月,积雨,浙西大水。

秋,七月,丙申,余玠陛辞,言外攘本于内修。帝曰:"今日之事,不必问敌运衰与不衰,但自靠实理会治内规摹。"玠曰:"圣谕及此,宗社生灵之福。"帝曰:"卿前所言靠实工夫,玩之有味,此去必能见之行事。卿宜务忠实以革欺诞,施威信以戢溃衄,广惠爱以抚流移。当为四蜀经久之谋,勿为一时支吾之计!"

是月,常、润、建康大水,两淮尤甚。

蒙古万户张柔,自五河口渡淮,攻扬、滁、和、萧。淮东忠勇军统领王温等二十四人战于天长县东,皆没。

八月,辛亥朔,诏户部申严州县增收苗米斛面之弊。

丁巳,以秘书省正字陈南一、国子正胡良并兼内学小教授。

辛酉,进知夔州赵武官二秩,将佐王信等各转一资,酬夔城版筑之劳也。

丁卯,诏出封桩库十七界楮币十万,赈绍兴、处、婺水涝之民。

丁丑,殿中侍御史濮斗南,言浙四郡民生荡析,乞抚集流离,蠲减秋赋;从之。

九月,庚辰朔,日有食之。

癸未,诏:"进纳入官犯赃人,永不许注授。"

辛卯,大飨于明堂,大赦。

丙申,诏:"六曹、馆、学、寺、监、院辖仓、库、务、场官长官,将所管钱谷、货币、器用、图书,核实载籍,上之于朝,副在有司。长阙则次官任责,迁擢报罢,并如外官交承例,联衔申省。仍令御史台觉察。"

冬,十月,癸丑,敕令所言臣寮世赏不许奏异姓,著为令。

甲寅,进史嵩之永国公。

蒙古攻通州,守臣杜霆载其私帑渡江通。乙丑,城破,蒙古屠其民。

十一月,辛卯,诏谕两淮节制李曾伯:"无以通州被兵之故,不安厥职。其督励诸将,勉图后效!"

甲申,诏:"军功补授人愿就乡举者,听。"

辛卯,诏实录院修孝宗、光宗、宁宗御集。

戊戌,雷。

己亥,日南至,雷电交作。诏避殿,减膳。

癸卯,诏决中外系囚。

甲辰,先给诸军雪寒钱,出戍者倍之。

乙巳,蠲三衙、大理寺、临安府及属县点检赡军犒赏酒所赃赏钱。

丁未,诏曰:"比者阴阳失和,冬令常燠,日至之日,雷乃发声,朕甚惧焉。内而卿士、师尹,外而牧、监、伍、参,其各罄忠嘉,无有所隐,辅朕不逮。"

十二月,己未,诏:"杜霆追毁出身文字,羁管南雄州。"以通州士庶诉其误民弃土之罪也。

辛酉,以儒林郎钟宏辞除太学博士,乞致仕养母,诏特改京官秩,奉祠,以奖孝行。

癸亥,蒙古兵连攻叙州,帐前都统杨大全战死。

丙寅,以京湖安抚制置大使孟珙为四川安抚使兼知夔州,同知枢密院事别之杰为资政殿大学士、湖南安抚大使兼知潭州,同知枢密院事兼权参知政事赵葵福建安抚使兼知福州,资政殿学士赵与懽知温州,权工部侍郎、四川宣谕使余玠权兵部侍郎、四川安抚制置使兼知重庆府。

丁卯,诏:"余玠任责全蜀,应军行调度,权许便宜施行。"

庚午,诏以许浦水军都统制刘虎为和州防御使,旌五河捍御之劳也。

淳祐三年 蒙古太宗皇后称制二年【癸卯,1243】 春,正月,戊寅朔,高定子兼参知政事。

癸未,起居郎兼秘书监项容孙言:"乃者求言,请如建隆故事,集官参详,书于方策,关君德者上之禁中,关时政者置之都省,关民事者颁之郡国。"诏类送后省看详。

癸巳,以湖南安抚司奏东安寇平,永州通判邓均进一秩,馀官补、转、赠恤及官其子各有差。

甲午,诏:"嗣荣王与芮恩数,视嗣秀王师弥。"

丙午，以吕文德为福州观察使、侍卫马军副都指挥使，总统两淮军马。

蒙古张柔分遣部下将十人屯田于襄城。

二月，己酉，诏："淮西提举制置司参谋官赵希静、淮西总管聂斌等，各进一秩。"以淮东、西制置司言其两淮战守之劳也。

甲子，诏进安丰军守臣王福二秩，庐州路钤吴仁等一秩；旌修筑城壁之劳也。

三月，丁丑朔，日有食之。

蒙古兵破资州。

庚寅，同签书枢密院事杜范乞归田里，诏不许。

丁酉，诏进池州都统制何舜臣一秩；旌部领舟师策应通、泰之劳也。

辛丑，诏知招信军赵东，夺三秩，罢；以淮东制司言其抚驭失宜也。

蒙古入蜀，汪世显之功居多，至是皇子库端，承制拜世显便宜总帅，统秦、巩等二十馀军州事。寻卒，子德臣代为总帅，将兵从入蜀。

夏，四月，癸丑，以阁门宣赞舍人兼淮西路钤王杰、阁门祗候前江东路钤李季实，往马帅王鉴军前议事，遇敌战死，赠官有差，仍各官其二子。

乙卯，诏进嘉定守臣程立之一官，以成都提刑宇文峒言其守城之劳也。

丁巳，诏以经筵进讲《尚书》终篇，讲读、说书、修注官各进一秩。

甲戌，殿中侍御史项容孙，言知严州李弥高、赵与汶侵取酒息，独卫湜一无所私。有旨："奖廉黜贪，今日先务。弥高、与汶各夺官二秩，湜进职二等。"

甲申，以御前军器所隶于军器监。

丙戌，诏赠阁门宣赞舍人杨大全武节大夫、眉州防御使，仍官其二子，以四川制司言其力战而死也。

五月，蒙古耶律楚材奏荧惑犯房，当有惊扰，然迄无事。居无何，用兵事起，皇后遂令授甲选心腹臣，至欲西迁以避之。楚材进曰："朝廷天下根本，根本一摇，天下将乱。臣观天道，必无患也。"后数日乃定。

蒙古后信任温都尔哈玛尔，付以御宝空纸，使自书填行之。耶律楚材谏曰："天下者，先帝之天下。朝廷自有宪章，今欲紊之，臣不敢奉诏。"俄有旨："凡温都尔哈玛尔所建白，令史不为书者，断其手。"楚材曰："国之典故，先帝悉委老臣，令史何与焉！事若合理，自当奉行；如不可行，死且不避，况截手乎？"后不悦。楚材辩论不已，因大声曰："老臣事太祖、太宗二十馀年，无负于国，皇后亦岂能无罪杀臣也！"后虽憾之，亦以先朝旧勋，深敬惮焉。

六月，庚戌，大理少卿蔡仲龙言："创建小学，须早为权宜之计，以系天下之心。"又言："本朝用刑平恕，而未享继嗣之庆，意宦官太多。仁宗嘉祐中，诏内臣权罢进养子，宜取法行之。"

戊午，资政殿学士、知温州赵与懽请废并诸寨，增置镇海寨兵，以备仓猝；从之。

戊辰，太白昼见。

庚午，大理寺鞫前嘉定知县旨桓、尉赵与夼等赃状，狱成，旨桓、与夼除名勒停，桓一千里羁管，与夼五百里居住。

甲戌，录行在系囚。

令知濠州兼淮西提刑徐敏子经理亳州。

秋，七月，甲申，诏进无为军守臣戴埴一秩，以沿江制置使杜杲言其守边固圉之功也。

四川制置司言：“蒙古攻大安军，忠义副总管杨世安守鱼孔隘，孤垒不降，有特立之操，可任边防。”诏以世安就知大安军。

癸巳，诏摘京湖、沿江制司兵，置殿司策应军，屯京口。

八月，辛亥，诏户部申严州县纳苗多取之禁。

戊午，令福建安抚司，照沿海例，团结福、泉、漳、兴化民船，以备分番遣戍；从帅臣项寅孙请也。癸亥，以寅孙言，并福州延祥、荻芦二寨，置武济水军，摘本州厢禁习水者补充，凡一千五百人。

壬午，诏申严郡县社仓科配之禁。

【译文】

宋纪一百七十 起庚子年（公元 1240 年）正月，止癸卯年（公元 1243 年）八月，共三年有余。

嘉熙四年 蒙古太宗十二年（公元 1240 年）

春季，正月，辛未（初六），彗星出自营室星座。

蒙古任温都尔哈马尔为诸路课税所官提领职务。

蒙古皇子库裕克平定西域设有归服的各部落。

庚辰（十五日），理宗下责罪自己的诏书说：“我的德行欠差，上不能保全日、月、星辰的光明，下不能顺遂老百姓平和安定的愿望，乃至变异屡屡发生，我的罪过已经明显得到了应验，早晚担惊受怕，无暇求得一丝安宁。正月辛未（初六），营室星座出现流星，《太史占》称其名曰彗星，灾难大得很哩！灾祸就要来临，惩罚告诫是真真实实一点不假，老百姓有过失，罪责都在我一人身上。现在我沉痛地责备自己：难道是我对臣民的恩威还没来得及远播传扬就让谗言、阿谀奉承乘虚而入了吗？难道是我对臣下的擢用和贬废不公而使贤愚混杂同朝吗？难道是我赏罚失当而使真假无别吗？难道是州郡长官非良贤之人而使牢狱增多了吗？难道是地方官员戒备松懈而使强盗肆无忌惮为所欲为吗？难道是路上饿死之人随处可见、百姓流离无家可归吗？四面八方多有警告而我执迷不悟，黎民百姓受苦受难而我却不晓得，上帝谴责的迹象已是非常明显不过了。为此我避离正殿，减缩日常膳食，以表示我诚心诚意修身实践之意。”

临安大饥荒，饥者在路上抢夺食物，城中有拿人杀了去卖的，在隐蔽的地方抢劫人去卖以求取利；午后不到三、五点钟，路上就没有人行走。

蒙古派遣万户张柔等分道南下。

二月，丙申朔（初一），理宗诏令：“礼部贡举，务必求崇敬长者，增进学问，讲究真才实学，成为明辨是非的有用真才。”

戊戌（初三），理宗下诏，求毫无顾忌地向他直言意见，实行大赦。

癸卯（初八），给主管涟水军萧均晋升一级官职，因他治理郡政有方，整修城墙有功。

甲辰（初九），理宗下诏，命史嵩之赴行宫奏告情况。

戊申（十三日），理宗诏令督府、制置司、沿江南、北郡，执行有利于安置流民的政策。

癸丑（十八日），临安府守臣奏告没有罪案发生，牢狱无人，理宗颁令予以奖励。

蒙古安笃尔窥伺万州，蜀帅派遣水采战舰数百艘逆水迎战。安笃尔顺水，率领劲兵，乘坐巨筏，在筏舟之间草船划行，弓箭如雨下，蜀兵不能抵挡敌兵，于夔门被打败。

派遣京西湖北路制置使孟珙任四川宣抚使。

三月，壬辰（二十八日），理宗颁诏：“边境战事尚未平息，正需严加防备抵御，必须借助人才互相配合协同用力。朝廷之内，从侍从、台谏、两省、卿监、郎官，朝廷之外，从监司、帅守，推荐通晓军事战略、熟习边防事务、有优秀才略可用的文臣武将二人。他们或暂居人下，等待常规的调任；或因过失而闲居在家，他们亟望为人所知，等待选拔任用。

右正言郭磊卿授起居舍人，监察御史谢文叔授宗正少卿，因为品评过史嵩之。

壬辰（二十八日），史嵩之进入京城；癸巳（二十九日），史嵩之向理宗禀告情况。

夏季，四月，己亥（初五），郑损降官之后劳绩显著，官复原职。不久，因为值舍人院程公许进言说：“郑损撤销关外五州重要戍所，迁移到内地州郡，而丁酉的四川祸乱，实际上是郑损造成的。让郑损官复原职容易，不知那亿万赤胆忠心为国殉难之人是否可以复生？”于是理宗下诏收回成命。

壬寅（初八），前汉川路运判吴申入朝禀奏，激昂慷慨言及四川发生的事情，理宗对此事感伤悲痛良久。理宗说：“这也是我以前把四川错委不当之人。”吴申言道：“放弃边郡不守卫的是郑损；鼓动败兵作乱的是桂如渊；忌妒忠勇之士见难不救的是赵彦呐。现在彭大雅又阴险残酷狡变欺诈，需要费大力气防备和限制。最好让孟珙进驻夔门，用东南两翼之力量竭力协助他，夔州还是足可以自立的。”理宗同意这个意见。

癸卯（初九），特准史嵩之官升三级，令其随朝入班候用。

甲辰（初十），监察御史王万授大理少卿，因为他曾经品评过史嵩之。

理宗下诏曰：“祖宗昌盛之时，宰相有轮流主持朝政的旧规。现在同时任命二相，应该仿效旧规，而平章则统管全盘，一应军国大事参照实际酌情处理。三省、枢密大印。均命平章执掌。”

辛卯（疑误），因绍兴府连年饥荒，免除今年复税。

先前，蒙古主命令衍圣公孔元措访求知晓礼乐旧交，孔元措奉命到燕京，找到了金国掌乐许政、掌礼王节以及乐工瞿刚等九十二人。本月，开始命令创作歌乐，并在曲阜宣圣庙练习。

蒙古又使王檝来朝。前后五次出使来朝，因为议和未成，暗忧致疾而去世，朝廷派遣使臣送其棺柩回蒙古。

六月，辛丑（初八），开始设置国用房。

命令亲近辅臣向天地、宗庙、社稷、宫观祷告祈求降雨。

壬子（十九日），登录行宫在押的囚犯。

江、浙、福建发生旱灾、蝗灾。理宗下诏曰："烈日为害,天天都在祷告祈求,还没有一丝应验。而且闻知飞蝗造成灾害,我内心忧虑不堪。从七月一日起,我避离正殿,减缩日常用膳,一应内外臣僚,均允许直言朝廷过失。"

知宁国府杜范被召还京,他首先说："干旱频繁发生,人无粒粮,楮币连连贬值,物价飞涨,临时都城内,气象萧条;浙东一带,饿莩遍野,流离失所的百姓比比皆是,抢劫成风;这是内忧已经迫近了。新兴起来的蒙古兵,节节胜利,而且善于打仗;中原群盗,假借各种名义而崛起,攻打我巴蜀,占据我荆襄,侵扰我两淮,疆场之臣,任凭其凌欺,这是外患已极为深重了。天子上所仰仗的是天,下所依靠的是人民。近来,日月星辰的运行出现了变异;带来灾祸的彗星临空出现,正冬响雷,当春又下雪,海潮冲击临安都城。京城地区几乎遍是寸草不生的土地;这是不德于天而天上已经发怒了。人死于战争,死于饥荒,父子相弃,夫妇相互不能保全,怨气满腹,谤言载道;这是不造福于民而民已生怨恨了。陛下能与二三位大臣安居于如此天下吗?陛下是否也曾思考过导致如此的原因呢?自从先前当权宰相表面上表示一点妾妇之忠,而暗中却窃取天子的大权,用声色玩好从心灵深处蛊惑陛下,置生杀大权于不顾,一切都按他的意志为所欲为,以致使纲纪破败,风俗颓靡,军政不修,边防废缺,总之,今日之一切内忧外患,都是当权的宰相三十年中酿成的,就好像护养的痈疽,时机一到就危害无穷了。端平号称革新之年,而居相位者非改革之人,道德败坏恶浊不堪,危险更是大得很咧!因此使得陛下惶惑,不知所依。对此陛下不但不把他当作仇敌,反而认为是有恩德的人,不认为他有罪反以为他有功;于是上天责备陛下辜负了他的期望,灾难怪变便随之出现;人民失望于陛下而不满,故而表露出怨恨和背叛。陛下对上天诚心诚意敬重,对花天酒地的生活有所收敛和节制,对光明前景牢记在心,把握住这一思想,振兴恢复倾颓的河山应是不难的。然而人们议论认为陛下虽有警惕和惧怕的想法,但只是表现在上朝视政的顷刻之间,而寻欢作乐的私欲则含在内宫尽情纵欲放荡之时;名义上任用贤良,而实为左右亲近操纵或从暗中挑拨,政令虽出自中书,而御笔特奏或出自内宫。左道旁门的蛊惑,皇亲国戚的请托,都是以蒙蔽陛下的视听,转移陛下的思想。"到这时杜范离别国都已四年,理宗对他安抚慰劳备至,任命他代理吏部侍郎兼侍讲。

秋季,七月,甲子(初二),拨出封桩库缗钱二十万贯,赈济临安贫民。

杜范再次上疏说:"干旱这一天灾,历来就有。而仓廪匮竭,月支不继,斗粟一千,这种情况有增无已,富户流落他乡,十室九空,这又是过去所没有的。更有甚者全家饿死,相率投江;街头巷尾聚众议论朝政,军伍中斥骂之言耳不忍闻,这是怎样的景象,何况又出现在京都众大地区!浙西是稻米之乡,而今是赤地千里。淮民漂泊流离,扶老携幼,欲归无所,奄奄一息。百姓们倘使边疆烽烟熄灭,尚有苟且图生存的一线希望。敌兵的铁骑有如潮水冲击,必将向南涌进,或彼此相携从敌,充作敌人的向导,巴蜀之覆辙可为借鉴啊!我认为陛下虽然勤于政务,心忧恐惧,平静之时也不闲暇,然而宫中宴饮赏赐,未闻有所减少收敛;左右宠爱的女妃,未闻有所放遣;显贵的宦官幸臣,未闻有所斥逐;女道士请求进见,未闻有所屏弃杜绝;朝廷政事,未闻有所整饬;官府中匿藏的许多坏人,未闻有所搜查清除。秉持国家重权的人只是谋求私情,主持法度的人却违反法规。对国家大政,优柔寡断,各执己见,对无关大局的小事,随心所欲,想干就干。皇上圣令朝更而夕改,朝廷纲纪荡废而不存。陛下为何不震惊而自省呢?"理宗下诏:"朝廷内外大臣和百姓,各自悉力尽心,将挽救危难制止祸乱的策略陈述上来。"旋即授杜范为吏部侍郎兼中书舍人。

乙丑(初三),理宗下诏责罪自己,再次要求直言进谏。

理宗下诏,令朝廷内外判决在押囚犯,判杖刑以下罪犯予以释放。免除赃款赏钱。

癸酉(十一日),主管官告院方来进宫与皇帝对答问题,谈到诸边帅官贩,理宗说:"诸司想要官贩。"方来说:"按法度不应当这样。"因之谈及减少征税数额之事,理宗说:"不如明地里给他们钱。"方来说:"法度要明白,诸司只说能借钱为朝廷加强边防,不愿减少征税数额,难道世上有这种道理! 白白地让不廉洁的人欺蒙获利罢了。"理宗认为对。

戊寅(十六日),任命岳珂代理户部尚书,淮南、江、浙、荆湖制置茶盐使。

庚寅(二十八日),理宗下诏:"秋收在望,雨水误期。命令各道宪臣带领部属,将外族各种被驳回勘查之案件,酌情判决,并遣使回报结果。此事处理不当的,特免追究。"

八月,壬辰(初一),理宗下诏:"诸路漕运供应京师之米粮,不得多量额外聚敛以及超过定额增收。"

九月,壬戌朔(初一),沂王夫人全氏去世,停止视朝五日。礼部、太常寺建议,宜用孝宗为皇伯母秀王夫人张氏举哀成服之旧例,理宗下诏同意。

癸亥(初二),任命乔行简为少师,醴泉观使,进封鲁国公。

乙丑(初四),理宗下诏为知招信军余玠加官三等,因为边塞报告敌人在汴河造船,余玠率师从淮河逆水而上入黄河,连连获捷。

丙戌(二十五日),都省奏理宗:"最近尊奉御旨查明,楮币贬值,多半由于守令不称职。命令措置十八界纸币收换十六界,将十七界以五准十八界一券通行使用。如民间继续减落,或官府自行违背,允许经台省越级上诉,一定给予惩罚。"理宗听从了这一建议。

冬季,十月,辛卯朔(初一),内侍陈洵益去世,赠封昭庆军节度使。

癸巳(初三),理宗诏,定明年正月一日起为淳祐元年。

丙申(初六),理宗诏:"平江、嘉兴府、安吉州,禁止贩米下海。贩运到临安的米粮,不得禁止购买。"不久,理宗诏命赵与懽提领其事,并令"所有浙东州县加上许浦、金山水军,一律遵守,违者权且听候查核判决。"

丁酉(初七),理宗下诏说:"我和我朝一向以仁厚对待士大夫,只是对贪官赃吏惩罚未曾有过宽容。近年以来,贪赃成风,杀人抢夺之事日益增多,民穷而欲壑难填,库空而私囊尽满。今年新纸币的发行,未必不为他们提供谋利的场所。因而命令台谏、监司时刻注意监察。"

十一月,癸酉(十四日),理宗下诏:"荆州、鄂州都统制张顺,因以私人钱财招募襄、汉败兵创建忠义、虎翼两军以及援助安庆、池州有功,特予加官两级。"

十二月,蒙古主因西域各部均已攻克,命令皇子库裕克班师。

蒙古千户郝和尚,因善战闻名,多次随从征伐,占据潼关、陕西、攻克襄汉,直下兴元,进入蜀邑,都立有战功。郝和尚进账殿,朝见蒙古主,蒙古主命令解衣,数其伤痕二十一处,为嘉奖其功劳,进授他为宣德、西京、太原、平阳、延安五路万户。

丙辰(二十七日),地震。己未(三十日),理宗下诏说:"地之道贵在平静,动则生变,难道是朕而导致的吗?现在百姓生活不如意,边战未休止,变乱不是凭空而发生,必定有它的验证。可以命令朝廷内外臣僚,各自上奏封章,凡是我的过失,朝廷政令的不是,尽情说出,毫不隐匿,我将见诸施行,作为清除灾祸之途径。"

蒙古告诫州县失盗没有破获的,用官物偿还。开国之初命令平民代偿,百姓大多逃亡,于是废除百姓代偿的命令。

闰十二月,乙丑(初六),宰相要求免职,理宗不准。

理宗诏令分别情况奖赏京湖将士,因制司上奏去冬敌人由忠州,万州渡过南岸,京湖将士坚守险隘而获胜的缘故。

丙寅(初七),辞官归居之左丞相李宗勉去世。李宗勉严守法度,克制企求非分,不营私亲党,乐于听取正直之言。追赠他为少师,赐谥号文清。

任命游侣主持枢密院事兼参知政事,范钟参知政事,代理史部尚书徐荣叟为端明殿学士、签书枢密院事。

乙亥(十六日),理宗下诏说:"民间纳税,过去用钱币、纸币各半纳税的,纳缴纸币时,一半按十八界的市值,另一半按十八界的本值。"

理宗诏示:"淮东、淮西、京湖及沿江诸路设制置使副职,并兼本路屯田使。"

壬午(二十三日),检阅军头司武技。

蒙古东平万户严实去世。远近悲痛哀悼,哭声遍野,闾巷祭奠,一个月都没有停止。他的儿子严忠济承继东平万户。

蒙古官民借回鹘钱币偿还官府的,每年加倍,名叫"羊羔息",其危害极大。是年,太宗诏示用公物代还,共七万六千锭,仍命令凡借贷年久者,本息相等即止,以此作为命令。又将诸王大臣所俘男女登记入册为民。

淳祐元年　蒙古太宗十三年(公元 1241 年)

春季,正月,庚寅朔(初一),理宗下诏广求将才。

甲辰(十五日),理宗下诏说:"我以为孔子之道,从孟轲以后没有传人,直至我朝周颐、张载、程颢、程颐,真知灼见且努力实践,在孔学方面深入探究,直至炉火纯青,千载绝学,开始有了意旨。中兴以来,又出现朱熹,他精思明辨,表里浑融,使《中庸》《大学》《论语》《孟子》之书,本末洞彻,孔子之道,益加昭著于世。我每读五臣论著,得到很多有益的启迪。命令学官将周颐、张载、程颢、程颐、朱熹与孔子陪祭,以示崇敬奖赏之意。"不久,因为王安石谓的"天命不足畏,祖宗不足法,人言不足信,"视为万世罪人,怎能陪祭于孔子之庙庭!应该一起取消,这对于端正人心,消灭邪说,关系很大。理宗诏示废黜。

戊申(十九日),理宗亲临太学大成殿,随即去崇化堂,命令祭酒曹觱讲《礼记大学篇》。监学官各加官一级,对诸生分别施恩赐帛。一并将绍定三年理宗所写的伏羲、尧、舜、禹、汤、文王、武王、周公、孔子、颜子、曾子、孟子《道统十三赞》,赐予国子监,宣示诸生。

蒙古东平万户严忠济奏请任命张晋亨代理东平府知事。

东平贡赋收交率双倍于其他地方，迎来送往、按需要供应，文书簿册、诉讼案件，事事要受要做，整日不得闲暇。张晋亨居官七年，官吏畏惧而百姓放心。

二月，辛酉（初三），蒙古主病重，医生讲脉跳已绝。第六皇后尼玛察氏不知所措，召见耶律楚材，询问，楚材回答说："现在任职使用的不是正人，卖官鬻狱，关押无辜甚多。古人一言而善，荧惑即退，请大赦天下囚徒。"第六皇后就想执行，耶律楚材说："非君命不可。"一会儿，蒙古主略微苏醒，就进账奏请，蒙古主已不能讲话，点头默许。大赦命下，当夜，医生候脉复生，第二天病愈。

甲子（初六），理宗诏命，晋升忠顺军副统制孙栋为都统制，仍赐予金带，奖赏他在重庆的战功。其余将士，分别等级给予奖赏。

庚午（十二日），给事中钱相驳回给大中大夫致仕的易被赠官之命令，因他起草授予苏师旦节度使的诏书。

理宗下诏，任命孟琪为京西湖北路安抚制置大使、兼夔路制置大使、兼本路屯田使以及峡州置司。

己亥（疑误），理宗下诏曰："宰臣具庆，前所罕闻。史嵩之之父史弥忠，年过八十，可以授予端明殿学士，仍辞官归居；史嵩之之母孙氏，封魏夫人，令她赴行宫就养。"

壬子（疑误），乔行简逝世，停止上朝，赐谥号文惠。

丁亥（二十九日），理宗诏令代理礼部尚书高定子撰修《四朝国史》《宁宗实录》。

三月，乙巳（十七日），新知庐州吕文德入朝叩辞理宗，理宗说："最近淮西诸军不合格而滥予任用，徒有虚名者很多，而流动的三万军兵更为严重，应当从严拣选。"

己酉（二十一日），同知枢密院事赵以夫免知建宁府。

蒙古任刘嶷为都总管万户，统帅西京、河东、陕西诸军。

刘嶷朝见，蒙古对其慰劳并予重赏，不久又命他巡抚天下，视察民间利弊。应州郭志全反叛，胁从受牵连的达五百余人；有司建议全部杀戮，刘嶷只拘杀其中为首的几人，其余全部从轻发落。

蒙古任刘敏于燕京行省事。

夏季，四月，丙寅（初八），吏部侍郎杜范等，请求将参加科举考试的皇族子弟中考取第一名的赵崇袍，也列入正式奏报朝廷考中进士的名单，请求廷试，皇上听从了杜范等人的奏请。

庚午（十二日），因御前讲席官自始至终进读《仁皇训典》一篇，讲读、修注官各进官一级。

辛未（十三日），理宗诏命沂王、荣王共同遵照典章法宪袭封。不久，任赵与芮承嗣荣王，仍然赴朝参拜，赵贵谦承继沂王。

辛巳（二十三日），任知沣州贾似道为太府少卿、湖广总领财赋。

五月，庚寅（初三），嗣秀王赵师弥晋升太保。

己亥（十二日），理宗诏令："沿江制置使兼淮西制置使别之杰，负责边防，遇有危急之事，可自行决断处理。"

甲辰（十七日），理宗诏示："赵与芮应当时时亲近端庄正直的人，留心向他们学习。昨

4091

已增设教授,现再增添一员,选择操行洁美、正直诚实之士轮流讲授,朝夕规劝。全部授完必施恩赏赐。其余按各官邸旧例执行。"

甲辰(十七日),行秘书郎梅杞说由宫内直接降旨或者凭借关系,可以得到任用。理宗说:"这也是有旧例的。"梅杞说:"过去仁祖亲自下诏,说'违背常规,希望非分的恩典,犯罪而希望赦免,要求直接由宫内下旨的,中书、枢密院可持奏章上奏君王不得执行。'这就是仁祖的仁中有勇的表现啊,希望陛下以此为法。"理宗说:"我正想效法这样做。"

戊申(二十一日),赐予进士徐俨夫以下三百六十七人及第、出身。

六月,丙寅(初九),因旱灾、蝗灾,登录行宫在押囚犯。

丁丑(二十日),理宗下诏:"乔幼闻削官三级,送抚州居住,因他蔑视国法,私存新币,转手交换,以此赢利。"

戊寅(二十一日),理宗下诏说:"自从我发出亲札申令严格惩治赃吏的禁令,已超过半年了。然而诸路监司,有的对涉及禁令的原则大事不闻不问,有的用些无关大局的小事来敷衍塞责。告诫诸路监司,要普遍视察所属州县,如发现其中有贪残搜刮民财的,查明他的具体事实,全部上报,我将重重给予处罚。监司庸碌懦弱不能做好本职工作的,台谏揭发他的罪行,上奏朝廷。"

秋季,七月,甲辰(十八日),知婺州赵与懃、常州宋慈、江阴军尹焕、广东军康植因协助买入谷米有功,各加官一级。

庚戌(二十四日),理宗下诏,任命宗学博士、诸王宫大小学教授轮日赴荣王府邸讲授。

乙卯(二十九日),理宗诏令:"从现在起,宰相、台谏、侍从,不许私发密信,以求举削。诸路监司、帅守,应该体国举贤,不能曲从权要。"

八月,丁巳(初二),理宗下诏征求散佚之书。

己巳(十四日),理宗诏令:玉牒所、国史实录院长官,收集史稿,删减章节,润色文字,使之成书。秘书省长官标点、核对《日历》《会要》。并以十一月作为最终成书的限期。

徽州发生大火,守臣郑崇降官一级。

甲申(二十九日),理宗诏令:"马军司挑选身强力壮的一百人,补充云卫、龙卫、武卫三指挥缺额。"

蒙古征伐高丽,高丽屡败,于是高丽再次进贡,谋求和平。蒙古主命令高丽王瞮入朝拜谒,当即休战。高丽王王瞮于是将其族子綧送至蒙古,作为人质。

冬季,十月,己卯(二十五日),理宗诏令:"提举司不得用常仓的粮食折变而从中侵移,义仓各项桩收,将处置措施报尚书省。"

蒙古兵包围安丰,己亥(疑误),淮东提刑余玠用水师打退了蒙古兵。

蒙古任命伊啰翰齐于燕京行省事,与刘敏共同主管汉民公事,任命姚枢为郎中。伊啰翰齐只要是办事就要接受货物的贿赂,并将所得分给姚枢;姚枢拒绝接受,并卸职而去,隐居苏门山。

当初,蒙古主赐旨予刘敏,说:"卿之所行,有司不得与闻。"因此,伊啰翰齐因羞于不能凭己见独断专行,指使属下用流言诬蔑刘敏;刘敏将蒙古主亲笔诏书拿出给他看,伊啰翰齐才算罢休。蒙古主闻知此事,派遣使臣查问了真实情况后,罢黜伊啰翰齐官职,乃命刘敏独任燕京行省事。

十一月,丁亥(初四),蒙古主将出外打猎,耶律楚材用太乙数推算吉凶,卜文明确预示,绝对不能去打猎;可左右大臣都说:"不骑马射箭,用什么来取乐?"出外田猎四日,庚寅(初七),回到乌特古呼兰山,温都尔哈玛尔向蒙古主进酒,蒙古主彻夜欢饮才罢休。第二天,辛卯(初八),于行殿去世,享年五十六岁。葬于起辇谷,庙号为太宗,谥号英文皇帝。

太宗性情宽恕,审时度势,量力而为,所举必成,行无过事。境内富庶,众军旅不必储粮,当时称为国家太平安定之世。

开始,有旨立他的孙子实勒们为继承人。实勒们系太宗第四子库春之子。于是,皇后尼玛察氏召耶律楚材询问这件事,耶律楚材说:"这不是外姓臣所敢知道的,自有先帝遗诏,希望执行遗旨。"皇后尼玛察不听,于是就在和林称帝。

蒙古塔尔海部汪世显再度攻入蜀,进军包围成都。制置使陈隆之固守达一旬之久,誓与成都共存之。部将田世显偷偷地向蒙古表示归附,夜里,开北门接纳蒙古兵进城,陈隆之全家数百口皆死难。将陈隆之拘囚送至汉州,命令陈隆之招引守将王夔投降,陈隆之大呼曰:"大丈夫要死就死,决不投降!"于是被杀。汉州城中出兵三千,战败,王夔夜晚驱火牛突围出奔,汉州遂为蒙古屠戮。

己酉(二十六日),理宗下诏:"内地州县官员缺额,以现任官员兼任,不得以候补官员以及白帖人任职。"

十二月,丙寅(十三日),太学博士刘应起进言:"大有作为的人君,常常使他宠信的近臣畏惧宰相,现在是宰相畏惧宠信的近臣;大有作为的人君,常常使宰相畏惧台谏,现在是台谏畏惧宰相。希望陛下把官府的事统一交付于中书,而言官不能只是任用大臣所引进的人,这样,权就会统一归于官府了。"理宗以为是。

丁卯(十四日),观文殿学士辞官归居的余天锡去世;赠封太师,谥号忠惠。理宗能够立为太子实际上开始是余天锡操持的,所以得到理宗皇帝的特别恩宠和礼遇。

丁丑(二十四日),左司谏方来,奏言岳柯近已罢斥,仍择地定居吴门,蔑视皇上命令,监察御史谢公旦,又言岳柯创增盐额,国赋更亏,何况首创言利,请求加重削其官职。理宗诏令:岳柯再削官一级。

侍御史金渊,言彭大雅贪婪残酷,蜀人含怨,实属罪大罚轻。理宗诏令去其官职,令去赣州居住。

蒙古东平万户严忠济,奏请蒙古主任命宋子贞为参议东平路事,兼提举太常礼乐,蒙古主同意。

当时经历商挺,也劝严忠济兴学养士。严忠济特别敬重宋子贞,听从宋子贞的建议。宋子贞创办新庙学,延请前进士康暐以及王盘为教官,招收学生几百人,由自己出粟供食,使学生学习经艺,每季考试,宋子贞一定亲自到场。齐鲁儒风,为之一变。

蒙古伊埒默色来朝议和,随行人员有七十余人。伊埒默色说:"我与你们奉命南下议和,楚人多诈,如遇变故,应当以死报国,不得有辱于君主使命!"随后,驰抵淮河边畔。宋守将以

4093

兵器威胁伊埒默色说:"你的生命掌握在我的手中,死活只在顷刻之间罢了! 如能投降,官爵可立即到手;不然,必不饶你!"伊埒默色慷慨发誓说:"我奉命持节南来,目的是使两国之间友好,如今你们反而诱降我,使我做出不义之举,我只有一死而已!"守将知道伊埒默色是不怕威逼的,就将他关押在长沙飞虎寨。

淳祐二年 蒙古太宗皇后称制元年(公元 1242 年)

春季,正月,丙申朔(疑误),理宗颁诏令减轻刑罚和赋税。

戊戌(十五日),右丞相史嵩之等进呈《四朝史》。史嵩之改动了校勘官高斯得起草的《宁宗纪》,对济王及理宗潜邸一事妄加毁誉;高斯得等与史嵩之争辩也没有结果。李心传收藏高斯得所起草的《宁宗纪》原稿,只是在书末题写"前史官高斯得撰"。史嵩之等又向理宗进呈孝宗《经武要略》《宁宗玉牒》《日历》《会要》《实录》《皇帝玉牒》。庚戌(二十七日),上呈《淳祐重修赦令格式申明》。理宗下诏为史嵩之等区别加官晋级。

壬戌(疑误),别之杰谒见理宗,理宗询问边境可曾加强防备,别之杰认为当务之急是修复寿春,又认为上流的形势完全取决于巴蜀。理宗又问到金陵兵粮以及居巢屯兵有多少,别之杰回答说金陵现在驻兵三万,钱粮仅仅能供给;居巢关系重大,现在驻兵不超过三千,待秋季增戍到两万,方够足用,理宗对别之杰的意见都表示同意。

甲子(疑误),军器监兼尚书左郎官范应铃进宫应对,谈论宗庙社稷之大计,列举嘉祐、绍兴之事,理宗说:"两朝各自都有常例,不是不知道,只是难得那样的人。"范应铃说:"有无贤才子嗣,全是上天的造就。天若庇佑宋朝,必定有那样的人,等着陛下择用。"

任游侣为资政殿大学士、知绍兴府、浙东安抚使,接着提举洞霄宫。这是依从他本人的请求。

蒙古皇后尼玛察氏临朝称制,尊崇信任邪恶的人,各种政务紊乱,温都尔哈玛尔用贿赂获得权柄,朝中大臣都害怕并归附他。耶律楚材当面斥责,并在朝廷上与皇后谏净,讲别人不敢讲的话,人人都为他担心。

二月,甲戌(二十二日),任范钟知枢密院事兼参知政事,徐荣叟参知政事,赵葵赐进士出身、同知枢密院事,任别之杰为端明殿学士、签书枢密院事。

己卯(二十七日),代理兵部侍郎、淮东安抚制置使兼知扬州李曾伯入朝叩辞理宗,并说,现在如若皇上有必定遵守之规则,应该晓谕大臣,明示意图。理宗说:"应当有必守之规,赵葵久任淮东,而且有规划。"李曾伯说:"敢不遵行他的成规!"

三月,戊子(初六),理宗下诏曰:"沿江、两淮,唇齿相依,其中和州、无为军、安庆府,听从沿江制置使调度管束。"

丙申(十四日),理宗诏命:"刑部告诫诸道将帅、边戍司,今后州县官犯罪,不要杖刑责罚。"癸卯(二十五日),经筵讲读《孝宗圣政》终篇,讲读、修注、说书官各进官一级,其余分别给予补缺迁调以及犒赏。

侍御史兼侍讲金渊进言:"请陛下明确命令宰相辅佐大臣,谨慎挑选同宗同姓之贤德人才,参考仁宗、孝宗的常例,依情况选用。"

夏季,四月,癸亥(十一日),仓部郎官赵希塈认为,四川除更换将帅之外,别无他策。理宗说:"现在救蜀为急,我与二三大臣没有一天不议论蜀事。孟珙也想竭力把蜀事搞好。"赵希墍说:"应当挑选一向著有威望之人在夔、峡要害之地担当重任,建立一个大帅府。"理宗说:"重庆城坚,恐怕能自守。"赵希墍说:"重庆在夔、峡之上游,敌人如果长驱南下,虽城坚如铁,如何解救得了东南之危急呢?"理宗认为说得对。

理宗下诏:"明堂大礼,除祭祀神灵礼物、诸军赏给依照旧制外,其他乘坐的车子以及服饰车马用器,朝廷内外大的费用,一并从俭节约开支。"

丙子(二十四日),考功郎刘汉弼,向理宗奏明吏部考功条法十六条事宜,理宗说:"应当拿到各地去施行。"五月,甲午(十三日),知梧州赵时学辞别理宗,并说吴玠镇守蜀三关,现在全已失守,成都必定难守。理宗问:"嘉定能守住吗?"赵时学说:"如果按形势而论,应当守重庆。"理宗说:"若守重庆,成都一路空虚。"赵时学说:"重庆也是要害之地,上可以连接利、阆,下可以接应归峡。"

己亥(十八日),淮东安抚制置副使余玠入朝上奏,说事无大小,一定要务实;又说:"当今世家子弟中的才德杰出之人,科场上的学子,乡中的豪杰,一旦从戎,就被指责为粗人,斥之为与樊哙为伍的平庸之辈。望陛下对文武官员一视同仁,勿令偏重,偏则必激,非国家之福。"理宗说:"卿对于人和事物的议论皆不寻常,可独当一面。"

蒙古兵攻破遂宁、泸州。乙巳(二十四日),郎官龚基先入朝奏对,讲了长江上游的形势。理宗说:"上游防守令人担忧。"龚基先说:"施、夔两地是国家的门户,这里的关隘毫无防守,直接关系到国家的存亡,怎能不令人忧虑!"理宗说:"今年的屯田怎么样?"龚基先说:"屯田有名无实,用牛耕种既贵,军伍又懒于耕作,所收获的不能抵偿所支费用。"

丁未(二十六日),右正言刘晋之对理宗说:"蜀祸五六年间,经历了三四位制臣,没有建立屯驻之地,唯独彭大雅建筑了渝城,成为蜀之根本;不然,蜀大势已去矣。现在应该在重庆设立帅府,即可指挥控制诸路边防军队,希望早日确定至上良计,品评选择边臣,使他们前往治理,那么,蜀还可以有所作为。"

戊申(二十七日),知建宁府吴潜被削职,因台谏揭发了他的问题。

己酉(二十八日),任赵葵为资政殿学士,知潭州、湖南安抚使。

六月,壬子朔(初一),徐荣叟要求辞官归田,理宗同意了他的请求。

甲寅(初三),仓部郎官李铸,奏请广泛征求防御之良策。理宗说:"去年蜀地战事打了大败仗,现在应当如何?"李铸说:"陈隆之依靠增筑成都城故基进行防御,不为不对,但功效马虎草率,有见识的人事先就知道成都城难守。臣曾经问过陈隆之守城的计谋策略,陈隆之只说誓与成都城共存亡而已。不久,被田世显出卖,城门夜开,陈隆之战败了。"理宗皱眉蹙额好长时间。

任余玠代理工部侍郎、四川宣谕使,一应事务触犯机密情报时,允许和制臣一起共同采取措施加以处置,可先行奏。不久理宗诏令四川官吏、军民等,都要条陈大计以告朝廷。

因久雨不停,理宗诏令判决朝廷内外在押囚犯。

癸亥(十二日),徐荣叟免去参知政事,改任资政殿大学士、提举洞霄宫。

丙寅(十五日),巡视记录行宫在押囚犯罪行。

任别之杰同知枢密院事兼代理参知政事,翰林学士、知制诰高定子为端明殿学士、签书枢密院事,代理礼部尚书兼中书舍人杜范为端明殿学士、签书枢密院事。

杜范受职中书省,办事注重成败、优劣,授官根据功过是非,一切都直面交谈,没有不愿告诉别人的事情。史嵩之对杜范表面上宽容,内心实则忌妒。

戊寅(二十七日),理宗诏令:"淮西制置大使司,拨出十七界楮币十万,米二万斛,令安丰军修治武备。"

此月,多雨,浙西大水灾。

秋季,七月,丙申(十六日),余玠辞别理宗时,讲了抵御外敌之根本在于内修朝政的看法;理宗说:"今日之事,不必问敌方的命运衰与不衰,但自己靠实际努力来领会治内的制度规程。"余玠说:"圣上明会及此,真乃宗庙社稷生灵之福!"理宗说:"卿前面所讲的靠实工夫,仔细体会很是有味,此去必能见之于行动。卿应该提倡诚实而革除虚夸,树立威信而制止叛乱离散。广施仁爱恩惠以安抚流离失所之人,此应当为四川蜀地经久之谋,不只为一时应付之计。"

是月,常、润、建康发大水,两淮尤甚。

蒙古万户张柔,从五河口渡淮河,攻打扬州、滁州、和州、萧州。淮东忠勇军统领王温等二十四人在天长县以东奋战,皆殉难。

八月,辛亥朔(初一),理宗诏令户部重申严厉惩处州县增收苗米时额外聚敛的舞弊行为。

丁巳(初七),任秘书省正字陈南一、国子正胡良一同兼内学小教授。

辛酉(十一日),知夔州赵武进官二级,将佐王倍等各升一级俸禄,以酬奖为夔州版筑城墙之功劳。

丁卯(十七日),理宗诏令从封桩库拨出十七界楮币十万,赈济绍兴、处州、婺州遭水灾的平民百姓。

丁丑(二十七日),殿中侍御史濮斗南,向理宗申言,浙江四郡黎民百姓动荡离散,请求朝廷救济和安顿好流离失所的人民,减免秋赋,理宗听从了他的意见。

九月,庚辰朔(初一),日食。

癸未(初四),理宗下诏:"举荐、纳官行贿者,永远不许登录、授官。"

辛卯(十二日),合祭祖先于明堂,实行大赦。

丙申(十七日),理宗诏令:"六曹、馆、学、寺、监、院辖仓、库、务、场官长官,将所管钱谷、货币、器用、图书,核实并记入簿册,并呈朝廷,副本存有司。首官缺时则由次官补任,迁调、擢用、报升、罢免,一并如朝廷外官,都按旧例办事,联合署名申报中书省,仍令御史台监察。"

冬季,十月,癸丑(初四),诏令所进臣僚继承的赏赐不许奏请给异姓,并定为条令。

甲寅(初五),史嵩之晋封为永国公。

蒙古攻打通州,守臣杜霆载其家私钱财渡江逃跑,乙丑(十六日),通州被攻破,蒙古占领军屠杀通州人民。

十一月,辛卯(十三日),皇上诏谕两淮节制李曾伯:"不要因为通州失守而不安于职守,应该督促鼓励诸将,勉图后效。"

甲申(初六),理宗诏令:"军功补授的人选,希望就地选拔者可听其便。"

辛卯(十三日),理宗诏令实录院修撰孝宗、光宗、宁宗御集。

戊戌(二十日),打雷。

己亥(二十一日),冬至日,雷电交作,理宗下诏避离正殿,削减膳食。

癸卯(二十五日),理宗诏示,判决朝廷内外在押囚犯。

甲辰(二十六日),优先发给诸军御寒钱,出征的人加倍发给。

乙巳(二十七日),免除三衙、大理寺、临安府及所属郡县点检赡军犒赏酒所的赃赏钱。

丁未(二十九日),理宗诏令说:"近来阴阳失和,冬令常热,冬至那天,雷声大作,我很害怕。朝廷之内的卿士、师尹,朝廷之外的牧、监、伍、参,都要各自克尽忠诚,尽善尽美,全心全意,无所隐瞒,竭尽全力辅助我。"

十二月,己未(十一日),理宗命令:"收缴、废除任命杜霆出身案卷,留南雄州拘管。"因为通州士人和老百姓控告他抛弃国土、损害人民。

辛酉(十三日),因为儒林郎钟宏辞授太学博士,请求辞官归家奉养母亲,理宗诏令特允改授京官职位,领奉祠之职使食其禄,以嘉奖他孝顺的行为。

癸亥(十五日),蒙古兵连续攻打叙州,帐前都统杨大全战死。

丙寅(十八日),任命京湖安抚制置大使孟珙为四川安抚使兼知夔州,任同知枢密院事别之杰为知政殿大学士、湖南安抚大使兼知潭州,任同知枢密院事兼代理参知政事赵葵为福建安抚事兼知福州,任知政殿学士赵与懽知温州,任代理工部侍郎、四川宣谕使余玠代理兵部侍郎、四川安抚制置使兼知重庆府。

丁卯(十九日),理宗发布诏令:"余玠负责整个四川事宜,一应军行调度,暂许自行处置实行。"

庚午(二十二日),理宗诏命许浦水军都统制刘虎为和州防御使,以表彰他防御捍卫五河之功劳。

淳祐三年 蒙古太宗皇后称制二年(公元1243年)

春季,正月,戊寅朔(初一),任高定子兼参知政事。

癸未(初六),起居郎兼秘书监项容孙上奏进言:"往日要求臣民上书之事,照例按太祖建隆年间先例,召集各官斟酌详审,写在方策上。关系人君的德操,上奏宫中;关系到当时政治措施地放在尚书省;关系到民事的,颁发到郡县。"理宗诏示分类送后省审阅。

癸巳(十六日),因为湖南安抚司上奏东平倭骚扰被平定,永州通判邓均加官一级,其余官员根据情况分别给予补缺、迁调、赠封抚恤以及授予其子官职。

甲午(十七日),理宗颁诏:"赐予嗣荣王赵与芮的恩礼,和嗣秀王赵师弥的相同。"

丙午(二十九日),任吕文德为福州观察使、侍卫马军副都指挥使,统领两淮军马。

蒙古张柔分遣部将十人在襄阳垦殖荒地。

二月,己酉(初二),理宗下诏:"淮西提举制置司参谋官赵希静,淮西总管聂斌等人,各加官一级。"因为淮东、淮西制置司上奏讲他们战守两淮有功。

甲子(十七日),理宗诏令晋升安丰军守臣王福官二级,晋升泸州路兵书吴仁等人官一级,以表彰他们修筑城墙的功劳。

三月,丁丑朔(初一),出现日食。

蒙古攻破资州。

庚寅(十四日),同签书枢密院事杜范要求辞官还乡,理宗诏示不准。

丁酉(二十一日),理宗诏令,提升池州都统何舜臣官一等,以表彰他统帅水军策应通州、泰州作战有功。

辛丑(二十五日),理宗颁诏令削知招信军赵东官三级,罢职,因为淮东制司告他安抚控制失宜。

蒙古进入四川,汪世显的功劳居于首位,因此,皇子库端秉承理宗皇帝旨意授予汪世显便宜总帅,总管秦州、巩州等二十余军州的事宜。不久,汪世显逝世,其子汪德臣代替他任总帅,统领军队随之进入四川。

夏季,四月,癸丑(初七),因为阁门宣赞舍人兼淮西路钤王杰,阁门祗候前江东路钤李季实,前往马帅王鉴军前议事,途中遇敌作战殉难,除对他们区别赠封官职外,还各授予其二子官职。

乙卯(初九),理宗诏令晋升嘉定守臣程立之官一级,因为成都提刑宇文峒讲他坚守城池有功。

丁巳(十一日),理宗下诏,因为经筵讲《尚书》一篇,讲读、说书、修注各晋升一级。

甲戌(二十八日),殿中侍御史项容孙,上奏进言知严州李弥高、赵与汶,侵吞攫取酒息,唯独卫湜一无所私,廉洁奉公。理宗有旨:"奖赏廉洁,废黜贪赃,是当前之急务;李弥高、赵与汶各削官二等,卫湜晋升官职二级。"

甲申(疑误),命御前军器所隶属于军器监。

丙戌(疑误),理宗降旨,赠封阁门宣赞舍人杨大全武节大夫、眉州防御使,授予他两个儿子官职,因为四川制司讲他是力战殉难的。

五月,蒙古耶律楚材奏告,火星冲犯房宿,当有惊扰,但是至今没有发生变故。过了没有多长时间使用武力的事情发生了,皇后遂即命令发给兵士武器,挑选心腹大臣,一心想将朝廷向西迁移以回避一下。耶律楚材进言说:"朝廷天下根本,根本一摇,天下将乱。为臣我观察了天象,一定没有祸患。"数日以后才安定下来。

蒙古皇后信任温都尔哈玛尔,把盖好了天子印玺的空白纸给他,让他自己填写行文。耶律楚材劝谏说:"天下是先帝的天下。朝廷自有宪章,现在搅乱它,为臣我不敢奉命。"顷刻,有旨下:"凡是温都尔哈玛尔对国事的建议和陈述,令史官不为他书写的,就斩断他的手。"耶律楚材说:"国家的常例和典制,先帝全部托付给老臣了,与令吏官有什么关系。事情如果合理,自然应该奉令照办;如果不可行,连死都不回避,何况是断手呢?"蒙古皇后不高兴。耶律楚材还争辩不停,并大声说:"老臣侍奉太祖、太宗二十余年,从未做过对不起国家的事,皇后也难道能无罪杀老臣吗?"皇后虽然不满意,也就因为他是先朝的功勋之臣,深深地敬重和畏惧他。

六月,庚戌(初五),大理少卿蔡仲龙进言:"创办小学,必须早做权宜之计,以维系天下之人心。"又进言:"本朝用刑法持平宽仁,而没有享受传宗接代的喜庆,料想是宦官太多。仁宗嘉祐年间,皇上曾诏令,内臣暂时停止进收养子,应根据法规执行。"

戊午(十三日),资政殿学士,知温州赵与懽,请求废除合并诸寨,增设镇海边寨驻军,以备事变之用。理宗听了他的意见。

戊辰(二十三日),白天看见太白星。

庚午(二十五日),大理寺审讯前嘉定知县旨枹,廷尉赵与齐等人贪赃罪行,狱案成立,旨枹、赵与齐除名勒令停职;旨枹于一千里外拘禁管束,赵与齐于五百里外居住。

甲戌(二十九日),记录审讯行在囚徒罪行。

命令知濠州兼淮西提刑徐敏子经理亳州。

秋季,七月,甲申(初九),理宗降旨,晋升无为军守臣戴埴官一级,因为沿江制置使杜杲说他坚守边境有功。

四川制置司上奏进言:"蒙古攻打大安军,忠义副总管杨世安坚守鱼孔隘,孤垒独守,死不投降,具有坚定的志向和高尚的操守,可胜任边守防御之职。"理宗降旨,任杨世安就知大安军。

癸巳(十八日),理宗降旨,废除京湖、沿江制司兵,设置殿司策应军,驻扎京口。

八月,辛亥(初七),理宗降旨户部申令严格执行州县纳苗多取的禁令。

戊午(十四日),命令福建安抚司,依照沿海旧例,组织福州、泉州、漳州、兴化民船,以便轮流派遣戍边,这是根据帅臣项寅孙的要求。

癸亥(十九日),因项寅孙进言,合并福州延祥、荻芦二寨,设置武济水军,挑选本州厢禁能习水的补充,共一千五百人。

壬午(疑误),宋理宗下诏,申明严禁郡县社仓摊派的命令。

续资治通鉴卷第一百七十一

【原文】

宋纪一百七十一　起昭阳单阏【癸卯】九月,尽柔兆敦牂【丙午】六月,凡二年有奇。

理宗建道备德大功复兴　烈文仁武圣明安孝皇帝

淳祐三年　蒙古太宗皇后称制二年【癸卯,1243】　九月,丁未,工部郎官兼枢密院编修官赵希瀞言:"安丰、庐、濠,风寒最甚,三州安则淮甸无虞,江面奠枕。"帝曰:"安丰最紧。"希瀞云:"欲固安丰,须复寿春。"帝然之。

癸未,从京湖制置大使孟珙之请,令淮东制置使李曾伯蠲高邮军及其属部州县创收牛租。

是秋,蒙古察罕奏令万户张柔总诸军镇杞。初,河决于汴,西南入陈留,分而为三,杞居其中渳。南师恃舟楫之利,由亳、泗以窥汴、洛。柔乃即故杞之东、西、中三山,顺杀水势,筑连城,结浮梁,为进战退耕之计,守御以固。

先是,知婺州陈康熹奏事,请举严父配天之典,久未决;将作少监韩祥进讲,复言之。冬,十月,甲午,礼寺议请奉宁宗升陪太祖、太宗,将来明堂,三后并配,令条具礼制以闻。

十一月,乙巳,诏:"直(保)〔宝〕文阁王定,素履平实,直(宝)〔显〕谟阁叶武子,雅资恬退,皆挂冠日久,年德俱高。其以定为秘阁修撰,武子直龙图阁。"

乙卯,令潮州守臣节制撺锋军分屯军马。

乙未,蠲大理寺、三衙、临安府县点检赡军犒赏酒库所赃赏钱。

令广东提刑节制韶州撺锋军。

壬戌,雪。给行在诸军钱,出戍者倍之。

甲子,枢密院编修官兼权都官〔郎官〕何式言蜀事,帝曰:"正好乘暇作工夫。"时方倚任余玠,故言及之。

先是蜀中财赋,入户部三司者五百馀万缗,入四总领所者二千五百馀万缗,金银、绫锦之类不预焉。自宝庆三年失关外,端平三年蜀地残破,所存州县无几,国用益窘。十六年间,凡授宣抚使者三人,制置使者九人,副使四人,或老,或暂,或庸,或贪,或惨刻缪戾,或遥领而不至,或生隙而罕谋,两川民不聊生,监司、戎将各专号令,蜀日益坏。

及余玠至,大更弊政,遴选守宰,筑招贤馆于府之左,供张一如帅所居,下令曰:"集众思,广忠益,诸葛孔明所以用蜀也。士欲有谋以告我者,近则径诣公府,远则自言于所在州县,以礼遣之。高爵重赏，朝廷不吝。豪杰之士，趣期立事，今其时矣!"士之至者，玠不厌礼接，咸得其欢心;言有可用，随才而任，不可用亦厚(遣)〔遗〕谢之。

播州冉琎及弟璞，有文武才，隐居蛮中，前后阃帅辟召，皆不至。闻玠贤，兄弟相率诣谒，玠宾礼之，馆谷加厚。居数月，无所言，玠乃更别馆以处之，且日使人窥其所为。兄弟终日不言，惟对踞，以垩画地为山川城郭之形，起则漫去。如是者又旬日，请见玠，屏人曰:"为今日西蜀之计，其在徙合州城乎!"玠不觉跃起曰:"此玠志也，但未得其所耳。"曰:"蜀口形胜之地，莫若钓鱼山，请徙诸此。若任得其人，积粟以守之，胜于十万师远矣。"玠大喜，遂不谋于众，密闻于朝，请不次官之。诏以琎为承事郎，权发遣合州，璞为承务郎，权通判州事，徙城事悉以任之。

命下，一府皆喧然以为不可。玠怒曰:"城成则蜀赖以安，不成，玠独坐之，诸君无预也。"卒筑青居、大获、钓鱼、云顶、天生，凡十馀城，皆因山为垒，棋布星分，为诸郡治所。又移金州兵于大获以护蜀口，移沔州兵于青居，兴州兵先驻合州旧城，移守钓鱼，共备内水，移利州兵于云顶，以备外水。于是如臂使指，〔气势〕联络，屯兵聚粮，为必守计，民始有安土之心。玠又作《经理四蜀图》以进，曰:"幸假十年，手挈四蜀之地，还之朝廷，然后归老山林，臣之愿也。"

十二月，丁丑，沿江制置副使司言屯田倍收，官属文庆洪等推赏有差。

己丑，史嵩之五请祠，不允。时黄涛、刘应起等俱上书论嵩之奸深擅权，帝皆不听，而言者益众。

丙申，以严寒，再给诸军薪炭钱。

辛丑，侍卫马军副都指挥使、总制两淮军马吕文德，以汴、濠、胶、淄劳绩，进秩四等。

淳祐四年 蒙古太宗皇后称制三年【甲辰，1244】 春，正月，壬寅朔，诏曰:"上天助顺，敌国乖离，正当广推恩信以系人心，厚根本以俟机会。咨尔专阃之臣，分麾总戎之将，继自今，必安集流民，俾得复旧，招收逋将，俾得自新。毋擅兴废，毋杀无辜，使中原遗黎有更生之望。"时闻蒙古后称制，人心不服，故下此诏。

御制《训廉》《谨刑》二铭，戒饬中外。

以李鸣复参知政事，杜范同知枢密院事，以权刑部尚书兼给事中刘伯正为端明殿学士、签书枢密院事。范不屑与鸣复共政，乞去，帝留之。太学诸生亦上书留范而斥鸣复，并斥史嵩之，嵩之益恚。

丁巳，侍御史刘晋之、王瓒，监察御史赵伦、吕午，承史嵩之风旨，并论李鸣复、杜范，于是鸣复、范并除郡。

戊午，枢密院言:"四川帅臣余玠，大小三十六战，多有劳效，宜第功行赏。"诏玠趣上立功将士姓名等第，即与推恩。

己未，朝献景灵宫。

以刘伯正兼权参知政事，寻兼同提举编修敕令。

庚申，以余玠兼四川屯田使。

初，利州都统王夔，素残悍，号"王夜叉"，自汉州败归，益桀骜不受节度;所至劫掠，每得富家，用非法刑胁取金帛，稍不遂意即杀之，民不堪命。余玠至嘉定，夔率所部兵迎谒，才赢弱二百人。玠曰："久闻都统兵精,今疲敝若此,殊不称所望。"夔曰："夔兵非不精,所以不敢即见者,恐惊从人耳。"顷之,班声如雷,江水为沸,旗帜精明,舟中皆战掉失色,玠自若,徐命吏班赏。夔退,语人曰:"儒者中乃有此人!"

玠欲诛夔,患其握重兵,恐轻动危蜀,谋于亲将杨成。成曰:"今纵弗诛,养成其势,一举足,西蜀危矣。夔在蜀虽久有威名,孰与吴氏?吴氏当中兴危难之时,能百战以保蜀,传之四世,根本益固;一旦曦为叛逆,诸将诛之,如取孤豚。况夔无吴氏之功而有曦之逆心,纵兵残民,奴视同列,诛之,一夫力耳;待其发而取之,难矣。"玠意遂决。夜,召夔计事,潜以成代领其众。夔甫出而新将已单骑入营,将士皆错愕相顾,不知所为。成以帅指譬晓之,遂相率听命。夔至,玠斩之,荐成为文州刺史。

二月,癸酉,出封桩库十七界楮币各十万,付京湖、四川、两淮制置司收瘗频年交兵遗骸。

丁酉,寿昌飞虎军统制郑大成追三官,以其出成涪州,不战以致弃城也。

三月,壬寅,诏以杜范辞免新除,依旧职,提举洞霄宫。

甲寅,经筵进讲《论语》终篇,己未,赐宰执、讲读、侍立官燕于秘书省,仍进讲读、侍立官一秩。

以吏部尚书兼给事中金渊为端明殿学士、同签书枢密院事,寻差同提举编修《经武要略》。

夏,四月,壬午,诏:"两浙漕司下属部郡邑,将今年夏税折帛之半,令民间以楮币准钱供输。"

诏:"寿春受围,将士勤劳,各补转三官资,出封桩库十七界楮币百万给犒,俟围解日仍与优赏。"又令江东漕司拨寄桩十七界楮币二十万,犒安丰策应将士。

丁亥,以淮东制司言权总管王德等随王鉴抚定山城有劳,诏进德二秩,馀补转、给犒有差。

五月,乙巳,以淮东制臣言副总管兼知海州周岱、左武卫大将军汤孝信直捣山东胶、密之功,并于遥郡上进一秩。

庚戌,诏知泸州曹致大,带行遥郡刺史,以四川制臣余玠言其包砌神臂山城之功也。

戊午,蒙古兵围寿春,吕文德帅水陆诸军御之。

诏:"江东漕司拨寄桩十七界楮币百万,付淮东、西制置司犒水陆应援立功将士。"

癸亥,以邹应龙薨,辍视朝一日。寻赠少保。

蒙古中书令耶律楚材,以朝政日非,忧愤成疾,是月,薨。旋有谮楚材者,言其在相位日久,天下贡赋半入其家。皇后遣人覆视之,唯琴阮十馀,古今书画、金石、遗文数十卷,乃止。楚材博极群书,旁通天文、术数;居官以匡国济民为己任,群臣无与为比。后追封广宁王,谥文正。

六月,庚午朔,以余玠言沔州都统制、权遂宁府云拱,因成都之扰,杀夺民财,袭劫龙石泉郡印;权知潼川府张涓,叙军无纪,杀掠平民;诏并追毁勒停,拱窜琼州,涓昭州。

以吕文德兼淮西招抚使,兼知濠州,节制濠、丰、寿、亳州军。

癸酉,诏王福暂屯扬州,同共措置秋防。

乙亥,赐进士留梦炎以下四百二十四人及第、出身。

诏："安丰军策应解寿春围将士,补官资有差。"又诏："寿春受围将士,有全城却敌之功,先立赏格,令淮东、西制司从实保明补转。"又以淮东制司言先来海道立功将士,亦补转有差。

丙戌,知枢密院事范钟乞归田里,诏不许。

蒙古以杨惟中为中书令。惟中有胆略,先为太宗所器,奉使西域二十馀国,宣畅国威,敷布政条,俾籍户口属吏。太宗益欲大用之,及南伐,命于军前行中书省。惟中益嗜学,有济世志,至是以一相领省事。

秋,七月,辛丑,分命刑部尚书、监察御史、卿监、郎官,录临安并属县、三衙两厢系囚。

壬子,诏："沿淮失业强壮之人,置武胜军五千人。"从淮西安抚副使王鉴请也。

甲子,诏："项安世正学直节,先朝名儒,可特赠集英殿修撰。"

八月,癸未,诏："户部申严州县受租苛取之禁,诸路漕臣察其违者劾之。"

九月,癸卯,右丞相史嵩之以父弥忠病,告假。乙巳,弥忠卒。丙午,起复嵩之。

太学生黄恺伯、金九万、孙冀凤等百四十四人上书曰："臣闻君亲等天地,忠孝无古今。事亲孝,故忠可移于君,自古求忠臣必于孝子之门,未有不孝而可以望其忠也。宰我问三年之丧而曰'期可已矣',其意欲以期年之近易三年之丧,夫子犹以不仁斥之。未闻有闻父母垂亡之病而不之问,闻父母已亡之讣而不知奔,有人心天理者,固如是乎!是不特无三年之爱于其父母,且无一日之爱于其父母矣!宰予得罪于圣门,而若人者,则又宰予之罪人也。"

"且起复之说,圣经所无,而权宜变礼,衰世始有之。我朝大臣,若富弼一身佩社稷安危,进退系天下重轻,所谓国家重臣,不可一日无者也。起复之诏,凡五遣使,弼以金革变礼不可用于平世,卒不从命,天下至今诵焉。至若郑居中、王黼辈,顽忍无耻,固持禄位,甘心起复,绝灭天理,卒以酿成靖康之祸。往事可覆也。彼嵩之何人哉?心术回邪,踪迹诡秘。曩者开督府,以和议螵将士心,以厚资窃宰相位,罗天下之小人以为私党,夺天下之利权以归私室,蓄谋积累,险不可测,在朝廷一日,则贻一日之祸,在朝廷一岁,则贻一岁之忧,万口一辞,惟恐其去之不呕也。嵩之亡父,以速嵩之去,中外方以为快,而陛下起复之命已下矣。"

"陛下姑曰,大臣之去不可不留也。嵩之不天,闻讣不行,乃徘徊数日,率引奸邪,布置要地,弥缝贵戚,买属貂珰,转移上心,贪缘御笔,必得起复之礼,然后徐徐引去。大臣佐天子以孝治天下,孝不行于大臣,是率天下而为无父之国矣。鼎铛尚有耳,嵩之岂不闻富弼不受起复之事,而乃忍为郑居中、王黼辈之所为耶?"

"且陛下所以起复嵩之者,为其折冲万里之才与?嵩之本无捍卫封疆之能,徒有劫制朝廷之术。彼国内乱,骨肉相残,天使之也。嵩之贪天之功以欺陛下,其意以为三边云扰,非我不足以制彼也。殊不知敌情叵测,非嵩之之所能制,嵩之徒欲挟制敌之名以制陛下尔。"

"陛下所以起复嵩之者,谓其有经理财用之才与?嵩之本无足国裕民之能,徒有私自封殖之计。且国之利源,盐策为重,今钞法数更,利之归于国者十无一二,而聚之于私帑者已无遗算。国家之土壤日削,而嵩之之田宅日广;国家之帑藏日虚,而嵩之之囊橐日厚。陛下眷留嵩之,将以利吾国也,殊不知适以贻吾国无穷之害尔!"

"嵩之敢于无忌惮而经营起复,为有弥远故智可以效尤。然弥远所丧者庶母也,嵩之所丧者父也;弥远奔丧而后起复,嵩之起复之后而始奔丧。以弥远之贪墨固位,犹有顾籍,丁艰于嘉定元年十一月之戊午,起复于次年五月之丙申,未有如嵩之之匿丧罔上,殄灭天常,如此其惨也!"

"且嵩之之为计亦奸矣,自入相以来,固知二亲耄矣,旦夕图惟,先为起复张本。近畿总饷,本不乏人,而起复未卒哭之马光祖;京口守臣,岂无胜任,而起复未终丧之许堪。故里巷为十七字之谣曰:'光祖做总领,许堪为节制,丞相要起复,援例。'夫以里巷之小民,犹知其奸,陛下独不知之乎?台谏不敢言,台谏嵩之爪牙也;给舍不敢言,给舍嵩之腹心也;侍从不敢言,侍从嵩之肘腋也;执政不敢言,执政嵩之羽翼也。嵩之当五内分裂之时,擢奸臣以司喉舌,谓其必无阳城毁麻之事也;植私(当)〔党〕以据要津,谓其必无惠卿反噬之虞也。"

"自古大臣,席宠怙势至于三世,未有不亡人之国者,汉之王氏、魏之司马是也。史氏秉钧,今三世矣。军旅将校惟知有史氏,天下士大夫惟知有史氏,而陛下之左右前后亦惟知有史氏,陛下之势,孤立于上,甚可惧也!天欲去之而陛下留之,堂堂中国,岂无君子,独信一小人而不悟,是陛下欲艺祖三百年之天下坏于史氏之手而后已。"

"麻制有曰:'赵普当乾德开创之初,胜非在绍兴艰难之际,皆从变礼,迄定武功。'夫儗人必于其伦,曾于奸深之嵩之而可与赵普诸贤同日语耶?臣愚所谓擢奸臣以司喉舌者其验也。麻制又有曰:'谍谍愤兵之聚,边传哨骑之驰,况秋高而马肥,近冬寒而地凛。'方嵩之虎踞相位之时,讳言边事。通州失守,至逾月而后闻;寿春有警,至危急而后告。今图起复,乃密谕词臣,昌言边警,张皇事势以恐陛下,盖欲行其劫制之谋耳。臣愚所谓擢奸臣以司喉舌者又其验也。"

"切观嵩之自为宰相,动欲守法,至于身,乃佚荡于礼法之外。五刑之属三千,其罪莫大于不孝。若以法绳之,虽加之鈇钺,犹不足谢天下;况复置诸岩岩具瞻之位,其何以训天下后世耶?"

"臣等与嵩之本无宿怨私忿,所以争进阙下,为陛下言者,亦欲挈纲常于日月,重名教于泰山,使天下后世为人臣、人子者,死忠、死孝,以全立身之大节而已。孟轲有言:'学则三代共之,皆所以明人伦也。'臣等久被教育,此而不言,则人伦扫地矣。惟陛下裁之。"

武学生翁日善等六十七人,京学生刘时举、王元野、黄道等九十四人,宗学生与寰等三十四人,建昌军学教授卢钺,相继上书切谏,皆不报。

范钟、刘伯正恶京学生言事,谓皆游士鼓倡之,讽临安尹赵与訔逐游士。诸生闻之,益不平,作《捲堂文》,与訔遂尽削游士籍。

己未,将作监徐元杰言:"史嵩之起复,士论纷然,宜许其举执政自代。"帝曰:"学校虽是正论,但言之太甚。"元杰云:"正论是国家元气,今正论犹在学校,要当保养一线之脉。"元杰又乞引去,帝曰:"经筵正赖卿规益,以何事而引去?"

乙丑,雷。

冬,十月,辛未,诏曰:"朕德弗类,无以格阴阳之和,乃秋冬之交,雷电交至,天威震动,咎证非虚,甚可畏也!今朕避正殿,减常膳,方将反观内省,回皇天之怒,可不博览兼听,尽群下之心。应中外臣僚,各指陈阙失,毋有所隐,朕将亲览,博采忠谠,见之施行,以昭应天之实。"

壬申,以范钟参知政事,刘伯正签书枢密院事。金渊乞罢,不许。

以强再兴添差成都府路马步军副总管兼知怀安军,节制戍兵。

甲戌,令庆元府守臣赵伦趣史嵩之赴阙。

己丑,出右谏议大夫刘晋之、殿中侍御史王瓒、监察御史龚基先、胡清献;除刘汉弼为右司谏。帝欲更新庶政,故有是命。庚寅,汉弼迁侍御史。

壬辰,诏起杜范、游侣提举万寿观兼侍读。自此群贤率被录用。

甲午,诏:"台谏耳目之寄,若稽旧章,悉由亲擢。自今不许大臣荐进。"

殿中侍御史郑寀言:"宰相非百官比,岂容久虚!切恐中书之地,预设猜防,搢绅之徒,各怀向背。"帝曰:"所奏虽切情事,进退大臣,岂容轻易?"

侍御史刘汉弼,言金渊尸位妨贤,罢政;马光祖贪荣忘亲,罢江西运判新命,勒令追服。又言台谏弹击论列,乞非时入奏。从之。

十一月,辛丑,诏趣游侣、杜范赴阙。

壬寅,召王伯大、赵以夫、徐鹿卿。

癸卯,诏夺前礼部侍郎刘晋之一官,罢祠,以监察御史孙起予言其怀利失志也。

乙巳,以刘汉弼言,罢主管侍卫步军司公事王德明,以王福代之。

丙午,以程公许为起居郎兼直学士院。

丁未,再趣游侣、杜范供职。

戊申,雷。

庚戌,召陈韡、李心传。丁巳,以陈韡为兵部尚书,李心传权刑、礼部尚书兼给事中,王伯大权吏部尚书兼中书舍人,赵以夫权刑部侍郎。

戊午,以祷雪,出封桩库十八界楮币二十万赈临安细民,犒三衙诸军亦如之。

庚申,诏释大理寺、三衙、临安府并两浙路州、县杖以下系囚。

辛酉,以雪寒,给诸军钱,出戍者倍之。

刘汉弼密奏曰:"自古未有一日无宰相之朝,今虚相位已三月,愿奋发英断,拔出阴邪,庶可转危为安。否则是非不两立,邪正不并进,陛下虽欲收召善类,不可得矣。臣闻富弼之起复,止于五请;蒋芾之起复,止于三请。今史嵩之已六请矣,愿听其终丧,亟选贤臣,早定相位。"十二月,庚午,听史嵩之终丧。

以范钟为左丞相,杜范为右丞相兼枢密使,游侣知枢密院事兼参知政事,刘伯正参知政事、签书枢密院事。

杜范首上五事:"曰正治本,政事当常出于中书,毋使旁蹊得窃威柄。曰肃宫闱,当严内外之限,使宫府一体。曰择人才,当随其所长用之而久于其职,毋徒守迁转之常格。曰惜名器,如文臣贴职,武臣阁卫,不当为徇私市恩之地。曰节财用,当自人主一身始,自宫掖始,自贵近始,考封桩出入之数而补塞其罅漏,求盐策楮币变更之目而斟酌其利害。"仍请早定国本以安人心。

壬申,以赵葵同知枢密院事。葵言:"今天下之事,其大者有几?天下之才,其可用者有几?从其大者而讲明之,疏其可用者而任使之。有勇略者治兵,有心计者治财,宽厚者任牧养,刚正者持风宪。为官择人,不为人择官。用之既当,任之既久,然后可以责其成效。"又,"请亟与宰臣讲求规画,凡有关于宗社安危治乱之大计者,条具以闻,审其所先后缓急以图筹策,则治功可成,外患不足虑。"

以四川安抚使孟珙兼知江陵府。

珙谓其佐曰："政府未之思耳。彼若以兵缀我，上下流有急，将若之何？珙往则彼捣吾虚，不往则谁实捍患！"识者是之。珙至江陵，登城，叹曰："江陵所恃三海，不知沮洳有变为桑田者，敌一鸣鞭，即至城外。自城以东，古岭、先锋，直至三汊，无有限隔。"乃修复内隘十有一，别作十隘于外，有距城数十里者。沮、漳之水，旧自城西入江，乃障而东之，俾绕城北入于汉，而三海遂通为一。随其高下，为柜蓄泄，三百里间，渺然巨浸。土木之功，百七十万，民不知役。绘图上之。

癸酉，诏曰："朕望道未见，闵时多艰，与予共治之臣，锢于谋身之习。有官守者，以谋身而失其守，有言责者，以谋身而失其言，各怀患得患失之私，安有立政立事之志！致天工之多旷，宜国步之未夷。今朕躬揽权纲，首严训迪，凡联事而合治，各涤虑以洗心。毋怀私恩，毋萌私念，毋植私计，毋缔私交。三事大夫，以朝廷未尊为己愧，士气未振为己耻，守令以民俗未裕为己责，将帅以边疆未谧为己忧。主尔忘身，国尔忘家，以共图内安外宁之效，则予汝嘉；其或不恭，邦有常宪。"帝一新吏治，故有是诏。

蒙古诸王呼必赉，图垒第四子也，思大有为于天下，访求贤才，虚己咨询。先是怀仁赵璧侍藩邸，为呼必赉所信任，呼以秀才而不名。董文用，俊之子也，主文书，讲说帐中，因命驰驿四方，聘名士。

时肥乡窦默，以经术教授于乡，遣文用召之。默变姓名以自晦，文用俾其友人往见，而微服踵其后。默不得已，乃拜命。既至，问以治道，默首以三纲、五常为对，呼必赉曰："人道之端，孰大于此！失此则无以立于世矣。"默又言："帝王之道，在正心、诚意。心既正，则朝廷远近莫敢不一于正。"呼必赉深契其言，敬待加礼，不令暂去左右。

默荐姚枢，呼必赉遣赵璧召之，闻其至，大喜，待以客礼。枢为《治道书》数千言，首陈二帝、三王之道，以治国、平天下之大经，汇为八目，曰修身、力学、尊贤、亲亲、畏天、爱民、好善、远佞。次列救时之弊，为条三十，各疏其弛张之方于下，本末兼该。呼必赉奇其才，动必召问。

金之亡也，左右司郎中王鹗，将就戮，蒙古万户张柔见而异之，释其缚，辇归，馆于保州。呼必赉遣使聘之；及至，使者数辈迎劳。召对，请讲《孝经》《书》《易》及齐家、治国之道，古今事物之变，每夜分乃罢。呼必赉曰："我虽未能即行汝言，安知异日不能行之耶！"鹗旋乞还，赐之马，仍命近侍库库、柴桢等五人从之学。

邢台刘侃，少为令史，居常郁郁不乐，一日，投笔叹曰："丈夫不遇于世，当隐居以求其志，安能汩没为刀笔吏乎！"即弃去，隐武安山中，旋为僧，名子聪，游云中，居南唐寺。时僧海云赴呼必赉之召，过云中，闻其博学多才艺，邀与俱行。既入见，应对契意，屡有询问。子聪于书无所不读，尤邃于《易》，旁通天文、律、算、三式之属，论天下事如指诸掌，呼必赉大爱之。海云归，子聪遂留藩邸。

淳祐五年　蒙古太宗皇后称制四年【己巳，1245】　春，正月，丁酉朔，诏曰："国家以仁立国，其待士大夫尤过于厚。台谏乃因得言而释私憾，摭细微而遗巨奸，迁谪降黜，或出非辜。其令三省将见在谪籍人斟酌放令自便，追夺停罢，亦与酌情牵复。其贪酷害民，公议弗容者，不拘此旨。"

又诏："边将兴师，河南之境，锋镝所接，宁免疮痍。中原遗民，皆祖宗赤子，朕甚痛之。

自今边臣各谨守封疆,毋先事首戎;益务绥怀,大布恩信,以副朕兼爱南北之意。"

己酉,雷。庚戌,避正殿,减膳。诏中外指陈阙失。

乙卯,刘伯正罢,以监察御史孙起予言其隐默充位也。诏以礼部尚书兼给事中李性传为端明殿学士、签书枢密院事兼参知政事。

召提举鸿庆宫李韶权礼部尚书。入见,疏曰:"陛下改畀政权,并进时望,天下孰不延颈以觊大治!臣窃窥之,恐犹前日也。君子、小人,伦类不同。惟不计近功,不隐小利,然后君子有以自见;不恶闻过,不讳直言,然后小人无以自托。不然,治乱安危,反覆手尔。今土地日蹙,人民丧败,兵财止有此数,旦旦而理之,不过椎剥州县,朘削里闾,就使韩、白复生,桑、孔继出,能为陛下强兵理财,何补治乱安危之数!况议论纷然,贤者不肯苟容而去,不肖者反因是以媒其身。此君子、小人进退机括所系,何不思之甚也!闻之道路,德音每下,昆虫、草木,咸被润泽,恩独不及一朽骴;威断一出,公卿大夫,莫敢后先,令独不行于一老媪;大小之臣,积劳授爵,皆得以延于世,而国储君副,社稷所赖以灵长,独不早计而预定。何耶?"又疏乞归,不许,擢翰林学士。

二月,戊辰,诏:"昨罢科籴,但令依时输纳,量革吏奸,使民乐输。此后仰常切遵守,永无科籴,犯者以违制论。"

甲戌,吕文德败蒙古兵于五河,复其城;诏进二秩。

壬辰,太白昼见,经天。

三月,庚子,以殿中侍御史郑寀言,命有司举行温大雅、程以升、吴淇、徐敏子纳贿之罪。仍降诏曰:"时方多事,念未能蠲租减赋,而吏之不良,乃肆贪虐!或有前期预借,或抑配重催,或斛面取赢,或厚价抑纳,朘毒害民,朕深悯焉。可令监司常切觉察,务苏疾苦而消愁叹。倘隐而不闻,公论所指,必罚无赦。"

甲辰,右曹郎中吴中良进对,言盐楮事。帝曰:"盐楮诚今日急务。"中良曰:"旧行官贩,商贾坐废。近日罢官贩,还客贩,然尚恐贴纳太多,商贾未便。愿与大臣熟议。"

出十七界楮币百万,下淮东犒水陆战守诸军。

壬子,禁淫祀。

癸丑,殿中侍御史郑寀,请括淳祐初所创籴本盐,可以资粜,又省括楮;从之。

丁巳,刑部侍郎赵以夫入见,言国本。帝曰:"此事实不可缓。"以夫曰:"臣编类仁宗、高宗《两朝定储本末》,具载谏疏及举行次第,庶几成宪昭然,可以早定大计。"

己未,驾部郎官江万里言端平更新,因及元祐更役法事。帝曰:"只因太骤耳。"万里对曰:"君子只知有是非,不知有利害。"帝曰:"元祐君子亦自相攻。"万里曰:"此小人所以得乘间而入。今收召未多,恐元气不壮,无以胜邪气,全在陛下把握耳。前者端平之初,把握不定,故改更不过如绍圣耳。今第二番把握不定,更无复新之日矣。"帝首肯。万里又言二相退逊太过,中外皆无精采,帝复肯之。

辛酉,诏:"陈畏、叶武子,年高德粹,请退可嘉,其以畏为集英殿修撰,武子秘阁修撰。"

以刘伯正为资政殿学士、提举洞霄宫。

权吏部侍郎王伯大入对,言史嵩之独相时,郑起潜、濮斗南专失人心。帝曰:"数人作尔许刻薄事!"伯大又言国本,帝曰:"朕置小学,正为此。"

夏,四月,癸未,以吕文德为枢密副使,依旧淮西招抚使、知濠州。

丙戌,诏刘虎、萧均、赵邦求、夏皋各进一秩,赏清河、涟、泗、招信捍御之劳也。命吕文德依旧节制濠、丰、寿、宿、亳等郡军马。

杜范以观文殿学士致仕。丁亥,范薨。范清修苦节,室庐仅蔽风雨。身若不胜衣,至临大节,则贲、育不能夺。寻赠少傅,谥清献。

戊子,诏:"李曾伯、余玠、董槐、孟珙、王鉴,职事修举,加曾伯奎章阁直学士,槐进秩,珙、鉴进二秩,并因其任。"

五月,丁未,赵葵言:"诸处江防,极为疏陋,请下沿江制司及副司、江南、江西帅司、湖广总所、两浙漕司、许浦水军司,共造轻捷战船,创置游击军强壮三万人,分布新船以备缓急。"从之。

诏:"太常少卿王万,立朝謇谔,古之遗直;为郡廉平,古之遗清;家贫母老,朕其念之。特赠集英殿修撰,仍拨赐官田五百亩,封桩库十八界楮币五千贯,以赡其家。"

六月,丙寅,以旱,决中外系囚。

甲申,左司谏谢方叔请早定国本,仍录进司马光、范镇建议始末,帝嘉纳。

丙戌,兵部侍郎徐元杰暴卒。

史嵩之既去,元老旧德,次第收召。及杜范入朝,复延元杰议政,多所裨益。会元杰将入对,先一日,谒范钟,归,热大作,夜四鼓,指爪忽裂以死。三学诸生相继伏阙上言:"昔小人倾君子者,不过使之死于蛮烟瘴雨之乡;今蛮烟瘴雨,不在岭外而在朝廷。"诏付临安府鞫治。然狱迄无成。

刘汉弼亦每以奸邪未尽屏汰为虑,先以肿疾暴卒,太学生蔡德润等七十三人叩阍上书讼冤。时杜范入相,八十日卒,汉弼、元杰相继暴亡。时谓诸公皆中毒,堂食无敢下箸者。

初,嵩之从子璟卿,尝以书谏嵩之曰:"伯父秉天下之大政,必能办天下之大事;膺天下之大任,必能成天下之大功。比所行渐不克终,用人之法,不待荐举而改官者有之,谴责未几而旋蒙叙理者有之,丁艰未几〔而〕遽被起复者有之。借曰有非常之才,有不次之除,酽恩异赏,所以收拾人才,而不知斯人者,果能运筹帷幄,献六奇之策而得之乎,抑亦献赂幕宾而得之乎?果能驰身鞍马,竭一战之勇而得之乎,抑亦效颦奴仆而得之乎?徒闻苞苴公行,政出多门,便嬖私昵,狼狈万状。祖宗格法,至今日而坏极矣。

"自开督府,东南民力,困于供需,州县仓卒,匮于应办。輂金帛,挽刍粟,络绎道路,一则曰督府,二则曰督府,不知所干者何事,所成者何功?近者川蜀不守,议者多归退师于鄂之失。何者?分戍列屯,备边御敌,首尾相援,如常山之蛇。维扬则有(范)〔赵〕葵,庐江则有杜伯虎,金陵则有别之杰,为督府者,宜据鄂渚形势之地,西可以援蜀,东可以援淮,北可以镇荆襄。不此之图,尽捐藩篱,深入堂奥,伯父谋身自固之计则安矣,其如天下苍生何!是以饥民叛将,乘虚捣危,侵轶于沅、湘,摇荡于鼎、澧。盖江陵之势苟孤,则武昌之势未易守,荆(州)〔湖〕之路稍警,则江、浙诸路焉得高枕而卧?况杀降失信,则前日彻疆之计不可复用矣;内地失护,则前日清野之策不可复施矣。此隙一开,东南生灵,特几上之肉耳,宋室南渡之疆土,恶能保其金瓯之无阙也?盍早为之图,上以宽九重宵旰之忧,下以慰双亲朝夕之望?不然,师老财殚,绩用不成,主忧臣辱,公论不容。万一不畏强御之士,绳以《春秋》之法,声以讨罪不效之咎,当此之时,虽优游菽水之养,其可得乎？异日国史载之,不得齿于赵普开国勋臣之列,而乃厕于蔡京误国乱臣之徒,遗臭万年,果何面目见我祖于地下乎？"

"为今之计,莫若尽去在幕之群小,悉召在野之君子,相与改弦易辙,戮力王事,庶几失之东隅,收之桑榆。如其见失而不知救,视非而不知革,薰(犹)〔莸〕同器,驽骥同枥,天下大势,骎骎日趋于危亡之域矣。伯父与璟卿,亲犹父子也,伯父无以少年而忽之,则吾族幸甚,天下生灵幸甚,我社稷幸甚!"

居无何,璟卿暴卒,相传嵩之致毒云。

范钟进召试馆职二人,帝思徐霖之忠,亲去其一,易霖名。及试,则曰:"人主无自强之心,大臣有患失之心,故元良未建,凶邪未审。"擢秘书省正字。钟所以不敢举霖,畏嵩之复出也。

秋,七月,癸巳朔,日有食之。甲午,避殿,减膳,训饬近臣。

辛丑,以常、润大旱,命有司举行恤政。

乙巳,出封桩库楮币赈临安细民。

己酉,诏刘伯正、金渊落职,罢祠,从监察御史刘应起之言也。

庚戌,进郑清之为少傅。

乙卯,诏:"徐元杰鸣阳之凤,刘汉弼触邪之豸,天不慭遗,夺我忠臣。汉弼母老,元杰子弱,一贫皆同,朕甚悯之! 各赐官田五百亩、新楮五千缗,以见朕怀贤不已之意。"

蒙古察罕会张柔掠淮西,至扬州而去。

八月,戊辰,以河南诸郡秦琳等八人,连年在边,战守宣劳,各进一秩,添差淮东、西兵职有差。

诏求通天文、历学之人。

丙申,诏申严预借重催取赢抑配之禁,令监司觉察,毋害吾民。

九月,癸巳朔,诏:"濮斗南更降两官,文虎、叶赉各降一官,项容孙落职、罢祠。"以右正言郑寀言其附丽权相也。

己酉,朝献景灵宫。庚戌,朝献太庙。辛亥,大飨于明堂,奉太祖、太宗、宁宗并配。大赦。

冬,十月,壬午,主管官告院庄同孙进《洪范五事箴》。帝曰:"五事当于敬字上用工夫。"读至《思箴》,帝曰:"五事以思为本。"

十一月,乙未,郑清之乞归田,诏不许。

壬寅,诏:"更夺林光谦三秩,徙居衡州;夺袁立孺、宣璧、王至一秩,刘棫、施逢辰、刘阶两秩。"以监察御史江万里言其贪职及依凭权门也。

甲辰,范钟请老,不许。

以礼部尚书陈韡为端明殿学士、同签书枢密院事。

十二月,壬戌朔,以祈雪,诏大理寺、三衙、临安府、两浙州军并建康府,系囚杖以下释之。

丙寅,诏:"昨据太史奏,来岁元旦,日有食之。方岁序之更端,值太阳之交蚀,凛然谴告,震于朕心。尝观祖宗盛时,或有此异,上下之间,益相儆惧。今宜讲求实政,凡可以销弭灾异者,次第行之,毋为具文,以称朕祇畏天戒之意。"

戊寅,诏:"太史〔奏〕,来岁正旦,太阳当食,皇天示儆,避正殿,减常膳,求直言。朝廷百司讲求阙政,宽民力,恤军旅,缓刑狱,问疾苦,辑流民,凡可以销灾变者,毋匿厥指,共图应天之实。元旦百官免朝贺。"

右补阙程元凤论格心之学,谓格士大夫之风俗,当格士大夫之心术。人以为格言。

己卯,以游倎为右丞相兼枢密使,李性传同知枢密院事。郑清之为少师,依旧醴泉观使兼侍读,仍奉朝请,赐第行在。时清之子士昌,追逮诏狱,有诈言其死者,清之造阙,号泣请于帝。帝命复士昌官职,与内祠,且许侍养行在。起居郎程公许缴奏:"士昌罪重,京都浩穰,奸究杂糅,恐其积习沈痼,重为清之累,莫若且与甄复,少慰清之,内祠侍养之命,宜与收寝。"帝密遣中贵人以公许疏示清之,乃止。

诏:"兵、财系乎国命,强兵之事,赵葵主之,财用之计,陈韡理之。二相则总大纲而中持其衡,以共济国事。"从江万里之言也。

嗣沂王贵谦、嗣荣王与芮,并加少保。

癸未,李性传除职予郡。

淳祐六年 蒙古定宗元年【丙午,1246】 春,正月,辛卯朔,日有食之。

以陈韡言,置国用所,命赵与𢡟为提领官。

权兵部尚书李曾伯应诏上疏,备陈先朝因天变以谨边备,图将材,请早易阃寄;又请浚泗州西城。

秘书省正字徐霖疏曰:"日,阳类,天理也,君子也。吾心之天理不能胜人欲,朝廷之君子不能胜小人,宫闱之私昵未屏,琐闼之奸邪未辨,台臣之讨贼不决,精祲感浃,日为之食。"又数言建立太子。迁秘书郎。

通判潭州潘牥上封事曰:"熙宁初元日食,诏郡县掩骼,著为令。今故济王一抔浅土,其为暴骸亦大矣!请以王礼葬。"不报。

秘书郎高斯得上言:"大奸嗜权,巧营夺服;陛下奋独断而罢退之,是矣。谏宪之臣,交疏其恶,或请投之荒裔,或请勒之休致;陛下苟行其言,亦足以昭示意向,涣释群疑。乃一切寝而不宣,阅时既久,人言不置,然后黾勉传谕,委曲诲奸,俾于袭经之时,妄致挂冠之请,因降祠命,苟塞人言,又有奸人阴为之地。是以讹言并兴,善类解体,谓圣意之难测,而大奸之必还,莽、卓、操、懿之祸,将有不忍言者!"又言:"大臣贵乎以道事君,今乃献替之义少而容悦之意多,知耻之念轻而患失之心重。内降当执奏,则不待下殿而已行;滥恩当裁抑,则不从中覆而遽命。嫉正庇邪,喜同恶异,任术而诡道,乐偷而惮劳。陛下虚心委寄,所责者何事,而其应乃尔!"又言:"便嬖侧媚之人,尤足为清明之累。腐夫巧谗,妖媪旁通,阴奸伏蛊,互煽交攻,陛下之心,至是其存者几希矣。陛下之心,大化之本也。洗濯磨淬,思所以更之;乃徒立虚言无实之名而谓之更化,此天心之所以未当,大异之所以示儆也!"帝嘉纳。

二月,壬戌,金部郎官王佖,言人主论相,当取其格心,不可取其阿意,帝然之。

戊辰,范钟再乞归田;除观文殿大学士、醴泉观使。

时游倎与钟不协,故力求去,寻以高斯得之言罢之。时钟方坐相府,台吏以牒呼而出之。

4110 辛未,命提举洞霄宫,任便居住,从所乞也。

壬申,雪。蠲大理寺、三衙、临安府并属县点检赡军酒库所赃赏钱。以雪寒,出封桩库十八界楮币十万缗,犒三衙诸军。

乙酉,宗正少卿张磻言治兵、理财当为一事。磻又言先朝苏颂、傅尧俞皆不受宣谕事,帝悚听然之。

诏三衙诸军月支银并倍给。

夏,四月,辛酉,太白昼见。

戊寅,殿中侍御史谢方叔,左司谏汤中,请旌异朱熹门人胡安定、吕(寿)〔焘〕、蔡模,以劝后学,并诏补迪功郎,添差本州教授,仍令所属给札录其著述,并访以所欲言。

甲申,诏曰:"朕临朝愿治,每念乏才,有意作成,既亲扁题,分赐诸学,并赐诸生束帛,以示激励。其令三学官于前廊长谕及斋生中,公举经明、行修、气节之士,别议旌赏。京学如之。"

闰月,乙未,资政殿大学士徐荣叟薨,辍视朝一日。

戊戌,吕文德言今春北兵攻两淮,统制汪怀忠,所至逆战,将士阵亡者众,诏给缗钱恤其家。

癸卯,余玠言北兵分四道入蜀,将士捍御有功者,辄以便宜推赏,具立功等第稍转官资以闻;从之。

己酉,秘书丞王璞言杜衍封还内降事,帝曰:"朕尝谕大臣,听其执奏矣。"

庚戌,刑部侍郎兼中书、门下省检正诸房公事魏峻,言人主镇服天下,曰断而已。帝曰:"谋之欲同,断之欲独。若以大公至正行之,则断在其中矣!"

五月,庚申,诏贾似道任责措置淮西山寨城筑。

丙寅,吏部员外郎李昂英言内小学事,帝曰:"朕于小学之教甚留心。"昂英又言汉末宦官之祸,帝曰:"固当防微杜渐。"

庚午,诏:"学校明伦之地,诸生讲明,不负教育,朕用嘉之。爰命有司,举其高弟;而合词控免,陈义凛然。朕重违本心,姑徇所请,以成其美;所有束帛,不必控辞。"

甲申,诏权知高邮军兼淮西提刑萧逢辰进一秩,旌其买马、修城,留意战守也。

诏决系囚。

六月,戊子朔,诏从事郎傅实之,迪功郎林公遇,并特改京秩,仍给札询所欲言;以都省言其杜门乐道,缙绅高之也。

戊戌,著作佐郎兼权礼部郎官高斯得,言学校以小过触霆威,帝曰:"本是小事,但不当率众出见宰执。"斯得曰:"学校固不为过,但恐奸人因此动摇局面,关系不细。"帝然之。斯得又言:"群臣庞杂,宫禁奇邪,黩货外交,岂可坐视而不之问!顾乃并包兼容之意多,别邪辩证之虑浅,忧谗避讥之心重,直前迈往之忠微,遂使众臣争衡,大权旁落,养成积轻之势,以开窥觊之渐。设有不幸,变故乘之,使宗社有沦亡之忧,衣冠遭鱼肉之祸,生民罹涂炭之厄。当是时也,欲洁其身以去,其能逃万世之清议乎!"于是朝署恶之者众,旋出知严州。斯得祈祠,不许。

丙午,以祷雨,诏中外决系囚,杖以下释之。臣僚言:"旱势可虑,请分命臣僚遍祷群望,仍令有司疏决淹狱,及下诸路劝谕富家接济细民,以弭盗贼。"从之。

壬子,以陈韡参知政事兼同知枢密院事。

乙卯,台臣言李鸣复、刘伯正进则害善类,退则蠹州里,诏削秩罢祠。

【译文】

宋纪一百七十一 起癸卯年(公元 1243 年)九月,止丙午年(公元 1246 年)六月,共二年有余。

淳祐三年 蒙古太宗皇后称制二年(公元 1243 年)

九月,丁未(初四),工部郎官兼枢密院编修官赵希瀞进言:"安丰州、庐州、濠州,形势最紧,三州安定则淮甸可以无忧,长江防线也可安枕了。"皇帝说:"安丰最为关键。"赵希瀞说:"如果要稳固安丰,必须收复寿春。"皇帝认为他说得对。

癸未(疑误),同意京湖制置大使孟珙的请求,令淮东制置使李曾伯免除高邮军及其所属州县初次收获时的租牛费用。

这年秋天,蒙古察罕上奏,请令万户张柔总领诸军镇守杞县。当初,黄河决口于汴梁,向西南流入陈留,分而为三,杞县位于中河之上。宋朝军队凭借水军的优势,常由亳、泗出动骚扰汴、洛。于是,张柔依托原杞国之东、西、中三山,顺山势阻扼水流,构筑互相连接的城池,架设浮桥,做进可搏战退可耕守准备,凭固坚守。

起初,婺州知州陈康熹奏事,请求宋理宗举行严父配天的典礼,好长时间没有定夺。后来将作少监韩祥进宫讲席,又提起此事。冬季,十月,甲午(二十一日),礼寺奏请尊奉宁宗牌位置于太祖、太宗左右,以后举行祀礼,三位皇后一同配祭。皇帝命令具体制订礼制条文上报。

十一月,乙巳(初三),皇帝下诏:"直宝文阁王定,朴质无华,直显谟阁叶武子,才智聪颖、淡于名利,二人辞官日久,年长德高,改任王定为秘阁修撰,叶武子为直龙图阁。"

乙卯(十三日),命令潮州守臣节制摧锋军分兵驻守。

乙未(疑误),免除大理寺、三衙、临安府及其所属县点检赡军犒赏酒库所赊赏钱。

命令广东提刑节制韶州摧锋军。

壬戌(二十日),天降雪。给驻临安诸军发放钱饷,屯驻外地的军队加倍发给。

甲子(二十二日),枢密院编修官兼暂代都官郎官何式议论蜀中事务,皇帝说:"正好趁闲暇时兴工程夫役。"当时正倚重余玠,所以皇帝在说话中提及他。

最初,蜀中征纳的财赋,交户部三司的有五百余万缗,交四总领所的有二千五百余万缗,金银、绫锦之类无须预征。但是自从宝庆三年(公元 1227 年)关外之地丧失,端平三年(公元 1236 年)蜀地残破以后,所存州县无几,国家财政日益窘迫。十六年间,一共任命过宣抚使者三人,制置使者九人,副使四人,这些人有的年老体衰,有的任期短暂,有的昏庸无能,有的贪得无厌,有的残酷凶恶、粗暴乖张,有的领官而不到任,有的专搞摩擦而绝少谋略,致使两川民不聊生,加之监司、戎将各自为政,蜀地事务日益败坏。

到余玠上任后,大刀阔斧地改革弊政,审慎选拔地方官吏,于自己官府之左建招贤馆,馆内的陈设与其府第完全一样。余玠还下令说:"汇集众人之智,广育忠诚之心,这是诸葛孔明之所以能治理好蜀地的根本。有识之士如果有好的计策要向我建议,路近的可以直接到我的公府,路远的可以到所在州县的官府言明,官府要恭恭敬敬地把他们送来。高爵重赏,朝廷并不吝惜。豪杰之士,有欲急切有所作为者,如今正是时机。"贤士到来后,余玠不厌其烦地以礼接待,使他们都非常满意;对于提出可行建议者,据才学而授职,其建议不可用者也赠予厚礼以示谢意。

播州的冉琎和他的弟弟冉璞,有文武才略,隐居在山野中,数任蜀官多次征召二人,都不应召。二人闻听余玠贤明,即来拜见,余玠以贵宾礼接待他们,食宿待遇优于他人。兄弟二人住了数月,没有提出任何建议,于是余玠将他们移居到别的馆舍,每日派人窥视二人的行动。冉氏兄弟终日无所言,只是相对蹲坐,用白土在地上画出山川城池的地形图,然后起身到外面散步。这种情形又持续了十几日,二人终于请求谒见余玠。将左右摒退后,二人对余玠说:"从目前西蜀的局势出发,应该移建合州城。"余玠一听,不觉站起身说:"这也是我的意向,但一直没有考虑好新城应建于何地!"二人答:"入蜀门户中能居不败之地的莫若钓鱼山,请将新城移建于此。如果用人得当,多多积储粮草于此固守,将远胜于十万大军。"余玠大喜,于是不再与众人商议,秘密地向朝廷汇报,并请破格授予二人官职。皇帝下诏授予冉琎承事郎之职,暂且于合州任事,冉璞为承务郎,暂且通判合州事务,迁城之事全权委托他们办理。

迁城命令一下,州府上下哗然,众人皆认为此举不妥。余玠生气地说:"城建成则蜀地可以赖其保平安,如果不成,我余玠一人当罪,与大家无关。"终于建成青居、大获、钓鱼、云顶、天生等,共十余座城,全部依山而立,棋布星分,并作为诸郡的治所。又把金州驻军调至大获城以保护入蜀门户,把沔州驻军调至青居,兴州驻军原先驻守合州旧城,现移守钓鱼城,共同防御内水,将利州驻军调守云顶城,以防御外水。如此则指挥调动如臂使指,各城相互依托,屯兵积粮,作坚守的准备,蜀中百姓方有安土之心。余玠又制作《经理四蜀图》进献朝廷,并说:"若有幸任职十年,将手挈四蜀之地,还之朝廷,然后归老山林,是臣所期望的。"

十二月,丁丑(初五),沿江制置副使司报称屯田收入成倍增加,属官文庆洪等人受到不同的奖赏。

己丑(十八日),史嵩之五次请求罢职,领取祠禄,皇帝均未同意。当时黄涛、刘应起等人都上书陈说史嵩之奸邪深重、擅弄权柄,皇帝一概不听,但持此言论者越来越多。

丙申(二十五日),因为天气寒冷,再次拨给诸军薪炭钱。

辛丑(三十日),侍卫马军副都指挥使、总制两淮军马吕文德,因为在汴、濠、胶、淄的功绩,晋升四级。

淳祐四年 蒙古太宗皇后称制三年(公元1244年)

春季,正月,壬寅朔(初一),皇帝下诏说:"上天帮助顺理,敌国内部相互背离,此时正该广推恩信以系人心,充分积蓄力量以等待时机。你们这些执权一方之臣,分麾统兵之将,从今日起,必须安抚、收容流民,让他们像以前一样生活,同时招收离散兵将,使他们得以自新。不许擅自兴师动众,不许滥杀无辜,要使中原幸存黎民百姓能看到重新生活的希望。"当时正传闻蒙古皇后掌权的消息,社会上人心浮动,所以才下此诏。

皇帝亲自制作《训廉》《谨刑》二铭文,警戒各地。

任命李鸣复为参知政事,与杜范同为枢密院知事,以暂代刑部尚书兼给事中刘伯正为端明殿学士、签书枢密院事。杜范不屑与李鸣复共事,请求辞职,皇帝让其留任。太学生们也上书请求留任杜范而斥退李鸣复，并斥退史嵩之。史嵩之更加恼恨。

丁巳（十六日），侍御史刘晋之、王瓒，监察御史赵伦、吕午，顺承史嵩之的意图，攻击李鸣复、杜范二人，于是李鸣复、杜范都被调主地方任职。

戊午（十七日），枢密院报称："四川帅臣余玠，与敌人大小三十六战，劳苦功高，应该论功行赏。"于是皇帝下诏令余玠迅速上报立力将士的姓名及功劳等第，随即依功论赏，播撒皇恩。

己未（十八日），朝拜献景灵宫。

以刘伯正兼代参知政事，很快又兼任同提举编修敕令。

庚申（十九日），以余玠兼任四川屯田使。

当初，利州都统王夔，素来残暴、凶狠，人称"王夜叉"，从汉州败退回来后，越发桀骜，不受节制、调遣；在所过之处大肆劫掠财物，凡遇到富有之家，即用非刑威逼掠取金帛，稍不遂意就杀死主人，百姓苦不堪言。余玠到嘉定，王夔率领所部兵迎见，不过赢弱二百人。余玠说："久闻都统所统兵精，今日所见如此疲敝，实在是与声望不相符。"王夔回答说："我的兵并非不精，之所以不敢让他们走近谒见，是因为恐怕惊骇您的随从。"不久，大军列队，声如雷鸣，江水为之沸腾，旗帜精明，舟中余玠的随从都战栗失色，唯独余玠神情自若，从容不迫地指挥随从颁发赏物。王夔回去，对别人说："读书人中间竟有这种人！"

余玠欲铲除王夔，但忧虑他手握重兵，恐怕轻举妄动会危及蜀地的安全。他与亲将杨成商议。杨成说："目前如果放纵王夔，不杀掉他，使其势大的话，一旦他有所行动，西蜀就危险了。王夔在蜀地虽然久有威名，但哪里比得上吴氏呢？吴氏于中兴危难之时，能够历经百战保全蜀地，并传之四世，根基日益稳固；而吴曦突然叛逆时，诸将诛杀他就像抓一头猪一样。何况王夔并无吴氏之功而有吴曦的叛逆之心，他纵兵残害百姓，把同僚看成奴仆似的，杀掉他，一夫力足够了；如果等到他发难时再下手，就困难多了。"余玠于是下了决心。一日夜晚，余玠召王夔来议事，暗令杨成代领其军，王夔刚刚出军营，杨成便单骑闯入，王夔部下将士都错愕相顾，不知所措。杨成以主帅的身份向他们陈说利害，使他们知晓处境，于是众人相继表示愿意接受指挥。王夔到余玠处后，被余玠斩杀。余玠推荐杨成任文州刺史。

二月，癸酉（初二），从封桩库拿出十七界楮币各十万，交付京湖、四川、两淮制置司用于收拢、掩埋频年交兵而阵亡的士兵骨骸。

丁酉（二十六日），寿昌飞虎军统制郑大成贬官三级，因为他戍守涪州，遇敌不战就弃城而逃。

三月，壬寅（初二），皇帝下诏以杜范不愿接受新的任职的缘故，依据他的旧职，命其掌理洞霄宫。

甲寅（十四日），为皇帝讲解经传史传已讲到《论语》的终篇。己未（十九日），于秘书省赐宴招待宰执、讲读、侍立官等。依旧制讲读、侍立官晋升一级。

以吏部尚书兼给事中金渊为端明殿学士、同签书枢密院事，不久派他掌理编修《经武要略》。

夏季，四月，壬午（十二日），皇帝下诏："两浙漕司所属郡邑，将今年夏税折帛钱的一半，令百姓以楮币抵钱缴纳。"

皇帝下诏:"寿春被围,将士守御劳苦,每人各补给升迁三级的官资,拨出封桩库十七界楮币 100 万犒劳守军,到解围之日还将予以重赏。"又命令江东漕司拨出寄桩十七界楮币共 20 万,犒劳安丰策应寿春之围的将士。

丁亥(十七日),根据淮东制司关于代理总管王德等随同王鉴平定山城有功的上报,皇帝下诏令晋升王德二级官品,其余诸将依功大小分别补给升迁官资,发给犒赏。

五月,乙巳(初六),根据淮东制臣关于副总管兼海州知州周岱、左武卫大将军汤孝信立有直捣山东胶、密的功劳的上报,将二人于地方上晋升一级。

庚戌(十一日),皇帝下诏令泸州知州曹致大,带行地方刺史之职,这是因四川制臣余玠上报曹致大有建神臂山城的功劳结果。

戊午(十九日),蒙古军队包围了寿春,吕文德指挥水陆诸军抵御。

皇帝下诏:"江东漕司拨发寄桩十七界楮币一百万,交付淮东、西制置司犒劳水陆应援寿春的将士们。"

癸亥(二十四日),因邹应龙去世,皇帝停止视朝一天。不久赠邹氏少保之衔。

蒙古中书令耶律楚材,由于朝政日益腐败,忧愤成疾,本月去世。紧接着有人诬陷耶律楚材,言其久居相位,天下贡赋有半数被他侵吞。皇后派人遍查其宅,仅有十余琴阮,及古今书画、金石、遗文数十卷,于是停止追查。耶律楚材博览群书,旁通天文、术数;身居官位以匡国济民为己任,群臣无人可比。后来被追封为广宁王,谥号文正。

耶律楚材墓

六月,庚午朔(初一)根据余玠所报沔州都统制、暂理遂宁府事云拱,乘成都骚乱,杀人掠货,袭取龙石泉郡官印;代理潼川府知府张涓,带兵无方、军纪涣散,杀掠平民;皇帝下诏将二人免职,云拱被放逐到琼州,张涓被放逐到昭州。

以吕文德兼任淮西招抚使,并兼任濠州知州,节制驻濠、丰、寿、亳诸州的军队。

癸酉(初四),皇帝下诏令王福暂时屯驻扬州,与当地官吏共同筹措秋防诸事。

乙亥(初六),赐进士留梦炎以下四百二十四人及第、出身。

皇帝下诏:"安丰军策应解寿春之围的将士,补给不同的任官资格。"又下诏:"寿春被围将士有保城御敌之功,先制定奖赏标准,令淮东、淮西制司依实具保奏明补任、调任其他官职。"又依据淮东制司所报,首先从海道赶到应援的立功将士,也补任、调任不同等级的官职。

丙戌(十七日),枢密院知事范钟请求去职回乡,皇帝下诏不同意。

蒙古任命杨惟中为中书令。杨惟中颇有胆略,早先为太宗所器重,奉命出使西域二十余国,宣扬国威,颁布法令,编定户籍,由官府掌管。太宗更欲重用他,南伐时,命他于军前行中书省任事。杨惟中十分好学,心存济世之志,此时独自担负起省内事务。

秋季,七月,辛丑(初三),分别命刑部尚书、监察御史、卿监、郎官,审查临安及其所属县、三衙两厢关押的囚犯。

壬子(十四日),皇帝下诏:"征招淮河地区身强力壮的无业百姓五千人,组建武胜军。"这是采纳淮西安抚副使王鉴的建议而下的命令。

甲子(二十六日),皇帝下诏:"项安世学风正派,品行正直,是先朝名儒,特赠集英殿修撰之职。"

八月,癸未(十五日),皇帝下诏:"户部已再三申明严禁州县苛取租税,诸路漕臣调查出违犯禁令者弹劾他们。"

九月,癸卯(初五),右丞相史嵩之因其父史弥忠病重,告假。乙巳(初七),史弥忠死。丙午(初八),令史嵩之官复原职。

太学生黄恺伯、金九万、孙翼凤等一百四十四人上书说:"我们听说君王恩情与天地等同,对父母的忠孝不分古今。只有对父母孝顺,才可能对君王忠心,自古求忠臣必于孝子之门,没听说不孝之子可以期望他对君王忠心的。宰我向孔子请教三年守丧的礼仪时说'一年就可以停止了',他的意思是要以一周年的时间代替三年守丧之礼,孔夫子还以不仁而斥责他。没听说有人获知父母生命垂危而不去看望问候的,没听说有人得知父母去世的消息而不去奔丧的,有人心、知天理的人,一定要这样做!而今不仅是对父母没有三年守丧之爱,而且对父母连一日之爱也没有。宰予得罪于圣门,而像史嵩之这样的人则比宰予还更加是个罪人。

"况且守丧未满而起用之说,在圣人经典中并无记载,只不过是权宜变通之礼,是衰世时才开始出现的。我朝的大臣中,象富弼那样身系社稷危安,其进退关系着天下轻重的人,即所谓国家重臣,不可一日缺少。守丧未满而起用富弼的诏令下达后,一共派去了五个使臣,富弼都以金革变礼不可用于和平之时而拒绝,最后终于没有从命,至今天下还在传诵此事。至于象郑居中、王黼之流,厚颜无耻、顽固不化,贪恋官位,甘心守丧未满而起用,绝灭天理,最后终于酿成靖康之祸,过去的事是可以再次发生的。那史嵩之是什么人?心术不正,行为诡秘莫测。从前开督府时,以和议涣散将士们的斗志,以重金窃取了宰相之位,网罗天下的小人作为自己的私党,侵夺天下的利益和权力归入私室,其图谋险恶,日积月累,险不可测,他在朝廷一日,则贻一日之祸,在朝廷一年,则贻一岁之忧,万口一辞,唯恐赶走他不及时。史嵩之故去了父亲,由于很快地让他去职奔丧,海内外刚感到大快人心,而陛下在守丧期限未满重新起用他的命令又下达了。"

"陛下可能会说,大臣去职不可以不留任。史嵩之不顾天理,得知父亲的死讯不立即奔丧,还徘徊拖延数日,指派奸邪之辈,占据重要职位,拉拢贵戚,买通宫内太监,转移上心,夤缘御笔,落实好守丧期限未满肯定会被事后重新起用,才徐徐离去。大臣辅佐天子以孝治天下,大臣不行孝,是领导天下成为无父之国呀。鼎铛尚有耳朵,那史嵩之岂不知道富弼不接受在守丧期限未满重新起用之事,而居心效仿郑居中、王黼之流的所作所为?"

"陛下之所以在守丧期限未满重新起用史嵩之,是因为他具有折冲万里的才智吗?史嵩之根本没有捍卫封疆的才能,只不过精通控制朝廷之术罢了。敌国内乱,骨肉相残,是天使他们这样的。而史嵩之贪天之功,欺蒙陛下,他以为三边骚乱频发,非我不足以制胜对方。殊不知敌情叵测,并不是史嵩之所能控制的,史嵩之不过欲挟制胜敌人之名来控制陛下罢了。"

"陛下之所以在守丧期限未满而重新起用史嵩之,是认为他有经理财政之才吗?史嵩之根本就没有富国裕民的本事,仅具有给自己聚敛财产的谋略。况且国家财政之源,本以盐政为重,如今钞法多次更改,能归于国家的利润十无一二,而聚之于私家的金帛已不可胜计了。国家的疆土日见减少,而史嵩之的田宅日见扩大;国家的帑藏日见空虚,而史嵩之的囊橐却日见丰厚。陛下眷恋史嵩之,留其不去,是欲有利于我国,殊不知恰恰给我国造成了无穷之害。"

"史嵩之胆敢肆无忌惮地筹划使自己得以在守丧期限未满而重新起用之事,因为有史弥远的所作所为可以效法。但史弥远当时故去的是庶母,而史嵩之所故去的是亲生父亲;史弥远先奔丧而后才得以在守丧期未满时而应召复职,而史嵩之却在守丧期未满时而应召复职之后才去奔丧。像史弥远那样贪图财利、官位之人,还有所顾忌,庶母丧于嘉定元年(公元1208年)十一月之戊午(二十二日),在守丧期未满时而应召复职于次年五月之丙申(初四),不像史嵩之隐瞒父亡这事实,欺蒙皇上,灭绝天常,如此狠毒。"

"而且史嵩之的图谋也相当奸猾,自从他居相位以来,明明知道父母双亲年事已高,但他日夜图谋的是首先为其自己在守丧期未满而重新起用张本。近畿地区粮饷的统管,本来并不乏人,但偏偏重新起用守丧期未满哭声尚未停止的马光祖;京口的守臣,岂无他人可以胜任,而偏偏要重新起用奔丧未终的许堪。所以社会上流传着十七字之谣,称:'光祖做总领,许堪为节制;丞相要起复,援例'。社会上的平民百姓,都知史嵩之奸,为什么唯独陛下一人不知晓呢?台谏不敢进言,是因为他们已成史嵩之的爪牙;给舍不敢进言,是因为他们已成史嵩之的心腹;侍从不敢进言,是因为他们已成史嵩之的亲信,执政不敢进言,是因为他们也成了史嵩之的羽翼了。史嵩之在应当万分悲痛之时,提拔奸臣以控制喉舌,却宣称他绝无阳城毁麻之事;培植私党以据守要职,又宣称其决不做惠卿反噬之事。"

"自古以来,凡大臣靠君王宠信倚仗权势达到三世的,没有不使别人的国家不亡的,汉代的王氏、魏国的司马就是明证。史氏专权,至今已三世了。军旅将校只知有史氏,天下士大夫只知有史氏,甚至陛下的左右前后亦只知有史氏,陛下已处于孤悬于上的境地,实在是太可怕了!皇天欲铲除史嵩之,而陛下将其留任,难道堂堂一个中国就没有君子吗?陛下只宠信一个小人且还不醒悟,这是想要将太祖所创的三百年之天下毁于史氏之手后才肯罢休。"

"任命诏书上有这样的话:'赵普于乾德开创之初,胜非在绍兴艰难之际,都顺应改变的礼制,最终立下战功。'但是将人互相比拟一定要立足于他们的伦常,曾经堕于奸险深渊的史嵩之怎么能与赵普等诸位贤者同日而语呢?我们愚见所指出的史氏拔擢奸臣控制喉舌之举就是明验。任命诏书中还说:'谍人报告敌兵正在集结,边境传报敌人哨骑不断前来刺探。加之目前已到了秋高马肥之时,接近天寒地冻的季节了。'而当史嵩之虎踞相位之时,从来讳言边防事务。通州失守,一直过了一个月的时间才汇报;寿春告急,一直到形势极为危急的时候才报告。如今为了图谋在守丧期未满之时重新任职,乃私下指使词臣,渲染边境的情势,以吓唬陛下,其实他是要行其挟持陛下的计谋。我们愚见所指出的史氏拔擢奸臣来控制喉舌之举又可明验。"

"仔细看看史嵩之自从当上宰相,动不动就提出要遵守法纪,但涉及他自身,就不受礼法约束而在其之外了。可判五刑的罪恶有三千种,其中没有比不孝更大的罪恶。如果以法律来制裁他,即便加之铁钺,也不足以平息天下众怒;更何况又将其恢复到高高在上、众人仰望的地位,如此将以什么来教导天下后世呢?"

"我们这些人与史嵩之本来并无宿怨私愤,而之所以争先恐后地进至阙下,向陛下进言,是要时时牢记纲常之礼,以泰山之重来重视名教,使天下后世为人臣、人子者,都要为忠而死、为孝而亡,以保全立身处世的大节罢了。孟轲曾经说过:'学校是三代共有的,都是用来宣扬人伦的。'我们这些人久被教育,此时不言,则人伦扫地了。请陛下明断。"

武学生翁日善等六十七人,京学生刘时举、王元野、黄道等九十四人,宗学生赵与寰等三十四人,建昌军学教授卢钺,也相继上书恳切进谏,都没有答复。

范钟、刘伯正对京学生上书言事极为不满,认为都是游士鼓动、倡导他们做的,于是暗令临安尹赵与懃驱逐游士。学生们获知消息,更加不平,作《捲堂文》,赵与懃最终还是注销了游士的名籍。

己未(二十一日),将作监徐元杰进言说:"在守丧期未满之时重新起用史嵩之,士大夫议论纷纷,应当让他推举另外一个执政者取代他自己。"皇帝说:"学校虽是正论,但是说得太过分了。"徐元杰说:"正论是国家的元气,如今正论还在学校,一定要保养这一线之脉。"徐元杰又请求辞职,皇帝说:"为我讲解史传经史正仰赖你来规划,你为什么要辞职而去呢?"

乙丑(二十七日),空中响惊雷。

冬季,十月,辛未(初四),皇帝下诏说:"我的德行不够,不能推究阴阳之协调,这才导致秋冬之交,雷电交加,天威震怒,灾祸的到来已不是虚无的,真是非常可怕!自今起,我不上正殿,削减平时的膳食,还将反躬自省,平息皇天之怒,一定博览奏疏,听取各方意见,使群臣能将体国之心全部托出。允许中外臣僚,每人都可指出朝廷过失,不要有所隐讳,我一定亲自阅览,博采忠言谠论,并付诸施行,以昭示应和天意的实际行动。"

壬申(初五),任命范钟为参知政事,刘伯正为签书枢密院事。金渊请求辞职,皇帝不同意。

加派强再兴为成都府路马步军副总管兼知怀安军,节制驻防部队。

甲戌(初七),命令庆元府守臣赵伦催促史嵩之入朝。

己丑(二十二日),将右谏议大夫刘晋之、殿中侍御史王瓒、监察御史龚基先、胡清献调离原职;任命刘汉弼为右司谏。皇帝欲改革庶政,所以才有这样的安排。庚寅(二十三日),刘汉弼升迁为侍御史。

壬辰(二十五日),皇帝下诏起用杜范、游侣为万寿观提举兼侍读。自此以后贤能之士全都被录用。

甲午(二十七日),皇帝下诏:"台谏是我所依靠的耳目,如果考证旧章,应全部由我亲自提拔。自今日起不许大臣推荐台谏之臣。"

殿中侍御史郑寀进言:"宰相之位与百官不同,怎能长时间空着!实在是怕中书省在宰相到位前,先存猜忌、相互防范,缙绅之徒,各怀异心。"皇帝说:"你所奏虽切合实情,但任免大臣怎能不谨慎从事?"

4118

侍御史刘汉弼弹劾金渊尸位妨贤,金渊被罢官;又弹劾马光祖贪图荣华、忘却父母,于是撤销刚颁下的任马光祖为江西运判的命令,并勒令他为父母补办丧事。刘汉弼还建议台谏弹劾不法、论列政事，希望能随时入奏。皇帝同意他的建议。

十一月，辛丑（初四），皇帝下诏催促游侣、杜范入朝。

壬寅（初五），皇帝召见王伯大、赵以夫、徐鹿卿。

癸卯（初六），皇帝下诏削去前礼部侍郎刘晋之一级官品，并罢除其官职。这是由于监察御史孙起予弹劾刘晋之怀利失志的缘故。

乙巳（初八），根据刘汉弼的奏议，罢免主管侍卫步军司公事王德明之职，由王福代替他。

丙午（初九），任命程公许为起居郎兼直学士院。

丁未（初十），皇帝再次催促游侣、杜范入朝供职。

戊申（十一日），天空响惊雷。

庚戌（十三日），皇帝召见陈铧、李心传。丁巳（二十日），任命陈铧为兵部尚书，李心传暂代刑、礼部尚书之职兼任给事中，王伯大暂代吏部尚书之职兼任中书舍人，赵以夫暂代刑部侍郎之职。

戊午（二十一日），为祈求降雪，拨出封桩库中十八界楮币二十万赈济临安平民百姓，并以同样数字的楮币犒赏三衙诸军。

庚申（二十三日），皇帝下诏释放大理寺、三衙、临安府以及两浙路所属州县狱中处杖刑以下的囚犯。

辛酉（二十四日），鉴于风雪天寒，拨给诸军钱饷，出防别地戍守者加倍拨给。

刘汉弼密奏说："自古未有一日无宰相之朝代，如今相位已虚空三个月了，希望陛下振奋精神，英明决断，剔除阴邪之辈，这样才能转危为安。不然的话是非不能两立，邪正不可并进，陛下虽然想召收善贤之士，将不能得到。我听闻富弼在守丧期未满时因召被重新起用，一共召请了五次；蒋芾在守丧期未满时因召被重新起用，一共召请了三次。如今对史嵩之已召请了六次了，希望陛下能够听便他完成守丧之礼，立即选任贤臣，早定相位"。十二月，庚午（初四），皇帝下令听便史嵩之为父守丧三年。

任命范钟为左丞相，杜范为右丞相兼枢密使，游侣为知枢密院事兼参知政事，刘伯正为参知政事、签书枢密院事。

杜范首先上奏五件事："其一叫以正治本，政事应当常出于中书省，不要让那些奸邪之人窃得权柄。其二叫整肃宫闱，应当严格区别宫廷内外之限制，使宫廷内府成为一体。其三叫选取人才，应当依人才之长而任用他们，并且延长其任职年限，不要只拘于官吏升迁、调职的一般标准。其四叫珍惜名望，理应文臣称职，武臣善战，不可将官场作为徇私交易之地。其五叫节约开支，应当自人主自身开始，从宫内开始，从皇亲贵戚开始，核查封桩库出入的数额以堵塞漏洞，研究盐策、楮币变更的条目以斟酌利弊。"同时要求早定国本以安人心。

壬申（初六），任赵葵为同知枢密院事。赵葵进言说："如今天下之事，其中重大的有多少件？天下的人才，可以任用的有多少个？将重大政务公开，便群臣明白知晓，分辨可用之才，依才任用。有勇有谋者治军领兵；精于理财者掌理财政；宽仁敦厚者分任地方长官；刚正不阿者执掌法度。要以官择人，不为人择官。用人得当，任职时间又长，这样可以要求他们有所成效。"赵葵还提出："希望能速与宰臣商研规划，凡有关于宗社安危、治乱安邦的方针大计，制定出具体条文上报，根据先后缓急来筹划策略，这样就可以把国家治理好，外患也不足

4119

为虑了。"

任命四川安抚使孟珙兼任江陵知府。

孟珙对他的属僚说:"朝廷没有深思熟虑。如果敌兵来攻,上下游都有急流,我将怎么办?我出击则敌兵进攻我虚弱部位,我不出击,那么谁去抵御外患呢?"有见识者都赞同这个意见。孟珙来到江陵,登上城墙,叹息道:"江陵所依仗的是三海,谁知有些低湿地带已变成了桑田,如此一来,敌人一扬鞭,即可冲至城下。自城往东,古岭、先锋,直至三汊,没有任何天险可守了。"于是他下令修复十一道城内防御工事,同时又于城外新建了十道防御工事,有的距城数十里远。沮、漳两河,以前经城西流入长江,现阻其水道,使其向东流,绕过城北,从汉水入江,这样三海水满相连为一。又随着地势的高低,筑堤蓄水,三百里之间,到处是大河泽。土木工程耗资一百七十万,征民役作不知其数。所有工程均绘成地图上报朝廷。

癸酉(初七),皇帝下诏说:"我迄今未能找到好的治理国家的方法,对时世的艰危十分忧虑,与我共同治理国家的大臣们,都只为自己着想。担任官职担负一定职责的人,因为明哲保身而没有尽,到职责;承担进谏之责的人,因为明哲保身而不敢讲话,每个人都怀着患得患失的私心,哪里会有在政事上有所建树之志呢?因此使得贤才之士多无用武之地,国运没有安定下来。如今我亲自执掌权纲,首先明确训迪你们,凡是需要联合办理的事情,你们每个人都要好好想想,改变以前的观念。不得怀有私心,不得萌发私念,不得为自己盘算,不得缔结私交。三事大夫应该以朝廷得不到尊崇作为自己的过失,应该以士气不振作为自己的耻辱;地方官吏应以百姓的不富裕作为自己的责罚;统兵将帅应以边疆不安定作为自己的忧虑。掌理政务不要考虑个人得失,为国担忧不要总考虑小家,大家一起为达到内安外宁的目的而努力,如果此目的达到,我将给你们奖赏。如果有人不恭顺,国家有法律制裁他。"皇帝致力于更新吏治,所以才发布此诏令。

蒙古诸王之一的呼必赍,是图垒的第四子,他一心要干一番宏大的事业,为此,他四处访求贤才,虚心向他们请教。当初怀仁人赵璧曾于藩邸陪伴呼必赍左右,被他所信任,呼必赍称其为秀才而不称其名。董文用,是董俊之子,掌管文书,常于大帐之中陈说论道,因此受命遍巡四方,招聘名士。

当时,肥乡人窦默在家乡教授经术。呼必赍派董文用前去请他。窦默变更姓名躲藏起来。董文用请窦默的朋友去窦默处拜访,自己微服相随于后,不得已,窦默终于接受了邀请。窦默来后,呼必赍向他请教治国的方针政策,窦默首先以必奉行三纲、五常作为回答。呼必赍说:"为人之道,哪里再有比三纲五常更大的!丢掉它就不能立于世上了。"窦默又进言道:"帝王之道,在于正心、诚意。君主的心如果正直,那么朝廷、内外诸臣就没有人胆敢不公正、坦诚。"呼必赍十分赞赏他的话,对他十分礼遇,不让他离开自己一步。

窦默又推荐了姚枢,呼必赍派赵璧去请姚枢,闻知姚枢来到,十分高兴,以客礼热情款待他。姚枢撰写了数千言的《治道书》,首先陈述二帝、三王之道,将治国、平天下的大原则,汇集为八目,分别称作:修身,力学,尊贤,亲亲,畏天,爱民,好善,远佞。其次又列举了一些不利统治的举动,共罗列出三十条,在每条之下还论述了应该采取的措施,本末兼备。呼必赍惊异他的才能,任何政策的制定都一定要请教他。

金朝灭亡后,左右司郎中王鹗即将被处死,蒙古万户张柔看到了他,认为他与众不同,于是为他松绑，用辇车将他带回，安排他住在保州的馆舍中。呼必赉派使者来聘请他。等他到来后，又遣使者多次前去慰劳。呼必赉召他来对话，请他讲解《孝经》《尚书》《周易》，以及治家、治国之道，古今事物的发展变化，每次都到深夜才结束。呼必赉说："我虽然现在无法立即把你所说的付诸实行，但怎知将来就不能施行呢？"王鹗不久就请求还乡。呼必赉赐给他马匹，并命自己的近侍库库、柴桢等五人跟随他学习。

邢台人刘侃，年纪很轻就当上了令史，平时总是郁郁不乐，有一天，他投笔说道："大丈夫生不逢时，就该隐居以追求自己的志向，怎能埋没自己甘为刀笔吏！"随即弃官离去，隐居于武安山中，很快又削发为僧，法名子聪，游历云中，居于南唐寺。当僧人海云应呼必赉的召请，路过云中时，闻子聪博学多才，于是邀他同行。拜见呼必赉时，子聪对答非常中呼必赉的意，于是经常征询他的意见。子聪博览群书，尤其精于《周易》，另外对于天文、律、算、三式等科也很精通，论说天下大事了如指掌，呼必赉非常喜欢他。后海云回去了，子聪留了下来。

淳祐五年　蒙古太宗皇后称制四年（公元 1245 年）

春季，正月，丁酉朔（初一），皇帝下诏说："国家以仁立国，对士大夫要特别优待。台谏由于掌管言路而滥行个人恩怨，抓住细微不放而使巨奸漏网，升迁、谪发、降职、罢黜的官吏，有些是无辜者。现在我命令，三省将目前被谪发的人重新审查后释放；夺爵罢官者也要酌情复职或撤销处分。但那些贪赃枉法，暴戾害民，为世人所不容之人，不在本旨之内。"

又下诏说："边帅兴兵，河南地区是两军兵锋所接之处，不要再添新创伤。中原地区幸存下来的黎民百姓，也都是祖宗的赤诚之子，我对他们的苦难极为痛心。从现在起，边境守将都要谨守各自的防区，不得主动出兵；要致力于安抚、怀柔百姓，广布我朝恩惠、信义，以符合我兼爱南北之意。"

己酉（十三日），天空响惊雷。庚戌（十四日），皇帝不入正殿，减少膳食。同时下诏让内外群臣指陈自己的过错。

乙卯（十九日），罢免刘伯正，这是由于监察御史孙起子弹劾他隐默充位的缘故。皇帝下诏任命礼部尚书兼给事中李性传为端明殿学士、签书枢密院事兼参知政事。

召令鸿庆宫提举李韶暂代礼部尚书。李韶入宫觐见，上疏说："陛下改革时政，大量启用时望之士，天下之人谁不翘企大治！我私下观察改革，担心仍同以前一样。君子、小人，类别不同。只有不计较眼前功利，不满足于小利，这样君子才会发表自己的见解；只有不厌恶别人指出自己的过错，不忌讳别人对自己的直言，这样小人才会失去依托。如果不这样，治乱安危就如同手掌翻来覆去一样，总是交替出现。如今国土一天天被蚕食，黎民百姓日益贫困，兵源、财源只有这么多，即便一天到晚地算计，也不过是椎剥州县，腋削里闾，就是韩信、白起复生，桑弘羊、孔仅再世，为陛下强兵理财，可又用什么来弥补治乱安危的缺额呢？何况朝中议论纷然，贤明之士不愿苟且而辞官离去，不肖之人反而借此机会跻身官宦。这是由君子和小人进退的目的不同所决定的，为什么不深入思考一下！我在路途听说，每次散布恩德的诏书颁下，连昆虫、草木也都被滋润，但恩惠却唯独不能施予一朽媪；皇帝的威断一出，公卿大夫没有敢拖延的，但却不被一老媪执行；大小官吏，积劳受爵，都可以被后代子孙承袭，而社稷赖以绵延久长的东宫皇太子，却偏偏不早定，这是为什么呢？"李韶还上疏要求辞官还乡，皇帝不同意，并拔擢他为翰林学士。

二月,戊辰(初三),皇帝下诏说:"昨天罢除了科籴,只令依时输纳,禁止官吏从中盘剥,让百姓乐于缴纳。从此以后,要时时遵守此令,永远不设科籴,以身试法者以违旨罪论处。"

甲戌(初九),吕文德于五河击败蒙古军,收复五河城,皇帝下诏升官二级。

壬辰(二十七日),太白星在白昼出现,一天都可以看到。

三月,庚子(初五),根据殿中侍御史郑寀的汇报,皇帝命令有关部门调查温大雅、程以升、吴淇、徐敏子接受贿赂的罪行。并降诏说:"目前国家正处在内忧外困之时,我对不能蠲租减赋十分不忍,而官吏行为不良,造成大肆贪污、祸害百姓的现象。有的擅行前期预借;有的强行分配税额、加重催收;有的擅留多征余额归为己有,有的擅提物价,使百姓纳税多有不便。对此我深感忧虑。要让监司随时深入认真地侦察这类不法行为,一定要解救百姓的疾苦、消除他们的愁叹。倘若隐瞒实情不报,被舆论所揭发,必罚不赦。"

甲辰(初九),右曹郎中吴中良进宫回答皇帝的问询,谈起盐政、楮币之事。皇帝说:"盐政、楮币之事实在是目前当务之急。"吴中良说:"以前实行官营商业,私营商贾都被取消。最后废除官营,任私人经营,但是又担心对商人科征太多,使商人们感到不便,希望能让我与诸臣仔细商议。"

拨出十七界楮币一百万,犒劳淮东水陆诸军。

壬子(疑误),禁止不合礼制的祭祀活动。

癸丑(疑误),殿中侍御史郑寀请求征集淳祐初始创的籴本盐,可用以出售,又省括楮。皇帝同意了他的请求。

丁巳(疑误),刑部侍郎赵以夫入宫觐见,谈起立国的根本。皇帝说:"这件事实在不可放松。"赵以夫说:"我编辑整理了仁宗、高宗《两朝定储本末》,全部登载了诸臣的谏疏,以及立储的程序,差不多完全可以效仿,陛下可以早定立储大计。"

己未(疑误),驾部郎官江万里提起理宗端平更新之事,又进而谈及元祐时改变役法之事。皇帝说:"只是因为过于急迫了。"江万里回答说:"君子只知道有是和非之分,不知道有利与害之别。"皇帝说:"元祐年间君子也自相攻击。"江万里说:"这就是小人之所以能够乘隙而入的原因。目前,君子被任用的还不够多,只怕正气不壮,不能战胜邪气,这全在于陛下如何掌握了。以前,端平之初,由于先帝把握不定,所以变法改革只不过和绍圣年间差不多罢了。如今第二番仍把握不定,复新就不会有出现之日了。"皇帝同意他的观点。江万里又进言说两位宰相的离职过于仓促,朝廷内外都没有生气了,皇帝再次表示同意。

辛酉(疑误),皇帝下诏:"陈畏、叶武子,年高德佳,请求辞职的举动让人敬佩,现以陈畏为集英殿修撰,叶武子为秘阁修撰。"

以刘伯正为资政殿学士、提举洞霄宫。

暂代吏部侍郎王伯大入宫回答皇帝的问询,提起史嵩之独居相位时,郑起潜、濮斗南专权,失去人心之事。皇帝说:"几个人做了这几件刻薄之事!"王伯大又谈起立国的根本,皇帝说:"朕设小学,正是为了这件事。"

夏季,四月,癸未(十九日),任命吕文德为枢密副使,仍旧兼任淮西招抚使,知濠州。

4122

丙戌(二十二日),皇帝下诏提擢刘虎、萧均、赵邦求、夏皋,各晋升一级,以奖励他们守御清河、涟、泗、招信之功。命令吕文德依旧节制濠、丰、寿、宿、亳等郡军马。

杜范以观文殿学士的身份退休。丁亥(二十三日)，杜范去世。杜范一生清贫苦节，所居房屋仅能遮蔽风雨。身体似乎承担不了衣服的重量，但是在大是大非面前，即便古代勇士孟贲、夏育也不能夺其志。不久赠杜范少傅衔，谥号清献。

戊子(二十四日)，皇帝下诏："李曾伯、余玠、董槐、孟珙、王鉴，任职卓有成效，加李曾伯奎章阁直学士衔，董槐晋升一级官品，孟珙、王鉴晋升二级，继续担任现职。"

五月，丁未(十四日)，赵葵进言，说："长江各处防御工事极为简陋，请命令沿江制司及副司、江南、江西帅司、湖广总所、两浙漕司、许浦水军司，共同建造轻捷战船，并新建一支拥有三万强壮之兵的游击军，分载于新船之中以应付紧急情况。"皇帝同意他的建议。

皇帝下诏："太常少卿王万在朝为官，正直敢言，具有古人遗留下的正直风尚；在地方任职，廉洁清贫，具有前人遗留下的清廉之风；其家中贫寒，母亲年老，朕非常惦念这一切。特赠王万集英殿修撰，并拨赐官田五百亩，以及封桩库十八界楮币五千贯，以富足其家。"

六月，丙寅(初三)，由于干旱的缘故，审理判决中央和地方狱中的囚犯。

甲申(二十一日)，左司谏谢方叔请求早立太子，并抄录司马光、范镇当年提出建议的前前后后的情况呈进给皇帝，皇帝很高兴地接受了。

丙戌(二十三日)，兵部侍郎徐元杰暴死。

史嵩之被免职后，元老旧臣先后被召回，重新任职。到杜范入朝后，重新邀请徐元杰参政议政，多有成效。一次，徐元杰准备入宫回答皇帝的问询，前一天，他先去谒见范钟，回家后，发高烧，至深夜四遍鼓时，手指崩裂而死。三学的学生们相继向皇帝进言："以前小人倾轧君子，不过让他们死于蛮烟瘴雨之乡；如今蛮烟瘴雨并不在岭外而就在朝廷。"皇帝下诏命令交付临安府审理。但是最终未能立案。

刘汉弼亦时常因奸邪之人未能尽数清除而忧虑，但却先因全身浮肿而暴卒。太学生蔡德润等七十三人上书为刘汉弼申诉冤屈。当时，杜范任宰相，在职八十天去世，刘汉弼、徐元杰又先后暴病而亡。人们认为诸公都是因中毒而死的，因此朝堂赐宴没人敢下筷子。

当初，史嵩之的侄子史璟卿曾写信劝谏史嵩之说："伯父执掌天下大政，必能办天下的大事；担负着天下的大任，必能成天下的大功。近来您的举动渐渐地不能善始善终了，在用人的方法上，有不等待荐举而随便任免官吏的现象；有刚刚申斥其不法不久紧接着又包庇替其开脱责任的事情；还有某些官吏回家奔父母之丧不久而很快又被召回复职的事情。您借口某人有非常之才，可不按程序破格任用，给予异乎寻常的恩赏，以此来网罗人才，但您不知，这种人果真有运筹帷幄之才，他是进献奇谋后被任用的呢，还是向您的左右行贿后被任用的呢？他果真能驰骋疆场，尽全力打好一仗显示其勇力后被任用的呢，还是效尤奴仆的行为而后被任用的呢？我只听说行贿遍及官场，国家事务被各实力派所分割控制，左右亲宠暗中勾结，狼狈为奸。祖宗制定的法度到今日已被破坏到极点了。

"自建立督府以来，东南的百姓疲于供需之劳，地方州县仓促忙乱，应办不及。道路之上，民夫拉挽着装载金帛、刍粟的车子，络绎不绝。征调这些物资，一是为督府，二还是为督府，但不知它都做了些什么事，成了哪些功业？最近，川蜀失守，评论此事的人大多认为是退师于鄂的失误所致。为什么呢？屯兵边境，戍守御敌，应使其能首尾相援，如同常山之蛇。在维扬有赵葵，庐江有杜伯虎，金陵有别之杰，作为督府，应该占据鄂渚这种有利的地势，向西可以援蜀,向东可以援淮,向北可以震慑荆襄。不做这样谋划,而是尽数放弃屏障,让敌人深入腹地,伯父只图谋自己地位的稳固,您自己平安了,可是天下苍生将如何生存呢?您这样做是在逼饥民造反士卒叛去,使敌人有乘虚捣危之机,侵犯沅、湘,震动鼎、澧。一旦江陵陷于孤立无援之势,武昌也就不易坚守了,而荆湖路一旦遭敌侵扰,江、浙诸路还能高枕而卧吗?何况滥杀降俘,不讲信用,使前次撤军丧土之计已不能再用了;内地失去了屏障的遮护,那么前次坚壁清野之策也不能再用了;此隙一开,东南的生灵只能是案几之上的肉了,宋室南渡所控制的疆土,还能保持金瓯不缺吗?只有尽早谋划,上可以宽解皇上宵旰之忧,下可以宽慰双亲朝夕之望。不然的话,将使军队疲惫,财用竭尽,而任何功业也不能干成,主上对您不满,众臣侮辱您,公论也不会宽容您。万一有不畏强权之士挺身而出,绳以《春秋》之法,以惩处罪恶没有效果的过失来声讨您,到那个时候,即便是贫寒清苦的生活,您可以得到吗?将来国史上记载这些,不能列于赵普等开国勋臣之中,只能与蔡京等误国乱臣之徒并列,遗臭万年,如果这样您有何面目见咱们的祖宗于地下呢?

"为您着想不如尽数斥退左右的小人,将在野的君子全部召回,共同改弦易辙,尽力辅佐皇帝,这样也许有失之东隅、收之桑榆的希望。如果发现失误而不去纠正,看到不合理之处而不进行变革,薰莸同器,驽骥同槽,那么天下大势很快就会趋于危亡之地了。伯父和璟卿亲如父子,伯父不以我年轻而忽视我所言,此乃是我们家族的大幸,是天下生灵的大幸,是我社稷的大幸!"

过了不久,史璟卿暴死,据说是史嵩之下毒所致。

范钟举荐召试馆职二人。皇帝考虑到徐霖的忠诚,亲自去掉一个人,换上徐霖的名字。到考试时,徐霖说:"人主无自强之心,大臣有患失之心,所以太子未立,凶邪之人没有被铲除。"提升徐霖为秘书省正字。范钟之所以不愿举荐徐霖,是怕史嵩之复出。

秋季,七月,癸巳朔(初一),出现日食。甲午(初二),皇帝不进正殿,减少膳食,并训诫左右近臣。

辛丑(初九),由于常、润地区大旱,皇帝命令有关部门赈济灾民。

乙巳(十三日),出封桩库楮币赈济临安的黎民百姓。

己酉(十七日),皇帝诏令刘伯正、金渊停职,并罢禁其祠禄。这是听从监察御史刘应起汇报的结果。

庚戌(十八日),提升郑清之为少傅。

乙卯(二十三日),皇帝下诏说:"徐正杰是鸣阳之凤、刘汉弼是触邪之豸,皇天不愿遗爱,夺去了我的忠臣。刘汉弼的老母年事已高,徐元杰的子女年幼,二人家中一样贫困,朕非常可怜他们!两家各赐给官田五百亩、新楮币五千缗,以体现朕怀贤不已的心意。"

蒙古察罕会同张柔侵掠淮西,一直到扬州才退回。

八月,戊辰(初六),鉴于河南诸郡的秦琳等八人,常年驻守边疆,多有劳苦,各晋升一级,并添差不同等级的淮东、西兵职。

皇帝下诏寻求精通天文、历学之人。

丙申(疑误),皇帝下诏申明严禁预借、重催、取赢抑配,并命令监司随时察访,不要让这些不法行经祸害百姓。

九月，癸巳朔（初一），皇帝下诏："濮斗南再降职二级，文虎、叶贲各降一级，项容孙停职、罢祠禄。"这是因为右正言郑寀弹劾他人附丽权相的缘故。

己酉（十七日），朝献景灵宫。庚戌（十八日），朝献太庙。辛亥（十九日），于明堂举行合祀先帝的祭礼，奉太祖、太宗、宁宗配享。大赦天下。

冬季，十月，壬午（二十一日），主管官告院庄同孙进献《洪范五事箴》。皇帝说："五事中当于'敬'字上用功夫。"读到《思箴》，皇帝又说："五事中以思为本。"

十一月，乙未（初四），郑清之请求辞官还乡，皇帝下诏不同意。

壬寅（十一日），皇帝下诏："林光谦再降职三级，迁居衡州；袁立孺、宣璧、王至降一级；刘械、施逢辰、刘附降两级。"这是因为监察御史江万里弹劾他们贪恋官职及依附权门的结果。

甲辰（十三日），范钟以老病请求辞职，皇帝不同意。

以礼部尚书陈鞾为端明殿学士、同签书枢密院事。

十二月，壬戌朔（初一），为了祈求降雪，皇帝下诏令大理寺、三衙、临安府、两浙州军以及建康府，释放在押的处杖刑以下的囚犯。

丙寅（初五），皇帝下诏说："昨天据太史奏称，明年元旦将出现日食。正当一年的开始，恰逢日食，这是皇天严重的警告，朕心受到极大的震动。回首祖宗统治的鼎盛时期，也曾发生这样的灾异，而君臣上下之间，相互警诫，共渡难关。如今也应讲求实政，凡是可以消弭灾异的措施，依次实行，不用具文上报，以符合朕敬畏老天告诫之意。"

戊寅（十七日），皇帝下诏："太中奏报，明年元旦将出现日食，这是皇天表示的警告。为此，我将不再进入正殿，减少平日的膳食，广求直言。朝廷百司要讲求仁政，宽松治民，体恤军队，减轻刑罚，访问民间疾苦，安抚流民，凡真能消灾避祸之人，不要隐匿他的意图，要与他共图应天免灾之实务。元旦，百官不要入宫朝贺。"

右补阙程元凤谈论纠心之学，称要纠正士大夫的风范，应当首先纠正士大夫的心术。人们认为这是格言。

己卯（十八日），任命游佀为右丞相兼枢密使，李性传为同知枢密院事。郑清之任少师，仍担任醴泉观使兼侍读，依旧奉朝请，皇帝赐给他宅第于临安。当时郑清之之子郑士昌，被皇帝下诏逮拿入狱，有人诈传郑士昌已死于狱中，郑清之进殿，哭号着向皇帝求情。皇帝下令恢复郑士昌的官职，给予他京城内祠禄，且同意他在临安侍养双亲。起居郎程公许进奏疏，说："郑士昌罪情严重，京都人口众多，奸宄混杂，恐怕郑士昌恶习难改，再让郑清之操心，不如暂且同意对其审查后再复职，稍稍安慰一下郑清之，但给予京城内祠禄及侍养双亲的命令，应该收回。"皇帝私下遣中贵人将程公许的上疏拿给郑清之看，此事才作罢。

皇帝下诏："兵、财关系着国家的命运，强兵之事由赵葵主掌，理财之计由陈鞾掌理。二相要抓住总纲，且要保持平衡，共同完成强兵富国的大计。"这是听从江万里的建议的结果。

嗣沂王赵贵谦、嗣荣王赵与芮，同加少保衔。

癸未（二十二日），李性传被加官并派到地方任职。

淳祐六年　蒙古定宗元年（公元1246年）

春季，正月，辛卯朔（初一），出现日食。

根据陈鞈的建议,设置国用所,命赵与懖为提领官。

暂代兵部尚书李曾伯应诏上疏,详陈前朝在皇天突变时加强边疆武备,访求将才之事。请求早日给他更易军职,他还请求疏浚泗州西城。

秘书省正字徐霖上疏说:"太阳,属阳类,是天理所在,是君子。我们心中的天理不能战胜人欲,朝廷中的君子不能战胜小人,宫闱之中私昵未除,朝廷之中奸邪不辨,台臣不能专心讨贼,致使妖气弥漫,太阳被其吞食。"他还多次要求立太子。徐霖被提升为秘书郎。

潭州通判潘牥上封事,说:"熙宁之初,出现日食,先帝下诏令各郡县掩埋暴露的遗骸,并定为法令。如今,已故的济王仅埋以一抔浅土,暴露尸骸也太长了!请准许以王礼将其安葬。"皇帝没有答复。

秘书郎高斯得进言说:"大奸之人嗜好权力,苦心钻营窃得官位;陛下英明果断,罢退他们,非常正确。谏宪之臣,轮流上疏弹劾他的罪恶,有人要求将他放逐边远荒凉之地,有人提出勒令其告老退休;陛下如果采取他们的主张,足以向世人昭示您的意向,使众人的疑惑涣然冰释。但是一切都扣留不发,随着时间的推移,人们不再议论此事,然后黾勉传谕,曲意迁就,训诲奸邪,使他于回乡奔丧之时,违反常理地得到了起复的邀请,接着又发布命令,苟塞人言,使奸人又得到暗中胡作非为的环境。因此,谣言四起,好人离散,传言圣意难解,大奸之人必将还朝复职,王莽、董卓、曹操、司马懿之祸,将有不堪为言的。"他还说:"大臣最可贵的就是以道辅佐君主,而如今大臣向皇上进言,议论兴衰的道理很少而逢迎取媚的心意却多,知晓廉耻的观念淡薄而患得患失的思想严重。内廷降旨应当掌握奏闻,但是不待下殿就已经施行;滥赐恩赏应当裁抑,但是不由大臣上疏请皇帝按覆裁定就急忙下命。嫉妒正义而庇护邪恶,喜欢同类而憎恨异己,信任术数而违背常道,爱好安逸而惧怕劳苦。陛下虚怀若谷,将国事托付他人,但其承担了哪些事,不过是应付您罢了!"他又说:"便嬖侧媚之人,实在是清明的祸害。腐夫巧弄谗言,妖缬狼狈为奸,阴奸欺人害人,相互攻击,陛下之心至此几乎没有什么存留下来。陛下之心,是一切变化的根本。洗濯磨淬,考虑的是变化的原因;徒立虚言无实之名而称之为更化,这就是天心之所以不得当,灾异之所以示警的原因!"皇帝赞许并采纳其言。

二月,壬戌(初二),金部郎官王泌进言说,人主评定宰相,应该取其能勇于纠正人主之过的品行,而不可以取其阿谀奉承。皇帝同意他的观点。

戊辰(初八),范钟再次请求辞职还乡;又给他加观文殿大学士、醴泉观使之衔。

当时游倡与范钟不和,所以范钟极力要辞职,不久因为高斯得的弹劾而将其免职。罢免令颁下时,范钟正坐于相府之中,台吏持牒将他喊出,宣读文告。辛未(十一日),依范钟的请求,命他提举洞霄宫,并听凭他自己选择住址。

壬申(十二日),天降雪。免除大理寺、三衙、临安府及所属县点检赡军酒库所赃赏钱。由于天寒地冻,拨出封桩库十八界楮币十万缗,犒劳三衙诸军。

乙酉(二十五日),宗正少卿张磻认为治兵、理财应合为一事。他还提起先朝的苏颂、傅尧俞二人都不接受宣谕之事,皇帝听了很震惊,并赞许他。

皇帝下诏,命令按月发给三衙诸军银饷,并加倍授给。

夏季,四月,辛酉(初二),太白星于白昼时出现。

戊寅(十九日),殿中侍御史谢方叔、左司谏汤中,请求旌表朱熹的门人胡安定、吕焘、蔡模,以激励后学。皇帝下令将三人补为迪功郎并添差本州教授,还命令三人所在地官府分给他们札片,以抄录他们的著述,并探询他们的想法。

甲申(二十五日),皇帝下诏说:"朕亲掌大权,希望能将国家治理好,每每考虑到人才缺乏,有意多加栽培。朕已亲题匾额,分赐各学校,同时赐予诸生束帛,以示激励。命令三学官于前廊长谕及斋生中间公正地选出经明、行修、气节之士,分别给予旌表及赏赐。京城的学校也照此行事。"

闰四月,乙未(初七),资政殿大学士徐荣叟去世,皇帝停止视朝一日。

戊戌(初十),吕文德提出,今年春天蒙古兵侵犯两淮地区时,统制汪怀忠领兵迎敌,四面堵截,所部将士阵亡甚众。皇帝下诏令发给缗钱,抚恤阵亡将士的家属。

癸卯(十五日),余玠说蒙古军兵分四路攻入蜀地,对捍卫国土有功的将士,随机行赏,稍后再将将士们立功等第、补转任官的资格详细上报。皇帝同意了他的要求。

己酉(二十一日),秘书丞王璞说及杜衍封还内降之事,皇帝说:"朕曾经告谕过大臣,听凭他执奏吧。"

庚戌(二十二日),刑部侍郎兼中书、门下省检正诸房公事魏峻进言说,人主要镇服天下,唯有专断。皇帝说:"谋议时要有众人参与,决断时要独专。如果按照大公至正的原则来处理,则决断就不会有偏差了。"

五月,庚申(初三),皇帝下诏令贾似道负责筹划淮西地区山寨、城池的建筑。

丙寅(初九),吏部员外郎李昴英谈及内廷小学之事,皇帝说:"朕对于小学的教育非常留心。"李昴英又谈论起汉末的宦官之祸,皇帝说:"一定要防微杜渐。"

庚午(十三日),皇帝下诏:"学校是宣扬伦理之地,诸生研究得透彻,不负学校的教育,朕要给予嘉奖。命令有关部门,选用其中学业水平较高者;你们联合进递的奏疏,词气侃侃,正义凛然。朕最大地违背了本心,满足你们的要求,以实现你们的愿望;所有赐给诸生束帛,不必上报。"

甲申(二十七日),皇帝下诏令暂代知高邮军兼淮西提刑萧逢辰晋升一级,以表彰他买马、修城,用心于战守的功绩。

皇帝下诏命令审理在押囚犯。

六月,戊子朔(初一),皇帝下诏令从事郎傅实之、迪功郎林公遇,二人一起改为京官待遇,并依旧发给札片以请教他们的想法。这是因为都省报告他们二人闭门思道,缙绅均认可他们学问高的缘故。

戊戌(十一日),著作佐郎兼暂代礼部郎官高斯得,指责学校以皇帝的小过触犯霆威,皇帝说:"本来是小事,但不应率众人出见宰执。"高斯得说:"学校固然不为过,但恐怕奸人趁机动摇局面,关系不浅。"皇帝认为他说得对。高斯得还说:"群臣成分庞杂,宫禁奇邪,轻慢外交,怎么可以坐视不问!放眼望去并包兼容之意多,别邪辩证之虑浅,忧谗避讥之心重,直前迈往之忠微,于是群臣争权夺利,大权旁落,养成轻慢之势,以开窥伺非分之始。一旦发生不幸,再出现变故,推波助澜,就会使江山社稷有沦亡之忧,士绅将遭鱼肉之祸,黎民百姓将堕入涂炭的境地。如果到了这种时候,才想起要洁身而去,能逃得脱子孙万世的批评吗?"于是朝廷之中攻击高斯得的人增多,很快他就被调出京城,任严州知州。高斯得请求享受祠禄,皇帝没有同意。

丙午(十九日),为了求雨,皇帝下诏令中央、地方审理在押囚犯,释放处杖刑以下犯人。左右大臣进言说:"干旱的灾情让人担心,希望能分派臣僚深入民间访询众望,并令有关部门清理积久案狱,命令诸路劝谕富家接济贫民,以消除强盗、窃贼。"皇帝同意这些建议。

壬子(二十五日),任命陈鞈为参知政事兼同知枢密院事。

乙卯(二十八日),台臣弹劾李鸣复、刘伯正进则残害善类,退则蛊惑州里。皇帝下诏削减二人官秩并罢其祠禄。

续资治通鉴卷第一百七十二

【原文】

宋纪一百七十二　起柔兆敦牂【丙午】七月,尽屠维作噩【己酉】十二月,凡三年有奇。

理宗建道备德大功复兴　烈文仁武圣明安孝皇帝

淳祐六年　蒙古定宗元年【丙午,1246】　秋,七月,壬戌,泉州饥,州民谢应瑞自出私钞四十馀万,籴米以赈乡井,全活甚众,诏补进义校尉。

蒙古自太宗殂后,诸王近属,自相攻战,国内大乱。是月,太宗六皇后会诸王百官,奉皇子库裕克即位于昂吉苏默托里之地,朝政犹出于后。库裕克,太宗长子也。时诸王不服,将谋不轨。会雷雨大作,行营水深尺,遂各散去。

蒙古命中书令杨惟中宣慰平阳。时断事官色珍横恣不法,惟中按诛之。

蒙古诸勋贵分封山东省,以东平行台严忠济总一方之政,颇不自便。及蒙古主新立,皆聚阙下,复欲剖分东平地。时众心危疑,将俯首以听,左右司郎中王玉汝力排群言,事得已。

八月,庚寅,起居郎兼权中书舍人暂兼权礼部右侍郎赵汝腾言北司专权,帝曰:"近颇戢之。"汝腾又言不当调护言官,帝曰:"近日少有调护者。"

己酉,以太府少卿刘克庄为秘书少(卿)〔监〕,寻兼国史院编修官、实录院检讨官。

辛亥,校书郎兼枢密院编修官兼诸王宫教授蔡抗奏对,言正心事,帝曰:"纪纲万化,实出于心。"抗又言内降斜封之弊,帝曰:"已许大臣执奏矣。"抗又言宗社大计,帝曰:"祖宗朝亦是晚年方定。"抗言:"祖宗时,定名号虽在晚年,而定计乃在一二十年之前,此事最忌因循。"帝然之。

蒙古耶律铸,嗣其父楚材领中书省事,上言宜疏禁网,因采前代德政合于时宜者八十一章以进。

蒙古以温都尔行省事于燕京,与刘敏同政。

九月,丙辰朔,秘书省正字林希逸请信任给谏,帝曰:"台谏、给舍之言,朕无不行。"希逸又请早决大计以慰人望,帝纳之。

丁巳,京湖安抚制置大使、襄路策应大使兼江陵府孟珙卒。初,珙招中原精锐万五千馀人,分屯汉北樊城、新野、唐、邓间,皆百战之士,号镇北军,驻襄阳。及王旻、李虎军乱,镇北亦溃,珙乃重购以招之,降者不绝。蒙古行省范用吉,亦密通降款,以所受告命为质;珙白于朝,不从。珙叹曰:"三十年收拾中原人心,今志不克伸矣!"遂发病。是月朔,大星陨于境内,声如雷;卒之日,大风发屋折木。珙随父宗政立战功,忠君体国,善抚士卒,军中参佐部曲议事,言人人异,珙徐以片言折衷,众志皆慊。建旗鼓,临将吏,面色凛然,无敢涕唾者。退则远声色,薄滋味,萧然若事外。追封吉国公,谥忠襄。

戊辰,以贾似道为京湖制置使,兼知江陵府兼夔路策应使,仍暂兼权沿江制置副使、湖广总领,寻兼京湖屯田使。

冬,十月,庚寅,诏以嗣荣王与芮子孟启为贵州刺史,入内学。

蒙古主命察罕拓江淮地。

十一月,庚申,诏:"昨令三学各举经明、行修、气节之士,而诸生合辞控免,秉义甚高。其令在籍诸生并赴来年省试一次,临安府学长、谕亦如之,以称搜罗之意。"

丁丑,以雪寒,出封桩库楮(洛)〔币〕赈临安府细民。

辛巳,以前四川制置陈隆之抗敌死难,特赠徽猷阁待制,于合得延赏外,更官其二子。

殿中侍御史谢方叔言:"豪强兼并之患,至今日而极,非限民名田不可。国朝驻跸钱塘,百有二十馀年矣,外之境土日荒,内之生齿日繁,权势之家日盛,兼并之习日滋,百姓日贫,经制日坏,上下煎迫,若有不可为之势。夫百万生灵生养之具,皆本于谷粟,而谷粟之产,皆出于田。今百姓膏腴,皆归贵势之家,租米有及百万石者。小民百亩之田,频年差充保役,官吏诛求百端,不得已则献其产于巨室以规免役。小民田日减而保役不休,大官田日增而保役不及,兼并浸盛,民无以遂其生。于斯时也,可不严立经制以为之防乎?今国用边饷,皆仰和籴,然权势多田之家,和籴不容以加之,保役不容以及之。敌人睥睨于外,盗贼窥伺于内,居此之时,与其多田厚资,不可长保,孰若捐金助国,以纾目前!宜谕二三大臣,撼臣僚论奏,付之施行,定经制,塞兼并。陛下勿牵贵近之言以摇初意,大臣勿避仇劳之多而废良策,则天下幸甚!"

十二月,癸巳,诏:"侍从、台谏各举堪阃寄及饷事者,述其才器、劳绩以闻。"

史嵩之服除,有进用之意。乙未,诏史嵩之以观文殿大学士致仕。

殿中侍御史章炎,正言李昂英,监察御史黄师雍,论嵩之无父无君,丑声秽行,律以无将之法,罪有馀诛;请寝宫祠,削官远窜。翰林学士李韶与从官抗疏曰:"《春秋》桓公五年,书蔡人、卫人、陈人从王伐郑。《春秋》之初,无君无亲者,莫甚于郑庄,不闻以其尝为王卿士而薄其罚。今陛下不能正奸臣之罪,其过不专在上,盖臣等百执事不能辅天子以讨有罪,皆《春秋》所不赦。请断以此义,亟赐裁处。"

丙申,诸司粮料院章鉴进对,言抗谏事,帝曰:"朕于臣僚论事,未尝不见施行。"鉴又言储才,帝曰:"人才须是养之于平时,临事方得其用。"

先是金将武仙败死,馀党散入太原、真定间,据大明川,用金开兴年号,众至数万,剽掠数千里。蒙古主命诸道兵讨之,不克。杨惟中仗节开谕,降其渠帅,馀党悉平。

蒙古东平万户严忠济,袭爵数年,怠于政事,任用奸佞。经历李昶曰:"比年来,裘马相尚,饮食无度,库藏空虚,百姓匮乏。若犹循习故常,恐或生变。惟阁下接纳正士,黜远小人,去浮华,敦朴素,损骑从,省宴游,虽不能救已然之失,尚可以弥未然之祸。"时蒙古裁抑诸侯,法制寖密，忠济纵侈自若。昶以亲老求解职，不许，旋以父忧去官。

蒙古万户史权等侵京湖、江淮之境，攻虎头关寨，进至黄州。

淳祐七年 蒙古定宗二年【丁未，1247】 春，正月，乙卯朔，诏："皇侄孟启，特授宜州观察使；建资善堂于内小学，置直讲、赞读二员，以年稚，权就王邸习训。"

诏曰："间者任用非人，不能秉礼怀义以辅朕，顾乃陷于匪彝，败俗伤教，朋淫肆欺，群议坌涌；由朕不德，朕甚愧焉！天诱之衷，豁然大悟，亦既绌去其党类，史嵩之已俾致仕，以示朕决不复用之意。搢绅士大夫交(奉)〔奏〕迭谏，悃悃款款以陈于前，忠爱备至。朕思所以为自强之计，百尔执事，亦宜相戒以实，克去己私。"

丁卯，诏："戒敕州军县镇，不许因诞节赐宴，多杀物命，一遵景祐三年诏书，仍刻石所在放生池。"

戊寅，诏："淮、浙发运司给米二万石，济建宁、邵武诸郡被水之民。"

李昴英疏劾临安尹赵与篙，语侵执政，章炎亦劾执政；帝怒昴英，并及炎。郑寀觇知帝意，乘间劾炎、昴英，又嗾同列再疏以劾炎。属黄师雍毅然不从，独疏论叶闾，闾乃与篙之腹心也。未几，炎、昴英皆罢去。寀于是荐周坦、叶大有入台。

二月，庚寅，都省言："淮安县主簿周子镕，遭李全之变，陷北十有六年，数以敌谋密闻边阃，拔身来归。"诏特改朝奉郎，与升擢差遣。

丙申，诏："四川沿边州县官，任满日，转循官资有差。"从制臣请也。

己亥，以贵妃贾氏薨，辍视朝二日。

乙巳，翰林学士李韶屡疏请老，授端明殿学士、提举玉隆万寿宫。

丁未，令封桩下库支会子十二万贯，付淮西安抚司造船。

壬子，诏改潜邸为龙朔宫。

出封桩库十八界会子五万贯，付临安府津遣三边请举士人归里。以不允所乞省试，故有是命。

侍御史周坦，劾礼部侍郎程公许，出知建宁府。郑清之因公许缴其子士昌之命，恚甚，数于经筵言其短。坦妻与清之妻善，承其指，入台即首劾公许，郑寀又劾之，公许落职。

先是江万里丐祠省母，不许，万里使其弟奉母归南康。旋闻母病，不俟报，驰归，至祁门，闻讣。忌万里者相与腾谤，谓万里母死，秘不发丧，反挟妾媵自随。周坦劾之，万里坐废。

蒙古呼必赉受邢州分地。邢当要冲，征求百出，民弗堪命。僧子聪荐张文谦可用，遂召见，命掌王府书记，言于呼必赉曰："今民生困敝，莫邢为甚。盍择人往治之！"于是乃选乌托、刘肃、李简三人至邢，协心为治，户增十倍。由是呼必赉益重儒士，实自文谦发之。

蒙古以孟克萨尔为断事官。孟克萨尔尝从诸王莽赉扣征奇彻，身先诸将，及以所俘宝玉颁诸将，则退然一无所取，莽赉扣甚重之。至是为断事官，刚明能举其职。

三月，甲子，知大宗正丞兼权金部郎官姚希得，言李韶老成有德望，宜留奉内祠，侍经幄。戊辰，诏："李韶依旧端明殿学士、提举万寿观兼侍读。"

是春，蒙古张柔攻泗州，旋还屯杞。帐下吏瓜勒佳显祖得罪亡走，上变诬柔，蒙古主命执柔以北。大臣多以阖门保柔者，卒辨其诬，显祖伏诛。

夏,四月,辛卯,以旱,决中外系囚,杖以下释之。

庚子,以邢部尚书王伯大为端明殿学士、同签书枢密院事,翰林学士、知制诰吴潜为端明殿学士、同签书枢密院事。

辛丑,以郑清之为太傅、右丞相、枢密院使、越国公;游侣罢为观文殿大学士、醴泉观使兼侍读。或请更化改元,清之曰:"改元,天子之始事;更化,朝廷之大端。汉事已非古,不因易相而为之。"乃止。

以赵葵为枢密使兼参知政事、督视江淮、京西湖北军马兼知建康府,陈韡知枢密院事、湖南安抚大使兼知谭州;用郑清之荐也。

庚戌,以祷雨未应,蠲大理寺、三衙、临安府属赃罚钱。

壬子,广西漕臣劾贵州守臣陈鉴,迫胁考试,私取士人,坏科举法;诏再镌一秩,勒致仕。

五月,甲寅,诏:"武功郎、扬州宁淮军统制张忠,戍守浮山,手搏敌帅,俱死于水,特赠武略大夫,更官其一子。"

乙卯,以祷雨未应,诏诸路录囚。

己未,祷雨于天地、宗庙、社稷。

己巳,诏赐两淮、京、蜀曾经战争之地田税三年,其宿逋悉除之。

壬申,吴潜兼权参知政事。

六月,癸巳,赐进士张渊微以下五百二十七人及第、出身。渊微等以阙雨,请免琼林赐宴。

丙申,诏求直言,弭旱。徐霖应诏,言谏议大夫郑寀不易则不雨,临安尹赵与𥔵不易则不雨;不报,遂引去。帝遣著作郎姚希得留之,不还。御笔改合入官,乃改宣教郎。霖屡辞,曰:"向为身死而不敢欺其君父,今以官高而自眩于生平,失其本心,何以暴其忠志!"又曰:"志贵乎洁,忠尚乎精。即有败,则自陷于垢污矣。"

时郑寀、赵与𥔵及周坦、叶大有、监察御史陈垓相合为一,唯黄师雍孤立,寀恶之尤甚,思所以去师雍,未得,招四人共谋之,会应诏陈言者多指寀、坦为致灾之由,牟子才、李伯玉、卢钺语尤峻,坦等伪撰匿名书,诬子才、钺等。师雍诣御榻前力辨,谓:"匿名书,条令所禁,非公论也,不知何为至前?"因发其伪撰之迹。适钺疏誉师雍,寀乃以钺附师雍上闻。帝不听,擢师雍左司谏。

甲辰,出丰储仓米三十万石以平籴价。

己酉,诏:"旱势日甚,两淮、襄、蜀及江、闽内郡,间因兵寇,遗骸暴露,感伤和气,令所属州县收瘗之。"

诏:"京湖北路副总管王英归顺,进秩二等。"

秋,七月,蒙古主西巡太原。万户郝和尚朝于行宫,赐银万锭,辞曰:"赏赍过厚,臣不应独受。臣积微劳,皆将校协力也。"遂奏将校刘天禄等,皆赐之金银符。

丙辰,诏:"荆鄂都统司,听荆湖制帅司节制;池州、建康、镇江府都统司,并听沿江制司节制;许浦都统司,改听兴国、蕲、黄、安庆四郡节制。"从督视赵葵之请也。

庚申,安庆守臣欧阳颐,以改差辄之任,诏削官二等,令宪臣谢献子领郡。

诏:"辞免除授,实为繁文,除侍从、台谏、给舍、两省左右史以上许辞免,馀官不许。"

乙丑,吴潜罢知福州,以周坦劾之也。

丁卯,以别之杰为参知政事,谏议大夫郑寀为端明殿学士、同签书枢密院事。

癸酉,诏赏浙东、西、福建路监司、州郡所申官士之家济粜者凡九人,补转官资有差。

郑寀之入政府也,不为公论所予。太常博士牟子才疏言:"陛下欲留徐霖,霖所论劾者,赵与𥲅、郑寀也。二人之中,寀尤无耻,请先罢之。"八月,甲申,郑寀罢。子才又论郑清之不当引史嵩之党别之杰共政,复为书抵清之,以孔光、张禹切责之,清之愧谢。

丙戌,诏户部严革诸路州县增收多量苗米之弊。

辛卯,诏石钧、陈大任、王方烈各镌一秩,以其诬平民为重辟,谢思义、张懋各进一秩,旌其平反之功;从湖北宪臣之请也。

己亥,以秋风已劲,边备当严,浙右四郡,密迩行都,魏村、福山、柴墟一带,宜预为之备,诏守臣条具措置。

辛丑,诏:"前通判彭州宇文景讷,骂贼而死,赠官二等,仍与一子下州文学。"

壬寅,诏:"监司、守臣宜亟讲荒政以赈乏绝;税租有合蠲减者,核实以闻。"

甲辰,高定子薨,辍朝一日,赠少保。

是月,蒙古主命蒙古人户每百人以一人充巴图鲁。

九月,丙辰,诏:"命官该赦,陈乞改正,不拘期限;今后赦条删去'限一年内'四字。"从左司陈元凤之请也。

丁巳,诏改尚书省提领盐事所为提领茶盐所。

黄师雍与郑清之,故同舍,会师雍劾刘用行、魏岘,皆清之亲故也,清之不乐。周坦知之,喜曰:"吾得所以去师雍矣。"遣其妻日造清之妻潜曰:"彼去用行、岘,乃去丞相之渐也。"帝欲用师雍为侍御史,清之曰:"如此,则臣不可留。"乃迁师雍为起居舍人,师雍丐去。清之犹冀其稍贬,师雍曰:"吾欲为全人。"终不屈。

蒙古以高丽岁贡不入,伐之。自后八年,凡四易将,拔其城十有四。

冬,十月,辛巳,太白昼见。

诏:"京湖副都统李得,讨广东峒寇有功,进官一等。"

癸未,朝献景灵宫。

以严州旱,诏丰储仓给米万石赈粜。

丙戌,京湖安抚司调兵平辰、沅蛮猛有功,总辖张谦、统制高天祐等赏赐有差。

己酉,陈垲言格法日坏,天下视听益不美,因条陈添差、〔抽差〕、摄局、须人、奏辟、改任、荐举、借补、旷职、匿过十弊,请风示中外;从之。

甲寅,以镇江府旱,诏两浙转运司检核蠲租七万四千石有奇。

蒙古括人户,下令,敢隐实者诛,籍其家。藁城令董文炳,俊之子也,使民聚口而居,少为户数。众以为不可,文炳曰:"为民获罪,吾所甘心。"民亦有不乐为者,文炳曰:"后当德我。"由是赋敛大减,民得富完。

十二月,壬午,以赵与𥲅为端明殿学士、提领户部财用。

庚寅，以近畿旱，诏："正岁、天基节大宴权免，其州郡赐宴，务从省约，毋得科扰，以副朕敬天爱民之意。"

辛卯，李鸣复薨，辍视朝一日。

壬辰，诏："太学生陈九万，在北十一年，脱身来归，条陈敌中事宜，有益备御，特补迪功郎。"

周坦劾黄师雍，罢之。

蒙古呼必赉闻真定路经历官张德辉之贤，召至藩邸，问曰："孔子殁已久，今其性安在？"德辉对曰："圣人与天地相终始，无往不在。殿下能行圣人之道，性即在是矣。"又问："或云：辽以释废，金以儒亡。有诸？"对曰："辽事臣未周知，金季乃所亲睹。宰执中虽用一二儒臣，馀皆武弁世爵，及论军国大事，又不使预闻。大抵以儒进者三十之一，国之存亡，自有任其责者，儒何咎焉？"呼必赉然之。因问德辉曰："祖宗法度具在，而未尽设施者甚多，将如之何？"德辉指银槃喻曰："创业之主，如制此器，精选白金，良匠规而成之，畀后人传之无穷，当求谨厚者司掌，乃永为宝用。否则不惟缺坏，亦恐有窃而去之者矣。"呼必赉良久曰："此正吾心所不忘也。"又问："农家作苦，何衣食之不赡？"对曰："农桑，天下之本，衣食之所从出者也。男耕女织，终岁勤苦，择其精者输之官，馀粗恶者将以仰事俯育，而亲民之吏，复横敛以尽之，则民鲜有不冻馁者矣。"又访中国人才，德辉举魏璠、元裕、李冶等二十馀人。德辉，交城人也。

淳祐八年　蒙古定宗三年【戊申，1248】　春，正月，丙子，太常寺言："检照《中兴礼书》，四孟朝献景灵宫，分三日行礼。自淳熙十五年后，分作两日，近年诸后殿多命宰执分诣。如遇车驾次日亲临，每位三上香，一跪奠，俯伏，兴，再拜，得礼之宜。"从之。

蒙古万户郝和尚，奉诏还治太原，请凡远道租税、盐课过当者，悉蠲除之。

二月，辛丑，荆湖帅臣陈铧言："国家以火德王，于火德之祀，合加钦崇。炎帝陵在衡州茶陵县，庙久弗治，请相度兴修，以称崇奉之意。"从之。

丙午，周坦请申明十七、十八界会子并永行用，以坚民信；左司赵汝暨请更造十九界；太常博士黄洪请不用会子，停卖盐钞。狂言惑众，宜正妄诞之罪，诏各罢所居官。

丁未，监察御史陈垓，请宣谕辅臣申饬吏部，未历郡者不许为郎，已为郎者更迭补外，未历县者必令须入，已作县者须及任满，阙次必依先后，毋或改差，庶抑侥幸以重名器；从之。

蒙古释奠孔子庙，致胙于呼必赉。呼必赉问张德辉曰："孔子庙食之礼何如？"对曰："孔子为万世王者师，有国者尊之，则严其庙貌，修其时祀。其崇与否，于圣人无所损益，但以此见时君崇儒重道之意何如耳。"呼必赉曰："今而后此礼勿废。"呼必赉又问："典兵与宰民者为害孰甚？"对曰："军无纪律，纵使残暴，害固非轻。若宰民者头会箕敛以毒天下，使祖宗之民如蹈水火，为害尤甚。"呼必赉曰："然则奈何？"对曰："莫若更遣族人之贤如昆布哈者，使掌兵权，勋旧如呼图呼者，使主民政。若此，则天下均受赐矣。"

三月，甲寅，督视赵葵上将士泗州解围之功。诏："奇功特与补转四官，其馀补转有差。其淮西招抚司应援立功将士，并与比类推赏。"

泗州之围也，前锋军统制田智渊父子，战死于潮河坝。甲戌，诏赠智渊父子官，恤其家。寻立庙泗州，赐额以旌忠节。

乙亥，陈垓言：“民命与国脉相维，狱讼不当，刑罚不中，则无以保斯民之命，尚何以保吾国之命脉？”因极言检核、决狱、疏决、推勘、拘锁、刺环、奏裁、详覆、重勘、追证十弊；从之。

蒙古主殂于杭锡雅尔之地，年四十三。葬起辇谷，庙号定宗。自太宗皇后称制以来，法度不一，内外离心。至是国内大旱，河内尽涸，野草自焚，牛马死者十八九，人不聊生。诸王及各部，又遣使于诸郡征求货财，或于西蕃、回鹘索取珠玑，或于东海搜取鹰、鹘，驿骑络绎，昼夜不绝，民力益困。皇后立库春子实勒们听政，诸王大臣多不服。

夏，四月，癸未，诏：“督视赵葵，累奏结局。朕问劳念功，深有勒归之意。但北兵虽退，边备当严；更宜勉留，以副隆委。”

辛卯，权礼部侍郎兼国子祭酒徐鹿卿言：“生员李宁先，饮酒争竞，见害市人，辱学校，玷士类，由臣诲饬无状，请行罢斥。”诏：“览卿所陈，痛自引咎，此固师儒之责。但学校规矩久弛，今当申严，宜自安置。”帝眷鹿卿甚厚，而忌者寝多。有撰伪疏托鹿卿以传播，历诋宰相及百执事，鹿卿初不知也，遂力辨上前，因乞去。帝曰：“去则中奸人之计矣。”令临安府根捕，事连势要，狱不及竟。鹿卿累疏告老，旋致仕。

甲午，以太常寺奏请，景灵宫行事日，请更定后殿飨礼拜跪之数。诏：“朕祗承宗庙，何敢惮劳！可一依旧式。”

乙未，朝献景灵宫；丙申，亦如之。

庚子，诏：“临安守臣赵与𥼶，充明堂大礼提点事务。”

蒙古张德辉将归真定，为呼必赉陈先务七事，曰敦孝友，择人才，察下情，贵兼听，亲君子，信赏罚，节财用。呼必赉称其字辉甫而不名，赐座，赠赉优渥。

五月，庚戌，以阙雨，诏录行在系囚。

壬戌，诸王宫大小学教授李桂高进对，言淮、蜀之险。帝曰：“及此闲暇之时，当作规模备御。”

督视、枢密使赵葵奏乞结局，诏候来春入奏。癸亥，诏：“赵葵视师于外，今已期年，忠力具宣，威声（绰）〔卓〕著，既成却敌之效，复宏预备之规。肯为朕留，尤见体国，可无恩典，少示褒崇！特进三秩，依前〔知〕枢密院事兼参知政事、督视江淮、京湖军马兼知建康府、江东安抚使、行宫留守，仍加恩。”

乙丑，诏：“陈𬊈出镇南服，备殚忠勤，军民安平，蛮猛绥辑，特进一秩，依前〔知〕枢密院事、湖南安抚大使兼知潭州、节度广西。余玠除兵部尚书，依旧四川安抚制置使兼知重庆府，仍兼四川总领、夔路转运使。贾似道除刑部尚书，依旧京湖安抚制置使兼知江陵府兼夔路策应使，仍兼湖北总领。邱岳除兵部侍郎，依旧淮东安抚制置使兼知扬州兼淮西制置使。吕文德除侍卫马军都指挥使，依前保康军承宣使、右领〔军〕卫上将军、枢密院副都承旨兼知濠州。”

辛未，诏：“西湖北山护国寺后龙洞，泉源澄深，灵异感格，可赐‘护国龙祠’为额，永充祈祷。”

秋，七月，辛亥，以王伯大为参知政事，应𬸚同知枢密院事，给事中谢方叔为端明殿学士、签书枢密院事，吏部尚书史宅之为端明殿学士、同签书枢密院事，赵与𥲅资政殿学士，与执政恩例,提领户部财用,仍知临安府。

丁卯,赐洪咨夔谥忠文。

癸酉,王伯大除职予郡,以监察御史陈垓论之也。

八月,丙戌,范钟乞免祠禄,不许。

丁亥,督视赵葵辞转三官,凡六上奏,诏不允。

戊子,以雷州所屯经略司水军颇横,诏守臣节制。

乙未,诏:"王畴更削官一等,正其括田扰民之罪。"

丙申,诏:"大理寺丞林炎,对疏狂妄,动摇国本,夺官三等,押出国门。"

庚子,帝谕辅臣曰:"所在监司、帅守,轻行括籍,多因细事,中以深文,甚而置之死地,往往利其财耳,真所谓杀越人于货。至于用刑,自有成法,今有司率意任情,更不遵守条令。凡此皆当禁止。可裨明肆赦,益加申严,如有非辜越诉,究证得实,必论如律。"

壬寅,周坦言:"明堂肆赦,州郡奉行不虔,有稽迟、隐匿、文具三弊,宜革去以昭溥博之仁。"从之。

甲辰,诏户部严革诸路州县增收多量苗米之弊。

高斯得迁浙东提点刑狱,劾知处州赵善瀚、知台州沈塈等倚势厉民,不报。

九月,己未,朝献景灵宫。庚申,朝享太庙。辛酉,大飨于明堂,大赦。是夕,雷。

冬,十月,甲戌朔,参知政事别之杰,三奏乞归田里,除资政殿大学士、知绍兴府。

乙亥,以应𬯎、谢方叔并权参知政事。

诏改高斯得江西转运判官,斯得辞免,上言:"臣劾赵善瀚等,未闻报可,固疑必有党与,惑误圣聪者。今蒙恩除,乃知中臣所料。善瀚系侍御史周坦之妇翁,赃吏之魁,锢于圣世,郑清之与之有旧,复与州符。沈(暨)〔塈〕者,签书枢密院史宅之妻党也。祖宗以来,未有监司按吏一不施行者,坏法乱纪,未有甚此。臣身为使者,劾吏不行,反叨易节,若贪荣冒拜,则与世之顽钝无耻者何异!乞并臣镌罢,以戒奉使无状者。"章既上,坦自谓己任台谏而反见攻,遍恳同列论斯得,同列难之。坦计急,自上章劾罢斯得新任。未几,坦亦罢,善瀚等竟罢去。

十一月,丙午,太傅、右丞相兼枢密使郑清之乞归,不许。

蒙古万户郝和尚,以岁饥,出谷千石助国用。

十二月,辛巳,以严寒,出封桩库十八界官楮二十万,令三衙赈军。

是岁,蒙古驸马苏布特卒。苏布特佐太祖创业,及取河南,定西域,功居多。后追封河南王,谥忠定。

淳祐九年　蒙古定宗皇后称制元年【己酉,1249】　春,正月,乙巳,皇侄宜州观察使孟启,特授庆远军节度使,进封益国公。

庚申,诏:"周世宗八世孙柴彦颖,特授承务郎,袭封崇义公。"

诏:"两淮、京湖、沿江制帅司行下所隶,劝谕军民从便耕种,秋成日官司不得分收。"

癸亥,知临安府赵与𥧑,请以没官田五百亩有奇付本府创慈幼局,以养遗弃婴儿,置药局以疗闾阎之疾病;从之。

丁卯,许应龙薨,谥文简。

己巳,范钟薨。钟为相,重惜名器,虽无赫赫可称,而清德与李宗勉齐名。谥文肃。

辛未,给临安府官田三百亩付表忠观,以旌钱氏之功德。

二月,丁亥,诏:"刑部及诸路监司,刑狱案卷速与理决,仍差属官往州县狱审断,毋令奸胥作弊,滥及非辜。"

庚子,郑清之再乞归田里,诏不许。

辛丑,监察御史朱景彝,言刑狱民命所系,请谕所司刷诸处已奏文案,为限日处分行之。

闰月,癸卯朔,诏:"安南国王陈日晅,特进、检校太尉兼御史大夫、上柱国、安南国王。"

赵葵视师既久,屡有奏捷,帝思所以处之,郑清之曰:"非使作相,不足以酬劳。陛下岂以臣故耶? 臣必不因葵来遽引退,臣愿居左,葵居右。"帝从其言。甲辰,以郑清之为太师、左丞相兼枢密使,进封魏国公;赵葵为右丞相兼枢密使;应䌖、谢方叔并参知政事;陈铧观文殿大学士、福建安抚大使、知福州;吴渊端明殿学士、沿江制置使、江东安抚使兼知建康府、行宫留守;赵希暨端明殿学士、知建宁府。

乙丑,郑清之辞免太师,奏五上,许之。

三月,癸酉朔,以衢、信州旱,给丰储仓米五千石赈之。

癸未,以贾似道为宝文阁学士、京湖安抚制置大使、知江陵府。

丁亥,诏:"正阳之月,日有食之,史官先期以告。朕祗畏天戒,不遑宁处。可自二十一日为始,避殿,减膳,彻乐,益加内省。凡尔在列,各务交修,以辅不逮。"

癸巳,诏决中外系囚,杖以下释之。

己亥,诏增通、泰、扬、真、和州、安庆府解额。

四月,壬寅朔,日有食之。

丙午,诏:"邱岳阃职修举,除宝章阁直学士,依旧淮东安抚制置使兼知扬州、淮西制置使。"

辛亥,以福州应天启运,使寅奉祖宗神御,事体至重,可令西外知宗兼领,免差内侍,永为定式。

己未,群臣三上表,请御正殿,复膳;从之。

己巳,郑清之屡疏乞骸,因奏时事十难:曰重相权,曰凝国是,曰用人才,曰足兵食,曰守法度,曰革弊蠹,曰布公道,曰去贪赃,曰理财用,曰节冗费;诏奖留之。

五月,甲戌,浙西帅臣赵(兴)〔与〕惌言:"本司措置盐(请)课,〔请〕自淳祐九年为始,岁举职司赏员及职令状各一,以厉官属。"从之。

己丑,右丞相赵葵辞新命,诏敦趣上道。

六月,丙寅,诏:"边郡各立一庙,以褒忠为额,凡前后没于王事,忠节显著之人,并祀之,郡官春秋致祀。"

八月,庚子朔,同知枢密院事史宅之,辞免兼提举财用,诏不许,仍趣条具以闻。

丁未,诏:"步军司支遣匮乏,每年于丰储仓给米三千石,封桩库给官会二万贯,助其赡军。"

辛亥,诏:"赵葵除拜已久,告假将满。今闻欲还长沙,可令沿江制臣疾速差官邀止,不许般挈为归计,仍令吴渊宣谕赴阙。"

乙卯,广东提举司言知潮州海阳县陈纯仁筑堤护田甚广,诏进官一等。

丙辰,赵与訔辞免措置户部财用,诏不许。

戊午,诏:"今春北师侵边,吕文德指授将士,累策奇功,进官二等。"

庚申,知安丰军邢德,知寿春府刘雄飞,有谢步之捷,诏各进官一等。

九月,丙子,提领户部财用赵与訔创置新仓三百七十万间,贮米一百二十万石,请以淳祐为名,及照丰储仓例辟官四员;从之。

乙未,婉容阎氏进封贵妃。

丙申,太常少卿、暂权给事中卢壮父,缴回内降所除吴沂直秘阁、王国寿军器所干官录黄,从之。

冬,十月,庚申,参知政事应繇,屡疏乞归,不许。寻除资政殿学士、知平江府。

诏:"临安府、诸路提刑司,严居民销凿见钱私铸铜器之禁,仍下殿步司一体施行。"

癸亥,赐宰臣、执政、讲读、修注官宴于秘书省。

甲子,四川制置使余玠,请交引以十年为界;从之。

丙寅,肇庆府高要县令李元瑺,贪酷显著,诏削官三等,勒停。

壬午,诏:"隆冬严寒,军人可念,出封桩库钱十八界会子二十万贯赈之。"

癸未,诏决中外系囚,杖以下释之。

甲申,蠲大理寺、三衙,临安府属县见监赃赏钱。

丁亥,浙西帅臣言金山水军统制陈霆,贪酷激变,诏追毁出身文字,拘锁沿江制司,籍其家。

是月,婺州权守臣郑士懿言:"承务郎赵希褥及其子与志、与惄,同恶相济,藏盗贼,夺民财,抉弟希裤目睛,碎叔祖彦珲宝贝,弃祖母骨殖,捶叔枚夫手指,威使恶党殒偾崇缡之命。绝灭纲常,伤残骨肉。"诏:"希褥追毁出身文字,押送西外宗司拘锁;与志、与惄分移千里外州军居住。"

十一月,丙申,诏:"都省风厉中外,应今后士庶上书,其言真有益于国者,必加精彩;倘涉私邪,朋奸罔上,妄肆雌黄,当严加究问。"以谏臣言哗徒吻士结党扣阍,簧鼓是非为撄利之计故也。时台纲不振,嬖宠干政,弹文及其私党,则内降圣旨,宣谕删去,谓之"节帖",台谏不敢与争。

十二月,己亥,以董槐兼侍读。

乙巳,以吴潜同知枢密院事兼参知政事,礼部尚书徐清叟为端明殿学士、签书枢密院事。

己酉,诏:"皇后兄谢奕昌,特除开府仪同三司,依前保宁军节度使、充万寿观使、奉朝请。"

壬子,史宅之薨,辍视朝一日。

蒙古升太原万户府为河东北路行省,仍以郝和尚为之,许便宜从事。

【译文】

宋纪一百七十二 起丙午年(公元1246年)七月,止己酉年(公元1249年)十二月,共三年有余。

淳祐六年　蒙古定宗元年(公元 1246 年)

秋季,七月,壬戌(初六),泉州发生饥荒,州民谢应瑞拿出自己私人钱钞四十多万,购买粮食,用以赈济家乡人民,救活了很多人。理宗因此发布诏令,增补谢应瑞为进义校尉。

蒙古自从太宗去世后,诸王近亲,相互攻战,国内大乱。这个月,太宗六皇后会见诸王百官,遵奉皇子库裕克在昂吉苏默托里(汪吉宿灭秃里)登基,朝廷政事仍然由皇后执掌。库裕克,是太宗的长子。当时诸王对他很不服气,图谋不轨。适逢雷雨大作,军营水深一尺,于是诸王各自散去。

蒙古命中书令杨惟中安抚平阳百姓。当时断事官色珍肆意不法,杨惟中依法把他杀了。

觐见蒙古可汗图　波斯　拉施特丁

由于东平行台严忠济统管这一带的政事,蒙古分封到山东的功勋权贵们难以恣意妄为。待到蒙古新君主库裕克即位,他们都聚集在朝廷,再次谋划瓜分东平这块地方。当时大家都人心惶惶,疑虑重重,将俯首听命于他们,左右司郎中王玉汝力排众议,这件事才告结束。

八月,庚寅(初四),起居郎兼代理中书舍人、暂时代理礼部右侍郎赵汝腾谈论北司专权。理宗说:"他近来已有所收敛了。"赵汝腾又说:"不应该袒护谏官。"理宗说:"近来已很少有人袒护了。"

己酉(二十三日),任命太府少卿刘克庄为秘书少监。不久,又让他兼任国史院编修官、实录院检讨官。

辛亥(二十五日),校书郎兼枢密院编修官、兼诸王宫教授蔡抗当面回答皇帝的问题时,谈到正心的事。理宗说:"法制千变万化,其实都发之于心。"蔡抗又说到由宫内降旨滥封官吏的弊端。理宗说:"已经允许大臣按奏请执行了。"蔡抗又说及宗庙社稷的大计,皇上说:"祖宗各代也是晚年才决定的。"蔡抗说:"祖宗时,确定名号虽然是在晚年,但确定大计却是在一、二十年之前。这种事最忌讳因循守旧。"理宗认为他说得有道理。

蒙古耶律铸,继承其父耶律楚材之职,任中书令,他向大汗进言,应当放宽各项禁令,并选择前代符合时宜的政令共八十一章呈上。

蒙古任命温都尔(奥都尔)为行省,在燕京视事,和刘敏一起执掌政事。

九月,丙辰朔(初一),秘书省正字林希逸,请求信任给舍、台谏。理宗皇帝说:"台谏、给舍的话,朕没有不实行的。"林希逸又请理宗早日决定国家大计,以慰众望。皇上接受了这个建议。

丁巳(初二),京湖安抚制置大使、夔路策应大使兼江陵府孟珙去世。当初,孟珙曾招募中原精兵一万五千多人,分别屯扎在汉北樊城、新野、唐、邓之间,他们都是身经百战的士卒,号称镇北军,驻扎在襄阳。直到王旻、李虎军队作乱,镇北军也溃散了。这时,孟珙用重赏的办法,招引溃军;归降的人,络绎不绝。蒙古行省范用吉,也暗中向孟珙提出归降的条款,以所受告命为抵押。孟珙把范用吉愿意投降的事情上报朝廷,朝廷却不予接纳。孟珙叹息说:"本想用三十年时间收拾中原百姓的人心,今天这个志向不能伸展了!"于是他病倒了。这个月的初一,境内一颗大星陨落,响声如雷;孟珙去世那天,大风掀掉了房顶,吹断了树木。孟珙跟随其父孟宗政建立过战功,忠诚于皇上,设身处地为国家着想,善于抚慰士卒。有时,军中参佐部曲商议大事,众口不一,孟珙只慢慢用短短数语,折中各方意见,大家心中全都满意。发号施令,统帅将吏,他脸色严峻,将吏们没有一个敢擦鼻涕吐唾沫的。在家则远离音乐和女色,也不好吃喝,超然于物外。死后,朝廷追封他为吉国公,谥号忠襄。

戊辰(十三日),任命贾似道为京湖制置使,兼主持江陵府政,兼夔路策应使,依旧暂兼代理沿江制置副使、湖广总领,不久,又兼任京湖屯田使。

冬季,十月,庚寅(初五),皇上降旨,任命嗣荣王赵与芮的儿子赵孟启为贵州刺史,进入内学。

蒙古君主命令察罕拓展江淮地区。

十一月,庚申(初五),理宗降旨:"昨天,令太学里的上舍、内舍、外舍分别举荐经明、行修、有气节的人才,可是太学生却众口一词,请求免除此项命令,他们奉行很高的道德标准。因此,让这些登记在册的太学生,明年一起参加一次会试,也要让临安府主持学习事务的人知道这件事,以表明朝廷荐举搜集人才的诚意。"

丁丑(二十二日),因下雪,天气寒冷,调拨封桩库楮币,赈济临安府普通百姓。

辛巳(二十六日),因前四川制置使陈隆之抗击敌军而死难,特赐封予徽猷阁待制,除了应该得到的赏赐之外,还授予他两个儿子官职。

殿中侍御史谢方叔说:"豪强兼并的祸患,今天已达到了登峰造极的地步,非限制百姓占田的数量不可了。本朝皇帝暂住钱塘,已有一百二十多年了。钱塘以外的土地日益荒芜,钱塘以内的人口日益增多。有权势的家族日益强大,兼并之风日益滋长,百姓日益贫穷,国家的法令日益遭到破坏,上下串通煎熬逼迫朝廷,好像将有不可控制的局势发生。百万人口的生养供给,全都依赖于粮食,而粮食的生产,全都来源于农田。现在,老百姓的肥沃土地,全都到了有钱有势人的手里。他们所收的粗米,有超过一百万石的;小民如有百亩田地,连年多次去服保里派下来的劳役,官吏还索要各种各样的苛捐杂税。不得已,他们只好把自己的田产奉献给豪门贵族,以求免除劳役。百姓的土地日益减少,而保里派的劳役却无休止;大官的田产日益扩大,而保里派的劳役又不够使唤;兼并之风日益兴盛,百姓生活无以为继。在这个时候,难道可以不严格地制定一些法令,以防止这些祸患继续肆虐吗?现在,国家的开支,边防的粮饷,全都依赖官府向百姓征购的粮食,而有权势、多田地的人家,又不能多向他们征购粮食,保里的劳役也摊派不到他们头上。敌人在国门外窥伺,盗贼则在国内窥伺。处在这种时候,那些富豪之家,与其拥有很多田地、丰富的财物,却又不能长期占有,不如把金钱捐献给国家,帮助国家来缓解目前的困窘!皇上应该诏谕二、三位大臣,选择一些臣僚的论奏,付诸实施,制定法令,扼止兼并。陛下切勿为权贵、亲近的人的话所动摇,而改变初衷;大臣切勿为了免遭很多怨恨而废弃良策。这样,天下就非常幸运了!"

十二月,癸巳(初八),理宗下诏:"侍从、台谏,各自推荐能委以军权,能筹措粮饷的人,介绍他们的才能、度量和成绩,上报朝廷。"

史嵩之守丧完毕,希望朝廷提拔任用他。乙未(初十),理宗降旨,让史嵩之以观文殿大学士致仕。

殿中侍御史章炎、正言李昂英、监察御史黄师雍等人说,史嵩之目无父母,目无皇上,名声丑恶,行为鄙贱,如果按不得谋反的法律来要求,那他死有余辜。请皇上在寝宫中祷告,削去史嵩之的官职,把他发配到边远的地方去。翰林学士李韶与从官上书直言:"《春秋》桓公五年记载,蔡人、卫人、陈人跟从周王去讨伐郑国。《春秋》之初,不忠不孝的人中,没有一个超过郑庄公的,但没有听说,因为郑庄公曾经是周王的卿士而减轻对他的处罚。现在陛下不能惩治奸臣之罪,这过失不单单在皇帝身上,而且也是因为我们这些办事的官吏不能辅佐天子来声讨有罪的人,这按《春秋》的道理都是不能赦免的。请求用《春秋》中的道理,加以决断,赶快赐以裁处。"

丙申(十一日),诸司粮料院章鉴进宫回答皇上问时,谈论上书直谏之事。理宗说:"对于臣僚讨论的事情,朕从未见有不去实施的。"章鉴又谈到储备人才的事宜,皇上说:"人才必须在平时加以培养,遇事才会有人才使用。"

先前,金国将领武仙战败身亡,他的余党流散在太原、真定一带,占据了大明川,使用金国开兴年号,人数多达几万,在方圆数千里的地区抢劫掠夺。蒙古君主命令各道军队讨伐他们,但没能制胜他们。杨惟中手持符节,开导宣谕,使他们的统帅归降,其余党全部被平定。

蒙古东平万户严忠济,承袭爵位多年,对政事很怠惰,任用奸邪谄媚之徒。经历李昶对他说:"连年来,阁下生活豪华,饮食无度,库藏空虚,百姓穷乏。如果阁下依然故我,一切依旧,恐怕会生出乱子来。希望阁下接纳正直之士,罢黜并远离小人,抛弃浮华之风,提倡质朴的作风,减少随从车骑,减少宴饮作乐,这样,尽管无法挽救已经犯过的错误,却可以消除还没有发生的灾祸。"当时蒙古控制的诸侯,法令制度逐渐完备,可是严忠济却放纵骄奢,依然如故。李昶以父母年老,乞求辞官,未获准许,不久因父亲逝世而去官。

蒙古万户史权等进犯京湖、江淮等地,攻打虎头关寨、进抵黄州。

淳祐七年 蒙古定宗二年(公元 1247 年)

春季,正月,乙卯朔(初一),皇上降旨:"特授予皇侄赵孟启为宜州观察使;在内廷小学建资善堂,设置直讲、赞读二人。由于他年纪小,暂且留在王邸学习。"

理宗颁诏:"近来,用人不当,他们不能秉礼怀义,以辅佐朕,因此就做了一些违背常规的事,败坏了风俗,伤害了教化。他们朋比淫乐,肆意欺诈,众人议论纷纷。这都是由于朕没有贤德,朕感到非常羞愧啊!上天诱导朕向善,使朕豁然猛醒,朕已经罢免了他们一伙,已让史嵩之辞官,以表明朕决不再起用他的决心。缙绅、士大夫们相继上奏劝谏,真心诚意向朕陈述,对朕忠诚爱护备至。朕思考再三,认为应作自强之计,所有百官,也应该以这件事实为警戒,克服自己的私心。"

丁卯(二十四日),理宗降旨:"告诫州军县镇,不允许因为朕的生日而大摆宴席,多杀生灵,一律遵循景祐三年发布的诏书办理,并在放生池刻石树碑。"

戊戌寅(十三日),理宗下诏:"淮、浙发运司,调出大米两万石,以救济建宁、邵武各郡遭受水灾的百姓。"

李昂英上疏,弹劾临安尹赵与悉,言词冒犯了当权者。章炎也弹劾当权者,皇上对李昂英很生气,并且怒及章炎,郑寀忖度理宗的心思,趁此机会弹劾章炎、李昂英二人,又唆使同事再次上疏弹劾章炎。下属黄师雍毅然不从,单独上疏议论叶闾,叶闾是赵与悉的心腹之人。不久,章炎、李昂英皆被罢职,郑寀于是推举周坦、叶大有进入御史台。

二月,庚寅(初六),都省说:"淮安县主簿周子镕,遇到李全造反之事,身陷北方已有十六年之久,曾多次把敌人的计谋,秘密告知边境将帅,现在脱身回归宋朝。"理宗降旨,特令改任朝奉郎,擢升他的差遣。

丙申(十二日),理宗降旨:"四川沿边州县官,任职期满后,根据官员们的资历,分别予以迁调。"这是应制臣的请求而颁发的。

己亥(十五日),因贵妃贾氏去世,理宗停止临朝听政两天。

乙巳(二十一日),翰林学士李韶多次上疏,因年事已高,请求告老还乡。皇上授予他端明殿学士,掌管玉隆万寿宫。

丁末(二十三日),命令封桩下库支付会子十二万贯,交给淮西安抚司造船。

壬子(二十八日),理宗下诏,改潜邸为龙翔宫。

拨出封桩库十八界会子五万贯,交给临安府,给那些从边境来的、请求给予举人资格的念书人以补贴,打发他们回去,因为朝廷不同意他们请求参加尚书省举办的考试,这个命令是因此而下达的。

侍御史周坦,弹劾礼部侍郎程公许,程公许因此调出,知建宁府。郑清之因为程公许强迫其儿子郑士昌交出一套命服,非常怨恨程公许,屡次在御前讲席上向皇上述说程公许的不是。周坦的妻子与郑清之的妻子很要好,周坦按照妻子的指使,进入御史台后,立即弹劾程公许,郑寀这时也在弹劾程公许,程公许终于被罢免。

早先,江万里请求回乡祭祀,探望母亲,未获批准,江万里让自己的弟弟护送母亲回南康。不久,听说母亲生病,没有等待正式报告,就跑回家去了。到祁门,听到母亲去世的噩耗,忌恨江万里的人纷纷指责江万里,说他母亲去世,却隐瞒不发表,反而带着三妻四妾走了。周坦弹劾江万里,江万里因此而罢职。

蒙古呼必赉(忽必烈)接受了邢州的封地。邢州是交通要道,苛捐杂税繁多,老百姓不堪重负,僧人子聪推荐张文谦可以任用,于是呼必赉召见张文谦,任命张文谦为主管王府的书记。张文谦对呼必赉说:"现在百姓贫困疲惫,没有比邢州更严重的了,何不挑选合适的人去治理呢!"呼必赉于是挑选了乌托(脱兀脱)、刘肃、李简三人到邢州,同心协力治理邢州,户口增加了十倍,从此,呼必赉愈加尊重念书人,实际上,是从张文谦那里得到的启发。

蒙古任命孟克萨尔(忙哥撒尔)为断事官。孟克萨尔曾经跟从诸王莽赉扣(蒙哥)出兵征讨奇彻(钦察),他身先诸将,并把所俘获的宝物分赏给诸将。自己却一无所取。莽贲扣非常器重他。这时他当了断事官。刚毅的品性、聪明才智才能够在公务中充分发挥出来。

三月,甲子(十一日),知大宗正丞兼代理金部郎官姚希得说,李韶老成持重,德隆望尊,适合留在内祠侍候、在经筵侍奉,戊辰(十五日)理宗下诏:"李韶依旧任端明殿学士、提举万寿观兼侍读。"

忽必烈像

这年春天,蒙古张柔进攻泗州,不久返回,驻扎在杞。帐下吏瓜勒佳显祖获罪逃走,向蒙古君主诬告张柔谋反,蒙古君主命令拘捕张柔,带到北方。大臣们大多以全家性命担保张柔,最终辨明,是张柔受了诬告,显祖被判处死刑。

夏季,四月,辛卯(初八),由于天旱,判决京城内外在押囚犯,杖刑以下的释放。

庚子(十七日),任命刑部尚书王伯大为端明殿学士、同签书枢密院事;任命翰林学士、知制诰吴潜为端明殿学士、同签书枢密院事。

辛丑(十八日),任命郑清之为太傅、右丞相、枢密院使、越国公;游佀罢职,改任观文殿大学士、醴泉观使兼侍读。有人请求改变政教风化,更改年号。郑清之说:"更改年号,是天子刚刚即位时才做的事;改变习俗,是朝廷的大事。汉朝的事情,并不很久远,不要因为换了丞相,就要改变习俗。"事情被搁置下来。

任命赵葵为枢密使兼参知政事,督视江淮、京西湖北军马兼知建康府;陈韡知枢密院事、湖南安抚大使兼知潭州,他们都是郑清之推举的。

庚戌(二十七日),因祈神求雨不应验,减免大理寺、三衙、临安府下属应上交的赃罚钱。

壬子(二十九日),广西漕臣弹劾贵州守臣陈鉴,陈鉴威胁主考官员,私自录取士人,败坏科举法规。理宗降旨再降官一级,勒令陈鉴辞职。

五月,甲寅(初二),理宗降旨:"武功郎、扬州宁淮军统制张忠,戍边守卫浮山,徒手与敌人统帅搏斗,与敌统帅均落水而死,特追封他为武略大夫,并授予他的一个儿子以官职。"

乙卯(初三),由于求雨没有应验,理宗令诸路审查囚徒的罪状。

己未(初七),向天地、宗庙、社稷求雨。

己巳(十七日),皇上降旨,恩赐两淮、京、蜀经历过战争的地方,免交土地税三年,这些地方,过去积欠的赋税也全部免除。

壬申(二十日),吴潜暂时代理参知政事。

六月,癸巳(十二日),赐给进士张渊微以下五百二十七人及第、出身。因天旱不雨,张渊微等请求免去琼林赐宴。

丙申(十五日),理宗降旨征求率直之言,以消除干旱。徐霖应诏,上疏说,如果谏议大夫郑寀不撤换,天就不会下雨;临安尹赵与𥫣不撤换,天就不会下雨。徐霖的奏折没有得到答复,他只好引退了。理宗派著作郎姚希得去挽留他,徐霖不肯回来。皇上御笔亲批,应该入朝为官,就改任他为宣教郎。徐霖屡次推辞,说:"原先为了直言,宁愿死去,也不敢欺骗自己的皇上、父老;今天如果因为官位高,而一生糊里糊涂的,那就失去了自己的本性,这还怎么表现自己的忠心呢!"他又说:"志向贵于高洁,忠心崇尚精诚,假如一旦毁败,那自身会陷入污垢之中。"

当时郑寀、赵与𥫣及周坦、叶大有、监察御史陈垓结成一帮,只有黄师雍孤身一人。郑寀特别憎恨黄师雍,想方设法要除掉黄师雍,但没有得手。他招来赵与𥫣、周坦、叶大有、陈垓四人,共商计谋。适逢这时应皇帝之命,上疏陈述意见的人,多指责郑寀、周坦是招致灾祸的根由。牟子才、李伯玉、卢钺等人的言词尤为严厉。周坦等人写了一封匿名信,诬陷牟子才、卢钺等人。黄师雍到皇帝面前竭力为牟子才、卢钺辩解,说:"写匿名信是条令明文禁止的,肯定不是公正的议论,不知怎么传到皇上手里的?"因而发现了匿名信伪造的痕迹。恰好这时卢钺上疏赞誉黄师雍。郑寀就把卢钺附和黄师雍的事告知理宗皇帝,理宗没有听郑寀的,提升黄师雍为左司谏。

甲辰(二十三日),调拨丰储仓粮米三十万石,用来平抑粮价。

己酉(二十八日),皇上降旨:"天旱的形势一天比一天严重,两淮、襄、蜀以及长江、闽江一带郡县,因遭兵乱盗贼抢掠,偶或发现有遗骸暴露于外,有伤祥和的气氛,今命令所属州县,收殓尸骸埋葬。"

理宗降旨:"京湖北路副总管王英归顺朝廷,特提升二等官职。"

秋季,七月,蒙古君主西巡太原。万户郝和尚去行宫朝拜。蒙古君主赐银万锭。郝和尚辞谢说:"赏赐过于丰厚,臣不应该一个人接受。臣只效了微薄之劳,应归功于将校的通力合作。"他上奏了将校刘天禄等人的功劳,蒙古君主均赐予他们金银符。

丙辰(初五),理宗降旨:"荆鄂都统司,听从荆湖制帅司的指挥管辖;池州、建康、镇江府都统司,一起听从沿江制司指挥管辖;许浦都统司,改为听从兴国、蕲、黄、安庆四郡指挥管辖。"这是根据督视赵葵的请求决定的。

庚申(初九),安庆守臣欧阳颐,为了纠正其专擅放任的过失,理宗降旨,贬官二级,并命令御史谢献子治理安庆郡。

皇上下诏:"任免官员,实为一种繁文缛节,今后,除了侍从、台谏、给舍,两省左右史以上官员,受任时允许请求辞免官职,其余官员一律不允许。"

乙丑(十四日),吴潜被罢免知福州之职,原因是周坦弹劾了他。

丁卯(十六日),任命别之杰为参知政事,谏议大夫郑寀为端明殿学士、同签书枢密院事。

癸酉(二十二日),理宗降旨,浙东、浙西、福建路监司、州郡申报的九户官士之家,分别不同情况,赐予官职或升迁其官职,原因是这九户人家卖粮食救济别人。

郑寀进入政府,舆论都不赞成。太常博士牟子才上疏说:"陛下想挽留徐霖,可是赵与懑、郑寀,都是徐霖弹劾的人。这两个人当中,要数郑寀尤其无耻。请首先罢免郑寀。"八月,甲申(初四),郑寀被罢职。牟子才又谈及郑清之不应该推荐史嵩之的党羽别之杰共同执掌政务,并且再次写信给郑清之,指出他的错误,用西汉末年孔光、张禹的例子严词批评,郑清之羞愧地表示歉意。

丙戌(初六),理宗下诏,令户部严格纠正诸路州县过量征收米粮的错误。

辛卯(十一日),理宗降旨,石钧、陈大任、王方烈各降职一等,因为他们诽谤百姓十分邪恶;谢思义、张懋各进职一级,以表彰他们平反之功。这是因为湖北御史之请而下达的命令。

己亥(十九日),由于秋风强劲,边境应当严加防范,浙右四郡,靠近行都,魏村、福山、柴墟一带,应该预先做好戒备。理宗命令守臣,逐项措施,均需妥然安排。

辛丑(二十一日),理宗颁诏说:"前通判彭州宇文景讷,痛斥盗贼而死,决定追晋二级,并授予其一子以下州文学的官职。"

壬寅(二十二日),理宗下诏:"监司、守臣,应从速制定救济灾荒的措施,以赈济赤贫的百姓;赋税田租,有符合减免的,核实之后,上报。"

甲辰(二十四日),高定子去世,皇上停止临朝听政一天,追赐高定子少保的封号。

这个月,蒙古君主命蒙古人户,每一百人推选一个充任巴图鲁。

九月,丙辰(初六),理宗下诏:"命官的赦免,如有请求更正的,可以不限时间;今后赦免条例中,一律删去'限一年内'四个字。"这是根据左司陈元凤的请求下达的。

丁巳(初七),皇帝下诏,改尚书省提领盐事所为提领茶盐所。

黄师雍和郑清之,过去同为舍人,适逢黄师雍弹劾刘用行、魏岘。这两个人都是郑清之的亲朋故友,因此郑清之很不高兴。周坦得知这一情况后,高兴地说:"我想出除掉黄师雍的方法了。"说着,就让自己的妻子每天都到郑清之妻子那儿去,中伤黄师雍,说:"黄师雍想除掉刘用行、魏岘,目的是想暗中除掉丞相。"理宗想起用黄师雍做侍御史,郑清之说:"如果这样,那么我就不能留下来了。"理宗就改任黄师雍为起居舍人,黄师雍请求离去。郑清之还是希望黄师雍稍加贬谪。黄师雍说:"我要成为完美无缺的人。"始终不肯屈服。

由于高丽国不交纳每年的进贡,蒙古发兵讨伐。从这以后八年中,共四次调换统帅,攻克高丽国十四座城池。

冬季,十月,辛巳(初二),白天出现太白星。

理宗下诏:"京湖副都统李得,讨伐广东峒寇有功,升官一级。"

癸未(初四),在景灵宫举行祭祀。

由于严州发生旱灾,皇上命令丰储仓,提供粮米一万石,用于救济或出售。

丙戌(初七),京湖安抚司调遣军队,平定了辰、沅地区蛮瑶作乱有功,总辖张谦、统制高天祐等人,分别给予不同的赏赐。

己酉(三十日),陈垓说,法律日益遭到破坏,天下的所见所闻日益不美。于是他逐条陈述添差、摄局、须入、奏辟、改任、荐举、借补、旷职、匿过等十种弊端,请求告示朝廷内外。理宗接受了陈垓的请求。

甲寅(疑误),由于镇江府遭旱灾,理宗诏令两浙转运司,调查核实后,免除租税七万四千余石。

蒙古统计人口户数,下令,胆敢藏匿实情的杀头,并没收其家产。藁城县令董文炳,是董俊的儿子,让百姓聚居在一起,少报了户数,大家认为不能这样做。董文炳说:"为了百姓而犯罪,我甘心情愿。"百姓中也有不愿这样做的,董文炳说:"日后,你们会感激我的。"由此,赋税大为减少,百姓富裕了,并且保全了性命。

十二月,壬午(初三),任命赵与蔥为端明殿学士、主管户部财用。

庚寅(十一日),由于京城郊区遭受干旱,理宗降旨:"正月年节、天基节的大宴权且免去,州郡赐宴,务必从省从简,不得趁机课税,侵扰百姓,以称朕敬重上苍、爱护百姓之意。"

辛卯(十二日),李鸣复去世,皇上暂停临朝听政一天。

壬辰(十三日),理宗下诏:"太学生陈九万,在北方十一年,脱身回来,详细陈述了敌方事宜,对防备有利,特此委以迪功郎之职。"

周坦弹劾黄师雍,朝廷罢去黄师雍的官职。

蒙古呼必赉(忽必烈)听说真定路经历官张德辉的贤德,把他召到藩邸,问他:"孔子谢世已久了,现在他的思想表现在哪里呢?"张德辉回答说:"圣人与天地共存,他的思想无往而不在,殿下能推行圣人的思想,圣人的思想就表现在这里了。"呼必赉又问道:"有人说,辽国因为佛教而衰败,金国因为儒教而灭亡,有这样的事吗?"张德辉回答说:"辽国的事,我不很了解,金末的事情,我是亲眼目睹的。宰执中,虽然起用过一两个儒生为臣,其余的都是武士世爵,到议论军国大事,却又不让他们参与。大概由儒生晋升的人,只占三十分之一。国家的存亡,自有承担责任的人,孔子的学说又有什么责任呢?"呼必赉觉得他说得有道理,于是又问张德辉:"祖宗制定的法令制度都在,但没有完全贯彻实施的却很多,应如何处理这种情况呢?"张德辉指着银盘,打了一个比方,说:"创业的君主,就好像制造这件器皿,精心挑选白金,优秀的工匠,设计而后制成,传给后人,希望传之于无穷。应该寻找恭谨厚道的人掌管,那它永远是宝贵的器皿。不然,它不仅会缺裂毁坏,还恐怕会有人想盗走它呢。"呼必赉过了很久说:"这正是我心中念念不忘的事情。"接着又问张德辉:"农民种田辛苦,为什么吃不饱,穿不暖呢?"张德辉回答说:"种田养蚕是天下的根本,衣食来源于耕织。男耕女织,终年辛勤艰苦,他们把劳动所得,挑选上好的,交给官府,留下粗糙不好的,上养老,下育小。而作为百姓的父母官,又仗势横征暴敛,把百姓的辛苦所得,收括殆尽,那么,百姓就很少有不受冻挨饿的了。"呼必赉又问及中原的人才,张德辉荐举魏璠、元裕、李冶等二十多人。张德辉是交城人。

淳祐八年　蒙古定宗三年(公元 1248 年)

春季,正月,丙子(二十七日),太常寺说:"查看《中兴礼书》,里面说,一年中每个季度的第一个月,在景灵宫举行祭祀,分三天行礼。自从淳熙十五年之后,分作二天行礼,近年来,各后殿令宰执分别前去行礼。如果碰上皇帝车驾第二天亲自前去,每位都要三上香,一跪祭,俯伏,起来,再拜。行这种礼合适。"理宗接受太常寺这个建议。

蒙古万户郝和尚,奉诏重返太原管理政务,他提出请求,凡是远道的租税、盐税,如征收超过规定,应全部免去。

二月,辛丑(二十三日),荆湖帅臣陈铧说:"国家因火德而称王,对于火德的祭祀,应当更加崇敬。炎帝陵在衡州茶陵县,庙已年久失修,请求朝廷考虑兴修,以表示推崇敬佩的意思。"理宗接受了陈铧的意见。

丙午(二十八日),周坦请求,朝廷应申明十七、十八界会子同时永久使用,以坚定百姓对会子的信心。左司赵汝暨请求,更换旧的会子,发行十九界会子。太常博士黄洪请求,不用会子,停止出售盐钞。这些狂妄之言,蛊惑人心,应当惩办那些口出狂言者的罪行。理宗下令,免去他们所担任的官职。

丁未(二十九日),监察御史陈垲上疏说:"请皇上宣谕辅臣,告诫吏部,凡没有担任过郡官的,不准升任郎官;已经做了郎官的,改在朝廷以外委以官职;没有担任过县官的,必须让他们到县里任职;已经任了县职的,必须到任职期满。凡不按顺序排列的,必须依照先后顺序,不得有所改动,不得有所区别。希望抑制侥幸心理,尊重等级称号。"理宗诏准陈垲的意见。

蒙古用置爵于神前的方式祭祀孔子庙,有人把祭祀用的供肉进献给呼必赉。呼必赉问张德辉:"在祭孔庙,上供品的时候,有什么礼仪吗?"张德辉回答说:"孔子是世世代代王者之师,拥有国家的人敬重他,把孔子庙的外观修葺得很庄严,一年四季的祭祀治理得很完备,装饰得很美。别人对圣人崇敬与否,对圣人没有什么损益,只是从此可以看出当时的国君推重儒家、崇尚其理论的诚意罢了。"呼必赉说:"从今往后,这个礼仪不可废除。"呼必赉又问张德辉:"掌管军事的人与治理百姓的人相比,哪一种人造成的危害更厉害?"张德辉回答说:"军队如果不讲纪律,放纵他们去残害百姓,祸害固然不轻,但假如治理百姓的人按人头征税,用簸箕征粮,肆意搜括百姓,祖宗的百姓如同处于水深火热之中,其祸害就更加严重。"呼必赉问:"对这种情况,该怎么办呢?"张德辉回答说:"不如另外派族人中像昆布哈那样贤德的人,让他们执掌兵权,派像呼图呼那样有功绩的旧臣主持政事,要是这样,那么天下的老百姓都受到您的恩赐了。"

三月,甲寅(初六),督视赵葵上奏将士们在泗州城解围战中建立的功绩,理宗下诏:"建有奇功的人,特赐予升迁四级,其余的人,根据功绩大小,分别赐予升迁。对那些淮西招抚司接应救援立功的将士,一并比照此例,给予推崇奖赏。"

泗州解围时,前锋军统制田智渊父子二人战死于潮河坝。甲戌(二十六日),理宗下诏,追赐田智渊父子官职,抚恤田智渊的家属。过了不久,在泗州立庙,赐予匾额,以表彰其忠诚气节。

乙亥(二十七日),陈垲上疏:"百姓的命运与国家的命脉息息相通,诉讼官司办得不妥当,刑罚不合适,就无法保护这些百姓的生命,又怎样保护我国的命脉呢?"他趁此机会竭力陈述了检核、决狱、疏决、推勘、拘锁、刺环、奏裁、详覆、重勘、追证等十种弊端。皇上同意陈垲的意见。

蒙古君主贵由死于杭锡雅尔(横相乙儿)之地,享年四十三岁,葬在起辇谷,庙号为定宗。

自从太宗皇后行使皇帝权力以来,法令制度不统一,朝廷内外离心离德。这时国内发生大旱灾,河水完全干涸,野草自燃起火,牛马死去十有八九,民不聊生。诸王及各部又派使者到各郡县去征收货物钱财,有的到西蕃、回鹘去索要珠玑,有的到东海去搜取鹰、鹘,驿骑来来往往,络绎不绝,日夜不停,百姓财力日益匮乏。皇后拥立库春(曲出)的儿子实勒们(失烈门)处理政务,诸王大臣多有不服。

夏季,四月,癸未(初六),理宗降旨:"督视赵葵,屡次上奏,请求结束边境的对峙状态。朕也想慰问其功劳,很有令其回来的意思,然而,蒙古军队虽然撤退了,但边疆应当严加防范,越加应该鼓励将士们留守在那里,不要辜负朕的重托。"

辛卯(十四日),代理礼部侍郎兼国子祭酒徐鹿卿上疏说:"生员李宁先,喝酒争胜,被市民伤害,有辱于学校,玷污了读书人的名声,这是由于我教诲申斥不力,请给予我免职处分。"理宗降旨说:"看了卿家陈述的情况,你能沉痛自责,承认过失,这本来是老师的责任。但是学校的纪律久已松弛,现在应该严加整顿,望好自安置。"理宗非常器重徐鹿卿,而嫉妒徐鹿卿的人却一天比一天多。有人撰写假奏章,借用徐鹿卿的名义,四处传播,诽谤宰相及百官大臣。徐鹿卿,起先还不知道,后来他在皇上面前极力进行辩解,趁此他要求辞官而去。皇上说:"你离官而去,就中了奸人的计谋了。"皇上降旨,令临安府彻底追查,全部捉拿归案。事情牵涉到有权势的政要,案子只好不了了之。徐鹿卿多次上疏,要求告老还乡,不久辞官。

甲午(十七日),因太常侍上奏,请求景灵宫举行大祭祀时,改变原来规定的后殿行祫礼跑拜的次数,皇上下诏:"从先帝那里恭奉治理国家,怎敢怕劳累呢!可一律按照过去的规矩进行。"

乙未(十八日),皇上到景灵宫进行朝献祭祀。丙申(十九日)再次去景灵宫朝献。

庚子(二十三日),理宗下诏:"临安府守臣赵与悆担任明堂大礼提点事务。"

蒙古张德辉将要返回真定,向呼必赉陈述七件首先要做的事情:即提倡孝友,选拔人才,考察下情,重视兼听,亲近君子,赏罚要讲信用,节约财用。呼必赉称张德辉的字辉甫,而不叫他的名,赐给他座位,赠赏优厚。

五月,庚戌(初三),由于缺少雨水,理宗降旨,审查临安所关押的囚犯。

壬戌(十五日),各王宫大小学教授李桂高进对时,说起淮、蜀地势险要,皇上说:"趁现在安闲无事的时候,应当完善规制,做好防御。"

督视、枢密使赵葵奏请朝廷,给自己的事情做一个结束,皇帝下诏,等第二年春天入朝再奏。

癸亥(十六日),皇上降旨:"赵葵在外领兵,现在已满一整年,忠心耿耿,竭尽全力,威名远扬,声誉卓著,既完成了却敌的功劳,又扩大了防卫的规模。现在又愿意为朕留驻边疆,充分体谅国家的困难,怎么可以不加恩典,稍稍表示一下褒扬和崇敬呢!特此晋升三级,依然知枢密院事兼参知政事、督视江淮、京湖军马兼知建康府、江东安抚使、行宫留守,并予以加恩。"

乙丑(十八日),皇上降旨:"陈韡镇守南方。他竭尽忠心,勤勤恳恳,军民平安,蛮徭各族,安定和睦,特赐晋升一级,依然知枢密院事、湖南安抚大使兼知潭州、节度广西。拜授余珌为兵部尚书,依旧任四川安抚制置使兼知重庆府,仍兼四川总领、夔路转运使,贾似道拜授刑部尚书,依旧为京湖安抚制置使兼知江陵府兼夔路策应使,仍兼湖北总领。丘岳拜授兵部侍郎,依旧为淮东安抚制置使兼知扬州兼淮西制置使。吕文德拜为侍卫马军都指挥使,依旧为保康军承宣使、右军卫上将军、枢密院都承旨兼知濠州。"

辛未(二十四日),理宗降旨:"西湖北山护国寺后面的龙洞,泉源清澈深邃,神灵感通,可赐予《护国龙祠》匾额一块,永供人们祈祷求福之用。"

秋季,七月,辛亥(初六),任命王伯大为参知政事,应㒡为同知枢密院事,给事中谢方叔为端明殿学士、签书枢密院事,吏部尚书史宅之为端明殿学士、同签书枢密院事,赵与惁为资政殿学士,给予执政恩例,提领户部财用,仍为知临安府。

丁卯(二十二日),赐予洪咨夔忠文的谥号。

癸酉(二十八日),免去王伯大原职,授予郡职,因为监察御史陈垓批评他。

八月,丙戌(十一日),范钟请求免去祠禄,皇上不准。

丁亥(十二日),督视赵葵上奏朝廷,愿转任三官,前后共六次上奏,皇上不准。

戊子(十三日),由于雷州所屯驻经略司水军十分蛮横,理宗降旨,令守臣加以管束。

乙未(二十日),理宗降旨:"王畴再降官一等,以治他搜刮农民,侵扰百姓之罪。"

丙申(二十一日),皇上下诏:"大理寺丞林炎,回答奏折,态度狂妄,动摇我立国之根本,削去官职三等,押出国都大门。"

庚子(二十五日),皇帝诏谕辅臣说:"各地的监司、帅守,随便籍没人家的财产,往往因一些小事,就援引法律条文,罗织别人的罪名,甚而至于把人置于死地,常常都是贪图其财产,这真可以说是杀人越货了。至于用刑,自然有现成的法令可遵循,可是如今有的官吏却胡作非为,根本不遵守法律条文。凡此种种,都应当一律禁止。可以在祭祀时,明告上苍,宽赦罪人。需更加严肃申明,如果有无罪的人越级控诉经调查属实,对有关人员必绳之以法。"

壬寅(二十七日),周坦上疏说:"明堂下令宽赦罪人,可是州郡官员执行却没有诚意,有拖延稽查,隐瞒真相,以空文搪塞三种弊病,应革除这些弊端,以表明我朝广博的仁爱之心。"理宗准奏。

甲辰(二十九日),皇上诏谕户部,严格纠正各路州县多收米粮、以漕运供应京师的错误。

高斯得调任浙东提点刑狱,弹劾知处州赵善瀚、知台州沈塈等人依仗权势,祸害百姓。未见朝廷答复。

九月,己未(十五日),皇上在景灵宫举行朝献祭祀活动。庚申(十六日),祭太庙。辛酉(十七日),在明堂进行合祭宣布大赦。这天晚上,打雷。

冬季,十月,甲戌朔(初一),参知政事别之杰,多次上奏乞求回归故里。朝廷授予他资政殿大学士、知绍兴府之职。

任命应㒡、谢方叔二人一起代理参知政事。

皇上降旨,改任高斯得为江西转运判官,高斯得推辞,要求免去此职,上疏说:"臣弹劾赵善瀚等,未见答复,臣本来怀疑,其中必有人祖护他们,迷惑圣上的视听。如今承圣恩,授我官职,这在我意料之中。赵善瀚是侍御史周坦的岳父,贪官污吏的罪魁祸首,现在不过慑于圣世,不敢放肆罢了。郑清之与他有老交情,把州符又交给了他。沈垫,是签书枢密院史宅之的妻族。自祖宗立国以来,从未发生过一次监司审查官吏后不按结论去执行的事情。破坏法令、扰乱纪纲的现象,没有比现在更厉害了的。臣身为使者,却不能弹劾官吏,反而落一个易节的下场。如果臣贪图荣华富贵,冒昧接受官职,那么与世上的顽钝无耻之徒又有什么区别呢?乞求罢免我的官职,以告诫那些奉使而无礼的人。"奏章递上去之后,周坦自认为,自己已经担任台谏了,却反而遭人攻击,于是到处去恳求同僚评论高斯得,同僚们感到很为难。周坦着了急亲自递上奏章,弹劾高斯得,要求免去他的新职。不久,周坦被罢免,赵善瀚等人终于免职而去。

十一月,丙午(初三),太傅、右丞相兼枢密使郑清之要求告老还乡,理宗不许。

由于粮食歉收,蒙古万户郝和尚,拿出粮食一千石,以帮助国家之用。

十二月,辛巳(初八),由于严寒,拨出封桩库十八界官楮二十万,令三衙赈济军队。

这一年,蒙古驸马苏布特去世。苏布特辅佐元太祖成吉思汗创业,直到夺取河南,平定西域,建立了很多功绩。后来追封为河南王,谥号忠定。

淳祐九年　蒙古定宗皇后称制元年(公元 1249 年)

春季,正月,乙巳(初二),特授予皇侄宜州观察使赵孟启庆远军节度使之识,晋封为益国公。

庚申(十七日),理宗降旨:"授予周世宗八世孙柴彦颖承务郎之识,袭封崇义公。"

理宗下诏:"两淮、京湖、沿江制帅司,其行下所属部门,劝导宣喻军民在空闲时间耕种田地,秋天庄稼成熟的时候,官府不得瓜分他们的收成。"

癸亥(二十日),知临安府赵与𥪡,请求用没收的五百多亩官田,支付本府创办慈幼局,来收养被遗弃的婴儿,置办药局以治疗贫苦百姓的疾病。朝廷同意这一请求。

丁卯(二十四日),许应龙去世,谥号文简。

己巳(二十六日),范钟去世。范钟当丞相时,重视珍惜名器,虽然没有显赫的功绩可以称道,可他廉洁的品德却与李宗勉齐名。谥号文肃。

辛未(二十八日),拨给临安府官田三百亩,交付表忠观,以表彰钱氏的功德。

二月,丁亥(十五日),皇帝降旨:"刑部及各路监司,刑狱案卷应从速予以清理判决,仍派所管辖的官吏往各州县监牢审讯判决,勿令狡诈的小吏从中作弊,祸及无辜。"

庚子(二十八日),郑清之再次乞求回归故里,皇上降旨不许。

辛丑(二十九日),监察御史朱景彝说,刑狱关系到百姓的生命,请告知各司。查究各处已经上呈的文案,限定日期,处理执行。

闰二月,癸卯朔(初一),皇帝下诏:"特封安南国王陈日晅为特进、检校太尉兼御史大夫、上柱国、安南国王。"

赵葵领兵的时间已经很久,并有多次捷报上奏,皇上考虑如何安排他的工作。郑清之说:"不让他当丞相,不足以酬谢他的功劳。陛下难道是因为我的缘故为难吗?臣一定不会因为赵葵一回来,我就立即提出引退,臣愿意居左丞相之职,让赵葵任右丞相。"理宗采纳了他的意见。甲辰(初二)任命郑清之为太师、左丞相兼枢密使,晋封为魏国公;任命赵葵为右

蒙古兵押送战俘图　波斯　拉施特丁

丞相兼枢密使;任命应㒟、谢方叔一起为参知政事;任命陈铧为观文殿大学士、福建安抚大使、知福州;任命吴渊为端明殿学士、沿江制置使、江东安抚使兼知建康府、行宫留守;任命赵希暨为端明殿学士、知建宁府。

乙丑(二十三日),郑清之辞去太师之职,五次奏请,才得批准。

三月,癸酉朔(初一),由于衢州、信州一带干旱,拨出丰储仓大米五千石用以救济。

癸未(十一日),任命贾似道为宝文阁学士、京湖安抚制置大使、知江陵府。

丁亥(十五日),理宗下诏:"史官预先报告,四月将有日蚀发生,只是朕怕上苍有所告诫,没有空闲时间平静地处置此事,可以从二十一号开始,避开宫殿,减少膳食,撤掉音乐,进一步自我省察。尔等同僚,务必相互修好,以辅助朕考虑不周的地方。"

癸巳(二十一日),皇上降旨,判决京都内外在押囚犯,判杖刑以下者,释放。

己亥(二十七日),皇上降旨,通州、泰州、扬州、真州、和州、安庆府可增加发送进京报考进士的名额。

四月,壬寅朔(初一),发生日蚀。

丙午(初五),皇上降旨:"邱岳恪守将帅职责,美名远扬,授予宝章阁直学士,依旧任淮东安抚制置使,兼任知扬州、淮西制置使。"

辛亥(初十),因为福州顺应天意,开导国运让人恭敬地奉立祖宗的神位,这件事至关重要,可以让西外知宗兼领,不要差遣内侍去,这要作为规制,永远定下来。

己未(十八日),众大臣多次上表,请皇上回正殿听政,恢复正常膳食,理宗表示同意。

己巳(二十八日),郑清之一再上疏,请求告老还乡,并就此谈到,当今办事有十难:一为尊重丞相的权力难,二为安定国家大事难,三是使用人才难,四是充分供应军队粮食难,五是遵守法令制度难,六是革除弊端、蛀虫难,七是广布公道难,八是罢免贪官污吏难,九是理财难,十是节约浮费难。理宗下诏,对郑清之加以奖励挽留。

五月,甲戌(初三),浙西帅臣赵与𥷽上疏说:"本司征收盐税,请求从淳祐九年开始,每年推举一名有功德的官员,颁发一张职令状,以鼓励官员们。"朝廷表示同意。

4151

己丑(十八日),右丞相赵葵辞谢新的任命,皇上下诏,敦促他赶快上路。

六月,丙寅(二十六日)皇帝降旨:"边境各郡,均建庙宇一座,挂一块写有'褒忠'的匾额,凡是先后为王事而捐躯、富有忠贞节操的人,一并加以祭奠,郡官于春秋两季,前去祭祀。"

八月,庚子朔,(初一),同知枢密院事史宅之,要求辞去提举财用一职,皇上降旨不许,并催促他详细申述辞职的理由,上报朝廷。

丁未(初八),皇帝下诏:"步军司财用匮乏,每年从丰储仓,调拨大米三千石,从封桩库拨出官会两万贯,帮助供养军队。"

辛亥(十二日),皇上降旨:"赵葵拜为右丞相,时间已久了,他告假的日期将满。今天听说他想回长沙,可令沿江制臣,急速派人,请他不要回长沙,也不许他打算绕道而回,并命令吴渊宣旨,令他回京赴任。"

乙卯(十六日),广东提举司上奏说,知潮州海阳县陈纯仁筑堤,广袤的田地得以保护,朝廷降旨进官一等。

丙辰(十七日),赵与懃要求免去措置户部财用一职,皇上不同意。

戊午(十九日),理宗下诏:"今年春天,北师侵扰边境,吕文德指挥将士,屡建奇功,晋官二等。"

庚申(二十一日),统帅安丰军的邢德,寿春府知府刘雄飞,在谢步打了胜仗,令各晋官一等。

九月,丙子(初八),提领户部财用赵与懃建造新粮仓三百七十万间,贮存米粮一百二十万石,请求用淳祐二字命名,并按丰储仓的惯例,征召官员四名。朝廷同意。

乙未(二十七日),婉容阎氏,晋封为贵妃。

丙申(二十八日),太常少卿、临时代理给事中卢壮父,驳回内降圣旨授予吴沂的直秘阁、授予王国寿军器所干官的文件,皇上表示同意。

冬季,十月,庚申(二十三日),参知政事应㒡,屡次上疏,要求告老还乡,皇帝不准。不久,授予资政殿学士、平江府知府。

理宗降旨:"临安府、诸路提刑司,严禁居民销凿现钱,用以私自铸造铜器,并下令殿步司统一实施。"

癸亥(二十六日),皇上在秘书省赐宴宰臣、执政、讲读、修注官等。

甲子(二十七日),四川制置使余玠,请求采办军粮所用的证券,以十年为一界。理宗同意。

丙寅(二十九日),肇庆府高要县县令李元璜,十分贪婪残酷,皇帝降旨,削官三等,勒令其停职。

壬午(疑误),理宗降旨:"隆冬季节,天气严寒,朕很惦念将士们,拨出封桩库钱十八界会子二十万贯,用以救济。"

癸未(疑误),皇上下诏,判决京城内外关押的罪犯,凡判处杖刑以下的,一律释放。

甲申(疑误),蠲免大理寺、三衙、临安府下属各县现在监管的赃赏钱。

丁亥(疑误)，浙西帅臣上疏说，金山水军统制陈霆，因贪婪残酷，激成事变，皇上降旨，追回并销毁朝廷委任文书，拘捕关押于沿江制司，没收其家产。

这个月，婺州代理守臣郑士懿上疏："承务郎赵希禭和他的两个儿子赵与恿、赵与惄，互相勾结，共同作恶，藏匿盗贼，抢夺民财，挖出了弟弟赵希裤的眼珠，砸碎了叔祖赵彦珲的贵重罕见的宝贝，抛弃祖母的尸骨，捶打叔父赵枚夫的手指，威逼恶党把他的侄子赵崇绦弄死。他们的所作所为，绝灭纲常，残害亲骨肉。"理宗降旨："对赵希禭，追回并销毁朝廷委任文书，押送到西外宗司拘留关押；对赵与恿、赵与惄，分别发配到千里以外的州军去居住。"

十一月，丙申(二十九日)，理宗降旨："都省劝告朝廷内外，今后，不论是士人，还是庶人上书，所言如果真正有益于国家，朝廷一定仔细采纳；倘若掺杂自己邪恶的企图，朋比为奸，欺君罔上，肆意信口雌黄，一定严加追究。"由于谏臣上疏说，哗众取宠之徒，在念书人中造谣惑众，拉帮结伙到宫门前闹事，用动听的言辞，拨弄是非，是因为有人触犯了他们的私利，所以皇上才下达这份诏书。当时吏治不振，皇上宠幸的人干预朝政，如果弹劾的上书，涉及私党，那么在颁发圣旨时，就宣谕把有关部分删去，这就叫作"节帖"，即使台谏知道了，也不敢争辩。

十二月，己亥(初二)，任命董槐兼侍读。

乙巳(初八)，任命吴潜同知枢密院事兼参知政事，任命礼部尚书徐清叟为端明殿学士、签书枢密院事。

己酉(十二日)，理宗降旨："皇后兄谢奕昌，特拜授开府仪同三司，依旧任保宁军节度使、充万寿观使、奉朝请。"

壬子(十五日)，史宅之去世，皇上暂停上朝一天。

蒙古擢升太原万户府为河东北路行省，仍由郝和尚掌管，允许他遇事自行处理，不必请示。

续资治通鉴卷第一百七十三

【原文】

宋纪一百七十三　起上章掩茂【庚戌】正月,尽玄黓困敦【壬子】十二月,凡三年。

理宗建道备德大功复兴　烈文仁武明圣安孝皇帝

淳祐十年　蒙古定宗皇后称制二年【庚戌,1250】　春,正月,辛未,诏:"刑部及大理寺奏报罪案,各守条限,申严诸路宪司,凡狱讼无得淹留,致连年拘系;台谏觉察以闻。"

蒙古以李桢为襄阳军马万户。先是桢言于定宗曰:"襄阳乃吴、蜀之要冲,宋之喉襟,得之则可为它日取宋之基本。"定宗嘉其言,至是有此授,从定宗遗意也。

二月,甲辰,帝谕郑清之曰:"邱迪嘉今早登对,朕以广寇询之,其言皆有始末。峒寇既平,当加优擢。向来寇作之初,或者张皇以甚其事;及其平定,又言多杀以妒其功。若以浮议抑之,它日何以使人!宜以正卿处之。"

乙巳,都省言铜钱泄漏,伪会充斥,奸民无所惩畏。诏:"沿江州县,山陬、海岛,结为保甲,互相纠察,如有犯者及停藏家,许告推赏,不告者连坐。"

言者论赵葵非由科目进,且曰:"宰相须用读书人。"葵因力辞。癸未,诏曰:"赵葵恳辞相位,始终弗渝。使命趣召,亦既屡矣,奏陈确苦,殆逾一期。朕眷倚虽切,而不能强其从也。姑界内祠,以便咨访。"戊子,赵葵罢右丞相兼枢密使,特授观文殿大学士、醴泉观使兼侍读,奉朝请。

庚寅,以贾似道为端明殿学士、两淮制置大使、淮东安抚使、知扬州;余玠为龙图阁学士,职任依旧;李曾伯为徽猷阁学士、京湖安抚制置使、知江陵府。

是春,创新寺于西湖之积庆山,内司分遣吏卒市木于州县,旁缘为奸,望青采斫,鞭笞追逐,鸡犬为之不宁。三年始落成,后赐为阎贵妃功德院,糜费无算。

夏,四月,辛丑,右司谏陈垓言:"改官班引之人,先令赴都堂或御史台各试书判,合理法者许集注;如不通,且令为丞,再试中,方与入。"从之。

癸卯,朝献景灵宫,次幸龙翔宫。

五月,丙寅朔,以善珊嗣濮王。

诏:"吴渊久历从班,屡更事任,兹领江阃,备竭忠勤,山寨耕屯,俱就规画。除资政殿学士,依旧职任,与执政恩数。"

六月,丁酉,龙翔宫奉安感生帝及从祀圣像,仍备祭器,比附太一宫礼例祈祝。

命辅臣申严百司用例废法。

秋,七月,癸酉,左司谏陈垓言:"祖宗治赃吏之法,具在国史。今州县官吏赃败,或营求脱免。请下诸路制、总、监司遵守,仍许台臣觉察。"从之。

丙子,帝谕辅臣曰:"在法,词诉须经次第官司。其台部受词,所当参酌两造,岂宜遽凭单词部决,致使所属观望,曲直倒置!可令御史台、户、刑部遵。"

庚辰,诏殿试改用八月十五日。

戊子,诏:"两淮极边作邑人,照川、广例,令监司引试书判。"

八月,甲午朔,诏:"户部严革诸路州县增收多量苗米之弊。"

甲寅,帝谕辅臣曰:"和籴本非朝廷之得已,若官司奉行无扰,则人户自乐与官为市。访闻近年所在和籴,未得朝廷抛数,预行多敷;富室大家,临期率以赂免,而中产、下户反被均敷之害,以致散钱则吏胥减克,纳米则斗面取赢,专计诛求,费用尤夥。是致民间所得籴本,每石几耗其半,其何以堪!可申严约束。"

台州大水。

九月,甲子朔,贾似道兼淮西安抚使。

己巳,赐进士方梦魁等五百一十三人及第、出身,改赐梦魁名逢辰。

戊寅,诏:"去岁严州水患,田租其悉蠲之。"

冬,十月,丁酉,诏:"访闻郡邑间有水患,细民流移,恐致所失。可令逐处出义仓米,量轻重多寡赈之,务在实惠均及。"

丙午,诏曰:"国家以立国,士习嫩恶,世道所关。端平初,增诸郡解额,寝漕闱牒试,正欲四方之士,安乡井,修孝悌,以厚风俗,比岁殊失初意。可令逐州于每举待补人数内分额之半,先就郡庠校以课试,取分数及格者,同待补生给据赴上庠补试。其天府一体施行。"

辛酉,诏戒两淮都统司主兵官:"今后行法,不许轻用脊棍以伤人命。"

壬申,诏赵葵以观文殿大学士、判潭州、湖南安抚大使。

诏:"给度牒千道,下临安府易民间两界破会。"

癸酉,诏:"淮西疆场,延袤八百馀里,近令沿江制司团给耕屯,渐已就绪。但制阃置司江南,相去差远,可令淮西提举李士达就司空山创司,提举本路山寨。"

甲戌,郑清之再乞归里,慰留之。

辛巳,日南至。诏:"余玠任四蜀,安危之寄已著,八年经理之功,敌不近边,岁则大稔。既寖还于旧观,将益懋于远图。畴其忠勤,足以褒勉,可进官二等。"

壬午,雷。

癸未,诏:"避殿,减膳。令诸路漕臣、守臣体访民间疾苦,当议优恤。"

丁亥,参知政事谢方叔、吴潜,签书枢密院事徐清叟,并乞解机政,不许。

先是蒙古太宗爱皇侄莽赉扣,养以为子,命皇后抚育之。一日行幸,天大风,入帐殿,命莽赉扣坐膝下,抚其首曰:"是可以君天下。"它日,用牸按豹,皇孙实勒们曰:"牸按豹,则犊将安所养?"太宗以为有仁心,又曰:"是可君天下。"莽赉扣既长,命归藩邸,从征伐,屡立奇功。定宗既殂,久未立君,中外汹汹,皆属意于莽赉扣,而觊觎者众,议未决。至是诸王巴图、穆格、大将乌兰哈达会于阿喇托图喇克之地,穆格首建议推戴。时定宗皇后所遣使者巴喇在坐,曰:"昔太宗命以皇孙实勒们为嗣,诸王百官皆与闻之。今实勒们故在,而议欲它属,将置之何地耶?"穆格曰:"太宗有命,谁敢违之! 然前议立定宗,由皇后与汝辈为之,是则违太宗之命者汝等也,今尚谁咎耶?"巴喇语塞。乌兰哈达曰:"莽赉扣聪明睿智,人所共知,巴图之议良是。"孟克萨尔曰:"立莽赉扣,亦太宗遗言也。异议者请斩之!"穆格即申令于众,众悉应之,议遂定。乌兰哈达,苏布特子也。

十二月,壬辰朔,郑清之乞去,诏不许。

淳祐十一年 蒙古宪宗元年【辛亥,1251】 春,正月,丁卯,皇侄益国公孟启,改赐名孜,进封建安郡王。

丁亥,诏:"江、浙沿流郡县,刷具流民口数,于朝廷桩管钱米内赈济,仍许于寺观及空闲官舍居止。"

己丑,程元凤上言:"陛下以神圣之资,接帝王之统,思祖宗付托之重,为社稷久长之图。元正谨始,宸笔涣颁,懋嘉宗英之贤,诞举锡名之典,爰即公社,用进王封,于以隆万世之基,于以系四海之望,溥天率土,雷动欢声,其盛举也。然资善有堂,讲读有官,所愿博选端方纯谨之士,增置辅导赞翊之员,下至给使服役之人,皆有重厚笃实之行,使之出入起居,无有不正,动静语默,无有不善,此实千万世无疆之休。"从之。

诏:"经筵进讲《周易》终篇,讲读、修注官各进一秩,馀补转、赏犒有差。"

二月,壬辰,赐李皋谥文肃。

乙未,左丞相郑清之等上光宗、宁宗《宝训》《皇帝玉牒》《日录》《会要》。丁酉,清之等进秩有差。

三月,壬申,诏:"诸道制、总、监司、州郡不得以堂除、部注之阙搀越申辟;纵元系辟阙,若现任有人,亦不许预辟下次,仰常切遵守。"

(三月)戊寅,以谢方叔知枢密院、参知政事,吴潜参知政事,徐清叟同知枢密院事。潜言:"国家之不能无弊,犹人之不能无病。今日之病,不但仓、扁望之而惊,庸医亦望而惊矣。愿陛下笃念元老,以为医师,博采众益,以为医工,使臣辈得收牛溲马勃之助。"

夏,四月,壬辰,赐殿前司十七界会子十万贯,绢千匹,步军司五万,绢五百匹,令桩留济给贫乏累重官兵。

己亥,以潭州林符,三世孝行,一门义居,福州陈氏,笄年守志,寿逾九袠,诏旌门闾。

郑清之等上敕令所《淳祐条法事类》。

帝谕辅臣曰:"昨览京湖报程琎卢氏县之捷,差强人意。朕以寡昧,服祖宗之令绪,兢业不敢荒宁,适值十六七年应酬不暇。"郑清之曰:"自古事业,专在立志。"谢方叔曰:"今日实有机会。"吴潜曰:"今日事体,汉中为四蜀之首,襄阳为京湖之首,浮光为两淮之首,此当在陛下运量中。"徐清叟曰:"愿陛下益厉自强之志。"帝曰:"内修之事,又当结人心。贪污官吏为民害者,不可不严加惩戒。"

壬寅,帝谕辅臣曰:"边事它无闻否? 迁避之民,已复业否?"谢方叔曰:"近来三边幸无它警,淮民之迁避者,皆已归耕,其贫甚者,闻制司亦少资给之矣。"

乙巳,帝谕辅臣曰:"积雨于二麦无害否?"郑清之曰:"目前虽不为过,然得晴则佳。"谢方叔曰:"二麦似无害。蚕事恶寒,恐少减分数。"帝曰:"淮上诸城,惟合肥壕堑差浅,可谕许堪令其开浚。"

戊申，帝谕辅臣曰："近日内引丞相，朕因及祖宗家法之懿者数条，如敬天、爱民、克己、节俭，不罪言者，皆汉、唐所不及。朕谓不必远稽前代，只近法祖宗足矣。"

庚戌，枢密都承旨兼权吏部侍郎陈昉言："尚书省、枢密院应劄子非降旨者，必先缴进奏请而后施行，可谓尽善。然枢密院之法与尚书省不同，或边事正急，或盗贼忽炽，机变倏闻，酬应宜速，小有需俟，关系匪轻。请令枢密院，自今边防及盗贼急务，且奏且行，勿拘常程。"从之。

五月，癸酉，以久雨，蠲大理寺、三衙、临安府属县见监赃赏钱。

辛巳，出封桩库十八界会子十万贯给诸军。

壬午，诏决中外系囚，杖以下释之，复蠲赃赏钱。

六月，甲午，诏："余玠整顿蜀阃，守御饬备，农战修举，蓄力俟时，期于恢拓。兹以便宜自为调度，亲率诸将行边捣垒，捷奏之来，深用嘉叹。勉规隽功，以遂初志，图上全蜀，以归职方，嗣膺殊徽，式副隆倚。立功一行将士，速与具奏推赏。"

乙卯，诏求遗书。

是月，蒙古诸王大臣，共推莽赉扣即位于库腾敖拉之地，追尊其考为帝，庙号睿宗。实勒们及诸弟，心不能平，蒙古主因察诸王有异同者，并羁縻之，取主谋者诛之。遂颁便宜事于国中，罢不急之役，凡诸王大臣滥发牌印，诏旨宣命，尽收之，政始归一。

秋，七月，甲戌，帝谕辅臣曰："近闻外间多有关节之说，关系风俗不小，若不禁戢，蛊坏世道。令御史台觉察，仍下帅漕两司访缉，究治如律。"

壬午，太白昼见，经天。

癸未，帝谓辅臣曰："去岁罢京学类申，欲令四方之士，各归乡校，以课试理校定，稍复乡举里选之意。近览土著士人投匦之书，谓犹有未还乡井者。科举在近，可令临安守臣晓谕士子，早还本乡。所有土著人，自依此制行岁校之法；其游士出学年久，不能赴乡举者，与赴浙漕试，令行考校，仍取待补以示优恤。"

丙戌，帝谕辅臣曰："诸州间多水、旱，皆由人事未尽，如省刑罚，薄税敛，蠲逋负，禁科抑，惩官吏之奸，察民情之枉。可令诸路监司下之郡邑，有关涉六事者，日下遵行。"

攸县富民陈衡老，以家丁粮食资强贼，劫杀平民。湖广提点刑狱高斯得至，有诉其事者，首吏受赇左右之，斯得发其奸，械首吏下狱，于是发其状，黥配之。具白朝省，追毁衡老官资，簿录其家。会诸邑水灾，衡老愿出米五万石赈济以赎罪。衡老婿吴自性，谋中伤斯得，诬其盗拆官楼。斯得白于朝，且出一箧书，具得自性等交通省部吏胥状。乃置狱，黥配自性及省吏高铸等。初，自性厚赂宦者，言于帝曰："斯得以缗钱百万进，愿易近地。"帝曰："高斯得硬汉，安有此？"斯得力求去，郑清之以书留之。

蒙古主既立，察诸弟长而贤者惟呼必赉，命以皇弟总治汉南，凡军民在汉南者皆总之，开府于金莲川。皇弟宴群下，罢酒，将出，遣人止姚枢，问曰："顷者群臣皆贺，汝独默然，何耶？"枢对曰："今天下土地之广，人民之殷，财赋之阜，有如汉地者乎？王若尽有之，则天子何为！异时必悔而见夺。不若但持兵权，凡事付之有司，则势顺理安。"皇弟曰："虑所不及。"乃以闻，蒙古主从之。

蒙古主更新庶政,姚枢、张文谦、僧子聪,每择时务所急者白于皇弟呼必赉,因得入告。

子聪为书以进皇弟,其略曰:"昔武王,兄也;周公,弟也。周公思天下善事,夜以继日,坐以待旦,周八百馀年,周公之力也。君上,兄也;大王,弟也。思周公之故事而行之,千载一时,在乎今日。

"天下之大,非一人之可及;万事之细,非一心之可察。当择开国功臣之子孙,分为京府、州郡监守,督责旧官以遵王法,仍差按察官守,定其升黜。从前官无定次,清洁者无以迁,污滥者无以降。可比附古例,定百官爵禄仪仗,使家足身贵,有犯于民,设科定罪。威福者,君之权;奉命者,臣之职。今百官自行威福,进退生杀,惟意之从,宜从禁治。"

"天子以天下为家,兆民为子,国不足,取于民,民不足,取于国,相须如鱼水。有国家者,置府库,设仓廪,亦以助民;民有身家,营产业,辟田野,亦以资国用也。今地广民微,赋敛繁重,加以军马调发,使臣烦扰,官吏乞取,民不能堪,以致逃窜。宜比旧减半或三分去一,就见在之民以定差税。关西、河南,地广土沃,宜设官招抚,不数年,民归土辟,以资军马之用。官民所欠债负,宜依太宗皇帝圣旨,一本一利,官司归还。凡赔偿无名,虚契所负及还过元本者,并行赦免。纳粮宜输近仓,当驿路州城,饮食祗待,宜计所费以准差发。使臣到州郡,宜设馆舍,不得居官衙、民家。仓库加耗甚重,宜令量度,均为一法,使锱铢、圭撮、尺寸皆平,以存信去诈。伊喇中丞拘榷盐铁诸产,商贾、酒醋、货殖诸事,以定宣课,已不为轻;温都尔哈玛尔奏请于旧额加倍榷之,往往科取民间;科榷并行,民无所措手足。宜从旧制办榷,更或减轻,罢繁碎,止科征,无使献利之徒削民害国。今言利者众,非图以利国害民,实欲残民以自利也。"

"天下之民,未闻教化,见在囚人,宜从赦免,明施教令,使之知畏,则犯者自少。教令既设,则不宜繁,因我朝旧例,增益民间所宜设者十馀条足矣。教令既施,罪不至死者,皆提察然后决,犯死刑者,覆奏然后听断。笞筈之制,宜会古酌今,均为一法,无得私置牢狱。严禁鞭背之刑,以彰好生之德。"

"古者庠序学校未尝废,今郡县即有学,并非官置。宜从旧制,修建三学,设教授,开选择才,以经义为上,词赋、论策次之。兼科举之设,已奉太宗皇帝圣旨,因而言之,易行也。开设学校,宜择开国功臣子孙受教,选达材任用之。孔子为百王师,立万世法,今庙堂虽废,存者尚多,宜令州县祭祀释奠如旧仪。"

"近代礼乐器具靡敝,宜令刷会,征太常旧人,教引后学,使器备人存,渐以修之,实太平之基,王道之本。今天下广远,虽太祖皇帝威福之致,亦天地神明阴所祐也。宜访名儒,循旧礼,尊祭上下神祇,和天地之气,顺时序之行,使神享民依,德极于幽明,天下赖一人之庆。"

"见行辽历,日月交食颇差。闻司天台改成新历,未见施行。宜因新君即位,颁历改元。令京府、州郡置更漏,使民知时。"

"国灭史存,古之常制。宜撰修《金史》,令一代君臣事业不坠于后世。"

"明君用人,如大匠用材,随其巨细长短以施规矩绳墨。君子不以言废人,不以人废言,大开言路,所以成天下,安兆民也。当选左右谏臣,使讽谕于未形,忖画于至密。"

"君子之心,一于理义;小人之心,一于利欲。君子得位,能容小人;小人得志,必排君子。明君在上,不可不察。孔子曰:'远佞人',又曰:'恶利口之覆邦家者',此之谓也。"

皇弟纳其言,顾一时不能尽行。

九月,丙寅,诏:"昭慈、永祐、永思、永阜、永崇、永茂六陵,并成穆、成恭、慈懿、恭淑四攒宫,遇有修奉告迁神御合行事务,令检察官陵所关太常寺,请降香表,择日依例排办。"

己巳,朝献景灵宫。庚午,朝飨太庙。辛未,大飨于明堂,大赦。

己卯,观文殿大学士游侣,五疏乞归,不许。郑清之辞扶掖,凡五奏,诏从之。

是秋,蒙古都元帅察罕入见,命兼领尚书省事。

冬,十月,壬子,谢方叔累乞解罢机政,不许。

闰月,丁巳朔,侍御史陈垓言:"朱熹近世大儒,有功斯道。曾任浙东常平使者,适值旱歉,讲荒政,立义仓,流风善政,逮今未泯。帅臣马天骥,规创书堂,请广其未备,招延名儒,以重教育。"从之。

自郑清之再相,程公许屏居湖州,四年后乃差知婺州,未上。帝欲召为文字官,清之奏已令守婺,帝曰:"朕欲其来。"召令权刑部尚书。

时罢京学类申,散遣生徒。公许奏:"京学养士,其法本与三学不侔。往者立类申之法,重轻得宜,人情便安,一旦忽以乡庠散选而更张之。令行之始,臣方还朝,未敢强牴以挠既出之令。今士子扰扰道途,经营朝夕,即未能尽复旧数,莫若权宜以五百为额,仍用类申之法,使远方游学者得以肄习其间。京邑四方之极,而庠序一空,弦诵寂寥,遂使逢掖皇皇市廛,敢怨而不敢议,非所以作成士气也。"清之益不乐,授稿陈垓,使劾公许,吴潜奏留之。帝夜半遣小黄门取垓疏入,徐清叟上疏论垓。寻授公许宝章阁学士,出知隆兴府,而公许已死矣。

十一月,丙申,京湖制置使李曾伯言:"调遣都统高达、晋德入襄、樊措置经理,汉江南北并已肃清,积年委弃,一旦收复。"诏:"立功将士官兵各进官给赏,曾伯除宝谟阁学士、京湖制置大使,兼职依旧。"

壬寅,以隆冬凝寒,出封桩库十八界官会子二十万贯赈都民。

癸卯,蠲大理寺、三衙、临安府属县见监赃赏钱。

丁未,决中外系囚,杖以下释之。

乙酉,诏:"江东、西、湖南、北、福建、二广,有灾伤瘴疠去处,虽已赈恤,犹虑州县奉行不虔,可令监司、守臣体认德意,多方拯救。"

庚戌,郑清之薨。史弥远擅废立,清之预其谋,帝以其旧学,优礼之,妻孥纳贿,屡致人言,而眷不衰。赠尚书令,追封魏国公,谥忠定。

辛亥,召牟子才还朝,旋命兼崇政殿说书。时并召黄师雍,未几,师雍卒。

甲寅,以谢方叔为左丞相,吴潜为右丞相,并兼枢密使。时史嵩之贪缘复用,帝初欲相嵩之,中夜忽悟,召学士改相二人。

乙卯,以徐清叟为参知政事兼同知枢密院事,新知福州董槐为端明殿学士、签书枢密院事。

蒙古皇弟呼必赉入见,以赵璧从。蒙古主问璧曰:"天下何如而治?"对曰:"请先诛近侍之尤不善者。"蒙古主不悦。璧退,皇弟曰:"秀才,汝浑身是胆耶?吾亦为汝握两手汗也!"

先是皇弟使近侍托克托治邢州,有能名,既而骄恣不恤民,凋敝日甚。僧子聪言于皇弟曰:"邢,吾分地也。受封之初,民万馀户。今日减月削,才五七百户耳。得良牧守如真定张耕、洺水刘肃者治之，犹可完复。"皇弟奏请以耕为邢州安抚使，肃为副使。由是流民复业。升邢州为顺德府。

蒙古号僧纳摩为国师。纳摩，西域竺乾国人，与兄鄂多齐俱学浮屠。定宗常命鄂多齐佩金符，奉使，省民瘼，至是复尊礼纳摩，令总天下释，鄂多齐亦贵用事。

蒙古主召西夏人高智耀入见。智耀言："儒者所学，尧、舜、禹、汤、文、武之道。自古有国家者，用之则治，不用则否。养成其材，将以资其用也，宜蠲免徭役以教育之。"蒙古主问："儒家何如巫、医？"智耀对曰："儒以纲常治天下，岂方技听得比？"蒙古主曰："善！前此未有以是告朕者。"诏复海内儒士徭役，无有所与。

十二月，丙辰朔，谢方叔等入谢。帝降手诏曰："昨来并命，往往各分朋党，互持己见，交相捭阖，阴肆倾排，是以猜忌成风，众弊胶辕。继自今，勿牵人情，勿徇私意，以玄龄、如晦为法，以赵鼎、张浚为戒，务为正大之规，以副倚畀之意。"

丙寅，诏："吏部四选以下，刷具应干淹滞名件，并要了绝，违当重惩。"

诏："游侣依旧观文殿大学士，进官二等，致仕。"

戊辰，诏："殿、步军兵应殁故累重之家，许以子弟填刺。"

辛未，诏："襄、蜀、两淮极边并新复州郡县及二广恶弱去处，或遇阙官，许令斟酌辟上。"

壬申，诏："诸路监司、帅守，但干摊赖、支蔓、胥墨之人，并日下释之。"

癸酉，帝谕辅臣曰："边事未息，武备当严；五兵所先，莫如弧矢。昔种世衡守清涧，日教习射，羌人畏之；其法可以推行。"诏："诸路帅阃、守臣，讲明区画，详议激励，使各自卫乡井；弓弩箭只，听从其便。"

己卯，诏："两淮、沿江、京湖制司，于江北地分及淮西山寨管内，应有官屯、民田耕种去处，并令团结队伍，随其聚落，就中择众所服者充甲长，任责结保，有警，率其所部，务从便宜；或有疏虞，先惩头目。人有能励率强壮，精习武艺者，先与奖励，将来能出力鏖战，以真命旌赏。"

庚辰，游侣薨，辍视朝二日。

是岁，蒙古东平行省严忠济入觐，以张晋亨从。时包银制行，朝议户赋银六两。诸道长吏有请试行于民者，晋亨面责之曰："诸君职在亲民，民之利病，且不知乎？今天颜咫尺，知而不言，罪也。承命而归，事不克济，罪当何如？且五方土产各异，随其产而赋，则民便而易足。必责输银，虽破民之产，有不能办者。"大臣以闻，蒙古主召见，如所言以对。蒙古主是之，乃得蠲户额三之一，仍听民输它物，遂为定制。蒙古主欲赐晋亨金虎符，辞曰："虎符，国之名器，长一道者所佩。臣隶忠济麾下，复佩虎符，非制也，臣不敢受。"蒙古主益喜，改赐玺书金符，恩州管民万户。

淳祐十二年 蒙古宪宗二年【壬子，1252】 春，正月，丙戌朔，帝戒群臣曰："自今毋养蠹，毋惠奸，毋以姑息市私恩，毋容侥幸废公法。"

诏："诸路官司违禁罔利害民事，悉罢之。"

甲午，宰执内幄奏事，帝曰："救楮事不可缓，吴潜可专此责。"

丙申，诏诸路监司、帅守："事有关人命连逮者，官欠摊涉者，伪会枝蔓者，词人渣系者，咸释之。仍严估平民之禁。"

蒙古断事官伊啰斡齐及珠格尔等总天下财赋于燕,视事一日,杀二十八人。其一人盗马者,已杖而释之,偶有献环刀者,遂追还所杖者,手试刀杀之。皇弟呼必赉闻而责之曰:"凡死罪,必详谳而后行刑。今一日杀二十八人,必多非辜。既杖复斩,此何刑也?"珠格尔不能对。伊啰斡齐旋持其印请于蒙古主曰:"此先朝赐臣印也。陛下即位,将仍用此印耶,抑易以新者耶?"时赵璧旁侍,折之曰:"用汝与否,取自圣裁,汝乃敢以印为请耶?"夺其印,置蒙古主前。蒙古主默然久之,既而曰:"朕亦不能为此也。"自是伊啰斡齐不复用。

庚子,诏:"二广、福建、江西、湖南,去岁疫疠,州县户绝者,监司、守臣稽其财产,即其族命继给之;远官身殁,家不能归者,官为津遣。"

戊申,帝谕辅臣曰:"淮东边报不一,可于江上整娖万兵以备缓急。江面虽已分定三流,更须择将分兵巡徼。"

蒙古置经略司于汴,分兵屯田。自库端取汉上诸郡,因留军戍境上。继而襄、樊、寿、泗复降,而寿、泗之民尽为军官分有,由是降附路绝。虽岁侵淮、蜀,军将惟利剽杀,城无居民,野皆榛莽。至是皇弟呼必赉从姚枢之言,请于蒙古主,置经略司于汴,以孟克、史天泽、杨惟中、赵璧为使,俾屯田唐、邓等州,授之兵牛,敌至则战,退则耕屯,西起穰、邓,东连清口、桃源,列障守之。

庚戌,诏宰执曰:"近闻北骑之来,往往储糗粮,立寨栅,以为因利乘便之计。守臣边将,欲撄城退守,则有老师费财之患;欲开关接战,又有兵连祸结之忧。今朕欲于两淮、沿江各令立一项游击军,以备不时调遣。设若缓急,随宜应援,使大军偏师捣虚,此正李广纵部曲,逐水草,号'飞将军'之遗意也。又闻边疆之外,皆平原旷野,北骑奔突,边臣每有迅雷不及掩耳之患。今朕欲令极边州郡开浚水道,去城百里之间,三里一沟,五里一洫,使北骑不得长驱而入,边民亦可为耕凿之计,此正古者立方田,开沟浍,以限戎马之遗意也。边防二事,久注朕怀,兹与卿等共筹之。"

癸丑,帝谕辅臣:"方田事,且令近城为之。游击军当招水步各半。"谢方叔等曰:"容讲行之。"

蒙古张德辉等见皇弟呼必赉于金莲川,请皇弟为儒教大宗师,皇弟悦而受之。因启累朝有旨蠲儒户兵赋,宜令有司遵行。从之,仍令德辉提调真定学校。

二月,乙卯朔,日有食之。

丙辰,诏增资善堂讲官一员。丁巳,帝谕辅臣:"资善训导之官,正要择人。"谢方叔对曰:"进善不特教以章句,凡事皆当训导,使知孝悌,知世务。"帝曰:"习惯如自然。"

壬戌,诏曰:"朕惟明目张胆,当言即言,其责在台谏;斟酌剂量,可行即行,其权在人主。数年以来,惟知风宪之必行,不俟上章之报可,尝有用之于执政大臣者,有施之于端人正士者。如此,则人主之所欲用者,台谏皆得去之,台谏所欲去者,人主不得而留之,不几于威权浸移,太阿倒持乎?自今后,台谏毋循积弊,有失国体。奏疏必俟得旨付出,方许报行。"

废江湾、梅里、顾迳、魏村、古浦五酒库,以都司言帅司为饷军创五库,官吏并缘渔猎故也。

己巳,诏诸路提刑按部决囚徒。

丙子,置池州游击军。

戊寅,帝谕辅臣:"贾似道已有淮甸肃清之报,不知田畴尚及种否?"谢方叔曰:"兵退在芒种前,犹可及也。"

辛巳,监察御史刘元龙,言楮币积轻,宜因各路时直,令州县折纳纯用楮;从之。后公私交病,明年,仍用钱、会中半。

蒙古兵复攻随、郢、安、复,京西马步军副总管马荣率将士连日拒战,却之。

三月,蒙古主命东平万户严忠济立局,制冠冕、法服、钟磬、筍虡仪物肄习。

丁亥,马荣复与蒙古兵战于大脊山。诏:"荣兵不满千,能御大难,赏官两转,进州钤、带行阁门祗候。"

丁未,三汊口守将焚蒙古屯积,断其浮梁。

蒙古城沔州。

夏,四月,蒙古主驻跸和林。以诸王尝欲立实勒们,乃徙太宗皇(弟)〔后〕于库端所居地之西,分迁诸王于各边,以太宗皇妃家资分赐诸王。定宗皇后及实勒们母,以厌禳并赐死,禁锢实勒们于摩多齐之地。

诏:"襄、郢新复,州郡耕屯为急,以缗钱百万,命京阃措置,给民牛种。"

丙子,置池州游击水军。

五月,甲申朔,祷雨。乙酉,谕辅臣曰:"祷祈未应,可求之人事。"徐清叟言土木之役宜省,帝然之。甲午,以祷雨,出封桩库十八界楮二十万给散诸军有差。乙未,雨。

蒙古主召太常礼乐人赴日月山。

乙巳,盗起玉山。

庚戌,罢诸郡经界,从台臣萧泰来奏也。初,郑清之奏行经界于六郡,会玉山饥民啸聚,言者归咎焉。

六月,癸酉朔,盗逼衢州境,命孙子秀知衢州。子秀谓捕贼之责虽在有司,亦必习土俗之人,乃能蹑其凭依,截其奔突。乃立保伍,选用土豪,疏奏常山县令陈谦亨、寓士周还淳等捍御之劳,人心竞劝。未几,擒贼四十八人,玉山盗平。

癸亥,赈衢、信饥。

戊辰,帝谕辅臣曰:"迩年科举取士,鲜得实学。士风人才,关系气数,何策以救之?"吴潜请于省试额中辍一二十名,令有司公举海内行义文学之士,庶尚存乡举里选微意。曩时朱熹、真德秀亦有此请。

癸酉,帝曰:"近日学校之士,本起于至微,不谓其相激乃尔。若纷纷不已,恐非美证。"先是三学诸生扣阍言临安尹余晦,相率出学,帝令学官勉入斋,故因辅臣奏事复及之。晦为天锡从子,以天锡旧恩见擢用。

丙子,大理正尹桂,请置小学于禁庭:"非特父子之情浃洽,亦所以为事制曲防之虑。"

戊寅,诏赐史弥远墓碑。

己卯,帝谕侍臣曰:"衢、严水灾,江东亦苦雨,此阴盛之应。"徐清叟曰:"汉关中大水,翼奉以为后舅之故。今宜稍抑宦官、戚畹,以回天意。"

蒙古皇弟呼必赉入觐,蒙古主命帅师征云南。

秋,七月,甲申,谕辅臣曰:"严州水势可骇,移拨之米,当赈济,不当赈粜。"谢方叔言衢、婺庐舍亦多漂荡，宜一体救恤。戊子，帝问信州水灾，谢方叔曰："建宁、南剑、括苍亦然，救恤宜急。"

权左司郎中高斯得上言曰："愿陛下立罢新寺土木，速反迕旨诸臣，遏绝邪说，主张善良，谨重刑辟，爱惜士类，则天意可回，和气可召矣。"

庚寅，以诸路水灾，遣使分郡赈恤诸军，计院师舆往建宁、南剑，国子监簿叶隆礼往严、衢、信，登闻检院胡大昌往婺、处，合告敕凡一百道，分遣有差。

牟子才言："今日纳私谒，溺近习，劳土木，庇小人，失人心，五者皆蹈宣和之失。苟不恐惧修省，臣恐宣和京城之水将至矣。燮理阴阳，大臣之事，宜谕大臣，息乖争以召和气，除壅蔽以通下情。今遣使访问水灾，德至渥也，愿出内帑赈之。"

辛丑，帝问辅臣三使行日，徐清叟言建宁、南剑水尤甚，师舆所将仅百万，恐赈恤有限，帝曰："可增五十万。"

乙巳，帝曰："闻福建水，伤人颇多。"徐清叟曰："水退之后，贫民无以为生，亦有自经沟渎者。闻帅臣陈昉发楮三十万，漕臣饶虎臣发楮五十万、米五千石以赈之，请与除豁。"帝从之。其后蠲九郡苗米凡二十二万石有奇。

右司郎中徐霖疏言谏议大夫叶大有阴柔奸黠，为群憸魁，不宜久长台谏，并追论赵与懃聚敛，帝不悦。己酉，帝谕辅臣曰："徐霖以庶官论台谏、京尹，要朕之必行，殊伤事体，已批除职予郡。"吴潜等请更赐优容。

徐霖出知抚州。帝虑给事中赵汝腾廷诤，徙为翰林学士，汝腾即去国。高斯得言："汝腾一世之望，宗老之重，飘然引去，陛下遂亦弃之，有如弁髦，中外惊怪。将见贤者力争不胜而去，小人踊跃争气而来。陛下改纪仅数月，初意遽变，臣窃惜之！"

八月，癸丑朔，令户部下诸路申严州郡苛取斛面之禁。

己未，诏明年省试仍用二月一日，以四月殿试。先是淳祐九年，台臣陈垓奏省试用三月，殿试八月，远方之士留滞逆旅，至是复旧。

谢方叔、吴潜乞解机政，疏四上，不许。

蒙古学士魏祥卿、徐世隆、郎中姚枢等，以乐工李明昌、许政等五十馀人见蒙古主于行宫。蒙古主问制作礼乐之始，世隆对曰："尧、舜之世，礼乐兴焉。"时明昌等各执钟、磬、笛、箫、篪、埙、巢笙于御前奏之，曲终，复合奏之，凡三终。

庚申，蒙古主始以冕服拜天于日月山。

癸亥，蒙古主从孔元措言，合祭昊天、后土，始大合乐，作牌位，以太祖、睿宗配。

蒙古方图征云南，皇弟呼必赉问于徐世隆，对曰："孟子有言：'不嗜杀人者能一之。'君人不嗜杀人，天下可定，况蕞尔之西南夷乎？"皇弟曰："诚如卿言，吾事济矣。"

甲子，申严文武官改正叙复之令。

己巳，出封桩库十八界楮四十万赈行在军民。

丁丑，太史奏将新历成，诏赐名《会天历》，行之。

戊寅，再决中外系囚，以阴雨未已，诏行宽恤刑狱。

是月，蒙古皇弟呼必赉次临洮，请城利州以为取蜀之计。

九月，壬午，诏改明年为宝祐元年。

丁亥，诏建西太乙宫于延祥观左。

嗣沂王贵谦薨。

庚戌，帝谕辅臣："近来早朝，多奏臣下辞免等细事，而事体大者反从缴进，甚非临朝听政之意。自今宜就早朝面奏。"

叶大有疏劾赵汝腾，以其右徐霖也。牟子才上疏辨汝腾之诬及大有之欺；未几，大有罢言职。

蒙古皇弟呼必赉将征云南，军中夜宴。姚枢陈宋太祖遣曹彬下江南，不杀一人，市不易肆。明日，皇弟据鞍呼曰："汝昨言曹彬不杀人事，吾能为之。"枢马上贺曰："王能如此，生民之幸，有国之福也。"既而师左次。

冬，十月，壬子朔，诏："诸路守臣，依旧制，到任半年，条便民五事及四方利病来上。"

癸丑，以徐清叟除参知政事，董槐同知枢密院事。

嗣濮王善珊薨。

甲寅，都省言既复襄、樊，宜措置屯田，修曲堰。诏守臣高达任责，仍令前德安守臣程大元督役。

壬辰，诏举将材。

蒙古杨惟中、赵璧至河南，加意振饬。总管刘福贪酷，虐害遗民将二十载；惟中召福听约束，福以数十人护卫而至，惟中握大梃击杀之，百姓称快。又有刘万户者，贪淫暴戾，郡中婚嫁，必先掠之，得所请而行。其党董主簿尤虐，强取民女三十馀人；璧至，按其罪，立斩之，尽还民女。刘大惊，时天大雪，诣璧，酌酒贺曰："下车锄强，雪为瑞应。"璧曰："如董主簿者尽诛之，瑞应将至矣！"刘归即病卒，时人以为惊死。

蒙古汪德臣将兵掠成都，薄嘉定，四川大震。余玠率诸将俞兴、元用等夜开关力战，乃解去。

监察御史萧泰来劾高斯得、徐霖，俱罢职。霖在抚州，宽租赋，赈饥穷，诛悍将，建营寨，凡一月而政举。及去，士民遮道，几不得行。

十一月，辛巳朔，右司郎中李伯玉劾萧泰来附谢方叔伤残善类，帝令伯玉具都司劾御史故事以闻。伯玉引张商英故事，且历数泰来之过。诏曰："国家设御史，所以纠正百官；置宰相，所以襄赞机务。御史乃天子耳目之臣，而省掾不过一大有司，未闻有以庶僚而纠劾御史者。近者徐霖以都司而按大有，今李伯玉又以都司而按泰来，阴怀朋比之私，蔑视纪纲之地，是非轻台谏，乃所以轻朝廷也。李伯玉乃复援张商英等事以文其过，若都司可以按御史，则御史反将听命于都司，朝纲不几于紊乱乎？伯玉可降两官，放罢。"

牟子才上言："陛下更化，召用诸贤。今赵汝腾、高斯得、徐霖相继劾去，李伯玉又重获罪，善人尽矣。"

庚寅，吴潜罢，以萧泰来论其奸诈十罪如王安石而又过之也。

丙申夜，临安大火；丁酉夜，乃熄。戊戌，避殿，减膳。

壬寅，诏求直言。

国史实录院校勘汤汉上封事曰："往者陛下上畏天戒，下恤人言，内则拘制于权臣，外则恐怯于强敌，敬心既不敢尽弛，私意亦未得尽行。比年以来，天戒人言，既已玩熟，而贪浊柄国,黩货无厌,彼既将恣行其私,则不得不纵陛下之所欲为,于是前日之敬畏尽忘,而一念之私始四出而不可御矣。姑以近事迹之:定策之碑,忽从中出,乡未欲亲其文也;贵戚子弟,参错中外,乡不如是之放也;土木之祸,展转流毒,讼牒细故,胥吏贱人,皆得籍群邪之势,彻清都之邃,乡不如是之炽也;御笔之出,上则废朝令,下则侵有司,乡不如是之多也;贿赂之通,书致之操,乡不如是其章也。所以水火之灾,捷出于数月之内,陛下尚可复以常日玩易之心处之乎?"

以隆寒,出封桩库十八界会子二十万赈三衙诸军,其出戍官兵之家倍之。

戎州帅欲举统制姚世安为代,余玠素欲革军中举代之弊,以三千骑至云顶山下,遣都统金某往代世安,世安闭关不纳。世安素结谢方叔子侄,至是求援于方叔;方叔遂倡言玠失利州士卒之心,又阴嗾世安密求玠之短,陈于帝前,帝惑之。于是世安乃与玠抗,玠郁郁不乐。

十二月,乙卯,以吴潜为观文殿大学士、提举兴国宫。

戊午,蒙古大赦。徙诸匠五百户修行宫。

己未,诏:"追录彭大雅创筑渝城功,复元秩,仍官其子。"

癸亥,以海神为大祀。

丁丑,立春,雷。时言路壅塞,太学生杨文仲率同舍生叩阍极言时事,有曰:"天本不怒,人激之使怒;人本无言,雷激之使言。"一时传诵之。

是岁,蒙古籍汉地民户。

金故御史张特立以言事罢归田里,金亡,不仕,以《易》教授诸生。蒙古皇弟呼必赉闻其名,尝遣赵璧传谕,称其养素丘园,易代如一,赐号"中庸先生"。至是复贻书曰:"白首穷经,诲人不倦,无过不及,学者宗之。昔已赐嘉名,今复谕意。"未几,特立卒。

【译文】

宋纪一百七十三　起庚戌年(公元1250年)正月,**止壬子年**(公元1252年)十二月,共三年。

淳祐十年　蒙古定宗皇后称制二年(公元1250年)

春季,正月,辛未(初五),理宗皇帝降旨:"刑部及大理寺奏报罪案,各按规定的条例和权限办理,严申各路宪司,所有讼事不得积压滞留,致使连年拘禁;台谏两官若有所觉察即奏明来知。"

蒙古任用李桢为襄阳军马万户。此前李桢曾对定宗说:"襄阳是吴、蜀的要冲,又是大宋咽喉之地,得到襄阳就有了今后夺取大宋江山的基础。"定宗称赞李桢之言,遂有此授命,这也是遵从定宗之遗愿。

二月,甲辰(初八),皇帝谕知郑清之:"丘迪嘉今晨入朝应答,朕向他询问广南盗寇之事,他说得有头有尾。峒中盗寇既已平定,应当优先予以晋升。向来盗寇开始出现时,人们惊慌失措而把事情看得很严重,等到盗寇被平定了,人们又说杀戮太多而嫉妒平寇者之功。若凭虚浮不实之言而压制他,今后还如何用人!应该任他为正卿。"

乙巳(初九),尚书省称铜钱泄漏减少,伪造的会子充斥市面,邪恶狡诈之人肆无忌惮。皇帝降旨:"沿海州县,山隩、海岛,建立保甲制度,互相纠察,如有犯者及窝藏者,准许告发并予以奖赏;知情不报者要连带同受惩罚。"

有人议论赵葵并不是通过科试而入朝为官的,又说:"宰相必须由读书人担任。"赵葵因而竭力辞职。癸未(疑误),皇帝下诏书说:"赵葵恳请辞去相位,坚持不渝。派人催促他前来接受召见也已有多次了。此次上奏陈言确实良苦,几乎已超过一年时间了。朕思慕倚望之心虽切,但不能强行要他听从;暂且让他担任宫观官,以便于征询访求。"戊子(疑误),赵葵被免去右丞相兼枢密使,授以观文殿大学士、醴泉观使兼侍读,奉朝请。

庚寅(疑误),任命贾似道为端明殿学士、两淮制置大使、淮东安抚使、知扬州;余玠为龙图阁学士,职任依旧;李曾伯为徽猷阁学士、京湖安抚制置使、知江陵府。

这年春天,在西湖的积庆山创建新寺,内司分别派出差吏士卒在州县购买木材,他们乘机干坏事,见到树木就采伐,用鞭子板子毒打或追逐乡民,弄得鸡犬不宁。三年后才建成,后来赐予阎贵妃作为功德院,奢侈浪费无法计算。

夏季,四月,辛丑(初五),右司谏陈垓说:"凡改为京官立班朝见皇上的人,先要他们赴都堂或御史台各试书判,合于理法的方可应允登记造册;如不能通过,暂且令为丞,再试合格的,再准予入朝为官。"皇帝同意。

癸卯(初七),皇帝在景灵宫举行祭礼,后到龙翔宫。

五月,丙寅朔(初一),以赵善珊为嗣濮王。

皇帝降旨:"吴渊长期担任副职,多次变更职务,此次统领江闿,竭尽忠诚勤恳,山寨耕战屯田之事皆共谋划。授予资政殿学士,仍任旧职,予以主持政务的恩典礼遇。"

六月,丁酉(初三),龙翔宫奉安感生帝及附祭圣像,仍备祭祀所用的礼器,比照太一宫的礼例进行祈祷祝福。

皇帝命辅臣申明严禁大臣百官沿用惯例而废弃法则。

秋季,七月,癸酉(初九),右司谏陈垓说:"祖宗惩治贪官污吏的方法,都在国家的史官那里。如今州县官吏贪赃败露,还谋求逃脱、避免受罚。请下旨命各路制司、总司、监司遵守法令,仍允许台谏官揭发、检举。"皇帝同意。

丙子(十二日),皇帝谕知近臣:"在执法过程中,诉状必须按次序审理。台部接受诉状,应当参考斟酌原告与被告双方所陈述的内容,不可单凭一方的言辞草率做出裁决,以免所属还在等待、观望时,便造成是非曲直颠倒。可令御史台、户部、刑部遵行。"

庚辰(十六日),皇帝降旨:"殿试改在八月十五日。"

戊子(二十四日)皇帝降旨:"两淮边境作邑人,依照川、广之例,令监司引试书判。"

八月,甲午朔(初一),皇帝降旨:"户部要严厉革除各路州县滥增漕运供应京师米粮之弊害。"

甲寅(二十一日),皇帝谕知辅臣:"由官府出钱购买民粮,议价交易,是朝廷不得已而实行的办法,如果百官奉行而不侵扰,那么农户自然乐意与官府交易。询问之下得知近年各地官府购买民粮时,未等朝廷下达数额,预先扩大摊派征购。到征购的时候,富有的大户向官员赠送财物以求得减免;中等财产的人家与贫民反而受到平均分摊征购粮食之害,以致发放钱币时地方小官从中克扣,凡缴纳米粮则小吏通过量斗,以得到好处。小吏专门盘算勒索,百姓开支特别多。以致百姓所得籴本,每石几乎损耗一半,怎么经受得了呢? 要申明严加限制、约束。"

台州发大水。

九月，甲子朔（初一），贾似道兼任淮西安抚使。

己巳（初六），赐进士方梦魁等五百一十三人及第、出身，赐梦魁名逢辰。

戊寅（十五日），皇帝降旨："去年严州水灾，田赋租税全免征收。"

冬季，十月，丁酉（初五），皇帝降旨："据闻郡邑间有水灾，小民流亡迁移，难保不失去立身之地。可令各地开放义仓米粮，衡量灾情轻重及缺粮多少而赈济他们，务必使灾民都得到实惠。"

丙午（十四日），皇帝降旨："国家以儒学作为立国的根本，读书人习尚的美与丑，直接关系到社会风气的好与坏。端平初年，增加各郡乡试名额，停止漕举考试，正想要让四方之士，安抚家乡，加强孝悌之教，而使风俗朴实敦厚。近年来的情况完全不符合当初的这种意图。应让各州在每次推举候补人数中分出一半，先在州郡署的学校进行考核，录取分数及格的，与候补生一样给予凭证赴上一层学校补试。临安府也一律施行。"

辛酉（二十九日），皇帝下诏告诫两淮都统司主兵官："今后执行刑法，不许轻易动用脊棍以致伤害人命。"

壬申（疑误），诏命赵葵为观文殿大学士，判潭州、湖南安抚大使。

皇帝降旨："发放千道度牒，下达临安府改换民间两界破损的会子。"

癸酉（疑误），皇帝降旨："淮西疆场，纵横延伸八百余里，近来已下令沿江制司组织人力实行屯垦耕种，渐已就绪。但制阃置司于江南，却与淮西距离稍远，可令淮西提举李士达靠近司空山创司，掌管本路山寨。"

甲戌（疑误），郑清之再次请求归故里，皇帝抚慰、挽留他。

辛巳（疑误），冬至。皇帝降旨："余玠就任于四蜀，肩负转危为安的重托，功效显著，八年治理的业绩，使敌人不敢进犯边境，年成也好。已逐渐恢复原来的状况，将更勉力于长远之谋。为酬谢他的忠诚勤恳，应大力给予褒奖，可加官二等。"

壬午（疑误），响雷。癸未（疑误），皇帝降旨："避殿，减少肴馔。命令各路漕臣、守臣询问、体恤民间疾苦，议定优抚百姓之事。"

丁亥（疑误），参知政事谢方叔、吴潜，签书枢密院事徐清叟，一齐请求解除参与机密政务之职，皇帝未允。

原先，蒙古太宗喜爱皇侄莽赉扣，把他作为儿子一样供养，命皇后抚育他。有一天，太宗外出巡视，因刮大风而进入帐殿躲避，就命莽赉扣坐在膝下，抚摸他的头，说："这可以成为天下之君主。"此后某日，太宗叫人以母牛看护豹子，皇孙实勒们说："以母牛看护豹子，那么小牛将怎么养育呢？"太宗认为他有仁爱之心，又说："这可以成为天下之君主。"

莽赉扣长大之后，太宗命他回到诸侯王的府第，从军征战，多次立下奇功。定宗逝世后，很久未有君主，王室内外争辩喧闹纷纷，意向都专注于莽赉扣，然而由于许多人觊觎君位，此事议而未决。到这时，诸王巴图、穆格、大将乌兰哈达会集在阿喇托图喇克之地，穆格首先建议共举莽赉扣为君主。当时，定宗皇后派遣的使者巴喇在座，他说："以往太宗明令把皇孙实勒们作为继承人，诸王百官都亲耳听到的。如今，实勒们仍健在，却议论君位归属别人，这将把他摆在什么位置呢?"穆格说:"太宗遗命,谁敢违抗!而以前议立定宗,全由皇后与你们一班人所为,违背太宗之命的正是你们,现在还想要责怪谁呢?"巴喇无言以答。乌兰哈达说:"莽赉扣聪明而有远见,人所共知,穆格的提议很正确。"孟克萨尔说:"立莽赉扣为君,也是太宗的遗言。对此尚有异议的,把他斩了。"穆格立即明令众人,大家都应和了。议立君主的事就这样确定下来。乌兰哈达是苏布特之子。

十二月,壬辰朔(初一),郑清之请求辞职离去,未得皇上允许。

淳祐十一年 蒙古宪宗元年(公元 1251 年)

春季,正月,丁卯(初六),皇姪益国公赵孟启,赐名孜,进封建安郡王。

丁亥(二十六日),皇帝降旨:"江浙沿河各郡县,清查出所有流亡在外、生活无着落的人,从朝廷封桩库中拨出钱粮给予救济,仍允许他们在寺观及空着的官舍居留。"

己丑(二十八日),程凤元向皇帝进言:"陛下以神圣的资质,承先王的纲领,思祖宗付托的重任,谋求国家的长治久安。元旦伊始,御笔焕然颁发命令,勉励嘉奖宗亲之英贤,举行赐名之典礼,又在祭祀时授予王侯们封号,这都是为了使万代基业兴隆,使四海之人都敬仰。普天之下,欢声雷动,确是盛况空前。然而资善堂的侍讲官、侍读官,希望广泛挑选并任用正直忠纯谨慎之士,凡增设教导、辅佐之人,下至供使用的仆役,都得有庄重忠厚诚实的品行,出入起居,都须得体;举止言谈,都无劣迹。这确实才是千秋万代之美善啊。"皇帝同意。

皇帝降旨:"经筵上讲完《周易》之后,侍讲官、侍读官、修注官各加官一等,其余的人分别给予迁官补缺,各有不同赏赐、犒劳。"

二月,壬辰(初二),赐李塈谥号文肃。

乙未(初五),左丞相郑清之等进献《光宗宁宗宝训》《皇帝玉牒》《日录》《会要》。丁酉(初七),郑清之等增加俸禄,各有差别。

三月,壬申(十二日),皇帝降旨:"各路制司、总司、监司、州郡,不能因堂除、部注之缺,抢先越权申报征举授官;即使本来就是为了补缺员,如果现今还有人在位,也不能提前为将来征举授官,切望时时严格遵守。"

三月,戊寅(十八日),任命谢方叔为知枢密院、参知政事,吴潜为参知政事,徐清叟为同知枢密院事。

吴潜说:"国家不可能没有弊端,就像每个人不可能没有疾病。今日之病,不但庸医看了感到吃惊,再世的仓公、扁鹊看了也吃惊啊。希望陛下深念各位元老,把他们当作良医,集思广益,以求得治病的功效,使臣子们起到类似牛溲马勃的作用。"

夏季,四月,壬辰(初二),赐殿前司十七界会子十万贯钱、一千匹绢,赐步军司五万贯钱、五百匹绢;命封桩库留出钱粮救济、供给那些贫乏而负累沉重的士兵。

己亥(初九),潭州林符,三代人都有孝顺父母的德行,又是和睦同居并以孝义著称的家庭;福州陈氏,十五岁就守节,寿过九十岁。因此,诏令在其家门口悬旗以示表彰。

郑清之等人进献诏令编纂的《淳祐条法事例》。

皇帝谕知辅臣:"昨阅京湖奏报,知程珌在卢氏县的胜仗,稍感满意。朕以寡德愚昧,从事祖宗开创之绪业,兢兢业业,不敢贪图享乐安逸,现已经十六七年,忙于应付,少有空闲。"郑清之说:"自古以来,成就功业重在立志专一。"谢方叔说:"如今确实有好机会了。"吴潜说："现在的情形,汉中居四蜀之首位,襄阳居京湖之首位,浮光居两淮之首位,这在陛下制定策略时应予考虑。"徐清叟说："希望陛下更加磨炼自强之志。"皇帝说："修治内政,应使人心一致;对贪官污吏以及残害百姓者,不能不严加惩处,以求杜绝。"

壬寅(十二日),皇帝询问辅臣："边关之事,没有听到别的消息吧? 离散以避战乱的百姓,已经恢复耕织了吗?"谢方叔说："近来边境各州幸无紧急的情况。淮民中离散以避战乱的,都已归家耕种。那些非常贫困的乡民听说制司也多少给予了救济。"

乙巳(十五日),皇帝询问辅臣："多雨的天气对大麦、小麦有无害处?"郑清之说："目前雨量虽然还不太过,但天晴了就更好。"谢方叔说："大麦、小麦似乎还无受害。养蚕之事最怕碰到天寒,恐怕今年蚕茧收成会减少分数。"皇帝说："淮地各城镇,只有合肥城的壕堑比较浅,要告知许堪,令他挖掘深些。"

戊申(十八日),皇帝谕知辅臣："近日在居室召见丞相,谈及朕沿袭祖宗之法,涉及如:敬天、爱民、克己、节俭、不归罪于提出批评的人等,都是汉代、唐代比不上的。朕认为不必追踪远代先王的做法,只要效法近世祖宗就足够了。"

庚戌(二十日),枢密都承旨兼权吏部侍郎陈昉说："尚书省、枢密院是接收奏折的而不是下传皇帝命令的,必须先呈交奏请后施行,这是最好的了;然而枢密院与尚书省还不同,有时因边境战事正急,有时因盗贼突然闹得很凶,机密要事或突变的情况传来,应酬对付必须从速,稍微迟疑等待便有严重后果。请下令枢密院,从今以后,有关边防及盗贼的紧急事务,可一边奏报一边采取行动,勿受常规所限制。"皇帝同意。

五月,癸酉(十四日),因久雨,减免大理寺、三衙、临安府属县的监赃赏钱。

辛巳(二十二日),拨出封桩库十八界会子十万贯钱给各军队。

壬午(二十三日),诏令判决中央与地方的在押囚犯,判定为仗刑以下的予以释放;再次免去赃赏钱。

六月,甲午(初五),皇帝降旨:"余玠整顿蜀境,守御谨慎而完备,农战并举,积蓄力量等待时机,期望于扩大地域。因为可以不须请示自行决断处置,亲自率领诸将巡视边境、修筑营垒,捷报传来,深堪赞叹。努力谋划、创建奇功,以实现当初之意愿;使整个蜀地都上版图,以归职方郎中履行其责。承受特殊的徽号,成为倚重之臣。对立功的将领士兵,应迅速一一上报,加以推举而接受奖赏。"

乙卯(二十六日),诏令征集前人遗著。

本月,蒙古诸王大臣,共同推举莽赉扣在库腾敖拉之地登王位,追尊其先父为帝,庙号睿宗。实勒们及其弟弟,愤愤不平。蒙古主觉察诸王中有异心的,都予拘禁,将主谋者处死。还在国内公布应办的事,停止实施不急需的兵役劳役;诏令宣告全部收缴凡是诸王大臣所滥发的令牌印信。从此,政令归于统一。

秋季,七月,甲戌(十五日),皇帝谕知辅臣:"近来听说外界有通贿请托之言传,这关系到风俗的好坏;若不禁止,将毒害社会风气。令御史台注意检察,仍下达帅漕两司查访缉捕,按法律追究、治罪。"

壬午(二十三日),白天见太白星经过天际。

癸未(二十四日),皇帝谕知辅臣:"去年停止京学类申,想让四方之士各归乡校,通过科考而选定,意在逐渐恢复经乡试选拔或从乡里中考察推荐的制度。近日查阅世代居住本地的士人投瓯申诉的书信,说及还有士人未归故里。科举考试即将进行,可令临安府守臣晓谕士人及早归回家乡。对所有世代居住本地的士人,自当依照这一制度实行乡试的办法;对于那些外出游学多年而未能参加乡试的,让他们赶赴浙江漕试。遵照命令,对他们实行考核校定,依旧取员等待补缺,以示优待。"

丙申(疑误),皇帝谕知辅臣:"各州之间,多有水旱灾害,都是由于未能尽量做好人力所及的事,如省刑罚、薄税敛、减免拖欠的钱粮、禁止定额摊派、惩处奸诈邪恶的官吏、体察百姓蒙受的冤枉等。要命令诸路监司辖下的各州郡,有关上述六件事,均须遵照实行。"

攸县富户陈衡老,用男仆、粮食资助强盗劫掠杀害平民。湖广提点刑狱高斯得来到攸县,有人申诉此事,县吏受贿而企图从中进行操纵。高斯得发觉了这一勾当,将县吏拘禁于牢狱,公布其罪状,施墨刑而流放外地。高斯得还把全部情况报请朝廷官署,追查并废除陈衡老做官的资格,将其家产登记造册。适逢各县邑发生水灾,衡老愿意拿出五万石米粮救济灾民以赎其罪。他的女婿吴自性,图谋中伤高斯得,诬陷高斯得窃取并私拆官椟。高斯得上朝陈言,且拿出一箱子书信,完全表明吴自性等人结交省部及地方官吏的情状。朝廷遂将吴投入牢狱,并连同省部官员高铸等施以墨刑,流放于外地。起初,吴自性曾经重金贿赂太监,太监便对皇帝说:"高斯得奉上百万贯钱,希望改换任所到朝廷供职。"皇帝回答道:"高斯得是个硬汉,怎么会这样!"高斯得竭力请求辞官,郑清之写信挽留他。

蒙古主登位之后,察看到几个弟弟之中,年长而有才能的只是呼必赉一人。于是任命皇弟呼必赉统辖汉南,总管在汉南的所有军民,并在金莲川设立官署。呼必赉宴请百官,宴罢后,百官告退,他派人留住姚枢,问他:"刚才群臣百官都对我表示庆贺,你独自默然不语,为什么呢?"姚枢回答说:"如今,汉南土地广阔、人民众多、财赋丰盛,天下还有什么地方比得上呢?您若全部拥有它,那么天子将成为什么?到时候必会后悔而将其夺回,不如只把持兵权,其余的事交付有关部门去办理,那就势顺理安了。"皇弟说:"这是我还未考虑到的。"于是就禀告蒙古主,而获得应允。

蒙古主更新各种政务,姚枢、张文谦、僧人子聪,每逢挑拣急于办理的事务说与皇弟呼必赉,因而有机会进入内庭禀告。

子聪作书陈言,进献于皇弟,大意说:"先前,武王为兄,周公为弟。周公思考为天下办好事,夜以继日,坐以待旦;周朝八百余年,全靠周公之力。君主为兄,大王为弟。想想周公的事例及其典章制度而实行之,千载难逢的机会,就在今日。"

"天下如此之大,并非一个人都能顾及;万事如此复杂细微,并非一个人所能了解。应当选择开国功臣的子孙,分派为京府、州郡监守,督促、责令旧官员遵守王法,仍差遣按察使视其居官守职的情况,以确定职位的升迁或罢免。从前任用官员没按一定的制度和程序,清廉的未能得到晋升,污滥的未能受到贬退。要比照先古的相应事例,确定百官爵禄仪仗。要使家财富足、身位尊贵而有危害百姓的,也能依律治罪。掌握刑赏,是君主的权力;遵奉命令,是臣子的职责。如今百官自行掌握刑赏之权,他人之进退生死全随其心意,此应立即禁止、整治。"

"天子以天下为家,以万民为子。国用不足,可从百姓中求取;民用不足,可从国家得到补给,互相依靠,就像鱼与水一样。身为帝王,要设置府库仓廪,以便资助人民;百姓各有家室,要经营产业,开荒种植,以供给国家的费用。如今地广人稀,赋税征收繁重,加上调取征集军需的粮草,使臣烦扰、官吏索取,百姓经受不住,以致逃亡流窜。应当比原有的赋税减少一半或三分之一,并根据现有人口核定差役赋税。关西、河南一带,土地广阔肥沃,适宜设立机构以招抚流民。这样做,不用几年时间,百姓都归农,土地得到开垦种植,就可以供给军用的粮草了。官民所欠债负,应当依照太宗皇帝圣旨,一本一利,官府归还。凡属于无正当名义的赔偿、伪造契据的债务及还数超过本金的,一并赦免。交纳官粮应当运送到附近的仓库,处于驿路州城的居民,要供应运粮民夫的饮食,好好招待他们;应该计算所有费用以抵押其受征调赋敛的数量。使臣到了州郡,要设置馆舍,不能居住在官衙或百姓家中。仓库在征收定额之外强行勒索,使百姓增加的耗费很重;应下令严加审察测定,采用同一办法,使锱铢、圭撮、尺寸都公平,以保持信实、去掉欺诈。伊喇中丞,实行盐铁专卖以增加收入,商贩、产销酒醋或居积财货经营获利的,都分别被规定交纳赋税,已不算轻;温都尔哈玛尔奏请蒙古主成倍增加专卖数额,常常征收于民间;官府征收赋税与专卖盐铁同时进行,使百姓无法应付。宜按旧制办理专卖,甚而更行减轻赋税,免去苛捐杂税,禁止任意征收,不让谄利之徒削弱百姓、损害国家。如今讲求财利的人多,并不是谋求对国家有利,其实是要残害百姓而为了私利啊!"

"天下的人,未接受教育感化,所以对那些在押的犯人,应该给予赦免释放;明文规定并实施命令,使人有畏惧之心,那么犯罪的人必然减少。命令不宜繁多,依照我朝旧例,增加在民间所应规定的十余条就够了。命令实施之后,凡不能判为死刑的罪犯,都要经过提审检察,然后做出最终判决;判为死刑的罪犯,必须奏报然后听候裁断。笞刑笔刑的制度,应当会合并变通古法,斟酌考虑今天实情,采用同一办法,不得私设牢狱。严禁对罪犯施行鞭背之刑,以显示爱惜生灵之美德。"

"古代未尝废除学校教育,如今郡县就有学校,并不是官办的。应当随旧制,修建太学之外舍、内舍、上舍,设立教授学官,着手选择与培养人才,主要授以经书的礼义,辞赋、论策为次。兼设立科举制度,此乃奉太宗皇帝圣旨,因而提出来也容易实行的。开办学校,应当挑选开国功臣的子孙来受教育,择取明智达理的人而任用之。孔子为百王之师,立下万世不变之法;如今庙堂虽然已荒废,但仍有许多保存着,应该下令州县按照原有的礼仪释奠于先圣先师。"

"近代礼乐器具已破败损坏,宜下令修整、搜集。征召太常旧人教诲、引导后学者,使礼乐器具完备而后继有人,逐渐使礼乐完善,这确实是太平之基业、王道之根本。如今天下广阔辽远,虽然是太祖皇帝之威福,也是天地神明所暗中保佑的结果啊。应当求访知名儒士,因循旧礼,尊祭天神地神,协调天地之气,顺应时序之运行,使神享民依,恩德遍及人间与地府,天下依赖一人之洪福。"

"现行辽历,标明日食与月食更互出现的时间稍有差错。听说司天台改成新历,但还未见实行。应趁君主即位之时,颁布新历并改国号为元。命令京府、州郡设置更漏报更,使百姓知道时间。"

"国亡史存,是自古的常例、应当撰写《金史》,使一代君臣的事业不致坠失、湮没,而为后世所知。"

"明君用人,就像大匠用材,顺着木材的粗细长短而施以规矩绳墨。君子不因言废人,不因人废言;广开言路,是成就天下大业、使万民安乐的方略。应当选用左右谏臣,以便在未成事实之前就听到劝诫之言,使事情考虑、谋划得更加周密。"

"君子之心,专一于理义;小人之心,专一于利欲;君子得位,能够宽容小人;小人得志,一定排斥君子。明君在上,对此不能不细加审察。孔子说:疏远那些巧言谄媚的小人;又说:厌恶那些以能言善辩倾覆国家的人,说的就是这种情况啊。"

皇弟采纳子聪之言,不过一时还未能全都实行。

九月,丙寅(初九),皇帝降旨:"昭慈、永祐、永思、永阜、永崇、永茂六座陵墓,以及成穆、成恭、慈懿、恭淑四个攒宫,逢修奉告迁神御合行事务,令检察宫陵所关太常寺,恭敬地设香炉徽识,选择吉日,照例操办。"

己巳(十二日),在景灵宫举行祭祀仪式。庚午(十三日),在太庙举行祭礼。辛未(十四日),在明堂举行祭礼,实行大赦。

己卯(二十二日),观文殿大学士游侣,五次上疏请求归乡,未得允许。郑清之五次上疏辞去相职,皇帝下诏终于同意他的请求。

这年秋季,蒙古都元帅察罕入朝谒见,被任命兼领尚书省事。

冬季,十月,壬子(二十五日),谢方叔屡次请求免去参与机密政事之职,未能得到允许。

闰十月,丁巳朔(初一),侍御史陈垓说:"朱熹是近世大儒,尊奉儒家思想,很有功绩。他曾任浙东常平使者,到任所的时候,适逢旱灾歉收,便研究救济饥荒的办法制度,设立公共储备的粮仓,其遗风善政至今犹存。帅臣马天骥,谋划、创建书堂;请予扩充完备,并招纳聘请名儒,以重教育。"皇帝同意。

自从郑清之再次为相,程公许便隐居湖州,四年后被派去知婺州,未奏报皇帝。皇帝想要召他为文字官,郑清之奏明已令程公许知婺州。皇帝说:"朕要他来。"于是召程公许权刑部尚书。

当时停止京学类申,遣散生徒。程公许奏疏:"京学培养士人,此法本来与三学不能等同。以往设立类申的办法,轻重得当,人心安定。没想到忽然采用乡校分散挑选人才的办法并进而推广开来。开始实行此法令时,臣刚返回朝廷,不敢过多插言而干扰已发出的命令。如今士子纷乱奔忙于道路上,朝夕苦心经营,以图进取,而尚未能恢复旧有数额,不如变通一下,以五百名为限,仍用类申的方法,使远方游学的人能够在京师研习。京邑是东西南北各方的集中点,而学校空虚静寂,无弦歌诵读之声,遂使穿儒服的人匆忙奔走于闹市之中,敢怨而不敢讥议。这不是用来培养造就士大夫气度的办法。"郑清之听了更感到不悦,授稿给陈垓,使他弹劾程公许。吴潜却奏请留用程公许。皇帝深夜里派遣宦官取陈垓的奏疏入宫。徐清叟上疏要求给陈垓治罪。不久,授予程公许为宝章阁学士,出任知隆兴府,而程公许已去世了。

十一月,丙申(十一日),京湖制置使李曾伯说:"调遣都统高达、晋德进入襄州、樊州两地进行安顿、治理,汉江南北已肃清入侵之敌,多年委弃之地,一举收复过来了。"皇帝降旨:"立功的将领士兵分别加官给赏,授予李曾伯为宝谟阁学士、京湖制置大使,兼任原职。"

壬寅（十七日），因严冬奇寒，拨出封桩库十八界官会子二十万贯钱赈济都城居民。

癸卯（十八日），减免大理寺、三衙、临安府属县见监赃赏钱。

丁未（二十二日），判决中央与地方的在押囚犯，杖刑以下的罪犯全部释放。

乙酉（二十四日），皇帝降旨："长江之东西、荆湖之南北、福建、两广，有些地方阴阳之气不调而造成传染疾病流行等灾变，虽然已下令给予赈济抚恤，但还担心州县不能好好奉行；应当命令监司、守臣体认皇帝善德，多方设法拯救。"

庚戌（二十五日），郑清之去世。

史弥远自作主张废立一事，郑清之参与其中谋划，皇帝因郑属旧学，而优厚地礼待他。他的妻室儿子收受贿赂，屡次招致讥议，可是他依然受宠不衰。郑清之死后，被追认为尚书令，追封为魏国公，谥号忠定。

辛亥（二十六日），令召牟子才回朝，随即任命他为崇政殿说书。当时，黄师雍也被召，不久，黄师雍便去世了。

甲寅（二十九日），任命谢方叔为左丞相，吴潜为右丞相，两人同兼枢密使。

当时，史嵩之凭借关系、多方钻营而又被任用。皇帝原要以史嵩之为丞相，半夜忽然醒悟过来，遂召见学士，改用谢、吴两人为相。

乙卯（三十日），任用徐清叟为参知政事兼同知枢密院事，新知福州董槐为端明殿学士、签书枢密院事。

蒙古皇弟呼必赉入朝谒见，以赵璧为随从。蒙古主询问赵璧："天下怎么才能达到太平安定？"赵璧回答道："请先惩处近侍中特别不善良的人。"蒙古主听了感到不高兴。赵璧退出之后，皇弟对他说："秀才，你浑身是胆啊！我真为你捏得两手出汗。"

在这之前，皇弟呼必赉派近侍托克托治理邢州，起初托克托显出才能，颇有名声，既而骄横放纵、不体恤百姓，事业日益衰败。僧人子聪对皇弟说："邢州，是分封给我的。受封之初，邢州共有万户居民；如今日减月削，仅有五七百户居民而已。得有好的州郡长官如真定人张耕、洺水人刘肃那样的人去治理，还可望能完全恢复旧貌。"皇弟上疏，请求任命张耕为邢州安抚使、刘肃为副使。由于这样，流浪逃亡在外的人纷纷回乡恢复常业。此后，升邢州为顺德府。

蒙古称僧人纳摩为国师。

纳摩是西域竺乾国人，与其兄鄂多齐一同学佛法。定宗常常命鄂多齐佩带金符，奉行使命，巡察民间疾苦；到了这时，蒙古又敬重、礼待纳摩，令他统领天下僧人。鄂多齐也重视祭祀之事。

蒙古主召见西夏人高智耀。高智耀说："儒士所仿效的是尧、舜、禹、汤、文、武的思想主张。自古以来，帝王用儒学，则天下太平安定；不用，则天下动荡不安。培养人才，是为了发挥其作用啊。应当减免徭役而重视教育培养儒士。"蒙古主问："儒士与巫医相比，怎么样呢？"高智耀回答："儒家以三纲五常治理天下，医卜之术怎能比得上它！"蒙古主说："很好！在此之前还没有人对我说出这样的话。"诏令免除海内儒士的赋税或劳役，减轻他们负担。

十二月，丙辰朔（初一），谢方叔等人入朝道歉。皇帝亲自下诏书说："过去一齐受命的人，往往分成朋党，各执己见，交相捭阖，暗中互相倾轧排斥，以致猜忌成风，多种弊病错杂纷纭,这已经成为过去,从今日起,办事不能凭个人意愿,也不能徇私情;要效法房玄龄、杜如晦,以赵鼎、张浚为戒,务必依光明正大之法规办事,以符合倚畀之意。"

丙寅(十一日),皇帝降旨:"吏部四选以下,根究全部应当干预而滞留未办的大案件,尽快了结,违反的要受到严厉惩罚。"

皇帝降旨:"游倅依旧为观文殿大学士,加官二等,辞官归居。"

戊辰(十三日),皇帝降旨:"进军时居于尾部的和徒步作战的士兵死亡,其家庭负累重的,应当允许其子弟入伍,填写进名册。"

辛未(十六日),皇帝降旨:"襄、蜀、两淮的边缘地区,连同刚刚收复的州郡县及两广等环境恶劣的地方,有缺官员的,允许斟酌挑选、征举授官以补缺。"

壬申(十七日),皇帝降旨:"各路监司、帅守,对于只干系到分摊他人欠账、受他人犯罪牵连、因文字违禁而被拘押的人,都可在近日一齐释放。"

癸酉(十八日),皇帝谕知辅臣:"边境战事尚未平息,军备应该严整。五种兵器中领先的,没有比得上弓箭。以往,种世衡守清涧,天天教练射箭,羌人都很怕他。种世衡的办法可以推行。"皇帝降旨:"各路统帅、守臣,讲明各地区域范围,详细议定激发鼓励之策,使各自守卫家乡;弓弩箭支,听凭自便。"

己卯(二十四日),皇帝降旨:"两淮、沿江、京湖制司,在江北地带至淮西山寨管内,应有由官方招募农民垦种和让农民自耕的地方,并令其组织起来;按照其聚合的群落,从中挑选出为大家所敬佩的人充当甲长,负责结保;若有紧急情况,则应率领所属,尽力随机应变;若有疏忽、失误,首先惩处头目。对于能励志率领强丁精心练习武艺的人,先给予奖励,将来能戮力苦战的,还要正式下令表彰、赏赐。"

庚辰(二十五日),游倅去世。两天停止朝见。

这一年,蒙古东平行省严忠济入朝谒见,以张晋亨为随从。

当时实行包银制,朝廷提出每户交税银六两。各路长吏中有请求在民间试行此法的人,张晋亨当面斥责说:"诸君职责在于爱民。对百姓的利与害难道不知道吗?如今,帝王近在咫尺,知而不言便是罪过啊!接受命令而返回任所后,办事不能有利于民,该当何罪?东西南北中各有不同的土产,按照所出产的计税,百姓有利而容易丰足;一定要缴纳银币,即便不惜使民破产,也难完全办到。"大臣中有人将此话告诉了蒙古主。蒙古主召见张晋亨,张晋亨于是用他说过的这些话来回答。蒙古主认为这是正确的。每户税额因而减免三分之一,依然听任百姓交纳产物。这终于成为固定的制度。

蒙古主要把金虎符赏赐给张晋亨,张晋亨推辞,说:"虎符是国家的名器,身为一路之长官者方能佩带。我隶属严忠济部下而佩带金虎符,这不是先王的制度。我不敢接受。"蒙古主听了更感到高兴,改赐以玺书金符给他,让他在恩州管理万户百姓。

淳祐十二年　蒙古宪宗二年(公元1252年)

春季,正月,丙戌朔(初一),理宗皇帝告诫群臣说:"从今以后,不能助长侵夺、损耗财物的人,不能施恩于邪恶、狡诈的人,不能姑息以私人恩惠去做交易,不能容忍一味追逐私利而废弃国家法令的所为。"

皇帝降旨:"各路官署中有违反禁令、为获取私利而陷害百姓的,全部罢免。"

甲午（初九），宰相入内殿上奏，皇帝说："整治纸币一事不可迟缓，吴潜可以专负此责。"

丙申（十一日），诏谕各路监司、帅守："因人命案而被连带拘捕的，欠官府摊派的钱的，伪造会子受牵连的，因文字违禁而被拘押的，全都予以释放。仍严令禁止贩卖平民。"

蒙古断事官伊啰斡齐及珠格尔等把天下的财赋都聚集在燕。任职一天，滥杀二十八人。其中一人是盗窃马匹的，已被施杖型而释放了。碰巧有人来奉献环刀，珠格尔等就抓回那个被施以杖刑的人，亲手试刀把他砍死，皇弟呼必赉听说有此事，就责备他说："凡是判死刑的，必须经过详细审判然后行刑。如今，你一天滥杀二十八人，其中一定多为无辜者。对人施以杖刑又斩杀之，这是什么刑法啊！"珠格尔无言回答。

不久，伊啰斡齐拿着印信向蒙古主请求官职，说："这是先朝赐给我的印，陛下即位，将仍然用它呢，还是改用新的？"当时，赵璧在一旁陪着，驳斥伊啰斡齐，说："任用还是不任用你，取决于皇上的裁断，你怎么能凭此印信提出这种要求呢？"就夺回他的印信，搁在蒙古主面前。蒙古主久久无言，后来就说："我也不能这样做啊。"从此，伊啰斡齐不再被任用。

庚子（十五日），皇帝降旨："两广、福建、江西、湖南等地去年瘟疫流行，州县中凡全家人都死亡的，监司、守臣要稽查其财产，让死者的亲族继承下来；在远地为官者身亡，其家人不能返回故里的，官府给予津贴并负责遣送。"

戊申（二十三日），皇帝谕知辅臣："淮东的边防警报各有不同，要在江上严密布设重兵以应付危急。江面虽然已分定三流，但更必须选择将帅分兵巡察。"

蒙古在汴州设置经略司，分兵屯田。从库端直取汉上各郡，接着留下军队戍守边疆。不久，襄州、樊州、寿州、泗州又投降，而寿州、泗州的百姓全部为军官分占，因此降附路绝。虽然在一年里，蒙古相继入侵淮、蜀两地，但将帅唯利是图，到处抢掠杀戮，以致城无居民，遍野皆杂乱丛生的草木。至此，皇弟呼必赉便听了姚枢的话，向蒙古主请求在汴州设置经略司，以孟克、史天泽、杨惟中、赵璧为使，让他们在唐州、邓州等地领兵屯田分配耕牛给士兵；敌人来犯时就迎战，敌人退却了就垦荒种地；西起穰、邓，东连清口、桃源，布列戍守的堡寨严加防卫。

庚戌（二十五日），皇帝谕知宰相："近日听说蒙古骑兵南来，处处屯粮设寨，作为因利乘便之计。我守臣边将，想要踞城退守，则有使士气衰落、耗费钱财之害；想要开关迎战，又有战争连续、灾祸不断之忧。如今，朕想要在两淮、沿江各成立一支游击军，以备随时调遣；假如某处事急，立即可给予救援，让大军侧翼部队趁敌人空虚懈怠而进行攻击。飞将军李广带兵，让军队行动自由，靠近水草驻扎，灵活机动地歼击敌人。我们这样做正符合飞将军遗意。又听说边疆之外，都是平坦的旷野；蒙古骑兵奔驰冲突，使我戍边之臣常有迅雷不及掩耳之忧患。如今，朕想要最边远的州郡挖掘疏通水道，距城百里之内，三里一沟，五里一渠，使蒙古骑兵不能长驱直入，边境居民也可以耕田、凿井，以为生计。古人设立方田均税法，开出田间沟渠，以限制征战，我们这样做正符合古人的遗意。有关边防的这两件事，长期以来存于朕之心怀，特此提出来与卿等共同筹谋。"

癸丑（二十八日），皇帝谕知辅臣："设立方田一事，暂且让靠近城池的地方先实行。游击军应当招水兵、步兵，各占半数。"谢方叔等回答说："容许商讨后实行。"

蒙古张德辉等在金莲川拜见呼必赉，请求皇弟担任儒教大宗师，皇弟高兴地接受了。张德辉趁此机会启发皇弟,指出历朝都有旨减免儒士家庭的兵役赋税,应当下令有关部门遵行此法。皇弟表示同意,仍旧让他总管真定学校。

二月,乙卯朔(初一),日蚀。

丙辰(初二),皇帝降旨增补资善堂一名侍讲官。丁巳(初三),皇帝谕知辅臣:"资善堂的教官,正要择人充任。"谢方叔回答说:"奉进善言,不仅教识章句,凡事都应当给予教导。使懂得孝顺父母、尊敬兄长、晓得时务。"皇帝说:"习惯成自然。"

壬戌(初八)皇帝降旨:"朕思量,明目张胆该说就说,这个责任在台谏;斟酌衡量,可行即行,这种权力在君主。几年来,只知道按照时势与法律规定去行使权力,不等待上奏并得到允准,曾经这样用之于执政大臣,施之于正直之人士。如此,人君想任用的人,台谏都可能使他离开;台谏不想任用的人,人君却不能留用他。这不近于威望权力渐渐转移、太阿宝剑倒持吗?从今以后,台谏两官不能因循这种久积之弊端而有失国家的体统。奏疏必须等待降旨,方可通报实行。"

废除江湾、梅里、顾径、魏村、古浦等五个酒库,因都司说帅司为供给军需创建这五个酒库,而官吏却于此竞相营私舞弊之故。

己巳(十五日),诏令各路提刑官按规定的程序判决囚徒。

丙子(二十二日),设立池州游击军。

戊寅(二十四日),皇帝谕知辅臣:"贾似道奏报进犯淮甸的敌人已被肃清,不知哪里的田地还来得及耕种否?"谢方叔说:"敌兵在芒种时被打退,还可以赶上种植。"

辛巳(二十七日),监察御史刘元龙说楮币积蓄不多,应该依照各路当时价值,下令各路州县用楮币折纳丝绢。皇帝同意这样做。后来因公私都陷入困乏,第二年,仍用钱与会子纸币各半。

蒙古兵又进攻随州、郢州、安州、复州,京西马步军副总管马荣率将士连日抵抗,打退了蒙古兵。

三月,蒙古主命东平万户严忠济设官署,负责制造冠冕、法服、钟磬、挂钟磬的架等礼仪用物进行练习。

丁亥(初三),马荣又与蒙古兵在大脊山激战。皇帝降旨:"马荣率领士兵不满千名,却能抵御大敌,挽救危难;赏以两次迁职升官,任命为州钤辖,带行阁门祗候。"

丁未(二十三日),三汊口守将焚烧蒙古囤积的粮草,断毁他们的浮桥。

蒙古在沔州筑城。

夏季,四月,蒙古主在和林稍事停留。因诸王曾想要立实勒们为君,就迁太宗皇弟于库端所居地之西,分别迁诸王于各边,用太宗皇妃的家财分赐诸王。定宗皇后及实勒们之母,因厌恶祭祷消灾而一齐被赐死;实勒们被禁锢在摩多齐。

皇帝降旨:"襄州、郢州刚刚收复,各州郡的耕作屯垦是最紧要的事;拨出百万贯钱,命京阃安排处理,给百姓以耕牛及种子。"

丙子(二十三日),设立池州游击水军。

五月,甲申朔(初一),祈祷下雨。乙酉(初二),皇帝谕知辅臣:"祈祷未得应验,要求助于人力所能及的事。"徐清叟说土木建筑之事应当节省。皇帝认为这是对的。甲午(十一日),因祈祷下雨,拨出封桩军十八界楮币二十万分给各军。乙未(十二日),下雨。

蒙古主召太常宫礼乐人赴日月山。

乙巳(二十二日),玉山出现盗寇。

庚戌(二十七日),免掉各郡土地、疆域的分界,这是听从谏官萧泰来奏报而决定的。

当初,郑清之奏请在六郡之间实施土地、疆域分界;适逢玉山饥民聚合闹事,提议者因而受到责怪。

六月,癸酉朔(疑误),盗寇逼近衢州境;任命孙子秀知衢州。

孙子秀说虽然搜捕盗贼是有司的责任,但也必须有熟悉风土习俗的人,才能消除盗贼所凭藉、依赖的东西,阻挡他们奔驰冲突。于是,设立保甲户伍,选用当地的豪强,奏报常山县令陈谦亨、寓士周还淳等抵御盗贼有功,使人心振奋、深受鼓舞。不多久,擒贼四十八人,玉山盗寇事终于平息了。

癸亥(十一日),赈济衢州、言州的饥民。

戊辰(十六日)皇帝谕知辅臣:"近年来科举取士,很少得到有真才实学的人。士风的好坏和人才的优劣,直接关系国家命运。有什么良策可挽救这种局面呢?"吴潜请求在省试名额里扣除一二十名,令有司推举海内行仁义与文章博学之士以顶替,希望还保存乡举里选。昔日,朱熹、真德秀也有过这一请求。

癸酉(二十一日),皇帝说:"近日学校里的儒生骚动,起因于极小的事。没想到他们的言辞如此激切。若纷乱不止,恐怕没有好的结果。"

在这之前,三学诸生曾叩宫门非议临安府尹余晦,然后相继走出学校;皇帝令学官劝勉他们入书室,所以趁近臣奏事又提及它。余晦是余天锡的侄子,因天锡是个有德望的故老,余晦被提拔任用。

丙子(二十四日),大理正尹桂请求在禁庭中设立小学:"不只为了使父子之情融洽,也是出于防止发生变故的考虑。"

戊寅(二十六日),诏赐史弥远墓碑。

己卯(二十七日),皇帝谕知侍臣:"衢州、严州发生水灾,江东也苦于多雨,这是阴气太盛之应。"徐清叟说:"汉代关中发大水,翼奉认为是后舅的缘故。如今应当稍微抑制宦官、外戚亲贵,以回转上天的旨意。"

蒙古皇弟呼必赉入朝拜见,蒙古主命他率兵征伐云南。

秋季,七月,甲申(初二),皇帝谕知辅臣:"严州水灾使人惊骇;拨出的米粮,应该用以救济灾民,不应该以赈救灾民的名义而出卖。"谢方叔说衢州、婺州的草庐茅舍里也有许多浸飘在水中,要一律给予救济抚恤。戊子(初六),皇帝询问信州水灾情形,谢方叔回答道:"建宁、南剑、括苍等地也同样,救济、抚恤的事应从速进行。"

权左司郎中高斯得进言:"希望陛下立即停止建筑新寺,迅速召回违旨的臣子,遏止邪恶之言,制定善良之策,慎重于刑罚,爱惜读书人,以回转上天的旨意,招致吉祥和乐的景象。"

庚寅(初八),因为各路遭受水灾,而派遣使臣到各郡赈济、抚恤军队,诸军审计院师舆往建宁、南剑,国子监簿叶隆礼往严州、衢州、信州,登闻检院胡大昌往婺州、处州,合共发出一百道委任官员的命令,各有差遣。

牟子才说："如今接纳因私谒见的人,迁就于当前的习俗,滥兴土木,庇护小人,失去人心,这五件事都重复徽宗的过失,走他的老路。假如不感到畏惧而又不修身反省,臣担心宣和年间汴京的大水灾又将出现啊! 协调处理好阴阳的关系,是大臣应办的事;宜须谕知大臣,停止互相抵触、纷争,和睦团结,消除隔阂,使下面的情况或提议能及时传达上来。如今派遣使臣询问水灾,恩德深厚,希望拨出皇宫府库的钱财以赈济灾民。"

辛丑(十九日),皇帝向辅臣询问三位使臣的行期,徐清叟说:"建宁、南剑的水灾尤其严重,师舆只带去百万钱币,恐怕不足赈济抚恤之用。"皇帝说:"可以增加钱币五十万。"

大理国梵像图 南宋

乙巳(二十三日),皇帝说:"听说福建大水凶猛,伤害了很多人。"徐清叟回答:"大水退后,贫苦人民无以为生,以致有在沟渠近处上吊的。据说帅臣陈昉拨出楮币二十万,漕臣饶虎臣拨出楮币五十万、米粮五千石赈济灾民,请给予免除赋税。"皇帝表示同意。此后,又减免九个郡漕运供应京师的米粮二十二万余石。

左司郎中徐霖上疏陈述谏议大夫叶大有阴险狡诈,为奸邪小人之首领,不应当让他长期掌管台谏,并追查议处赵与憼搜刮财货。皇帝听了感到很不高兴。己酉(二十七日),皇帝谕知辅臣:"徐霖以庶官的名义评论台谏、京尹,要挟朕务必实行,有伤体统,已批示郡府,免去其职务。"吴潜等人请求宽容徐霖。

徐霖出任抚州知州。皇帝反复思考给事中赵汝腾在朝内向他直言进谏一事,决定调任他为翰林学士,赵汝腾立即离开国都。高斯得说:"赵汝腾是一代有德望之人,族中尊长之重器,如今飘然引退而去;陛下竟然也舍弃他,有如弃置无用之物,朝野之人,十分震惊和奇怪,如此将会出现贤者挽留不住而竞去,小人争强好胜而纷来的情况。陛下更改法度,只过了几个月,而初衷即变。臣私自感到可惜!"

八月,癸丑朔(初一),命令户部到各路去,严申州郡苛刻榨取斛面之禁。

己未(初七),诏谕明年省试时间仍在二月初一,殿试时间在四月。在这之前即淳祐九年,谏官陈垲奏请三月举行省试,八月举行殿试;因念及远方之士滞留于客舍的时间太长,故又恢复原来的规定。

谢方叔、吴潜两人请求免去参与机要之事,四次上疏,但得不到允许。

蒙古学士魏祥卿、徐世隆、郎中姚枢等人,带领李明昌、许政等五十多名乐工在行宫谒见蒙古主。蒙古主询问何时开始制作礼乐,徐世隆回答说:"尧舜之时,礼乐就兴起了。"当时,李明昌等人各执钟、磬、笛、箫、篪、埙、巢笙等乐器,在蒙古主面前演奏,个人奏完,又进行合奏,一共奏诗三篇。

庚申(初八),蒙古主开始穿礼服,在日月山祭天。

癸亥(十一日),蒙古主听从孔元措之言,合祭昊天、后土,开始众乐合奏,作牌位,太祖、睿宗配享。

蒙古主正在谋划征伐云南。皇弟呼必赉向徐世隆询问,徐世隆回答说:"孟子有这样的话:'不喜好杀人者能统一天下。'君主不喜好杀人,可定天下,何况对于小小的西南夷呢?"皇弟说:"确实像你所说的,我的事定能办成。"

甲子(十二日),申明严格执行文武官员改正后叙复之命令。

己巳(十七日),拨出封桩库十八界楮币四十万赈济帝王所在地的军民。

丁丑(二十五日),太史上奏将完成新历;皇帝下诏赐其名为会天历,予以推行。

戊寅(二十六日),再次裁决中央与地方的在押囚犯。因阴雨连绵不断,诏令实行宽刑。

这个月,蒙古皇弟呼必赉在临洮稍做停留,请求在利州筑城,以攻取蜀地。

九月,壬午(初一),皇帝降旨:改明年为宝祐元年。

丁亥(初六),皇帝降旨:在延祥观左边建造西太乙宫。

嗣沂王赵贵谦去世。

庚戌(二十九日),皇帝谕知辅臣:"近来早朝,多奏报臣子辞官或免职等细小事情,而重大事情反而不直接上报,这不符合临朝听政之旨意。从今以后,凡有大事应趁早朝面奏。"

叶大有上疏弹劾赵汝腾偏袒徐霖。牟子才上疏为赵汝腾申辩并揭露叶大有欺诈妄为。不多久,叶大有被罢免谏议之职。

蒙古皇弟呼必赉将要征伐云南,夜间在军中饮宴。姚枢陈述宋太祖派曹彬下江南时不妄杀一人,市场依旧。第二天,皇弟靠着马鞍而呼喊:"你昨天说曹彬不杀人之事,我能够做到。"姚枢骑在马上庆贺道:"王能做到这样,那是人民的幸运、国家的福分啊。"

冬季,十月,壬子朔(初一),皇帝降旨:"各路守臣按照原来的规定,到任所半年,要把有利于百姓的五件事以及东西南北中各方的利弊,逐条陈述上报。"

癸丑(初二),任命徐清叟为参知政事,董槐为同知枢密院事。

嗣濮王赵善珊去世。

甲寅(初三),都省说已经收复襄州、樊州,应该安排实施屯田,修筑灌溉渠;诏令守臣高达担负此责,又命前德安守臣程大元监督工程。

壬辰(初五),皇帝降旨:各地推荐可充任将帅之人才。

蒙古杨惟中、赵璧到达河南,锐意整饬内部。总管刘福贪婪残酷,虐害遗民近二十年。杨惟中召见刘福前去接受规约,刘福由数十人护卫而至;杨惟中手执大棍棒击杀他,百姓拍手称快。又有个叫刘万户的人,贪得无厌,凶暴横行,郡中百姓凡有嫁娶之事,必先贿赂他,得到允许才能办。刘万户的同伙董主簿尤其残暴,强娶民女三十余人。赵璧到了那里,根据董主簿的罪行,立即杀了他,归还所有被强占的民女。刘万户对此感到震惊。当时下大雪,刘万户前往拜访赵璧,斟酒敬贺道:"刚到任就铲除强暴,此雪便是天降瑞祥以应美德。"赵璧说:"像董主簿一样的人都杀尽,那时候瑞祥将会到来!"刘万户回去后很快病死,人传因惊惧而死。

蒙古汪德臣带兵攻打成都,迫近嘉定,四川军民十分震惊。余玠率俞兴、元用等将领连夜开关奋力迎战。蒙古兵始散去。

监察御史萧泰来弹劾高斯得、徐霖，高、徐被罢官。徐霖在抚州，放宽赋税，赈济穷困平民，诛杀凶蛮的部将，修建营寨，仅一个月，各种政事均得到兴办。到他离开抚州时，士民拦道，几乎无法行进。

十一月，辛巳朔（初一），右司郎中李伯玉揭发萧泰来依附谢方叔伤害好人。皇帝命李伯玉陈述都司揭发御史的事例。伯玉引用张商英旧事，又历数萧泰来的过错。皇帝降旨：“国家设御史台，是为了督察改正百官大臣的错误言行；立宰相，是为了辅佐、帮助处理机要政务。御史是天子的耳目大臣，而省椽不过是大的执行官，从未听说有人以庶官弹劾御史的事。最近徐霖以都司而压制叶大有，如今李伯玉又以都司压制萧泰来，暗中包藏着互相依附勾结的私心，蔑视伸张法纪的地方，这不是轻视台谏，而是鄙薄朝廷。李伯玉还援引张商英等人的事以掩饰其过错。倘若都司可以压制御史，那么御史反而要听从都司的命令，朝廷的法律不是近于紊乱了吗？李伯玉应降官二等，放逐罢退。”

牟子才向皇帝进言：“陛下想改革更新，召用贤人，如今赵汝腾、高斯得、徐霖相继被弹劾离去，李伯玉又重获罪，善良的人已不复存在。”

庚寅（初十），吴潜被罢官，因萧泰来指责吴潜犯有奸诈十条罪状，像王安石那样而且还超过王安石。

丙申（十六日），夜间临安城发生火灾；丁酉（十七日）夜，大火才熄灭。戊戌（十八日），朝中君臣避殿，减少膳食。

壬寅（二十二日），皇帝降旨，要求百官直言进谏。

国史实录院校勘汤汉上封事给皇帝，其中说：“以往陛下对上敬畏天的警戒，对下担忧人们的评议；在内则为权臣所制约，在外则畏惧强敌；敬心既不敢完全废弛，私意也未全部实行。近年来，上天的警戒、人们的议论，已经习以为常；有些大臣掌执朝政，追逐不义之财，贪得无厌。他们既然肆意谋求私利，就不能不听任陛下为所欲为；于是前日敬畏之心全无，而一旦萌生私念，便不可阻止。姑且以最近的事加以推究：忽然心有所动，提出要竖立确定策令之碑，事先却未想到亲自撰写条文；贵戚子弟，参差交错地把握中央或地方的政权，先时不如今日这样放纵；大兴土木而造成的祸患，越演越烈，官府中文书小吏依仗宦官权势，利用诉讼细事糟蹋人，此几乎遍及国都的每个角落，先时不如今日这样炽烈；御笔所写出的，上则往往废弃朝廷既定之政令，下则往往侵犯有司之职权，先时不如今日这样多；贿赂之流行，书致之弛滥，先时不如今日这样明显。因此在几个月内，水火灾害迅速出现。陛下还能像平时那样漫不经心，泰然处之吗？”

因严寒，拨出封桩库十八界会子二十万赈济三衙各军，对那些外出戍守的士兵的家庭给予加倍赈济。

戎州帅想要推举统制姚世安接替他的职务。余玠立意革除军中推举别人接替之弊端，就率领三千骑兵至云顶山下，并派遣都统金某前往接替姚世安；世安关闭城门，拒不接纳。姚世安一向结交谢方叔的儿子与侄儿，至此向谢方叔请求援救；谢方叔便散布说余玠在利州已失去士卒的拥戴，又唆使姚世安秘密寻找余玠的短处，然后在皇帝面前一并举发。皇帝对此感到疑惑。于是姚世安就与余玠相对抗；余玠闷闷不乐。

十二月，乙卯（初五），任命吴潜为观文殿大学士、提举兴国宫。

戊午(初八),蒙古实行大赦。调用各种工匠共五百家去修筑行宫。

己未(初九),皇帝降旨:"追记彭大雅创立修筑渝城之功,复元秩,授官职给他的儿子。"

癸亥(十三日),为海神举行大祀。

丁丑(二十七日),立春,响雷。那时,进言之路被堵塞,太学生杨文仲带领同窗叩宫门,激烈地抨击时政。他说:"老天爷本来不恼怒,人激起了它的恼怒;人本来不敢言,雷激之使人敢言。"此话被传诵一时。

这一年,蒙古登记汉地百姓入户册。

金朝已故御史张特立,生前因评议时政而被罢官,归田;金朝灭亡后不出仕,用《易》传授给各位门生。蒙古皇弟呼必赉听说张特立有名望,曾派赵璧传谕,称赞他在丘园涵养性情,朝代改换了而矢志不渝,赐号中庸先生。到这时,张特立又以书信赠送皇弟:"白首穷经,诲人不倦,无过无不及,求学的人可以此为宗旨。昔日承蒙赐美名,如今回答谕意。"不久,张特立去世。

续资治通鉴卷第一百七十四

【原文】

宋纪一百七十四　起昭阳赤奋若【癸丑】正月,尽柔兆执徐【丙辰】七月,凡三年有奇。

理宗建道备德大功复兴　烈文仁武明圣安孝皇帝

宝祐元年　蒙古宪宗三年【癸丑,1253】　春,正月,庚寅,诏以建安郡王孜为皇子,改名禥,封永嘉郡王,御制《资善堂记》赐之。

癸卯,蒙古兵屯汉江,侵万州,入西柳关。京湖都统高达调将士扼河关,上山大战,至鳌坑、石碑港而还。

蒙古主会诸王于鄂诺河北,罢伊克征高丽兵,以萨喇尔岱为征东元帅。

蒙古皇弟呼必赉闻陵川郝经馆于张柔家,博览无不通,召入见,诘以经国安民之道。经上数十事,皇弟大悦,遂留王府。

蒙古主大封同姓,命呼必赉于南京、关中自择其一。姚枢言于皇弟曰:"南京河徙无常,土薄水浅,斥卤生之,不若关中,厥田上上,古名天府陆海。"于是皇弟愿有关中,遂受京兆分地。时诸将皆筑第京兆,豪侈相尚,皇弟即分遣使戍兴元诸州,又奏割河东盐池以供军食,立从宜府于京兆,屯田凤翔,募民受盐入粟,转漕嘉陵。

二月,己酉朔,日有食之。

壬子,雪。诏:"臣寮久在迁谪者,合自便,惟误国殄民者弗赦。"

戊辰,谪陈垓潮州居住。先是宰执言其贪赃不法,宜付有司鞫问,然重以台臣下吏,且从迁谪。帝曰:"当如此,以为人臣怀利事君者之戒。"

己巳,再蠲两浙漕司、临安府竹木税一月。

三月,壬午,帝谕辅臣:"夔门择守,切于东南,宜速区处。"

丙申,以前参知政事别之杰薨,辍视朝。寻赠少师。

庚子,以韩宣为遥郡防御使,守夔州,兼副帅。

壬寅,诏曰:"比年以来,风俗不美,好恶不公。臣僚论列,固许风闻,而廉访不真,是非贸乱。自今大臣除授,惟才是用;内外台弹劾,并须审实,毋捃细故,潜发阴私。其有赃污实迹,则祖宗自有成宪,必罚无赦。咨尔有位,其修身奉法,以副朕嘉与维新之意。"

蒙古攻海州,守臣王国昌逆战于城下,败绩。

夏,四月,甲寅,申严廷试挟书之禁。

壬戌,录西柳关捍御之功,高达、程大元、李和、吉文瑶、王登及将士等,增秩、补官、赏赉有差。

己巳,帝问蜀中近报,谢方叔等言已下夔路。徐清叟曰:"蜀中向后分置四帅,庶有掎角之势。"帝曰:"旧自有四戎帅,又有正副帅。"董槐曰:"此亦二矛重弓之意。"

五月,戊寅朔,帝曰:"赵希墍可差知平江府,其人清修,俾能抚摩。"先是帝以吴门择守谕辅臣,谢方叔言平江东控海道,年来和籴,民力颇困,宜得才略善抚摩者,故有是命。

辛巳,省罢处州税官二员,置丽水县西尉。

己亥,赐进士姚勉以下及第、出身。

余玠专制四蜀,凡有奏疏,词气不谨,帝不能平。会徐清叟入对,因言:"玠不知事君之礼,陛下何不出其不意而召之?"帝不答。清叟曰:"陛下岂以玠握大权,召之或不至耶?臣度玠素失士心,必不敢。"遂召之。六月,庚戌,四川制置司言玠疾亟,诏以玠为资政殿学士,与执政恩数。

辛亥,以贾似道为资政殿大学士,李曾伯端明殿学士,职任依旧。

戊午,直华文阁、湖北运判兼知鄂州余晦朝辞,帝曰:"西事乏人,卿可为朕行。"晦曰:"臣资浅望轻,西事素未谙悉,冒承恐误国。"帝曰:"朕与宰执熟筹之,无如卿者。"庚申,以晦为司农卿、四川宣谕使。

蒙古命诸王实喇尔伐西域。

蒙古诸王巴图遣使乞买珠银万锭,蒙古主以千锭授之,仍谕曰:"太祖、太宗之财,若此费用,何以给诸王之赐!王宜详审之。此银就充今后岁赐之数。"

秋,七月,辛巳,帝谕辅臣曰:"余晦朝辞,已戒其务行宽政。"是日,国子司业叶梦鼎进对,言及三蜀易帅,帝曰:"余晦有才。"梦鼎曰:"晦虽小有才,蜀当垂亡危急之秋,恐不胜任。"徐清叟亦言晦不可用,帝不听。

壬午,以前参知政事王伯大薨,辍视朝。

丙戌,以蔡抗、施退翁并兼资善堂直讲。抗,元定之孙也。

庚寅,温、台、处三郡大水,诏发丰储仓米及各州义廪赈之。

甲午,以余玠薨,辍朝。

玠之治蜀也,任都统张实任军旅,安抚王维忠治财赋,监簿朱文炳接宾客,皆有常度。至于修学养士,轻徭以宽民力,薄征以通商贾,蜀既富贵,乃罢京湖之饷,边关无警,又撤东南之戍。自宝庆以来,蜀阃未有能及之者。然久假便宜之权,不顾嫌疑,昧于勇退,遂来谗口。又置机捕房,虽足以廉得事情,然寄耳目于群小,故人多怀疑惧。及闻召,不自安,一夕暴卒,或谓仰药死,蜀人莫不悲之。

庚子,以董槐兼参知政事。

癸卯,诏抚谕四川官吏军民。

八月,丁未朔,以马光祖为司农卿、淮西总领财赋。

癸丑,诏福建帅司毋得循习以本州寄居充幕属。

甲寅,起居郎萧泰来出知隆兴府。先是起居舍人牟子才与泰来并除,子才四疏辞,极陈泰来奸险污秽,耻与泰来伍。泰来不得已请祠,遂予郡。

丙辰,赐杨次山谥惠节,杨谷谥敏肃,杨石谥忠宪。

乙丑,诏铸宝祐新钱,以"皇宋元宝"为文。

九月,壬午,以程元凤兼侍读,牟子才兼侍讲。

壬辰,城夔门。

蒙古皇弟呼必赍征云南,壬寅,师次忒剌,分兵三道,大将乌兰哈达由西道,诸王素赫由东道,呼必赍由中道。乙巳,留辎重于满陀城,率师前进。

冬,十月,丙午朔,出封桩库楮四十万,赈行都军民。

蒙古兵过大渡河,又经行山谷二千馀里,至金沙江,乘革囊及栈以渡,摩娑蛮主索和尔图迎降。其地在大理北四百馀里。

十一月,丙子朔,诏奖谕襄阳守臣高达。

乙酉,西太乙宫成。

己丑,贾似道献所获良马,赐诏褒嘉,其将士增秩、赏赉有差。

辛卯,蒙古皇弟呼必赍遣使谕大理降。时僧子聪在军中,每赞皇弟以天地之好生,王者之神武不杀,皇弟契其言。乌兰哈达分兵攻白蛮,所在寨栅,以次下之,独阿达喇所居半空和寨,依山枕江,牢不可拔。使人觇之,言当先绝其汲道。乌兰哈达率精锐立炮攻之,阿达喇遣兵来拒,乌兰哈达使其子阿珠迎击之,寨兵退走,遂并其弟阿苏城俱拔之。辛丑,白蛮送款。

十二月,丙辰,蒙古中道兵薄大理城。初,大理主段智兴微弱,国事皆决于高祥;是夕,祥率众遁去,皇弟呼必赍遣使追之。皇弟既入大理,曰:"城破而我使不出,计必死矣。"己未,西道兵亦至,命姚枢搜访图籍,乃得使者之尸。皇弟怒,将屠其城,枢及僧子聪、张文谦谏曰:"杀使拒命者,高祥耳,非民之罪,请宥之。"枢裂帛为旗,书止杀之令,分号街陌。大理之民赖以全活。

庚申,以前参知政事刘伯正薨,辍朝。

蒙古兵出龙首关,癸亥,获高祥,斩于姚州。皇弟呼必赍班师,留乌兰哈达攻诸蛮之未下者,以刘时中为宣抚使。

蒙古主命宗王哈呼与洪福源征高丽,拔禾山、东州、春州、三角山、杨根、天龙等城。

是岁,蒙古断事官孟克萨尔卒。孟克萨尔之莅事也严,人多怨之。蒙古主为下诏慰其子。

宝祐二年 蒙古宪宗四年【甲寅,1254】 春,正月,乙亥朔。蒙古城利州、阆州。自是蒙古兵且耕且守,蜀土不可复矣。

乙未,帝谕辅臣曰:"李曾伯报北兵攻利州,筑城已就,不可坐视。"谢方叔对曰:"当令余晦御之。"

潭州及湘潭县民陈克良孝行闻,诏旌其闾。

蒙古皇弟呼必赍还京兆,以姚枢为京兆劝农使,教民耕植。

二月,甲辰朔,太常釐正秦桧谥,帝因谕辅臣曰:"谥'缪很'可也。"

乙巳,诏:"二广吏多贪黩,以去天远而民无告也。吏部考核尝仕广而以贪黩免者,勿令再任。著为令。"

余晦遣都统甘闰以兵数万城蜀要地紫金山,蒙古汪德臣选精卒衔枚夜进,大破之,闰仅以身免,城遂为蒙古所据。

蒙古侵合州、广安军,守臣王坚、曹世雄等败之。

三月,戊寅,申严本路人不许授诸司属官,其已注授者并改授。

壬午,王元善自北归。元善凡三使蒙古,留七年,至是始归。

戊子,诏蠲江淮州军今年二税。

己丑,录襄城捍御功,高达、王登、程大元、李和各进职、增秩,馀补转有差。

辛丑,帝谕辅臣曰:"谢奕修服除,且以郡予之。"谢方叔曰:"年来戚里予郡太多,祖宗时高官者必换右,盖有深意。"帝曰:"戚里正卿以上即换右班,此典故也。"

是春,蜀中旱。蒙古诸将以嘉陵漕舟水涩,欲弃益昌去,汪德臣曰:"国家以蜀事付我,有死而已,奈何弃之?"尽杀所乘马飨士,袭嘉川,得粮二千馀石。云顶山戍将吕远将兵五千邀战;即陈擒之,复得粮五千馀石。既而鱼关、金牛水陆运偕至,屯田麦亦登,食用遂给。

夏,四月,辛亥,诏:"边兵颇贫,闻边上多有闲田,择其田之近便依险者,分给军人以耕。"

庚申,帝问辅臣外间所闻,谢方叔对曰:"外论皆以谢堂兼江西提举,恐自此外戚缘例者多矣。"

乙丑,以徐清叟知枢密院兼参知政事,董槐参政事。

六月,壬寅朔,罢临平镇税。

戊申,殿中侍御史吴燧,承宰相风指,论故蜀帅余玠聚敛罔利,玠死,其子如孙,一空帑庾之积而东,宜簿录其财以为蜀用。诏责如孙输以助蜀。

甲寅,帝谕辅臣:"蜀事宜早区处。"谢方叔曰:"向来亦有京阃兼制者。"帝曰:"此不可缓。"以李曾伯为资政殿学士,依旧节制四川。以贾似道同知枢密院事,职任依旧。

丙辰,帝谕辅臣曰:"利州王佐,坚守孤垒,屡挫敌锋,其忠可嘉。"谢方叔曰:"此城正介宝峰、苦竹隘间。佐以忠自奋,南永忠薄其城下,佐骂击之,永忠流涕而退,真忠臣也!"诏王佐更进一官。

先是南永忠守隆庆,率其属以城降蒙古,教授郑炳孙先缢死其妻女,乃朝服自经。癸亥,赠炳孙朝奉郎、直秘阁,访其子官之。

录行在系囚。

余晦在四川,兵屡败,边事日亟。戊辰,诏晦赴行在。

蠲利、阆、隆庆、潼川、绵州赋役。

闰月,壬申,董槐抗疏:"蜀事孔棘,已犯临战易将之戒,此臣子见危致命之日也。而上下牵制,曾未有出身当此任者。愿假臣宣抚之名,置司夔门,以通荆、蜀之气脉。"帝优诏答曰:"士大夫以议论求胜者多,以事功自勉者少,朕为世道人才忧之。卿深念蜀事,慨然请行,足见忠壮。然经理西事,当在庙堂,更宜勉竭谋猷,以副委任。"

以蒲择之为军器监丞,暂充四川制置权司职事。

甲戌,命包恢为浙西提点刑狱,招捕获浦盐寇。

壬午,以李曾伯为四川宣抚使兼荆湖制置大使。诏:"四川事力愈单,须合荆阃乃可运掉,宜趣李曾伯进司夔路。"

己亥,罢江湾浮盐局。

秋,七月,己巳,蠲四川近边州郡税赋三年。

丁未,帝谕辅臣曰:"闻云南力备蒙古,果能自立乎?"谢方叔曰:"广右所传,虽未得实,不容不严其备。"

蒙古乌兰哈达攻乌蛮,次罗部府,蛮酋高升拒战,大破之,进至其所都押赤城。城际滇池,三面皆水,既险且坚,选骁勇以炮摧其北门,纵火焚之,皆不克。乃大震鼓钲,进而作,作而止,使不知所为,如是者七日,伺其困乏,夜五鼓,遣其子阿珠潜师跃入乱斫之,遂大溃,至昆泽,擒其国王段智兴。馀众依阻山谷,分命裨将掩袭,约三日,卷而内向。及围合,阿珠引善射者二百骑四面进击,乌兰哈达陷阵鏖战,又攻纤寨,拔之。至乾德格城,乌兰哈达病,委军事于阿珠,环城立炮,以草填堑。众军始集,阿珠先率所部搏战城下,遂破其城。

己酉,诏以思、播两州连年捍御,其守臣田应寅、杨文各进一秩。

同知枢密院事、两淮制置大使贾似道,乞照陈铧出使湖南例,以行府为名;从之。

甲寅,赐贾涉谥忠肃,以似道进用故也。

壬戌,以湖北安抚、知峡州吕文德总统江陵、汉阳、归、峡、襄、郢军马事,暂置司公安,上下应援。

八月,辛未朔,帝谕辅臣曰:"江塘事毕,闻军中科军人草荐,不容不还其直。"谢方叔曰:"此见陛下之不遗微小也。"

癸酉,诏以前知阆州兼利州安抚王惟忠付大理狱。惟忠与余晦俱庆元人,晦之帅蜀也,惟忠心轻之,呼其小字曰:"余再五来也。"晦闻,恚甚,及召还,诬奏惟忠潜通蒙古,使其党丁大全、陈大方劾之;朝议亦以此掩误用余晦之失,遂下大理。大方为勘官,煅炼成狱,籍其家。

癸未,董槐言:"迩者陛下察贡献之无艺,虑并缘之害民,申饬内司,诸有以田及木献者勿纳,此可以弭灾召和。"帝曰:"自今修造买木,仍付两司。"

癸巳,谢方叔等上《七朝经武要略》《中兴四朝志传》《理宗玉牒》《日历》《会要》。

丁酉,醴泉观使赵葵上疏言:"臣昨辞相位,退居长沙。今蜀事孔艰,思报恩纪,乞申溧阳居止之命,庶便驱策。"帝奖其忠,命趣装过溧阳,以便咨访。

九月,甲辰,以久雨,出封桩库十八界楮币三十万赈三衙诸军。

己酉,朝献景灵宫。庚戌,飨于太庙。辛亥,大飨于明堂,大赦。

乙卯,获浦寇平,宪臣包恢进二秩,升直龙图阁;都统刘达授阁门使,带遥郡。

己未,以尤焴为端明殿学士、提举秘书省兼侍讲、提纲史事。

癸亥,诏以景灵宫恭谢毕,诣西太乙宫,起居郎牟子才谏而止。

丁卯,太白昼见。

冬,十月,庚午朔,谢方叔等进《宝祐编类吏部七司续降条令》,各进一秩。

癸酉,诏:"皇子永嘉郡王禥进封忠王。"

辛卯,诏:"李曾伯进司重庆,其京湖职事,令吕文德主之。"

甲午,斩王惟忠于都市,血上流而色不变,且语陈大方曰:"吾死,诉于天帝!"未几,大方暴卒。

丁酉,诏夺余玠资政殿学士职名及余晦刑部侍郎告命。

十一月,庚子朔,以皇子忠王禥加冠礼,命从臣诣景灵宫奏告天地、祖宗。

壬寅,日南至,御文德殿,行皇子忠王禥冠礼,赐字邦寿。

丁未,蒙古城光化旧治。

丙辰,帝问光化事体,谢方叔言:"增筑光化,在江汉之北,欲以温和守光化,令在离奴堡对江与之相持。均州据光化上流,已令增兵为备。"诏温和知光化军。

牟子才上言:"首蜀尾吴,几二万里。今两淮惟贾似道,荆、蜀惟李曾伯,二人而已,可为寒心!宜于合肥别立淮西制置司,江淮别立荆湖制置司,且于涟、楚、光、黄、均、房、巴、阆、绵、剑要害之郡,或增城,或增戍,以守之。"贾似道闻之,怒曰:"是欲削吾地也!"

蒙古皇弟呼必赉以廉希宪为京兆宣抚使。希宪笃好经史,手不释卷,少入侍呼必赉。一日,方读《孟子》,闻召,因怀以进,呼必赉问其说,希宪以性善、义利、仁暴之旨对,呼必赉善之,目为廉孟子。希宪尝与诸贵臣校射,连发三中,众惊曰:"文武才也!"呼必赉自大理还,于京兆分地置宣抚司,命希宪为使。京兆控制陇、蜀,诸王贵藩,分布左右,民杂戎、羌,尤号难治。希宪讲求民间利害,抑强扶弱,摘伏摧奸,境内大安。

十二月,己巳朔,殿中侍御史吴燧言:"州县财赋,版籍不明,近行经界,既已中辍,请令州郡下属县排定保甲,行自实法。"庚午,诏:"先行于两浙、江东、西、湖南州军。"

丁丑,诏:"蒲择之以元职兼四川宣抚司判官。"

辛巳,诏:"户部支诸军雪寒钱,出戍之家倍给。"

癸未,雷。

枢密院言:"知利州王佐申叛臣南永忠部下官兵周德荣,能守正效忠,密约统制段元鉴入隘解围,为南永忠执缚屠割,抗声詈骂而死。"诏:"周德荣特赠七秩,仍立庙,官其子。"

己丑,诏:"安西堡解围,其将士褒赏外,令宣司下隆庆守臣段元鉴,应官民曾资给战士或屈身助守御者,并保明推赏,仍普犒在城居民一次,免租赋五年。"

是岁,均州总管孙嗣遣人赍蜡书降于蒙古。

蒙古主命大臣求可以慎固封守、闲于将略者,擢史枢征行万户,配以真定、相、卫、怀、孟诸军,驻唐、邓。枢,天倪子也。

蒙古张柔,以连岁勤兵,两淮艰于粮运,奏请据亳之利。蒙古主乃诏柔镇亳州,率山前八军城之。柔又以涡水北浅隘不可舟,军既病涉,曹、濮、魏、博,粟皆不至,乃筑甬路,自亳抵汴,堤百二十里,流深而不可筑,复为桥十五,或广八十尺,横以二堡戍之。

宝祐三年 蒙古宪宗五年【乙卯,1255】 春,正月,己未,迅雷。先是望夕,内侍董宋臣引西湖妓入禁中,牟子才疏言:"元夕张灯侈靡,倡优下贱,奇技献笑,媟污清禁,此皆董宋臣辈坏陛下素履。今因震霆示威,臣愿圣明觉悟,天意可回。"帝纳其言。

庚申,帝谕辅臣曰:"均州城筑,粮饷既艰,宜先筑龙山。"谢方叔等言:"龙山高险,下瞰旧均,已趣京湖留司调兵修筑。"

壬戌,知澧州赵师简朝辞,言公族世系日衍,尚未增立字号。诏以宗正寺拟"用、宜、季、次、绍"五字于"大、由、交、嗣、甫"字下续之。

甲子,帝谕辅臣曰:"马光祖措置钱楮如何?"谢方叔等言:"监收敝楮,已合事宜,但钱未流通耳。"

秘书危昭德疏言:"国之命在民,民之命在士大夫。士大夫不廉,腴民膏血为己甘腴,民不堪命矣。愿陛下与二三大臣察利害之实,究安危之本,明诏郡国,申严号令,俾急其所急,凡荒政之当举者,不可一日而置念;缓其可缓,凡苛赋之肆扰者,易为此时之宽征。固结人心,乃所以延天命也。"

丙寅,皇子忠王禥出阁。

二月,庚午,诏尤焴免奉朝请,专令精意史事。

乙亥,命李长庚措置襄阳屯田。

给事中王塈言:"国家与蒙古本无深仇,而兵连祸结,皆原于入洛之师,轻启兵端,二三狂徒如赵楷、全子才、刘子澄辈,浅率寡谋,遂致只轮不返。全子才诞妄惨毒,乃援刘子澄例,自陈改正。宜寝二人之命,罢其祠禄,以为丧师误国之戒。"从之。

己卯,两淮制置大使贾似道兴复广陵堡城,以图来上,诏奖之。

庚辰,诏:"宗正少卿岁举宗学官选人一员。"

壬午,都省言:"宣阃入蜀,首议行恤民之政,宜多支籴本以宽民力。"诏拨封桩库十八界会二百万给四川。

乙酉,诏:"拨官诰、祠牒、新楮、香盐付临安府守臣马光祖收换敝楮。"

内侍董宋臣干办佑圣观,逢迎帝意,起梅堂、芙蓉阁、香兰亭,豪夺民田,招权纳贿,无所不至,人以董阎罗目之。监察御史洪天锡上言:"天下之患三,曰宦者、外戚、小人。"指宋臣及谢堂、厉文翁也。帝令吴燧宣谕,天锡抗对如初。帝又出御札俾天锡易疏,欲自戒饬之,天锡又言:"自古奸人,虽凭怙其心,未尝不畏人主之知。苟知之而止于戒饬,则凭怙愈张,反不若未知之为愈也。"

蒙古皇弟呼必赉征河内许衡为京兆提学。衡从姚枢,得程颐、朱熹之书,慨然以道自任,尝语人曰:"纲常不可亡于天下,苟在上者无以任之,则在下之任也。"凡丧祭嫁娶,必征于礼,以倡其乡,学者浸盛。是时秦人新脱于兵,欲学无师,闻衡来,人人莫不喜幸。于是郡县皆建学。

三月,甲辰,诏不许传播边事。

己酉,诏:"沿边屯田,自有课入登羡者,其管干官并推赏。"

癸丑,帝问:"自实之法,施行如何?"谢方叔等曰:"自实即经界遗意,惟当检制使人,宽其限期,行以不扰而已。"时高斯得起为福建转运副使,贻书方叔曰:"《史记》秦始皇三十一年,令民自实田。上临御适三十一年而行自实,异日书之史册,正与秦同。"方叔大愧,旋奏罢之。

以吴渊为观文殿学士、京湖制置大使、知江陵府。

己未，雨土。洪天锡言其象为蒙，请严君子小人之辨，又言修内司为民害，宜治之。

夏，四月，庚午，朝献景灵宫。

蜀郡地震。

癸酉，帝问流民近状，谢方叔对曰："数年来，流民在江南者，皆已安业。"

丁丑，以陈显伯兼资善堂赞善，陈坚兼直讲。

辛巳，帝谓辅臣曰："闻刑狱多有冤滥。"谢方叔等曰："不特冤滥，且有淹滞，当时加申警。"

癸未，考功郎官洪勋轮对，及杜衍封还事，帝曰："朕每谕丞相，事有不可行者缴奏。"

浙、闽大水，洪天锡上言："上下穷空，远近怨疾，独贵戚、巨阉享富贵耳。举天下穷且怨，陛下能与数十人者共天下乎？"

五月，丙申朔，帝谕辅臣曰："黄州乃江面要地，郎应飞不胜任，当别选人。"谢方叔曰："黄州昨除张胜，今尚权鄂州，曷若以厉文翁为之乎？"

甲辰，久雨，以监司、州郡辟书冗滥，申严禁止。

丙午，帝谕辅臣曰："修筑江岸，军兵不易，闻补工值雨，多不给食，可令特支。"

诏出封桩库十八界会二十万给三衙诸军，赈临安府民户亦如之。

甲寅，赵汝腾除翰林学士、知制诰兼侍读。

六月，以枢密院编修镇江丁大全为右司谏。大全面蓝色，为戚里婢婿，夤缘阎妃及内侍卢允升、董宋臣，得宠于帝，由萧山尉累拜是职。时正言陈大方、侍御史胡大昌与大全同除，皆缄默不言。人于其名大旁加点，目为"三不吠犬"。

戊子，洪天锡罢言职。时吴民仲大伦等列诉董宋臣夺其田，天锡下其事有司。而御前提举所移文，谓田属御庄，不当白台，仪鸾司亦牒常平。天锡谓："御史所以雪冤，常平所以均约，若中贵人得以控之，则内外台可废，犹为国有纪纲乎！"乃申劾宋臣及卢允升而枚数其恶，帝犹力（获）〔护〕之。天锡又言："修内司，供缮修而已。比年动曰御前，奸赃之老吏，迹捕之凶渠，一窜名其间，则有司不得举手。狡者献谋，暴者助虐，其展转受害者，皆良民也，愿无使史臣书之曰：'内司之横自今始。'"疏六七上，留中不报，天锡遂去，诏迁大理少卿。宗正寺丞赵宗嶓移书谢方叔，责其不能止救，方叔甚惭。而谗者又曰："天锡之论，方叔意也，其去亦方叔挤之。"方叔上书自解，帝终不信。

辛卯，签书枢密院事王埜罢。

秋，七月，癸丑，以吕文德知鄂州，节制鼎、澧、辰、沅、靖五州。

丙申，谢方叔、徐清叟罢，以御史朱应元劾之也。董宋臣、卢允升犹未快，赂人上书力诋洪天锡、谢方叔，且乞诛之，使天下知宰相、台谏之去，出自独断，于内侍无预。

命三省、枢密院机政，令董槐、程元凤轮日当笔。诏曰："往年二相并命，各分朋党，互相倾轧。吴潜既退，方叔独相，持禄固位，政以贿成，诸子无藉，恬然而不知。天示警戒，臣庶交章，不夺方叔之相权，则是朕躬有罪。尔槐，尔元凤，尚鉴兹哉，毋若方叔之负朕也！"

己未，帝谕辅臣曰："近来州县赃吏甚多，不可不严其禁令。"董槐言艺祖朝有流窜或杖死者。程元凤曰："高宗朝必籍记姓名，不复录用。"帝曰："籍记今可行。"

以谢方叔为观文殿大学士、提举洞霄宫。

蒙古乌兰哈达自吐蕃进攻西南夷,悉平之。

八月,乙丑朔,以董槐为右丞相兼枢密使,程元凤为签书枢密院事兼权参知政事,蔡抗为端明殿学士、同签书枢密院事。

丙寅,帝谕辅臣曰:"朕以今日多事,选用卿等,宜一心体国。凡纪纲未振,人材未萃,民生未裕,边备未饬,皆为急务,宜加之意。"

以徐清叟为资政殿大学士,提举玉隆万寿宫。

庚午,帝谕辅臣曰:"三边事宜及时。"董槐等对曰:"首当以此勉谕诸阃。"帝曰:"阃外之寄,庙堂只当择人,岂可遥制!"槐曰:"前日之病正坐此。"

丙子,以郑性之薨,辍视朝。

戊子,帝曰:"纪纲法度,须当谨守,以革弊例。朝士迁除,各守满岁之法。如先朝臣僚奏请迁转格式,可讨论以闻。"董槐等对曰:"此法固可革躁进之风,但拔擢人材,又不可拘此。"帝然之。

都省言两淮制臣贾似道,调度兵将,攻剿旧海贼兵,生擒伪元帅宋赟,俘获尤众;诏奖之。

辛卯,以应𤲅薨,辍视朝。

九月,己亥,帝谕辅臣曰:"近日施行内侍何郁岂可复留!合与勒停。"董槐等曰:"圣断如此,不惟可以戢奸,亦可以服中外心。"

丙午,帝曰:"近观臣僚奏疏,云事当谋之大臣。朕未尝不与卿等谋,如有未当,且许执奏。卿等亦自相资益。"程元凤曰:"臣等虽不敢立异,亦不敢苟同。"

庚戌,诏:"淮哨在境,边防正严,沿江副阃,岂容久虚!已差厉文翁,可趣之任。"

壬子,帝谕辅臣:"赵葵二劄,言边事不苟。"董槐等曰:"今日事势,不可以安危论,直当以存亡论,亦不须如此忧惧;然必内外协心图之,如范蠡、大夫种分任国事可也。"

甲寅,以陈显伯兼资善堂翊善,皮龙荣兼侍读。

乙卯,帝曰:"楮币何以救之?"董槐请以临安府酒税专收破会,解发朝廷,逐旋焚毁,官司既可通融,民间自然减落。帝然之,曰:"朝廷以为重,则人自厚信。"

董槐言于帝曰:"臣为政而有害政者三。"帝曰:"何谓三害?"槐曰:"戚里不奉法,一矣。执法大吏久于其官而擅威福,二矣。皇城司不检士,三矣。将率不检士,故士卒横,士卒横,则变生于无时。执法擅威福,故贤不肖混淆,贤不肖混淆,则奸邪肆,贤人伏而不出。亲戚不举法,故法令轻,法令轻,故朝廷卑。三者弗去,政且废,愿自今除之。"于是嫉槐者众矣。

冬,十月,庚午,诏:"拨封桩库会子一十三万,犒殿、步司教阅精勇军,其衣装器械悉从官给。"

癸未,诏:"永蠲绍兴府和买绢。"

蒙古张柔会大(帅)〔师〕于符离,以百丈口为宋往来之道,可容万艘,遂筑甬道,自亳而南六十馀里,中为横江堡。又以路东六十里皆水,可致宋舟,乃立栅水中,密置侦骑于所达之路。由是鹿邑、宁陵、考城、柘城、楚丘、南顿无宋患,陈、蔡、颍、息粮无不达。

十一月,乙未,皮龙荣进对,帝语及资善堂事,龙荣对曰:"忠王天资过人,若无他嗜好,倍加保养,尤为有益。儒臣尽职分于外,望陛下以身教之于内。"龙荣预知忠王意向,亦兼以讽帝也。

初,女冠知古得幸,其侄吴子聪夤缘以进,得知阁门事。牟子才缴奏曰:"子聪依凭城社,势焰薰灼,以官爵为市,搢绅之无耻者辐凑其门,公论素所切齿,不可用。"帝曰:"子聪之除,将一月矣,乃始缴驳,何也? 可即为书行。"子才曰:"文书不过百刻,此旧制也。今子聪录黄二十馀日乃至,后省盖欲俟其供职,使臣不得缴之耳。给舍纪纲之地,岂容此辈行私于其间!"于是子聪改知澧州,待次。子才亦力求去,出知太平州。

十二月,甲申,帝谕辅臣曰:"蜀报敌势颇重,间虽小捷,未闻有敢与一战者,宜大明赏罚以激劝之。"丁亥,又谕辅臣曰:"朝士有蜀人晓边事者,可令条具备御之策,参考用之。"

是岁,蒙古马步军都元帅兼领尚书省事察罕卒,追封河南王,谥武宣。

蒙古皇弟呼必赉,遣董文用招金故臣栾城李冶,且曰:"素闻仁卿学优才赡,潜德不耀,久欲一见,其勿他辞。"仁卿,冶之字也。冶至,皇弟问金南迁后居官者孰贤,冶对曰:"险夷一节,唯完颜仲德。"又问完颜哈达及布哈何如,对曰:"二人将略短少,任之不疑,此金所以亡也。"又问魏征、曹彬何如,对曰:"征忠谋谠论,知无不言,以唐净臣观之,征为第一。彬伐江南,未尝妄杀一人,拟之方叔、召虎可也,汉之韩、彭、卫、霍,在所不论。"又问今之臣有如魏征者乎,对曰:"今世侧媚成风,欲求魏征之贤,实难其人。"又问今之人材贤否,对曰:"天下未尝乏材,求则得之,舍则失之,理势然耳。今儒生有如魏璠、王鹗、李献卿、蓝光庭、赵复、郝经、王博文等,皆有用之才,又皆贤王所尝聘问者,举而用之,何所不可,特恐用之不尽耳。然四海之广,岂止此数子哉! 王诚能旁求于外,将见集于明庭矣。"又问天下当何以治之,对曰:"夫治天下,难则难于登天,易则易于反掌。盖有法度则治,控名责实则治,进君子、退小人则治。如是而治天下,岂不易于反掌乎? 无法度则乱,有名无实则乱,进小人、退君子则乱。如是而治天下,岂不难于登天乎? 且为治之道,不过立纪纲、立法度而已。纪纲者,上下相维持;法度者,赏罚示惩劝。今则大官小吏,下至编氓,皆自纵恣,以私害公,是无纪纲也。有功者未必得赏,有罪者未必被罚,甚则有功者或反受辱,有罪者或反获宠,是无法度也。法度废,纪纲坏,天下不变乱,已为幸矣。"又问昨地震何故,对曰:"天裂为阳不足,地震为阴有馀。夫地道,阴也,阴太盛则变常。今之地震,或奸邪在侧,或女谒盛行,或谗慝交至,或刑罚失中,或征伐骤举,五者必有一于此矣。夫天之爱君,如爱其子,故示此以警之。若能辨奸邪,去女谒,屏谗慝,慎刑罚,慎征讨,上当天心,下协人意,则可转咎为休矣。"皇弟深然之。

宝祐四年 蒙古宪宗六年【丙辰,1256】 春,正月,癸巳朔,诏曰:"朕宵旰在念,适时多艰,财计匮而生财之道未闻,民力穷而剥民之吏自若。舍法用例已非矣,有元无例而旁引以遂其干请之私,其何以窒幸门、塞蠹穴乎? 望治虽勤,课功愈邈,毋怪也。咨尔二三大臣,各扬乃职,务循名而责实,勿假公而济私,则予汝嘉。"

辛亥,诏:"京湖制置大使兼夔路策应使吴渊,遇军戎急切,许用便宜。"

甲辰,帝谕辅臣:"试阁职止两名,立为定格,非武举前名,更不召试。"

丁未,谢方叔夺职,罢祠。辛酉,史嵩之除观文殿大学士,依前永国公,致仕。

二月,丙寅,诏史嵩之复职。

戊辰,雨雹。

庚午,以久雨,诏临安府发平籴仓米二万石赈粜。

丙子,以袭封衍圣公孔洙添差通判吉州,不釐务。

庚辰,以久雨,诏:"监司、州郡决系囚,毋得淹延,狱官毋得兼签,以妨本职。"

再拨平籴仓米二万石,损价接粜。出封桩库楮币二十万,令殿、马、步司给犒。其大理寺、三衙、临安府属县诸酒军所见监赃赏钱,悉蠲之。

癸未,诏举廉吏。

诏核实,凡战多者,死事者,速条上推赏。被兵之地,流离之民,应干科调,悉与停免。

三月,丁酉,诏与芮嗣荣王。

壬寅,诏:"蒲择之权兵部侍郎、四川宣抚制置使、兼知重庆府。"

庚戌,帝谕辅臣曰:"蜀中更求东南一二人,以为二矛重弓之备。"董槐言:"近遣李遇龙为都统,舆论谓然。更当采访,以备擢用。"

丙辰,御制《字民训》,引见改官人,令阁门宣示,仍批于印历之首。

是春,蒙古主会诸王百官于裕孟克图之地,设宴六十馀日,赐金帛有差,定拟诸王岁赐钱谷。

蒙古皇弟呼必赉遣人诣行在所,请续签内郡汉军;从之。

夏,四月,丁卯,帝谕辅臣:"累年北骑涉渡淮,可于沿边措置防遏。"戊辰,董槐言敌有谋攻枣阳军者,近吴渊已焚其所立寨舍,帝曰:"可早取光化,如蜀之隘口、淮之旧海,皆当谕阃臣及时图之。若根蒂已固,可无后患。"

癸未,诏:"贾似道为参知政事,吴渊进官三等,并职任依旧。程元凤为参知政事,蔡抗同知枢密院事。"

帝年浸高,操柄独断,视群臣无当意者,渐喜狎佞人,擢丁大全为侍御史,窃弄威权,帝弗觉悟。大全尝遣客私于董槐,槐曰:"臣闻人臣无私交,吾惟事上,不敢私结纳,幸为谢丁君!"大全大惭。

五月,甲午,孔子五十世孙元龙授初品官。

甲辰,帝谕辅臣曰:"秋防不远,宜事事为之备。"董槐曰:"罗鬼国报,思、播州谓北兵留大理,招养蛮人为向道,此甚可忧。"帝曰:"彼不能支,骎骎及我矣。"

徐清叟、王埜并夺职罢祠,仍褫执政恩数。

乙巳,董槐言:"泸、溆之上,盐井设险以待敌兵,此事不可吝费。"程元凤曰:"宜令播州以兵助罗鬼,制司以兵助播州。"诏以银万两使思、播约罗鬼为援。

丁大全虑董槐不相容,日夜刻求槐短。槐入对,极言大全邪佞不可近,帝曰:"大全未尝短卿,卿勿疑。"槐曰:"臣与大全何怨!顾陛下拔臣至此,臣知大全奸邪而嗫不言,是负陛下也。且陛下谓大全忠而臣以为奸,不可与俱事陛下矣。"上书乞骸骨,不报。

甲寅,赐进士文天祥等五百六十九人及第、出身。考官王应麟得天祥卷,奏曰:"是卷古谊若龟鉴,忠肝如铁石,臣敢为得人贺。"

六月,甲戌,以朱禩孙为太府寺簿、知泸州兼潼川路安抚,措置泸、溆、长宁边境。

辛巳，浙江堤成。凡朝廷科拨，钱以缗计，百三十五万九百九十有奇，米以石计，三万三千一百，而临安府之费不与焉。

癸未，丁大全疏劾董槐。疏未下，大全夜半以台檄调省兵百餘人，露刃围槐第，迫之出，舆槐至大理寺，欲以此胁之。须臾，出北关，弃槐，嚣呼而散。槐徐步入接待寺，罢相之制始下，物论大骇。

诏："程元凤、蔡抗可暂轮日当笔，军国重务，商榷奏闻。"

秋，七月，辛卯，帝谕辅臣："财计所当整顿，吏奸不可不防，须择晓练都司提其纲。"寻以孙子秀、赵崇洁任责拘榷。时贾似道威权日盛，台谏尝论其部将，即毅然求去。会有言似道已密奏子秀不可用，执政遂置子秀，以似道所善陆垫代之。

太学诸生论丁大全不当迫逐董槐；甲午，以董槐为观文殿大学士、提举临安府洞霄宫。

丙申，诏曰："进退台谏，权在人主；若由学校，万无此理。且非大臣所得进退，学校可得而进退之乎？叩阍缕缕，更无已时。可令学官先谕三学诸生，可安心肄业，以副朕教育之意。仍令御史台契勘当时同侍台牒作倡鼓率之吏，重做施行；临安府根究本隅将校，惩其不能钤束隅兵之罪。"丁大全之逐董槐也，入疏自解，帝亦不以为然，然不欲学校上书，故有是命。

戊申，帝问辅臣曰："吴渊乞万兵以备泸、溆、思、播，何以应之？"程元凤曰："欲令渊且选兵五千至夔门，泸、溆有急则援泸、溆，思、播有急则援思、播，东可以捍金、洋，南可以庇归、峡，却从沿江调兵五千，以补京湖之数。"

秋，七月，甲寅，知叙州史俊调舟师连与蒙古战，却之。

乙卯，以程元凤为右丞相兼枢密使，蔡抗参知政事，张磉为端明殿学士、签书枢密院事。

丙辰，帝谕辅臣曰："振饬纪纲，修明法度，今日急务。前此只缘物惰废法，以致蠹弊滋多，今当痛革。"帝又曰："迩来朝廷之势轻，盍思所以重之！"程元凤言当以求才为急，人才众多则国势自重，帝然之。

蒙古诸王塔齐尔等军过东平，掠民羊豕。蒙古主闻之，遣使问罪，由是诸军无犯者。

【译文】

宋纪一百七十四　起癸丑年（公元 1253 年）正月，止丙辰年（公元 1256 年）七月，共三年有余。

宝祐元年　蒙古宪宗三年（公元 1253 年）

春季，正月，庚寅（十一日），皇帝下诏以建安郡王赵孜为皇子，改其名为赵禥，封永嘉郡王，并赐以御制的《资善堂记》。

癸卯（二十四日），蒙古兵屯扎在汉江，然后侵犯万州，进入西柳关。京湖都统高达遣将扼守河川关隘，上山大战敌兵，攻打到鳖坑、石碑港后返回。

蒙古主在鄂诺河北会集诸王，停止伊克征伐高丽军，以萨喇尔岱为征东元帅。

蒙古皇弟呼必赉听说陵川人郝经寓居于张柔家中，是个博览群书、无不通晓的人，因而召见郝经，向他询问有关治理国家、安抚百姓的对策。郝经提出在这方面应该做的几十件事，皇弟听了感到很高兴，把他留在王府。

蒙古主大肆分封授地给他的同姓宗亲,令皇弟呼必赉亲自在南京、关中两地选择一处作为封地。姚枢对皇弟说:"南京一带河流改道无常,是土地贫瘠、水量缺乏的盐碱地,远远不如关中。关中土地属最上等,古代就称之为天府陆海。"于是,皇弟希望拥有关中,而接受处于关中的京兆封地。当时,各位将帅都在京兆修建大宅,豪华奢侈,竞相攀比,皇弟即分派他们戍守兴元各州,又奏请主上划出河东盐池以供军队食用,并在京兆设立从宜府,在凤翔屯田。征收百姓的盐和谷物,通过水路转运到嘉陵。

二月,己酉朔(初一),日蚀。

壬子(初四),下雪。皇帝降旨:"群臣百官中凡已被贬谪多时的,全都让其自便,唯有那些误国害民者不得赦免。"

戊辰(二十日),陈垲被贬居潮州。原先,宰执说陈垲贪赃不法,应该交付主管部门查问,然而又作为台臣下吏,暂且把他贬于远地。皇帝说:"应当如此,心怀私利而事君的臣子应引以为戒。"

己巳(二十一日),再次减免两浙漕司、临安府一个月的竹木税。

三次西征后形成的蒙古汗国疆域图

三月,壬午(初四),皇帝谕知辅臣:"夔门必须选择守令,比东南方还要急切,应当从速安排、处置。"

丙申(十八日),因前参知政事别之杰逝世,皇帝停止临朝听政。不久,赠他为少师。

庚子(二十二日),任用韩宣为遥郡防御使,镇守夔州,兼副帅。

壬寅(二十四日),诏书说:"近年以来,风气不好,善恶不公。群臣百官论次评定品级,常先认可传闻之言而不认真考察核实,以致是非混杂不清。从现在起,大臣授职,量才而用;内台外台弹劾百官,均须审查核实,不能纠缠小事,暗中掺入私人恩怨。对那些实有贪赃枉法等劣迹者,则可用祖宗早已定下的法律加以惩处,一定不能宽赦。征询商议按一定的职位权限,修养身心,遵守法度,以不辜负朕奖励优待变旧法行新政之意。"

蒙古兵进攻海州,守臣王国昌在城下迎战,终被打败。

夏季,四月,甲寅(初七),申明严禁殿试挟带书本之法令。

壬戌(十五日),记载西柳关抵御外敌的功臣事迹,高达、程大元、李和、吉文瑶、王登以及将帅士兵等,分别增加俸禄、补任官职或受到赏赐。

己巳(二十二日),皇帝询问蜀中近来的奏报,谢方叔等说已经攻下襄路。徐清叟指出:"蜀中向后分设四帅,差不多形成了掎角之势。"皇帝说:"以往军中自有四个主帅,还有正副帅。"董槐说:"这也就是二矛加双弓的意思。"

五月,戊寅朔(初一),皇帝说:"赵希墍可委派为平江府知府,此人操行洁美,会尽最大能力安抚体恤百姓。"在这之前,皇帝曾把吴门需选择要地防守的话谕知辅臣;谢方叔说平江东面控制着海路,连年来官府出钱购买百姓的粮食,民间的人力财力都很贫乏,应该任用有才略又善于安抚体恤的人去主事,所以皇帝才有此成命。

辛巳(初四),官署罢免处州的两名税官,置丽水县西尉。

己亥(二十二日),赐进士姚勉以下及第、出身。

余玠一人节制四蜀,凡有奏疏,词气往往不够谨慎,皇帝心里不安。徐清叟入朝答话,遂进言说:"余玠不懂事君之礼,陛下为何不出其不意而召见他呢?"皇帝没回答。徐清叟又说:"陛下难道是因为余玠掌握大权,担心他不接受召见吗?臣估计到余玠一向失去军心,一定不敢不来。"于是,皇帝召见余玠。六月,庚戌(初三),四川制置司言余玠病重,皇帝下诏,任命余玠为资政殿学士,给予执政的恩典礼遇。

辛亥(初四),任用贾似道为资政殿大学士,李曾伯为端明殿学士,仍任旧职。

戊午(十一日),直华文阁、湖北运判兼知鄂州余晦上朝向皇帝辞行。皇帝说:"蜀中主事者还缺合适之人,卿可为朕去赴任。"余晦答道:"臣资历浅声望轻,蜀中情形向来不熟悉,冒昧承受责任恐怕会误国。"皇帝又说:"朕与宰执反复筹谋此事,认为还没有像你这么合适的人。"庚申(十三日),任命余晦为司农卿、四川宣谕使。

蒙古下令诸王实喇尔攻打西域。

蒙古诸王巴图派人求购万锭珠银,蒙古主授予银千锭,并一再告诉他:"太祖、太宗之财,若如此开支下去,还拿什么来赏赐诸王!应该周密而慎重地考虑一下。这些银锭就充当今后每年赏赐之数吧。"

秋季,七月,辛巳(初五),皇帝谕知辅臣:"余晦上朝辞行时,朕已告诫他务必实行宽政。"这一天,国子司业叶梦鼎入朝答话,谈到三蜀改换主帅一事。皇帝说:"余晦有才能。"叶梦鼎说:"余晦虽然有些才能,而今三蜀处于危急存亡的严重时刻,恐怕他还不能胜任此职。"徐清叟也说余晦不能用。皇帝不听。

壬午(初六)，因前参知政事王伯大逝世，皇帝停止临朝听政。

丙戌(初十)，任用蔡抗、施退翁同兼资善堂直讲。蔡抗是蔡元定之孙子。

庚寅(十四日)，温州、台州、处州三郡发生水灾，诏令打开丰储仓及各州公共储存备荒的粮仓以赈济灾民。

甲午(十八日)，因余玠逝世，停止百官朝见皇帝。

余玠治蜀期间，让都统张实负责军务，安抚使王维忠管理财政赋税，监簿朱文炳主持礼宾之事，政令都有一定的法度。至于兴修文教培养人才方面也有建树，还减轻徭役而使民间的人力财力较宽裕，减少征收而使商业畅兴。蜀地变得富足殷实之后，就停止京湖两地提供军饷；边关没有紧急的军情，又撤去东南边疆的防务。从宝庆以来，统兵在蜀的各位将帅，没有谁能比得上余玠。然而在长时间里，他凭借自身权势，不顾嫌疑，没有急流勇退，遂招致了谗言。他又设置机捕房，虽然有助于清廉，但由于任用一批小人，所以人们多怀疑惑害怕之心。到听知皇帝召见他，内心始感不安，一夜间暴病身亡，也有人说他是服毒自杀的。蜀中没有人不悲悼他。

庚子(二十四日)，任用董槐兼参知政事。

癸卯(二十七日)，诏令抚谕四川官吏军民。

八月，丁未朔(初一)，任用马光祖为司农卿、淮西总领财赋。

癸丑(初七)，诏令福建帅司不得因循旧习，把在本州寄居的人充当幕府僚属。

甲寅(初八)，起居郎萧泰来出知隆兴府。原先，起居舍人牟子才和萧泰来一同拜官授职，牟子才四次分条陈词，极力述说萧泰来奸险且有丑行，表示耻于与萧泰来为伍。萧泰来不得已请求归奉宗祠，于是皇上授予他一郡之地。

丙辰(初十)，赐杨次山谥号惠节，杨谷谥号敏肃，杨石谥号忠宪。

乙丑(十九日)，诏令铸造宝祐新钱币，用"皇宋元宝"四个字。

九月，壬午(初六)，任命程元凤兼侍读，牟子才兼侍讲。

壬辰(十六日)，夔门筑城。

蒙古皇弟呼必赉征伐云南。壬寅(二十六日)，蒙古军临时驻扎在忒剌，然后兵分三路：大将乌兰哈达从西路进发，诸王素赫从东路进发，呼必赉从中路进发。乙巳(二十九日)，把军用物资留在满陀城，分别率领军队前进。

冬季，十月，丙午朔(初一)，从封桩库拨出四十万楮币，以救济行都的军民。

蒙古兵过大渡河，又通过二千多里的山谷，到达金沙江畔，然后乘皮革制成的囊及筏子渡江。摩挲蛮主索和尔图(唆火脱)迎接并投降蒙军。其地在大理北四百余里。

十一月，丙子朔(初一)，诏令奖谕襄阳守臣高达。

乙酉(初十)，西太乙宫建成。

己丑(十四日)，贾似道进献所获良马，诏书上对此大加表扬称赞，其将领士兵因而或增加俸禄，或受到赏赐。

辛卯(十六日)，蒙古皇弟呼必赉派遣使者谕知大理军民投降。当时，僧人子聪在蒙军中，常称赞皇弟是个喜爱天地生灵、神威勇武而不嗜杀的人君。皇弟附会子聪之所言。乌兰哈达分兵攻打白蛮。所在地的防御栅栏,一个接着一个被攻下,唯独阿达喇所居住的半空和寨,靠山临江,牢不可破。乌兰哈达派人前往侦察,回来说应该先断绝那条引水的渠道。他就率领精锐士兵发炮猛攻,阿达喇派兵前来抵御,乌兰哈达让他的儿子阿珠迎击,阿达喇的寨兵败退逃跑。于是,半空和寨与其弟阿苏所据之寨一同攻破。辛丑(二十六日),白蛮派人向乌兰哈达送来钱币。

十二月,丙辰(十二日),蒙古中路兵迫近大理城。大理主段智兴能力微弱,国事都由高祥决断。这一夜,高祥率领众人逃离,皇弟呼必赉遣使臣追赶他。皇弟进入大理城之后,说:"城被攻破,而我委派的使者却未出现,估计必死无疑。"己未(十五日),蒙古西路兵也赶到,皇弟令姚枢搜查地图与户籍并进行察访,才发现使者的尸首。皇弟因而十分恼怒,准备血洗大理城。姚枢及僧人子聪、张文谦劝谏说:"杀害使者并拒绝投降的是高祥这个人,并非城中居民之罪,请饶恕他们吧。"姚枢剪帛为旗,上面写禁止杀戮的命令,还派人分别到街巷中呼号宣传。大理城的百姓因而得以保全。

庚申(十六日),因前参知政事刘伯正逝世,停止临朝听政。

蒙古兵开出龙首关,癸亥(十九日),俘获高祥,并在姚州把他斩了。皇弟呼必赉率兵回去,留下乌兰哈达攻打那些尚未征服的蛮族,并任命刘时中为宣抚使。

蒙古主命令宗王哈呼与洪福源征伐高丽,攻取禾山、东州、春州、三角山、杨根、天龙等城。

这一年,蒙古断事官孟克萨尔死。孟克萨尔在职任事时很严厉,人们多怨恨他。蒙古主下诏安慰孟克萨尔之子。

宝祐二年 蒙古宪宗四年(公元1254年)

春季,正月,乙亥朔(初一),蒙古修筑利州、阆州城墙。从此蒙古兵一边垦种一边防守,蜀地已不可收复。

乙未(二十一日),皇帝谕知辅臣:"李曾伯禀告蒙古兵攻打利州,已修好城堡,对此,不能坐视不顾。"谢方叔回答说:"应当下令余晦率部抵御之。"

潭州因湘潭县民陈克良行孝道而闻名,诏令在其里巷大门挂旗以示表彰。

蒙古皇弟呼必赉回到京兆,任命姚枢为京兆勤农使,教民耕植。

二月,甲辰朔(初一),太常官订正秦桧谥号,皇帝于是谕知辅臣:"可用缪狠作为他的谥号。"

乙巳(初二),皇帝降旨:"两广的官吏多贪财好贿,因为在远离朝廷的地方百姓无法控告他们。吏部要核实清查出那些曾在两广为官而因贪赃枉法被罢免的人,不能再让其任职。要订立此法令。"

余晦派遣都统甘闰带领数万士兵在蜀中要地紫金山筑城。蒙古汪德臣挑选精兵,乘夜含枚前进,击溃守城之兵。甘闰以身幸免,所筑之城被蒙古兵占据。

蒙古兵侵犯合州、广安军,守臣王坚、曹世雄击败来犯之敌。

三月,戊寅(初五),严申本行政区域的人不许授予诸司属官的禁令,凡已授予并记录在册的都要改授。

壬午(初九),王元善从北地归来。元善总共三次出使蒙古,居留七年之久,直至这时才归来。

戊子(十五日),诏令减免江淮州军今年的两种税。

己丑(十六日),记载襄阳城抵御外敌的功臣事迹,高达、王登、程大元、李和分别受到升官、增加俸禄,其余的人或被委任或迁职,各有不同。

辛丑(二十八日),皇帝谕知辅臣:"谢奕修已引退,姑且以一郡之地授给他。"谢方叔说:"近年来对帝王外戚授郡的太多了;太祖太宗时,任高官的人一定要换右班,含有深意的。"皇帝说:"外戚任正卿以上的就换右班,这是典制和旧例。"

这年春季,蜀地发生旱灾。蒙古诸将因嘉陵水道不畅难以用船运粮,想要舍弃益昌而离去。汪德臣说:"国家把入蜀之事交付我们办,无非一死罢了,为什么要舍弃它呢?"他把乘坐的马匹全都宰杀来招待士兵,然后偷袭嘉川,获得二千多石粮食。云顶山戍将吕远率领五千兵迎战,而他就在阵中被擒,汪德臣又获得粮食五千余石。不久,鱼关、金牛两地水陆运粮一块儿到达,军中垦种的麦子也已登场,食用所需便能自给了。

夏季,四月,辛亥(初九),皇帝降旨:"戍边士兵都很贫困,听说边境上还有许多闲置的田地,可选择那些较近而靠险要处的,分给军人去耕种。"

庚申(十八日),皇帝询问辅臣在外面听到的消息,谢方叔回答道:"外间都在议论谢堂兼江西提举一事,恐怕从此外戚中有许多人要循依此例了。"

乙丑(二十三日),任用徐清叟为知枢密院兼参知政事、董槐为参知政事。

六月,壬寅朔(初一),停止征临平镇税收。

戊申(初七),殿中侍御史吴燧,按照宰相的吩咐,议论已故蜀帅余玠搜刮财货,玠死后,他的儿子余如孙把积藏于库中的所有金帛向东运去,应该造册登记这些财货以作为蜀中的费用。皇帝下诏责令余如孙把它运送回来资助蜀地。

甲寅(十三日),皇帝谕知辅臣:"蜀中之事应该及早分头处理。"谢方叔答道:"向来有让在京的将帅兼管的。"皇帝说:"此事不可迟缓。"于是,就以李曾伯为资政殿学士,依旧负责节制四川,以贾似道为同知枢密院事,仍任旧职。

丙辰(十五日),皇帝谕知辅臣:"利州王佐,坚守孤城,屡次挫败敌人之先锋。他忠心为国,应予嘉奖。"谢方叔说:"此城正介于宝峰与苦竹隘之间。王佐尽心竭力、奋战不息;南永忠迫近城下,王佐辱骂并反击之,南永忠流泪而退。王佐是真正的忠臣啊!"皇帝降旨:"王佐再加一官。"

在这之前,南永忠镇守隆庆,率其部以城投降蒙古;教授郑炳孙先将他的妻女缢死,然后穿上礼服自缢。癸亥(二十二日),追封郑炳孙为朝奉郎、直秘阁,寻访其子并授予官职。

记录帝王所在地被拘禁的囚犯。

余晦在四川屡次兵败,边境战事日益紧急。戊辰(二十七日),诏令余晦到皇帝所在地。

减免利州、阆州、隆庆、潼川、绵州等地的田赋与力役。

闰六月,壬申(初二),董槐上书直言:"蜀事危急,陛下已犯了临战易将之戒律,这正是臣子为挽救危难、舍身报国的时候,但因上下都受制约,故未曾有人挺身而出,担此重任。臣希望能以宣抚之名,设司于夔门,以使荆州、蜀州两地气脉相通。"皇帝特地召见董槐并说:"士大夫以议论求胜的多,以事业功绩自勉的少;朕为缺乏好风气、好人才而担忧。卿深念蜀事,慷慨请行,足以见出忠诚豪壮。然而治理蜀地,在于朝廷,卿更要竭力筹谋,以不辜负所委托的责任。"

任用蒲择之为军械监丞,暂充任四川制置权司职事。

甲戌(初四),任命包恢为浙西提点刑狱,贴出文告缉获蒲的盗盐贼寇。

壬午(十二日),任命李曾伯为四川宣抚使兼荆湖制置大使。皇帝降旨:"四川的抵御力量越来越单薄,必须联合荆州统兵的将领才可灵活机动地使用兵力,应该催促李曾伯将夔路掌管起来。"

己亥(二十九日),撤销江湾浮盐局。

秋季,七月,己巳(二十九日),减免四川近边州郡三年的赋税。

丁未(初七),皇帝谕知辅臣:"听说云南竭力防备蒙古,果真能自立吗?"谢方叔说:"广右所传之事,虽未得到证实,然而不能不加强防备。"

蒙古乌兰哈达率兵进攻乌蛮,驻扎在罗部府。乌蛮部落首领高升迎战而被打败。乌兰哈达进抵乌蛮所在的都会押赤城。该城接近滇池,三面环水,既险要又坚固。乌兰哈达挑选勇猛士兵用炮摧毁城之北门,并纵火焚烧,都未能攻克。于是大力擂鼓击钲,队伍前进时鼓钲大作;鼓钲大作中,队伍又停止前进,使蛮兵不知所为何故。如此过了七天,等到蛮兵已困乏了,趁天快亮时,派遣儿子阿珠秘密出击,跃入城中,乱斩蛮兵;蛮兵溃退,阿珠乘胜追至昆泽,擒获了乌蛮国王段智兴。蛮兵余部依靠险要山谷进行阻击,乌兰哈达派副将分头予以掩袭,大约过了三天,又从四面向中心靠拢。等到合围时,阿珠带领善射的二百名骑兵从周遭进击,乌兰哈达亲自冲入敌阵,展开激战。又攻击纤寨并夺取它。到了乾达格城,乌兰哈达突然患病,把军务托付给儿子阿珠。阿珠环绕该城设置炮火,并用草木填塞护城河。待众兵聚集起来,阿珠先率其部,在城下与蛮兵搏斗,并攻陷乾达格城。

己酉(初九),皇帝降旨:思州、播州连年来抵御外敌有功,守臣田应寅、杨文各晋升一级。

同知枢密院事、两淮制置大使贾似道,请求按照陈𦤎出使湖南之例,以行府为名。皇帝同意。

甲寅(十四日),赐贾涉谥号忠肃,因他的儿子贾似道受到朝廷任用之故。

壬戌(二十二日),任用湖北安抚、知峡州吕文德总管江陵、汉阳、归州、峡州、襄州、郢州等地军马,暂置司于公安,上下接应救援。

八月,辛未朔(初一),皇帝谕知辅臣:"修筑沿江堤岸之事完毕,听说军队里曾向士兵征收草垫子,不容许不按价值折钱给他们。"谢方叔说:"这体现出陛下连细小的事都没忽略啊!"

癸酉(初三),诏令将前知阆州兼利州安抚王惟中投入大理寺狱中。

王惟中与余晦都是庆元人。余晦任蜀帅时,惟中看不起他,称呼他的小字说:"余再五来了啊。"余晦听了感到很恼怒。等到余晦被召入朝时,就诬奏王惟中秘密与蒙古交往;余晦还让他的党人丁大全、陈大方揭发王惟中罪状,朝廷的议论也以此掩饰误用余晦之过失,就把王惟中投于大理寺牢狱。陈大方作勘官,行刑致罪,还将其家人登记于簿册中。

癸未(十三日),董槐说:"近来陛下觉察到进献没有准则限度之弊,担忧由此而伤害百姓,于是告诫内司:所有用田产或木材进献的,不能接纳,这可以消除灾祸招致和祥。"皇帝说:"从今以后,修造需买木材,仍交付两司办理。"

癸巳(二十三日),谢方叔等献上《七朝经武要略》《中兴四朝志传》《理宗玉牒》《日历》《会要》。

丁酉(二十七日),醴泉观使赵葵上疏:"臣前辞去相位,退居长沙。如今蜀事很难办,臣思报恩情,乞求再次令臣居于溧阳,期望便于被驱使。"皇帝赞美他的忠诚,命他赶紧收拾行装到溧阳去,以便于征询访求。

九月,甲辰(初五),因久雨,从封桩库十八界拨出三十万楮币赈济三衙各军。

己酉(初十),在景灵宫举行献祭。庚戌(十一日),在太庙合祭。辛亥(十二日)日,在明堂合祭,实行大赦。

乙卯(十六日),平息获蒲盐寇,御史包恢被加官二级,晋升直龙图阁;都统刘达授为阁门使,兼统领遥郡。

己未(二十日),任命尤焴为端明殿学士、提举秘书省兼侍讲、提纲史事。

癸亥(二十四日),诏谕景灵宫祭礼毕,到西太乙宫去,因起居郎牟子才谏阻而止。

丁卯(二十八日),白天见到太白星。

冬季,十月,庚午朔(初一),谢方叔等进献《宝祐编类吏部七司续降条令》,各加官一级。

癸酉(初四),皇帝降旨:"皇子永嘉郡王赵禥进封忠王。"

辛卯(二十二日),皇帝降旨:"李曾伯进司重庆,他在京、湖的职务,让吕文德掌握。"

甲午(二十五日),在都城斩王惟中,血喷出而脸色不变,且在行刑之前对陈大方说:"我死后,将在天帝面前控诉你。"不久,陈大方暴病身亡。

丁酉(二十八日),诏令削去余玠资政殿学士职名及余晦刑部侍郎告命。

十一月,庚子朔(初一),将为皇子忠王赵禥举行加冠典礼,命从臣到景灵宫奏告天地、祖宗。

壬寅(初三),冬至,皇帝亲自到文德殿,举行皇子忠王赵禥加冠典礼,赐字邦寿。

丁未(初八),蒙古在光化原地方官署所在地筑城。

丙辰(十七日),皇帝询问光化之事,谢方叔回答:"光化加筑城墙,在汉江北面。想要让温和守卫光化,在鬲奴堡与之隔江相峙。均州处于光化之上游,已下令增兵加强防备。"诏温和统领光化军。

牟子才对皇上说:"蜀居首吴在尾,几乎相距二万里。如今两淮只有贾似道,荆州、蜀州只有李曾伯这两个人而已,真令人心寒!应该在合肥另立淮西制置司、在江淮另立荆湖制置司,并在涟州、楚州、光州、黄州、均州、房州、巴州、阆州、绵州、剑州等重要地方,或者设城,或者增加兵力,以便更有效地防守。"贾似道听了,恼怒地说:"这是想要削减我的地盘啊!"

蒙古皇弟呼必赉任命廉希宪为京兆宣抚使。廉希宪喜欢读经史,手不释卷。年轻时就入宫侍奉呼必赉。有一天,正当他阅读《孟子》时,听到呼喊,就把书置于怀中入见;呼必赉问他有何见解,廉希宪以性善、义利、仁暴之主张回答。呼必赉认为很好,把他看成廉孟子。希宪曾与各位贵族大臣较量射术,连发三中。众人惊叹道:"真是文武双全之才!"呼必赉从大理回来后,在京兆分地设宣抚司,命希宪为宣抚使。京兆控制着陇州、蜀州,诸王贵臣藩侯,分布于左右,戎族、羌族杂居,尤其难以治理。希宪为民谋利除害,抑制豪强扶助贫弱,揭露隐患制裁邪恶,使境内十分安定。

十二月,己巳朔(初一),殿中侍御史吴燧说:"州县财赋收入及户册登记得不清楚,近来巡行于土地疆域分界处,知有些已经中止或废除财赋及户籍登记。请令州郡下属各县划分并确定保甲,各自切实执行登记制度。"庚午(初二),皇帝降旨:"先在两浙、江东、西、湖南州军范围内实行。"

丁丑(初九),皇帝降旨:"蒲择之以初任之职兼四川宣抚司判官。"

辛巳(十三日),皇帝降旨:"户部支付各军所需的雪寒钱,凡家中有人戍守边疆的也加倍付给。"

癸未(十五日),响雷。

枢密院说:"知利州王佐陈述叛臣南永忠部下官兵周德荣能笃守正道、竭尽忠诚,秘密约请统制段元鑑进入险要处设法解围,被南永忠拘捕并绑起来宰割,周德荣高声责骂而死去。"皇帝降旨:"特追封周德荣七秩官,依旧立庙,授予其子官职。"

己丑(二十一日),皇帝降旨:"安西堡已解围,除了那些将士受褒奖外,要令宣抚司隆重庆贺守臣段元鑑,百姓中曾资助士卒或为守城御敌出力的人,可一并推举出来接受奖赏;依旧例普遍犒劳在城居民一次;免征租赋五年。"

这一年,均州总管孙嗣派人送蜡书向蒙古投降。

蒙古主命大臣访求能谨慎从事、固守疆土、娴熟用兵谋略之人,提拔了史枢,让他巡守征行于各路万户府,配以真定、相州、卫州、怀州、孟州诸军,驻扎在唐州、邓州。史枢是史天倪之子。

蒙古张柔,因连年用兵,两淮地方粮食运送艰难,而奏请占据亳州之地利。蒙古主于是诏令张柔坐镇亳州,率领山前八军在那里筑城。张柔又因涡水北段水浅不能行舟,军人涉水弄得筋疲力尽,曹州、濮州、魏州、博州等地粮食不能运到,就修筑一条甬道,从亳州到汴州,修堤一百二十多里;遇河深而不能修甬道处,又建造十五座桥,有的桥长八十尺,并在两头修建堡垒守卫。

宝祐三年 蒙古宪宗五年(公元 1255 年)

春季,正月,己未(二十一日),雷声大作。在此之前的十五日晚,内侍董宋臣带西湖歌妓进入禁宫。牟子才上疏说:"元夕张灯结彩奢侈浪费;倡优下贱,耍奇技献媚笑,亵秽清净的宫廷。这都是董宋臣之辈败坏陛下一向循守的规矩。今日有响雷示威,臣希望陛下圣明醒悟,上天的意旨便可回转。"理宗皇帝采纳了牟子才的意见。

庚申(二十二日),皇帝谕知辅臣:"均州修筑城垣,粮饷供应困难,宜先修筑龙山城垣。"谢方叔等人说:"龙山高峻险要,可鸟瞰均州旧城。已经催促京湖留司调兵筑城去了。"

壬戌(二十四日),知澧州赵师简上朝辞行,说到宗族世系日益繁衍,还未增立辈分字号。

诏令以宗正寺拟出的"用、宜、季、次、绍"接续在"大、由、交、嗣、甫"五字之下。

甲子(二十六日),皇帝谕知辅臣:"马光祖负责处理钱及楮币的事怎么样了?"谢方叔等人说:"监收破旧的楮币已合事宜,只是钱币尚未流通。"

秘书危昭德上疏说:"国家的命运取决于百姓,百姓的命运为士大夫所掌握。而今,士大夫不廉洁,攫取百姓膏血以养肥自己,老百姓已无法再忍受了。希望陛下与几位大臣审察利害之实,推究安危之本,明令昭告于郡国,申严号令,以急老百姓之所急。凡已荒废的政务而应当提出来兴办的,不可一日丢在脑后;可以缓办的事就暂缓,凡有苛赋侵扰百姓的,现在都要从宽征收。安抚稳定人心,这才是延续天命的办法。"

丙寅(二十八日),皇子忠王赵禥离开都城到封地去。

二月,庚午(初三),皇帝下诏免去尤焴之奉朝请名义,特令他精心于史事。

乙亥(初八),命令李长庚负责安排处置襄阳屯田事务。

给事中王埜说:"宋朝与蒙古本来无深仇大恨而兵连祸结,皆因进入洛阳的军队轻率发动战事,几个狂徒如赵楷、全子才、刘子澄之流,浅陋无谋,以导致全军覆没。全子才诞妄狠毒,引证刘子澄事例,为自己洗刷罪过。应该终止对全、刘二人的任命,罢去他们的祠禄,以此作为丧师误国者的鉴戒。"皇帝同意王埜之言。

己卯(十二日),两淮制置大使贾似道修复广陵堡城垣并把图样献上。皇帝下诏给予嘉奖。

庚辰(十三日),皇帝降旨:"宗正少卿每年荐举宗学官人选一员。"

壬午(十五日),都省说:"宣阃进蜀,首要的是议定抚恤百姓的政令,向民间购粮应多付本钱以宽缓民力。"皇帝下诏,拨出封桩库十八界会子二百万给四川。

乙酉(十八日),皇帝降旨:"拨官诰、祠牒、新楮、香盐给临安府守臣马光祖用来收换破旧的楮币。"

内侍董宋臣干办佑圣观,用以迎合皇帝的心意;又兴建梅堂、芙蓉阁、香兰亭,强夺民田,揽权纳贿,无所不至,人们把他看成是董阎罗;监察御史洪天锡上疏:"天下的祸患有三种:宦者、外戚、小人。"指的是董宋臣和谢堂、厉文翁。皇帝令吴燧宣谕旨意,洪天锡却上书直言,一如当初。皇帝又出御札使洪天锡更改疏本,想让他们自诫。洪天锡又说:"自古以来的奸人虽依仗侥幸之心,但也未尝不怕人君知道。假如人君知道了而仅仅是告诫一下,那么奸人作恶将更嚣张,反而不如不知道的好。"

蒙古皇弟呼必赉任用河内许衡为京兆提学。许衡从师姚枢,受惠于程颐、朱熹之书,慨然以道自任。他曾经对人说:"天下不能没有三纲五常,假若君主不以推行三纲五常为己任,那么臣子就要把这责任担负起来。"凡丧祭嫁娶,他都要按礼仪去办,以此倡导于乡里,使追随者日益增多。当时秦地的人刚刚从战事中摆脱出来,想学礼而苦于无师,听说许衡来了,人人都感到欣喜。于是,郡县都建立了学堂。

三月,甲辰(初七),诏令不许传播有关边境的事情。

己酉(十二日),皇帝降旨:"沿边屯田,凡课税收入有所增加的地方,管干官可推举出来给予奖赏。"

癸丑(十六日),皇帝问:"自实法施行后情况怎么样?"谢方叔等人回答说:"自实即遵古人划分土地以征收田赋的遗意办事,只是应当检察制约所派的人并放宽期限,推行此法就不至于烦扰百姓了。"当时,高斯得被起用为福建转运副使,致书谢方叔说:"《史记》载:秦始皇三十一年,令百姓自报田赋数,由官府注册核实。皇上登基至今刚好三十一年而推行自实法,他日把这件事写入史册,正好与秦始皇相同。"谢方叔听了感到十分惭愧,随即奏请废除自实法。

任命吴渊为观文殿学士、京湖制置大使、知江陵府。

己未(二十二日),天降泥雨。洪天锡说天象显示暗昧,请严格辨明君子与小人,又说修内司成为百姓之害,应该好好处理此事。

夏季,四月,庚午(初四),在景灵宫举行祭祀仪式。

蜀郡发生地震。

癸酉(初七),皇帝询问流民的近况。谢方叔回答说:"几年来,江南一带的流民,都已安顿下来各从其业。"

丁丑(十一日),任命陈显伯兼资善堂赞善,陈坚兼直讲。

辛巳(十五日),皇帝对辅臣说:"听说刑狱里多有冤案,是吗?"谢方叔等人回答:"不仅有冤案,而且还有被长期搁置起来的,应当时时提出警告。"

癸未(十七日),考功郎官洪勋轮对时,谈及杜衍封还一事,皇帝说:"朕常谕知丞相,事情有不能实行的要缴回奏章。"

浙、闽两地发生水灾。洪天锡上疏:"国家、地方都极空虚,远近百姓无不怨恨,唯独贵戚显宦安享富贵。普天之民陷于困厄而怨愤不已,陛下能与数十个人共享天下吗?"

五月,丙申朔(初一),皇帝谕知辅臣:"黄州是长江的重镇,朗应飞不能胜任,应当另选他人去镇守。"谢方叔说:"昨日授职张胜知黄州,可他现在还暂代知鄂州,何不让厉文翁到黄州赴任呢?"

甲辰(初九),久雨未停。监司、州郡的征召文书冗滥,乃申明严加禁止。

丙午(十一日),皇帝谕知辅臣:"修筑江岸,士兵十分辛苦,听说工程修补之时适逢雨天,食用常常不能供给,要下令予以特别支给。"

诏令拨出封桩库十八界会子二十万给三衙诸军,赈济临安府百姓拨出同样数额。

甲寅(十九日),免去赵汝腾翰林学士、知制诰兼侍读。

六月,任命枢密院编修镇江丁大全为右司谏。丁大全脸呈蓝色,是外戚奴婢夫婿。他攀附阎妃及内侍卢允升、董宋臣,得到理宗皇帝宠爱,由萧山尉逐渐升为右司谏。当时正言及陈大方、侍御史胡大昌与丁大全同时拜官之事,在场的人都缄默不语。有人在三人的名字旁边加点,把他们看作是"三不吠犬"。

戊子(二十三日),洪天锡被罢免谏官职位。当时,吴地百姓仲大伦等人控告董宋臣夺占他们的田地,洪天锡把这案子交给有司审理。而御前提举所移文,称那些田地归属皇室庄园,不应当报知御史台,仅鸾司也只通报给常平仓。洪天锡说:"御史为的雪冤,常平为的调剂丰歉。如果都为宦官所控制,那么内台外台可以废除,国家还有纲纪吗?"于是申明弹劾董宋臣及卢允升,还历数他们的罪行。皇帝却极力祖护他们。洪天锡又说:"修内司,供缮修而已。连年来动辄提到御前,奸诈贪赃的老吏,追踪搜捕的凶手,一窜名其间,那么有司就不好动手。为狡诈的人出谋献策,帮助残暴的人作恶。这当中辗转受害的都是良民百姓。希望不要让史臣写上这样一句'内司骄横从今开始'。"洪天锡上疏六七次,皇帝把它扣住,不予答复。洪天锡于是离去。皇帝下诏迁洪天锡为大理少卿。宗正寺丞赵蟠移书谢方叔,责备他未能制止、挽救,谢方叔很羞惭。而进谗言的人却说:"洪天锡上奏,是谢方叔的意图,而洪天锡离去也是谢方叔排挤的。"谢方叔上书自我辩解,皇帝终究不信任谢方叔。

辛卯(二十六日),签书枢密院事王埜免职。

秋季,七月,癸丑(十九日),任命吕文德知鄂州,节制鼎、澧、辰、沅、靖五州。

丙申(初二),谢方叔、徐清叟被罢官,因御史朱应元弹劾所致。董宋臣、卢允升还心感不快,贿赂他人上书诋毁洪天锡、谢方叔,且乞请杀了他们,并让天下人都知道宰相、台谏离任,出于皇上独断,与内司没有干系。

命三省、枢密院处理机密政务,使董槐、程元凤轮日主持。皇帝降旨:"往年二相一齐当政,各分朋党,互相倾轧。吴潜已经退位,谢方叔单为相,拿着俸禄、占据高位,因贿而谋政,大臣们未经查考,安然而不自知。上天显示警戒,群臣百姓交相递上疏章,不剥夺谢方叔的相位权力,那就是朕自己的罪过了。你董槐,你程元凤,要以此为鉴戒,千万不要像谢方叔那样辜负朕啊!"

己未(二十五日),皇帝谕知辅臣:"近来州县贪赃的官吏很多,不可不申严禁令。"董槐说艺祖朝有流窜或受杖刑而死的。程元凤说:"高宗朝一定要造册登记姓名,不再录用。"皇帝说:"造册登记的办法现在可以实行。"

任命谢方叔为观文殿大学士、提举洞霄宫。

蒙古乌兰哈达从吐蕃进攻西南夷,全被平定。

八月,乙丑朔(初一),任命董槐为右丞相兼枢密使,程元凤为签书枢密院事兼暂代参知政事,蔡抗为端明殿学士、同签书枢密院事。

丙寅(初二),皇帝谕知辅臣:"朕为国家正处多事之秋而选用你们,你们应当一心一意为国家着想;纲纪未整顿,人才未荟萃,百姓还不富裕,一边境防备事务还未整饬,都是当务之急,应多加注意。"

任命徐清叟为资政殿大学士、提举玉隆万寿宫。

庚午(初六),皇帝谕知辅臣:"边防事务应及时办理。"董槐等回答说:"首先应当以此勉谕诸将帅。"皇帝说:"将帅统兵在外,肩负重托,朝廷只当挑选合适的人,岂能在远处操纵控制他们呢?"董槐说:"以前的弊病就出在这一方面。"

丙子(十二日),因郑清之去世,皇帝停止临朝听政。

戊子(三十四日),皇帝说:"纲纪法度,应当谨慎遵行,以革除弊端。朝中官吏的升迁除授,要分别遵守满岁之法。如前朝臣僚奏请迁转格式,可把商议的结果禀报来知。"董槐等回答说:"这个办法固然可以革除急躁求进的风气,但选拔晋升人才又不能拘泥于此。"皇帝认为这是对的。

都省说两淮制臣贾似道，调兵遣将，出击并剿灭海上贼兵，活捉了伪元帅宋赟，俘虏很多贼兵。诏令予以嘉奖。

辛卯(二十七日)，应𩜅去世，皇帝停止临朝听政。

九月，己亥(初六)，皇帝谕知辅臣："近日施行内侍何郁怎么能再留下？应该除名。"董槐等人说："像这样的圣明裁断，不但可以使奸邪之人有所收敛，而且能使朝野内外人心归服。"

丙午(十三日)，皇帝说："近来阅大臣们上奏疏本，言政务应当与大臣们共同谋划。朕未曾不与卿等谋事，如有什么不妥当的，还允许上奏。众卿也要多研究，才有裨益。"程元凤说："臣等虽不敢立异，但也不敢苟同。"

庚戌(十七日)，皇帝降旨："淮地是边境前哨，防务正紧，沿江副帅，怎能长期空缺？已派遣厉文翁，要催促他赴任去。"

壬子(十九日)，皇帝谕知辅臣："赵葵的两份札子，都说边防事务不能苟且。"董槐等人说："如今的事态，不可以安危论，而应以存亡论，但也不必因此担忧、惊惧；只要朝野内外同心协力共谋大计，像范蠡、大夫文种那样分担国家的重任就行。"

甲寅(二十一日)，任命陈伯显兼资善堂翊善，皮龙荣兼侍读。

乙卯(二十二日)，皇帝说："用什么办法可以抢救楮币呢？"董槐乞请用临安府酒税专款收购破旧的会子，押运回朝廷，立即焚毁，官府既然可以通融，民间自然也会减落。皇帝认为这是正确的，说："朝廷看重它，那么百姓自当会增加信心。"

董槐对皇帝说："臣下执政而有害政务的有三项。"皇帝说："三害是指什么呢？"董槐说："一是外戚不遵守法令。二是执法大臣久居其位，独断专行、恃势弄权。三是皇城司不约束士卒。将帅不约束士卒，故士卒横行；士卒横行，就不定何时生变。执法的官吏恃势弄权，故贤与不肖混淆；贤与不肖混淆，则奸邪之人肆虐，贤人隐居而不出仕。皇亲国戚不遵行法令，故法令被轻视；法令被轻视，故朝廷显得卑微。三者不去掉，政事就将荒废，希望从现在就开始清除它。"由于董槐这样说过，忌恨他的人就多起来了。

冬季，十月，庚午(初七)，皇帝降旨："拨出封桩库会子十三万，犒劳殿、步司教阅精勇军，他们的衣装器械全部由官府供给。"

癸未(二十日)，皇帝降旨："永久免去绍兴府和买绢。"

蒙古张柔在符离聚集大军，因百丈口是宋军往来必经之路，能容纳上万艘船，于是就修筑甬道，从亳州起向南六十余里，中间是横江堡。又因路东六十里均为水城，可招引宋军的船只，就在水中设立栅栏，秘密布置侦骑在宋军必经之路。这样一来，鹿邑、宁陵、考城、柘城、楚丘、南顿无宋军骚扰的忧患，陈州、蔡州、颍州、息州的粮运畅通无阻。

十一月，乙未(初二)，皮龙荣入朝应对，皇帝谈到资善堂的事，皮龙荣回答说："忠王天资过人，假如他没有别的嗜好，倍加保养，尤其有益。儒臣在外会对他尽心尽责，希望陛下在内也要给以言传身教。"龙荣早已知道忠王的意向，他说的话兼有劝讽皇帝的意思。

当初，女道士知古受宠幸，她的侄儿吴子聪凭这种关系而进入仕途，被授以知阁门事。牟子才上奏说："吴子聪借权势，气焰赫赫，用官禄爵位做交易，那些无耻的缙绅都投其门下,这是向来公论所切齿痛恨的事,此人不可任用。"皇帝说:"吴子聪拜官,将近一个月了,现在才提出反对意见,为什么呢? 当时就可以立即递交文书上来。"牟子才说:"文书转呈不超过一昼夜,这是过去的规定。现在吴子聪的录黄,二十多天才送到,后省大概是想等待吴子聪担任职务后,使我没有机会呈上文书吧。给舍纪纲的地方,怎么能让吴子聪之流谋求私利呢!"于是改吴子聪知澧州,候补。牟子才也极力要求离开朝廷,出任知太平州。

十二月,甲申(二十一日),皇帝谕知辅臣:"蜀地传来的奏报说对敌作战的形势很严峻,间或虽打了小胜仗,但还未听说有人敢与敌人决一死战的,应当非常明确地规定赏罚条例以激励将士。"丁亥(二十四日),皇帝又谕知辅臣:"朝宫中有蜀籍人又通晓边防事务的,要令他一一列出防备抵御的对策,供参考使用。"

这一年,蒙古马步军都元帅兼领尚书省事察罕逝世,被追封为河南王,谥号武宣。

蒙古皇弟呼必赉派遣董文用招纳金朝故臣栾城李冶,且转达他的话:"向来听知仁卿学优才富,潜德不耀,久有一晤之意,望勿有所推辞。"仁卿是李冶之字。李冶到来时,皇弟询问金朝南迁后居官的人哪一个贤能,李冶回答说:"不论形势险恶还是顺畅,能始终如一忠于朝廷的,只有完颜仲德。"皇弟又问及完颜哈达和布哈怎么样。李冶答道:"这两个人缺乏谋略,而一直被任用,这正是金朝灭亡的原因啊。"皇弟又问魏征、曹彬怎么样。李冶回答说:"魏征忠心耿耿、深谋远虑、有正直之论,知无不言,从唐朝的诤臣来看,魏征可数第一。曹彬平定江南,未曾妄杀一人,可以与方叔、召虎相比拟,汉朝的韩信、彭越、卫青、霍去病,就不用说了。"皇弟又问如今的大臣有没有像魏征一样的。李冶答道:"当今讨好献媚已成风气,想求得魏征一样的贤臣,实在很难。"皇弟又问如今的人才是否贤能。李冶回答说:"天下不曾缺少人才,寻求就可得到,舍而不用就会失去,这是理所当然的。当今儒士如魏玚、王鹗、李献卿、兰光庭、赵复、郝经、王博文等,都是有用之才,又都是贤王曾经聘问的人,把他们推举出来而加以任用,有什么不可以的,只恐不能充分发挥其作用啊。然而四海之大,难道只有这几个人吗? 贤王如果确实能向外广招人才,将会见到贤才都聚集到朝廷来的。"皇弟又问该如何治理天下。李冶答道:"治理天下,说难比登天还难,说易比反掌还易。有法度则天下太平安定,不务虚名而求实绩则天下太平安定,任用君子、屏退小人则天下太平安定。这样治理天下,难道不比反掌还容易吗? 无法度则天下动荡不安,有名无实则天下动荡不安,任用小人、屏退君子则天下动荡不安。这样治理天下,难道不比登天还难吗? 再说,治理天下的办法,不外是立纪纲、立法度而已。纪纲,就是维持尊卑关系的伦常;法度,就是以赏罚体现惩戒与勉励的规则。而今上自大官小吏,下至普通百姓,都放纵恣肆,损公利私,这就是没有纪纲。有功的人未必得到赏赐,有罪的人未必受惩罚,甚至有的功臣反而受辱,有的罪臣反而受宠遇,这就是没有法度。法度废,纪纲坏,天下不发生祸乱,已感庆幸了。"皇弟又问昨天地震是什么缘故。李冶回答:"天裂是由于阳气不足,地震是由于阴气太盛。地属阴,阴气太盛就发生异常。昨天刚刚发生的地震,或奸邪在侧,或女人得宠弄权之风盛行,或谄媚与阴谋交相出现,或刑罚不当,或滥肆征伐,这五种情况之中必有一种。上天爱护人君,就像爱护儿子一样,故以地震警示。假如能明辨奸邪、遏制女人得宠弄权之风气、摒退谄媚与阴险之人、慎用刑罚、慎行征伐之事,对上符合天神的旨意,对下协调人心,那么就可化凶为吉了。"

皇弟深以为然。

宝祐四年 蒙古宪宗六年(公元1256年)

春季,正月,癸巳朔(初一),理宗下诏书说:"朕宵衣旰食,日夜思虑,适逢时局艰难,财力匮缺而未有生财之道,民力贫乏而盘剥百姓的官吏却心安理得。丢弃法度而用旧例已属错误的了,何况还本无先例而从身旁寻找理由以达到其私下的目的呢,这怎么杜绝图侥幸之门,堵塞蛀虫的洞穴!盼望太平盛世虽很恳切,而离见到功效却十分渺远,这不奇怪!你们几位大臣,要发挥你们的职能,务必名副其实,不可假公济私,那么朕将会嘉奖你们的。"

辛亥(十九日),皇帝降旨:"京湖制置大使兼夔路策应使吴渊,遇到军情紧急的时候,允许见机行事,自做决断。"

甲辰(十二日),皇帝谕知辅臣:"考核录用内阁职务的只有两名,要作为制度规定下来,不是名列前茅的武举,更不能召来应试。"

丁未(十五日),谢方叔被罢职,免除其祠禄。辛酉(二十九日),史嵩之拜观文殿大学士、依前永国公例,辞官归居。

二月,丙寅(初四),诏令史嵩之官复原职。

戊辰(初六),下冰雹。

庚午(初八),因久雨未停,诏令临安府打开平籴仓,拿出二万石米粮低价卖出以赈济灾民。

丙子(十四日),任命袭封衍圣公孔洙添差通判吉州,不需办理政务。

庚辰(十八日),因久雨未停,皇帝降旨:"监司、州郡释放囚犯,不得拖延、滞留,狱官不得兼签,以免妨碍本职。"

再次拨出平籴仓二万石米粮折价售出。拨出封桩库楮币二十万,令殿、马、步司犒劳士兵。大理寺、三衙、临安府属县诸酒军所见监赃赏钱,全部减免。

癸未(二十一日),皇帝下诏荐举清廉的官吏。

诏令核实情况,凡参战多次的,为国牺牲的,迅速开列上报,以便推举受赏。战火所及的地方,流离散失的百姓,所应缴纳赋役全部停止或减免。

三月,丁酉(初六),诏命赵与芮为嗣荣王。

壬寅(十一日),皇帝降旨:"蒲择之暂代兵部侍郎、四川宣抚制置使、兼知重庆府。"

庚戌(十九日),皇帝谕知辅臣:"蜀地要求东南方面有一两个人,以作为二矛重弓的准备。"董槐说:"最近派遣李遇龙为都统,大家都认为合适。再加寻访,以备提拔任用。"

丙辰(二十五日),御制《字民训》,引见改官人,令阁门宣示,仍批于印历开头。

这一年春天,蒙古主在裕孟克图之地会集诸王百官,设宴六十多天,分别赏赐以金帛,并拟定诸王每年受赐钱粮的数量。

蒙古皇弟呼必赉派人到蒙古主所在地请求续签内郡汉军,得到同意。

夏季,四月,丁卯(初六),皇帝谕知辅臣:"连年来北方骑兵涉渡淮河,要在沿边设置防卫,以阻遏敌兵。"戊辰(初七),董槐说:敌人阴谋进攻枣阳军,近日吴渊已经派兵焚毁他们的营垒。皇帝说:"要尽快攻占光化,又如对于四川的隘口,淮地的旧海,都应当谕知守将及时谋取。如果能稳固根基,就没有后患了。"

癸未(二十二日),皇帝降旨:"贾似道为参知政事,吴渊加官禄三等,都依旧任职。程元风为参知政事,蔡抗同知枢密院事。"

理宗皇帝年事渐高,把持权柄,独自决断,觉得群臣中没有符合自己心意的,而逐渐喜欢那些善于以巧言献媚的人,故提升了大全为侍御史。丁大全窃取并滥施威权,皇帝并不觉悟。丁大全曾派门客去拉拢董槐,董槐说:"臣听说臣子之间不应暗中互相结交,我只知侍奉皇上,不敢做这种不被容许的事! 幸望替我向丁君表示谢却。"丁大全听了感到羞惭。

五月,甲午(初四),孔子五十世孙孔元龙授初品官。

甲辰(十四日),皇帝谕知辅臣:"已接近秋季防御的阶段了,应该事事做好准备。"董槐说:"罗鬼国禀报,思、播州一带的人说蒙古兵留在大理,招纳并供养蛮人作为向导,这是很使人担忧的事。"皇帝说:"罗鬼国支持不下去,很快就要侵扰我境了。"

徐清叟、王坚被罢职和取消祠禄,同时被革除执政恩德礼遇。

乙巳(十五日),董槐说:"泸、溆之上,盐井设险阻以待敌兵,此事不要吝惜费用。"程元风说:"应当下令播州派兵援助罗鬼国,制司派兵援助播州。"诏令用万两银给思、播两州约请罗鬼国作为后援。

丁大全担心董槐不相容,日夜挖空心思专找董槐的短处。董槐入朝答对,极力说明丁大全邪佞不可亲近。皇帝说:"丁大全未曾揭你的短处,你不要怀疑他。"董槐说:"臣与丁大全有什么恩怨呢? 念及陛下提拔臣到这个位次,臣了解丁大全邪恶不正而闭口不言,这正是辜负了陛下。陛下说丁大全忠诚而臣认为他奸诈邪恶,臣不能同他一齐侍奉陛下了。"董槐上书请求辞官,皇帝不答允。

甲寅(二十四日),赐进士文天祥等五百六十九人及第、出身。考官王应麟看到文天祥的答卷后上奏说:"这答卷所谈古人谕义可作借鉴,又表达其坚如铁石的忠诚肝胆,臣为皇上得此贤才而祝贺。"

六月,甲戌(十五日),任命朱骥孙为太府寺簿、知泸州兼潼川路安抚,安排、处置泸、溆、长宁边境事务。

辛巳(二十一日),浙江的防堤筑成。花费朝廷调拨的钱粮,钱以一千文为一贯计,共一百三十五万九百九十贯有余;粮以石计,共三万三千一百石。临安府所花费的不包括在内。

癸未(二十三日),丁大全上疏弹劾董槐。皇帝未下诏令,丁大全于夜半时分擅用台檄征调省兵百余人,全部手执武器,包围董槐住宅,迫使董槐出来,并用车载他到大理寺,想以此威胁他。不多时出了北关,丢下董槐,士兵喧嚣而散。董槐慢步进入接待寺,此时罢免丞相董槐的诏令才下达。于是,舆论哗然,人们多感到惊骇。

皇帝降旨:"程元风、蔡抗可暂时轮日当笔,对于军务与国政,要共同商榷,然后奏明来知。"

秋季,七月,辛卯(初二),皇帝谕知辅臣:"财计方面应当加以整顿,不能不提防官吏奸诈,必须选择通晓熟悉这一事务的都司列举出大要。"不久便任用孙子秀、赵崇洁负责检束。当时,贾似道威势权力日盛,台谏曾给他的部将定罪,他立即毅然请求辞职离去。适逢有人说贾似道已暗中奏请不用孙子秀,执政官于是废孙子秀,任用贾似道所喜欢的陆塈。

太学诸位儒生议论丁大全不应该逼迫驱逐董槐。甲午(初五),任命董槐为观文殿大学士、提举临安府洞霄宫。

丙申(初七),诏书说:"进用或屏退台谏,权力掌握在人君;听任学校的做法,是绝对没有道理的。而且不是由大臣们所得进退,学校能够得到进退吗?叩敲宫门不断申诉,似乎没有停止的时候。令学官谕知三学诸生,应安心修习学业,以不负朕注重教育的旨意。仍令御史台稽查核实当时与侍台牒一齐鼓动并率领众人喧闹的官吏,重新施行;临安府彻底查究在本地的将校官员,惩戒他们未能管束士兵的罪过。"丁大全威迫、驱逐董槐之事,他上疏作自我辩解,皇帝也不以为然,却不想让学校上书,因此就有这一诏令。

戊申(十九日),皇帝询问辅臣:"吴渊请求派出一万名士兵以备泸、溆、思、播各州之用,怎么答复他?"程元凤说:"打算让吴渊暂且挑选五千士兵到夔门,泸州、溆州有紧急军情就援助泸州、溆州;思州、播州有紧急军情就援助思州、播州,东面还可以捍卫金州、洋州,南面还可以庇护归州、峡州。却从沿长江一带调出五千兵来补充京湖的兵力。"

秋季,七月,甲寅(二十五日),知叙州史俊调水军接连与蒙古兵作战,击退了蒙古兵。

乙卯(二十六日),任命程元凤为右丞相兼枢密使,蔡抗为参知政事,张磻为端明殿学士、签书枢密院事。

丙辰(二十七日),皇帝谕知辅臣:"整顿纪纲、修明法度是当务之急。在这之前只因惰于事务又废弃法度,以致祸害弊病日益增多,如今应当彻底改革一番。"皇帝又说:"近来国势衰微,要考虑如何挽救。"程元凤说应当以求贤才为最紧要的事,人才众多则国力自然强盛。皇帝认为的确是这样。

蒙古诸王塔齐尔等的军队经过东平,掠夺百姓的猪羊。蒙古主听知此事,就派出使臣前去问罪。由于这样做,各军中再也没有人侵扰百姓了。

续资治通鉴卷第一百七十五

【原文】

宋纪一百七十五　　起柔兆执徐【丙辰】八月,尽屠维协洽【己未】十二月,凡三年有奇。

理宗建道备德大功复兴　烈文仁武明圣安孝皇帝

宝祐四年　蒙古宪宗六年【丙辰,1256】　八月,程元凤陈正心、待臣、进贤、爱民、备边、守法、谨微、审令八事。

甲午,帝谕辅臣:"闻广守多贪虐害民,宜先汰其尤者。"丙申,诏:"邕州守臣程苊夺秩,罢。"

己酉,帝谕辅臣曰:"近有言罗鬼不足恃者。"程元凤等曰:"置吕文德于沅、靖,置向士璧于归、峡,城筑之费,甲兵之需,无不应之,正所以为此备也。又闻黄平可通靖州,已令荆阃严作防捍。"

甲寅,朱熠言:"境土蹙而赋敛日繁,官吏增而调度日广。景德、庆历时,以三百二十馀郡之财赋,供一万馀员之俸禄,今以一百馀郡之事力,而赡二万四千馀员之冗官。边郡则有科降支移,内地则欠经常纲解。欲宽财力,必汰冗员。"从之。

冬,十月,癸亥,出封桩库新钱兑使,以济民用。

丙寅,命录进姚永庆所言蜀中便宜事。

蒙古主欲建城市,修宫室,为都会之所,皇弟呼必赉以僧子聪精于天文、地理之术,因命相宅,子聪以桓州东、滦水北之龙冈为吉。诏子聪营之,三年而毕,名曰开平府。既而升为上都,以燕为中都。

十一月,戊子朔,以丁大全为左谏议大夫,吴衍、翁应弼并除监察御史。

丁大全既逐董槐,益专恣用事,道路以目。癸巳,太学生刘黼、陈宜中、黄镛、林则祖、曾唯、陈宗上书攻之,大全怒甚。丙申,诏:"学官申严祖宗学法,诸生或怙终不悛,自畔名教,必正宪典。仍令三学立石。"

诏:"正特奏名御试,毋得更循旧制例以武功资帖比折升甲、升等。"

乙巳,以御史吴衍、翁应弼言,太学生刘黼等八人,拘管江西、湖南州军,宗学生于伯等七人,并削籍,拘管外宗司。

癸巳,以张磏同知枢密院事,丁大全端明殿学士、签书枢密院事,马天骥端明殿学士、同签书枢密院事。时阎贵妃怙宠,大全、天骥用事,有无名子题八字于朝门曰:"阎、马、丁当,国势将亡。"

诏:"开国以来勋臣之裔,有能世济其美不能世济其禄者,所在州军体访以闻。"

十二月,庚申,蒙古城枣阳。

乙丑,以张磻兼参知政事。

壬申,诏:"百司庶府及诸道监司以下,毋以私怒寄收人于县狱,有罪应收者,结绝不许过三日。"

甲戌,诏出封桩库新造川会,收换两料川引。

是岁,蒙古乌兰哈达征白蛮,阿珠生擒其骁将,献俘阙下,诏以便宜取道与蜀帅合兵。乌兰哈达遂出乌蛮,渡泸江,铲图喇蛮三城,击破宋兵,夺其船二百艘于马湖江,遂通道于嘉定、重庆,抵合州,济蜀江,与汪德臣等会。

高丽国王皞及云南诸国皆入朝于蒙古。

宝祐五年 蒙古宪宗七年【丁巳,1257】 春,正月,丁亥朔,以赵葵为少保、宁远军节度使、京湖宣抚大使、判江陵府兼夔州策应大使,进封卫国公;贾似道知枢密院事,职任依旧;吴渊参知政事;李曾伯湖南安抚大使、知潭州。

辛卯,帝曰:"吴渊奏腹干支径颇详。"程元凤言:"昨准宣谕,盐井、铧铁山等险隘,已劄蒲择之疾速措置。"

乙巳,雷。

丙午,禁奸民作白衣会,监司、郡县官失觉察者坐罪。

丁未,诏以雷发非时,减徒流以下罪。戊申,帝谓侍臣曰:"狱讼淹延,亦能上干阴阳之和,宜速与疏决。"

辛亥,以吴渊薨,辍视朝。

蒙古主左右谗皇弟呼必赉得中土心,蒙古主信之,遂遣阿勒达尔行省事于京兆,刘太平佐之,钩考诸路财赋,置局关中,推集经略、宣抚官吏,下及征商,锻炼罗织,无所不至,曰:"俟终局日,入此罪者,惟刘嶷、史天泽以闻,馀悉诛之。"皇弟闻之不乐,姚枢曰:"帝,君也,兄也;大王为皇弟,臣也。事难与校,远将受祸。莫若尽王邸、妃主自归朝廷,为久居谋,疑将自释。"从之。

蒙古董文蔚既城光化、枣阳,储糗粮,会攻襄阳、樊城,南据汉江,北阻湖水,卒不得渡。文蔚夜领兵于湖水狭隘处,伐木拔根,立于水,实以薪草为桥,顷之即成。至晓,兵悉渡,围已合,城中大惊。文蔚复统军前行,夺外城,襄阳守将高达力战于白河,乃还。

二月,戊午,以贾似道为两淮安抚大使。

壬戌,筑思州三隘。

乙丑,右正言戴庆炣言:"数十年来,诸处戎帅,专肆贪婪,逼令军人营运。愿申警戒帅,严与禁戢军债。"从之。

己巳,帝曰:"溪蛮为敌所有,欲窥伺邕,宜,可不预备?"程元凤曰:"去秋已闻此言,屡令徐敏子严为防拓,又行下邕、宜,守险要以备不虞。"

癸酉,贾似道奏涡口筑城。

丁丑,布衣余一飞、高杞陈襄阳备御策,命京湖宣抚使赵葵行之。

三月，癸巳，帝曰："闻近畿颇有剽窃，所当禁缉。"程元凤曰："此帅宪责也。"

己酉，诏曰："朕闻政平讼理，则民安其业；告讦易俗，则礼义兴行。近有司受词，多是并缘为奸，延及无辜，摊赖缗钱，动以万计。是可忍也，孰不可忍！其耳目所接者，已悉蠲放，馀令御史台觉察以闻。"

夏，四月，庚申，朝献景灵宫。

丙寅，以并侑高宗，奏告天地、宗庙、社稷。

丁卯，高达以白河战功，进右武大夫、遥郡防御使，王登进官一等，直秘阁。

壬申，帝曰："李遇龙奏杨礼舍苦竹隘而守吉平，北兵有占筑苦竹之谋，宜谕蒲择之急为进守计。"程元凤曰："向来段元鉴克复此隘，极为不易，杨礼不应轻弃。令择之急作措置，毋为敌所据。"

蒙古兵攻苦竹隘，诏京湖调兵应援。

闰四月，己丑，程元凤等上《中兴四朝志传》《皇帝玉牒》《日历》，元凤等各进官二等。

壬辰，李遇龙奏蒙古兵窥剑门，将筑堡塞，蒲择之以朱禩孙监诸司军，自以制司兵继之。

乙未，以谢奕昌为少保、保宁军节度使、充万寿观使。

戊戌，程元凤等上进编修《吏部七司条法》。

己亥，帝曰："赵葵行边，如郢之增（溪）〔浚〕城壕，运粮于襄，有三年之积，措置可谓合宜。"又曰："葵近奏已调援蜀兵三千。"程元凤言："昨令调遣五千，今恐未足用。"帝曰："已令增调矣。"壬子，赵葵乞增兵十万，分布淮、蜀、沿江、京湖，程元凤请从之。

五月，壬午，录行在建康系囚，杖以下释之。

诏："夏贵城筑荆山，克期集事，升正任刺史。"

六月，蒲择之师还。甲午，帝曰："西蜀尚未能取，失此机会。然剑门之赏，不可不从厚，庶可激劝。"寻诏："择之进官二等，馀升转有差。"

丁酉，同签书枢密院事马天骥罢。

癸卯，出封桩库十八界楮币二十万贯赈都民，三衙诸军亦如之。

是月，蒙古主谒太祖行宫，祭旗鼓。

蒙古乌兰哈达以云南平，请依汉故事，以西南夷悉为郡县；从之。加乌兰哈达大元帅，还镇大理。

秋，七月，乙卯，录中外系囚。

己未，太白昼见。诏蠲诸路州县民户逋欠官赋。

乙丑，诏："诸路阃帅司招填军额，申严占借之禁。"

庚午，帝谓辅臣曰："昨日经筵有以边臣久任为言者，朕谕之曰：'李汉超守关南十七年，郭进守山西二十年，官皆止于观察使。久任边臣，乃祖宗驭将帅、服中外之法也。'"程元凤对曰："诚宜率由旧章。"

八月，庚子，帝曰："近有郁攸为灾，延燎颇多，居民殊可念。"程元凤言："不能早救于微，及既炽，自难扑灭。"帝曰："临安府所奏两城民屋须远二丈，此说可行。"

以张磻为参知政事，丁大全同知枢密院事兼权参知政事。

庚戌，申严诸路州县稽留敕书、奉行不谨及递兵违慢之弊。

九月,壬子朔,以久雨,出封桩库十八界楮币二十万赈都民,三衙诸军亦如之。

诏:"今后台臣迁它职而辄出关者,准违制论。著为令。"

辛酉,大飨于明堂,大赦。

蒙古乌兰哈达遣使招安南降,安南人囚其使,遂议征之。播州边境告警。

甲戌,帝曰:"播州乞兵,想事势颇急,当令夹击。"程元凤曰:"已令朱禩孙袭其后,吕文德遏其前,即圣训所谓夹击也。"时朝议徒托空言,幸蒙古兵未入境耳。

戊寅,以史嵩之薨,辍视朝。嵩之为相,虽饰诈要誉,而肺肝如见,不为公论所予。

己卯,以王福为左金吾卫上将军、知和州,吉文珤主管殿前司,郭浚主管侍卫步军司。

回鹘献水晶盆、珍珠伞等物于蒙古,可直银三万馀锭。蒙古主曰:"方今百姓疲敝,所急者钱耳,朕独有此何为!"却之。赛音谔德齐以为言,蒙古主稍偿其直,且令今后无复有献。

蒙古诸王伊逊克、驸马约苏尔等请伐宋,蒙古主亦怒宋囚使臣,是月,议出师南伐。

冬,十月,乙酉,恭谢景灵宫。

庚寅,张磻薨,辍视朝。

癸巳,雷。

丁酉,以林存为端明殿学士、签书枢密院事。

己酉,以雪,出封桩库十八界楮币二十万赈都民,三衙诸军亦如之。

庚子,以皇子忠王禥为遂安、镇南军节度使。

蒙古乌兰哈达进兵压交南境,安南国王陈日煚隔洮江列象骑、步兵甚盛。乌兰哈达分军为三队济江,齐齐克图从下流先济,大师居中,驸马怀图与阿珠在后,仍授齐齐克图方略曰:"汝军既济,勿与之战,彼必来逆我,驸马断其后,汝伺便夺其船,蛮若溃走,至江无船,必为我擒矣。师既登岸,即与战。"齐齐克图违命,安南人虽大败,得驾舟逸去。乌兰哈达怒曰:"先锋违我节度,国有常刑!"齐齐克图惧,饮药死。乌兰哈达入安南,日煚遁入海岛。蒙古得前所遣使于狱中,以破竹束体入肤,比释缚,一使死,因屠其城。日煚请款,乌兰哈达乃大飨军士而还。

十一月,壬戌,诏曰:"朕轸念军民,无异一体。尝令天下诸州建慈幼局、平籴仓、官药局矣,又给官钱付诸营置库,收息济贫乏。奈郡守奉行不谨,所惠失实,朕甚悯焉!更有毙于疫疠、水灾与夫殁于军者,遗骸暴露,尤不忍闻也。可行下各路清强监司,严督守臣宣制安抚。"

癸酉,帝谓辅臣曰:"将帅提兵征伐,当直入播境,须令追袭进剿,仍抚循诸蛮,不可纵军士骚扰以失其心。"甲戌,又曰:"上流之报稍宽,正是自治之岁月也。"

乙亥,帝曰:"昨付出《黄平图》,其间险要处皆当置屯。"程元凤言:"黄平、清浪、潕溪三处,当审度缓急,分置大小屯。"

十二月,辛巳朔,以李曾伯为资政殿学士、湖南安抚使兼广西制置使,置司静江府。

丁酉,诏:"三衙及江上诸军应从职事,并要战功及队伍中人,不许以任子、杂流非泛补授。其离军者,止许授不理务差遣。果有材略功绩,从制阃保明,却与理务。"

蒙古皇弟呼必赉入见蒙古主于行宫,相对泣下,竟不令有所白而止。因罢钩考局,而呼必赉所署置诸司皆废。

宝祐六年 蒙古宪宗八年【戊午,1258】 春,正月,辛亥朔,以丁大全参知政事兼同

〔知〕枢密院事,林存兼权参知政事。

癸亥,诏出封桩库银一万两付蜀阃。

诏:"赵景纬屡辞召擢,雅志嘉尚,特改京秩。"

癸酉,罢广西经略司,以李曾伯为广南制置使兼知静江府。

甲戌,诏:"枢密院编修官吕逢年,诣蜀阃趣办关隘屯栅粮饷,相度黄平、思、播诸处险要缓急事宜,具工役以闻。"

二月,辛巳朔,以马光祖为端明殿学士、京湖制置使、知江陵府兼夔路策应使、湖南总领。

壬辰,雨土。

蒙古主命诸王额埒布格居守和林,阿勒达尔辅之,自将南侵,由西蜀以入。先遣张柔从皇弟呼必赉攻鄂,趣临安,塔齐尔攻荆山,又遣乌兰哈达自交、广会于鄂。僧子聪、张文谦言于皇弟曰:"王者之师,有征无战。当一视同仁,不可嗜杀。"皇弟曰:"期与卿等共守此言。"于是分命诸将,毋妄杀,毋焚人室庐,所获生口悉纵之。

蒙古耨埒将前军,欲会都元帅阿达哈于成都。四川制置蒲择之遣安抚刘整等据遂宁江箭滩渡,以断东路,耨埒军至,不能渡。自旦至暮,大战,整等军败,耨埒遂长驱至成都。择之命杨大渊等守剑门及灵泉山,自将兵趣成都。会阿达哈卒,耨埒率诸将大破大渊等于灵泉山,进围云顶山城,扼其归路。择之兵溃,城中食尽,亦杀主将以降,成都、彭、汉、怀安、绵等州,威、茂诸蕃悉降。蒙古主以耨埒为都元帅。

蒙古遣诸王实喇尔伐西域。实喇尔以札木诺延、郭侃总统诸军,前后平西域克实密尔十馀国,转斗万里,又西渡海,收富浪国,遣使献捷。实喇尔遂留镇西域。

安南国王陈日煚传国于长子光昺,光昺遣其婿以方物入贡于蒙古。

蒙古洪福源连年伐高丽,积有劳绩;会高丽质子谮福源于蒙古主,遂见杀。

三月,辛亥朔,祈雨。

乙卯,录行在系囚。

丙辰,马光祖请以汪立言、吕文德、王鉴、王登等充制司参议官及辟制司准备差使等官,从之。

庚申,诏出封桩库十八界楮币二十万赈三衙诸军。

辛酉,录中外系囚。

戊辰,以马光祖兼荆湖北路安抚使。

夏,四月,庚辰朔,诏以当春不雨,有妨东作,自四月一日,避殿,减膳。癸未,程元凤等乞解机政,不许。

甲申,大雨。丁酉,群臣请御正殿,复常膳,表三上,从之。

诏:"田应己特差思州驻劄御前忠胜军副都统制,往播州共筑关隘备御。"

辛丑,程元凤罢,以观文殿大学士判福州。时丁大全谋夺相位,元凤谨饬,乏风节,力请罢,寻提举洞霄宫。

丁未,以丁大全为右丞相兼枢密使,林存同知枢密院事兼权参知政事,朱熠端明殿学士、签书枢密院事。

少保、宁远军节度使、卫国公赵葵,充醴泉观使兼侍读。

蒙古主由东胜河渡,次六盘山,军四万,号十万,分三道而进:蒙古主由陇州趣散关,诸王穆格由洋州趣米仓道,万户额埓布格由潼关趣沔州。刘敏舆疾入见,蒙古主问以何言,对曰:"中原土旷民贫,劳师远伐,恐非计也。"蒙古主弗纳。

蒙古征益都行省李璮兵,璮言益都南北要冲,兵不可彻,许之。璮遂攻海州、涟水军,夏贵等战却之。

五月,癸丑,夏贵进官二等,兼河南招抚使。毛兴特转右武大夫。

丁巳,李曾伯言:"广西多荒田,民惧增赋不耕,乞许耕者复三年租,后两年减其租之半。守令劝垦辟,多者赏之。"诏可。

丙寅,诏与芮判大宗正事。

丁卯,嗣秀王师弥薨。

甲戌,李曾伯请屯万兵于钦州,为交人声援;从之。

六月,辛巳,帝始闻安南被兵,谓辅臣曰:"安南求援之情颇切,所当严兵以待。"丁大全对曰:"以粮运未至,故调兵未行。"帝曰:"事不可缓。"时安南已为蒙古所破。

蒙古皇子阿苏岱,因猎伤民稼,蒙古主责之,挞近侍数人;有拔民葱者,斩以徇,由是秋毫莫敢犯。

秋,七月,庚戌,潼川帅臣朱禩孙,言长宁军自办钱粮,创造器具,修筑凌霄城圆备,诏:"易士英特带行阁门宣赞舍人,朱文政、宇文同祖各进官一等,杨震卯等七人减磨勘,将士支犒有差。"寻诏禩孙进官一等。

丙寅,帝问边报,丁大全言三边有备无虑。帝曰:"毋恃其不来,恃吾有以待之!"

蒙古主留辎重于六盘山,率兵由宝鸡攻重贵山,所至辄破。

八月,庚寅,帝曰:"成都系蜀安危,不可不亟图之。"丁大全对曰:"朝廷既已示劝,何事不可为?"时边境危急,而大全习为便给如此。

先是高斯得治吴自性之狱,高铸为首恶,黥配广州,捐资免行,至是为丁大全监奴,嗾监察御史沈炎论斯得以闽漕交承钱物,临安尹顾岩傅会其狱。诏斯得夺职镌官,征赃百馀万。安吉守何梦然奉行其事,陵铄至甚。斯得不少挫,竟无所得。

都省言:"倭船入界,禁令素严;比岁庆元舶司但知博易抽解之利,听其突来泄贩铜钱,为害甚大。"癸卯,诏沿海制司于滨海港汉严切禁戢。

九月,庚戌,雷。

丁卯,诏出平籴仓米二万九千九百石有奇,赈粜以收敝楮。

己巳,诏:"京城敝楮不堪行用,于封桩库支拨两界好会,尽数收换。"

诏出榷务楮币一百万,赈三衙诸军。

甲寅,蒙古主进次汉中,都元帅耨埓留密喇卜和卓、刘嶷等守成都,自率众渡马湖,获守将张实,遣之招谕苦竹隘。实入隘,遂与守将杨立坚守。

冬,十月,丙子朔,帝以蜀中将帅暴露日久,命与序迁。

壬午,蒙古主进次宝峰。癸未,入利州,观其城池并浅恶,以汪德臣能守,赐卮酒奖谕之。遂渡嘉陵江,至白水,命德臣造浮梁以济,进次剑门。

乙酉,都省言知隆庆府杨礼守安西堡,敌兵搏城,招诱投拜,礼愤激诟骂,率诸将兵射退之。诏:"杨礼进官二等。仍下诸郡,以励其馀。"

丁亥,诏以张实为和州防御使。

戊子,蒙古主遣史枢攻苦竹隘,裨将赵仲窃献东南门。师入,杨立巷战死,获张实,支解之。

庚寅,都省言广南制置大使司镇抚刘雄飞,提兵亲入横山,分遣将士迎战,杀获头目军器,诏:"雄飞进官三等,将士增秩、赏赍(者)〔有〕差。"

辛卯,都省言淮民避难渡江,转徙可念,诏:"镇江府、常州、江阴军各出义仓米千石赈之。"

庚子,蒙古进围长宁山,守将王佐、徐昕战败。

十一月,己酉,诏:"新筑黄平,赐名镇远州。吕逢年进一秩。"

蒙古主进攻鹅顶堡,知县王仲降。城破,王佐死焉。翌日,蒙古主入城,杀佐之子及徐昕等四十馀人。诸王穆格、塔齐尔并略地还,引兵来会。

辛亥,以流民渡江,出浙西、江东路五州米三万石,命各郡守臣赈之。

癸丑,(遣)〔追〕复余玠官职。

丙辰,给事中张镇言徐敏子曩帅广右,嗜杀黩货,流毒桂府,诏依旧羁隆兴府。

壬戌,以贾似道为枢密使、两淮宣抚大使;朱熠同知枢密院事兼权参知政事,饶虎臣为端明殿学士、签书枢密院事。

丁卯,诏:"诸路宪司廉访所部州县,毋得虐民,仍禁止贪赖之害,违者坐之。"

召牟子才权工部侍郎。子才以丁大全与董宋臣表里,浊乱朝政,力辞。

先是子才在太平州,撰《李白祠记》,又刻《高力士脱靴图》,语多斥宋臣。或以告宋臣,宋臣泣诉于帝。乃与大全合谋,嗾御史交章诬劾子才在郡公燕及馈遗过客为入己,降两官,犹未已。帝疑之,密以檄问安吉守吴子明。子明奏曰:"臣尝至子才家,四壁萧然,人咸知其清贫。陛下毋信谗言。"帝语经筵官曰:"牟子才之事,吴子明乃谓无之,何也?"众莫敢对。戴庆炯曰:"臣忆子才尝缴驳子明之兄子聪。"帝曰:"然。"事遂解。

蒙古主进攻大获山,遣王仲招守将杨大渊,大渊杀之。蒙古主督诸军力攻,大渊惧,遂以城降,推官赵广死之,大渊逃归。蒙古主怒,欲屠其城,将官李呼喇齐曰:"大渊去,事未可测,当亟追之。"乃单骑至城下,门未闭,大呼入城,曰:"皇帝使我抚汝军民。"即下马,执大渊手曰:"上方宣谕赏赐,不待而来,何也?"大渊曰:"恐城寨有他变,是以亟归耳。"因与偕来。蒙古主大悦,以大渊为都元帅。

蒙古将李璮破海州、涟水军,通判侯畐鏖战死之,举室遇害,馀将士杀伤殆尽。贾似道上章引咎,诏以功自赎。

太常寺博士王应麟入对,言:"淮戍方警,蜀道孔艰,海表上流,皆有藩篱唇齿之忧。军功既集而吝赏,民力既困而重敛,非修攘计也。陛下勿以宴安自逸,勿以容悦之言自宽。"帝愀然曰:"边事甚可忧。"应麟曰:"愿汲汲预防,无为壅蔽所欺。"丁大全恶言边事,应麟旋罢。

龙州降于蒙古。

4216

十二月,丙子朔,诏以明年为开庆元年。

庚辰,以蒙古兵入蜀,诏:"荆湖制置使马光祖移司峡州,向士璧移司绍庆府。"时士璧不俟朝命,进师归州,捐家资百万以供军费。光祖亦不待奏请,招兵万人,捐银万两以募壮士,迎战于房州。诏光祖、士璧各进一秩。

壬午,蒙古都元帅杨大渊,率所部兵与汪德臣分击相如等县。耨埒攻简州,以降将张威为先锋。

乙酉,蒙古主次运山,杨大渊遣人招降其守将张大悦,仍以大悦为都元帅;屯将施择不屈死。师至青居山,裨将刘渊杀都统段元鉴以降。

丁酉,蒙古破隆州,大良守将蒲元圭降。蒙古主命诸军无俘掠。

癸卯,蒙古攻雅州,拔之,石泉守将赵顺降。

开庆元年　蒙古宪宗九年【己未,1259】　春,正月,乙巳朔,诏饬中外奉公法,图实政。

蒙古主驻重贵山北,置酒大会,因问诸王、驸马、百官曰:"今在宋境,夏暑且至,汝等其谓可居否乎?"托骧曰:"南土瘴疠,上宜北还,所获人民,委吏治之便。"巴勒齐曰:"托骧怯,臣愿往居焉。"蒙古主善之。

国子监主簿徐宗仁伏阙上书曰:"赏罚者,军国之纲纪,赏罚不明,则纲纪不立。今天下如器之攲而未坠于地,存亡之机,间不容发。兵虚将惰而力匮财殚,环视四境,类不足恃,而所恃以维持人心、奔走豪杰者,惟陛下赏罚之微权在耳。权在陛下而陛下不知所以用之,则未坠者安保其终不坠乎?陛下当危急之时,出金币,赐土田,授节钺,分爵秩,尺寸之功,在所必赏,故当悉心效力,图报万分可也。自出兵越江逾广以来,凡阅数月,尚未闻有死战阵、死封疆、死城郭者,岂赏罚不足以劝惩之耶?今通国之所谓佚罚者,乃丁大全、袁玠、沈翥、张镇、吴衍、翁应弼、石正则、王立爱、高铸之徒,而首恶则董宋臣也。是以廷绅抗疏,学校叩阍,至有欲借尚方剑为陛下除恶,而陛下乃释然不问,岂真欲爱护此数人而重咈千万人之心哉?今天下之势急矣,朝廷之纪纲坏矣,误国之罪不诛,则用兵之事不勇。东南一隅,半坏于此数人之手,而罚不损其毫毛,彼方拥厚资,挟声色,高卧华屋,而使陛下与二三大臣焦心劳思,可乎?三军之在行者,岂不愤然不平曰:'稔祸者谁欤,而使我捐躯兵革之间?'百姓之罹难者,岂不群然胥怨曰:'召乱者谁欤,而使我流血锋镝之下?'陛下亦尝一念及此乎?"不报。

盱江廖应淮上疏言丁大全误国状。大全怒,中以法,配汉阳军。应淮荷校行歌出都门,观者壮之。

己酉,蒙古兵攻忠、雅,渐薄夔境,诏:"蒲(释)〔择〕之、马光祖,战守调遣,便宜行事。"

以雪寒,出封桩库十八界楮币二十万赈三衙诸军。丙寅,帝曰:"海道戍兵,雪寒可念,与在城寨者不同,可量与给犒一次。"

丁卯,贾似道以枢密使为京西、湖南、北、四川宣抚大使;移马光祖为沿江制置使,史岩之副之。似道寻兼督江西、二广人马,通融应援上流。蒙古兵破利州、隆庆、顺庆诸郡,阆、蓬、广安守将相继降。

蒙古主命降人晋国宝招谕合州,守臣王坚执之,杀于阅武场。蒙古主遂命大将珲塔哈以兵二万守六盘,奇尔台布哈守青居山,命耨埒造浮梁于涪州之蔺市,以杜援兵。二月,蒙古主自鸡爪滩渡,直抵合州城下,俘男女万馀。坚力战以守,蒙古主会师围之。

乙酉,诏:"疆场未戢,调度尚繁,出内库十七界楮币三十万助支赏。"

丙戌,以马光祖为资政殿学士、沿江制置大使、江东安抚使、知建康府。

4217

己丑,诏蠲建康、太平、宁国、池州、广德等处沙田租。

三月,丁巳,以吕文德为四川制置副使。蒲择之在蜀无功,故以文德代之,寻命兼湖北安抚使。

时蒙古军中大疫,议班师。庚申,马光祖奏蒙古兵自乌江还北。

辛酉,雨土。

夏,四月,甲戌朔,以段元鉴、杨礼殁于王事,立庙赐额,各官一子。

甲申,帝以王坚忠节,守城拒敌,万折不回,可为列城之倡,命优加旌赏。

乙酉,都省言知施州谢昌元,自备百万缗,米麦千石,创筑城壁于倚子口,合与推赏;诏进官一等。

辛卯,朝献景灵宫。

诏:"诸路提点刑狱,以五月按理囚徒。"

是月,蒙古兵在合州城下。大雷雨凡二十日。

五月,甲辰朔,城金州、开州。

乙丑,诏铸新钱,以"开庆通宝"为文。

辛未,赐礼部进士周应炎以下四百四十二人及第、出身。

婺州大水,发义仓赈之。

蒙古皇弟呼必赉次濮州,召宋子贞于东平,问以方略,对曰:"本朝威武有馀,仁德未洽。南人所以拒命者,特畏死耳。若投降者不杀,胁从者勿治,则宋之郡县可传檄而定也。"时郝经从至濮,有得宋奏议以献,其言谨边防,守冲要,凡七道,下诸将议。经曰:"古之一天下得,以德不以力。彼今未有败亡之衅,我乃空国而出,诸侯窥伺于内,小民凋弊于外,经见其危,未见其利也。"皇弟以经儒生,愕然曰:"汝与张巴图议耶?"对曰:"经少馆张柔家,尝闻其议论。此则经臆说耳。"因为七道议以进。

六月,吕文德乘风顺,攻涪州浮梁,力战,得入重庆,即率艨艟千馀溯嘉陵江而上。蒙古史天泽分军为两翼,顺流纵击,文德败绩,天泽追至重庆而还。

辛巳,以朱熠参知政事,饶虎臣同知枢密院事。

合州受围,自二月至于是月,王坚固守力战,蒙古主屡督诸军攻之,不克。前锋将汪德臣,选兵夜登外城,坚率兵逆战。迟明,德臣单骑大呼曰:"王坚,我来活汝一城军民,宜早降。"语未既,几为飞石所中,因得疾卒。会天大雨,攻城梯折,后军不克进而止。

蒙古皇弟呼必赉次相州,召隐士杜瑛问南征之策。瑛从容对曰:"汉、唐以还,人君所恃以为国者,法与兵、食三事而已。国无法不立,人无食不生,乱无兵不守。今宋皆蔑之,殆将亡矣,兴之在圣朝。若控襄、樊之师,委戈下流以捣其背,大业可定矣。"皇弟悦曰:"儒者中有此人乎!"命从行,以疾辞。瑛,时升之子也。

秋,七月,癸亥,蒙古主殂于钓鱼山,寿五十二。后追谥桓肃皇帝,庙号宪宗。史天泽与群臣奉丧北还,于是合州围解。

宪宗沈断寡言,不乐宴饮,不好侈靡,虽后妃亦不许之过制。初,定宗朝,群臣擅权,政出多门,帝即位,凡有诏旨,必亲起草,更易数四,然后行之。御群臣甚严,尝曰:"尔辈每得朕奖谕之言,即志气骄逸。志气骄逸,而灾祸有不随至者乎?尔辈其戒之!"性喜畋猎,自谓遵祖宗之法，不蹈袭它国所为。然酷信巫觋、卜筮之术，凡行事必谨叩之，殆无虚日。

参知政事、致仕蔡抗薨，谥文肃。

八月，蒙古皇弟呼必赉，遣杨惟中、郝经宣抚京湖、江淮，将归德军先至江上。经言于皇弟曰："经闻图天下之事于未然则易，救天下之事于已然则难，已然之中复有未然者，使往者不失而来者得遂，是尤难也。国家奋起朔漠，灭金源，并西夏，蹂荆襄，克成都，平大理，蹢躅诸夷，奄征四海，垂五十年，遗黎残姓，游气惊魂，虔刘劓荡，殆欲歼尽，自古用兵，未有若是之久且多也。且括兵率赋，朝下令，夕出师，阖境大举，伐宋而图混一，以志则锐，以力则强，而术则未尽也。苟于诸国既平之后，创法立制，敷布条纲，任将相，选贤能，平赋足用，屯农足食，内治既举，外御亦备。今西师之出，久未即功，兵连祸结，底安于危。王宜遣人禀命行在，遣使谕宋，令降名进币，割地纳质，偃兵息民，以全吾力而图后举。禀命不从，然后传檄，示以大信，使知殿下仁而不杀之意。一军出襄、邓，一军出寿春，一军出维扬，三道并进，东西连横，殿下处一军为之节制，使我兵力常有馀裕，如是，则未来之变或可弭，已然之失或可救也。"

丙戌，会兵渡淮，皇弟由大胜关，张柔由虎头关，分道并进，南军皆遁。壬辰，次黄陂，得沿江制置司榜，有云："今夏，谍者闻北兵会议取黄陂民船系栰，由阳逻堡以渡，会于鄂州。"皇弟曰："此事前所未有，愿如其言。"时沿江制置副使袁玠征渔利，虐甚，蒙古兵至黄陂，渔人献舟为乡导。

九月，壬寅朔，亲王穆格自合州遣使以宪宗凶问告皇弟，请北还以系人望。皇弟曰："吾奉命南来，岂可无功遽还！"甲辰，登香炉山，俯瞰大江，南军以大舟扼江，军容甚盛。董文炳言于皇（帝）〔弟〕曰："长江天险，宋所恃以为国，势必死守，不夺其气不可，臣请尝之。"乙巳，文炳率死士数百人当其前，令其弟文用、文忠载艨艟鼓棹疾趋，叫呼毕奋，锋既交，文炳麾众趋岸搏战，南军大败。明日，率诸军渡江，军士有擅入民家者，以军法从事，凡所俘获悉纵之，进围鄂州，中外大震。

己未，嗣濮王善腾薨。

庚申，下诏责己，勉谕诸阃进兵。

以右谏议大夫戴庆炣签书枢密院事。

丁卯，以边事孔棘，命群臣奏告天地、宗庙、社稷、宫观、岳渎、诸陵。

蒙古兵至临江，知军事陈元桂力疾登城督战。力不能敌，有欲抱而走者，元桂曰："死不可去此！"左右俱遁。兵至，元桂瞋目叱骂，遂死之，悬其首于敌楼。事闻，赠宝章阁待制，官其二子，谥正节。蒙古兵入瑞州，知州陈昌世，治郡有善政，百姓拥之以逃。

诏诸路出师以御蒙古。出内库银币犒师，前后出缗钱七千七百万，银、帛各一百六万两、匹。

蒙古侵轶日甚，右丞相丁大全匿不以闻。冬，十月，（丁）〔辛〕未朔，罢，判镇江府。

壬申，以吴潜为左丞相兼枢密使。贾似道为右丞相兼枢密使，职任依旧，屯汉阳以援鄂。

潜入相，首言："鄂渚被兵，湖南扰动，推原祸根，由近年奸臣险士，设为虚议，迷国误君，附和逢迎，仁贤空虚，名节丧败，忠嘉绝响，谀佞成风。天怒而陛下不知，人怨而陛下不察，稔致兵戈之祸，积为宗社之忧。章鉴、高铸，尝与丁大全同官，倾心附丽，蹢躅要途。萧泰来等群小噂沓,国事日非,浸淫至于今日。沈炎实赵与篔之腹心爪牙,而任台臣,甘为之搏击,奸党盘踞,血脉贯穿,以欺陛下。致危乱者,皆此等小人为之。宜令大全致仕,炎等与祠,铸等羁管州军。"不报。

九江制置副使袁玠,丁大全之党也,贪且刻;壬午,窜玠于南雄府,寻移万安军。

中书舍人洪芹言:"丁大全鬼蜮之资,穿窬之行,引用凶恶,陷害忠良,遏塞言路,浊乱朝纲,请追官远窜以伸国法。"御史朱貔孙等相继论:"大全奸回险狡,狠害贪残,假陛下之刑威以钳天下之口,挟陛下之爵禄以笼天下之财。"饶虎臣又论其绝言路、坏人才、竭民力、误边防四罪。癸未,诏大全落职,致仕。

先是丁大全使其私人为浙西提举常平,尽夺亭民盐本钱,充献羡之数,不足则估籍虚摊,一路骚动。大全既斥,以孙子秀代之。子秀还前政盐本钱五千馀万贯,奏省华亭茶盐分司,定衡量之非法多取者,于是流徙复业。

乙酉,雷。

时边报日急,临安团结义勇,招募新兵,增筑平江、绍兴、庆元城堡,朝野震恐。内侍董宋臣请帝迁都四明以避锋镝,军器大监何子举言于吴潜曰:"若上行幸,则京师百万生灵何所依赖?"御史朱貔孙亦言:"銮舆一动,则三边之将士瓦解,四方之盗贼蜂起,必不可。"会皇后亦请留跸以安民心,帝遂止。海宁节度使判官文天祥上言请斩宋臣,不报。

十一月,乙卯,以赵葵为江东、西宣抚使,许便宜行事。

蒙古围鄂州。都统张胜权州事,以城危在旦夕,登城谕之曰:"城已为汝家有,但子女玉帛皆在将台,可从彼取。"蒙古信之,遂焚城外居民,将退,会高达等引兵至,贾似道亦屯汉阳为援,蒙古乃复进攻。遣彻辰巴图尔领兵同降人谕鄂州使降,抵城下,胜杀降者,以军出袭彻辰巴图尔。蒙古兵势盛,胜战死,达婴城固守。先是达恃其武勇,殊易似道,每见督战,即戏之曰:"巍巾者何能为哉!"将战,必须似道亲劳始出,否则使军士哗于其门。吕文德谄事似道,使人呵曰:"宣抚在此,何敢尔耶!"曹世雄、向士璧皆从在军,士未尝关白,似道由是衔三人而亲文德。

时诸路重兵咸聚于鄂,吴潜用御史饶应子言,移似道于黄州。黄虽下流,实当兵冲,孙虎臣以精骑七百送之。至蘋草坪,候骑言前有北兵,似道大惧,谓左右曰:"奈何?"虎臣匿,似道出战,似道叹曰:"死矣!惜不光明俊伟尔!"及北兵至,乃老弱部所掠金帛子女而还者,江西降将储再兴骑牛先之。虎臣出,擒再兴,似道遂入黄州。

蒙古乌兰哈达,率骑三千,蛮、僰万人,破横山,徇内地,守将陈兵六万以俟。乌兰哈达使阿珠潜自间道冲其中坚,大败之,乘胜蹴宾、象二州,入静江府,连破(长)〔辰〕、沅,直抵潭州。南军断其归路,乌兰哈达出南军后,命阿珠夹击,南军败走,遂壁潭州城下。

闰月,癸酉,雪。出封桩库楮币二十万赈都民,三衙诸军亦如之。

丁丑,以向士璧为湖南制置副使、知潭州。甲申,以吕文德为京西湖北安抚使、知鄂州。

蒙古阿勒达尔、珲塔哈、托果斯、托里齐等谋立额呼布格,阿勒达尔使托里齐括兵于漠南诸州,而又乘传行漠北诸郡调兵,去开平仅百馀里。皇弟呼必赉妃鸿吉里氏使人谓之曰:"发兵大事,太祖皇帝曾孙珍戬在此,何故不令知之?"阿勒达尔不能答。又闻托里齐亦至燕,妃即遣使驰至皇弟呼必赉军前密报,令速还。

皇弟召群臣议,郝经曰:"《易》言'知进退存亡而不失其正者,其惟圣人乎!'国家自平金以来,惟务进取,老师费财,三十年矣。今国内空虚,塔齐、实喇诸王,观望所立,莫不觊觎神器,一有狡焉,或启戎心,先人举事,腹背受敌,大事去矣。且额嚼布格已令托里齐行尚书事,据燕都,按图籍,号令诸道,行皇帝事矣。虽大王素有人望,且握重兵,独不见金世宗、海陵之事乎?若彼果称遗诏,便正位号,下诏中原,行赦江上,欲归得乎?愿大王以社稷为念,与宋议和,令割淮南、汉上、梓、夔两路,定疆界岁币,置辎重,率轻骑而归,直造燕都,则彼之奸谋,冰释瓦解;遣一军迎大行灵轝,收皇帝玺,遣使召实喇、额呼、穆格诸王会丧和林,差官于诸路抚慰安辑,命王子珍戬镇守燕都,示以形势,则大宝有归,而社稷安矣。"皇弟然之。

乃发牛头山,声言直趋临安,贾似道大惧。会合州王坚遣阮思聪掉急流以蒙古主讣闻,似道意稍解,遣宋京请和,愿得行人会议。赵璧请行,皇弟遣之。璧登城,宋京曰:"北兵若旋师,愿割江为界,且岁奉银、绢各二十万。"璧曰:"大军至濮州,诚有是请,犹或见从。今已渡江,是言何益!贾制置今焉在耶?"璧行时,呼必赍戒之曰:"汝登城,必视吾旗,旗动,速归可也。"至是,适见其军中旗动,乃曰:"俟它日复议之。"遂归。

皇弟拔寨北去,留张杰、阎旺以偏师候湖南乌兰哈达之师。

十二月,己亥朔,贾似道言鄂州围解。

辛亥,诏改明年为景定元年。

蒙古乌兰哈达攻潭州甚急,帅臣向士璧极力守御,既置飞江军,又募斗弩社,朝夕登城抚劳。闻蒙古后军且至,遣王辅佑帅五百众觇之,遇于南岳市,大战,却之。皇弟呼必赍遣特默齐将兵迎乌兰哈达,遂解围,引兵趣湖南。

蒙古皇弟呼必赍军还至燕,托里齐方括民兵,民甚苦之。皇弟诘其由,托以先帝临终之命。皇弟知其将为乱,所集兵皆纵之,人心大悦。

【译文】

宝祐四年 蒙古宪宗六年(公元1256年)

八月,程元凤向理宗禀陈正心、待臣、进贤、爱民、备边、守法、谨微、审令等八项事宜。

甲午(疑误),理宗告诉辅臣说:"近闻广地守臣大多贪婪残暴,涂炭民众,应首先裁减其中突出的!"丙申(疑误),理宗降旨:"邕州知守程苟撤销俸禄官级,罢免其官职。"

己酉(疑误),理宗告诉辅臣说:"近来有人进言说罗鬼国不可靠。"程元凤等说:"派吕文德去沅州、靖州,派向士璧去归州、峡州,修城之费用,军需之物品,无不供应,也正是为此作防备的;又闻黄平可以通往靖州,已传令荆之边帅严密防卫。"

甲寅(疑误),朱熠进言说:"国土减少而赋税一天比一天繁多,官吏增加因而调度一天比一天广。景德、庆历年间,以三百二十余郡之财力,来供养二万四千余员之冗官。边境的郡州有减少赋税和移作他用的情况,内地则有定期解送给朝廷的成批物质拖欠的情况。如欲财力宽余,务必削减冗员!"理宗同意。

冬季,十月,癸亥(初六),拨出封桩库新钱兑换使用,以调济民用。

丙寅(初九),理宗令抄录呈进姚永庆新说蜀地应举办的对国家百姓有利和时宜所需的各种事项。

蒙古主欲建造城市,修治宫室,作为京都。皇弟呼必赉,因僧人子聪精于天文、地理之术,而令他先择风水适宜的地方。子聪以为桓州以东、滦水以北之龙冈最为吉利。遂诏令子聪负责营建,历时三年而完成,定名为开平府。不久又升为上都,称燕为中都。

十一月,戊子朔(初一),任命丁大全为左谏议大夫,吴衍、翁应弼二人同授监察御史之职。

丁大全赶走董槐之后,更加专权用事,人人敢怒不敢言。癸巳(初六),太学生刘黻、陈宜中、黄镛、林则祖、曾唯、陈宗上书指责,丁大全大怒。丙申(初九),理宗降旨:"学官应申明和严格执行祖宗学法,诸生中如果有人怙恶不悛,自己违背孔教,必定按制度给以惩罚。令太学、武学、宗学三学都要刻石立碑以申明学法。"

理宗降旨:"正、特奏名御试,不得变更沿袭旧制体例,凭武功资帖编次升甲、升等。"

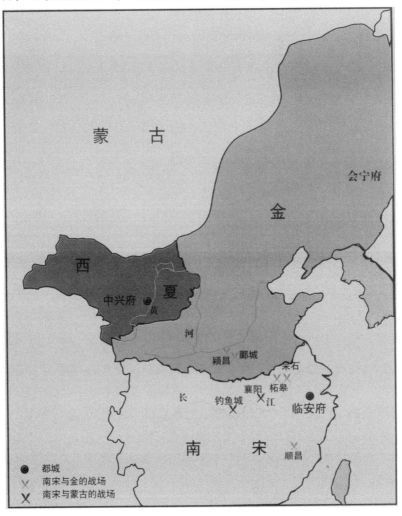

南宋、金、蒙古的主要战场

乙巳(十八日),因御史吴衍、翁应弼进言,太学生刘黻等八人交由江西、湖南州军拘管;宗学生于伯等七人全都削除名籍,由外宗司拘管。

癸巳(初六),任命张磻为同知枢密院事;任命丁大全为端明殿学士、签书枢密院事;任命马天骥为端明殿学士,同签书枢密院事。

此时阎贵妃得到皇帝宠爱,丁大全、马天骥被委以重任,有无名氏在宫门上写了八个字:"阎、马、丁当,国势将亡。"

理宗降旨:"开国以来功臣之后代,有能继承祖辈之美德而不能享受祖辈遗留之俸禄者,所在州军应亲自查访并报告朝廷。"

十二月,庚申(初三),蒙古筑枣阳城。

乙丑(初八),理宗任命张磻兼参知政事。

壬申(十四日),理宗颁诏:"百司庶府及诸道监司以下官员,不得以私人恩怨乱捕人入县狱;确因有罪而应捕入狱者,结案时间不许过三日。"

甲戌(十六日),理宗诏令拨出封桩库中新印制的四川会子,用以收换四川的两批盐引。

这年,蒙古乌兰哈达征讨白蛮,阿珠活捉其骁将,且将被俘虏之骁将敬献给皇宫。蒙古国主遂诏取近道与在蜀之蒙军会师。乌兰哈达旋即离开乌蛮,渡沪江,攻陷图喇蛮三城,击败宋兵,缴获战船二百艘于马湖江,从而打通嘉定、重庆之道路,直抵合州,渡过蜀江,与汪德臣等部会合。

高丽国王王皞及云南诸国皆向蒙古朝拜。

宝祐五年　蒙古宪宗七年(公元1257年)

春,正月,丁亥朔(初一),任赵葵为少保、宁远军节度使、京湖宣抚使,判江陵府兼夔州策应使,晋封为卫国公。任贾似道为知枢密院事,职任依旧。任吴渊为参知政事。任李曾伯为湖南安抚使,知潭州。

辛卯(初五),理宗曰:"吴渊所奏主次轻重颇为详尽。"程元凤进言:"昨天尊照圣旨,盐井、铧铁山等地势险要关口,已行文蒲择之迅速部署。"

乙巳(十九日),打雷。

丙午(二十日),禁止奸民成立白衣会,监司、郡县官员有失察觉未能禁止者一律问罪。

丁未(二十一日),理宗降旨:因非正常季节打雷,徒刑流刑以下囚犯减罪。戊申(二十二日),理宗对侍臣说:"狱讼拖延,也能冒犯阴阳之和,应疾速清理积滞。"

辛亥(二十五日),因吴渊逝世,停止视朝。

蒙古主左右侍臣谗言诋毁皇弟呼必赉有得中原之打算,蒙古主信以为然。遂遣阿勒达尔于京兆行省事,刘太平辅佐他。探寻查对诸路财赋,设官署于关中,讯问经略使、宣抚使等官员,直至从征的商人,罗织罪名,无所不至。扬言:"待终局之日,凡入此罪者,仅将刘嶷、史天泽告朝廷,其余都统统杀死。"皇弟呼必赉闻之不悦。姚枢说:"皇上,乃君主,亦为兄长;大王您身为皇弟,乃臣也。此事很难与之较量,不接近之必将遭祸。您不如率王邸、妃主全体人员亲自回归朝廷,作长久居住之计,皇上之疑也将自行消除。"呼必赉听从了。

蒙古董文蔚建成光化、枣阳城,储备干粮,参与攻打襄阳、樊城。襄阳城南据汉江,北有湖水,终不得渡。文蔚领兵夜行于湖水狭隘处,将树木连根拔起立于水中,以薪草充实其间为桥,很快建成。至拂晓,全军悉数渡河,包围襄阳,城中军民大惊。文蔚遂即统领大军前行,夺取外城,襄阳守将高达奋力抵抗于白河,遂还师。

二月,戊午(初二),任命贾似道为两淮安抚使。

壬戌(初六),修筑思州三隘口。

乙丑(初九),右正言戴庆炯进言:"数十年来,各处戎帅,专肆贪婪,逼令军人经商。愿中斥警告各处戎帅,严加杜绝军债。"皇上接受了。

己巳(十三日),理宗说:"溪蛮被敌占据,且欲觊觎邕、宜,可不设防否?"程元凤答曰:"去秋已闻此言。数次命令徐敏子严加防范拓展;另又行文下达邕、宜,防守险要处以备不测。"

癸酉(十七日),贾似道奏请筑涡口城。

丁丑(二十一日),平民余一飞、高杞禀陈防备襄阳的计策,理宗令京湖宣抚使赵葵执行此策。

三月,癸巳(初七),理宗降旨:"传闻京城近郊抢掠盗窃之风正盛,应当查禁、缉拿。"程元凤答道:"这是当地军事长官和管司法的官员的责任。"

己酉(二十三日),理宗颁诏说:"我听说政治安定,诉讼及时受理,则民安其业;揭发阴私的习惯改变,则礼义可以盛行。近来有关衙门受理讼词,大多串通狼狈为奸,殃及无辜,由此摊赖缗钱,动以万计,是可忍,孰不可忍!其中已经发觉证实了的,已全部释放,其余令御史台稽查报告。"

夏季,四月,庚申(初五),在景灵宫举行祭祀。

丙寅(十一日),以高宗配享,理宗奏告天地、宗庙、社稷。

丁卯(十二日),高达因白河之战功,晋升右武大夫、遥郡防御使;王登进官一级,任职于秘阁。

壬申(十七日),理宗说:"李遇龙奏杨礼放弃苦竹隘而守吉平,蒙古兵有占据苦竹、筑城之谋,应令蒲择之速作进守之策。"程元凤说:"以前段元鉴收复此隘极为不易,杨礼不应轻易放弃。应令蒲择之速作安排,不可为敌所占据!"

蒙古兵进攻苦竹隘,理宗令京湖调兵接应增援。

闰四月,己丑(初四),程元凤等呈上《中兴四朝志传》《皇帝玉牒》《日历》,程元凤等诸臣各加官二等。

壬辰(初七),李遇龙奏蒙古觊觎剑门,欲筑堡塞。蒲择之令朱禩孙督察诸司军,自己统领司兵继之。

乙未(初十),任谢奕昌为少保、保宁军节度使、充万寿观使。

戊戌(十三日),程元凤等呈进编修之《吏部七司条法》。

己亥(十四日),理宗说:"赵葵巡视边境,如在郢开挖、疏浚护城壕,运粮到襄阳,已积蓄够三年食用,各种措施,安排都很适宜。"理宗接着又道:"赵葵近来奏告已调援蜀之兵三千。"程元凤说:"昨已令调遣五千人之兵,现在看来,可能还不够用。"理宗说:"已经下令增调了。"壬子(二十七日),赵葵请求增兵十万,用于淮、蜀、沿江、京湖之布防。程元凤请理宗予以同意。

五月，壬午(二十八日)，讯视纪录建康在押囚徒的罪状，释放杖刑以下的囚犯。

理宗有令："夏贵筑城于荆山，因如期完成，故升长官，任刺史。"

六月，蒲择之班师而还。甲午(十一日)，理宗降旨："西蜀没有能攻取，失去了这样一次机会。但剑门的奖赏，不可不从厚，兴许可以激发勉励他人之作用。"继而颁诏："蒲择之进官二等，其余将士均有不同程度的升迁。"

丁酉(十四日)，罢免同签书枢密院事马天骥之职。

癸卯(二十日)，拨出封桩库中第十八界楮币二十万贯赈济京都居民。三衙诸军也同样赈济二十万贯楮币。

这月，蒙古拜谒太祖行宫，祭祀旗鼓。

蒙古乌兰哈达因云南平定，请求依照汉代旧制将西南夷悉数改为郡县，蒙古主应允。加封乌兰哈达为大元帅，依旧坐镇大理。

秋季，七月，乙卯(初二)，讯视纪录京城内外在押囚犯的罪状。

己未(初六)，太白星白天出现。理宗诏令减免各路州县民户拖欠之官赋。

乙丑(十二日)，理宗降旨："各路统帅臣官属在名额内招填兵员，严禁占、借份外之名额。"

庚午(十七日)，皇帝理宗对宰相和执政官说："昨日经筵时有人进言边臣为官久矣，朕告诫道，'李汉超守关南十七年，郭进守山西二十年，官皆止于观察使'。边臣久任，乃祖宗驾驭将帅，使用朝廷内外大臣的法度。"

八月，庚子(十八日)，皇帝说："近来火气成灾，且蔓延扩张愈来愈盛，百姓之生死极令我担心。"程元凤进言："火势小的时候不能及早扑灭，待到火势炽烈，自然难于扑灭。"理宗说："临安府所奏两民房之墙须距离二丈以外，此说可行。"

任命张磻为参知政事，丁大全为同知枢密院事兼代理参知政事。

庚戌(二十八日)，申令严禁各路州县延滞敕书、执行不力、递送兵书时之违背制度和延误等弊端。

九月，壬子朔(初一)，因为久雨成涝，令拨出封桩库之中第十八界楮币二十万赈济都民。三衙诸军亦照此办理。

理宗诏令："今后御史台的官员改任其他官职时动辄擅自出关者，以违制论处，着为令。"

辛酉(初十)，理宗在明堂举行祭祀，宣布大赦天下。

蒙古乌兰哈达遣使招引安南投降。安南人囚禁蒙古使臣，蒙古遂议征讨安南之事。播州边境告急。

甲戌(二十三日)，理宗说："播州乞求援兵，想必事态颇急，应当派兵夹击。"程元凤进言："已令朱禩孙袭蒙古兵之后，吕文德遏制蒙古兵之前，即圣上教导之所谓夹击也。"当时朝廷议事常常徒托空言，所幸蒙古兵没有入境。

戊寅(二十七日)，因史嵩之去世，停止视朝。

史嵩之担任丞相时，尽管矫饰虚伪、求取声誉，但他肺肝如见，也不为公论所赞许。

己卯(二十八日)，任命王福为左金吾卫上将军、知和州；吉文瑶主管殿前司；郭浚主管侍卫步军司。

回鹘向蒙古献水晶盆、珍珠伞等物,价值银三万余锭。蒙古主说:“现今百姓疲敝,所急缺者钱也,我独享有此物有什么用呢?”拒绝不收。赛言谔德齐有所建议。蒙古主稍微给了一些钱作为对回鹘贡品的补偿,且令今后不要再贡献这些珍宝。

蒙古诸王伊逊克、驸马约苏尔等请求攻伐宋朝。蒙古主也因宋囚禁蒙古使臣而恼怒。于是,这月商议派兵南伐攻宋。

冬季,十月,乙酉(初四),恭谢景灵宫。

庚寅(初九),因张磻死,停止视朝。

癸巳(十二日),打雷。

丁酉(十六日),任用林存为端明殿学士,签书枢密院事。

己酉(二十八日),因下雪成灾,拨出封桩库之中第十八界楮币二十万赈济百姓。三衙诸军亦照此办理。

庚子(十九日),任命皇子忠王禥为遂安、镇南军节度使。

蒙古乌兰哈达进兵到交南边境,安南国王陈日煚隔洮江布列大量象骑、步兵,气势旺盛。乌兰哈达分兵三路过江:齐齐克图从下游先渡,大部队居中,驸马怀图阿珠殿后。乌兰哈达授计于齐齐克图:“你部过江后,不要交战,安南兵必然前来与我交战,驸马断其退路,你便伺机夺其船,蛮若溃逃,至江无船,必为我所擒。大部队登岸后即可与之交战。”齐齐克图违背命令,故安南人虽大败,但得以驾舟而逃。乌兰哈达愤怒地说道:“先锋不服从指挥,应按国法惩处。”齐齐克图害怕,饮药而亡。乌兰哈达进入安南,安南国王陈日煚逃入海岛。蒙古于安南狱中得其前所遣之使。安南人剖开竹子夹住蒙古使者的身体,竹子刺入皮肤,待到松绑之时,一个使者死去。蒙古兵因此而屠杀安南京城百姓。安南王陈日煚请求纳款议和,乌兰哈达遂大飨军士而归。

十一月,壬戌(十一日),理宗旨谕:“我与军民,如同一体,甚是挂念。我曾令天下诸州设慈幼局、平粜仓、官药局;还拨官府钱钞给付之于营置库,所收利息用于赈济贫乏。然而郡守奉行不谨,军民并未得实惠,我深感痛心!更有甚者是死于疫疠、水灾、疆场之军民,遗骸露野,实在是惨不忍闻啊!现可传朕旨意令各路清明强干的监司,严格督察守臣安抚军民。”

癸酉(二十二日),理宗对辅臣说:“将帅统兵征战,应长驱直入播州境,命令追袭围剿。同时抚慰诸蛮,不可放纵军士骚扰而失去民心。”甲戌(二十三日),理宗又道:“上游各地的情况稍为缓和,这正是励精图治的时机啊!”

乙亥(二十四日),理宗指出:“昨天交给你们黄平地图,其间险要处都要设屯驻兵。”程元凤进言:“黄平、清浪、溮溪三处,当审时度势,分轻重缓急来确定设置大小屯。”

十二月,辛巳朔(初一),任命李曾伯为资政殿学士、湖南安抚使兼广西制置使,诏官属于静江府。

丁酉(十七日)理宗降旨:“三衙及江上诸军军内职官,一律由立有战功者和军人担任,不许以因父兄的功劳得保任授予官职的人、非由正常途径补官者任意补授。其离开军队者,仅许授不担任实际事务之差遣。确实有才略有功绩者,由边帅向朝廷保举明白后才可以担任办理实务的官职。”

蒙古皇弟呼必赉入见蒙古主于行宫。兄弟相对流泪。蒙古主竟然不让他有所解释并中止入见。于是撤销钩考局,而呼必赉所署置诸司也全部废除。

宝祐六年　蒙古宪宗八年(公元1258年)

春季,正月,辛亥朔(初一),任丁大全参知政事兼同知枢密院事,林存兼代理参知政事。

癸亥(十一日),理宗命令拨出封桩库银一万两,付给蜀地的边帅。

理宗降旨:"赵景纬多次辞谢召回擢用,志向高洁,值得崇尚,特改按京城任职官员的待遇。"

癸酉(二十一日),撤销广西经略司,任李曾伯为广南制置使兼知静江府。

甲戌(二十二日),理宗降旨:"枢密院编修官吕逢年,至蜀边帅处,督促创办关隘、仓储、粮饷,考察黄平、思州、播州堵处险要缓急事宜,将工役情况告诉于我。"

二月,辛巳朔(初一),任命马光祖为端明殿学士、京湖制置使,知江陵府兼夔路策应使、湖南总领。

壬辰(十三日),天降泥土。

蒙古主命令诸王额垺布格留守和林,阿勒达尔辅助他。蒙古主亲自统率军队向南侵犯,由西蜀侵入。先遣张柔随从皇弟忽必烈攻打鄂城,奔赴临安,塔齐尔进攻荆山。又遣乌兰哈达从交、广到鄂城会合。僧人子聪、张文谦向皇弟进言:"王者之师,有征无战。对双方百姓当一视同仁,而不可嗜杀敌国百姓。"皇弟说:"希望同你们共同遵守此言。"于是分别传令诸位将领,不可枉杀无辜,不可焚烧民宅,所获民众全部释放。

蒙古耨垺统帅前军,欲与都元帅阿达尔在成都会合。四川制置蒲择之遣安抚刘整等占据遂宁江箭滩渡,以切断东路。耨垺军马至此,不能渡江。从早到晚大战一天,刘整等大败,耨垺于是长驱直至成都。蒲择之命令杨大渊等把守剑门及灵泉山,自己则统兵直奔成都。适逢阿达哈去世,耨垺率诸将大破杨大渊等于灵泉山,进军围攻云顶山城,断其归路。蒲择之所部溃败,城中粮尽,部下杀主将投降,成都、彭山、汉中、怀安、绵州以及威、茂诸少数民族部落全部投降。蒙古主任命耨垺为都元帅。

蒙古派遣诸王实喇尔,攻打西域。实喇尔以扎木诺延、郭侃统领大军,相断平定西域克实密尔等十余国,转战万里。又西进渡海,收复富浪国,遣使向蒙古主报捷。实喇尔于是就留下镇守西域。

安南国王陈日煚将王位传给长子陈光昺。陈光昺遣其婿向蒙古进贡地方特产。

蒙古洪福源连年攻打高丽,颇有功绩、正逢作为人质的高丽王子在蒙古主面前诬陷洪福源,因而被杀。

三月,辛亥朔(初一),祭天求雨。

乙卯(初五),讯视记录行在囚徒罪状。

丙辰(初六),马光祖奏请理宗任命汪立言、吕文德、王鉴、王登等充任制司参议官,以及任命制司准备差使等官。理宗批准了他的请求。

庚申(初十),理宗令取出封桩库中第十八界楮币二十万贯赈济三衙宫廷禁卫军。

辛酉(十一日),讯视记录朝廷内外囚徒的罪状。

戊辰(十八日),任马光祖兼荆湖北路安抚使。

夏季,四月,庚辰朔(初一),理宗旨意,因为春季无雨,有碍春耕生产,自四月一日起,避离正殿,减少用膳。癸未(初四),程元凤等请求解除宰相职务,理宗不许。甲申(初五),下大雨。丁酉(十八日),群臣奏请理宗到正殿主事,恢复常膳。群臣三次上书请求,理宗才答应了群臣的要求。

理宗降旨:"特派田应己为思州驻扎御前忠胜军副统制,前往播州共同修筑关隘以作防备。"

辛丑(二十二日),罢免程元凤,任命为观文殿大学士判福州。

此时,丁大全阴谋夺取相位。程元凤为人谨慎小心,而缺乏风骨气节,竭力请求罢免,不久任用为洞霄宫提举。

丁未(二十八日),任丁大全为右承相兼枢密使,林存为同知枢密院事兼权参知政事,朱熠为端明殿学士,签书枢密院事。

少保、宁运军节度使、卫国公赵葵、担任醴泉观使兼侍读。

蒙古主渡过东胜河,暂住六盘山,统率四万大军,号称十万,分三路进发。蒙古主由陇州直插散关,诸王穆格由洋州奔向米仓道,万户额埒布格由潼关挺进沔州。

刘敏抱病登车入见,蒙古主问有何进言。刘敏回答道:"中原土地荒芜,百姓贫困,劳师远伐,恐怕得不偿失。"蒙古主不予采纳。

蒙古征召益都行省李璮之兵。李璮说:"益都乃南北要冲,兵不可撤。"蒙古主赞同李璮的意见。李璮于是进攻海州、涟水军,夏贵等部与其交战,击退了李璮。

五月,癸丑(初四),夏贵进官二等,兼河南招抚使,毛兴特转为右武大夫。

丁巳(初八),李曾伯进言:"广西荒田较多,因为百姓担心增加田赋而不耕种。请允许免租三年,后两年减半收取。当地守令应鼓励民众开荒垦殖,多者给予奖赏。"理宗降旨准许。

丙寅(十七日),理宗降旨命赵与芮任判大宗正事。

丁卯(十八日),嗣秀王赵师弥去世。

甲戌(二十五日),李曾伯奏请在钦州驻扎一万人马,以声援交州人。理宗应允。

六月,辛巳(初三),理宗初次听说安南遭兵祸,对宰相和执政官说:"安南求援之情颇为迫切,军队应当认真做好准备。"丁大全回答说:"因为粮未运到,所以援兵未能成行。"理宗说:"事不可缓。"这时安南已被蒙古攻破。

蒙古主的儿子阿苏岱,因打猎损害了百姓的庄稼,蒙古主责备他。鞭挞近侍数人,其中有人拔了民户的葱,被斩首示众,从此以后这些人对百姓秋毫也不敢损害。

秋季,七月,庚戌(初三),潼州帅臣朱禩孙,进言长宁军自行置办钱粮,制造器具,修筑凌霄城已完毕。理宗旨谕:"易士英特带行阁门宣赞舍人,朱文政,宇文同祖各加官一等,杨震卯等七人减少磨勘年限,论功行赏犒劳将士。"不久,又诏命朱禩孙进官一等。

丙寅(十九日),理宗询问边境情况。丁大全答复圣上,三边已有准备无须忧虑。理宗道:"切勿指望他们不来侵犯,而应指望自己有所准备。"

蒙古主把军用辎重物资留在六盘山,率兵由宝鸡攻打重贵山,所向披靡,无所不克。

八月,庚寅(十三日),理宗说:"成都关系到四川的安危,不可不迅速准备收复。"丁大全回答说："朝廷既已明示劝勉,有什么事办不成呢?"这时边境危急,而丁大全仍旧毫不经心敷衍了事,习以为常。

在此以前高斯得审理吴自性一案,高铸是首恶定罪为脸上刺字发配到广州。高铸捐出钱财后免于发配,现在是为丁大全掌管家务的奴仆,他唆使监察御史沈炎以高斯得利用闽地漕运收受钱物定罪,临安尹顾岩也牵强附会,诬陷高斯得。理宗诏令:高斯得削职罢官,征收其赃款百余万。安吉守臣,何梦然奉命执行,百般欺凌折磨。高斯得毫不屈服,到头来竟一无所得。

尚书省进言:"对倭寇船入界,一向禁令甚严,但以前庆元年间船舶司只知获取贸易税制,任凭倭船冲犯进来偷贩铜钱,所作所为,危害甚大。"癸卯(二十六日),理宗降旨:"沿海制司在滨海港汉严格查禁倭船进港。"

九月,庚戌(初四),打雷。

丁卯(二十一日),理宗降旨取出平籴仓的存米二万九千九百石有余,卖给持有楮币的百姓,借以回收破旧的楮币。

己巳(二十三日),理宗降旨:"京城破旧的楮币,不堪流通使用,于封桩库支拨两界没有破旧的会子,如数收换。"

理宗旨谕,掌管权务的衙门调拨楮币一百万,赈济三衙诸军。

甲寅(初八),蒙古主进军至汉中,都元帅耨埒命密喇卜和卓、刘巍等留守成都,亲自统率众将士渡马湖,捕获守将张实,遣他招降苦竹隘守军,张实入苦竹隘后,遂与守将杨立共同坚守。

冬季,十月,丙子朔(初一),理宗因蜀中将帅长期转战于野外,非常辛苦,命令全部按官防次序升迁。

壬午(初七),蒙古主进住宝峰。癸未(初八),进入利州,看到利州城墙狭小简陋,由于汪德臣擅长于守城,因而赐卮酒并称赞他。不久,蒙古主渡嘉陵江,至白水,命令汪德臣造浮桥以渡白水,进驻剑门。

乙酉(初十),都尚书省进言,知隆庆府杨礼守卫安西堡时,敌兵攻城,诱其投降,杨礼愤慨诟骂,并率领将士用箭射退敌兵。理宗降旨:"杨礼进官二等,并将圣旨下达诸郡,以激励其他地方守官。"

丁亥(十二日),理宗降旨:"任命张实为和州防御使。"

戊子(十三日),蒙古主遣史枢攻打苦竹隘,裨将赵仲暗地里将东南门打开,放进蒙古兵。蒙古军队进城后,杨立于交战中身亡,张实被俘,惨遭肢解。

庚寅(十五日),尚书省进言广南制置大使司镇抚刘雄飞,亲自带兵进入横山,分别派遣将士迎战,毙敌头目,缴获军器,理宗降旨:"刘雄飞进官三等,将士增加俸禄,赏赐不尽相同。"

辛卯(十六日),尚书省进言淮东路百姓渡长江避难,辗转流离令人惦念。理宗降旨:"镇江府、常州、江阴军各出义仓米千石,用以赈济难民。"

庚子(二十五日),蒙古进攻包围长守山,守将王佐、徐昕迎战失败。

十一月,己酉(初四),理宗下旨:"新筑黄平城,赐名为镇远州。吕逢年进官一级。"

蒙古主进攻鹅顶堡,知县王仲投降。城被攻破,王佐死于此战。第二天,蒙古主入城后,残杀了王佐之子以及徐昕等四十余人,诸王穆格、塔齐尔等从他们攻占的地方带兵来到鹅顶山与蒙古主会合。

辛亥(初六),因逃亡人民渡江,调拨浙西、江东路五州大米三万石,命令各郡守臣赈济渡江逃亡人民。

癸丑(初八),对已去世的余玠追认复官。

丙辰(十一日),给事中张镇,进言徐敏子以前在广右做统帅时,嗜杀成性,贪污纳贿,流毒桂府。理宗召谕:依旧在隆兴府羁管。

壬戌(十七日),任贾似道为枢密使,两淮宣抚大使;任命朱熠同知枢密院事兼权参知政事;饶虎臣为端明殿学士、签书枢密院事。

丁卯(二十二日),理宗降旨:"诸路宪司考核所部州县吏治,州县官吏不得虐待民众,仍然禁止贪财害民,违者获罪。"

召回牟子才任代工部侍郎。牟子才认为丁大全与董宋臣内外勾结,搅乱朝政,力辞拒召。

在此以前牟子才在太平州,撰写《李白祠记》,又刻《高力士脱靴图》。言辞中大多指斥董宋臣。有人告诉了董宋臣。董宋臣流着泪在皇帝面前诽谤牟子才。于是就与丁大全合谋,唆使御史不断呈交奏章,诬陷牟子才在太平州任职时将公事宴请及赠送来宾的财物攞为己有,牟子才因此降官两级,至此,董宋臣还不肯罢休。理宗怀疑,秘密地写信问安吉郡守吴子明。吴子明回禀理宗:"臣曾经至牟子才家,四壁萧条寒酸,百姓皆知他清贫如洗。陛下毋信谗言。"理宗问经筵官:"牟子才之事,吴子明说没有这些罪过,为何?"众人之中没有谁敢应答。戴庆炯说:"臣记得牟子才曾经不批准吴子明之兄吴子聪升迁。"理宗说:"对。"事情于是到此为止了。

蒙古主进攻大获山,遣王仲招降守将杨大渊,杨大渊杀了王仲。蒙古主督促诸军竭力进攻,杨大渊害怕,遂以城降,攝官赵广身亡,大渊逃回州城。蒙古主大怒,欲屠杀全城,将官李呼喇齐说:"大渊逃离,此事难以预料,应当急速追击。"于是单身独骑追至城下,门未关,大呼入城,杨言:"皇上派我安抚军民。"旋即下马,握着杨大渊的手道:"皇上正要宣谕赏赐你,你不等一等而跑到地县来,为什么?"大渊回答说:"恐城寨有其他变故,所以急速还归而已!"遂与大渊一同返回,蒙古主大悦,任命杨大渊为都元帅。

蒙古将领李瓒攻破海州、涟水军,通判侯畐在与敌鏖战中身亡,全家遇害,其余将士死伤将尽。贾似道奏章引咎自责,理宗命令他将功赎罪。

太常寺博士王应麟入宫奉对,说:"淮地防线危机,蜀道通行艰难,沿海和长江上游各地区,皆有藩篱不守和唇亡齿寒之忧虑。对有军功的人又吝惜奖赏,民众财力困乏而又加重赋税收敛,这不是修内攘外的策略啊。陛下可不要安逸自悦,不要因逢迎取媚之言而自我安慰。"理宗悲伤地说道:"边境战事实在是令我担心啊!"王应麟进言:"愿皇上尽快加以预防,而不要被小人的言论所欺骗。"丁大全厌恶提及边境战事,王应麟不久被罢去官职。

龙州向蒙古投降。

十二月,丙子朔(初一),理宗降旨定于明年为开庆元年。

庚辰(初五),因蒙古兵进入四川,理宗降旨:"荆湖制置使马光祖的官属转移到峡州,向士璧的官属转移到绍庆府。"

此时,向士璧不等待朝廷命令,就进军归州,捐献家产百万以作军费。马光祖亦不待奏请批准,自行招兵万人,捐献银万两用以招募壮士,迎战于房州。理宗降旨:"马光祖、向士璧各进官一等。"

壬午(初七),蒙古都元帅杨大渊,率领所属部队与汪德臣分头攻击相如等县。耨埒攻简州,以宋之降将张威作为先锋。

乙酉(初十),蒙古主至运山,杨大渊遣人招降守将张大悦,仍然任命张大悦为都元帅。屯将施择不屈身亡。蒙古军到青居山,宋部裨将刘渊杀都统段元鉴投降蒙古军。

丁酉(二十二日),蒙古攻破隆州,大良守将蒲元圭投降。蒙古主命令诸军不得掳掠。

癸卯(二十八日),蒙古攻打雅州,攻克。石泉守将赵顺投降。

开庆元年　蒙古宪宗九年(公元1259年)

春季,正月,乙巳朔(初一),理宗降旨告诫朝廷内外官员奉公、守法、务实。

蒙古主驻军重贵山之北,大设酒宴,向诸王、驸马、百官说:"现在我们身在宋境,炎热的夏季将要到了,你们说可以在宋国境内居住吗?"托骦说:"宋流行瘴疠,圣上应北上而还,所得之百姓,可以委派官吏相机治理。巴勒齐说:"托骦胆怯,我愿去驻守。"蒙古主称赞他。

国子监主簿徐宗仁拜伏宫门上书说:"赏罚是军国之纲纪。赏罚不明,则纲纪不立。当今天下如器之倾斜而未坠于地,存亡之机,间不容发。兵少将惰而力尽财穷,环视四境,大抵无所足恃,而现在所赖以维持人心、使豪杰之士奔走效力的,只有陛下掌握的少许赏罚之权。这种权力在陛下手中,而陛下不知如何使用。那么没有倒落的东西怎么能保证永远不倒下呢?陛下应该在危急之时,支出余币,赏赐土田,颁援节钺,授予官职。微薄之功,必有所赏,如是,全体军民一定会尽心效力,图报万分啊。自从出兵越长江进入广地以来,已经历数月,尚未听说过有人死于战阵、死于分封的疆土,死于主管的城市,这难道不是赏罚不足而不能激励和惩罚所造成的吗?现在举国上下认为没有受到应得的惩罚的人,就是丁大全、袁玠、沈翥、张镇、吴衍、翁应弼、石正则、王立爱、高铸等人,而首恶就是董宋臣。因此,退休的官员上书极谏,学校的学生到宫门请求,甚至有人欲借尚方宝剑为陛下除恶,而陛下仍然置之不理,难道果真想偏爱维护这几个人而大违千万人之心吗?当今天下形势危急,朝廷纲纪败坏,误国之罪不诛,则用兵作战之士不勇敢。东南一方,一半事情败坏于此数人之手,而没有丝毫惩罚。他们拥有大量钱财,每天追逐声色,高卧于华丽的堂屋,而使陛下与少数大臣焦心劳思,行吗?在虞场上的三军将士,难道不会愤然抱怨说:'是谁把国家引向灾难的深渊,而使我们捐躯于战场呢?'百姓当中遭受兵火之灾的人,难道不群起怨恨道:'是谁导致天下大乱使我们流血于锋镝之下呢?'陛下是否曾经偶尔想到这些呢?"理宗不予答复。

盱江人廖应淮上疏进言丁大全误国罪状。丁大全恼怒,罗织罪名惩罚他,将他发配汉阳军。廖应淮背负刑具唱着歌走出都门。围观者称他正直勇敢。

己酉(初五),蒙古兵攻忠州、雅州,渐近夔州州境。皇帝降旨"蒲释之、马光祖,攻守调遣,斟酌事势所宜,自行处理。"

因下雪寒冷,拨封桩库第十八界楮币二十万赈济三衙诸军。丙寅(二十二日),理宗说:

"雪天寒冷,海道的戍兵让人惦念,与在城寨中戍守的士兵不同,可酌情给予一次犒赏。"

丁卯(二十三日),贾似道以枢密使的身份任京西、湖南、湖北、四川宣抚使。改任马光祖为沿江制置使,史岩之为副职。不久,贾似道又兼督江西、两广人马,以便调剂各地人马援助上游地区。蒙古兵攻破利州、隆庆、顺庆诸都,阆、蓬、广安守将相继投降。

蒙古主命令投降的晋国宝招谕合州投降,守臣王坚将他拘捕,于阅武场斩首。蒙古主于是命令大将珲塔哈以二万兵守六盘,奇尔告布哈守青居山。令耨埒于涪州蔺市造浮桥用以杜绝援兵。二月,蒙古主从鸡爪滩渡河,直达合州城下,俘万余男女。王坚顽强坚守,蒙古主聚师包围合州。

乙酉(十一日),理宗降旨:"战争未止,财用开支调度频繁,从内库拨出第十七界楮币三十万辅助支用和犒赏。"

丙戌(十二日),任命马光祖为资政殿学士,沿江制置大使、江东安抚使,知建安府。

己丑(十五日),理宗降旨:免除建康、太平、宁国、池州、广德等处开垦的滩地的田租。

三月,丁巳(十三日),任命吕广德为四川制置副使,因蒲择之在四川没有建树,故以吕文德取而代之,不久又令吕文德兼湖北安抚使。

此时蒙古因军中流行瘟疫,合计回师之事。庚申(十六日),马光祖奏告朝廷,蒙古兵从乌江北迁。

辛酉(十七日),天降泥土。

夏季,四月,甲戌朔(初一),因段元鉴、杨礼以身殉国,为他们立庙赐匾,各授一子为官。

甲申(十一日),理宗认为王坚忠诚而有节操,守城抗敌,百折不回,应为各城守将的榜样,命令从优表彰奖赏。

乙酉(十二日),尚书省言知施州谢昌元,自备钱一百万缗,米麦一千石,于倚子口建筑城堡,应当加以奖赏。理宗旨谕谢昌元进官一等。

辛卯(十八日),于景灵宫祭祀。

理宗降旨:"诸路提点刑狱,于五月审理囚徒。"

这月,蒙古兵包围合州城,大雷雨持续二十日。

五月,甲辰朔(初一),筑金州、开州城。

乙丑(二十二日),理宗命令铸造新钱,钱文曰:"开庆通宝。"

辛未(二十八日),赐予礼部进士周应炎等四百四十二人为进士及第、进士出身。

婺州大水,拨义仓粮食赈济民众。

蒙古皇弟呼必赉驻濮州,从东平召见宋子贞,向他请教计谋策略。宋子贞说:"本期威武有余,仁德未广博。南方军民所以抵抗不肯投降,生要是怕死罢了。如若不杀降者,协从者不加惩治,则宋之郡县可以传布檄文而平定。"

此时郝经随呼必赉至濮州,有人将得到的宋朝奏议献上。奏议中称要严谨边防,防守冲要之地,共七条。呼必赉将其发给诸将议论。都经说:"古之能统一天下者,靠德而不靠力。如今宋朝未有败亡之征兆,我竟空国倾师而出征,朝内有诸侯寻隙图谋,朝外则小民困苦,我郝经只见其危,不见其利啊!"皇弟平素认为郝经乃一介儒生,愕然道:"你与张巴图议论过吗?"郝回答说:"郝经年少寓居张柔家,曾闻其议论,这只不过是郝经的无稽之言罢了。"因而撰写七道建议呈交呼必赍。

六月，吕文德乘顺风，攻涪州浮桥，拼死作战，才得以进入重庆，旋即率艨艟战舰千余艘逆嘉陵江而上。蒙古史天泽分军为两翼，顺流纵击，吕文德战败，史天泽追至重庆而还。

辛巳(初九)，任朱熠为参知政事、饶虎臣为同知枢密院事。

合州被围以来，从四月到本月，王坚顽强坚守，拼力作战，蒙古主多次督促诸军进攻没有攻克。前锋将汪德臣，精选士兵乘夜登上外城，王坚率兵迎战。黎明时分，汪德臣单骑大呼道：“王坚，我来是为了使你一城军民活命，应该早投降……”话未完毕，几乎被飞石击中，就此得病而亡。正逢天下大雨，攻城的云梯折断，后续部队无法进城因而停止进攻。

蒙古皇弟呼必赍至相州，召隐居的士人杜瑛询问南征之策。杜瑛从容回答说：“回顾汉、唐以来，历代君主所能持以立国的，是法与兵、食三事而已。国无法度不能立国，人无粮食不能生存，乱无兵不能守护，当今宋朝皆蔑视此三者，国家将要灭亡了。天下兴旺的机遇在于圣朝。若能统带在襄樊的军队，挥兵长江下游直攻宋国后侧，大业可定了。”皇弟高兴地说：“儒生中竟有这样的人！”遂令杜瑛随军出发，他以有病为辞谢绝了。杜瑛是杜时升的儿子。

秋季，七月，癸亥(二十一日)，蒙古主于钓鱼山去世，享年五十二岁，后追谥为桓肃皇帝，庙号宪宗。史天泽与群臣陪送灵枢北返，至此解除对合州山包围。

宪宗沉着、果断、寡言，不喜好聚宴饮酒，不好侈靡，虽然是后妃，享乐也不许超过制度。当初，定宗当朝时，群臣擅权，政出多门。宪宗即位后，凡是诏谕和圣旨，务必亲自起草，再三修改，然后下发施行。统管群臣甚严，他曾经说：“你们每次得到我奖谕之言，就志得意满，而灾祸有不随即而来到的吗？你们要警惕啊！喜欢打猎，自称是遵循祖宗之法，不蹈袭他国的嗜好。但他酷信巫觋、卜筮一类求神算命的法术，凡事必定小心、谨慎地求神问卜，几乎没有不这样做的日子。

辞官归乡的参知政事蔡抗去世，赐谥号文肃。

八月，蒙古皇弟呼必赍，派遣杨维中、郝经宣抚京湖、江淮，率领归德军先到长江上游。郝经向皇弟进言：“我听说天下之事，未雨绸缪，防患于未然就易于得手，而事情已然之后补救则难以如意了。已然之事中又包含有未然之事，既要补救已然的事情，又要使未然的事情按自己的愿望实现，这是最难的啊！国家从沙漠中奋起，消灭金源、兼并西夏，占领荆襄、攻克成都、平定大理，征服众多少数民族地区，四出征讨，将近五十年。残存下来的亡国之民，惊魂落魄，惨遭劫掠气息奄奄。自古用兵，未曾有过如此之久、如此之多啊。况且广征兵役苛敛赋税，朝下令，夕出师，举国皆兵，伐宋而图谋统一。以志而言可以说是锐不可当，以军力而言可以说强大，而治术策略却没有认真讲求。如果在诸国平定以后，创立法规定制度，宣布法令纪纲，任命将相，选拔贤才能士。公平课赋，保证国家财用，务农垦植即保证百姓有足够的粮食，内治既成，外御也有充足的准备。如今出师西征已很长时间了，还未有成功，兵祸连接，越来越危险。大王应派人到皇上的驻地请命，派遣使者告谕宋朝，命令他们称臣、纳贡，割让土地，交付人质，休兵停战，使人民得以休养生息，以积聚我们实力，而准备以后大举进攻。如果请命不被接受，就发布檄文，在众人面前展示大信，使天下之人知道殿下仁慈不杀的胸怀。一军从襄、邓出发，一军从寿春出发，一军从维扬出发，三路大军并进，东西连横，殿下统率一军指挥调度各军，使我军兵力常有余裕。这样未来之变故或许能够消弭，以前的过失或许可以得到补救。"

丙戌（十五日），会合各军渡过淮河，皇弟从大胜关、张柔从虎头关，分道并进，宋军皆逃跑。壬辰（二十一日），到达黄陂，得到沿江制置司发布的榜文，榜文上说："今年夏天，侦探听说蒙古聚兵商议取黄陂，民船连接成木筏，从阳逻堡渡江，会合于鄂州。"皇弟说："以前没有想到，但愿现在能如榜文所说。"这时沿江制置副使袁玠征收捕鱼之税极为暴虐，蒙古兵至黄陂，渔人献舟并为蒙古兵做向导。

九月，壬寅朔（初一），亲王穆格从合州派遣使者，将宪宗死讯告诉皇弟，请求他回蒙古以维系人心。皇弟说："吾奉命南征，难道能没有立功就匆忙回去吗？"甲辰（初三），皇弟登香炉山，俯瞰大江，宋军用大船扼守长江，军容整齐，气势正盛。董文炳向皇弟进言说："长江天险，宋依靠它来保住江山，必定死守，不打击宋军的气势是不行的，我请求尝试一下。"乙巳（初四），董文炳率领数百人的敢死队当前锋，命令他的弟弟董文用、董文忠乘坐艨艟斗舰，急速划棹前进，拼命激愤呼叫。前锋一旦交战，董文炳指挥众将士直赴岸边搏战，宋军大败。第二天，呼必赉率领诸军渡江，军士有擅自进入百姓家中的，以军法处置。凡所获战俘全部释放，进而又围攻鄂州，宋朝廷内外大为震惊。

己未（十八日），嗣濮王赵善腾逝世。

庚申（十九日），理宗下诏责备自己，并勉励各地边帅发兵进击。

任命右谏议大夫戴庆炯签书枢密院事。

丁卯（二十六日），因边境战事危急，命令群臣祭祀天地、宗庙、社稷、宫观、岳渎、诸陵，祈祷保佑。

蒙古兵已到临江城下，知军事陈元桂，抱病登城督战，体力不支。有人想抱他逃走，陈元桂说："就是死也不能离开此地！"左右的人都逃跑了。蒙古兵到后，陈元桂张口大骂因此而被杀头悬在城楼上面。朝廷闻知此事宣追赠封章阁待制，授官职予他的两个儿子，赐谥号为正节。蒙古兵攻入瑞州城时，知州陈昌世，平日治理郡务时多有善政，百姓带着他逃跑了。

理宗命令诸路将士出师抵御蒙古军队，取出宫内库存银币犒赏诸路部队，先后共支拨钱币七千七百万贯，银一百六十万两、帛一百六十万匹。

蒙古军队攻略侵占日甚一日，右丞相丁大全封锁军情不报告理宗。冬季，十月，辛未朔（初一），丁大全被削职，改判镇江府。

壬申（初二），任吴潜为左丞相兼枢密院使，贾似道为右丞相兼枢密使，职任依旧，屯兵汉阳，以援助鄂州。

吴潜就任左丞相，首次进言说："鄂渚遭受兵祸，湖南发生骚乱，推究祸根，是由于近年以来奸猾的大臣和阴险的士大夫，制造无稽之谈，附和大夫奉迎迷国误君。仁人贤士都躲避起来不肯做官，名誉节操丧失败坏，忠厚善良无影无踪，谄媚奸佞流为风气，上天愤怒而陛下不知道，人民怨恨而陛下不觉察，久而久之导致战争灾祸，成为国家之忧患。章鉴、高铸曾经与丁大全担任相同官职，一心奉迎、依附于丁大全，终于很快跻身要途。萧泰来等小人议论纷杂，国事一日不如一日，渐渐地到了今天这种地步。沈炎实是赵与訔的心腹爪牙，担任台臣后，甘心情愿为赵与訔当枪四出攻击，以致奸党盘踞朝廷，互相勾结，一脉相通，以欺骗陛下。导致国家大乱和危急的，全是这些小人的所作所为。陛下应命令丁大全辞官回家，沈炎等管理祭祀之事,章鉴、高铸等交州军拘禁管束。"理宗没有回答。

九江制置副使袁玠,是丁大全的党羽,贪婪刻薄。壬午(十二日),放逐袁玠于南雄府,不久又移至万安军。

中书舍人洪芹上奏进言:"丁大全有阴险害人的资质,穿壁翻墙的本领,引荐任用凶残险恶之流,打击陷害忠诚良善的人,阻塞言路,混乱朝纲,请求圣上削夺他的官职,放逐边远地区,以伸张国法。"御使朱貔孙等,相继列举丁大全的罪行:"丁大全邪恶狡诈,狠毒贪残,假借陛下严厉执法之威严来钳制天下之人口,挟制陛下的爵禄来笼络天下之财物。"饶虎臣又指斥丁大全断绝言路,埋没人才,枯竭民力,延误边防四条罪状。癸未(十三日),理宗降旨:"丁大全消职,辞官回家。"

在此以前丁大全派遣心腹之人担任浙西掌管常平仓之提举,尽其所能掠夺盐民的盐本钱,以羡余的各目进献,如有不足则按户籍分摊,引起一路骚动。丁大全放逐以后,任用孙子秀取代他。孙子秀发还前任所剥夺的盐本钱五千余万贯,奏请撤销提举常平司在华亭地区的掌管茶盐的分支机构,确定衡量之非法多取的标准,于是流离转徙的人回乡重操旧业。

己酉(十五日),打雷。

这时边境报急一天比一天紧迫,临安团结英勇义士,招募新兵,增筑平江、绍兴、庆元城堡。朝廷内外震动惊恐。内侍董宋臣请理宗迁都四明以避开锋镝之灾,军器大监何子举对吴潜说:"如果皇上出走,则京师百万人民还有什么依赖呢?"御史朱貔孙也进言:"皇上的车轮一动,则三边之将士彻底瓦解,四方之盗贼蜂拥而起,决不可出走。"正逢皇后也请求皇上留下以安定民心,理宗于是停止出行。海宁节度使判官文天祥,上奏文请求斩杀董宋臣,理宗不予答复。

十一月,乙卯(十六日),任命赵葵为江东、江西宣抚使,允许他酌情自行处理一地事宜,无须请示。

蒙古包围鄂州,都统张胜代理州事,因为鄂州城已危在旦夕,他登上城楼告谕蒙古:"城已为你们所有,但是子女玉帛都在将帅的指挥台,你们可以到那边去取。"蒙古相信他的话,于是就烧城外居民房屋,正要撤退,碰到高达等带兵赶到,贾似道也屯兵汉阳作为增援,蒙古于是再次进攻鄂州城。派遣彻辰巴图尔带领队伍伙同投降的人告谕鄂州人投降,到了城下,张胜杀了投降的人,派军队出击彻辰巴图尔。蒙古兵多势盛,张胜战死疆场,高达环城固守。在此以前,高达依靠他的武勇,自认为与贾似道绝不相同。每当见到贾似道督战,就开玩笑地说:"戴高冠的人怎么能督战呢?"如果出战,必须贾似道亲自上阵,否则就叫军士在他们面前叫嚷。吕文德奉承贾似道,派人大声呵斥军士:"宣抚大人在此,怎么敢这样呀!"曹士雄、向士璧都随从贾似道在军中,对此没有说过什么,贾似道从此就怀恨三人而亲昵吕文德。

这时各路重兵全部集聚在鄂州,吴潜采纳御史饶应子的意见,遣贾似道去黄州。黄州虽地处下游,实为军事要地,孙虎臣率领七百精锐骑兵护送贾似道。到了蘋草坪,巡逻侦察的骑兵讲前边有蒙古兵。贾似道大为惊惧,对左右说:"怎么办?"孙虎臣隐藏起来,贾似道出战,并叹道:"这下要死了。可惜的是死得不光明伟大啊!"等到蒙古兵到时,方知只不过是押解掳掠的金帛子女而还的老弱部队,江西降将储再兴骑牛作前导。孙虎臣突然出击,活捉储再兴。贾似道终入黄州。

4235

蒙古乌兰哈达,率领三千骑兵,蛮、僰万人,攻破横山,巡行内地,宋守将部署六万军队严阵以待。乌兰哈达派遣阿珠暗从小路突击宋兵的中坚部队,宋军大败,蒙古兵乘胜践踏宾、象二州,进入静江府,连续攻破长、沅,直抵潭州。宋军切断了蒙古兵的归路,乌兰哈达出击宋军后路,命令阿珠夹击,宋军败逃,于是就在潭州城下修筑营垒。

闰十一月,癸酉(初四),下雪。从封桩库拨出楮纸币二十万贯,赈济京城居民,三衙诸军也同样赈济。

丁丑(初八),任命向士璧为湖南制置副使,知潭州,甲申(十五日),任命吕文德为京西湖北安抚使,知鄂州。

蒙古阿勒达尔、珲塔哈、托果斯、托里齐等策划立额垿布格。阿勒达尔派遣托里齐在漠南诸州尽数征兵,而又经驿站传令在漠北诸郡调兵,离开平仅有百余里。皇弟呼必赉之妃鸿吉里氏派人对阿勒达尔说:"发兵是大事,太祖皇帝曾孙珍戬在这里,为什么不让他知道呢?"阿勒达尔不能回答。又听说托里齐也到了燕,鸿吉里氏派遣使者火速到呼必赉军前密报,叫他速归。

宫乐图　元

皇弟召群臣商议,郝经说:"《易经》上说,'知进退存亡而不失其正者,其惟圣人乎!'国家从平定金国以来,只是从事努力进取,军队疲惫,耗费财力,已三十年了。现在国内空虚,嗒齐、实喇诸王,观望继承帝位的人,都企图夺取帝位,一旦有了狡诈的念头或者会有动刀兵之心出现,在别人之先举事,我们将腹背受敌,大事无可拯救了,况且额垿布格已命令托里齐行使尚书之权,占据燕都,清查地图户籍,对诸道发号施令,这是行使皇帝的职权了。虽然大王向来有人望,而且重兵在握,但是你没有见过金世宗海陵王之事吗?如果他们宣称持有遗诏,就登基称帝,改变年号,下诏书于中原,行敕令于江上,这时你想回去还能做到吗?望大王以国家为念,与宋朝廷议和,命令宋朝割让淮南、汉上、梓、夔两路,确定疆界及每年所缴钱币,留下辎重,率轻骑回国,直奔燕都,那么他们的阴谋诡计就冰释瓦解了。同时,派遣一路军队迎候皇帝的灵车,收取皇帝的玉玺,派遣使者召宝喇、额呼、穆格诸王到和林会合办理丧事,委派官员对诸路进行安抚宣慰,命令王子珍戬镇守燕都,让众人看到这样的态势,这样帝位就有归宿,国家也就安全了。"皇弟认为很对。

于是蒙古兵就自牛头山出发,扬言直驱临安,贾似道大为恐惧。适逢合州王坚派遣阮思聪跨越急流报告蒙古主之死讯,贾似道惊恐的心情稍为缓解,派遣宋京请和,希望蒙古军能派使者共同商议。赵璧请求担任使者,皇弟派遣他去。赵璧登上城楼,宋京说:"蒙古兵如果还师,愿意划长江为界,且每年进奉银二千万两,绢二十万匹。"赵璧说:"当初大军到濮州时,如果有这样的请求,或许还可以同意。现在大军已渡长江,这种话有什么用处?贾制置现在什么地方?"赵璧临行时,呼必赍提醒他说:"你登城,一定要看我的旗帜,旗一动,就可以马上回来了。"到此,正好见到蒙古军中旗动,赵璧就说:"等他日再议论这件事。"于是回营。

皇弟呼必赍率军拔寨向北方撤退,留张杰、阎旺非主力部队等候在湖南的乌兰哈达的部队。

十二月,己亥朔(初一),贾似道上奏说鄂州已经解除包围。

辛亥(十三日),皇帝降旨改明年为景定元年。

蒙古乌兰哈达攻潭州,形势甚急,帅臣向士璧极力坚守防御,既组织飞江军,又招募成立斗弩社,早晚登城安抚慰劳将士。向士璧听说乌兰哈达的后军将到,派遣王辅佑带领五百名战士去侦察,在南岳市相遇,大战,打退了蒙古后军。呼必赍派遣特默齐统率部队去接乌兰哈达,于是乌兰哈达解潭州之围带兵直奔湖南。

蒙古皇弟呼必赍带领军队回国,到燕都时,托里齐正尽数征招民兵,民众对此感到很痛苦。皇弟责问托里齐招兵之缘由,他托词说是先帝临终的命令。皇弟知其将要叛乱,命所征集之兵全部解散,人心大快。

【原文】

宋纪一百七十六　起上章涒滩【庚申】正月,尽玄黓掩茂【庚戌】六月,凡二年有奇。

理宗建道备德大功复兴　烈文仁武圣明安孝皇帝

景定元年　蒙古中统元年【庚申,1260】　春,正月,丙子,诏奖贾似道功。

乙未,城潼川仙侣山。

蒙古皇弟呼必赉之北还也,道遣张文谦与商挺计事,挺曰:“军中当严符信,以防奸诈。”文谦急追及言之,皇弟大悟,骂曰:“无一人为我言此,非商孟卿,几败大事!”速遣使至军中立约。至是额呼布格之使至军中,执而斩之。孟卿,挺之字也。

蒙古张杰、阎旺,作浮桥于新生洲,乌兰哈达兵至,杰等济师北还。贾似道用刘整计,命夏贵以舟师攻断浮桥,进至白鹿矶,杀殿兵七百十人。

二月,己酉,奖高达守鄂功,迁湖北安抚副使、知江陵府。乙卯,以黄州武定诸军都统制张世杰赴援有功,转十官。世杰,范阳人也。

丙寅,蒙古兵过分宁、武宁二县,河湖砦都监张兴宗死之。

三月,戊辰朔,日有食之。

时丁大全之党多斥,董宋臣尚居中,言路无肯言者,诸学官言之,未行。校书郎马廷鸾,因日食,与秘书省同守局,相与草疏。吴潜以书告廷鸾曰:“诸公言事纷纷,皆疑潜所嗾,闻馆中又将论列,校书宜无与以重吾过。”廷鸾曰:“公论也,不敢避私嫌。”越数日,出宋臣于安吉州。

贾似道匿议和、纳币之事,以所杀获俘卒、殿兵上,表言:“诸路大捷,鄂围始解,江汉肃清。宗社危而复安,实万世无疆之休!”帝以似道有再造功,下诏褒美,赏赉甚厚,以少傅、右丞相召入朝。

张世杰遇蒙古兵于蘋草坪,夺还所俘。乙酉,加环卫官。

诏赠张胜官五转,官其子。

丙戌,贾似道上言:“自鄂趣黄,与北朝回军相遇,诸将用命捍御。”诏:“孙虎臣、范文虎、张世杰以下各赐金帛。”

蒙古皇弟呼必赉还,至开平,廉希宪闻额呼布格命刘太平及大将果拉噶行尚书省事于关右,恐结诸将以动秦、蜀,请遣赵良弼往觇之。良弼得实,还报。诸王哈坦、穆格、塔齐尔与诸大臣俱会于开平,寔喇亦自西域遣使至,并劝进,惟额呼布格不至。皇弟三让,诸王大臣固请。希宪、良弼及商挺等力言:"先发制人,后发人制,逆顺安危,间不容发,宜早定大计。"辛卯,皇弟即位,是为色辰皇帝。

蒙古主问僧子聪以治天下之大经,养民之良法,子聪采祖宗旧典,参以古制之宜于今者,条列以闻。复召史天泽入对,天泽言:"朝廷当先立省部以正纪纲,设监司以督诸路,需恩泽以安反侧,退贪残以任贤能,颁俸禄以养廉,禁贿赂以防奸,庶能上下丕应,内外休息。"蒙古主嘉纳。

蒙古陕西宣抚使廉希宪言:"高丽国王瞰,尝遣其世子倎入觐,会宪宗将兵攻宋,倎留三年不遣。今闻瞰已死,若立倎,遣归国,彼必以为德,是不烦兵而得一国也。"蒙古主是其言,改馆倎,遣兵卫送之,仍敕其境内。

蒙古千户郭侃,疏言建国号、筑都城、立省台、兴学校等事及平宋之策,其略曰:"宋据东南,以吴越为家,其要地则荆襄而已。今日之计,当先取襄阳。既克襄阳,彼扬、庐诸城,弹丸地耳,置之弗顾而直趋临安,疾雷不及掩耳,江淮、巴蜀,不攻自平。"蒙古主颇采其言。

夏,四月,戊戌朔,蒙古立中书省,以王文统为平章政事,张文谦为左丞。文统本李璮幕属,有荐其才智者,遂得亲幸,更张庶务,悉委裁处。以巴崇、廉希宪、商挺为陕西、四川等路宣抚使,赵良弼参议司事,钮祜禄纳哈、张启元为西京等处宣抚使。

丁未,蒙古以翰林侍读学士郝经为国信使,使于宋。王文统素忌经有重名,既请遣经,复阴属李璮潜师侵宋,欲假手害经。或谓经曰:"文统叵测,盍以疾辞!"经曰:"自南北构难,江汉遗黎,弱者被俘略,壮者死原野,兵连祸结久矣。圣上一视同仁,务通两国之好,虽以微躯蹈不测之渊,苟能弭兵靖乱,活百万生灵于锋镝之下,吾学为有用矣。"遂行。

己酉,扬州大火。

左丞相吴潜罢。初,贾似道在汉阳,以潜移之黄州为欲杀己,衔之。至是帝欲立忠王禥为太子,潜密奏云:"臣无弥远之才,忠王无陛下之福。"帝积怒潜,似道因陈建储之策,令侍御史沈炎劾潜,且云:"忠王之立,人心所属,潜独不然。章汝钧对馆职策,乞为济王立后;潜乐闻其论,授汝钧正字,奸谋叵测。请速召贾似道正位鼎轴。"帝从之,遂罢潜,奉祠。

先是蒙古兵日迫,帝问潜:"策安出?"潜对曰:"当迁幸。"又问:"卿何如?"潜曰:"臣当守此。"帝泣下,曰:"卿欲为张邦昌乎?"潜不敢复言。未几,北兵暂退,帝语群臣曰:"若从吴潜迁幸之议,几误朕!"及潜罢,帝犹怒不已,而似道又阴图之。帝夜出象简书疏稿授刘应龙使劾潜,应龙谓:"潜本有贤誉,独论事失当,临变寡断。祖宗以来,大臣有罪,未尝轻肆诛戮。请姑从宽典,以全体貌。"帝大怒。

癸丑,进贾似道少师,封卫国公。以朱熠知枢密院事,饶虎臣参知政事,戴庆炯同知枢密院事,刑部尚书皮龙荣签书枢密院事。

帝手诏曰:"贾似道为吾股肱之臣,任此旬宣之寄,隐然珍敌,奋不顾身,吾民赖之而更生,王室有同于再造。"及似道至,诏百官郊迎,如文彦博故事,奖眷礼甚至。诸将士悉进官,吕文德检校少傅,高达宁江军承宣使,刘整知泸州兼潼川安抚副使,夏贵知淮安州兼京东招抚使,孙虎臣和州防御使,范文虎黄州武定诸军都统制,向士璧、曹世雄各加转有差。

初,似道恶高达尝侮己,言于帝,欲杀之;帝知其有功,不从。故论功以文德为第一,而达居其次。

帝在位久,内侍董宋臣、卢允升为之聚敛以媚之,引荐奔竞之士,交通贿赂,置诸通显。又用外戚子弟为监司、郡守。宋臣虽外出,其党犹盛。似道既相,悉逐宋臣等所荐林光世等,勒外戚〔不得〕为监司、郡守,子弟门客敛迹,不敢干朝政。由是权倾中外,先朝旧法,率意纷更矣。

礼部侍郎牟子才上言:"开庆之时,天下岌岌矣,今幸复安。不知天将去疾遂无复忧耶,抑顺适吾意而基异时不可知之祸也?奈何怀宴安之鸩毒,而不明闲暇之政刑乎?"因具道田里疾苦之状,帝颦蹙久之。

权枢密编修官马廷鸾轮对,言:"国于东南者,楚、越霸而有余,东晋王而不足。请遏恶扬善以顺天,举直错枉以服民。"

蒙古自太祖以来,诸事草创,设官甚简,以断事官为至重之任,位三公上,丞相谓之大必阇赤,掌兵柄则左右万户而已。后稍仿金制,置行省及元帅、宣抚等官。蒙古主既立,遂命僧子聪及许衡定内外官制,总政务者曰中书省,秉兵柄者曰枢密院,司黜陟者曰御史台。其次,内则有监、寺、院、司、卫、府,外则有行省、行台、宣慰、廉访,牧民则有路、府、州、县,官有常职,位有常员,食有常禄。其长则蒙古人为之,而汉人、南人贰焉。于是故老、旧臣、山林遗佚之士,咸见录用,一代之制始备。

蒙古额呼布格闻蒙古主既立,分遣心腹,易置将佐,散金帛,赉士卒,又命刘太平、果拉噶拘收关中钱谷。时珲塔哈自先朝将兵屯六盘,太平等阴相结纳。珲塔哈复分遣人约成都之密喇卜和卓、青居之奇尔台布哈同举事。是月,额呼布格遂自称帝于和林,阿勒达尔及六盘守将珲塔哈举兵应之。

五月,戊辰,朔,参知政事饶虎臣罢。

蒙古主命雅克特穆尔、蒙古岱节度黄河以西诸军。

蒙古刘太平、果拉噶闻廉希宪将至,乘传急入京兆,谋为变。秦人前被阿勒达尔、太平等威虐,闻其来,皆破胆。越二日,希宪亦至,宣示诏旨,遣人驰往六盘宣谕安抚。未几,城门候引一急使至,云来自六盘,希宪询之,尽得太平、果拉噶与珲塔哈等要结状。希宪集僚佐谓曰:"主上命我辈,正为今日。"遂分遣人掩捕太平、果拉噶等,复遣刘嶷诛密喇卜和卓于成都,汪惟正诛奇尔台布哈于青居。又命总帅汪良臣率秦、巩诸军进讨珲塔哈,良臣以未得旨为辞,希宪即解所佩虎符、银印授之曰:"此皆身承密旨,君但办吾事,制符已飞奏矣。"良臣遂行。又摘蜀卒四千,命巴崇帅之,为良臣声援。会有诏赦至,希宪命杀太平等于狱,尸于通衢,方出迎诏。

庚辰,同知枢密院事戴庆炯卒。

癸未,以右谏议大夫沈炎签书枢密院事。

蒙古以王鹗为翰林学士承旨,制诰典章,皆所裁定。又荐李(治)〔冶〕、图克坦公履、高鸣等为学士,皆从之。

丙戌,蒙古主建元中统。蒙古有年号自此始。

乙未,荧惑入南斗。

蒙古立十路宣抚司:以赛音谔德齐、李德辉为燕京路宣抚使,徐世隆副之;宋子贞为益都、济南等路宣抚使,王磐副之;河南路经略使史天泽为河南宣抚使;杨果为北京等路宣抚使,赵晒副之;张德辉为平阳、太原路宣抚使,谢璠副之;鄂啰哈雅、刘肃并为真定路宣抚使;姚枢为东平路宣抚使,张肃副之;中书左丞张文谦为大名、彰德等路宣抚使,游显副之;钮祜禄纳哈为西京路宣抚使,崔巨济副之;廉希宪为京兆等路宣抚使。

张文谦在中书省,以安国便民为务。王文统见信于蒙古主,素忌文谦,议论不相下,故文谦求外出。将之大名,语文统曰:"民困日久,况当大旱,不量减税赋,何以慰来苏之望?"文统曰:"上新即位,国家经费正仰税赋,苟复减损,何以供给?"文谦曰:"百姓足,君孰与不足!俟时和年丰,取之未晚也。"于是蠲常赋十之四,商酒税十之一。

六月,庚子,窆丁大全于南康军。

壬寅,立忠王禥为皇太子。帝家教甚严,太子鸡初鸣,问安;再鸣,回宫;三鸣,往会议所参决庶事;退,入讲堂讲经史;将晡,复至榻前起居。问今日讲何经,答之,是则赐坐赐茶,否则为之反复剖析,又不通,则继以怒,明日须复讲,率以为常。

商挺言于蒙古主曰:"南师宜还扈乘舆,西师宜军便地。"蒙古主从之,撤江上军,以史天泽为江淮经略使,李璮为江淮大都督。璮侵淮安,主管制置使事李庭芝击败之。

壬子,蒙古以陕西、四川宣抚司巴崇节制诸军。

是月,蒙古召真定刘郁、邢州郝子明、彰德胡子通、燕京冯渭、王光益、杨恕、李彦通、赵和之、东平韩文献、张昉等乘传赴开平。

秋,七月,壬申,贵妃阎氏薨。赐谥惠昭。

癸酉,蒙古以燕京路宣慰使玛穆行中书省事,燕京路宣慰使赵璧平章政事,张启元参知政事,王鹗翰林学士承旨兼修国史。

戊子,蒙古使者郝经来告即位,且征前日请和之议。先是贾似道还朝,使其客廖莹中辈撰《福华编》,称救鄂功,通国皆不知所谓和也。经至宿州,遣其副使何源、刘人杰请入国日期,不报。经数遗书于三省、枢密院及两淮制置使李庭芝,似道恐经至谋泄,遂以李璮为辞,命庭芝寓书于经,诬以款兵,拘经于真州忠勇军营。经答书言:"弭兵息民,通好两国,实出至衷,众所闻知。今启衅自李璮,一旦律以违诏,将无所逃罪,此何预使人事也?"帝闻有北使,谓宰执曰:"北朝使来,事体当议。"似道言:"和出彼谋,岂容一切轻徇!倘以交邻国之道来,当令入见。"经遂被留。

庚寅,以贾似道兼太子太师,朱熠、皮龙荣、沈炎并兼宾客。

以冷应澂知德庆府。前守政不立,纵豪吏渔猎,峒獠遂为变,逼城六十里而营。应澂未入境,驰檄谕之曰:"汝等不获已至此,新太守且上,转祸为福一机也。胁从影附,亦宜早计去就,否则不免矣!"獠欲自归,不果,众稍引去。应澂知其势解,即厉士马,出不意一鼓擒之。乃请诸监司,归郡之避难留幕府者,诛豪吏之激祸者。应澂尝曰:"治官事当如家事,惜官物当如己物。方今国计内虚,边声外警,吾等受上厚恩,安得清谈自高以误世!陶士行、卜望之,吾师也。"

是月,蒙古主自将讨额呼布格。

八月,丁未,蒙古命都元帅耨埒所过毋擅捶掠官吏。

己酉,蒙古主立秦蜀行中书省,以京兆等路宣抚使廉希宪为中书右丞,行省事。

癸丑，蒙古李璮乞遣将益兵，渡淮攻宋；蒙古主以方遣使修好，不从。九月，乙亥，李璮复请攻宋，蒙古主谕止之。

壬午，蒙古初置拱卫仪仗。

蒙古珲塔哈知京兆有备，西渡河，趋甘州。会阿勒达尔自和林帅兵至，遂合军而南。诸王哈坦率骑兵与巴崇、汪良臣兵合，分三道以拒之。既陈，大风吹沙，良臣令军士下马，以短兵突其左，绕出陈后，溃其右而出。巴崇直捣其前，哈坦勒精骑邀其归路，大战于甘州东，杀珲塔哈、阿勒达尔。关陇悉平。廉希宪乃遣使自劾停敕行刑，征调诸军，擅以良臣为帅，请罪。蒙古主曰：“委卿方面之寄，正欲从宜；若拘常制，岂不坐失事机！”诏赐希宪金虎符，进平章政事，行省秦蜀如故。以商挺参知政事。

蒙古中书省檄诸路养禁卫之羸马，数以万计，刍秣与其什器，前期戒备。燕京路宣抚副使徐世隆曰：“国马牧于北方，往年无饲于南者。上新临天下，京师根本地，烦扰之事，必不为之，马将不来。”吏曰：“此军需也，其责勿轻。”世隆曰：“责当我坐。”遂勿为备，马果不至。

冬，十月，甲辰，诏：“党丁大全、吴潜者，台谏严觉察，举劾以闻。当置于罪，以为同恶相济者戒。”时贾似道专政，台谏何梦然、孙附凤、桂锡孙承顺风旨，凡为似道所恶者，无贤否皆斥。

癸丑，蒙古初行中统宝钞。

先是王文统创造交钞，以丝为本，每银五十两易丝钞一千两，诸物之直，并求丝例。至是又造中统元宝，每一贯同交钞一两，二贯同白银一两，诏行之，立互市于颍州、涟水、光化军。凡宝钞，不限年月，诸路通行，赋税并听收受，仍申严私盐、酒醋、面货等禁。文统又以文绫为中统银货，每两同白银一两；未及行而罢。

蒙古河北宣抚使张文谦奏杜瑛为提举学校官，瑛辞，遗书执政，略曰：“先王之道不明，异端邪说害之也。横流奔放，天理不绝如线。今天子圣神，俊乂辐凑，言纳计用，先王之礼乐教化，兴明修复，维其时矣。若夫簿书期会，文法末节，汉、唐犹不屑也。执事者因陋就简，此焉是务，良可惜哉！夫善始者未必善终，今不能溯流求源，明法正俗，育材兴化，以拯数百年之祸，仆恐后日之弊，将有不可胜言者矣。”时王文统用事，识者忧之。

壬戌，窜吴潜于潮州。

十一月，戊子，蒙古发常平仓赈益都、济南、滨、棣饥民。

十二月，辛丑，诏改建阳为嘉禾县。

蒙古主至自和林，次燕京近郊，始置享太庙祭器、法服。

蒙古主召李昶，访以国事，昶知无不言。时征需烦重，行中书省科征赋税，虽通户不贷。昶移书时相，其略曰：“百姓困于弊政久矣。圣主龙飞，首颁明诏，天下之人，如获更生，拭目倾耳以俟太平。半年之间，人渐失望，良以渴仰之心太切，兴除之政未孚故也。侧闻欲据丁巳户籍，科征租税，比之见户，或加多十七八。止验见户应输，犹恐不逮，复令包补逃故，必致艰难。苟不以抚字安集为心，惟事供亿，则诸人皆能之，岂圣主擢贤更化之意哉！”于是省府为蠲通户之赋。

4242

蒙古以僧帕克斯巴为国师。帕克斯巴，吐蕃萨斯嘉人也，敏悟过人，国中号为圣童；年十五，自其国来，见蒙古主于藩邸，与语，大悦，日见亲礼。至是尊为国师，授以玉印，统释教，时年二十二。

高丽自蒙古宪宗之世,兵日见加,国大困。及王倎还,感见立之恩,遂请附贡,且乞出水就陆。蒙古主许之。

景定二年 蒙古中统二年【辛酉,1261】 春,正月,癸亥朔,诏:"监司率半岁具劾去赃吏之数来上,视多寡行赏罚。守臣助监司所不及,一以岁定赏罚。本路州无所劾而台谏论列,则监司、守臣皆罚。有治状廉声者,具实以闻。"

辛未夜,东北赤气照人,大如席。

蒙古内乱既平,李昶上表贺,因进讽谏曰:"患难所以存儆戒,祸乱将以开圣明。伏惟日新其德,虽休勿休,战胜不矜,功成不有,和辑宗亲,抚绥将士,增修庶政,选用百官,俭以足用,宽以养民,安不忘危,治不忘乱,恒以北征宵旰之勤,为南面逸豫之戒。"蒙古主称善久之。蒙古主尝燕处,望见昶,辄敛容曰:"李秀才至矣!"其见敬礼如此。

丁丑,命皇太子谒拜孔子于太学。太子还奏曰:"朱熹、张栻、吕祖谦,志同道合,切偲讲磨,择精语详,开牖后学,圣道大明。今熹已秩从祀,而栻、祖谦尚未奉明诏,臣窃望焉。"帝从之,旋封栻华阳伯,祖谦开封伯,并从祀。

庚寅,蒙古李璮擅发兵修益都城。

二月,癸卯,诏诸路监司申严伪会赏罚之令。

丙午,蒙古主如开平。诏:"减免民间差发;秦蜀行省借民钱给军,以今年税赋偿之。"

三月,壬戌朔,日有食之。

戊寅,贾似道等上《玉牒》《日历》《会要》及孝宗、光宗、宁宗《实录》,进秩有差。

戊子,知枢密院事朱熠罢知建宁府。

是岁,蒙古张文谦入朝,复留居政府。始立左右部,讲行庶务,巨细毕举,文谦之力为多。

夏,四月,乙未,以皮龙荣参知政事,沈炎同知枢密院事,右谏议大夫何梦然签书枢密院事。

乙卯,窜吴潜于循州。丙辰,窜丁大全于贵州。

蒙古诏军中所俘儒士,听赎为民。时淮、蜀士遭俘虏者,皆没为奴。翰林学士高智耀言:"以儒为驱役,古无有也。陛下方以古道为治,宜除之以风天下。"蒙古主从之,命循行郡县区别之,得数千人。贵臣或言其诡滥,蒙古主诘之,对曰:"譬则金也,金色有浅深,谓之非金不可;才艺有浅深,谓之非士不可。"蒙古主大悦。

蒙古主命宣抚司官,劝农桑,抑游惰,礼高年,问民疾苦,举文学才识可以从政及茂才异等,列名上闻擢用;其职官污滥及民不孝弟者,量重议罚。

五月,乙丑,蒙古遣使诣淮东制司,访问国信使郝经所在。

癸亥,贾似道请祠禄,不允。

庚辰,蒙古主召窦默至上都,问曰:"朕欲求如唐魏征者,有其人乎?"默对曰:"犯颜谏诤,刚毅不挠,则许衡其人也。深识远虑,有宰相才,则史天泽其人也。"蒙古主纳之。丁亥,以天泽为中书右丞相,诏许衡入见。

默又言于蒙古主曰:"臣事陛下十有馀年,数承顾问,与闻圣训。有以见陛下急于求治,未尝不以利生民、安社稷为心。时先帝在上,奸臣擅权,总天下财赋,操执在手,贡进奇货,炫耀纷华,以娱悦上心,其扇结朋党,离间骨肉者,皆此徒也。此徒当路,陛下所以不能尽其初心。救世一念,涵养有年矣,今天顺人应,诞登大宝,天下生民,莫不欢忻踊跃,引领盛治。然平治天下,必用正人端士;唇吻小人,一时功利之说,必不能定立国家基本,为子孙久远之计。其卖利献勤,乞怜取宠者,使不得行其志斯可矣。若夫钩距揣摩,以利害惊动人主之意者,无它,意在摈斥诸贤,独操政柄耳,此苏、张之流也,惟陛下察之。望别选公明有道之士,授以重任,则天下幸甚。"默之言,为王文统发也。

史天泽秉政,定省中规条,以正庶务。宪宗初年,括户百馀万,至是诸色占役者大半。至是以天泽言,悉罢之。

六月,乙未,诏:"霖雨为沴,避殿,减膳,彻乐。"

癸卯,蒙古召东平万户严忠济还都,以其弟忠范代之。忠范请以李昶为师,昶遂东归。忠济之在东平也,尝借贷于人,代部民纳通赋,及谢事,债家执券来征。蒙古主闻之,命发内藏代偿。

乙巳,诏:"近畿水灾,安吉为甚。亟讲行荒政。"

己酉,蒙古以窦默为翰林侍读学士。蒙古主召默及姚枢入侍,论人才,因及王文统,默、枢皆曰:"此人学术不正,则祸天下,不宜处以相位。"蒙古主曰:"然则谁可相者?"默曰:"以臣观之,无如许衡。"蒙古主不悦。

乙卯,蒙古诏:"宣圣庙及管内书院,有司岁时致祭,月朔释奠;禁诸官员、使臣军马无得侵扰亵渎,违者加罪。"

蒙古罢平阳路安邑岁贡葡萄酒。

庚申,潼川安抚副使刘整以泸州叛,降蒙古。

贾似道既憾高达、曹世雄之轻己,令吕文德捃摭其罪,逼世雄死,达废弃,整惧。会俞兴帅蜀,整素与兴有隙,而似道方会计边费,兴遣吏下整,整诉于朝,不得达,遂密送款于蒙古。蒙古成都经略使刘嶷,遣其子元振往受其降,诸将皆曰:"整无故而降,不可信也。"元振曰:"宋权臣当国,赏罚无章,有功者往往以计除之,是以将士离心。且整本非南人而居泸南重地,事势与李全何异!整此举无可异者。"元振至泸,整即出降,元振弃众先下马,示以不疑。明日,请入城,元振释戎服,与整并辔而入,饮燕至醉,整心服焉。蒙古以整为夔路行省兼安抚使。蒙古由是尽得国事虚实,而似道不以为虞。

初,整将叛,命制置司参谋官许彪孙草表,彪孙不屈,仰药死。

蒙古城临洮。

蒙古罢金、银、铜、铁、丹粉、锡、碌坑冶所役民夫及河南舞阳姜户、藤花户,还之州县。出工局绣女,听其婚嫁。

蒙古怀孟广济渠提举王允中、大使杨端仁,凿沁河渠成,溉田四百六十馀所。

高丽国王倎更名禃,遣其世子愖奉表入朝于蒙古。

蒙古以布哈为中书右丞相,耶律铸为中书左丞相,张启元为中书右丞。

秋,七月,辛酉朔,蒙古立军储都转运使司。

癸亥,蒙古初设翰林国史院,王鹗请修辽、金二史。又言:"唐太宗置弘文馆,宋太宗设内外学士院,今宜除拜学士院官,作养人才。请以右丞相史天泽监修国史,左丞相耶律铸、平章政事王文统监修辽、金史,仍采访遗事。"并从之。

甲子,蜀帅俞兴以刘整叛,移檄讨之。蒙古刘元振助整守泸,兴进军围之,昼夜急攻,城几陷。左右劝元振曰:"事势如此,宜思变通。整非吾人,与俱死,无益也。"元振曰:"人以城归我,既受其降,岂可以急而弃之? 且泸之得失,关国家利害,吾有死而已。"未几,援兵至,元振与整出城合击,兴大败而还。

诏以兴妒功启戎,罢任,镌职。

乙丑,蒙古遣使持香币祀岳渎。

辛未,制置使蒲择之,坐密通蜡书于叛贼罗显,窜万安军。

戊寅,王惟忠家讼冤,诏夺谢方叔应得恩数,台臣吴燧夺职罢祠,陈大方、胡大昌皆镌官。

壬子,前知枢密院事、奉祠、致仕陈韡卒,年八十三,谥忠肃。

己丑,蒙古主谕将士,举兵攻宋,诏曰:"朕即位之后,深以戢兵为念,故年前遣使于宋以通和好。宋人不务远图,伺我小隙,反启边衅,东剽西掠,曾无宁日。朕今春还宫,诸大臣以举兵南伐为请,朕重以两国生灵之故,犹待信使还归,庶有悛心以成和议,(和)〔留〕而不至者,今又半载矣。往来之礼既绝,侵扰之暴不已,彼尝以衣冠礼乐之国自居,理当如是乎? 曲直之分,灼然可见。今遣王道贞往谕,卿等当整尔士卒,砺尔戈矛,矫尔弓矢,约会诸将,秋高马肥,水陆分道而进,以为问罪之举。尚赖宗庙社稷之灵,其克有勋。卿等当布宣朕心,明谕将士,各当自勉,毋替朕命。"

八月,丁酉,诏夺向士璧官。

鄂州围解,贾似道忌功,行打算法于诸路,欲以军兴时支取官物为罪。深怨士璧,讽侍御史孙附凤等劾罢之,送漳州安置。又遣官会计边费,于是赵葵、史(严)〔岩〕之、杜庶,皆坐侵盗掩匿,罢官征偿。而士璧所费尤多,至是逮至行部责偿。幕属方元善,逢似道意,士璧坐是死,复拘其妻妾征之;潭人闻之垂涕。元善俄得狂疾,常呼士璧而死。

马光祖代赵葵,与葵素有隙,且迎合似道,召吏稽勾簿书,卒不能得其疵,乃以正月望夕张灯宴设钱三万缗为葵放散官物闻于朝。汪立信力争之曰:"方艰难时,赵公莅事勤劳,而公以非理捃拾之。公一旦去此,后来者复效公所为,可乎?"光祖怒曰:"吾不才,不能为度外事,知奉朝命而已。君它日处此,勉为之!"立信曰:"使立信不为则已,果为之,必不效公所为也。"光祖益怒,立信遂投劾去。初,立信通判江陵府,葵制置荆湖,尝以公事劾立信;及在沿江府,亦谋议寡谐;立信与葵,盖未尝有一日之欢也。

信州谢枋得,以赵葵檄给钱粟募民兵守御及会计者至信,枋得曰:"不可以累宣抚。"自偿万缗。馀不能办,乃上书似道,有云:"千金而募徙木,将取信于市人;二卵而弃干城,岂可闻于邻国!"遂得免征。

似道又忌王坚,出知和州。坚郁郁而卒。

戊戌,蒙古以燕京等路宣抚使赛音谔德齐为平章政事。辛丑,以宣抚使钮祜禄纳哈为中书右丞,库库为中书左丞。

乙巳,以吏部尚书江万里同签书枢密院事。

蒙古王文统忌窦默、姚枢持异议,疑许衡与为表里,乃奏以枢为太子太师,默为太子太傅,衡为太子太保,阳为尊用之,实不欲使数侍左右也。默因屡攻文统不中,欲因东宫以避祸,与枢拜命。将入,衡曰:"此不安于义也。且礼,师傅与太子位东西乡,师傅坐,太子乃坐。公等度能复此乎？不能,是师道自我废也。"乃相与怀制立殿下,言太子未立,岂宜虚设官称！五辞乃免。丙午,以衡为国子祭酒。丁未,以枢为大司农,默仍翰林侍读学士。默俄谢病归,衡亦称疾还怀孟。

蒙古燕京诸路总管高天锡,谓左丞张文谦等曰:"农桑者,衣食之本。不务本,则衣食不足,教化不行。古之王政,莫先于此,愿留意焉。"文谦等以闻。诏立劝农事,以天锡为中都、山北道巡行劝农使,陈邃、崔斌、成仲宽、钮祜禄从中为滨、棣、平阳、济南、河间劝农使,李士勉、陈天锡、陈膺武、蒙古岱为邢、洺、河南、东平、涿州劝农使。

己酉,蒙古封顺天万户张柔为安肃公,济南万户张荣为济南公。

是月,蒙古颁斗斛衡量。

九月,庚申朔,蒙古奉迁祖宗神主于圣安寺。

辛酉,诏:"湖、秀二郡水灾,守令其亟劝分监司申严荒政。"

癸亥,蒙古邢州安抚使张耕请老,诏以其子鹏翼代之。

蒙古大司农姚枢上言曰:"在太宗世,诏孔子五十一代孙元措仍袭衍圣公;卒,其子与族人争求袭爵,讼之藩邸,帝时曰:'第往力学,俟有成德达才,我则官之。'又,曲阜有太常雅乐,宪宗命东平守臣辇其歌工、舞郎与乐色、俎豆至日月山,帝亲临观,饬东平守臣,员阙充补,无辍肄习。且陛下闵圣贤之后《诗》《书》不通,与凡庶等,既命洛士杨庸选孔、颜、孟三族秀异者教之,请真授庸教官;王镛练习故实,宜令提举礼乐。"从之。

李庭芝言蒙古使郝经久留真州;乙亥,帝趣与锡赉。

癸未,蒙古用王鹗言,立诸路提学校官,以王万庆、敬铉等三十人充之。

是秋,蒙古洪俊奇诉其父福源之冤,蒙古主悯之,谕曰:"汝父方加宠用,误挂刑章,故于已废之中,庸沛维新之泽。可就带元降虎符袭父职,管领归附高丽军民总管。"

冬,十月,丙午,以何梦然同知枢密院事。

甲寅,皇太子择配,帝诏其母族全昭孙之女择日入见。宝祐中,昭孙殁于王事,全氏见帝,帝曰:"尔父死可念！"对曰:"臣妾父固可念,淮、湖百姓尤可念。"帝曰:"即此语可母天下。"迨丁大全用事,以临安尹顾嵓女为议。大全败,乃有是命。

丙辰,同知枢密院事沈炎罢。

蒙古修燕京旧城。

蒙古主以额垧布格违命,自将讨之。十一月,壬戌,与战于实默图诺尔之地。诸王哈坦等斩其将多尔济及兵三千人,塔齐尔等分道奋击,大破之,追北五十里。蒙古主率诸军躅其后,合三路蹙之,其部将多降,额垧布格北遁。

蒙古左右司郎中贾居贞从北征,每陈说《资治通鉴》,虽在军中,未尝废书。一日,蒙古主问郎俸几何,居贞以数对。蒙古主谓其太薄,敕增之。居贞辞曰:"品秩宜然,不可以臣而紊制。"僧子聪奏居贞为参知政事,又辞,曰:"它日必有由郎官援例求执政者,将何以处之？"不拜。

甲戌,资政殿学士赵汝腾卒,谥忠靖。

丁丑,以马光祖提领户部财用兼知临安府、浙西安抚使。

癸未，封全氏为永嘉郡夫人。

蒙古罢十路宣抚使，止存开元路。

十二月，庚寅，蒙古封皇子珍戬为燕王，领中书省事。

甲午，以皮龙荣权知枢密院事，何梦然参知政事，马光祖同知枢密院事，仍兼知临安府。

蒙古主还中都，命太常少卿王镛教习大乐。

壬寅，签书枢密院事江万里罢。万里在贾似道幕下最久，虽俯仰容默，然性峭直，临事不能无言。似道常恶其轻发，故不能久于其位。

蒙古初立宫殿府，秩正四品，专职营缮。

癸卯，册永嘉郡夫人全氏为皇太子妃。

景定三年　蒙古中统三年【壬戌，1262】　春，正月，戊子朔，诏申饬百官尽言，命量移丁大全、吴潜党人，仍永不录用。

癸亥，蒙古修孔子庙成。

甲子，福建安抚使马天骥进资政殿学士，职任依旧。

丁卯，以善谥嗣濮王。

庚午，诏曰："在昔赵普有翼戴之元勋，则赐宅第；文彦博有弼亮之伟绩，则赐家庙。今丞相贾似道，身任安危，再造王室，其元勋伟绩，不在普、彦博下；宜赐第宅、家庙。"遂给缗钱百万，建第于集芳园，就置家庙。

甲戌，刘整率所部朝于蒙古。吕文德遂复泸州，诏改为江安军，文德进开府仪同三司。

二月，丁亥，参知政事皮龙荣罢知潭州。龙荣伉直，不肯降志于贾似道，故罢。

辛卯，蒙古始定中外官俸，命大司农姚枢赴中书议事及讲定条格，谕曰："姚枢辞避台司，朕甚嘉焉。省中庶务，须赖一二老成同心图赞，其与尚书刘肃往尽乃心，其尚无隐。"

丙申，蒙古郭守敬造宝山漏成，徙至燕山。

癸卯，蒙古以赵璧为平章政事。

戊申，诏："省试中选士人覆试于御史台，为定制。"

临安饥，诏赈恤贫民。时马光祖知荣王与芮府有积粟，三往见之；王以它辞，光祖乃卧于客次，王不得已见焉。光祖厉声曰："天下谁不知储君为大王子！民饥欲死，不以收人心乎？"王以廪虚辞，光祖探怀中出片纸曰："某仓、某仓若干。"王语塞，遂许以三十万。光祖遣吏分给，活饥民甚众。

时近辅兵变，又多水患，宗学博士杨文仲轮对，言："春多沈阴，岂但麦秋之忧，于时为央，尤轸苋陆之虑。天目则洪水发焉，苏湖则弄兵兴焉。峨冠于于，而每见大夫之乏使；佩印累累，而常虑贪渎之无厌。将习黄金横带之娱，兵疲赤籍挂虚之冗。蚩蚩编氓，得以轻统府；琐琐警逻，辄以忧朝廷。设不幸事有大于此者，国何赖焉！"帝悚听，顾问甚至。文仲在讲筵，尝讲读《春秋》，帝问："五霸何以为三王罪人？"文仲曰："齐桓公当王霸升降之会，而不能为向上事业，独能开世变厉阶。臣考诸《春秋》，桓公初年多书人，及伐楚定世子之功既成，然后书侯之辞迭见，此所以为尊王抑霸之大法。然王岂徒尊哉？盖欲周王子孙率修文、武、成、康之法度，以扶持文、武、成、康之德泽，则王迹不熄，西周之美可寻，如此方副《春秋》尊王之意。"帝曰："先帝圣训有曰：'丝竹乱耳，红紫眩目，良心善性，皆本有之。'又曰：'得圣贤心学之指要,本领端正,家传世守,以是君国子民,以是祈天永命,以是诒谋燕翼。'大哉先训！朕朝夕服膺。"时帝以疾连不视朝,文仲言:"声色之事,若识得破,元无可好。"帝敛容端拱久之。

蒙古江淮大都督李璮,久萌异志,前后所奏凡数十事,皆恫疑虚喝以动蒙古,而自为完缮益兵计。至是召其子彦简于开平,修筑济南、益都等城壁,遂歼蒙古戍兵,以涟海三城来归,献山东郡县,请赎父过,仍遣总管李毅等传檄列郡。诏授璮保信、宁武军节度使,督视京东、河北路军马,封齐郡王;复其父全官爵。升涟水军为安东州,东海县为东海军。璮引麾下,具舟舰,还攻益都,入之,发府库以犒师,遂复淄州。

蒙古宣抚副使王磐,闻李璮为乱,脱身走济南。蒙古主驿召之,令姚枢问计,磐曰:"竖子狂妄,即败矣。"蒙古主问枢曰:"卿料何如?"对曰:"使璮乘我北征之衅,濒海捣燕,闭关居庸,惶骇人心,为上策;与宋连和,负固持久,数扰北边,使吾罢于奔救,为中策;如出兵济南,待山东诸侯应援,此成擒耳。"蒙古主曰:"今贼将安出?"对曰:"必出下策。"蒙古主然之。

蒙古平章政事王文统,遣其子荛与李璮通谋,事觉,蒙古主召文统,诘之曰:"汝教璮为叛,积有岁年,举世皆知之。今问汝所策云何?其悉以对。"文统曰:"臣亦忘之,容臣悉书以上。"书毕,蒙古主命读之,其间有曰:"蝼蚁之命,苟能存全,保为陛下取江南。"蒙古主曰:"汝今日犹欲支词旁说耶?"会璮遣人持文统三书自洺水至,以书示之,文统始错愕骇汗。书中有"期甲子"语,蒙古主曰:"甲子之期云何?"文统曰:"李璮久蓄反心,以臣居中,不敢即发。臣欲告陛下缚璮久矣,第缘陛下加兵北方,犹未靖也,比至甲子,犹可数年。臣为是言,姑迟其反期耳。"蒙古主曰:"无多言！朕拔汝布衣,授之政柄,遇汝不薄,何负而为此?"命左右斥使就狱。召姚枢、王鹗、僧子聪及张柔等至,示以前书,曰:"汝等谓文统当得何罪?"枢等皆言:"人臣无将,将而必诛。"柔独疾声大言曰:"宜剐!"蒙古主曰:"汝等同辞言之。"皆曰:"当死。"文统乃伏诛,子荛并就戮。蒙古主追忆窦默之言,谓廷臣曰:"曩言王文统不可用,惟窦汉卿一人。向使更有一二人言之,朕宁不之思耶?"命召默还京师。汉卿,默之字也。

文统虽以反诛,而立国之规模法度,犹多出于文统云。

三月,乙丑,以右谏议大夫孙附凤签书枢密院事。

癸酉,蒙古命史枢、阿珠各将兵赴济南。李璮帅众出掠辎重,将及城北,蒙古兵邀击,大破之,斩首四千。璮退保济南。

戊寅,蒙古万户韩世安大破李璮兵于高苑。

乙酉,蒙古谕诸路管民官:"毋令军马、使臣入州城、村居、镇市,扰及良民。"

夏,四月,辛卯,蒙古修河中禹庙,赐名建极宫。

甲辰,蒙古命行中书省、宣慰司、诸路达鲁噶齐、管民官,劝诱百姓,开垦田土,种植桑枣,不得擅兴不急之务,妨夺农时。

五月,戊午,夏贵复蕲县,杀蒙古权万户李义、千户张好古。

丙寅,雨雹。

辛未,同知枢密院事兼知临安府、浙西安抚使马光祖以病请祠,诏知福州兼福建安抚使。

丁丑,赐礼部进士方山京以下六百三十七人及第、出身。

蒙古主命诸王哈必齐总诸道兵击李璮,复命丞相史天泽往,诸将皆受节制。天泽至济,谓哈必齐曰:"璮多谲而兵精,不宜力角,当以岁月毙之。"乃深沟高垒,遏其侵轶。

初,行军总管张弘范临发,父柔谓曰:"汝围城勿避险地,险则己无懈心,兵必致死。主者虑其险,有犯必救,可因以立功。"至是弘范营城西,瑄出兵突诸将营,独不向弘范。弘范曰:"我营险地,瑄乃示弱于我,必以奇兵来袭。"遂筑长垒,内伏甲士,外为壕,闭东门以待。夜,浚壕加深广。明日,瑄果拥飞桥来攻,未及岸,军陷壕中;得升壕者突入垒门,遇伏皆死。

蒙古真定、顺天、邢州蝗。

故丞相、特进、许国公、致仕董槐薨。疾革时,衣冠为诸生讲《兑》《谦》二卦,问夜如何,诸生以中夜对,遂逝。旋赠少师,谥文清。

六月,戊子,朝廷闻李瑄受围,给银五万两,下益都府犒军,遣青阳梦炎帅师援之。梦炎至山东,不敢进而还。

庚寅,礼部尚书杨栋同签书枢密院事。

壬(寅)〔辰〕,故丞相吴潜暴卒于循州。

贾似道以黄州之事,必欲杀潜,乃使武人刘宗申守循以毒潜,潜凿井卧榻下,毒无从入。一日,宗申开宴,以私忌辞;再开宴,又辞;不数日,移炮,不得辞,遂得疾,曰:"吾其死矣,夜必风雷大作。"已而果然。潜撰遗表,作诗颂,端坐而逝,循人悲之。潜既没,似道贬宗申以塞外议。

癸丑,诏:"应谪臣僚死于贬所者,许归葬。"

【译文】

宋纪一百七十六　起庚申年(公元1260年)正月,止壬戌年(公元1262年)六月,共二月有余。

景定元年　蒙古中统元年(公元1260年)

春季,正月,丙子(初八),理宗降旨:嘉奖贾似道功劳。

乙未(二十七日),修筑潼川仙吕城。

蒙古皇帝弟呼必赍北还途中,派遣张文谦与商挺计议军机要事,商挺说:"在军中应当严格验证符信,以预防奸计诈骗。"张文谦急忙追上呼必赍,向他转告,皇弟恍然大悟,骂着说:"除了商孟卿,没有一人对我讲此话,几乎坏了我的大事!"急速派遣使者到军中订立章约。于是,额垿布格的使者一到军中,立即逮捕并斩首。孟卿是商挺的字。

蒙古张杰、阎旺在新生洲造浮桥,乌兰哈达兵一到,张杰等部队渡过浮桥回到北方。贾似道用刘整所献的计策,命令夏贵用水师切断浮桥,进到白鹿矶,歼灭蒙古后卫军队七百一十人。

二月,己酉(十一日),奖赏守卫鄂州有功的高达,并迁升他为湖北安抚副使,江陵府知府。乙卯(十七日),因黄州武定诸军都统制张世杰赴援有功,迁职十等。张世杰是范阳人。

丙寅(二十八日),蒙古兵经过分宁、武宁二县时,河湖砦都监张兴宗被蒙古兵打死。

三月,戊辰朔(初一),出现日食。

这时丁大全的党羽多数被驱逐,董宋臣还在朝中,没有人敢向朝廷进言,虽然学官讲了,但没用。校书郎马廷鸾因为发生日食,与秘书省一齐守卫局署,共同起草条陈。吴潜写书告诉马廷鸾说:"诸公对进言议论纷纷,都怀疑是我吴潜唆使的,听说学馆中又将论次评定。校书你应该不会参与加重我的过失的议论。"马廷鸾说:"这是众人的议论,我不敢因私情而避嫌。"过了几日,董宋臣被放逐到安吉州。

贾似道隐瞒了与蒙古议和、纳贡钱币的事,只将被杀、被俘的蒙古士卒及后卫兵士上报,上奏表章说:"各路大捷,鄂州解围,江汉敌兵被肃清。宗庙社稷转危为安,实在是万世无疆之喜庆!"理宗因为贾似道有重建国家的功劳,下令褒美,赏赐很重,召他入朝任少傅、右丞相。

张世杰和蒙古兵于蒜草坪相遇,夺还俘虏。乙酉(十八日),增加环卫官官职。

理宗降旨,赐赠张胜迁升五等,并授给他儿子官职。

丙戌(十九日),贾世道上奏进言:"从鄂州奔赴黄州途中,与蒙古还归的军队相遇,各将领拼命抵御。"理宗降旨:"孙虎臣、范文虎、张世杰以下将士各赏赐金帛。"

蒙古皇弟呼必赉还归至开平时,廉希宪听说额垆布格命令刘太平以及大将果拉噶在关右地区行尚书省事,担心他勾结各将领对秦、蜀采取行动,请求派遣赵良弼窥视他们,赵良弼探到实情,回来报告。

诸王哈坦、穆格、塔齐尔,与各位大臣在开平相会,寰喇也从西域派遣使者赴会,大家一并劝呼必赉就帝位,只有额垆布格不到。皇弟再三谦让,诸王大臣一定请他即位。廉希宪、赵良弼以及商挺等竭力进言:"先发能制服人,后发就被人制,逆顺安危间不容发,应该早定大计。"辛卯(二十四日),皇弟即位,这就是色辰皇帝。

蒙古主问僧人子聪治理天下的大道,教养人民的良法。子聪采取祖宗遗传的旧制,参考适宜于现在的古代法制,分条列举,上奏蒙古主。蒙古主又再召史天泽入宫回答。史天泽进言:"朝廷应当首先立省部以端正纲纪,设监可以稽查诸路,大施恩泽以安定反复无常的人,罢免贪婪残暴的人而选拔任用贤能的人,发给俸禄以养成官吏廉洁的操守,禁绝贿略以防止奸邪肆虐,这样,才能使举国上下很好地应和,朝廷内外可以很好地休养生息。"蒙古君主嘉赏并采纳史天泽的意见。

蒙古陕西宣抚使廉希宪上奏说:"高丽国王王暾,曾经派遣他的嫡子王倎来朝见,正逢宪宗统兵攻打宋朝,王倎被扣留在蒙古三年没有回去。现听说王暾已去世,如果立王倎为王暾的继承人,并遣送他回高丽,高丽一定认为蒙古有德,这是不烦用兵而得一国也。"蒙古君主认为这意见对,改以宾客接待王倎,并派兵保卫护送他回国,还在高丽国境内实行大赦。

蒙古千户郭侃,上疏进言建立国号、修筑都城、设立省台、兴办学校等事以及平定宋朝的策略,其大意是说:"宋朝盘踞东南,以吴越为落脚点,其军事要地只剩荆襄而已。现在所采取的策略,应当先夺取襄阳,如攻克襄阳,那扬州、庐州诸城,只不过是弹丸之地罢了,可以置之不顾,长驱直入攻取临安,以迅雷不及掩耳之势,那么江淮、巴蜀地区则可以不攻自平。"蒙古主在很大程度上采纳他的建议。

夏季,四月,戊戌朔(初一),蒙古设立中书省,任命王文统为平章政事,张文谦为左丞相。王文统原来是李璮的幕僚和部属,有人荐举他的才智,于是就得到君主的信任,各种事务的更改,全部委任他裁断处理。任命巴荣、廉希宪、商挺为陕西、四川等路的宣抚使,任命赵良弼为参议司事,任命钮祜禄纳哈、张启元为西京等处宣抚使。

丁未(初十),蒙古任命翰林侍读学士郝经为国信使,出使宋朝。

王文统平常嫉忌郝经有名望,既请求派遣郝经出使宋朝,又暗地里吩咐李璮偷偷地发兵袭击宋朝,想借手宋朝杀害郝经。有人对郝经说:"王文统居心不可测,何以这样匆匆出使。"郝经回答:"自从蒙古与宋朝结仇交战,江汉一带来不及逃亡的百姓,弱者被俘虏劫掠,壮者被杀死于原野,兵连祸结已很长时间了。圣上一视同仁,务必使两国和好,郝经我虽以微不足道的身躯蹈赴不测的深渊,如能制止战争平息祸乱,挽救百万百姓于战争烽火之下,我的学问才算是有用了。"就出使宋朝。

己酉(十四日),扬州大火灾。

左丞相吴潜被免职。

当初,贾似道在汉阳,以为吴潜迁移到黄州是想杀害他,就怨恨吴潜。至此,理宗想立忠王赵禥为太子,吴潜秘密呈上奏章,:"臣没有弥远那样的才能,忠王没有皇上那样的福分。"理宗对吴潜产生不满,贾似道随之陈述立皇太子的计策,命令侍御史沈炎弹劾吴潜,并且说:"立忠王为太子,是人心所向,唯独吴潜不这样认为。章汝均在馆供职回签提问时,乞求立济王为继承人;吴潜很高兴听他的议论,授予章汝均正字官,奸谋不可测。请皇上速召贾以道就鼎轴之位。"理宗听从沈炎的建议,于是就免了吴潜左丞相的官职,吴潜成了一个没有职务只领俸禄的官员。

在这以前,蒙古兵日渐逼近,理宗问吴潜:"有什么办法摆脱险境?"吴潜回答说:"圣上应当迁往别处。"又问:"爱卿有何打算?"吴潜说:"臣应当在此留守。"理宗流着泪说:"您想效法张邦昌吗?"吴潜不敢再讲话了。不久,蒙古兵暂时撤退,理宗对群臣说:"如果听从吴潜迁幸的建议,几乎误了我!"等吴潜免职,理宗还没有息怒,而贾似道又要弄阴谋图害他。理宗晚上拿出象牙笏书疏稿授予刘应龙,让他揭发吴潜罪行,刘应龙对理宗说:"吴潜本具有贤能的声誉,只是论事欠妥当,临变优柔寡断。自太祖太宗以来,大臣有罪,未曾轻易加以杀戮,请求皇上姑且从宽处罚以成全体貌。"理宗大怒。

癸丑(十六日),提升贾似道为少帅,封卫国公。任命朱熠为知枢密院事,任命饶虎臣为参知政事,任命戴庆炯为同知枢密院事,任命刑部尚书皮龙荣为签书枢密院事。

理宗亲书圣旨:"贾似道是左右辅助我的得力大臣,命令他担任治理国家、宣谕圣旨的重寄。他审时度势消灭敌人,奋不顾身,依靠他我的百姓获得再生,王室如同再造。"等贾似道一到,理宗命令百官至郊外迎候,如文彦博当年一样,受到了极高的奖赏和礼遇。各将士全部提官,吕文德任检校少博,高达宁江军任承宣使,刘整任泸州知州兼潼川安抚副使,夏贵任淮安知州兼京东招抚使,孙虎臣任和州防御使,范文虎任黄州武定诸军都统制,向士璧、曹世雄分别加官不等。

当初,贾似道憎恶高达曾经侮辱自己,向理宗上奏进言,想杀高达,理宗知道高达有功,没有听从贾似遭的请求。所以论定功劳以吕文德为第一,而高达功居吕文德之后。

理宗在位时间长久,内侍董宋臣、卢允升搜刮财货向理宗献媚,引荐的皆是追名逐利的人,他们相互勾结贿赂,因而都安置在显要职位上,又任用外戚子弟为监司、郡守。董宋臣虽然被放逐,他的同党还是很猖狂。贾似道担任丞相后,将董宋臣所引荐的林光世等全部放逐,命令外戚不得为监司、郡守,董宋臣的子弟门客销声匿迹,不敢干涉朝政。从此,贾似道的权力压倒朝廷内外,先朝旧法,全被他随意更改变动了。

礼部侍郎牟子才上书进言:"开庆之时,天下岌岌可危,现在幸好恢复安定,不知是天将除去疾疫使天下不再有忧愁,还是顺从我们的心意而开始制造异时不可知之祸患呢? 要不然怎么会怀藏安逸之毒酒,而不明安静无事时的政令和刑法呢?"因此详细说出故乡疾苦的状况,理宗长久忧愁不乐。

代理枢密编修官马廷鸾上殿轮对,上奏进言:"在东南立国的,像楚、越那样称霸而有余,像东晋那样称王而不足,请求遏恶扬善以顺天意,举直矫狂以服民心。"

蒙古自太祖以来,诸事处于创始阶段,设官甚为简朴,给断事官以极大的职权,位于三公之上,丞相称之为大必阇赤,掌兵权的则左右万户而已,以后稍稍仿效金制,设置行省以及元帅、宣抚等官。蒙古主即位后,就命令僧人子聪及许衡确定内外官制,总管政务者曰中书省,掌管兵权者曰枢密院,主持升降官职者曰御史台;其次,宫内则有监、寺、院、司、卫、府,宫外则有行省、行台、宣慰、廉访,治理百姓的则有路、府、州、县;官有固定的职务,位有固定的名额,食有固定的俸禄,其正职则由蒙古人担任,而汉人、南人只能担任副职,于是元老、旧臣、隐居山林的人,全被录用,一代的制度开始具备了。

蒙古额呼布格听说蒙古主即位了,分别派遣心腹,重新任命将佐,散发金帛,奖励士卒;又命令刘太平、果拉噶没收关中钱谷。此时,珲塔哈从先朝时带领军队驻扎在六盘,与刘太平等人暗地里互相结纳,珲塔哈再分别派人约成都的密喇卜和卓,青居的奇尔台布哈一同起事,这个月,额呼布格就在和林自称皇帝,阿勒达尔及六盘守将珲塔哈举兵响应他。

五月,戊辰朔(初一),参知政事饶虎臣被免职。

蒙古主命令雅克特穆尔,蒙古岱节制调度黄河以西各路军队。

蒙古刘太平、果拉噶听到廉希宪将到,登上驿站车马快速进入京兆,阴谋政变,秦地人以前被阿勒达尔、刘太平等施威肆虐,听说他们到来,都吓破胆。过二日,廉希宪也到,向众人宣示皇帝圣旨,派人奔赴六盘宣读圣旨,安抚民众。不久,城门候带进一位匆匆来自六盘的使者,廉希宪询问他,得到了刘太平、果拉噶与珲塔哈互相约请、勾结的全部情况。廉希宪召集属官并对他们说:"蒙古主命令我们,正是为了今日。"于是分别派人乘其不备而逮捕刘太平、果拉噶等,再派遣刘嶷在成都诛杀密喇卜和卓,派遣汪惟正在青居诛杀奇尔台布哈。又命令总帅汪良臣率领秦、巩各路军队讨伐珲塔哈,汪良臣以未得圣旨为借口推托,廉希宪就解下所佩带虎符、银印授予他,说"这全是我亲自承受的密旨,您只管为我办事,主上虎符已派人奏请了。"汪良臣于是就执行命令,又挑选四千四川士卒。命令巴崇率领,作为汪良臣的声援部队。正逢有大赦的诏令下达,廉希宪命令在狱中诛杀刘太平等,把他们的尸体放在通衢要道示众,才出来迎接大赦诏令。

庚辰(十三日),同知枢密院事戴庆炯去世。

癸未(十六日),任命右谏议大夫沈炎为签书枢密院事。

蒙古任命王鹗为翰林院学士承旨,皇帝的诰命典章,都由他裁定,又举荐李冶、图克坦公履、高鸣等学士,理宗都同意了。

丙戌(十九日),蒙古主建年号为中统。蒙古有年号从这时开始。

乙未(二十八日),火星进入南斗星的位置。

蒙古设立十路宣抚司。任命赛音谔德齐、李德辉为燕京路宣抚使,徐世隆为副宣抚使;

任命宋子贞为益都、济南宣抚使,王磐为副宣抚使;任命河南路经略使史天泽为河南宣抚使;任命杨果为北京等路宣抚使,赵昉为副宣抚使;任命张德辉为平阳、太原路宣抚使,谢瓒为副宣抚使;任命鄂啰哈雅、刘肃同为真定路宣抚使;任命姚枢为东平路宣抚使,张肃为副宣抚使;任命中书左丞张文谦为大名、彰德等路宣抚使,游显为副宣抚使;任命纽祜禄纳哈为西京路宣抚使,崔巨济为副宣抚使;任命廉希宪为京兆等路宣抚使。

张文谦在中书省从事安国便民,王文统被蒙古主所信任,一向妒忌张文谦,讨论时互不相让,所以张文谦要求外出。张文谦将去大名,对王文统说:"百姓过着困苦的生活日子已经很久,何况又遇上大旱,不酌情减免税赋,用什么安慰希望从困苦中获得重生的民众呢?"王文统说:"皇上刚刚即位,国家经费正依靠税赋,如果再减免,用什么供给?"张文谦说:"百姓富足,君主怎么能不富足呢? 等待天下太平,五谷丰登时,再收取也不晚也。"于是减免固定赋税十分之四,商酒税十分之一。

六月,庚子(初四),放逐丁大全于南康军。

壬寅(初六),立忠王赵禥为皇太子,皇帝家教很严,每天鸡刚鸣时,太子就起床请安;再鸣,回到宫里;鸡鸣三遍,上会议所参加议论和决定各种事务;退朝又进入讲堂讲经史,将到申时,才到皇帝榻前问候起居。皇帝问当日所讲之经,太子需一一回答,答对了,才赐坐赐茶;不对,就反复剖析给他听;还不懂,则加以斥责。第二天必须再讲,率以为常。

商挺向蒙古主上奏进言:"南师应该返回护卫皇帝乘舆,西师应该驻扎在有利的地方。"蒙古主听从商挺的建议,撤回江上军,任命史天泽为江淮经略使,李璮为江淮大都督。

李璮侵袭淮安时,被主管制置使事李庭芝击败。

壬子(十六日),蒙古任命陕西、四川宣抚司巴崇调度管束各部军队。

这个月,蒙古通知真定刘郁,邢州郝子明,彰德胡子通,燕京冯渭、王光益、杨恕、李彦通、赵和之,东平韩文献、张昉等,乘驿站车马赴开平。

秋季,七月,壬申(初六),贵妃阎氏去世,赐谥号惠昭。

癸酉(初七),蒙古任命燕京路宣慰使玛穆为行中书省事。任命燕京路宣慰使赵璧为平章政事,任命张启元为参知政事,任命王鹗为翰林学士承旨兼修国史。

戊子(二十二日),蒙古使者郝经来宋朝告知国主即位称帝,而且询问以前请和之意见。

在此之前,贾似道回到朝廷,指使他的门客廖莹中等撰写《福华编》,称颂援救鄂州之功劳,全国都不知议和的事。郝经到达宿州,派遣他的副使何源、刘人杰询问入宋的日期,不予答复,郝经又多次送书信给三省、枢密院以及两淮制置使李庭芝,贾似道害怕郝经的到达使他的阴谋泄露,就以李璮侵犯淮安为辞,命令李庭芝给郝经写信,诬蔑他用缓兵之计,拘捕郝经,关押在真州忠勇军营。郝经回信说:"休战息民,两国通好,实出圣上衷情,众所周知,现在挑起争端的是李璮,一旦以违背圣旨的法令来论处,李璮将无所逃罪。这与使者有什么相干呢?"理宗闻知有蒙古使者,对宰相说:"蒙古使者来,事体当议。"贾似道进言:"和出于他的阴谋,岂能容许一切轻易地顺从? 倘若他是为了邻国的交往而来,应当叫他入见。"郝经就被留下。

庚寅(二十四日),任命贾似道为太子太师,朱熠、皮龙荣、沈炎一同兼宾客。

任命冷应澂为德庆府知府。

4253

以前，德庆府的知府政务不立，纵使豪吏渔猎，峒獠于是作乱，逼近德庆城六十里而扎营安寨，冷应澂未入德庆府境内，就先派飞骑前去传告檄文，对他们说："你们是不得已才走到这一步的！新太守已上任，这是你们唯一的转祸为福的机会，胁从或影附的，也应当早定进退之计，否则祸也难免了。"獠人想撤营回去，没有实现，众人渐渐离去，冷应澂知道獠人的势力解体了，就迅速地出动军马，一鼓作气，出其不意地把作乱的獠人擒拿，于是请诸监司，放回避难滞留幕府的人，诛杀激起祸乱的豪吏。

冷应澂曾经说："治理公事应当如家事，爱惜公物应当如己物。当今国家财富空虚，边境不断传来外敌侵犯的警报声，我们蒙受皇上厚恩，怎能清谈自高而误世！陶士行，卞望之，是我们的表率啊！"

这个月，蒙古主亲自统兵讨伐额埒布格。

八月，丁未（十二日），蒙古命令都元帅耨埒在所经过的地方不得擅自拷打、劫掠官吏。

己酉（十四日），蒙古主设立秦蜀行中书省，任命京兆等路宣抚使廉希宪为中书右丞，处理中书省的事务。

癸丑（十八日），蒙古李璮要求遣将增兵，渡过淮河攻打宋朝，蒙古主因刚刚派遣使者与宋朝修好，没有同意。

九月，乙亥（初十），李璮再请求进攻宋朝，蒙古主下令禁止攻宋。

壬午（十七日）蒙古开始设置拱卫仪仗。

蒙古塔哈知道京兆有戒备，西渡黄河，直趋甘州，正逢阿勒达尔从和林率领部队到达，就联合向南进军，诸王哈坦率领骑兵与巴崇、汪良臣的兵马会合，分兵三路抗拒珲塔哈等军，布好阵势以后，大风吹得飞沙走石，汪良臣命令军士下马，从近距离突击对方左侧，又绕到阵地后，击溃其右侧而冲出来，巴崇直捣对方前军，哈坦率领精锐骑兵阻截对方归路，大战甘州的东面，击杀了珲塔哈、阿勒达尔。关陇地区全部平定。

廉希宪于是派遣使者向蒙古主交代了自己不执行皇帝赦免令而行刑、征调诸军攻宋擅自拜汪良臣为帅的罪行，请求处罚。蒙古主说："委托您独当一面的重任，正是想让你从宜处理，如若拘于通常的制度，岂不坐失事机！"蒙古主降旨赐予廉希宪金虎符，晋升为平章政事，依旧担任秦蜀行省职务，任命商挺为参知政事。

蒙古中书省晓谕诸路供养禁卫的瘦马，其数以万计，饲料以及用具，要提前准备，燕京路宣抚副使徐世隆说："国马在北方放牧，往年没有饲养于南方的，皇上刚统治天下，京师是根本之地，烦扰的事，一定不会做的，马一定不会来的。"官吏说："这是军事上的需要，其责任重大。"徐世隆说："责任应当由我承当。"于是不做准备，马果真没有来。

冬季，十月，甲辰（初十），理宗降旨："对丁大全，吴潜的同党，台谏要严加检察，列举揭发他们的罪行，并向我报告，应当判他们的罪，以警戒同恶相济的人。"此时，贾似道专权，台谏何梦然、孙附凤、桂锡孙承顺理宗的圣旨，追查丁大全、吴潜的同党；凡是被贾似遭所憎恨厌恶的久，无论好坏都被斥退。

癸丑（十九日），蒙古开始发行中统宝钞。

在此之前，王文统制造交钞，用丝为本，每银五十两换丝钞一千两，各种物品的价值，都以丝钞为准，至此又造中统元宝，每一贯等同交钞一两，二贯等同白银一两，蒙古主批准通行,于颍州、涟水、光化军设立互市。凡是宝钞,不限年月,各路通行,并适用于收受赋税使用,仍申令严格禁止私盐、酒醋、百货等收受赋税。王文统又用文绫作为中统银货,每两等同白银一两,还来不及实行就被撤销。

蒙古河北宣抚使张文谦奏请任命杜英为提举学校官,杜英推辞,写信给执政,大意是:"先王之道不明,是由于异端邪说危害的结果。灾祸接连不绝,天理如线将断,形势危急,如今天子是圣神,把才德出众的人聚集在自己周围,进言被接纳,献计被采用,先王的礼乐教化,兴明修复正在此时呀。至于文书簿册限期整理,文法细事小节,汉唐盛世时对它也不屑一顾,可执事的人却因陋就简,这哪里是正务,实在可惜呀!善始者不一定就善终,现在不能追本求源,严明法令,匡正风俗,培育人才,兴办教化,以拯救数百年来的祸害。我恐怕以后的弊病,将有不能以言语来表达的!"此时王文统当权,有见识的人都感到忧虑。

壬戌(二十八日),放逐吴潜于潮州。

十一月,戊子(二十五日),蒙古发放常平仓的粮食赈济益都、济南、滨、棣饥民。

十二月,辛丑(初八),理宗下令改建阳为嘉禾县。

蒙古主从和林来,住在燕京近郊;开始摆设祭祀太庙的祭器、法服。

蒙古主召见李昶,向他询问国事,李昶知无不言。

当时向民间征集供需任务繁重,行中书省征收赋税,即使是逃亡的户口也不宽免。李昶给当时宰相上书,大意是说:"百姓受弊政危害很久了,圣主即位,首先颁发英明诏令,天下百姓,就像获得再生,拭目倾耳而等待太平,半年之间,人们渐渐失望,这实在是因为盼望的心情太急切,而兴利除弊之政未能令人信服的缘故。听说省府想根据丁巳年户籍征收租税,比现有的户籍,或许增加十分之七八。只凭现有的户籍输纳租税,就恐不能完成,再命令包补逃亡和去世的人的租税,必定引起艰难。假如不以抚养爱护安定辑睦为出发点,只知道从事供给,则众人都能做到,这岂是圣主选拔贤能改革的本意吗?"于是省府减免了逃户的赋税。

蒙古任命僧人帕克斯巴(八思巴)为国师。

帕克斯巴是吐蕃萨斯嘉人,敏悟过人,在国内被称为圣童,十五岁时从他家乡来,蒙古主在蕃府官邸召见他。蒙古主与他谈话后,大为高兴,每天接见他时都既亲切又有礼貌,这时被尊为国师,授予玉印,统领佛教,当时只有二十二岁。

高丽从蒙古宪宗那时候开始,军队日见增加,国家非常困难。等到王倎回国,感谢蒙古拥立的恩情,就请求依附进贡,并且请求改变水上生活为陆地定居,蒙古主同意他的请求。

景定二年　蒙古中统二年(公元1261年)

春季,正月,癸亥朔(初一),理宗发布诏令:"监司将半年揭发判决的贪赃官吏的详细数字报上来,看数目多少施行赏罚。守臣协助完成监司所不及完成的任务,以一年定赏罚。本路州没有揭发而由台谏举发的,则监司、守臣皆受罚。有为政清廉声誉的,据实上报。

辛未(初九)夜,东北方面天空中出现红气照人,如草席那样大。

蒙古内乱平定后,李昶上表祝贺,因而进言劝谏说:"因为有患难,所以才有警戒之心,祸乱将为圣明者施展才能开道,圣主日日更新其德,该喜乐时不喜乐,打了胜仗不骄傲,大功告成不据为己有,和睦团结宗亲,安抚将士,增修各种政务,选用百官,俭以足用,宽以养民,安不忘危,治不忘乱。常以北征时的那种坚持宵衣旰食之勤劳,作为称帝后安乐的警戒。"蒙古主听后长久赞不绝口。蒙古主曾经在闲适时，望见李昶，立刻收敛笑容说："李秀才到了！"从中可以看出对李昶尊敬和礼遇的程度。

丁丑(十五日)，命令皇太子到太学谒拜孔子圣像，太子回来，上奏说："朱熹、张栻、吕祖谦，志同道合，相互劝勉，讲求切磋，选择精华，讲解详细，开导后学，圣道大明。现在朱熹已经列入从祭的行列，而张栻、吕祖谦还没有承奉圣上明谕配享附祭，我殷切希望这样做。"理宗听从太子建议，不久，封张栻为华阳伯，吕祖谦为开封伯，一并配享附祭。

庚寅(二十八日)，蒙古李璮擅自发兵修筑益都城。

八思巴像

二月，癸卯(十一日)，理宗降旨命令各路监司申令严格遵守禁止伪造会子的赏罚命令。

丙午(十四日)，蒙古主到开平，下令："减免民间差役，秦蜀行省暂借民钱发给军队的，用今年税赋偿还。"

三月，壬戌朔(初一)，出现日食。

戊寅(十七日)，贾似道等呈上《玉牒》《日历》《会要》以及《孝宗实录》《光宗实录》《宁宗实录》，理宗分别给他们晋升不同等级的官职。

戊子(二十七日)，知枢密院事朱熠罢免建宁府知府。

这一年，蒙古张文谦进入朝廷，再留居宰相府，开始设立左右部时，谋划执行各种事务，无论大小事都要处理，张文谦出力最多。

夏季，四月，乙未(初四)，任命皮龙荣为参知政事，任命沈炎为同知枢密院事，任命右谏议大夫何梦然为签书枢密院事。

乙卯(二十四日)，吴潜被流放到循州。丙辰(二十五日)，丁大全被流放到贵州。

蒙古诏谕军中被俘的儒士，允许出钱赎身为平民。

当时，淮、蜀儒士被俘虏的，都充当奴仆。翰林学士高智耀上奏进言："用儒士作为奴仆驱使，自古以来没有过，皇上正以古道为治，应该废除儒生作奴，以此感化天下。"蒙古主接受建议，命令他巡行各郡县对奴仆加以区别，得数千儒生，贵臣中有人进言，说其中有伪冒滥充儒士的，蒙古主责问高智耀，高回答说："比如说金子吧，金子的颜色有浅有深，硬说颜色浅的就不是金子，那是不可以的，儒士的才艺也有浅有深，硬说才艺浅的就不是儒士，那是不可以的。"蒙古主大为高兴。

蒙古主命令宣抚司官员，劝勉百姓务农种桑，抑制涣散懒惰，礼遇老年人，关心人民疾苦,举荐有文学才识可以从事政务的以及有特异才能的人,列上姓名上报朝廷以便提拔任用,对那些贪污、充数的在位官吏以及不孝弟的百姓,要从重议定处罚。

五月,乙丑(初四),蒙古派遣使者到淮东制司,寻访查问蒙古信使郝经所在。

癸亥(初二),贾似道请求辞职充宫观官,理宗没有同意。

庚辰(十九日),蒙古主召窦默到上都,问他:"我想寻求象唐朝魏徵那样的人才,有这样的人选吗?"窦默回答说:"敢于冒犯君主之尊严直言规劝,刚毅挺拔不屈不挠,许衡就是这样的人;博识广闻深谋远虑,有宰相的才能,史天泽就是这样的人。"蒙古主采纳窦默的意见,丁亥(二十六日),任命史天泽为中书右丞相,召许衡入见。

窦默又给蒙古主上书说:"我侍奉皇上已有十多年了,多次承蒙皇上咨询,亲自听到皇上的告诫,看见皇上急于求治,未尝不以利于民生,安定社稷为中心。先帝在位时,奸臣专权,总揽天下财赋,把持在手,贡进珍宝奇货,夸耀繁华,以娱悦先帝的心,煽动勾结朋党,挑拨离间骨肉关系的,全是这班人,由于这些奸臣当道,皇上才不能实现最初的心愿。一心拯救世人的念头,在你心中滋润养育多年了! 现在天顺人服,皇上登上皇位,天下百姓,没有不欢欣鱼跃,伸颈盼望大治,但是,治理国家平定天下,必须任用正直的人士,玩弄口舌的小人,急功近利的说法,必不能订立国家的根本;为子孙后代作久远的考虑,对于出卖利益,奉献殷勤,乞求怜悯谄媚取宠的人,要使他们不得逞其志就可以了。至于反复调查,揣度对方心意以相迎合,以利害惊动人主之心的,没有别的,其目的在于摈斥一切贤良的人,独操大权而已,这就是苏秦、张仪之流。愿皇上明察,希望皇上另选公明有道的人,授予重任,则天下就非常幸运。"窦默的进言,是针对王文统而说的。

史天泽执政,确定省中规则条文,以整治各种事务。宪宗初年,搜刮户口百余万,至于各种逾制占用公务人员当差的就占有大半。于是因史天泽进言,全被废除。

六月,乙未(初五),理宗降旨:"连绵大雨造成水灾,避离宫殿,减少膳食,停止作乐。"

癸卯(十三日),蒙古召东平万户严忠济回到京都,任命他的弟弟严忠范代理东平万户。严忠范请求任用李昶为师,李昶就回到东平。

严忠济在东平时,曾经向人借贷,替部民交纳拖欠赋税,等到辞去官职,债主执借条来讨债,蒙古主知道这件事,命令从内库拨钱代他偿还。

乙巳(十五日),理宗降旨:"靠近京郊发生水灾,安吉最严重,极需谋划实施救济饥荒的法令制度。"

己酉(十九日),蒙古主任命窦默为翰林侍读学士。

蒙古主召窦默以及姚枢入朝侍奉。议论人才时,谈到了王文统。窦默、姚枢都说:"这个人学术不正,只能祸害天下,不应该让他担任丞相。"蒙古主说:"那么,谁可以担任丞相呢?"窦默说:"以我的看法,没有比许衡更合适的。"蒙古主听后不高兴。

乙卯(二十五日),蒙古主降旨:"宣圣庙以及管内书院,官吏每年要按时致祭,每月初一陈设酒席祭奠先圣师;诸官员、使臣军马不得侵扰亵渎。违者加罪论处。"

蒙古免除平阳路安邑岁贡葡萄酒。

庚申(三十日),潼川安抚副使刘整献泸州城投降蒙古。

贾似道对高达、曹世雄轻视自己怀恨在心,命令吕文德搜罗他们的罪状,逼死了曹世雄,

4257

高达被废弃,刘整恐惧。正逢俞兴统率蜀川。刘整向来与俞兴有矛盾,而贾似道正核计边防费用,俞兴派遣官吏把刘整降职,刘整向朝廷申诉,没有成功,就秘密向蒙古表示归顺。蒙古成都经略使刘嶷,派遣自己的儿子刘元振往刘整处接受投降,蒙古诸将都说:"刘整无故而降,是不可信的。"刘元振说:"宋朝权臣专政,赏罚无章,有功的人往往被阴谋所害,所以将士离心。而且刘整本非南人而居泸州南边重地,事势与李全有什么不同呢?刘整此举没有什么可怀疑的。"刘元振到泸州,刘整就出来投降,刘元振丢下部众先下马,表示不怀疑。第二天,请入泸州城,刘元振脱下战袍,与刘整并马而进入泸州城,饮酒至醉,刘整内心顺服,蒙古任命刘整为夔路行省兼安抚使,蒙古从此全部了解到宋朝的虚实,而贾似道不认为这是忧患。

当初,刘整将叛变,命令制置司参谋官许彪孙起草降表,许彪孙不从命,服毒自杀。

蒙古建筑临洮城。

蒙古释放金、银、铜、铁、丹粉、锡、碌坑冶炼场所役使的民夫以及河南舞阳的姜户、藤花户,送还各州县。放出二局的绣女,让她们自由婚嫁。

蒙古怀孟广济渠提举王允中,大使杨端红,开凿沁河渠成功,灌溉农田四百六十余所。

高丽国王王倎,改名为王禃,派遣他的侄子王惎奉表章朝见蒙古。

蒙古任命布哈为中书右丞相,耶律铸为中书左丞相,张启元为中书右丞。

秋季,七月,辛酉朔(初一),蒙古设立军储都转运使司。

癸亥(初三),蒙古开始设置翰林国史院,王鹗请求撰修《辽史》《金史》。王鹗又进言:"唐太宗设置弘文馆,宋太宗设置内外学士院,现在蒙古应该授封学士院官,养育人才。请求任命右丞相史天泽监修国史,左丞相耶律铸、平章政事王文统监修《辽史》《金史》,采集访问遗闻佚事。"蒙古主一并同意。

甲子(初四),蜀帅俞兴因刘整叛变,移送檄文讨伐他。蒙古刘元振协助刘整守卫泸州;俞兴进军包围泸州,昼夜猛烈攻击,泸州城几乎被攻陷。左右劝刘振元说:"事事已如此,应该考虑变通一下,刘整不是我们的人,和他一同死,是没有好处的。"刘元振说:"人家把城交给我们,我们既已接受了他的投降,难道能够因形势危急而抛弃他吗?而且泸州的得失,关系到蒙古国的利害,我只有一死而已。"不久,增援部队赶到,刘元振与刘整出城夹击,俞兴大败而还。

理宗降旨,因俞兴嫉妒有功的将领,挑起战端,免官,削职。

乙丑(初五),蒙古派遣使者持香火钱祭祀名山大川。

辛未(十一日),制置使蒲泽之,犯了给叛贼罗显密通蜡书的罪,被流放到万安军。

戊寅(十八日),王惟忠家属诉讼冤狱,理宗降旨,削夺朝廷赐予谢方叔的封号与等级;免去台臣吴燧官职,停止祭祀;陈大方、胡大成都被削官职。

壬子(疑误),前知枢密院事、奉祠、辞官还乡的陈韡样去世,终年八十三岁,赐谥号忠肃。

已丑(二十九日),蒙古主告谕将士,发兵攻宋,命令说:"我即位以后,深以停战为念,所以一年前派遣使者去宋朝和好。宋人不从长远考虑,乘我国的小漏洞,发起边境事端,东剽西掠,不曾有安宁的日子。我今年春天回到宫里,各位大臣都奏请举兵南伐宋朝,我又因为两国百姓的缘故,还等待信使还归,希望宋国有悔改之心以达成和议,然而信使被扣留,至今未还,已有半年了,往来的礼节已断绝,侵扰的暴行连续不断,宋国曾经以衣冠礼乐之国自居,理应这样吗?谁的理曲谁的理直,是灼然可见的。现在派遣王道贞前往晓谕,众卿应当整顿你们的士卒,磨砺你们的戈矛,矫正你们的弓矢,约会各位将军,在秋高马肥的时候,从水陆两路分道进发,作为问罪的举动,尚依赖宗庙社稷的神灵保佑,其克有勋。众卿应当宣传我的想法,向将士说明,各自应当奋勉,切勿违背我的命令。"

八月,丁酉(初七),理宗下令罢免向士璧官职。

鄂州解围,贾似道忌恨向士璧的功劳,在诸路推行打算法,想把战争期间支取过官府物资的人定为罪犯。贾似道深深怨恨向士璧,暗示侍卿史孙附凤等揭发向士璧的罪行,罢他的官,送他到漳州安置。贾似道又派遣官吏核计边疆经费,于是赵葵、史岩之、杜庶,全犯了隐瞒侵吞盗用的罪,被罢官并偿还侵贪钱物。而向士璧所需偿还经费最多,于是又被押到行部责令偿还。贾似道幕属方元善,为逢迎主子的旨意,在向士璧因犯此罪而被处死后,又拘捕他的妻妾,继续追逼。潭州百姓听到这件事都流泪垂涕。方元善不久得疯癫病,不断呼叫向士璧的名字而死。

马光祖取代赵葵以后,因与赵葵平时就有矛盾,而且为了迎合贾似道,指示胥吏稽查审核记录财物出纳的簿册,结果没有找出任何问题,于是就以正月十五晚赵葵张灯设宴花费三万贯,作为赵葵挥霍官物的罪名上报朝廷。汪立信为赵葵力争说:"现在处于艰难的时候,赵公临事勤劳,而您用不正当的手段来搜集他的问题。您一旦离开此位,后来的人再效法您的所作所为来对待您行吗?"马光祖愤怒地说:"我没有才能,不能考虑更多后来的事,只知道遵奉朝廷的命令罢了。您他日处于这个地位,不要做这样的事吧!"汪立信说:"叫立信不做也就罢了,如果做的话,一定不效法您的所为的呀。"马光祖更加愤怒,汪立信就呈递弹劾自己的状文去了。当初,汪立信为江陵府通判,赵葵任荆湖制置官,赵葵曾因公事弹劾过汪立信,到后来在沿江府,两人的谋议也很少一致。汪立信与赵葵之间,差不多不曾有过一日欢聚。

信州谢枋得,因为赵葵的命令,供给钱粮,招募民兵守御而涉及会计者,来到汪立信处,说:"不能连累宣抚。"自己偿还一万贯。余下不能办,就上书贾似道,有几句是这样讲的:"用千金而招募徙木之人,为的是取信于市人,因食二卵而摒弃干城之将才,难道能让邻国听到这种丑事?"于是赵葵才得免于偿还。

贾似道又忌妒王坚,把他外放为湖州知州。王坚郁郁而去世。

戊戌(初八),蒙古任命燕京等路宣抚史赛音谔德齐为平章政事。辛丑(十一月),任命宣抚使钮祜禄呐哈为中书右丞,库库为中书左丞。

乙巳(十五日),任命吏部尚书江万里为同签书枢密院事。

蒙古王文统忌恨窦默,姚枢持不同意见,怀疑许衡与他们俩里外配合,于是奏请任命姚枢为太子太师,窦默为太子太傅,许衡为太子太保。表面上是重用他们,实际上是不想让他们经常侍候在皇帝左右。

窦默因屡次攻击王文统不中,想借东宫以避祸,与姚枢接受了任命。将入东宫,许衡说:"这是不符合义礼的。而礼仪是,师傅与太子位东西向,师傅坐,太子才能坐。你们考虑能恢复这个礼节吗?不能。这是师道从我们这些人手中废弃了。"于是他们一起奉守祖制,立于殿下。说太子未立,岂能虚设官员!多次请辞,才准免。丙午(十六日),任命许衡为国子祭酒。丁未(十七日),任命姚枢为大司农,窦默仍为翰林侍读学士。窦默不久因病辞职还乡,许衡也称病还归怀孟。

蒙古燕京诸路总管高天锡,对左丞张文谦等人说:"农桑是衣食之根本。不务本,则衣食不足,教化不行。古之王道,没有不先从这一点做起的,望你们留意农桑。"张文谦等把他的话上报朝廷。发布诏书,命令立即设立劝农司,任命高天锡为中都、山北道巡行劝农使;陈邃、崔斌、成仲宽、钮祜禄从中为滨、棣、平阳、济南、河间劝农使;李士勉、陈天锡、陈膺武、蒙古岱为邢、洺、河南、东平、涿州劝农使。

己酉(十九日),蒙古封顺天万户张柔为安肃公,济南万户张荣为济南公。

这个月,蒙古颁布斗斛衡量的标准。

九月,庚申朔(初一),蒙古把祖宗神主迁移安放在圣安寺。

辛酉(初二),理宗下令:"湖、秀二郡水灾,郡守县令应急速劝导分监司申令严格执行救济饥荒的法令制度。"

癸亥(初三),蒙古邢州安抚使张耕因年高请求退休,蒙古主降旨,任命他的儿子张鹏翼代替他的职务。

蒙古大司农姚枢上奏进言:"在太宗时代,诏命孔子第五十一代孙孔元措承袭衍圣公,孔元措去世后,其子与同族人争着请求承袭爵位,诉讼到藩邸,当时皇帝说:'姑且去努力学习,等到德才齐备,我就加封你们。'另外,曲阜有太常雅乐,宪宗命令东平守臣用车把那些歌工、舞郎与乐色、俎豆运到日月山,皇帝亲临观赏,饬令东平守臣,补充人员,不得停止练习。而且皇上担忧圣贤之后代不通《诗》《书》,与平常人一样,又命洛士杨庸选拔孔、颜、孟三族中的优秀人才去教授他们,请求实授杨庸教官,王镛熟悉典故,应任命他掌管礼乐。"蒙古主听从姚枢的建议。

李庭芝进言,蒙古使者郝经久留真州,乙亥(十五日),皇帝派他对郝经给予赏赐。

癸未(二十三日),蒙古采用王鹗的建议,设立诸路提学校官,任命王万庆、敬铉等三十人充当此官。

这年秋季,蒙古洪俊奇申诉他父亲洪福源的冤屈,蒙古主怜悯他,告谕说:"你父正准备宠用时,却被错用刑章,所以对他已列在停挂刑章名单之中,准备酬其功劳,赐其革新之恩惠。你可以就带原降虎符承袭父职,担任管领归附的高丽军民总管。"

冬季,十月,丙午(十七日),任命何梦然为同知枢密院事。

甲寅(二十五日),皇太子选择配偶,理宗诏谕其母族全昭孙的女儿挑选吉日入宫相见。宝祐年中,全昭孙死于公事,全氏见理宗,理宗说:"你父亲的死可叫人怀念!"全氏说:"臣妾的父亲固然可念,淮、湖的百姓更值得怀念。"理宗说:"就这一句话可以做天下的母亲。"等到丁大全当权,提议以临安尹顾嵩的女儿作为太子配偶。丁大全势败以后,才有这个命令。

丙辰(二十七日),同知枢密院事沈炎被免职。

蒙古修筑燕京旧城。

蒙古主因额埒布格违抗命令,亲自率领将士讨伐他;十一月,壬戌(初四),蒙古主丘实默图诺尔境内与额埒布格交战。诸王哈坦等斩杀额埒布格的将领多尔济以及士兵三千人;塔齐尔等分路奋击,大破额埒布格,向北追击五十里。蒙古主率领诸军紧跟其后,合三路紧逼,额垎布格部将多数投降,他本人向北逃亡。

蒙古左右司郎中贾居贞随从蒙古主北征,常常向蒙古主陈说《资治通鉴》,虽在军中,未曾停止讲书。有一天,蒙古主问他俸禄多少,贾居贞如数回答。蒙古主认为他的俸禄太少了,下令增加贾居贞的俸禄。贾居贞推辞说:"照我的品级只能拿那么多的俸禄,不可以因为我而紊乱法规。"僧人子聪奏请任命贾居贞为参知政事,贾居贞再次推辞,说:"他日一定有郎官援引我这样的成例要求执政者,将怎么对待呢?"因而不肯接受。

甲戌(十六日),资政殿学士赵汝腾去世,封谥号忠靖。

丁丑(十九日),任命马光祖为提领户部财用兼临安知府、浙西安抚使。

癸未(二十五日),封全氏为永嘉郡夫人。

蒙古废除十路宣抚使,只保留开元路。

十二月,庚寅(初二),蒙古封皇子珍戩为燕王,领中书省事。

甲午(初六),任命皮龙荣代理知枢密院事,何梦然为参知政事,马光祖为同知枢密院事,仍然兼临安知府。

蒙古主回到中都,命令太常少卿王镛教习大乐。

壬寅(十四日),签书枢密院事江万里被免职。

江万里在贾似道幕下最久,虽然也有短暂的沉默,但是因为他性情刚直,遇事不能不说话。贾似道常厌恶他轻易发表言论,所以不能长期保住他的官位。

蒙古开始设置宫殿府,官职正四品,专管营造修缮。

癸卯(十五日),册封永嘉郡夫人全氏为皇太子妃。

景定三年 蒙古中统三年(公元1262年)

春季,正月,戊子朔(疑误),皇帝发布文告,命令百官尽其所言,命令赦免被贬斥放逐的丁大权、吴潜的党人,并就近安置,但是仍永远不予录用。

癸亥(初六),蒙古修成孔子庙。

甲子(初七),福建安抚使马天骥晋升为资政殿学士,职任依旧。

丁卯(初十),以赵善谘为嗣濮王。

庚午(十三日),理宗降旨:"过去,赵普因有辅佐拥戴之元勋,则赐给他宅第;文彦博因有辅佐之伟绩,则赐给他家庙。现在丞相贾似道,一身系国家安危,再造王室,其元勋伟绩,不在赵普、文彦博之下,应该赐给他宅第、家庙。"于是赐给钱一百万贯,在集芳园建造宅第,安置家庙。

甲戌(十七日),刘整率领所属部队去朝见蒙古主,吕文德于是就收复泸州;理宗降旨,改泸州为江安军,吕文德晋升为开府仪同三司。

二月,丁亥(初一),参知政事皮龙荣被免职,贬为潭州知州。

皮龙荣秉性刚直,不肯向贾似道屈服,所以被免职。

辛卯(初五),蒙古开始确定宫内宫外官员俸禄,命令大司农姚枢赴中书省议事以及谋划制定条格,蒙古主晓谕:"姚枢告离台司,我甚赞赏。省中各种事务,必须依靠一二位老练成熟的人同心同德图谋和赞助,以后他与尚书刘肃都要竭力尽心,不要有保留。"

丙申(初十),蒙古郭守敬制造成功宝山漏,并将它迁移到燕山。

癸卯(十七日)，蒙古任命赵璧为平章政事。

戊申(二十二日)，理宗降旨:"省试中选的人士，一定要到御史台复试，这作为固定制度。"

临安饥荒，理宗下令赈济抚恤贫民。当时马光祖知道荣王赵与芮府中有积粟，三次去求见荣王，荣王以其他的理由推辞，不接见他;马光祖仍睡在接待来宾的客房，荣王不得已才接见，马光祖声音很严厉地说:"天下谁不知道您是大王子! 贫民饥饿快死了，还不快用赈粟来收拢人心吗?"荣王又以仓廪空虚为辞推托，马光祖从怀中取出一片纸，说:"某仓、某仓有多少粮食。"荣王哑口无言，就同意拿出三十万石。马光祖命令官吏分发，救活很多饥民。

当时，京畿发生兵变，又多水灾，宗学博士杨文忠轮到与皇帝讲对，因而进言:"春季天气常是阴沉沉的，这岂止是麦收的忧患，照《易》的说法，于时为夬，夬，决也，刚决柔也。更值得悲痛的是柔脆的苋陆草的厄运呀! 天目山于是大发洪水，苏湖于是兴兵弄武。戴着高冠的儒生悠然无事，而常常看到的是官员不足使用;佩挂的官印重重叠叠，而考虑的往往是无厌的贪渎。将军习惯于黄金横带腰间的娱乐，士兵却疲于军藉挂虚的繁忙。敦厚的百姓，能够轻慢统府;细小的警报，立即引起朝廷的忧虑。假如不幸的事有比这更大的，国家将依赖什么呢?"理宗恐惧地听着，咨询甚详。杨文忠在讲席，曾经进读《春秋》，理宗问:"五霸为什么成为三王的罪人?"杨文仲回答:"齐桓公处于王、霸升降交会的时期，而不能做出向上的事业，只能揭开世变的祸端。我研究了《春秋》，桓公初年书写多众人事，等到讨伐楚国确实继承人之功告成后，书写诸侯的辞章层出不穷，这就是他所谓的尊王抑霸之大法。然而王难道是空尊的吗? 如若周王子孙都能学习文、武、成、康的法度，以扶持文、武、成、康的德泽，那么王迹不会消灭、西周的美誉可以延绵不断，这样才符合《春秋》尊王之意。"理宗说:"先帝圣训说过:'丝竹之音可乱耳，红紫之色能炫目，良心善性，皆是人本来就有的。'又说:'掌握圣贤学说的要旨，本领务必端正，世世代代相传坚守，以此来治理国家治理人民，以此来祈求上天延长寿命，以此给子孙传授安敬之谋。'先训伟大啊! 我朝夕牢记在心。"当时，理宗因病连日不上朝，杨文仲进言:"歌舞和女色这类事，如果看破了，本来没什么可以爱好的。"理宗敛容正坐拱手好长时间。

蒙古江淮大都督李璮，早就萌发叛离之心，先后上奏共数十件事，都是虚张声势、恫吓生疑以惊动蒙古国主，而为自己完善益兵的计策。到这时，则在开平召其子李彦简，修筑济南、益都等城墙，奸灭蒙古戍边的兵士，用连海三个城池来归顺宋朝，并献上山东郡县，请求赎其父亲李全的罪过，又派遣总管李毅等到诸郡传送檄文。理宗降旨，授予李璮保信、宁武军节度使官职，命令他督视京东、河北路军马，封他为齐郡王，恢复其父李全的官爵。连水军升格为安东州，东海县升格为东海军。李璮带领部下，备好舟舰，还攻益都;攻克后，散发府库以犒赏将士，又收复淄州。

蒙古宣抚副使王磐，听到李璮作乱，脱身奔赴济南，蒙古主派驿使召回王磐，命令姚枢向他问计，王磐说:"李璮这小子狂妄，很快就会失败!"蒙古主问姚枢:"您的预料将会怎样?"回答说:"假如李璮乘我北征之空隙，沿海岸线直捣燕地，封闭居庸关，以惶骇人心，这是上策;与宋连和，凭借地势坚固作持久作战，经常侵扰北方边境，使我疲于奔命，这是中策;如出兵济南，等待山东诸侯接应支援，这就可以擒拿他了。"蒙古主说:"现在贼将用何策呢?"回答说:"必出下策。"蒙古主也同意姚枢的分析。

蒙古平章政事王文统,派遣他的儿子王尧与李璮通谋,被发觉后,蒙古主召见王文统,责问他说:"你教李璮叛乱,已有一年了,举世皆知道这件事。现在问你所采取的是什么策略?全部讲出来。"王文统说:"我也忘记了,请容许我全部写出呈给皇上。"书写完毕,蒙古主命令他读出来,其中有这样的话:"蝼蚁之命,如能保全,一定为皇上夺取江南。"蒙古主说:"你今日还想支词旁说吗?"正逢李璮遣人拿着王文统给他的三封信从洛水来,将书信展示出来,王文统才惊慌失措,满头大汗。信中有"约期甲子"语,蒙古主说:"甲子之期说的是什么?"王文统说:"李璮久蓄反心,因为我在宫中,不敢立即谋反,我早有报告皇上逮捕李璮的想法,只是因为皇上加兵北方,还没有平定,等到甲子,还有数年。我说这话目的是姑且延缓他的反期罢了。"蒙古主说:"不用多说!我提拔你这布衣,授予你权柄,待你不薄,为什么你辜负我而做出这种事?"命左右把他驱逐出去并关押起来。蒙古主召姚枢、王鹗、僧子聪以及张柔等前来,将王文统与李璮的三封信拿给他们看,说:"你们说王文统应当定什么罪?"姚枢等都说:"人臣不得叛乱,叛乱者必诛。"张柔厉声厉色地说:"应该剐。"蒙古主说:"你们用同一个词来说。"大家都说:"应当斩首。"王文统于是被处死。他的儿子王尧也一同被杀。

蒙古主追忆窦默的话,对左右大臣说:"以前讲王文统不可用的,只有窦汉卿一个人。如果再有一二人讲不可用,我能不考虑吗?"命令召窦默回京师。汉卿是窦默的字。

王文统虽然因为谋反而被诛杀,而立国的规则法度,多半还出于王文统的建议。

三月,乙丑(初九),任命右谏议大夫孙附凤签书枢密院事。

癸酉(十七日),蒙古命史枢、阿珠各自带兵赴济南。李璮带领部众出城掠夺辎重,将要到城北,遭蒙古兵截击,大破李璮,斩杀其所部四千人。李璮撤回济南守卫。

戊寅(二十二日),蒙古万户韩世安于南苑大破李璮军队。

乙酉(二十九日),蒙古告谕诸路管民官:"不准军马、使臣进入州城、村庄、镇市骚扰良民。"

夏季,四月,辛卯(初六),蒙古修缮河中禹庙,定名为建极宫。

甲辰(十九日),蒙古命令行中书省、宣慰司、诸路达鲁噶齐、管民官,劝勉引导百姓,开垦农田,种植桑树、枣树,不得擅自兴办不急需的事务,妨碍耽误农时。

五月,戊午(初三),夏贵收复蕲县。杀死蒙古代理万户李义、千户张好古。

丙寅(十一日),下冰雹。

辛未(十六日),同知枢密院事兼临安知府、浙西安抚使马光祖,因病请求辞职改为宫观官;理宗降旨,任命马光祖为福州知州兼福建安抚使。

丁丑(二十二日),赐予礼部进士方山京以下六百三十七人及第、出身。

蒙古主命令诸王哈必齐统领诸道兵马进击李璮,再命令丞相天天泽前往,诸将都要受史天泽的指挥。史天泽到济南,对哈必齐说:"李璮诡谲多端,而且兵精马壮,不宜以武力拼搏,应当以时间拖垮他。"于是挖深沟,筑高垒,遏制他的侵袭。

当初,行军总管张弘范出发前,他的父亲张柔对他说:"你围城不要回避险要的地方。险则自己就没有懈怠的心,兵士一定拼死而战;统帅者考虑其险要,一有侵犯,必定派兵救援,你可因此而立功。"于是,张弘范扎营城西,李璮出兵突袭诸将营地,唯独不袭击张弘范。张弘范说："我营地险要,李璮仍在我面前示弱。以后必定用奇兵来袭击。"于是筑长垒,垒里埋伏甲士,垒外为壕沟,关闭东门以等待。夜里,疏浚战壕,加深拓宽。第二天,李璮果真持飞桥来攻击,还没有到岸,军队陷入壕沟当中;能够爬出壕沟的人突击进入垒门,遇到埋伏士兵,全被击毙。

蒙古真定、顺天、邢州发生蝗灾。

原丞相、特进、许国公、辞官还乡的董槐逝世。

董槐病危急时,穿好衣冠,为诸生讲《兑》《谦》卦,问诸生夜如何,诸生用中夜回答,于是就逝世了。不久赠少师,赐谥号文清。

六月,戊子(初四),朝廷闻知李璮被包围,拨给银五万两,到益都府犒赏军士,派遣青阳梦炎统帅部队援助李璮。梦炎到了山东,不敢前进就返回。

庚寅(初六),任命礼部尚书杨栋为同签书枢密院事。

壬辰(初八),原丞相吴潜于循州突然逝世。

贾似道因为黄州的事情,一定要杀吴潜,就派武人刘宗申守候循州,想毒死吴潜,吴潜开凿水井,睡卧榻下,毒无从入。一日,刘宗申设酒宴,吴潜以私家忌日为借口推辞,刘宗申再设酒宴,吴潜又推辞;没过几天,刘宗申借用别人厨房设酒宴,吴潜不能再推辞不去,赴宴后就得病。他说:"我要死了,夜里必定风雷大作。"不多久,果然风雷大作。吴潜撰写遗表,作诗颂,端坐而逝世;循州百姓对他的去世感到悲痛。吴潜去世后,贾似道贬谪刘宗申以堵塞外人的议论。

癸丑(二十九日),理宗降旨:"死于被贬职或流放的臣僚贬所的,允许运回故乡安葬。"

续资治通鉴卷第一百七十七

【原文】

宋纪一百七十七　起玄黓掩茂【壬戌】七月,尽阏逢困敦【甲子】十二月,凡二年有奇。

理宗建道备德大功复兴　烈文仁武圣明安孝皇帝

景定三年　蒙古中统三年【壬戌,1262】　秋,七月,丙辰,诏:"州县官廪禄不时给者,御史台觉察;或以它物折支,计赃论罪。"

蒙古命宋子贞参议军事。子贞至济南,观形势,说史天泽曰:"李璮拥众东来,坐守孤城,宜增筑外城,防其奔突。彼粮尽援绝,不攻自破矣。"议与天泽合,遂筑环城围济南。璮自是不得出城。

西南有大涧亘历山,史枢一军独当其险,夹涧而城,竖木栅于涧中。淫雨暴涨,木栅尽坏。枢曰:"贼乘吾隙,俟夜必出。"命作苇炬数百置城上。三鼓,贼果至,飞炬掷之,风怒火烈,弓弩齐发,贼大溃,蹂躏死者不可胜(记)〔计〕。

董文炳知其势蹙,乃抵城下,呼璮爱将田都帅曰:"反者璮耳,馀来即吾人,毋自取死也。"田缒(降)城〔降〕,璮犹日夜拒守,分军就食民家,发其盖藏以继,不足,则家赋之盐,令以人为食。

参议官姜或言于哈必齐曰:"闻王面受诏,勿及无辜。今城旦夕破,宜早谕诸将,分守城门,勿令纵兵;不然,城中无噍类矣。"哈必齐曰:"汝言城破,解阴阳耶?"或曰:"以人事知之。"哈必齐为下令禁止。

甲戌,璮知城且破,乃手刃妻妾,乘舟入大明湖,自投水中,为蒙古所获,天泽杀之,解其体以徇。引军东行,未至益都,城中人已开门迎降,三齐复为蒙古所有。

事闻,赠璮太师,赐庙额曰精忠。

初,璮兵有沂、涟两军二万馀人,勇而善战,哈必齐以配蒙古诸军,阴使杀之。文炳当杀二千人,驰告哈必齐曰:"彼为璮所胁耳,杀之,恐乖天子仁圣之意。"哈必齐从之,然它杀者已众,皆大悔。时山东尚未靖,蒙古主以文炳为经略使。文炳至益都,从数骑便服而人,至府,不设警卫,召璮故将吏,抚谕于庭下;所部大悦,山东以安。

初,天泽征璮,蒙古主临轩授诏,委以专征,天泽至军,未尝以诏示人。既还,蒙古主慰劳之。时言者谓璮之变,由大藩子弟尽专兵民之权,天泽奏罢之,请自臣家始。于是史氏及张柔、严忠济子弟皆还私第。

蒙古廉希宪治关中,政事修举。宋将家属之在北者,岁给其粮;仕于宋者,子弟得越界省其亲,人皆感之。赵璧素忌希宪勋名,及李璮以叛诛,因言:"王文统之进,由希宪及张易所荐引,遂至大用。且关中形胜之地,希宪得民心,有商挺、赵良弼为之辅,此事宜关圣虑。"蒙古主曰:"希宪自幼事朕,朕知其心。挺、良弼皆正士,何虑焉?"

戊寅,侍御史范纯,言前四川制置使俞兴罢任镌秩罚轻,宜更褫夺以纾众怒,奏可。

蒙古以夔府行省刘整行中书省于成都、潼川。

蒙古阆、蓬等路都元帅汪良臣,以钓鱼山险绝不可攻,请就近地筑城曰武胜,以扼南师往来;从之。

辛巳,诏重修《吏部七司法》,从贾似道意也。

蒙古以都督府参议姜或知滨州。时山东新复,行营军士,多占民田为牧地,纵牛马,坏民田,残桑枣。或言于行省,遣官分画疆畔,捕其强猾者置之法,乃课民种桑。岁馀,新桑遍野,人名为"太守桑"。

蒙古张文谦荐郭守敬习水利,巧思绝人。蒙古主召见,面陈水利六事:"其一,中都旧漕河,东至通州,引玉泉山水以通舟,岁可省雇车钱六万缗。通州以南,于蔺榆河口径直开引,由蒙村、跳梁务至杨村运河,以避浮鸡淀盘浅风浪远转之患。其二,顺德达泉引入城中,分为三渠,灌城东地。其三,顺德(沣)〔滹〕河东至古任城,失其故道,没民田千三百馀顷。此水开修成河,其田即可耕种,自小王村径滹沱合入御河,通行舟栰。其四,磁州东北滏、漳二水合流处,引水由滏阳、邯郸、洺州永年下经鸡泽入澧河,可灌田三千馀顷。其五,怀孟沁河虽可浇灌,犹有漏堰馀水,东与丹河馀水相合,引东流至武涉县北,合入御河,可灌田二千馀顷。其六,黄河自孟州西开引,少分一渠,经由新、旧孟州中间,顺河北岸,下至温县南,复入大河,其间亦可灌田二千馀顷。"每奏一事,蒙古主叹曰:"任事者如此人,不为素餐矣!"授提举诸路河渠。

八月,己丑,守敬请先引玉泉水以通漕运,广济河渠司王允中,亦请开邢、沼等处漳、滏、澧河、达水以溉民田,并从之。

甲午,海州石㳍堰(城)〔成〕。

丁酉,筑蕲州城。汪立信上新城图,诏奖谕。

戊申,蒙古敕王鹗集廷臣商榷史事,鹗等请以先朝事迹录付史馆。

蒙古河间、平(泺)〔滦〕、广宁、西京、宣德、北京陨霜害稼。

九月,戊午,蒙古濠州万户张宏略破宿、蕲二州。

壬戌,蒙古改邢州为顺德府。

温州布衣李元老,读书守贫,不事科举,年百有四岁。丁丑,诏授迪功郎、致仕,本郡给俸。

癸酉,蒙古都元帅库库卒于军,以其兄阿珠代之。

闰月,甲申朔,蒙古赈沙、肃二州饥。

丙午,诏:"应知县已罢,虽经赦,毋注紧望。著为令。"

庚戌,蒙古发粟三十万,赈济南饥民。

冬,十月,庚申,蒙古禁诸王、使臣、师旅恃势扰民者,所在执以闻。

蒙古以郝经、刘人杰使宋未还,廪其家。

甲子,以杨栋签书枢密院事,叶梦鼎同签书院事。

庚午,蒙古巩昌总使汪惟正屯田利州。

甲戌,归化州岑从毅纳土输赋,诏改为来安州,从毅知州事,世袭。

乙亥,蒙古立中书左右部,分总庶务,命回纥人阿哈玛特领之,仍兼诸路都转运使,专理财赋。阿哈玛特欲每事得专奏,不关白中书,张文谦言:"分制财用,古有是理;中书不预,无是理也。若中书不问,则天下孰茬之乎?"蒙古主然之。

十一月,丁大全既安置贵州,与州将游翁明失色杯酒间。翁明诉大全阴招游手,私立将校,造弓矢、舟楫,将通蛮为变,广西经略朱禩孙闻于朝。壬辰,诏改窜大全于新州土牢拘管,日具存亡。贾似道讽禩孙杀之,禩孙遣将官毕迁护送,舟过藤州,挤大全于水而死。

癸巳,马光祖提举洞霄宫。

丙申,资政殿大学士、致仕徐清叟卒,谥忠简。

戊戌,以夏贵知庐州、淮西安抚副使。

乙巳,蒙古主谕史天泽曰:"朕或乘怒欲有所诛杀,卿等宜迟留一二日,覆奏行之。"

丁未,皇孙资国公焯卒。

戊申,蒙古升抚州为隆兴府。

十二月,甲寅,蒙古封皇子珍戬为燕王,守中书令。

丙辰,蒙古立河南、山东统军司。东拒亳州,西至钧州,诸万户隶河南;西自宿州,东至宁海州,诸万户隶山东。

丁巳,蒙古立十路宣慰司,以赵璠等为之。

癸亥,蒙古享于太庙。

戊寅,蒙古诏:"诸路管民官理民事,管军官掌兵戎,各有所司,不相统摄。"

蒙古杨大渊入觐,拜东川都元帅,命与征南都元帅奇彻同署。大渊还东川,于渠江滨筑虎啸城以逼大良城,不逾时而就。

蒙古割北京兴州隶开平府,建行宫于兴隆路。

是岁,蒙古成都经略使刘嶷卒,谥忠惠,以其子元振代为经略使。

景定四年 蒙古中统四年【癸亥,1263】 春,正月,乙酉,贾似道遣杨琳赍空名告身及蜡书、金币至大获山,招蒙古杨大渊南归。大渊从子文安,执琳以闻,蒙古主命杀之。

丙戌,蒙古以姚枢为中书左丞。时或言中书政事大坏,蒙古主怒,大臣罪且不测,枢上言:"自中统至今,五六年间,外侮内叛,相继不绝,然能使官离债负,民安赋役,国用粗足,政事更新,皆陛下信用先王之法所致。今创始治道,正宜上答天意,下结民心,睦亲族以固本,定大臣以当国,开经筵以格心,立学校以育才,则可以光先烈、遗子孙。迩者伏闻聪听日烦,朝廷政令,日改月异,远近臣民,不胜战惧,惟恐大本一废,远业虽成,为陛下之后忧耳。"蒙古主怒始释。

蒙古兴元判官费寅有罪,惧诛,诬廉希宪、商挺在京兆因李璮叛修城治兵,潜畜异志,以赵良弼为征。癸卯,召挺、良弼赴阙,既至,蒙古主诘问,良弼泣对曰:"二臣忠良,保无是心,愿剖臣心以明之。"蒙古主已入赵璧之谮,切责良弼,无所不至,至欲断其舌,良弼誓死不少变,乃罢。

蒙古主召商挺问曰:"卿在关中、怀孟,两著治效,而毁言日至,岂同寅有沮卿者邪,抑位高而志怠邪?比年论王文统者甚众,卿独无一言。"挺对曰:"臣素知文统之为人,尝与赵璧言之,想陛下犹能记也。臣在秦三年多过,其或从横以应变者有之,若功或以归己,事败分咎于人,臣必不敢。请就戮。"挺既出,蒙古主顾近臣数挺前后大计凡十有七,因曰:"挺有功如是,犹自言有罪,若此,谁复为朕戮力邪?卿等识之!"

蒙古命右丞纳哈代廉希宪为秦蜀行省,覆视费寅所告,无实状,诏希宪还京师。上见,言曰:"方关陕叛乱,川蜀未宁,事急星火,臣随宜行事,不谋佐贰。如寅所言,罪止在臣,臣请逮系有司。"蒙古主抚御床曰:"当时之言,天知之,朕知之,卿果何罪!"慰谕良久,进拜中书平章政事。一日,召入禁中,从容道藩邸时事,因及赵璧所言,希宪曰:"昔攻鄂时,贾似道作木栅环城,一夕而成。陛下顾扈从诸臣曰:'吾安得如似道者用之?'僧子聪、张易曰:'山东王文统,才智士也,今为李璮幕僚。'诏问臣,臣对亦闻之,实未识其人也。"蒙古主曰:"朕亦记此。"由是璧之谮不行,寅卒以反诛。

二月,癸丑,诏:"吴潜、丁大全党人,迁谪已久,远者量移,近者还本贯,并不复用。"

贾似道以国计困于造楮,富民困于和籴,思有以变法而未得其说。知临安府刘良贵、浙西转运使吴势卿献买公田之策,似道乃命殿中侍御史陈尧道、右正言曹孝庆、监察御史虞愻、张希颜上疏言:"三边屯列,非食不饱;诸路和籴,非楮不行。既未免于廪兵,则和籴所宜广图;既不免于和籴,则楮币未容缩造。为今日计,欲便国便民而办军食、重楮价者,莫若行祖宗限田之制。以官品计顷,以品级计数,下两浙、江东、西和籴去处,先行归并诡析,后将官户田产逾限之数抽三分之一,回买以充公田。但得一千万亩之田,则每岁可收六七百万石之米,其于军饷沛然有馀,可免和籴,可以饷军,可以杜造楮币,可平物价,可平富室,一事行而五利兴矣。"帝从之。丁巳,诏:"置官田所,以刘良贵提领,通判陈(言)〔訔〕为检阅,副之。"

良贵请下都省,严立赏罚,究归并之弊。给事中徐经孙条具其害,似道讽御史舒有开劾罢之。经孙尝举陈茂濂,至是为公田官,分司嘉兴,闻经孙去国,曰:"我不可以负徐公。"亦谢事,终身不起。

浙西安抚魏克愚言:"取四路民田,立限回买,所以免和籴而益邦储。议者非不自以为公忠,然未见其利而适见其害。徐经孙所奏江西买田之弊甚详,若浙西之弊,则见有甚于彼者。"因历述为害者八事,疏奏,不省。

未几,帝手诏曰:"永免和籴,无如买逾限之田为良法。然东作方兴,权俟秋成,续议施行。"似道愤然,上疏求去,复讽何梦然、陈尧道、曹孝庆抗章留之,且劝帝下诏慰勉。帝乃趣似道出视事,且曰:"当始于浙西,诸路视之为则。"似道具陈其制,帝悉从之,三省奉行惟谨。似道首以己田在浙西者万亩为公田倡,荣王与芮继之,赵立奎自陈投卖;由是朝野无敢言者。

甲子,蒙古主如开平。

蒙古以王德素充国信使,刘公谅副之,致书于帝,诘稽留郝经之故。经久羁真州,上表曰:"愿附鲁连之义,排难解分;岂如唐俭之徒,款兵误国!"

又数上书于帝,其略曰:"贵朝自太祖受命,创立规模,一本诸理,校其武功,有不逮汉、唐之初;而革弊政,弭兵凶,弱藩镇,强京国,意虑深远,贻厥孙谋,有盛于汉、唐之后者。夫有天下者,孰不欲九州四海,奄有混一,端委垂衣而有天下,晏然穆清也哉?理有所不能,势有所难必,亦安夫所遇之理而已。贵朝祖宗深见夫此,持勒控约,不肯少易,是以太祖开建大业,太宗丕承基统,仁宗治效浃洽,神宗大有作为,高宗坐弭强敌,皆有其势而弗乘,安于理而不妄者也。今乃或者欲于迁徙战伐之极,三百馀年之后,不为扶持安全之计,欲断生民之馀命,弃祖宗之良法,不以理,以势;不以守,以战?欲收奇功,取幸胜,为诡遇之举,不亦误乎?

"伏惟陛下之与本朝,初欲复前代故事,遣使纳交,越国万里,天地人神,皆知陛下计安生民之意。而气数未合,小人交乱,虽行李往来,迄无成命。非两朝之不幸,生民之不幸也!有继好之使而无止戈之君,有讲信之名而无修睦之实,有报聘之命而无输平之约,是以藉藉纷纷,不足以明信而适足以长乱,至渝、合、交、广之役,而祸乱极矣。主上即位之初,过以相与,唯恐不及,不知贵朝何故接纳其使,拘于边郡,蔽幂蒙覆,不使进退,一室之内,颠连宛转,不睹天日,绵延数年?主上何罪,经等亦何罪,而窘逼至是邪?或者必以为本朝兵乱,有隙可乘。本朝骨肉暌阋,诸侯背叛,则或有之;以主上之仁圣,必能享国以致太平,使南北之民,免杀戮之祸而共跻仁寿,不然,则战争方始而贵朝可忧矣。事至今日,贵朝宜汲汲皇皇以应主上美意,讲信修睦,计安元元;而乃置而不问,岂天未厌乱,将由是以缔起兵端耶?抑由是以别有蕴蓄耶?抑其问有主张是者必不使之成耶?皆不可得而知也。

"窃尝思之,本朝用兵四十年,亦休息之时也;天界仁圣而有主上,亦治平之世也。贵朝受兵三十馀年,亦厌苦之时也;保有天命而有陛下,亦非生事之君也。夫邦交之事,振古以然,至贵朝而后盛。真宗幸澶渊,南北之交始定,好聘往来,甲兵不试。至于宣、政,盟约遂坏,靖康之末,因弃都邑。高宗南幸,镾仇崇好,与金源再定盟誓。海陵凶虐,贯盈自毙,高宗遂与金世宗定盟,好聘往来。又数十年,生事之人妄启边衅,宁宗复与章宗定盟好。由是观之,以和议邦交为国者,贵朝之事也。契丹与贵朝定盟,数世、数十年之后也;金源与贵朝定盟,亦数世、数十年之后也。今主上之世数、年数,亦金源氏之世数、年数也;大定、明昌之盛,将复见于今。即位之初,先遣信使,继好弭兵,而贵朝摈而不问。经反复思惟,必有横议之人,将以弊贵朝、误陛下者。必为此事,于经何有,于本朝何有!妨经何事,害本朝何事!所惜者,贵朝之国体,陛下之盛德也。此事必行,经不过失一身,本朝不过失一臣,太仓耗一粒,沧海扬一波,邓林飘一叶,泰山落一石,于国何损!使贵朝所举皆中,所图皆获,返旧京,奄山东,取河朔,平关中,铲白沟之界,上卢龙之塞,即本朝亦不失故物。若为之而不成,图之而不获,复欲洗兵江水,挂甲淮壖,而遂安然无事,殆恐不能。一有所失,则不既大矣乎?

"经闻有国者不畏夫有乱,畏夫自致其乱;自致其乱则人也,横逆之来则天也。天欲乱人之国,其如彼何哉?尽其在我者而已矣。或者乃徇夫一己之势,狃于一时之利,不忌天之所警,欲于大变之后,抵巇投罅,拘滞使人而别作为,举祖宗三百年之成烈,再为博者之一掷,遂以干戈易玉帛,杀戮易民命,战争易礼义。彼间探造凿之人,大抵皆为弱彼强此之说以取容悦,又恶知夫国家利害、生民休戚哉!

"经本布衣,教授保塞,主上聘起,问以治道,即以议和止杀为请,是以即位之初,即命经行。入境以来,绵亘四年,凡有蕴蓄,无不倾尽。在经等今日之事,止是告登宝位,布弭兵息民之意,无它蔽匿。贵朝必以为不可,必不能从,何用置经于此?或欲与较量畴昔,必决胜负,一主于战,则通好使人,尤为无用。而乃仍自拘留,陈说不答,告归不许,老天长日,寝以销铄,必自毙馆下,亦非贵朝美事也。"前后皆不报。

驿吏棘(坦)〔垣〕钥户,昼夜守逻,欲以动经,经不屈,语其下曰:"向受命不进,我之罪也。一入宋境,死生进退,听其在彼,屈身辱命,我则不能。汝等不幸同在患难,宜忍以待之。揆之天时人事,宋祚殆不远矣。"

蒙古诏:"诸路置局造军器,私造者罪死;民间所有不输官者,与私造同。"

三月,丁巳,以吕文德为宁武、保康军节度使。

庚子,以何梦然兼权知枢密院事。

蒙古伊克迪尔鼎请修琼华岛,蒙古主不从。

癸卯,蒙古始建太庙。蒙古国俗,祭享之礼,割牲,奠马湩,以巫祝致辞。蒙古主初立,始设位于中书省,用登歌乐,寻命制祭器、法服,至是建太庙于燕京。

是春,蒙古都元帅汪良臣攻重庆,朱禩孙出师拒之。良臣塞其归路,引兵横击,断南师为二;南师败走,其趋城不及者,悉为蒙古所杀。

夏,四月,丙寅,官田所言,知嘉兴县段浚、知宜兴县叶哲佐,买公田不遵原制,诏罢之。

蒙古西京,武州陨霜杀稼。

五月,乙酉,蒙古初立枢密院,以皇子燕王珍戬守中书令兼判枢密院事。

戊子,蒙古升开平府为上都。

辛卯,蒙古立燕京平准库,以均平物价,通利钞法。

丁酉,诏以婺州布衣何基、建宁府学布衣徐几并授本州府教授。

六月,壬子,蒙古河间、益都、燕京、真定、东平诸路蝗。

乙卯,临安火。

戊午,蒙古建帝尧庙于平阳。

庚申,诏:"平江、江阴、安吉、嘉兴、常州、镇江六郡已买公田三百五十馀万亩,今秋成在迩,其荆湖、江西诸道仍旧和籴。"

丙寅,诏:"公田竣事,进刘良贵等官。"

初,买官田,犹取其最多者;继而敷派,除二百亩以下者免,馀各买三分之一;其后虽百亩之家亦不免。立价以租一石偿十八界会子四十,而浙西之田,石租至有直十缗者,亦就此价。价钱稍多,则给银绢各半。又多,则给以度牒、告身准直,登仕郎准三(十)〔千〕楮,将仕郎准千楮,许赴漕试;校尉准万楮,承信郎准万五千楮,承节郎准二万楮,安人准四千楮,孺人准二千楮。民失实产而得虚告,吏又恣为操切,浙中大扰,民破产失业者甚众。官吏有奉行不至者,刘良贵辄劾之,追毁出身,永不收叙,由是有司争以多买为功。似道又以陈訔往秀、湖,廖邦杰往常、润催督。其六郡买田有专官,平江则包恢、成公策,嘉兴则潘墀、李补、焦焕炎,安吉则谢奕、赵与訔、王唐畦、马元演,常州则洪濾、刘子庚,镇江则章垌、郭梦熊,江阴则杨班、黄伸。恢在平江,至用肉刑;邦杰在常州,害民特甚,至有本无田而以归并抑买自经者。朝廷唯以买公田为功,进良贵官两转,馀人进秩有差。

庚午,宰执进《玉牒》《日历》《会要》《经武要略》及《徽宗长编》《宁宗日录》。

蒙古以乌珍为中书右丞相,塔齐尔为中书左丞相。

刘整言于蒙古主曰:"南人惟恃吕文德耳,然可以利诱也。请遣使以玉带馈之,求置榷场于襄阳城外。"从之。使者至鄂,请于文德,文德许之。使者曰:"南人无信,安丰等处榷场,每为盗所掠,愿筑土墙以护货物。"文德不许。或谓文德曰:"榷场诚我之利,且可因以通好。"文德请于朝。秋,七月,置榷场于樊城外,筑土墙于鹿门山,外通互市,内筑堡壁,蒙古又筑堡于白鹤。由是敌有所守,以遏南北之援,时出兵哨掠襄、樊城外,兵威益炽。文德弟文焕,知为蒙古所卖,以书谏止,文德始悟,然事无及,徒自咎而已。

戊戌,诏以董宋臣为入内内侍省押班,举朝争之不能得。秘书少监汤汉上疏曰:"比年董宋臣声焰薰灼,其力能去台谏,排大臣,结连凶渠,恶德参会,以致兵戈相寻之祸。陛下灼见其故,斥而远之,臣意其影灭而形绝矣,岂料夫阴销而再凝,冰解而骤合,既得自便,即图复用!以其罪戾之馀,一旦复使之出入壶奥之中,给事宗庙之内,此其重干神人之怒,再基祸乱之源,上下皇惑,大小切齿。陛下方为之辨明,大臣方与之和解,臣窃重伤此计过也!自古小人复出,其害必惨,将逞其愤怒,啸其俦伍,颠倒宇宙,陛下之威神,有时而不得自行,甚可畏也!"不听。

礼部侍郎兼同修国史实录院同修撰牟子才,疏言董宋臣不可复用。帝出其疏示辅臣曰:"子才有忧君爱国之真,无取誉沽名之巧。"擢权礼部尚书。

蒙古诏弛河南沿边军器之禁。

蒙古燕京、河间、开平、隆兴四路属县,雨雹害稼。

八月,辛亥,蒙古升宣德州为府,隶上都。

壬子,蒙古以旱免彰德路今岁田租之半,洺、磁二州十之七。

丙辰,蒙古以成都路绵州隶潼川,命阿托、商挺行枢密院于成都,凡成都、顺庆、潼川都元帅府,并听节制。

甲子,蒙古敕诸臣:"传旨有疑者,须覆奏。"

壬申,蒙古主至自上都。

蒙古滨、棣二州蝗,真定路旱。

九月,乙酉,蒙古立漕运河渠司。

辛卯,祀明堂,大赦。

甲午,以何梦然知枢密院事,杨栋同知枢密院事,叶梦鼎签书枢密院事。

冬,十月,己未,发缗钱百四十万,命浙西六郡置公田庄。

甲子,命张珏兼知合州。

十一月,甲申,蒙古以东平、大名等旱,量减今年田租。

丙戌,蒙古享于太庙,以哈坦、塔齐尔、张文谦行事。

十二月,丁未朔,诏:"皇太子宫讲官、詹事以下,日轮一员,辰入酉出,专讲读,备咨问,以称辅导之实。"

景定五年 蒙古至元元年【甲子,1264】 春,正月,癸巳,出奉宸库珠、香、象、犀,下务场货易,助收楮币。

己亥,蒙古立诸路平准库。

癸卯,蒙古罢南边互市,申严持军器、贩马、越境私商之禁。

二月,癸亥,蒙古敕选儒士编修国史,译写经书,起馆舍,给俸以赡之。

壬子,蒙古修琼花岛,疏双塔漕渠。

辛未,雨土。

癸酉,蒙古主如上都,诏诸路总管史权等二十三人赴上都大期会。

蒙古弛边城军器之禁。

三月,辛巳,王坚卒,赐谥忠壮。

马光祖复为沿江制置使,知建康府。

己亥,蒙古命尚书宋子贞陈时事,子贞上便宜十事,大略谓:"官爵,人主之柄,选法宜尽归吏部。律令,国之纪纲,宜早刊定。监司总统一路,用非其才,不厌人望,宜选公廉有才德者为之。今州县官相传以世,非法赋敛,民穷无告,宜迁转以革其弊。又请建国学,教胄子,敕州县提学课试诸生,三年一贡举。"蒙古主命中书次第行之。

辛丑,蒙古立漕运司。

贾似道奏:"公田已成,若复以州总之,恐害不除而利不可久。请以江阴、平江公田隶浙西宪司,安吉、嘉兴公田隶两浙运司,常州、镇江公田隶总所,每岁租输之官仓,特与饶减二分,或水旱则别议放数,仍立四分司以主管公田系衔。平江、嘉兴、安吉各一员,镇、常、江阴共一员。每乡置官庄一所,民为官耕者曰官佃,为官督者曰庄官。庄官以富饶者充,应两岁一更。每租一石,明减二斗,不许多收。"时毗陵、澄江,务为迎合,欲买数之多,凡六七斗皆作一石;及收租之时,元额有亏,则取足于田主,遂为无穷之害。或内有硗瘠及租佃顽恶之处,又从田主责换,其祸尤惨。

是春,蒙古太常寺言:"自古帝王,功成作乐,乐各有名,盛德形容,于是乎在。皇上践阼以来,留心至治,声名文物,思复承平之旧,首敕有司,修完登歌、宫县、八佾、乐舞,以备郊庙之用。若稽古典,宜有徽称。"尚书省遂定名曰《大成之乐》。

夏,四月,丙午,诏:"管景模妻孥陷没,效忠愈坚,平时所得俸入,率以抚循将士,遂至空乏,特赐缗钱三十万。"

丁未,以夏贵为四川安抚制置使,兼知重庆府。

戊申,蒙古以彰德、洺磁路引漳、滏、洹水灌田,致御河浅涩,盐运不通,乃塞分渠以复水势。

辛亥,诏郡邑行乡饮酒礼。

壬子,蒙古东平、太原、平阳旱,分遣西僧祈雨。

乙丑,何梦然、马天骥以台臣劾罢。

丁卯,蒙古追治李璮党万户张邦直兄弟及姜郁、李在等二十七人罪。

都统张喜攻蟠龙城,为蒙古安抚使杨文安所败。喜潜师宵遁,出得汉城,文安遣兵又袭败之。

五月,乙亥,蒙古遣索托延、郭守敬行视西夏河渠,俾具图来上。

庚辰,以何梦然知建宁府。辛卯,以杨栋参知政事,叶梦鼎同知枢密院事兼权参知政事,姚希得端明殿学士、签书枢密院事,马天骥提举洞霄宫。

乙未,安南表进方物,诏却之,仍厚赍以奖恭顺。

己亥,蒙古以中书右丞钮祜禄纳哈为平章政事。

六月，甲辰朔，知衢州谢墍，因土寇詹沔焚掠常山县，弃城遁。台臣言詹沔之变，乃谢墍任都吏徐信苟取激之；诏斩信，籍其家，墍削秩，不叙。

乙巳，蒙古主召王鹗、姚枢赴上都。窦默、僧子聪，尝偕枢等入侍，默言："君有过举，臣当直言，都俞吁睥，古之所尚。今则不然，君曰可，臣亦以为可，君曰否，臣亦以为否，非善政也。"次日，复侍幄殿，猎者失一鹘，蒙古主怒，侍臣或从旁大声谓宜加罪，蒙古主恶其迎合，杖之，释猎者不问。既退，子聪等贺。默曰："非公诚结主知，安能感悟如此！"

乙丑，命董宋臣兼主管御前马院、御前酒库。帝眷宋臣不衰，未几，宋臣死。

夏贵攻虎啸山。蒙古宣抚使张庭瑞新筑城，当炮皆裂，立栅守之；栅坏，乃依大树，张牛马皮以御炮。贵以城中饮于涧外，绝其水道。庭瑞煮溲泻土中以泄臭，人日饮数合，唇皆疮裂，坚守逾月不懈。帅府参议焦德裕援之，夜薄贵营，令卒各持三炬；贵惊走，德裕追之，败贵于鹅谿。

秋，七月，甲戌，彗星出柳，光烛天，长数十丈，自四更见东方，日高始灭。丁丑，避殿，减膳，诏中外直言。

考功郎官兼崇政殿说书赵景纬上封事曰："今日求所以解天意者，不过悦人心而已。百姓之心，即天心也。锢私藏而专天下之同欲，则人不悦；保私人而违天下之公议，则人不悦；间阎之糟糠不厌而燕私之供奉自如，则人不悦；百姓之膏血日朘而符移之星火愈急，则人不悦；不公于己而欲绝天下之私，则人不悦；不澄其源而欲止天下之贪，则人不悦。夫必有是数者，斯足以召怨而致灾。愿陛下损内帑以绝壅利之谤，出嫔嫱以节用度之奢，弄权之貂寺素为天下之所共恶者，屏之绝之，毒民之恩泽侯尝为百姓之所愤者，黜之弃之。择忠鲠敢言之士，置之台谏以通关隔之壅；选慈惠忠信之人，使为守宰以保元气之残；又必稽乾、淳以来，凡利源褫名之在百司庶府者，悉还其旧，以济经用之急；公田派买不均之弊，听民自陈，随宜通变，以安田里之生；则人心悦而天意解矣。人之常情，惧心每发于灾异初见之时，不能不潜移于诇谀交至之后。万一过听左右宽譬之言，曲为它说以自解，毛举细故以塞责，而弛恐惧之初心，则下拂人心，上违天意，国之安危，或未可知也。"

牟子才疏请罢公田，更七法。时台谏、士庶上书者，皆以为公田不便，民间愁怨所致。于是贾似道上书力辩，乞避位。帝曰："言事易，任事难，自古然也。使公田之说不可，则卿建议之始，朕已沮之矣。惟其公私兼济，所以决意行之。今业已成矣，一岁之军饷，仰给于此，若遽因人言罢之，虽可快一时之异议，如国计何？卿既任事，亦当任怨，礼义不愆，何恤人言！卿宜安心，毋孤朕倚畀之意。"知临安府刘良贵以人言籍籍，自陈括田之劳，乞从罢免，不允。由是公论顿沮。

临安府学生叶李、萧规应诏上书，诋贾似道专权，误国害民，以致上干天谴。似道大怒，令刘良贵捃摭其罪，坐以僭用金饰斋扁下狱。牟子才请宥之，又遗书似道，似道复书，词甚忿。径断遣，黥配李于漳州，规于汀州。

丙戌，临安大火。

乙未，马天骥以台臣劾其贪赃，夺职，罢祠。

丁酉，蒙古龙门禹庙成。

己亥，蒙古定用御宝制：凡宣命，一品、二品用玉，三品至五品用金，其文曰"皇帝行宝"

者,即位时所铸,惟用之诏诰;别铸宣命金宝行之。

蒙古额呼布格,自实默图之败,不复能军,至是与诸王玉龙达实、阿弥达及其谋臣布拉哈、呼察图们等自归于上都。诏诸王皆太祖之裔,并释不问;其谋臣布拉哈等伏诛。

时额呼布格党千馀人,蒙古主将尽置于法,以语宿卫安图,安图曰:"人各为其主。陛下甫定大难,遽以私憾杀人,将何以怀服未附?"蒙古主惊曰:"卿年少,何从得老成语?此言正与朕意合。"由是所全者众。

安图,穆呼哩四世孙,巴图鲁子也,中统初,追录元勋,令入宿卫,年方十三,位在百僚上。母鸿吉哩氏,昭睿皇后之姊,通籍禁中,蒙古主一日见之,问及安图,对曰:"安图虽幼,公辅器也。"蒙古主曰:"何以知之?"对曰:"每退朝,必与老成人语,未尝狎一年少。"蒙古主至是益深重之。尝命安图举汉人识治体者一人,安图举马邑崔斌,斌入见,敷陈时政得失。时蒙古主锐意图治,斌危言谠论,面斥是非,无有所讳。

台臣言参知政事杨栋,以彗星为蚩尤旗,欺天罔君,请治其罪。丙申,诏栋罢职,予郡;寻命知建康府。

八月,乙巳,蒙古立诸路行中书省,以中书省丞相耶律铸、参知政事张惠等行省事。

蒙古行新立条格,并州县,定官吏员数,分品从官职,给俸禄,(颁)〔颁〕公田,计日月以考殿最,均赋税,招流移。禁擅用官物,勿以官物进献,勿借易官钱,勿擅科差役。凡军马不得停?白村坊,词讼不得隔越陈诉。恤鳏寡,劝农桑,验雨泽,平物价。其盗贼囚徒起,数月申省部。又颁陕西、四川、西夏、中兴、北京行中书省条格。

癸丑,蒙古翰林承旨王鹗言:"僧子聪参密谋,定大计,积有忠勤,然犹仍其野服散号;宜正其衣冠,崇以显秩。"蒙古主命子聪复姓刘,赐名秉忠,拜太保,参预中书省事,以窦默女妻之,赐第奉先坊。秉忠既受命,以天下为己任,知无不言。凡燕闲顾问,辄推荐人物可备器使者;其所甄拔,后皆为名臣。

蒙古刘秉忠请定都于燕,蒙古主从之,诏营城池及宫室。乙卯,改燕京为中都,大兴府仍旧。

丁巳,蒙古诏改中统五年为至元元年,大赦。

蒙古主召翰林待制孟攀鳞入见,攀鳞条陈政务,如郊祀天地,祠太庙,制礼乐,建学校,行科举,择守令以字民,储米以赡军,省无名之赋,罢不急之务,百姓庶官统于六部,纪纲制度悉由中书,是为长久之计。蒙古主咨问者良久。复与论王鹗、许衡优劣,攀鳞曰:"百一文华之士,可置翰苑;仲平明经传道,可为后学矜式。"蒙古主深然之。百一,鹗之字;仲平,衡之字。蒙古主数呼诸臣之字,故攀鳞亦以字对。

戊午,彗灭;甲子,复见于参。赵景纬复上言曰:"损玉食,不若损内帑、却贡奉之为实;避正朝,不若塞幸门、广忠谏之为实;肆大眚,固所以广仁恩,不若择循良、黜贪暴之为实。盖天意方回而未豫,人心乍悦而旋疑,此正阴阳胜复之会,眷命隆替之机也。"除兼国史院编修官、实录院检讨官,辞,不许。

秘书郎王应麟疏论行公田之害,又言:"应天变莫先回人心,回人心莫先受直言。钳天下之口,沮直臣之心,如应天何!"时直言者多忤贾似道意,故应麟及之。

高斯得自罢归,杜门不出,至是应诏上封事曰:"陛下专任一相,虚心委之,果得其人,宜天心克享,灾害不生。而己未、庚申之岁,大水为灾,浙西之民,死者数千万;连年旱暵,田野萧条,物价翔踊,民命如线。今妖星突出,其变不小,若非大失人心,何以致天怒如此之暴!"贾似道匿其疏不以闻。

辛未,彗化为霞气而散,自见至灭,凡四十馀日。

九月,壬申朔,蒙古立翰林国史院。

辛巳,蒙古主至自上都。

建宁府学教授谢枋得考试宣城及建康,摘贾似道政事为问,极言权奸擅国,天心怒,地气变,民心离,人才坏,国有亡证。漕使陆景思上其稿于似道,于是左司谏舒有开劾枋得校文发策,怨望腾谤,大不敬,乙未,谪居兴国军。

贾似道请行经界推排法于诸路,由是江南之地,尺寸皆有税,而民力益竭。似道又以物贵由于楮贱,楮贱由于楮多,乃更造银关,每一准十八界会之三,出奉宸库珍货,收敛会于官,废十七界会不用。其制,上一黑印如"西"字,中三红印相连如"目"字,下两旁各一小长黑印,宛然一"贾"字也。自银关行,物益贵而楮益贱。

冬,十月,壬寅朔,高丽国王王(植)〔禃〕入朝于蒙古。

乙丑,帝有疾。丁卯,帝崩。

帝多嗜欲,怠于政事,经筵性命之讲,徒资虚谈。权移奸臣,史弥远、丁大全、贾似道,窃弄威福,与相终始。兵连祸结,疆土日蹙,拘留聘使,自速灭亡。崩年六十一。

皇太子禥即位,尊皇后谢氏曰皇太后。时有议太后垂帘听政者,权参知政事叶梦鼎曰:"母后垂帘,岂是美事!"乃止。

以太后生日为寿崇节。

总统祁昌由间道运粮入得汉城,并欲迁其郡守向良及官吏亲属于内地,蒙古都元帅杨大渊遣从子文安邀击之。昌立栅椒原以守,大渊合兵攻之,连战三日,获祁昌,并得其所获官吏亲属。

十一月,丙戌,帝初听政,御后殿。进叶梦鼎参知政事,命马廷鸾、留梦炎兼侍读,李伯玉、陈宗礼、范东叟兼侍讲,何基、徐几兼崇政殿说书。诏求直言。又诏先朝旧臣赵葵、谢方叔、程元凤、马光祖、李鲁伯各上言以匡不逮,召江万里、王爚、洪天锡、汤汉等赴阙。梦鼎力辞新命,贾似道奏:"参政去则江万里、王爚必不至。"帝亦慰留之。

诏躬行三年(器)〔丧〕。复济王竑元赠少师、节度使,有司讨论坟制,增修之。

赵葵疏陈边事曰:"老臣出入兵间,备谙此事,愿朝廷谨之重之。"贾似道见而作色曰:"此三京败事者之言也。"

御史劾宦官李忠辅、何舜卿等赃罪,并窜远方。

壬辰,蒙古罢领中书左右部,并入中书省。初,中书左右部,阿哈玛特、阿哩领之。阿哈玛特以河南钧、徐诸州俱有铁冶,请兴鼓铸之利,乃括户三千兴煽之,岁输铁一百三万七千斤。又以太原民煮小盐,越境贩卖,民贪其价廉,竞买食之,解盐以故不售,岁入课银止七千五百两,请岁增五千两,无问诸色兵民,均出其赋。至是罢左右部,以阿哈玛特为平章政事,阿哩为中书右丞。

蒙古廉希宪建言:"自开国以来,纳土及始命之臣,咸令世守,至今将六十年,子孙皆奴视部下,都邑长吏皆其皂隶僮使,前古所无。宜更张之,使考课黜陟。"蒙古主从之,庚午,诏罢诸侯世守,立迁转法。

蒙古以张惠行省山东。惠至官,以银赎俘囚二百馀家为民,其不能归者使为僧,建寺居之。山东民因李璮之乱,被军士掳掠者甚众,惠大括军中,悉纵之;又奏选良吏,去冗官,民瘼以苏。

〔十二月〕,辛丑〔朔〕,诏改明年为咸淳元年。

壬寅,戒赃吏,绝贡羡馀。

甲辰,诏以生日为乾会节。

是岁,蒙古真定、顺天、河间、顺德、大名、济南、东平、泰安、高唐、洺、磁、曹、濮、济、博、德、滨、棣等府、州大水。

蒙古张文谦以中书左丞行省西夏、中兴等路,董文用为行省郎中,以河渠副使郭守敬从。

中兴自珲搭哈之乱,民间相恐动,窜匿山谷。文用为书置通衢谕之,民乃安。羌俗素鄙野,事无统纪,文谦得蜀士陷于俘虏者五六人,理而出之,使习吏事,旬月间,簿书有品式,子弟亦知读书,俗为一变。先是古渠在中兴者,一名唐来,其长四百里,一名汉延,长二百五十里,它州正渠十,皆长二百里,支渠大小六十八,灌田九万馀顷;兵乱以来,废坏淤浅。守敬更立闸堰,皆复其旧,遂垦中兴、西凉、甘、肃、瓜、沙等州之土为水田,民之归者四五万,悉授田。

文用造舟黄河中,受诸部落及溃叛之来降者。时诸王逊克特穆尔镇西方,其下纵横需索无厌,行省不能支。文用坐幕府,辄面折以法。其徒积忿,谮文用于王,王怒,召文用,使左右杂问之,意叵测。文用曰:"我天子命吏,非汝等所当问。愿得与天子所遣为王傅者辨之。"王即遣其傅讯文用。傅故中朝旧臣,不肯顺王意,文用曰:"我汉人,生死不足计。所恨仁慈宽厚如王,以重威镇远方,其下毒虐百姓,凌暴官府,伤王威名,于事体不便。"因历指其不法者数十事。其傅惊起白王,王即召文用谢之,曰:"非郎中,我殆不知。郎中持此心事朝廷,宜勿怠。"由是谮不行,而省府事始立。

【译文】

宋纪一百七十七　起壬戌年(公元1262年)七月,止甲子年(公元1264年)十二月,共二年有余。

景定三年　蒙古中统三年(公元1262年)

秋季,七月,丙辰(初二),下诏说:"州县官的俸禄不能及时给予的,由御史台查明;有用其他物品折合支取的,按贪赃论罪。"

蒙古任用宋子贞参议军事。宋子贞到济南,察看形势后,对史天泽说:"李璮率叛众东来,坐守孤城,我们应加筑外城,防止他们突围逃跑。等到他们粮尽援绝,可以不攻自破。"他的想法与史天泽不谋而合,于是筑环城围济南。李璮从此不能逃出济南城。

城西南有一大山涧横贯历山,史枢一军独当其险,夹山涧筑城堡,并在涧水中竖起木栅栏。连绵不断的雨水使涧水暴涨,木栅栏全被冲坏,史枢说:"叛贼乘着我们的漏洞,到夜里定会突围。"命令将数百芦苇做的火把置于城上,三更时分,叛贼果然来到,下令投掷火把,风狂火猛,弓弩齐发。叛贼大败溃逃,自相践踏而死的不计其数。

董文炳知道敌势窘迫，就到城下，高呼李璮的爱将田都帅道："反叛者只李璮一人，其余的投过来就是自己人，不要自己找死。"田都帅系绳索下城投降。李璮仍日夜抵抗坚守，分散军士到百姓家吃饭，搜寻出各家的私藏粮食补充军粮，仍不够用，就敛走每家的食盐，命令以人为食。

参议官姜彧对哈必齐说："听说王爷曾经当面受诏，不要殃及无辜。现在城很快将破，宜及早指令诸将，分守城门，不要纵容兵士杀掠，否则，城中将无活人了。"哈必齐说："你说城将破，难道你懂阴阳占卜吗？"姜彧说："从人事可以推测到。"因此哈必齐下令禁止杀掠。

甲戌（二十日），李璮知城将被攻破，于是亲手杀死妻妾，乘船逃到大明湖，投水自杀，未遂，被蒙古兵俘获，为史天泽所杀，肢解其尸以示众。又领兵东行，还没到益都，城中人早已开门迎降，三齐再次为蒙古占据。

此事传至宋廷，追赠李璮为太师，赐其宗庙匾额为精忠。

当初，李璮拥有沂、涟两军两万余人，勇猛善战，哈必齐把他们分配到蒙古各军中，并暗地里让各军杀害他们。董文炳军应当杀死李璮两千兵卒，他派人向哈必齐报告："士卒们是被李璮胁迫的，杀了他们，恐怕违背天子的仁圣之意。"哈必齐听

八思巴文圣旨

从了这个建议，但其他各军已杀死不少李璮兵卒，都后悔不已。这时山东尚未安定，蒙古主任命董文炳为经略使。董文炳到达益都，只带数骑随从，身穿便服进城，到了官署，不设警卫，召集李璮原来的将吏，安抚晓谕于庭下，李璮的部下都很高兴，山东才得以安定。

当初，史天泽征讨李璮，蒙古主亲自在殿堂授诏，给史天泽以自行出兵征伐之权。史天泽到了军中，从未把蒙古主的诏书告诉别人。平定李璮返回后，蒙古主慰劳了他们。当时有议论说李璮的叛乱，是因为重臣子弟把持兵民之权。史天泽奏请免除子弟之权，并请从自家开始。于是史氏及张柔、严忠济的子弟都返回自己的私宅了。

蒙古廉希宪治理关中，政事处理及时、得当。宋将家属在北边者，每年都分给他们粮食；家里有人在宋做官的，子弟可以越界探亲，人们都很感激他。赵璧一直忌妒廉希宪的功勋和名望，等到李璮因叛乱被杀后，就上书道："王文统的晋级，是由于廉希宪及张易的推荐，才得以被委重任。而且关中为战略要害之地，廉希宪既得民心，又有商挺、赵良弼辅助他，这件事圣上应及早警惕。"蒙古主说："廉希宪自幼就侍奉我，我了解他的心。商挺、赵良弼都是正直之士，有什么可以担忧的？"

戊寅（二十四日），侍御史范纯上书说，前四川制置使俞兴，降官削职的处罚太轻，应改为革除官职以平众怒，上书得到批准。

蒙古任命夔府行省刘整在成都、潼川兼管中书省。

蒙古阆、蓬等路都元帅汪良臣，认为钓鱼山非常险峻不可攻，请求就近筑城命名为武胜，以便扼制宋军的往来；同意了这个建议。

辛巳(二十六日),下诏重新修订《吏部七司法》,这是听从贾似道的意见办的。

蒙古任命都督府参议姜彧知滨州。这时山东刚刚收复,行营军士,多强占民田为牧地,任意放牧牛马,毁坏民田,损害桑树枣树。姜彧上报给行省,派遣官员划分农牧疆界,逮捕那些强蛮奸猾者并绳之以法,然后让老百姓种植桑树。只一年多,新桑遍野,人们称之为"太守桑"。

蒙古张文谦举荐郭守敬研习水利,巧思过人。蒙古主召见郭守敬,郭守敬当面陈述了关于水利的六件事:"其一,中都旧漕河,东至通州,只要引玉泉山水通船,每年可省去雇车运输费六万贯;通州以南,从蔺榆河口直接开引,由蒙村、跳梁务至杨树的运河,以避开浮鸡淀盘曲水浅、风急浪大、远道运转的麻烦。其二,顺德达泉引入城中,分为三条渠道,以浇灌城东田地。其三,顺德澧河东到古任城,因为故道改道,淹没民田一千三百余顷,只要把河道重新开凿修整,被淹田地即可耕种,应从小王村取道滹沱河并入御河,可通行舟筏。其四,磁州东北滏、漳二水合流处,引水由滏阳、邯郸、洺州永年下经鸡泽并入澧河,可以灌溉田地三千余顷。其五,怀孟沁河虽可浇灌田地,但堤坝仍有漏水,东与丹河剩余的水相会合,应引水东至武涉县北,并入御河,可灌田二千余顷。其六,黄河从孟州西开引,分一小渠,经新、旧孟州中间,顺黄河北岸,下至温县南,再并入黄河主流,其间又可灌田二千余顷。"每奏一件事,蒙古主叹道:"做事都像此人,就不是白吃饭了!"授职郭守敬提举诸路河渠。

郭守敬纪念馆

八月,己丑(初五),郭守敬奏请先引玉泉水疏通漕运;广济河渠司王允中,也奏请开通邢、洺等地的漳水、滏水、澧河、达水以灌溉民田,蒙古主一并同意。

甲午(初十),海州石湫堰修成。

丁酉(十三日),筑蕲州城。汪立信呈上了新城图,下诏对他奖赏赞扬。

戊申(二十四日),蒙古诏令王鹗召集朝廷大臣商讨修著国史之事,王鹗等奏请把先朝事迹抄录给史馆。

蒙古河间、平滦、广宁、西京、宣德、北京因降霜庄稼受到损害。

九月,戊午(初五),蒙古濠州万户张弘略攻破宿、蕲二州。

壬戌(初九),蒙古改邢州为顺德府。

温州平民李元老,一生读书安守清贫,不参加科举,时年一百零四岁。丁丑(二十四日),诏授迪功郎、按辞官退隐,由本郡给予俸禄。

癸酉(二十日),蒙古都元帅库库在军中病逝,以其兄阿珠取代他的职位。

闰九月,甲申朔(初一),蒙古救济沙、肃二州的饥荒。

丙午(二十三日),下诏说:"应当罢免的知县已经罢免,虽经宽赦,但不能到紧要有名的县份任官。以文字记录为正式的命令。"

庚戌(二十七日),蒙古运发粟三十万石,救济济南饥民。

冬季,十月,庚申(初七),蒙古下令禁止诸王、使臣、军队将帅仗势侵扰百姓,如有违者,由地方捕获并上报。

蒙古由于派郝经、刘人杰出使宋朝未返,由政府供给两家粮食。

甲子(十一日),任命杨栋为签书枢密院事,叶梦鼎为同签书院事。

庚午(十七日),蒙古巩昌总使汪惟正在利州屯田。

甲戌(二十一日),归化州岑从毅向宋朝献土纳赋,下诏归化州改名来安州,岑从毅主持州事,并世袭。

乙亥(二十二日),蒙古设立中书左右部,分别总理各种事务,命回纥人阿哈玛特总领,仍兼任诸路转运使,专理财赋。阿哈玛特想要每件事都直接上奏皇帝,不报告中书省,张文谦上书说:"分出来专管财赋,古代就有这个道理;中书省不干预,却没有这个道理。若中书省不管,那么天下谁来管它呢?"蒙古主很以为然。

十一月,丁大全被贬贵州后,与州将游翁明饮酒。席间态度不庄重。游翁明告发丁大全暗地招集游手好闲的人,私立将校职务,造弓箭、舟船,将要勾结蛮人而叛变,广西经略朱禩孙上报给朝廷。壬辰(初十),诏令改逐丁大全到新州土牢里拘押,其生死情况每天备案。贾似道暗地支使朱禩孙杀掉他,朱禩孙派将官毕迁押送,船过藤州时,把丁大全推到水中淹死。

癸巳(十一日),任马光祖为洞霄宫提举。

丙申(十四日),资政殿大学士、辞官退隐的徐清叟去世,谥号忠简。

戊戌(十六日),以夏贵为庐州知州、淮西安抚副使。

乙巳(二十三日),蒙古主告谕史天泽说:"我有时怒气中要杀人,你们应留人一二日,再请奏后执行。"

丁未(二十五日),皇孙资国公赵焯去世。

戊申(二十六日),蒙古升抚州为隆兴府。

十二月,甲寅(初二),蒙古封皇子珍戬为燕王,暂理中书令事。

丙辰(初四),蒙古建立河南、山东统军司。东抵亳州,西至钧州的诸万户隶属河南统军司;西自宿州,东至宁海州的诸万户隶属山东统军司。

丁巳(初五),蒙古设十路宣慰司,以赵璸等主管。

癸亥(十一日)，蒙古在太庙祭祀祖先。

戊寅(二十六日)，蒙古下诏："各路管民官只理民事，管军官只负责掌管军队，各有职守，相互不管辖代理。"

蒙古杨大渊入京朝见，授官为东川都元帅，令他与征南都元帅奇彻同衔。杨大渊回到东川后，在渠江边筑虎啸城以威胁大良城，不超过预计时间就完工了。

蒙古划北京兴州隶属开平府，并在兴隆路建行宫。

这年，蒙古成都经略使刘嶷去世，谥号忠惠，任命其子刘元振代为经略使。

景定四年　蒙古中统四年(公元1263年)

春季，正月，乙酉(初四)，贾似道派杨琳带着空白委任状及用蜡封好的书信、金币到大获山，想招蒙古杨大渊南归于宋。杨大渊的侄子杨文安，拘捕了杨琳并上报朝廷，蒙古主命杀死杨琳。

丙戌(初五)，蒙古任命姚枢为中书左丞。这时有人讲中书省政事太差，蒙古主大怒，大臣们不知要判他们何罪，姚枢上书说："从中统至今，五六年间，外有欺侮内有叛乱，一直没停，但是能够使官员不负债，老百姓安于交赋税、服劳役，国家财政基本够用，政事更新，都是由于您承继了先王的治国之策。现在国家刚刚安定，正应该对上报答天意，对下网络民心，和睦亲族以巩固大业，安排好大臣担当起国家重任，开讲经学端正人心，设立学校培养人才，这样才可以光大先烈之业，传诸子孙后代。近来听说您听到的议论日渐增多，致使朝廷政令，日改月异，远近臣民，不胜恐惧，唯恐国家基本纲领一旦废除，虽然从长远看事业有成，但会成为您的隐患。"蒙古主怒火才消除。

蒙古兴元判官费寅有罪，害怕被杀，就诬陷廉希宪、商挺在京兆沿袭李璮叛乱的做法正在修城练士兵，暗中存有异心，并以赵良弼为证人。癸卯(二十二日)，召商挺、赵良弼到宫中，他们一到，蒙古主就开始追问，赵良弼哭着回答："这两个大臣都是忠良，保证绝无反叛之心，我情愿剖开心来证明他们的清白。"蒙古主由于已经听信了赵璧的谗言，就痛责赵良弼，什么办法都用尽了，甚至要割掉他的舌头，但赵良弼誓死一点也不改口，这才作罢。

蒙古主召商挺问道："你在关中、怀孟，两地治理得很好，但流言蜚语渐渐传来，难道同僚中有败坏你的吗，或者你地位高而轻慢了他们？近年议论王文统的人很多，唯有你没讲一句话。"商挺回答说："我一向知道王文统的为人，曾经对赵璧说过，我想您还记得吧。我在秦地三年多有过失，其间有时能不受拘束地放开手应付事态变化的情况是有的，如若有功都归自己，过失都归别人，这种事我绝不敢干。请现在就杀了我吧！"商挺已出宫殿，蒙古主环视左右近臣列举商挺前后共有十七件大功，就说："商挺有这样大的功劳，还要自己说有罪，像这样，谁还愿意再替我效力！你们应该认识到。"

蒙古命右丞纳哈替代廉希宪为秦蜀行省长官，重新审查费寅所告的罪状，并没有实据，下诏召廉希宪回京师。廉希宪朝见蒙古主，说："正当关陕叛乱时，川蜀并没有平定，事情急如星火，我根据情况的需要妥善处理，没有谋求其他官员的帮助。假如像费寅所告，那么罪只在我一人，请求官府逮捕我。"蒙古主抚着御床说："当时的话，天知，我知，你的确何罪之有！"安抚了很久，又升任他为中书平章政事。一天，被召到宫中，闲谈起藩邸时的事情，涉及赵璧所告的话，廉希宪说："以前进攻鄂城时，贾似道做木栅环城防御，一晚就做成了。陛下对侍从大臣们说:'我怎么能得到像贾似道这样的人任用呢?'僧子聪、张易说:'山东王文统,是很有才智的人,现在是李璮的幕僚。'您问我,我回答也听说过这个人,实际不曾见过面。"蒙古主说:"我也记得这件事。"从此赵璧的谗言不起作用了,费寅终于因谋反而被杀。

二月,癸丑(初三),下诏说:"吴潜、丁大全党人,贬谪流放时间已经很长了,流放远地的可酌量移到近处,流放近地的可让他们返还本乡,但全不再起用。"

贾似道认为国家财政困难是由于制造楮币,而富民却困于为供养军队而议价购买民间粮草的和籴政策,想进行变法又不知该怎么变。知临安府刘良贵、浙西转运使吴势卿,献上了买公田的策略,贾似道就命令殿中侍御史陈尧道、右正言曹孝庆、监察御史虞愈、张希颜上疏说:"守卫边疆的军队,没有粮食就吃不饱;各路议价购买民粮,没有楮币就办不到。既然不能不供给军队粮食,则和籴就应推广;既然不能免去和籴,则制造楮币就不能减少。从当前状况着想,要方便国家方便富民而又要置办军粮、提高楮币的价值,不如实行祖宗限田的制度。根据官职品级计土地面积,以品级计田亩数,到两浙、江东、江西和籴的地方,先将欺诈不实析分家产之户查出,然后将官户田产超过限定之数中抽出三分之一,回买作为公田。只要得到一千万亩的公田,那么每年就可收获六、七百万石米,用于军饷绰绰有余,可以免去和籴,可以供应军饷,可以停造楮币,可以平抑物价,可以安定富室,一事行可兼得五利。"皇帝应允了。丁巳(初七),下诏说:"建立官田所,任刘良贵为提领,通判陈岂为检阅,作为副手。"

刘良贵请求旨意下达都省,严格赏罚,追究欺诈析分家产的弊端。给事中徐经孙逐条陈述这样做的危害,贾似道暗示御史舒有开弹劾革除他的官职。徐经孙曾经举荐的陈茂濂,现为公田官,负责嘉兴事务,听说徐经孙罢去官职,说:"我不能对不起徐公。"他也辞职了,终身不再复出。

浙西安抚魏克愚说:"取四路民田,定下限额回买,为的是能够免去和籴而增加国家的储备。提建议的人没有不自以为公正忠诚的,但我未见其利而恰见其害。徐经孙所奏江西买田的弊端很详细,象浙西之弊端,比江西更严重。"因而历述买公田的害处共八项,上奏,皇帝不理。

不久,皇帝手诏说:"永远免去和籴,不如买超过限额之田为好办法。但现在正是春耕时节,权且等到秋天收成后,再商量实行。"贾似道很气愤,上疏辞官,又暗示何梦然、陈尧道、曹孝庆上疏直言挽留他,并且劝皇帝下诏对他慰勉。皇帝催促贾似道出来管事,而且说:"应当从浙西开始,诸路以浙西为榜样。"贾似道详细地陈述了买公田的办法,皇帝都听从了他的意见,三省都谨慎地执行。贾似道首先以自己在浙西的万亩田作为公田的首倡,随即荣王赵与芮也这样做了,赵立奎也说要卖田给国家,从此朝野没有人敢再议论了。

甲子(十四日),蒙古主到开平去。

蒙古以王德素为国信使,以刘公琼为副使,带信给宋帝,责问扣留郝经的缘故。郝经长期被扣留在真州,上表说:"本愿学习鲁连的高尚行为,排除忧患解开分歧;岂能像唐俭那样,缓兵误国!"

又多次上书给宋帝,大意是说:"贵朝从太祖受命于天,创立国家,以各项义理为根本,比较武功,不及汉、唐初年;然而革除弊政,消除兵灾,削弱藩镇,加强中央集权,谋划深远,遗留给子孙,则超过汉、唐的后世。拥有天下的人,谁不想拥有九州四海,一统天下,端庄地穿着礼服达到天下无为而治,国家安定政治清明!从道理上讲有时行不通,从形势上讲有时难以实现,在这种情况下还是要安心于现实的道理而已。贵朝祖宗深刻地认识了这一点,能自我约束控制,信念不变,所以太祖开建大宋之业,太宗秉承基业,仁宗治政又很和谐,神宗大有作为,高宗能轻易地消除强敌,都是不利用难于实现的形势,安于理而不妄为的人。现在贵朝有的人想靠南迁打仗穷极恶事,祖宗开业三百余年后,不为辅佐国家安全大计着想,反而要断送百姓的性命,放弃祖宗好的治国之法,不讲理义,讲势力;不讲守成,讲战争?想获取奇功,侥幸取胜,这是不按正道的举动,不也是贻误国家吗?

"我想您与我朝,本欲恢复前代的交往,遣使纳交,万里疆土内,天地人神,皆知您想让百姓生活安定的心意。但上天气数不合,小人相互捣乱,虽然有使者往来,终究没有完成使命,这不仅是两朝的不幸,也是百姓的不幸!虽互有通好的使者却没有停止战争的君王;虽有讲信义之名而无和睦相处之实;虽有遣使回访的命令但却无变前恶为和好的盟约,所以乱乱纷纷,不足以表明信用却正好增加混乱,到渝、合、交、广之战,混乱达到极点了。我们主上刚即位时,遣使访问以相交往,惟恐不及,不知贵朝为何接纳他的使者,而拘留于边郡,隐藏起来,不让他们自由出入,押于一室之内,仰卧辗转,不见天日,延续数年?我们主上有什么罪,我等又有什么罪,而逼迫我们窘困到这个地步?或许以为我朝发生兵乱,有机可乘。我朝主上兄弟不和,诸侯背叛,这种事情间或有之,但以我们主上的仁圣之心,必能稳坐皇位,国家太平,使南北之民,免遭杀戮之祸而共享仁寿,否则,只要一开战贵朝就要麻烦了。事到如今,贵朝应赶快应承我们主上的好意,讲信义共修和睦,为安定百姓为做想;但你们却置而不问,难道是上天还不嫌战乱,将由此而引起战端吗,抑或是由此而另有打算,抑或这中间有主张战争的人一定要使和好破灭吗?皆不得而知啊。

"我曾私下考虑过,本朝用兵四十年,也该到休息的时候了,上天仁圣给予我们主上,也是治平之世了。贵朝也打仗三十余年,也是厌烦苦难的时候了;为了保天命而诞生陛下,您也不是好生事的君主。邦交的事,自古就是这样,到了贵朝更有发展。真宗亲临澶渊,南北的交往才开始确定,友好使者互相往来,不以武力相见。到了宣和、政和年间,盟约被破坏,到靖康末年,因而抛弃都城。高宗到了南方,消除仇恨崇尚和好,与金国再定盟誓。金国海陵王凶虐,恶贯满盈自蹈死地,高宗于是与金世宗定盟,友好使者互相往来。又几十年后,生事者又妄图挑起边境纠纷,宁宗又与章宗建立盟好。由此看来,以和议邦交为一贯的立国之策,乃贵朝之事也。契丹与贵朝定盟,数世、数十年之久也;金源与贵朝定盟,亦数世、数十年之久也。今我主上的世数、年数,亦即是金国的世数、年数;大定、明昌的盛况,将会重现于今天。我主刚即位时,先派信使,继续和好消除征战,而贵朝弃绝而不问,我反复考虑,肯定有乱发议论的人,将用此有害贵朝、贻误陛下。若真要这样,于我有什么损害,于本朝有什么损害!关我什么事,损害本朝什么事!所可惜的,是贵朝的国体、陛下的盛德。一定要做此事,我不过丧失一身,本朝不过损失一臣,如同太仓损耗一粒谷,沧海扬起一层波,邓林飘落一片叶,泰山落下一方石,于我国有什么损害!即使贵朝所做都能成功,所希图的都能得到,返回旧京,拥有山东,取回河北,平定关中,铲除白沟之界,上至卢龙之塞,就这样本朝也没有失去原有东西。假如所做的不成功,所希图的不能得到,再想要在长江里洗兵器,在淮河边挂盔甲,而能安然无事,这恐怕是办不到的了。一有所失,则所失岂不更大吗?

"我听说拥有国家的不怕有乱子,最怕的是自己导致国家混乱;自己导致国家混乱则是人为的,外来横祸则是天意。上天要捣乱你的国家,你能把它怎么样?只能尽自己的一切而已。或者就曲从一己的力量,贪图于一时之利,不怕上天的警示,想在大变动之后,乘间隙钻空子,拘留使者而别有作为,拿祖宗三百年的功业,再次当作赌博的抵押,于是用干戈改变玉帛,以杀戮改变万民的生命,用战争改变礼义。那些伺机探察造谣的人,大多都以经过战争可以削弱彼国强盛本国来取得主上的欢悦,又哪里知道国家的利害、人民的忧与喜呢!

我本平民,传授生徒于保塞,主上聘用我,询问治国之道,就请求议和停止杀戮,因此主上即位之初,就派我来。入宋境以来,长达四年,我想到的都说了。对于我们这次的任务,只是告知我主已登宝位的事,传播消除兵灾休养百姓的意见,没有其他可隐瞒的。贵朝一定认为不行,一定不听从,又何必置我于此地? 如要计较以前的事情,必定要一决胜负,一切由战争决定,则通好之使者,最无用处。而你们仍拘留我们,上书也无回音,要回去又不允许,天长日久,像金属一样渐渐熔化,必定自毙于驿馆,也不是贵朝的美事呀。"前后的上书都没被报上去。

驿吏在墙上布满荆棘,锁紧门户,昼夜巡逻看守,想以此来动摇郝经,郝经不屈服,并跟他的下属说:"当初接受任务后不进入宋境,是我的罪责。一入宋境,死生进退,都听任他们,屈服辱命,我办不到。你们不幸跟我共同患难,应忍辱负重以待时日。度量天时人事,宋朝的国运恐怕不会长久了。"

蒙古诏:"诸路设局制造军器,若有私造者判死罪;民间所有武器不交给官府的,和私造武器者同罪。"

三月,丁巳(疑误),任命吕文德为宁武、保康军节度使。

庚子(二十日),任命何梦然兼暂理枢密院事。

蒙古伊克迪尔鼎请修琼华岛,蒙古主没有听从。

癸卯(二十三日),蒙古开始建太庙。蒙古国的习俗,祭飨之礼,杀牲畜,用马乳祭奠祖先,由巫祝致辞。蒙古主刚登基,开始在中书省设立祖先牌位,只是用歌舞祭祀,不久命制造祭器、祭祀服装,这时在燕京建立了太庙。

这年春天,蒙古都元帅汪良臣进攻重庆,朱禩孙出兵抗拒。汪良臣截断宋军归路,并派兵拦腰攻击,把宋军分为两段,宋军败逃,那些来不及逃回城里的,全为蒙古军所杀。

夏季,四月,丙寅(十七日),官田所反映,知嘉兴县段浚、知宜兴县叶哲佐,买公田不遵守制度,下诏免去他们的职位。

蒙古西京、武州降寒霜毁坏了庄稼。

五月,乙酉(初六),蒙古开始设枢密院,任命皇子珍戬代理中书令兼管枢密院事。

戊子(初九),蒙古升开平府为上都。

辛卯(十二日),蒙古设立燕京平准库,以均平市场物价,流通钞法。

丁酉(十八日),下诏以婺州平民何基、建宁府学平民徐几各为本州府教授。

六月,壬子(初四),蒙古河间、益都、燕京、真定、东平诸路发生蝗灾。

乙卯(初七),临安发生大火灾。

癸酉(二十五日)，蒙古在平阳建帝尧庙。

庚申(十二日)，下诏说："平江、江阴、安吉、嘉兴、常州、镇江六郡已买公田三百五十余万亩，现在秋收在即，荆湖、江西诸道仍旧实行和籴。"

丙寅(十八日)，下诏说："公田事毕，晋升刘良贵等官员。"

当初，买公田时，向家里田地最多的购买；接着变为摊派购买，除二百亩以下的免去外，其余的各购买三分之一；后来即使百亩之家也不免。一石租的土地出价值十八界会子四十，而浙西之田，一石租甚至有值十贯的，亦按这个价付。购地的价钱稍多的，则给银绢各半。价钱更多一些，就给官府文凭、委任状抵值，登仕郎折价三千楮币，将仕郎折价一千楮币，许参加漕试；校尉折价一万楮币，承信郎折价一万五千楮币，承节郎折价二万楮币，安人折价四千楮币，孺人折价二千楮币。人民失去实际田产只得到一纸空头委任状，那些胥吏又任意胁迫，浙中受到很大的骚扰，老百姓破产失业者很多。官吏执行中未达到预定目标的，刘良贵就弹劾他们，追回并毁掉他们的委任状，永不任用，因此各衙门都争着以多买公田为立功劳。贾似道又派陈訔前往廖邦杰前往常、润州催办督察。下面六郡买田有专官负责，平江有包恢、成公策，嘉兴有潘墀、李补、焦焕炎，安吉有谢奕、赵与訔、王唐珪、马元演，常州有洪滺、刘子庚，镇江有章坰、郭梦熊，江阴有杨班、黄伸。包恢在平江，甚至动用肉刑；廖邦杰在常州，害民严重，甚至有的本来没有田而以扣上欺诈析分家产罪名强买逼得上吊自杀的。朝廷只以买公田论功劳，进加刘良贵官职两级，其他人晋级加俸各有不同。

庚午(二十二日)，宰相进《玉牒》《日历》《会要》《经武要略》及《徽宗长编》《宁宗日录》。

蒙古任命乌珍为中书右丞相，塔齐尔为中书左丞相。

刘整对蒙古主说："宋廷只不过依靠吕文德罢了，但他是可以利诱的。请派遣使者馈赠玉带给他，求他于襄阳城外设置征收专卖税的场所。"蒙古主听从了他的意见。使者到了鄂地，向吕文德提出请求，吕文德同意了。使者说："南方人不讲信用，安丰等处征收专卖税的场所，常被盗贼抢掠，希望筑土墙保护货物。"吕文德不答应。有人对吕文德说："收税场确实对我方有利，并可因此互相通好。"吕文德向朝廷请示。秋季，七月，于樊城外设置收税场，筑土墙于鹿门山，外与蒙古通商，内筑堡壁，蒙古又于白鹤筑堡。从此敌方也有所守卫，阻止了南北的互相援助，并时常出兵哨在襄、樊城外巡逻抢掠，军士的威严也日益加剧。吕文德的弟弟吕文焕，知道中了蒙古人的计，写信对谏停止，吕文德才醒悟过来，但已来不及了，只有自责而已。

戊戌(二十日)，下诏任董宋臣为入内内侍者押班，全朝人都有争议也不行。秘书少监汤汉上疏说："近年董宋臣声望很高，他的力量可以除掉台谏官，排斥大臣，结交凶狠的豪强，罪恶的品行都集中于一身，以至于兵戈之祸连续不断。陛下明彻见到他的所作所为，斥退并疏远了他，我以为他影灭形销了，怎料到他阴魂不散，冰化了又突然冻结起来，已经取得自由，再图复用！像他这样的罪恶之人，一旦让他再度出入于核心腹地之中，为官于宗庙之内，这是严重地触犯神人之怒，再开祸乱之源，上下惶惑不安，大小切齿痛恨。陛下正在为他辨明，大臣正要与他和解，我私下深深地感伤这做法太过分了！自古小人东山再起，造成的祸害肯定惨重，他将发泄愤怒，啸聚同僚，翻天覆地。您的神威，有时都不能自行传布，这是很可怕的事情!"皇上不听。

礼部侍郎兼同修国史实录院同修撰牟子才,上书说董宋臣不应再次任用,皇帝拿出他的奏疏给辅臣看,并说:"子才确有忧君爱国之真心,并无沽名钓誉的机巧。"提拔牟子才为权礼部尚书。

蒙古下诏解除河南沿边对军器的禁令。

蒙古燕京、河间、开平、隆兴四路下属各县,降雨水冰雹,庄稼受到损害。

八月,辛亥(初四),蒙古升宣德州为府,隶属上都。

壬子(初五),蒙古因为旱灾免去彰德路今年田租的一半,洺、磁二州免去十分之七。

丙辰(初九),蒙古以成都路绵州隶属潼川,命阿托、商挺行枢密院于成都,凡成都、顺庆、潼川都元帅府,统归其管辖。

甲子(十七日),蒙古下命诸大臣,如对传旨有疑问,必须重新上奏问明。

壬申(二十五日),蒙古主从上都至此。

蒙古滨、棣二州蝗灾,真定路大旱。

九月,乙酉(初八),蒙古设立漕运河渠司。

辛卯(十四日),祭祀于明堂,大赦天下。

甲午(十七日),任命何梦然知枢密院事,杨栋同知枢密院事,叶梦鼎签书枢密院事。

冬季,十月,己未(十三日),发放缗钱一百四十万,让浙西六郡置办公庄田。

甲子(十八日),任命张珏兼知合州。

十一月,甲申(初八),蒙古因为东平、大名等路旱灾,酌量减少今年的田租。

丙戌(初十),蒙古祭祀于太庙,以哈坦、塔齐尔、张文谦主持。

十二月,丁未朔(初一),下诏说:"皇太子宫讲官、詹事以下,每日轮派一人,辰时入酉时出,专门讲读,备咨询,与辅导之职相称。"

景定五年　蒙古至元元年(公元 1264 年)

春季,正月,癸巳(十七日),拿出奉宸库里的珍珠、香料、象牙、犀牛角,到官设贸易场所去进行交换,帮助收回楮币。

己亥(二十三日),蒙古设立各路平准库。

癸卯(二十七日),蒙古撤销南边和宋的互市,重申严禁持武器、贩马、越过境界私商贸易。

二月,癸亥(十八日),蒙古下令选儒士编修国史,译写经书,并建立馆舍,国家拨薪俸供养他们。

壬子(初七),蒙古修筑琼花岛,疏通双塔漕渠。

辛未(二十六日),天降泥土。

癸酉(二十八日),蒙古主到上都去,诏各路总管史权等二十三人到上都参加大期会。

蒙古解除对边城军器的禁令。

三月,辛巳(初六),王坚去世,赐谥号为忠壮。

马光祖又被任命为沿江制置使,知建康府。

己亥(二十四日),蒙古命尚书宋子贞陈述时政,宋子贞上奏有关便国利民政事十条,大意是："官职和爵位,是君主的权柄,因而选任官吏应统归吏部。法律政令,是治理国家的法度准则,应及早制定。监司总管一路,若任用者不适合,则没有威望,应选公正廉洁德才兼备者担任。现在州县官世袭相传,非法征收赋税,老百姓困窘投诉无门,应把他们调走以革除这些弊端。另请建立国学,教育贵族后裔,下令各州县提学课试诸生员,三年进行一次贡举。"蒙古主命令中书省逐步实行。

辛丑(二十六日),蒙古设立漕运司。

贾似道奏曰："公田已建成,若再让各州来管理,恐怕害处不能消除,利益不能持久。请以江阴、平江的公田归浙西宪司,安吉、嘉兴的公田隶属两浙运司,常州、镇江的公田隶属总所,每年把田租交到官仓,特别宽减二分,若有水旱灾则另外商量放宽数,依然设四分司来主管公田给他们相应的官衔。平江、嘉兴、安吉各派一人,镇、常、江阴共派一人。每乡置官庄一所,百姓替政府耕种的称作官佃,为官府监督者称庄官。庄官让富裕的人家担当,两年一更换。每租一石,明减二斗,不许多收。"当时毗陵、澄江,争相迎合,多报买田数额以求功,大约六七斗都算作一石,到收租时,起始数额有亏,则于田主处取足,因而成为无穷的灾害。还有的贫瘠之田及租佃给贪婪愚恶之人的地方,又责成田主更换,带来的祸害更惨重。

这年春天,蒙古太常寺上书曰："自古帝王,功成以后皆作乐,乐也各有名,美盛的品德形象,都表现在乐里。皇上即位以来,尽心治世,弘扬文化,想恢复太平的旧业,应首先下令给主管衙门,修好登歌、宫县、八佾、乐舞,以备郊庙祭祀之用。或参考古代典章制度,应有美好的名称。"尚书省于是定名叫《大成之乐》。

夏季,四月,丙午(初二),下诏说："管景模的妻儿陷没,而他的忠心更坚定,平时所得的薪俸收入,都拿出来抚慰将士,因而家中贫乏,特赐缗钱三十万。"

丁未(初三),任命夏贵为四川安抚制置使,兼知重庆府。

戊申(初四),蒙古因为彰德、洺磁路引漳、滏、洹水浇灌田地,致使御河水越来越浅,盐运无法通行,于是堵塞分渠以恢复水势。

辛亥(初七),诏郡邑行乡饮酒礼。

壬子(初八),蒙古东平、太原、平阳旱灾,分别派遣西方僧人去求雨。

乙丑(二十一日),何梦然、马天骥因为谏官弹劾,被罢免。

丁卯(二十三日),蒙古重新追治李璮党万户张邦直兄弟及姜郁、李在等二十七人罪。

都统张喜进攻蟠龙城,被蒙古安抚使杨文安打败。张喜偷偷地带兵夜逃,刚出得汉城,杨文安派兵又袭败他们。

五月,乙亥(初二),蒙古派遣索拖延、郭守敬察看西夏的河渠,并让他们画成图交上来。

庚辰(初七),任命何梦然知建宁府。辛卯(十八日),任命杨栋为参知政事,叶梦鼎同知枢密院事兼权参知政事,姚希得为端明殿学士、签书枢密院事,马天骥提举洞霄宫。

乙未(二十二日),安南上表进贡地方特产,下诏谢绝,但仍重赏以奖励他们的恭顺。

乙亥(二十六日),蒙古任命中书右丞钮祜禄纳哈为平章政事。

六月,甲辰朔(初一),衢州知州谢垦,因土寇詹沔焚烧抢掠常山县,弃城逃跑。谏官上书说詹沔之事变,是因为谢垦纵使都吏徐信苟取而激起的,下诏斩徐信,没收家产,谢垦削去官职,不再任用。

乙巳(初二)，蒙古主召王鹗、姚枢到上都。窦默、僧子聪，曾经同姚枢等入侍蒙古主，窦默说："君有过失，臣下应当直言，君臣间讨论政事，自古就提倡这样。现在则不然，君说可以，臣也说可以，君说不行，臣也认为不行，这不是好的政治。"第二天，又在宫殿侍奉主上，打猎者丢失一鹘，蒙古主大怒，有的侍臣在旁边大声说应该加罪，蒙古主讨厌他的迎合，命杖责他，而开释打猎者不再追究。退朝后，子聪等道贺，窦默说："如不是你真心实意地规劝皇上，皇上怎么能如此感悟呢！"

乙丑(二十二日)，命董宋臣兼主管御前马院、御前酒库。皇帝宠爱董宋臣毫无衰减，没多久，董宋臣死了。

夏贵进攻虎啸山。蒙古宣抚使张庭瑞刚刚筑好城，中炮的城墙都裂开了，就立木栅栏防守；栅栏坏了，就依着大树，张开牛马皮以挡炮石。夏贵因为城中的饮水是从山涧外引进的，所以断绝城中水源。张庭瑞命煮尿注入土中以散发臭味，每人每天饮数合，嘴唇都渴裂了，仍坚守了一个多月，毫不懈怠。帅府参议焦德裕增援他们，夜里迫近夏贵军营，令士兵各持三个火把，夏贵吓得逃跑了，焦德裕追击，在鹅溪击败夏贵军。

秋季，七月，甲戌(初二)，彗星出于柳星，星光照亮天空，长数十丈，从四更开始出现在东方，直到太阳很高才消失。丁丑(初五)，皇帝避殿独居，减膳，诏令朝野直言过失。

考功郎官兼崇政殿说书赵景纬上密封章奏道："现在求怎样解天意，只不过是让人心欢愉罢了，百姓的心，即上天的心啊。封存你的私藏而把天下能满足你欲望之物占为己有，则人不欢愉；保护某个人而违背天下的公议，则人不欢愉；老百姓吃糟糠不饱而您的私宴供应随心所欲，则人不欢愉；百姓的膏血日渐榨干而征收的文书却急如星火，则人不欢愉；不要求自己公正但又要杜绝天下人的私心，则人不欢愉；不澄清贪财的根源而想止住天下人的贪心，则人不欢愉。如有这些方面原因，就足以招来怨愤而造成灾祸。希望陛下减少内廷库藏来杜绝贪财的指责，放出嫔妃以节制花费的奢侈浪费，弄权的太监一向为天下人所共恶，应摒绝他们，危害老百姓的非以功受爵者曾经为老百姓所愤恨的，应罢免、革除他们。挑选忠良敢于进谏直言之士，任命他们为台谏官以通畅堵塞的言路；选慈惠忠信之人，让他们担当地方官以保持大宋的一点儿元气；又要考查乾道、淳熙以来，凡财政资源名目原属各部门的，现在全部还旧处，以缓解经费的紧张；公田派买不均的弊端，听任百姓自己陈述，根据情况的变化。采取灵活的措施，以安定民间百姓的生活；这样人心就会欢愉天意也就明了了。人之常情，恐惧之心往往出现于灾异刚开始的时候，在一片诐谀纷至沓来之后，不能不潜移默化就淡忘了，万一误听左右宽慰之言，歪曲为别种说法而开脱你自己，举几条细小的理由敷衍塞责，而解除起初的恐惧，则下违背民心，上违背天意，国家的安危，也不得而知了。"

牟子才上疏请废去公田，更改七法。这时台谏、士庶上书者，都认为公田不便，民间忧愁怨愤皆由此产生。因此贾似道上书极力辩解，并请求辞官，皇帝曰："事情说起来容易，做起来很难，自古以来就是这样。假如公田的做法不可行，则你刚刚建议的时候，我就会加以阻止了。由于公田法对公私都有利，所以我才执意实行。现在大业已成，一年的军饷，依靠它供给，假如突然因为人们提出异议而废除，虽然可以满足一时的异议，但于国家大计如何呢？你既然担当此任，也应当任劳任怨，礼义不错，何必忧虑人家议论！你应当安心，不要辜负我对你的倚重之意。"知临安府刘良贵因为人言纷纭，自己向上陈述括田的辛劳，请求免官，不批准。从此,公众议论立即消失了。

临安府学生叶李、萧规应诏上书,批评贾似道专权,误国害民,以致遭到上天的谴责。贾似道大怒,令刘良贵搜集他们的罪状,因以超越身份用黄金装饰书斋匾额而定罪下狱。牟子才请求宽恕他们,又写信给贾似道,贾似道回信,词语很愤怒。径自判了放逐罪而结案。叶李脸上刺字发配到漳州,萧规到汀州。

丙戌(十四日),临安大火灾。

乙未(二十三日),因谏官弹劾马天骥贪赃,马天骥被削职,罢祠禄。

丁酉(二十五日),蒙古龙门禹庙建成。

己亥(二十七日),蒙古定用御宝制:凡皇上宣命,一品、二品用玉,三品至五品用金,其文曰“皇帝行宝”者,即位时所铸,只用于发诏诰;另铸宣命金宝行其他事。

蒙古额垺布格,自从实默图战败后,不再领兵,至此与诸王玉龙达实、阿弥达及其谋臣布拉哈、呼察图们等自行回到上都。皇上下诏说诸王都是太祖的后裔,皆宽释不再追问。他们的谋臣布拉哈等被处死。

这时额垺布格党有一千多人,蒙古主想将他们统统绳之以法,并将这事告诉宿卫安图,安图说:“每个人都为了自己的主人。您刚刚平定大难,马上就为私恨杀人,将用什么怀柔那些未归附者呢?”蒙古主吃惊地说:“你年纪轻轻,怎么能讲出这么老成的话来!这正合我意。”因此保全了很多人。

安图,是穆呼哩第四代孙,巴图鲁的儿子。中统初年,追封开国元勋,令他入宫宿卫,年纪刚十三岁,位在众多臣僚之上。母亲鸿吉哩氏,昭睿皇后的姐姐,可出入禁中,一日蒙古主见到她,问到安图的情况,回答说:“安图虽然年纪小,却是辅助您的一个人才。”蒙古主问:“你怎么能够知道呢?”回答说:“安图每次退朝后,必定与一些老成人交谈,从不跟年少的人在一起玩。”蒙古主因此更加器重安图。曾经命安图推荐一个懂得治国的汉人,安图推荐马邑的崔斌,崔斌入见蒙古主,详论时政得失。当时蒙古主正决心治理好国家,崔斌直言正论,当面指出是非,没有任何忌讳。

谏官上书言参知政事杨栋,说彗星是蚩尤旗帜,欺天骗君,请求治他的罪,丙申(二十四日),下诏免除杨栋官职,授予一郡官,没多久又命杨栋知建康府。

八月乙巳(初四),蒙古设立诸路行中书省,以中书省丞相耶律铸、参知政事张惠等管理各行省事。

蒙古实行新建立的法规,合并州县,规定官吏额数,按官职分品级,给予俸禄,颁布公田,按期考核政绩的好坏,均赋税,招集流民。禁止擅自用官物,不准以官物进献,不许借用挪用官钱,不许擅自摊派差役。凡军马不能停驻在乡间村坊,告状诉讼不得越境陈诉。救济鳏寡,劝勉农桑生产,考察天气的变化,均平物价。如有盗贼、囚徒造反,数月内要申报都省。又颁布陕西、四川、西夏、中兴、北京行中书省法规。

癸丑(十二日),蒙古翰林承旨王鹗上书说:“僧子聪参与谋划机密大事,制定大计,一向忠诚勤恳,但是仍然穿着平民服装、无正式官号;应该正式给他官服,推崇他显要的官职。”蒙古主命子聪仍恢复姓刘,赐名为秉忠,拜为太保,参与中书省事,并且以窦默的女儿嫁给他,在奉先坊赐予府宅。刘秉忠既受主命,以天下为己任,知无不言。当皇帝闲暇常向他垂问时,他就推荐可以被量才使用的人,他所选拔推荐的人,后来都成为名臣。

蒙古刘秉忠请定都于燕,蒙古主听从了他的建议,下诏在燕营建城池及宫室。乙卯(十四日),改燕京为中都,大兴府仍沿旧称。

丁巳(十六日),蒙古下诏改中统五年为至元元年,大赦天下。

蒙古主召翰林待制孟攀鳞入见,孟攀鳞分条陈述政务,诸如郊祀天地,祭祀太庙,制定礼乐,建立学校,实行科举,选择守令以爱护百姓,储藏米粮以供给军队,减去一切额外的赋役,免去不紧急的事情,百姓众官统归六部管理,法律纲纪制度一概由中书省制定,这是长治久安之计。对这些问题蒙古主询问了很长时间。接着又和他讨论王鹗、许衡的优劣,孟攀鳞说:"百一是文华之士,可放在翰林苑;仲平精通经书传布道义,可以为后学榜样。"蒙古主深表同意。百一,是王鹗的字;仲平,是许衡的字。蒙古主常直呼大臣的字,所以孟攀鳞也以他们的字对答。

戊午(十七日),彗星消失;甲子(二十三日),又出现于参星附近。赵景纬再上书说:"减少皇帝的饮食菜肴,不如减少内廷库藏、推辞贡奉更为实际;避开亲临正殿受群臣朝拜,不如闭塞权贵幸臣的言路、广开忠谏之门更为实际;大讲过失,当然可以广施仁恩,但不如挑选良吏、罢黜贪暴之徒更为实际。天意方回而未安定,人心刚刚欢愉而又疑虑重重,这正是阴阳消长的时候,国运兴衰的关键。"授予他兼国史院编修官、实录院检讨官,他谢绝了,但皇上不许。

秘书郎王应麟上疏论公田的危害,又说:"顺应天变不如先安定人心,安定人心莫如先接受直言劝谏。如果封闭天下人之口,挫伤直言进谏大臣之心,怎么能顺应天变呢?"当时直言进谏的言论大多与贾似道的意图不合,所以王应麟论及这个问题。

高斯得自从免官回家后,闭门不出,这时也应皇帝之诏上密封章奏说:"陛下一味信任一个宰相,虚心听从他,如若用人得当,那上天将安享祭拜,不生灾害。而今己未、庚申之年,大水泛滥,浙西百姓,死者成千上万;后又连年大旱,田野里庄稼不生,物价直线上涨,老百姓危在旦夕。现在妖星突然出现,其变故不小,如若不是大失人心,怎能让上天发怒到如此程度!"贾似道把他的奏疏隐瞒不报。

辛未(三十日),彗星化为霞气消散,自出现到消散,共四十余日。

九月,壬申朔(初一),蒙古建立翰林国史院。

辛巳(初十),蒙古主从上都来。

建宁府学教授谢枋得在宣城及建康考试时,摘取贾似道的政事作为问题,说尽了权奸把持国政,致使天心愤怒,地气改变,丧失民心,人才受损害,国家出现灭亡的征兆。漕使陆景思,把他的考卷交给贾似道,于是左司谏舒有开弹劾谢枋得利用考试策问发泄怨恨大行诽谤,是大不敬,乙未(二十四日),贬谪到兴国军。

贾似道请于诸路行经界推排法,从此江南之地,每尺每寸都要交税,而民力更加衰竭。贾似道又认为物价贵是由于楮币贱,楮币贱是因为楮币多,于是另造银关,每一银关相当于十八界会子之三成,拿出奉宸库的珍宝出卖,收旧会子于官,废去十七界会子不用。其制式为:上面一黑印像"西"字,中间三红印相连像"目"字,下边两旁各有一小长黑印,就像一个"贾"字。自从银关实行后,物价更贵而楮币更贱。

观星台和石圭,位于今河南登封。

冬季,十月,壬寅朔(初一),高丽国王王禃到蒙古朝见。

乙丑(二十四日),理宗皇帝生病,丁卯(二十六日),理宗皇帝驾崩。

皇帝特殊嗜好很多,对政事很懈怠,经学中有关性命的说法,只有助于空谈。大权旁落于奸臣之手,史弥远、丁大全、贾似道,窃取权势作威作福,皇帝总和他们混在一起。连年战乱灾祸重重,疆土日渐减少,扣留蒙古聘使,自己加速灭亡。驾崩时六十一岁。

皇太子赵禥即位,尊皇后谢氏为皇太后。这时有人提议太后垂帘听政,权参知政事叶梦鼎说:"母后垂帘,难道是好事!"这才止住。

定太后的生日为寿崇节。

总统祁昌由小道运粮入得汉城,并要转移其郡守向良及官吏亲属到内地,蒙古都元帅杨大渊派侄子杨文安拦截他们。祁昌于椒原立栅栏守卫,杨大渊又带兵合攻他们,连战三日,抓获祁昌,并抓获他所带的官吏亲属。

十一月,丙戌(十五日),皇帝刚刚听政,亲临后殿。提升叶梦鼎为参知政事,任命马廷鸾、留梦炎兼侍读,李伯玉、陈宗礼、范东叟兼侍讲,何基、徐几兼崇政殿说书。下诏要求直言敢谏。又下诏让先朝旧臣赵葵、谢方叔、程元凤、马光祖、李鲁伯,各人上书指正他的过失,召江万里、王爚、洪天锡、汤汉等到宫中,叶梦鼎坚辞新的任命,贾似道奏道:"参知政事离任,则江万里、王爚肯定不来。"皇帝也给予安慰挽留。

皇帝诏亲自守丧三年。重新恢复济王赵竑以前赠的少师、节度使封号,官府讨论修造坟墓制度,增修先帝坟墓。

赵葵上疏陈述边疆事态说:"老臣出入军队之间,很熟悉兵事,希望朝廷对战争要谨慎重视。"贾似道看见后脸上变色说:"这是三京失守者的话。"

御史弹劾宦官李忠辅、何舜卿等犯有贪赃罪,一并发配远方。

壬辰(二十一日),蒙古免除大臣兼管中书左右部,将中书左右部并入中书省。开始,中书左右部,由阿哈玛特、阿哩分管。阿哈玛特认为河南钧、徐诸州都有冶铁业,请求兴办冶铁之利,就聚集三千户开始冶铁,每年可交铁一百零三万七千斤。又因为太原老百姓小规模煮盐,越境贩卖,老百姓贪图其盐价低廉,争相买来吃,解州盐因此销售不出去,每年只收入盐税七千五百两,请求每年增加五千两,不管各种兵户、民户,一样交税。到现在废去左右部,任命阿哈玛特为平章政事,阿哩为中书右丞。

蒙古廉希宪上书建议:"从开国以来,凡献纳土地之臣及开国任命的大臣,都令他们世代相传,到如今已将近六十年了,他们的子孙都把部下看作奴隶,都邑长吏都当成他家的奴仆,这种事前代从来没有过。应进行改革,用考核的办法升降官职。"蒙古主听从了他的建议。庚午,(疑误)下诏废去诸侯世袭的制度,建立官员升降法。

蒙古任命张惠为山东行省的长官。

张惠到了任上,以银子赎买被俘虏的囚犯二百余家人成为平民,有些不能归家的就让出家为僧,建寺院供他们居住。山东老百姓因李璮的叛乱,被军士抓去的很多,张惠在军中大加搜检,将他们全部释放;又上奏请求精选良吏,减除多余的官员,老百姓的疾苦得以缓解。

十二月,辛丑朔(初一),下诏改明年为咸淳元年。

壬寅(初二),惩戒赃官,禁止搜刮民间财物以赋税盈余名义进贡皇室。

甲辰(初四),下诏定皇帝的生日为乾会节。

这一年,蒙古真定、顺天、河间、顺德、大名、济南、东平、泰安、高唐、洺、磁、漕、濮、济、博、德、滨、棣等府、州发生大水灾。

蒙古张文谦以中书左丞在西夏、中兴等路设中书省,董文用为行省郎中,派河渠副使郭守敬一并前往。

中兴路从珲搭哈之乱以后,百姓很恐惧,逃进山谷隐藏。董文用在各主要道路贴出告示晓谕他们,老百姓才安下心来。羌人习俗一直很鄙陋粗野,干事也没有法纪,董文谦找到五六个被俘虏的四川读书人,晓之以理,放他们出来,让他们学习官务,十天一个月期间,他们写公文有格式,子弟也知道读书了,习俗发生了变化。以前中兴路的古渠,一条叫唐来,长四百里,一条叫汉延,长二百五十里,其他州有正渠十条,皆长二百里,支渠大小共六十八条,共可灌田九万余顷。兵乱以来,渠道都损坏淤塞,郭守敬重建闸门堤坝,都恢复到以前的样子,因此开垦中兴、西凉、甘、肃、瓜、沙等州的土地改为水田,老百姓归附者四五万人,都分给了田地。

董文用造船停在黄河中,接纳各部落及溃逃叛乱士兵中来投降的人。这时诸王逊克特穆尔镇守西方,他的部下放纵骄横,索求无厌,行省无力支付,董文用坐镇幕府中,当面用法纪来训斥他们。这些人心中积恨,向诸王诬陷董文用,诸王大怒,召来董文用,并派左右盘问他,用心叵测。董文用说:"我是天子任命的官,不是你们所应盘问的。我愿意与天子派来任亲王的师傅辩明这些事。"诸王就派他的师傅审讯董文用。这师傅原是中央朝廷的旧臣,不肯顺着诸王的心意。董文用说:"我是汉人,生死并不可惜。所痛恨的是王的仁慈宽厚,他以很高的威望镇服远方,而他的部下却肆意虐待百姓,欺凌官府,有伤王的威名,这样恐怕不合适吧。"并列出他们的不法之事数十条。这师傅大惊而起,急向王报告。王立刻召见董文用并向他道歉,说:"不是你郎中,我还不知道这些事,郎中有这种心向着朝廷,更不应该怠慢。"从此诬陷就被推倒,而省府的事也就开始逐步实行。

续资治通鉴卷第一百七十八

【原文】

宋纪一百七十八　起旃蒙赤奋若【乙丑】正月,尽著雍执徐【戊辰】九月,凡三年有奇。

度宗端文明武景孝皇帝

讳禥,太祖十一世孙,父嗣荣王与芮,理宗母弟也,嘉熙四年四月九日,生于绍兴府荣邸。初,荣文恭王夫人全氏梦神言:"帝命汝孙,然非汝家所有。"嗣荣王夫人钱氏梦日光照东室。是夕,齐国夫人黄氏亦梦神人采衣拥一龙纳怀中,已而有娠。及生,室有赤光。七岁始言,言必合度,理宗奇之。及在位岁久,无子,乃属意托神器焉。淳祐六年十月,赐名孟启,以皇侄入内小学。十年正月,封益国公。十一年正月,改赐名孜,进封建安郡王。宝祐元年正月,改赐今名,进封永嘉郡王。二年十月,进封忠王。景定元年六月壬寅,立为皇太子。

咸淳元年　蒙古至元二年【乙丑,1265】　春,正月,辛未朔,日有食之。

丞相贾似道请为总护山陵使,不允,寻下诏奖谕。癸酉,直学士院留梦炎疏留似道;甲戌,谏议大夫朱貔孙等亦请改命,不报。

以牟子才为翰林学士,力辞。帝在东宫,雅敬子才,言必称先生。子才求去不已,以资政殿学士致仕,寻卒。

己卯,蒙古以邓州监战诺海、新旧军万户董文炳并为河南副统军。

甲申,蒙古申严越界贩马之禁,违者死。

乙酉,以河南、北荒田分给蒙古军耕种。

蒙古千户杨文安,俘得汉守臣向良家属以招良,良以城降于蒙古。

二月,辛丑朔,南军与蒙古元帅约哈苏战于钓鱼山而败,没战舰百四十六艘。

甲辰,蒙古初立宫闱局。

丁未,以姚希得参知政事,江万里同知枢密院事。

丁巳,蒙古主如上都。

蒙古主尝召崔斌,斌下马步从,蒙古主命之骑,因问为治大体,今当何先。斌以任相对。蒙古主曰:"汝为我举可为相者。"斌以安图、史天泽对。蒙古主默然良久,斌曰:"陛下岂以臣猥鄙,所举未允公议,有所惑欤?今近臣咸在,乞采舆言,陛下裁之。"蒙古主俞其请。斌立马飏言曰:"有旨问安图为相可否。"众欢然呼万岁,蒙古主悦。

庚申，置籍中书，记谏官、御史言事，岁终以考成绩。

壬戌，以端明殿学士王爚签书枢密院事。

癸亥，蒙古并六部为四，以敏珠尔多卜丹为吏、礼部尚书，马亨户部尚书，严忠范兵、刑部尚书，帕哈哩工部尚书。

甲子，蒙古以蒙古人充各路达噜噶齐，汉人充总管，回回人充同知，永为定制。

蒙古以同知东平路宣慰使保林鼎为平章政事，山东廉访使王晋参知政事。廉希宪、商挺罢。

蒙古诏：“总统所僧人，通五大部经者为中选，以有德业者为州郡僧录、判、正副都纲等官，仍于各路设三学讲、三禅会。”

三月，甲申，葬建道备德大功复兴烈文仁武圣明安孝皇帝于永穆陵，庙号理宗。

丁亥，蒙古敕边军习水战、屯田。

乙未，蒙古罢南北互市，括民间南货，官给其直。

蒙古以辽东饥，发粟赈之。

夏，四月，戊午，加贾似道太师，封魏国公。帝以似道有定策功，每朝，必答拜，称之曰“师臣”而不名，朝臣皆称为“周公”。山陵事竣，似道径弃官还越，而密令吕文德诈报蒙古兵攻下沱急，朝中大骇。帝与太后手诏起之，似道乃至。欲以经筵拜太师，而典故须建节，乃授镇（事）〔东〕军节度使。似道怒曰：“节度使，粗人之极致耳！”遂命出节，都人聚观。节已出，复曰时日不利，亟命返之。旧制，节出，撤关坏屋，无倒节理，以示不屈；至是人皆骇叹。

五月，庚寅，蒙古令：“军中犯法，不得擅自诛戮，罪轻断遣，重者闻奏。”

闰月，乙巳，以久雨，京城减直粜米三万石。自是米价高，即发廪平粜，以为常。

丁未，发钱二十万赡在京小民，二十万赐殿步马司军人，二万三千赐宿卫。自是行庆、恤灾或遇霆雨、雪寒，咸赐如上数。

癸丑，以江万里参知政事，王爚同知枢密院事，礼部尚书马廷鸾签书枢密院事。

召高斯得为中书舍人兼侍讲。斯得进《高宗系年要录纲目》，帝善之。

癸亥，蒙古移秦蜀行省于兴元。

丁卯，蒙古以平章政事赵璧行省于南京，廉希宪行省于东平，姚枢行省于西京。

蒙古诏：“诸路州府，若自古名郡户数繁庶，且当冲要者，不须改并，其户不满千者，可并则并之，附郭县止令州府官兼领。”于是并省州县凡二百二十馀所。

六月，己卯，蒙古参知政事王晋罢。

乙酉，名理宗御制阁曰显文，置学士、待制等官。

殿中侍御史陈宗礼疏言：“恭俭之德，自上躬始；清白之规，自宫禁始。左右之言利者必斥，蹊径之私献者必诛。”时帝多内宠，故宗礼以为言。宗礼尝以《诗》进讲，因言：“帝王举动，无微不显，古人所以贵慎独也。”帝擢宗礼权礼部侍郎兼给事中。

秋，七月，辛酉，蒙古益都大蝗，饥，命减价粜官粟以赈。

癸亥，以谅阴，命宰执类试阮登炳以下，依廷试例出身。

八月，己卯，蒙古诸宰执皆罢，以安图为中书右丞相，巴延为左丞相。安图时年二十一，入辞曰:"今三方虽定,江南未附,臣以年少,谬膺重任,恐四方有轻朝廷心。"蒙古主曰:"朕孰思之,无逾卿者。"巴延少随其父于西域,宋王实喇图遣人奏事,蒙古主见其貌伟,曰:"非诸侯王臣也,其留事朕。"与谋国事,恒出廷臣右,益贤之;敕安图以女弟妻之,曰:"为巴延妇,不惭尔氏矣。"至是拜左丞相。诸曹百事有难决者,徐以一二语决之,众服曰:"真宰辅也!"

蒙古元帅阿珠率兵至庐州及安庆诸路,统制范胜、统领张林、正将高兴、副将高迪迎战,皆死之。诏各官其一子。

总管方富由开州运粮饷达州,蒙古千户杨文安邀击之,富被擒。蒙古以文安充东路征行元帅。

戊子,蒙古主归自上都。

九月,庚子,蒙古皇孙特穆尔生,燕王珍戬子也。

蒙古大名大水,管民总管张弘范辄免其租赋,朝议罪其专擅,弘范请入见,进曰:"臣以为朝廷储小仓,不若储之大仓。"蒙古主曰:"何说也?"对曰:"今岁水潦不收,而必责民输租,仓虽实而民死亡且尽,明年租将安出? 若使不致逃亡,则岁有恒收,非陛下之大仓乎?"蒙古主曰:"知体,其勿问。"

壬子,命访司马光、苏轼、朱熹后人之贤能者,各上其名录用。

庚申,吏部侍郎李常上七事,曰崇廉耻,严乡学,择守令,黜贪污,谳疑狱,任儒帅,修役法。

起居郎兼侍读汤汉言:"陛下持敬心以正百度,其爱身也,必不以物欲挠其和平;其正家也,必不以私昵隳其法度。政事必主于朝廷而预防夫私门,人才必出于明扬而深杜夫邪径。"帝不纳。

先是蒙古主以安图幼未更事,召许衡于怀孟,杨诚于益都,俾议中书省事。及衡至,陈时务五事:

其一曰:"考之前代,北方之有中夏者,必行汉法,乃可长久,故后魏、辽、金,历年最多;他不能者,皆乱亡相继。史册具载,昭然可考。夫陆行宜车,水行宜舟,反之则不能行;幽燕食寒,蜀汉食热,反之则必有变。以是论之,国家之当行汉法无疑也。然万世国俗,累朝勋旧,一旦驱之下从臣仆之谋,改就亡国之俗,其势有甚难者。窃尝思之,寒之与暑,固为不同;然寒之变暑也,始于微温,积百有八十馀日而寒始尽,暑之变寒,其势亦然,是亦积之验也。苟能渐之摩之,待以岁月,心坚而确,事易而常,未有不可变者。此在陛下尊信而坚守之,不杂小人,不责近效,不恤流言,则致治之功,庶几可成矣。"

其二曰:"中书之务,不胜其烦,然大要在用人、立法二者而已。近而譬之,发之在首,不以手理而以栉理;食之在器,不以手取而以匕取。手虽不能,而用栉与匕,是即手之为也。上之用人,何以异此? 人莫不饮食也,独膳夫为能调五味之和,莫不睹日月也,独星官为能步亏食之数者,诚以得其法也。古人有言曰:'为高必因丘陵,为下必因川泽,为政必因先王之道。'今里巷之谈,动以古为诟戏,不知今日口之所食,身之所衣,皆古人遗法而不可违者,岂天下之大,国家之重,而古之成法反可违也? 夫治人者,法也;守法者,人也。人法相维,上安下顺,而宰执优游于廊庙之上,不烦不劳,此所谓省也。"

其三曰："民生有欲，无主乃乱。上天眷命，作之君师，此盖以至难任之，非予之可安之地而娱之也。天下之大，兆民之众，事有万变，日有万机，人君以一身一心而酬酢之，欲言之无失，岂易能哉？故有昔所言而今日忘之者，今之所命而后日自违者，可否异同，纷更变易，纪纲不得布，法度不得立，臣下无所持循，奸人因以为弊，天下之人，疑惑惊眩，议其无法无信，此无它，至难之地，不以难处而以易处故也。苟一言一行，必求其然与其所当然，不牵于爱憎，不蔽于喜怒，虚心端意，熟思而审处之，虽有不中者鲜矣。人之情伪，有易有险，险者难知，易者易知。然又有众寡之分焉，寡则易知，众则难知。故在上者难于知下，而在下者易于知上，其势然也。处难知之地，御难知之人，欲其不见欺也难矣。故人君惟无喜怒也，有喜怒，则赞其喜以市恩，鼓其怒以张势；惟无爱憎也，有爱憎，则假其爱以济私，藉其憎以复怨。甚至本无喜也诳之使喜，本无怒也激之使怒，本不足爱也而妄誉之使爱，本无可憎也而强短之使憎。若是，则进者未必为君子，退者未必为小人，予者未必有功，夺者未必有罪，以至赏之、罚之、生之、杀之，鲜有得其正者。人君不悟其受欺也，而反任之以防天下之欺，欺而至此，尚可防耶？虽然，此特人主之不悟者也，犹可说也。如宇文士及之佞，太宗灼见其情而不能斥；李林甫妒贤嫉能，明皇洞见其奸而不能退。邪之惑人有如此者，可不畏哉？夫上以诚爱下，则下以忠报上，感应之理然也。然考之往昔，有不可以常情论者。禹抑洪水以救民，启又能敬承继禹之道，其泽深矣；然一传而太康失道，则万姓仇怨而去者，何耶？汉高帝起布衣，天下景从，荥阳之难，纪信至捐生以赴急，则人心之归可见矣；及天下已定，而沙中有谋反者，又何耶？窃尝思之，禹、启爱民如赤子，而太康逸豫以灭德，是以失望；汉高以宽仁得天下，及其已定，乃以爱憎行诛赏，是以不平。古今人君，凡有恩泽于民，而民怨且怒者，皆类此也。"

其四曰："今国家徒知敛财之巧而不知生财之由，徒知防人之欺而不知养人之善。诚能优重农民，勿扰勿害，(殴)〔驱〕游惰之人而归之南亩，课之种艺，恳谕而笃行之，十年之后，仓府之积，当非今日之比矣。自都邑而至州县，皆设学校，使皇子以下至于庶人之子弟，皆入于学，以明父子、君臣之大伦，自洒扫应对以至平天下之要道。十年以来，上知所以御下，下知所以事上，上下和睦，又非今日之比矣。二者之行，万目斯举，否则它皆不可期也。"

其五曰："天下所以定者，民志也；民志定而士安于士，农安于农，工、商安于工、商，则在上之人有可安之理矣。苟民不安于白屋，必求禄仕，士不安于卑位，必求尊荣，四方万里，辐辏并进，各怀无厌无耻之心，在上之人，可不为寒心哉？臣闻取天下者尚勇敢，守天下者尚退让，取也守也，各有其宜，君人者不可不审也。夫审而后发，发无不中，否则触事而遽喜怒之色见于貌，言出于口，人皆知之。徐考其故，知其无可喜者，则必悔其喜之失；无可怒者，则必悔其怒之失；甚至先喜而后怒，先怒而后喜，号令数变，喜怒不节之故也。先王潜心恭默，不易喜怒，其未发也，虽至近莫能知；其发也，虽至亲莫能移；是以号令简而无悔，则无不中节矣。"蒙古主嘉纳之。

夏贵率军五万攻潼川，蒙古都元帅刘元礼所领才数千，众寡不敌，诸将登城，有惧色。元礼曰："料敌制胜，在智不在力。"乃出战，贵军却走。复大战于蓬溪，自寅至未，胜负不决。元礼激厉将士曰："此去城百里，为敌所乘，则城不可得入，潼川非国家有矣。丈夫当以死战取功名,时不可失也!"即持长刀突阵,将士咸奋,贵军大败。元礼,元振之弟也。蒙古主召而厚赉之,命复还潼川,元礼遂立蓬溪寨。

冬,十月,己卯,蒙古享于太庙。

蒙古安图言事忤旨,董文忠曰:"丞相素有贤名,今秉政之始,人方倾听,所请不得,后何以为!"遂从旁代对,恳恳详切,蒙古主从之。

十一月,辛丑,以礼部尚书留梦炎签书枢密院事。

十二月,庚午,蒙古平章政事宋子贞,言朝省之政,不宜数行数改;及刑部所掌,事干人命,尚书严忠范年少,宜选老于刑名者为之;又请罢北京行中书省,别立宣慰司以控制东北州郡;并从之。蒙古主颇悔用子贞晚,未几,子贞以年老告退,蒙古主慰留之。

已丑,蒙古濋山大(王)〔玉〕海成,敕置广寒殿。

咸淳二年 蒙古至元三年【丙寅,1266】 春,正月,壬子,蒙古立制国用使司,以阿哈玛特为使。阿哈玛特专以掊克为事,左右司郎崔斌曰:"与其有聚敛之臣,宁有盗臣。"屡言其奸恶,蒙古主不听。

癸丑,参知政事江万里罢。时贾似道以去要君,帝至拜留之,万里以身披帝云:"自古无此君臣礼!陛下不可拜,似道不可复言去。"似道不知所为,下殿,举笏谢万里曰:"微公,似道几为千古罪人!"然以此益忌之。帝在经筵,每问经史疑义及古人姓名,似道不能对,万里常从旁代对,王夫人稍知书,帝语夫人以为笑。似道闻之,积惭怒,谋逐万里,万里亦四上疏求退,乃以资政殿大学士奉祠。

蒙古许衡以病告,安图亲候其馆,与语良久,既还,念之不释。蒙古主谕衡曰:"安图尚幼,未更事,卿辅导之。汝有嘉谟,当先告之以达,朕将择焉。"衡对曰:"安图聪敏,且有执守,告以古人所言,悉能领解,臣不敢不尽心。但虑中有人间之则难行,外用势力纳(人)〔入〕其中则难行。臣入省之日浅,所见如此。"蒙古主命衡五日一赴省议事。

二月,丙寅,蒙古以廉希宪为中书平章政事,张文谦为中书左丞,史天泽为枢密院副使。时诸势家言有户数千当役属为奴者,议久不决。文谦请"以乙未岁户帐为断,奴之未占籍者,归之势家可也;其馀良民,无为奴之理。"议遂定。

癸未,蒙古主如上都。

甲申,蒙古罢西夏行省,立宣慰司。

辛卯,诏左右史循旧制立侍御坐前。

三月,乙巳,诏:"郡守为任两年,方别授官。"

夏,四月,丁卯,蒙古五山珍御榻成,置琼华岛广寒殿。

壬午,参知政事姚希得罢。

甲申,侍御史程元岳上言:"帝王致寿之道在修德,后世怵邪说以求之,往辙可鉴。修德之目有三:曰清心,曰寡欲,曰崇俭,皆致寿之原。"帝嘉纳之。

五月,丙午,蒙古诏:"凡良田为僧所据者,听蒙古人分垦。"

甲寅,以王爚参知政事,留梦炎同知枢密院事,刑部尚书包恢签书枢密院事。恢所至以严为治,破豪猾,去奸吏,治蛊狱,政声赫然。经筵奏对,诚实恳切,至身心之要,未尝不从容谆至,帝比为程颢、程颐。

陈宗礼进读《孝宗圣训》,因言:"安危治乱,第起于念虑之间。念虑稍差,祸乱随见,天下之乱,未有不起于微而成于著。"又言:"不以私意害公法,乃国家之福。"帝曰:"孝宗家法,惟赏善罚恶为尤谨。"宗礼曰:"有功不赏,有(罚)〔罪〕不罚,虽尧、舜不能治天下,诚不可不谨也。"旋擢礼部尚书。宗礼乞奉祠,帝曰:"岂朕不足与有为耶!"遂予郡。

六月,丁卯,蒙古封皇子纳穆哈为北平王。

丙子,蒙古立漕运司。

戊寅,蒙古命山东统军副使王仲仁督造战船于汴。

壬午,以衢州饥,命守令分劝诸藩邸,发廪助之。

史馆检阅慈溪黄震轮对,言时弊:曰民穷,曰兵弱,曰财匮,曰士大夫无耻。请罢给僧道度牒,使其徒老死即消弭之,收其田入,可以富军国,纾民力。时宫中建内道场,故震首及之。帝怒,批降三级;用谏官言得寝,出通判广德军。

秋,七月,壬寅,礼部侍郎李伯玉言:"人才贵乎养,养不贵速成,请罢童子科,息奔竞,以保幼稚良心。"诏从之。

贾似道尝集百官议事,忽厉声曰:"诸君非似道拔擢,安得至此!"众默然,莫敢应者。李伯玉曰:"伯玉殿试第二人,平章不拔擢,伯玉地步亦可以至此。"似道虽改容,而有怒色。伯玉退,即治归,遂以显文阁待制出知隆兴府。

丙午,蒙古遣使祀五岳、四渎。

先是蒙古东平万户严忠范奏:"太常登歌乐器,乐工已完,宫县文武二舞未备,请以东平漏籍户充之,合用乐器,官为置备。"中书命左三部、太常寺、少府监于兴禅寺置局,委官杨天佑、太祝郭敏董其事。大乐正翟冈,辨验音律,充收受乐器官。丞相耶律铸又言:"今制宫县,大乐内编磬十二虡,宜于诸处选石材为之。"太常寺以新拨宫县乐工、文武二舞四百十二人,未习其艺,遣大乐令许政往东平教之。大乐署言:"堂上下乐舞官员及乐正合用衣冠、冠冕、�履,请行制造。"中书、礼部移准太常博士议定制度,下所属制造。既而省臣言:"太庙殿室向成宫县,乐器咸备,请征东平乐工赴京师肄习。"是月,新乐服成,乐工至自东平,敕翰林院定拟八室乐章,太乐署编运舞节,俾肄习之。

八月,癸亥,蒙古赐丞相巴延第一区。

丁卯,蒙古遣兵部侍郎赫迪、礼部侍郎殷弘使日本,赐书,约通问结好。诏高丽导使至其国。

九月,戊午,蒙古主归自上都,谓廉希宪曰:"吏废法而贪,民失业而逃,工不给用,财不赡费,先朝患此久矣。自卿等为相,朕无此忧。"对曰:"陛下圣犹尧、舜,臣等未能以皋陶、稷、契之道赞辅太平,怀愧多矣。今日小治,未足多也。"蒙古主因论及魏征,希宪曰:"忠臣良臣,何代无之?顾人主用不用尔!"未几,有内侍传旨入朝堂,言某事当尔。希宪曰:"此阉宦预政之渐也。"遂入奏,杖之。

冬,十月,丁丑,蒙古太庙成,丞相安图、巴延言祖宗世数、尊谥、庙号,增祀四世各庙神主,配享功臣法服、祭器等事,皆宜定议,蒙古主命平章政事赵璧等集群臣,议定烈祖、太祖、太宗、卓沁、察哈岱、睿宗、定宗、宪宗为八室。

蒙古同知滕州郭侃言：“宋人羁留我使，宜兴师问罪。淮北可立屯田三百六十所，一屯所田，足供军旅一日之需。”

壬寅，蒙古命制国用司造神臂弓千张，矢六万。

蒙古总帅汪惟正，遣将由(问)〔间〕道袭开州，杨文安遣千户王福引兵助之。福先登，城遂陷，守将庞彦海投崖死，蒙古留兵戍其地。

十一月，辛卯，蒙古初给京府州县司官吏俸及职田。

戊戌，蒙古濒御河立漕仓。

丁未，蒙古平章政事宋子贞致仕。子贞私居，每闻朝廷事有不便于民者，必封疏上奏；爱君忧国，不以进退异其心。寻卒。

辛亥，蒙古以呼图塔尔为中书左丞相。

蒙古诏禁天文、图谶等书。

乙卯，少师致仕赵葵卒，谥忠靖。

丁巳，利东安抚使、知合州张珏，遣统制史炤、监军王世昌复广安大梁城。

初，孝宗颁朱熹社仓法于天下，广德军官为置仓，民困于纳息，至以息为本，而息皆横取于民，至有自经者。人以熹之法，不敢议。黄震曰：“尧、舜、三代圣人，犹有变通，安有先儒为法，不思救其弊耶？况熹法，社仓归之于民，而官不得与。官虽不与，终有纳息之患。”震为别买田六百亩，以其租代社仓息，约非凶年不贷，而贷者不取息。由是民得免于横取。

十二月，辛酉，蒙古改四川行枢密院为中书省，以赛音谔德齐、约苏(尔岱)〔岱尔〕等兼行中书省事。

蒙古刘元礼奏：“嘉定去成都三百六十里，其间旧有眉州城，可修复之，以扼嘉定往来之路。”蒙古主命赵璧往视可否。或以为眉州荒废已久，立之无关利害，徒费财力，元礼力争，璧从元礼议，遂城之。

蒙古都水少监郭守敬言：“金时自燕京之西麻峪村分引卢沟一支东流，穿西山而出，是谓金口，其水自金口以东，燕京以北，灌田若干顷，其利不可胜计。兵兴以来，典守者惧有所失，因以大石塞之。今若按视故迹，使水得通流，上可以致西山之利，下可以广京畿之漕。”又言：“当于金口西预开减水口，西南还大河，令其深广，以防涨水突入之患。”蒙古主善之。丁亥，命凿金口，导卢沟水以漕西山木石。

蒙古平阳路总管郑鼎，以平阳地狭人众，常乏食，乃导汾水溉民田千馀顷，开潞河鹏黄岭道，以来上党之粟；建横涧故桥，以便行旅；修学校，厉风俗；民德之。

是岁，蒙古东平、济南、益都、平滦、真定、洺磁、顺天、中都、河间、北京蝗，京兆、凤翔旱。

咸淳三年 蒙古至元四年【丁卯，1267】 春，正月，己丑朔，郊，大赦。

壬辰，以王熵知枢密院事，知庆元军府事叶梦鼎参知政事，吏部尚书常挺签书枢密院事。

丁酉，奉皇太后宝，上尊号曰寿和。谢堂等二十七人各进一秩，旋命太后亲属谢奕修等二十八人各升补一秩。

癸卯，册妃全氏为皇后。

蒙古敕修曲阜孔子庙。

乙巳,蒙古禁僧官侵理民讼。

戊申,帝诣太学谒孔子,行释菜礼。以颜渊、曾参、孔伋、孟轲配享,升颛孙师于十哲,列邵雍、司马光于从祀,雍封新安伯。讲官、监官、三学长、贰及诸生推恩有差。

辛(卯)〔亥〕,蒙古以赵璧为枢密副使。

戊午,蒙古城大都,以张柔判行工部尚书事,柔子弘略为筑宫城总管。寻进封柔蔡国公。

许衡屡以疾告,蒙古主时赐药酏;是月,乃听其归怀孟。

二月,己未,复广安军,诏改为宁西军。

庚申,蒙古以钮祜禄纳哈复为平章政事,阿哩复为中书右丞。

贾似道上疏乞归养,帝命大臣侍从传旨固留之。秘书少监王应麟,奏孝宗朝阙相者亦逾年,似道闻而恶之,语包恢曰:"我去朝士若王伯厚者多矣,但此人素著文学名,不欲使天下谓我弃士,盍思少贬!"伯厚,应麟字也。恢以告应麟,应麟笑曰:"迕相之患小,负君之罪大。"

乙丑,特授贾似道平章军国重事,一月三赴经筵,三日一朝,治事都堂,赐第西湖之葛岭,使迎养其中。似道于是五日一乘湖船入朝,不赴都堂治事,吏抱文书就第呈署,大小朝政,一切决于馆客廖莹中、堂吏翁应龙,宰执充位而已。

似道虽深居,凡台谏弹劾、诸司荐辟及京尹、畿漕一切事,不关白不敢行。正人端士,斥罢殆尽。吏争纳赂求美职,图为帅阃、监司、郡守者,贡献不可胜计,一时贪风大肆。兵丧于外,匿不以闻,民怨于下,诛责无艺,莫敢言者。太府寺主簿陈蒙尝入对,极言似道为相,国政阙失。后为淮东总领财赋,似道诬以贪污,安置建昌军,籍其家。

丁卯,蒙古改经籍所为弘文院。

丁亥,蒙古主如上都。

三月,己丑,蒙古复以耶律铸为中书左丞相。安图言:"比者省官员数,平章、左丞各一员。今丞相五人,素无此例。臣等拟设二丞相,臣等蒙古人三员,惟陛下所命。"诏以安图为长,史天泽次之,其馀蒙古、汉人参用,勿令员数过多。安图又言:"内外官须用老成人,宜令儒臣姚枢等人省议事。"蒙古主曰:"此辈虽闲,犹当优养,其令人省议事。"

丁巳,蒙古耶律铸制宫县乐成,赐名《大成乐》。

夏,四月,甲子,蒙古新筑宫城成。

五月,丁丑朔,日有食之。

蒙古敕上都重建孔子庙。

戊申,诏曰:"比尝命有司按月给百官俸,惟官愈卑,去民愈亲,仍闻过期弗予,是吏奉吾命不虔也,诸路监司其严纠劾。"

六月,壬戌,加授吕文德少傅,马光祖参知政事,李庭芝兵部尚书,并职任依旧。

乙丑,蒙古复以史天泽为中书左丞相,呼图达尔、耶律铸并降平章政事,巴延降中书右丞,廉希宪降中书左丞,阿哩、张文谦并降参知政事。

蒙古近臣有讼史天泽亲党布列中外,威权日盛,渐不可制;诏罢天泽政事,使待鞫问。廉希宪进曰:"天泽事陛下久,知天泽深者,无如陛下。始自潜邸,多经任使,将兵牧民,悉有治效。陛下知其可付大事，用为辅相。小人一旦有言，陛下尝熟察其心迹，果有横肆不臣者乎？今日信臣，故臣得预此旨；它日有讼臣者，臣亦遭疑。臣等备员政府，陛下之疑信若此，何敢自保？天泽既罢，亦当罢臣。"蒙古主良久曰："卿且退，朕思之。"明日，谕希宪曰："昨思之，天泽无对讼者。"事遂解。

癸酉，进封美人杨氏为淑妃。

己卯，知枢密院事王爚罢，知庆元府。

蒙古以高丽不能导使达日本，诏责高丽王（植）〔禃〕；仍令遣官至彼宣布，以必得要领为期。

秋，八月，乙丑，进封嗣荣王与芮为福王，主荣王祀事。

辛未，以留梦炎为枢密使，常挺同知枢密院事。

壬申，以久雨，命决滞狱。

以沿海制置使叶梦鼎为特进、右丞相兼枢密使，累辞，不许，乃与贾似道分任。利州路转运使王价以言去，及价死，其子诉求遗泽，梦鼎与之。似道以恩不出己，罢省部吏数人。梦鼎怒曰："我断不为陈自强。"即求去。似道母责似道曰："叶丞相安于家食，未尝求进。汝强与之相印，今乃牵制至此，若不从吾言，吾不食矣。"似道曰："为官不得不如此。"会太学诸生亦上书言似道专权固位，似道乃属临安尹洪焘求解。梦鼎请去愈力，帝不许。

丁丑，蒙古封皇子呼格齐为云南王。

是月，蒙古都元帅阿珠侵襄阳，遂入南郡，取仙人、铁城等栅，俘生口五万。军（迁）〔还〕，南师邀之襄、樊问。阿珠乃自安阳滩以济，留精骑五千阵牛心岭，复立虚寨，设疑火。夜半，南师至，伏发，大败，死者万馀人。

九月，壬辰，蒙古作玉殿于广寒殿中。

乙未，蒙古总帅汪良臣，请立寨于毋章德山，控扼江南，以当钓鱼之冲；从之。

戊申，蒙古以许衡为国子祭酒。

安南国王陈光昺遣使贡于蒙古，优诏答之。又俾其君长来朝，子弟入质，编民出军，投纳赋税，置达噜噶齐统治之。

癸丑，蒙古主归自上都。王鹗请立选举法，诏议举行，有司难之，事遂寝。

蒙古左右司郎中崔斌，论事明决，进见必与近臣偕，其所献替，虽密近之臣有不得与闻者，人多忌之。旋以论阿哈玛特忤旨，出守东平。

冬，十月，庚申，复开州。

甲戌，大雷电。赵景纬上疏曰："雷发非时，窃藉迹今日之事而有疑焉。内批叠降而名器轻，宫闱不严而主威亵，横恩之滥已收而复出，戢贪之诏方严而堕弛。宫正什伍之令，所以防奸衺，而或纵于乞怜之卑谋；缄黄出入之禁，所以严宸居，而间惑于袷襵之小数。以致弹墨未干，而收拭之旨已下；驳奏未几，而捷出之径已开。命令多疑，则阳纵而不收；主意不坚，则阴闭而不密。陛下可不思致灾之由，而亟求所以正之哉？愿清其天君，以端出治之源；谨其号令，以肃纪纲之本；毋牵于私恩而废公法；毋迁于迩言而乱旧章；去谗远色，贱货而贵德；则人心悦而天意得，可以开太平而兆中兴矣。"

权中书舍人王应麟言："十月之雷,惟东汉数见,命令不专,奸邪并进,卑逾尊、外凌内之像。当清天府,谨天命,体天德,以回天心。守成必法祖宗,御治必总威福。"贾似道恶其言,旋予祠。

庚辰,蒙古定品官子孙荫叙格。

十一月,乙酉,蒙古享于太庙。

丙申,故左丞相吴潜追复光禄大夫。

庚戌,以常挺参知政事,马廷鸾同知枢密院事。廷鸾入奏,言培命脉,植根本,崇宽大,行仁厚。又言："恢大度以优容,虚圣心而延伫,推内恕以假借,忍难行而听纳,则情无不达,理无不尽,奸人破胆,直士吐气,天下事尚可为也。"

蒙古南京宣慰使刘整言于蒙古主曰："攻宋方略,宜先从事襄阳。襄阳吾故物,由弃勿戍,使宋得筑为强藩。若复襄阳,浮汉入江,则宋可平也。"蒙古主从之,诏征诸路兵,命阿珠与整经略襄阳。

十二月,丙辰,以吕文焕改知襄阳府兼京西安抚副使。

丁卯,台臣言叙复观文殿学士皮龙荣,贪私倾险,尝朋附丁大全,宜寝新命;诏予祠禄。

敕谢枋得放归田里。

是岁,京师籴贵,勒平江、嘉兴上户运米入京,鞭笞囚系,死于非命者十七八。太常寺主簿陆逵,谓买田本以免和籴,令勒其运米,害甚于前。贾似道怒,出逵知台州,未至而怖死。

司农卿李镛言："经界尝议修明矣,而修明卒不行;尝令自实矣,而自实卒不竟。岂非上之任事者每欲避理财之名,下之不乐其成者又每倡为扰民之说?故宁坐视邑政之坏,而不敢诘猾吏奸民之欺;宁忍取下户之苛,而不敢受豪家大姓之怨。盖经界之法,必多差官吏,必悉集都保,必遍走阡陌,必尽量步亩,必审定等色,必细折计算,奸弊转生,久不迄事。乃若推排之法,不过以县统都,以都统保,选任富厚公平者,订田亩税色,载之图册,使民有定产,产有定税,税有定籍而已。臣守吴门,已尝见之施行,今闻绍兴亦渐就绪,湖南漕臣亦以一路告成。窃谓东南诸军,皆奉行惟谨,其或田亩未实,则令乡局厘正之;图册未备,则令县局程督之。又必郡守察县之稽违,监司察郡之怠弛,严其号令,信其赏罚,期之秋冬以竞其事,责之年岁以课其成,如《周官》日成、月要、岁会以综核之。"于是诏诸路漕帅施行焉。

蒙古廉希宪,奏对激切,无少回曲。蒙古主曰："卿昔事朕王府,多所容受。今为天子臣,乃尔木强耶?"希宪对曰："王府事轻,天下事重,一或面从,天下将受其害。臣非不自爱也。"

有讼四川帅奇彻者,蒙古主敕中书省急遣使诛之;明日,希宪覆奏,蒙古主怒曰："尚尔迟回耶?"希宪对曰："奇彻大帅,以一小人言被诛,(氏)〔民〕心必骇。收系至此,与讼者廷对,然后明其罪于天下为宜。"诏遣使者按问。其后事竟无实,奇彻得免。

方士请炼大丹,敕中书省给所需,希宪具以秦、汉故事进曰："尧、舜得寿,不因大丹也。"蒙古主曰："然。"遂却之。

时方尊礼帝师,蒙古主命希宪受戒。对曰："臣受孔子戒矣。"蒙古主曰："孔子亦有戒耶?"对曰："为臣也忠,为子也孝,孔子之戒,如是而已。"

咸淳四年 蒙古至元五年【戊辰,1268】 春,正月,癸巳,故守合州王坚,赐庙额曰报忠。

庚子,蒙古建城隍庙于上都。

乙巳,枢密使留梦炎罢,知潭州。

庚戌,诏曰:"迩年近臣无谓,辄引去以为高,勉留再三,弗近益远,往往相尚,不知其非义也。亦有一二大臣尝勇去以为重望,相踵至今。孟子与齐王不遇故去,是未尝有君臣之情也,然犹三宿出昼,庶几改之。儒者家法,无亦取此乎?朕于诸贤,允谓无负,其弗高尚,使人疑于负朕。"

闰月,戊午,蒙古令益都漏籍户四千,淘金登州栖霞县,每户输金岁四钱。

三月,(甲)〔丙〕寅,蒙古禁民间兵器,犯者验多寡定罪。

丁丑,蒙古罢诸路女真、契丹、汉人为达噜噶齐者,回回、辉和尔、奈曼、唐古特人仍旧。

夏,四月,庚寅,乾会节,帝御紫宸殿受贺。谢方叔以尝为东宫官,自豫章以一琴、一鹤、金丹一炉献帝。贾似道疑其观望再相,讽谏官赵顺孙,论其不当诱人主为声色之好。帝曰:"谢方叔托名进香,擅进金器,且以先帝手泽,每系之跋,率多包藏,至以先帝行事为己功,殊失大臣体,宜贬一秩。"于是卢钺等相继论列方叔昨蜀、广败事,误国殄民,今又违制擅进,削一秩罚轻。诏削四秩,夺观文殿大学士、惠国公,罢宰臣恩数,仍追《宝奎录》并系跋真本来。上欲谪之远郡,吕文德请以己官赎方叔罪,乃止夺官祠。

丙申,右正言黄镛言:"今守边急务,非兵农合一不可。一曰屯田,二曰民兵。川蜀屯田为先,民兵次之。淮、襄民兵为先,屯田次之。此足食足兵良策也。"不报。

五月,癸亥,蒙古都元帅伯嘉努,破嘉定之五花、石城、白马三寨。

壬申,赐礼部进士陈文龙以下六百六十四人及第、出身。

丙子,贾似道称疾求去,帝泣涕留之,不从。令六日一朝,一月两赴经筵。

六月,辛巳,诏:"罢浙西诸州公田庄,官募民自耕,输租减什三,毋私相易田,违者以盗卖官田论。"

诏免诸州守臣上殿奏事。叶梦鼎言:"祖宗谨重牧守之寄,将赴官,必令奏事,盖欲察其人品,及面谕以廉律己,爱育百姓。其至郡,延见吏民,具宣上意,庶几求无负临遣之意。今不远数千里而来,咫尺天颜而不得见,甚非立法本意。"又请容受直言,不报。梦鼎乞归田里,慰留之,寻加少保。

蒙古济南人王保和,妖言惑众,事觉,逮捕百馀人。丞相安图以张文谦之言入奏曰:"愚民无知,为所诳诱,诛其首恶足矣。"蒙古主即命文谦往决其狱,惟三人弃市,馀皆释之。

甲申,蒙古阿珠言:"所领者蒙古军,若遇山水、寨栅,非汉军不可。宜令史枢率汉军协力进征。"从之。

己酉,蒙古封诸王实纳坾为河平王。

蒙古蔡国公张柔卒,赠太师,谥武康。

秋,七月,癸丑,蒙古置御史台,以右丞相塔齐尔为御史大夫,谕之曰:"台臣职在直言,朕或有未当,其极言无隐。毋惮它人,朕当尔主。"以翰林直学士真定高鸣为侍御史,风纪条章,多鸣所裁定。

高丽国王(植)〔禃〕遣其臣崔东秀诣蒙古,言备兵一万,造船千只,诏遣都统领托济尔往阅之,就相视黑山、日本道路,乃命耽罗别造船百艘以俟调用。

八月,乙酉,蒙古程思彬以投匿名书言斥乘舆,伏诛。

蒙古以刘整为都元帅,与阿珠同议事。九月,整至军中,与阿珠计曰:"我精兵突骑,所当者破,惟水战不如宋耳。夺彼所长,造战舰,习水兵,则事济矣。"初,阿珠过襄阳,驻马虎头山,宿汉东白河口,曰:"若筑垒于此,襄阳粮道可断也。"至是整亦议筑白河口及鹿门山,遣使以闻,许之。于是遂城其地。

吕文焕大惧,遣人以蜡书告吕文德。文德怒,且詈曰:"汝妄言邀功。设有之,亦假城耳。襄、樊城池坚深,兵储支十年,令吕六坚守。果整妄作,春水下,吾往取之,比至恐遁去耳。"识者窃笑之。

阿珠继又筑台汉水中,与夹江堡相应。自是南军援襄者皆不能进。

丁巳,蒙古建尧庙及后土太宁宫。

己丑,蒙古主归自上都。命赫迪、殷弘赍国书复使日本,仍诏高丽遣人导送,期于必达,毋致如前稽阻。是日,复以史天泽为枢密副使。

蒙古征南之师道寿张,卒有撤民席,投其赤子于地以死,诉于东平守臣崔斌。斌驰谓主将曰:"未至敌境而先杀吾民,国有常刑,汝亦当坐!"于是下其卒于狱,自是莫敢犯。东平岁祲,征赋如常,斌驰奏,以免复请于朝,得楮币千馀缗以赈民饥。

【译文】

宋纪一百七十八　起乙丑年(公元 1265 年)正月,止戊辰年(公元 1268 年)九月,共三年有余。宋度宗,名讳赵禥,宋太祖十一世孙,父亲嗣荣王赵与芮,理宗的同母弟。嘉熙四年(公元 1240 年)四月九日,出生于绍兴府荣王府邸。当初,荣文恭王夫人全氏梦见神人说:"皇帝使命给你的孙辈,然而不是你们家所有。"嗣荣王夫人钱氏梦见目光照着东室。这天晚上,齐国夫人黄氏也梦见神人穿彩衣簇拥一条龙纳入怀中,不久便有了身孕。等到出生那天,室内有红光。度宗七岁才开始说话,说出来的必定合乎规矩道理,理宗感到奇怪。后来理宗在位年岁久了,没有生儿子,于是有将皇位传给他的意思。淳祐六年(公元 1246 年)十月,赐名赵孟启,以皇侄身份入宫内小学。十年(公元 1250 年)正月,封为益国公。十一年(公元 1251 年)正月,改赐名赵孜,晋封为建安郡王。宝祐元年(公元 1253 年)正月,改赐今名赵禥,进封永嘉郡王。二年(公元 1254 年)十月,进封忠王。景定元年(公元 1260 年)六月壬寅(初六),立为皇太子。

咸淳元年　蒙古至元二年(公元 1265 年)

春季,正月,辛未朔(初一),日食。

丞相贾似道请求担当总护山陵使,皇帝不同意,不久下诏奖谕他。癸酉(初三),直学士院留梦炎上疏要求留任贾似道。甲戌(初四),谏议大夫朱貔孙等请求改回成命,皇帝没有答复。

任命牟子才为翰林学士,牟极力推辞。皇帝为太子时,平素很敬重子才,说话时必称他为先生,子才一直请求离职,后在资政殿学士任上辞归,不久去世。

己卯（初九），蒙古任命邓州监战诺海、新旧军万户董文炳一起担任河南副统军。

甲申（十四日），蒙古公布严禁越过边界贩马的禁令，违者处死。

乙酉（十五日），把河南、河北荒田分给蒙古军耕种。

蒙古千户杨文安，俘虏了得汉守臣向良的家属并以此招降向良，向良向蒙古献城投降。

二月，辛丑朔（初一），宋军与蒙古元帅约哈苏战于钓鱼山而败，被击沉战舰一百四十六艘。

甲辰（初四），蒙古开始设宫闱局。

丁未（初七），任命姚希得为参知政事，江万里为同知枢密院事。

丁巳（十七日），蒙古主到上都。

蒙古主曾经召见崔斌，崔斌下马跟在后面步行，蒙古主让他骑马，随之问他治国的基本原则及当前应把什么置于首位。崔斌答首要的应是任命宰相。蒙古主说：“你为我推荐可以做宰相的人。”崔斌推举安图、史天泽。蒙古主沉默了很久，崔斌说：“陛下难道认为臣很鄙陋，所推荐的人没有经过公众讨论，而有所疑惑吗？现在近臣都在，请征求众人的意见，陛下裁夺。”蒙古主同意了他的请求。崔斌立在马上大声说：“皇上问安图为宰相行不行？”众人都高兴得欢呼万岁。蒙古主很高兴。

庚申（二十日），放簿籍于中书省，记录谏官、御史上言的事情，年终用以考核成绩。

壬戌（二十二日），任命端明殿学士王熵为签书枢密院事。

癸亥（二十三日），蒙古并六部为四部；任命敏珠尔多卜丹为吏、礼部尚书；马亨为户部尚书；严忠范为兵、刑部尚书；帕哈哩为工部尚书。

甲子（二十四日），蒙古用蒙古人担任各路达噜噶齐，汉人担任总管，回回人担任同知，定为永远的制度。

蒙古任命同知东平路宣慰使保赫鼎为平章政事，山东廉访使王晋为参知政事，免去廉希宪、商挺之职。

蒙古诏：“集中所管辖的僧人，凡通五大部经的则符合要求，任用其中有德业的为州郡僧录、判、正副都纲等官，仍于各路设三学讲、三禅会。”

三月，甲申（十五日），葬建道备德大功复兴烈文仁武圣明安孝皇帝于永穆陵，庙号理宗。

丁亥（十八日），蒙古下诏各边军练习水战、屯田。

乙未（二十六日），蒙古停止南北间的贸易，搜括民间的南方货物，由政府按价给钱。

蒙古因为辽东闹饥荒，发粟救济。

夏季，四月，戊午（十九日），加贾似道为太师，封为魏国公。皇帝因为贾似道参与决策有功，每次上朝，必定答拜，称他为“师臣”而不称他的名字，朝廷大臣都称他为“周公”。理宗的陵墓竣工，贾似道弃官回到越地，密令吕文德诈报蒙古兵攻打下沱，非常危急，朝中很是惊骇。帝与太后下诏起用他，贾似道才回来。因给皇帝讲过经学的缘故拜他为太师，而根据常理必须建符节，因此授予镇东军节度使。贾似道怒曰：“节度使，粗人之极致！”命令还回符节，都城的人都围观。符节已拿出，又说时日不吉利，急命追回来。按照旧制，符节一旦发出，即使撤关坏屋，也无倒节的道理，以示不屈。从此人们都害怕惊叹。

五月,庚寅(二十二日),蒙古令:"军中犯法,不得擅自杀戮,罪轻者中止遣派,罪重者上报皇帝知道。"

闰五月,乙巳(初八),因为长久下雨,京城减价卖米三万石。从此米价高时就发国库的米平价出售成为制度。

丁未(初十),发钱二十万供养在京的平民,二十万赐给殿步马司的军人,二万三千赐给宿卫。从此实行庆典、救灾或淫雨、雪寒,都按上数赐给。

癸丑(十六日),任命江万里为参知政事,王爚为同知枢密院事,礼部尚书马廷鸾签书枢密院事。

召高斯得为中书舍人兼侍讲。斯得进奉《高宗系年要录纲目》,皇帝很称赞。

癸亥(二十六日),蒙古迁移秦蜀行省治所于兴元。

丁卯(三十日),蒙古任命平章政事赵璧行省于南京,廉希宪行省于东平,姚枢行省于西京。

蒙古诏:"诸路州府,若自古就是名郡且户数很多,同时又是要冲之地,不要改并,凡户不满一千的,可并则并掉,靠近州府的县只令州府官兼领。"于是并省州县共二百二十多处。

六月,己卯(十二日),蒙古免去参知政事王晋的职务。

乙酉(十八日),命名理宗御制阁为显文阁,置学士、待制等官。

殿中侍御史陈宗礼上疏说:"恭敬节俭的美德,从皇上自身开始;清白的规矩,从宫禁中开始。左右只讲利不讲义的要斥退,通过歪门邪道行贿送礼的必须杀掉。"这时皇帝有很多内宠,所以陈宗礼讲这段话。陈宗礼曾经以《诗》进讲,说:"帝王的举动,没有什么事情天下不知道的,古人因此而注重慎独。"帝提拔宗礼为权礼部侍郎兼给事中。

秋季,七月,辛酉(二十五日),蒙古益都发生大蝗灾,造成饥荒,下令减价卖官粟以救济。

癸亥(二十七日),因皇帝正在居丧期间,命宰执代考阮登炳等人,资格相当于廷试出身。

八月,己卯(十四日),蒙古各位宰执都被免去,任命安图为中书右丞相,巴延为左丞相。安图刚二十一岁,前去推辞说:"现三方虽然安定,但江南仍未归附,臣因为年少,而承担重任,恐怕四方有轻视朝廷之心。"蒙古主说:"我已经深思熟虑,没有超过你的。"巴延少时随其父在西域,宋王实喇图派他到朝廷奏事,蒙古主见他相貌伟岸,说:"不应该是诸侯王的臣下,你留下侍奉我吧。"共商国是时,他的建议常常超过其他朝廷大臣,更加看重他;下诏把安图妹妹嫁给他,并说:"做巴延的媳妇,也不辱没你们了。"至今拜为左丞相。各部事情有难决策的,他只要不慌不忙地说上一两句话就解决了,众人佩服说:"真宰辅也!"

戊子(二十三日),蒙古主从上都回来。

甲午(二十九日),蒙古元帅阿珠率兵到庐州及安庆诸路,统制范胜、统领张林、正将高兴、副将高迪带兵迎战,都战死,下诏给每家一个儿子以官位。

总管方富从开州运粮饷到达州,蒙古千户杨文安拦截他们,方富被擒。蒙古任命杨文安任东路征行元帅。

九月,庚子(初五),蒙古皇孙特穆尔降生,是燕王珍戬的儿子。

蒙古大名水灾,管民总管张弘范免去百姓的租赋,朝廷议论应以专权治罪。张弘范请见蒙古主,进言说:"臣认为朝廷积粮于小仓,不如积粮于大仓。"蒙古主说:"怎么个说法?"回答说:"今年水涝不收,而一定要责令老百姓交租,仓虽满但老百姓将死亡殆尽了,明年的租将从什么地方来呢? 假如不要他们逃亡,则每年都能收租,这难道不是陛下的大粮仓吗?"蒙古主说:"有道理,擅权之事不予追究。"

壬子(十七日),命查找司马光、苏轼、朱熹的后人中的贤能者,送上他们的名单予以录用。

庚申(二十五日),吏部侍郎李常上奏七件事,谈及崇廉耻、严乡学、择守令、黜贪污、谳疑狱、任儒帅、修役法。

起居郎兼侍读汤汉说:"陛下持恭敬之心以正各种法度,其洁身自好,必不会因物欲而扰乱心平气和的境况;其严谨治家,必不会因私人关系而毁坏国家法度。政事必由朝廷决定而防止出于私人考虑,人才必是正大光明选拔而杜绝由歪门邪道上来的。"皇帝没有采纳。

先是蒙古主因为安图年幼没有经历过大事,就从怀孟把许衡召来,从益都把杨诚召来,让他们商讨中书省事,等到许衡到,陈述了时务五事:

其一是:"考察以前各代,北方民族能拥有中原的,必定实行汉化政策,才可以长久,故后魏、辽、金,统治时间最长,其他不实行汉化政策的,都是刚建立就灭亡,史书都有记载,明显可考。陆路宜用车,水路宜有船,反之则不行,幽燕人喜好食寒,蜀汉人喜好食热,反之则有病变。以这个原理来证明,国家毫无疑问地应当实行汉化政策。但是万世国俗,累朝勋旧,一旦驱使他们听从汉人的计谋,改而顺从亡国的习俗,这样做是很困难的。我曾经私下考虑过,寒与署,固然不同;但由寒变署,开始于微温,积一百八十余日寒始尽;署之变寒,其原理也一样,也是累积的效果。假如能逐渐的慢慢发展,越来越接近,等到时间长了,心越来越坚固,事情变化就很平常了,没有什么不可以改变的。这在于陛下要充满信心并坚持下去,不杂用小人,不急功近利,不听信流言,则达到大治是指日可待的。"

其二是:"中书的事务,相当烦琐,但主要的在于用人、立法两件事。就眼前举例说,头发长在头上,不用手理而用梳子梳;食物在器皿里,不用手取而用勺子舀,手虽然不行,而用梳子和勺子,还得用手去做。皇上用人,跟这并无区别! 人没有不吃饭的,但只有厨师才能调和五味;没有人看不见日月的,但只有星官才能测出日食、月食,确是得法的缘故。古人云:'为高必因丘陵,为下必因川泽,为政必遵先王之道。'现在里巷间的谈论,动辄谩骂、讥笑古的东西,却不知现在嘴里吃的,身上穿的,都是古人遗留下来的法规而不好违背的。难道天下之大,国家之重,而古代的规矩反而可以违背! 治人,是靠法律;守法的,是人。人与法互相维系,上安下顺,而宰执悠闲自得地在廊庙上游逛,不烦不劳,这就叫作省啊。"

其三是:"老百姓生来有欲望,没有人主的制约就会乱。上天体恤百姓,设立君臣,这是将最艰难的担子交给他们,不是给他们安身之地去休闲享乐的。天下之大,老百姓之多,事有万变,日有万机,人君以一身一心而应付,要说没有失误,那怎么容易做到! 所以有曾经讲过而今天忘掉的,现在制定而以后自己违背的,可否异同,纷更变易,国家的纲纪不能贯彻,法度不能建立,臣下没有可以依靠遵循的,奸人因此而作弊,天下之人,疑惑惊眩,议论他无法纪无信义,这没有其他原因,在一个很艰难的岗位上,却轻率地处理事务的缘故。假如一

4307

言一行,能遵照事物本来的样子与应当有的样子,不为自己的爱憎所牵制,不为自己的喜怒所束缚,虚心而思想端正,熟思而处事谨慎,虽有不对的也很少了。人的内心,有平易有险恶,险者难忖测,易者易把握。人又有众寡之分,寡则易了解,众则难察知。故在上者难于知下,而在下者易于知上,这是一般规律。处于难以知道的职位,驾驭难以预料的人,要他不被欺骗也很难。故人君只好无喜怒,有喜怒,就有人投其所好来求得恩赏,顺其所怨以张大自己声势;只好无爱憎,有爱憎,则有人投其所好以满足私欲,假借他的憎恶以复仇。甚至于本来无喜也诳骗得使他高兴,本无怒也刺激得使他生怒,本来不值得爱也瞎吹捧使他去爱,本来不可憎恶也硬说不好而使他憎恶。假如这样的话,则进者未必为君子,退者未必为小人,接受恩赏者未必有功,夺去职位者未必有罪,以至于赏、罚、生、杀,很少有做得合理的。人君不知道他受到欺骗,反任其所致以防天下欺骗他,欺骗已经到了这种程度,还谈得上什么防范呢!这些只是人主中不醒悟的,还好劝说。如宇文士及之奸险,唐太宗灼见其情而不能斥责,李林甫妒贤嫉能,唐明皇洞查他的奸诈而不能罢黜,邪恶迷惑已经到了这种程度,难道不可怕吗!如果上以诚心爱下,则下将以忠心报上,这是符合互相感应的道理的。但考查前夕,确有不能按常情来看的。禹治理洪水而救助百姓,启又能继承禹之事业,他们的恩泽深远;但一代相传,至太康失道,则百姓仇怨他而叛离他,什么道理呢?汉高帝出身于布衣,天下人都跟从,荥阳之难时,纪信甚至献出自己的生命以解救危急,则人心的向背可见一斑;等到天下已定,而沙漠中有谋反的,又是什么道理呢?我曾私下考虑过,禹、启爱民如赤子,而太康安闲享乐以灭德,所以大失民望,汉高帝用宽仁得天下,等到安定后,就根据自己的爱憎来实行杀戮赏赐,所以天下不平。古今人君,凡有恩泽于民但民怨且怒者,都与此相似。”

其四是:“现在国家光知道敛财之巧而不知道生财之由,只知道防人欺骗而不知培养人的善德。如确实能优重农民,不打扰不伤害他们,驱赶游手好闲的人回到土地上耕种,教给他们耕种技术,诚恳劝谕并督促实行,十年之后,仓府之积,应当不是今日所能比的。及从都邑而至州县,皆设学校,使皇子以下到百姓的子弟,都能学习,以通晓父子、君臣这样的伦理,及从洒扫应对直到平定天下的重要道理。十年之后,上司知道应怎样指挥管理下级,下级知道应怎样侍奉上司,上下和睦,又不是今天所能比的。这二者抓好了,其他事都好办了,否则其他事情就难以指望了。”

其五是:“天下能够安定,在于民心;民心定而读书人安心于读书,农民安心于农事,工、商业者安心于工、商业,则统治者就有理由安下心来。假如人民不安心于自己的家园,必然要谋取禄位;读书人不安心于读书,必然要获得尊荣。四方万里,车辆同时行进,每人都怀着无厌无耻之心,统治者难道不寒心吗!我听说取天下的人崇尚勇敢,守天下的人崇尚退让,取、守,各得其宜,统治人的人不可以不慎重对待。审视而后执行,这样没有不成功的,否则碰到事情就喜怒之色见于貌,言出于口,人人都知道。以后慢慢地考察一下原因,知道没什么可喜的,则必定懊悔因喜造成的失误;没什么可怒的,必定懊悔因怒造成的失误;乃至于先喜而后怒,先怒而后喜。号令数变,是喜怒不能节制的缘故。先王潜心恭默,不轻易喜怒,他没有发出号令,即使他的亲信也不能知道;他发出号令后,虽至亲也不能改变;所以号令简明而无悔,没有不恰到好处的。”蒙古主赞扬了他并接受了他的建议。

夏贵率领五万军队进攻潼川,蒙古都元帅刘元礼率领的军队才几千人,众寡悬殊,诸将登上城墙时脸上有害怕的神色。刘元礼说:"预见敌情,克敌制胜,在于智慧而不在力量的大小。"就带兵出战,夏贵军退走。双方又大战于蓬溪,从寅时打到未时,不分胜负。刘元礼激励将士们说:"这个地方离城一百里,让敌人占了上风,则城不能再进去,潼川将不再为我国所有。丈夫当以死战获取功名,时不可失也。"立即持长刀冲入敌阵,将士都很激奋,夏贵军大败。刘元礼,刘元振的弟弟。蒙古主召见并厚赏了他,命他再回潼川,刘元礼于是建蓬溪寨。

冬季,十月,已卯(十四日),蒙古祫于太庙。

蒙古安图,讲事情时违背了皇上的旨意,董文忠说:"丞相向来有贤能之名,现在刚开始主持政务,人们都在观察他,如他所请求的事不得应允,以后还怎么办!"就在旁边代安图回答,诚恳详切,蒙古主同意了。

十一月,辛丑(初七),任命礼部尚书留梦炎签书枢密院事。

十二月,庚午(初六),蒙古平章政事宋子贞,言朝廷及各省的政事,不宜屡行屡改;刑部所掌管的,事关人命,尚书严忠范年轻,应选请熟悉刑名的人担任;又请撤销北京行中书省,另立宣慰司用来控制东北州郡;蒙古主同意了他的建议。蒙古主颇后悔重用宋子贞晚了些;不久,宋子贞因年老请求退休,蒙古主慰问并挽留了他。

己丑(二十五日),蒙古渎山大玉海制成,诏敕安置于广寒殿。

咸淳二年　蒙古至元三年(公元1266年)

春季,正月,壬子(十八日),蒙古建立制国用使司,任命阿哈玛特为使。阿哈玛特专用苛捐重税剥削人民,左右司郎崔斌说:"与其有聚敛之臣,不如有盗窃之臣。"多次讲他的奸恶,但蒙古主不听。

癸丑(十九日),参知政事江万里被免职。这时贾似道用辞职要挟皇帝,帝想亲自下拜而让他留下,江万里扶着皇帝说:"自古没有这样的君臣之礼! 陛下不可拜他,贾似道也不可再讲离职。"贾似道不知所措。退朝后,贾似道举笏感谢江万里说:"没有你的话,似道我差点成为千古罪人!"但从此却更忌恨江万里了。帝在经筵上,每当问到经史疑义及古人姓名,贾似道不能回答,江万里常在旁边代为回答,王夫人稍知文墨,帝告诉夫人并以此为笑话。贾似道听说后,恼羞成怒,想赶走江万里,江万里也四次上疏请求退职,遂准他以资政殿大学士奉祠禄。

蒙古许衡因病请假,安图亲自到他的住处探望,交谈了很久,回来后,仍然念叨着他。蒙古主告诉许衡说:"安图还年轻,没有经历过大事,你辅导他。你有好的计谋,应当先告诉他转达给我,我将选择。"许衡回答说:"安图聪明敏捷,并且主管大事,告诉他古人的言论,他全能理解,臣不敢不尽心。但考虑到中间有人挑拨他则难办,外部势力纳入其中则难行。臣入省的时间很短,所见识的也就这些。"蒙古主命令许衡五天一次到省里议论事情。

二月,丙寅(初二),蒙古任命廉希宪为中书平章政事,张文谦为中书左丞,史天泽为枢密院副使。这时各权势之家提议拥有几千人家的势家可役使下属为奴,讨论了很长时间也没有决定。张文谦请求"以乙未年的户册作为断限,凡奴而未登录在簿册中的,可归属势家,其余良民,没有役使他们为奴的道理。"讨论就这样定下来了。

癸未(十九日),蒙古主到上都。

甲申(二十日),蒙古撤销西夏行省,设立宣慰司。

辛卯(二十七日),诏令左右史按旧制站立在侍御坐前。

三月,乙巳(十二日),下诏:"郡守任官两年,才可授予其他官职。"

夏季,四月,丁卯(初四),蒙古五山珍御榻修成,放在琼华岛广寒殿。

壬午(十九日),参知政事姚希得被免职。

甲申(二十一日),侍御史程元岳上书说:"帝王达到长寿的途径在于修德,后世用邪说求之,以往的经验教训值得借鉴。修德的内容有三项:清心,寡欲,崇俭。都是达到长寿的根本。"帝赞赏并接纳了他的建议。

五月,丙午(十四日),蒙古下诏:"凡僧人所拥有的良田,让蒙古人分别开垦。"

甲寅(二十二日),任命王熵为参知政事,留梦炎同知枢密院事,刑部尚书包恢签书枢密院事。包恢所到之处从严治理,打击豪强,去除奸吏,平反冤案,政绩斐然。经筵奏对时,言辞诚实恳切,外表从容不迫,内心敦厚之极,皇帝把他比作程颢、程颐。

陈宗礼进读《孝宗圣训》,并说:"安危治乱,往往起于一念之间,念头稍微偏差,祸乱立刻就可看见,天下之乱,没有不是由小而发展大的。"又说:"不因私意害公法,才是国家的大福。"皇帝说:"孝宗家法,只有赏善罚恶最为谨慎。"宗礼说:"有功不赏,有罪不罚,即使是尧、舜也不能治好天下,确实不可以不谨慎。"不久被提拔为礼部尚书。陈宗礼请求奉祠禄,帝说:"难道是朕不足以与你一起干番事业吗!"于是批准返回郡里。

六月,丁卯(初六),蒙古封皇子纳穆哈为北平王。

丙子(十五日),蒙古设立漕运司。

戊寅(十七日),蒙古命山东统军副使王仲仁在汴梁督造战船。

壬午(二十一日),因衢州饥荒,命守令分别劝说各藩王,拿出粮食来救助。

史馆检阅慈溪人黄震轮流对答,谈到时弊:曰民穷,曰兵弱,曰财匮,曰士大夫无耻。请求废去给僧道的度牒,使他们死后就消除掉,没收他们田里所得给国家,这样可以富国强兵、缓解民力。这时宫中建有内道场,故黄震首先谈到这个问题,帝很生气,要降他三级,因谏官讲情才得以平息,以黄震通判广德军。

秋季,七月,壬寅(十一日),礼部侍郎李伯玉说:"人才贵在培养,培养不能速成,请罢黜童子科,停止竞争,以保全他们幼稚的童心。"下诏按这个建议执行。

贾似道曾经召集百官商量事情,忽然厉声说:"诸君不是似道我提携,怎能到这个地步!"众默然不敢回答。李伯玉说:"伯玉我是殿试的第二名,平章您不提拔,伯玉我的地位也可达到这样。"贾似道虽然变换容颜,但仍含怒气。李伯玉回去后,就准备归乡,因此以显文阁待制出知兴隆府。

丙午(十五日),蒙古派使者祭礼五岳、四渎。

先是蒙古东平万户严忠范奏:"太常登记的歌舞乐器,乐工已经备齐,宫县文武二舞还没准备,请用东平漏籍户充任,应用的乐器,由官府为他们置备。"中书命左三部、太常寺、少府监在兴禅寺内设局造乐器,委官杨天祐、太祝郭敏主管这件事。大乐正翟冈,辨明检验音律,充任验受乐器的官。丞相耶律铸又说:"现在制宫县,大乐内编磬十二虡,应于各处选石材来做。"太常寺因为新拨的宫县乐工、文武二舞四百一十二人,没有学过其艺,派大乐令许政前往东平教会他们。大乐署说:"堂上下乐舞官员及乐正配用的衣冠、冠冕、鞋履,请予制造。"中书、礼部把这个任务移交给太常博士议定成制度,给下面所属部门制造。不久省臣说:"太庙殿室已经制成了宫县,乐器都备好了,请征集东平乐工赴京师肄习。"这月,新乐服制成,乐工从东平来了,诏敕翰林院定拟八室乐章,太乐署编运舞节,让他们学习。

八月,癸亥(初三),蒙古赐给丞相巴延第一区。

丁卯(初七),蒙古派兵部侍郎赫迪、礼部侍郎殷弘出使日本,赐给书信,订下盟约,相互问候,结下友好情谊。诏令高丽派人引导使者到日本。

九月,戊午(二十九日),蒙古主自上都回来,对廉希宪说:"官吏没有法律约束就会贪婪,百姓失业就会逃亡,工匠不能保证需用,财政不能满足开支,先朝长期以此为患。自从你们担任宰相以来,朕无此忧。"回答说:"陛下圣明犹如尧、舜,我等不能用皋陶、稷、契之道辅助太平,心中很觉惭愧,现在小有成效,不值得称赞。"蒙古主谈到魏征,廉希宪说:"忠臣、良臣,哪一代没有!要看人主用不用。"没多久,有内侍到朝堂传旨,讲某事应当如何。廉希宪说:"这是阉官干预朝政的开始。"立即入奏,把阉官杖责了一顿。

冬季,十月,丁丑(十八日),蒙古太庙建成,丞相安图、巴延说祖宗世数、尊谥、庙号,增祀四世各庙神主,配飨功臣的法服、祭器等事情,都应定下来。蒙古主命平章政事赵璧等召集群臣,议定烈祖、太祖、太宗、卓沁、察哈岱、睿宗、定宗、宪宗为八室。

蒙古同知滕州郭侃说:"宋人扣留我们使者,应该兴师问罪。淮北可以建立屯田三百六十所,一屯田生产的,足供军旅一日的军需。"

壬寅(疑误),蒙古命制国用司造神臂弓一千张,箭六万枝。

蒙古总帅汪惟正,派将从小道袭击开州,杨文安派千户王福带兵援助他们,王福先行登城,城陷,守将庞彦海投崖自杀,蒙古留兵戍守这个地方。

十一月,辛卯(初三),蒙古初次给京府州县司官吏俸禄及职田。

戊戌(初十),蒙古在御河边建漕仓。

丁未(十九日),蒙古平章政事宋子贞致仕。宋子贞住在家中,每当听到朝廷事情有不利于百姓的,必定封疏上奏。爱国忧君,不因为升免而有异心,不久去世。

辛亥(二十三日),蒙古任命呼图塔尔为中书左丞相。

蒙古下诏禁天文、图谶等书。

乙卯(二十七日),少师致仕赵葵去世,谥号忠靖。

丁巳(二十九日),利东安抚使、知合州张珏,派统制史炤、监军王世昌收复了广安大梁城。

当初,孝宗颁行朱熹提议的社仓法,广德军政府为了置仓,使百姓受困于交纳利息,甚至以利息为本,而利息皆强行向老百姓征取,甚至有逼得百姓上吊自杀的。人们因为这是朱熹制定的法规,不敢议论,黄震说:"尧、舜、三代的圣人,还有可以变通的,那有先儒制定的法规,不能改变其中弊病的!何况朱熹的法规,社仓归之于民,而官府不得参与。官府不参与,总有纳息的忧患。"黄震为此另买田六百亩,用其租税代替社仓利息,规定不是荒年不借贷,而借贷后不收取利息。从此百姓能够免于横征暴敛。

十二月,辛酉(初三),蒙古改四川行枢密院为中书省,任命赛音谔德齐、约苏岱尔等兼行中书省事。

蒙古刘元礼奏:"嘉定离成都三百六十里,这中间原来有眉州城,可以修复,以扼守嘉定的往来之路。"蒙古主命赵璧前往察看是否可行。有人认为眉州荒废已久,重建无关利害,徒费财力,刘元礼力争。赵璧听从了刘元礼的建议,城因此而修成。

蒙古都水少监郭守敬说:"金时从燕京之西麻峪村分引卢沟一支东流,穿西山而出,称作金口,其水自金口以东,燕京以北,可灌溉田地若干顷,其利不可胜计。开战以来,看守害怕有所失,就用大石头堵住了它。现在如果得以流通,上可以尽西山之利,下可以扩大京畿的漕运。"又说:"应当在金口西预先开凿一个减水口,使之从西南流入大河,增强其排泄能力,以防涨水爆满之患。"蒙古主认为很好。丁亥(二十九日),下令开凿金口,引导卢沟水用来漕运西山的木石。

蒙古平阳路总管郑鼎,因为平阳地狭人众,常缺乏粮食,就引汾水灌溉民田一千余顷,开潞河鹏黄岭道,用以运输上党的粟米,又建横涧故桥,方便行旅,修学校,整肃风俗,百姓都赞颂他。

这年,蒙古东平、济南、益都、平滦、真定、洺磁、顺天、中都、河间、北京发生蝗灾,京兆、凤翔干旱。

咸淳三年　蒙古至元四年(公元1267年)

春季,正月,己丑朔(初一),郊祀,大赦天下。

壬辰(初四),任命王爚知枢密院事,知庆元军府事叶梦鼎为参知政事,吏部尚书常挺签书枢密院事。

丁酉(初九),奉皇太后宝印,上尊号为寿和。谢堂等二十七人官进一级,不久又命太后亲属谢奕修等二十八人各升补一级。

癸卯(十五日),册封皇妃全氏为皇后。

蒙古敕修曲阜孔子庙。

乙巳(十七日),蒙古禁止僧官插手民间诉讼。

戊申(二十日),帝到太学去拜谒孔子,行释菜礼。对颜渊、曾参、孔伋、孟轲分别祭献,将颛孙师升为十位圣贤之一,列邵雍、司马光于从祀,封邵雍为新安伯。讲官、监官、三学长、副学长及诸生,按照级别各有赏赐。

辛亥(二十三日),蒙古任命赵璧为枢密副使。

戊午(三十日),蒙古修建大都,任命张柔主持工部尚书事,张柔的儿子张弘略为筑宫城总管。不久进封张柔为蔡国公。

许衡多次因有病请假,蒙古主经常赐给他药酒;当月,让他回怀孟。

二月,己未(初一),恢复广安军,下诏改为宁西军。

庚申(初二),蒙古任命钮祜禄纳哈再任平章政事,阿哩再为中书右丞。

贾似道上疏请求回家休养,帝命大臣侍从传旨坚持留他。秘书少监王应麟,奏说孝宗朝缺宰相也有过一年的,似道听说后憎恶地对包恢说:"我摒除朝廷大臣像王伯厚这样的人多了,但这人一向以文学著称,我不想使天下人说我放弃人才,何不让他少降一些。"伯厚,王应麟的字。包恢告诉王应麟,应麟笑着说:"违背宰相是小,负君的罪名是大。"

乙丑(初七),特授予贾似道平章军国的重任,一月三次参加经筵,三日一朝,让他在都堂办公,赐宅第于西湖葛岭,把他供养在其中。贾似道于是五日乘湖船入朝一次,不去都堂办公,官吏抱着文书到他宅第请他签署,大小朝政,一切取决于馆客廖莹中、堂吏翁应龙,宰执只是装门面而已。

贾似道虽然深居,凡台谏弹劾、诸司举荐辟除及京尹、畿漕的一切事情,不报告他不敢实行。正直之士,被排斥免职得几乎没有了。官吏争相贿赂以求得肥缺,想谋到帅阃、监司、郡守的官职,贡献的财物不可胜计,一时间贪污之风盛行。军队在外失败,隐瞒不报,百姓在下面怨愤,便诛杀勿论,没有敢说的人。太府寺主簿陈蒙曾经入对,极力指责贾似道身为丞相,朝政多有所失。后来他担任了总领淮东财赋的官,贾似道诬蔑他贪污,安置他到建昌军,将他的家产登记造册。

丁卯(初九),蒙古改经籍所为弘文院。

丁亥(二十九日),蒙古主到上都。

三月、己丑(初二),蒙古重新任命耶律铸为中书左丞相。安图说:"以往省官员的人数,平章、左丞各一员,现在丞相五人,向来没有这样的前例。臣等拟设两个丞相,臣等三个蒙古人,遵从陛下您的分派。"诏以安图为长,史天泽次之,其他的蒙古、汉人参用,但不要使人数过多。安图又说:"内外官须用老成人,应当让儒臣姚枢等入省议事。"蒙古主说:"这类人虽然很清闲,仍然应当优厚地供养他们,可以让他们入省议事。"

丁巳(三十日),蒙古耶律铸制定的宫县乐完成,蒙古主赐名为《大成乐》。

夏季,四月,甲子(初七),蒙古新筑的宫城竣工。

五月,丁丑朔(初一),有日食。

蒙古敕令上都重建孔子庙。

戊申(二十二日),下诏说:"以前曾令有司按月给百官俸禄,只是官位越小,数量越接近百姓,仍听说有过期不给的,这是官吏没有恭谨地执行我的命令,诸路监司应严加纠察弹劾。"

六月,壬戌(初六),加授吕文德为少傅,马光祖为参知政事,李庭芝为兵部尚书,以前的职务仍然担任。

乙丑(初九),蒙古重新任命史天泽为中书左丞相,呼图达尔、耶律铸一起降为平章政事,巴延降为中书右丞,廉希宪降为中书左丞,阿哩、张文谦一起降为参知政事。

蒙古近臣中有上告史天泽的亲信布列中外,威信权力日盛,发展下去将难以制约,下诏免去史天泽的政事,令其等待审查。廉希宪进言说:"史天泽为陛下效力很久了,深知史天泽为人的,没有谁超过陛下。他很早就跟着您,担当过各种职务,将兵牧民,都有成效。陛下知道他可以付与大事,任用他为辅相。小人一旦有闲话,陛下可曾仔细察看他的心迹,果真有横肆不忠的情况吗? 现在相信我,故我能参与议论这个旨意;他日有诉讼我的,我也将遭到怀疑。我们在政府干事,陛下的怀疑信任如果这样,我们怎么能够自保! 史天泽既被免去,也应当免去我的职位。"蒙古主良久说:"你且退下,让我考虑考虑。"第二天,告诉廉希宪说:"昨天我考虑过了,史天泽没有可以诉讼的。"事情因此而了结。

癸酉(十七日),进封美人杨氏为淑妃。

己卯(二十三日),知枢密院事王爚被免职,出任知庆元府。

蒙古因为高丽不能引使者到日本,下诏责备高丽王王禃;仍令派官员到他们那儿宣布,要求必须达到预期目的。

秋季,八月,乙丑(初十),进封嗣荣王赵与芮为福王,主持荣王的祀事。

辛未(十六日),任命留梦炎为枢密使,常挺同知枢密院事。

壬申(十七日),因为长期雨水,下令解决积滞的案件。

任命沿海制置使叶梦鼎为特进、右丞相兼枢密使,他多次推辞,未被批准,乃与贾似道分别担任。利州路转运使王价因被弹劾而离职,等到王价去世,他的儿子王愬请求继承其所受恩泽,叶梦鼎给予了他。贾似道认为恩泽非出于自己的功绩,遂免去省部吏几人。叶梦鼎愤怒地说:"我决不做陈自强那样的人。"立即请求离职。贾似道的母亲责备贾似道说:"叶丞相安于现状,不曾求高升。你竭力把相印交给他,却又如此地牵制他。假如不听从我的话,我就不吃饭了。"贾似道说:"当官不得不这样。"正好太学诸生也上书说贾似道专权固位,贾似道因此托临安尹洪焘去求和解。叶梦鼎请求离职更加强烈,帝不批准。

丁丑(二十二日),蒙古封皇子呼格齐为云南王。

这个月,蒙古都元帅阿珠侵犯襄阳,入南郡,取仙人、铁城等地的栅栏,俘虏人口五万。军队撤回时,宋军在襄、樊之间半路拦截他们。阿珠于是从安阳滩渡河,留精骑五千布阵于牛心岭,又立虚寨,设疑火。夜半时,宋军到了,遭到伏击,大败,死者万余人。

九月,壬辰(初八),蒙古建玉殿于广寒殿中。

乙未(十一日),蒙古总帅汪良臣,请求建立营寨于毋章德山,控制江南,以为钓鱼城的要冲,蒙古主听从了这个建议。

戊申(二十四日),蒙古任命许衡为国子祭酒。

安南国王陈光昺派使者向蒙古进贡,蒙古主持此下诏予以答谢,又令其君长来朝,子弟入宫为人质,编民参军,交纳赋税,设置达鲁噶齐统治他们。

癸丑(二十九日),蒙古主从上都回来,王鹗请求设立选举法,下诏讨论执行,有司认为很困难,此事因此而停止。

蒙古左右司郎中崔斌,讨论事情很果断,觐见皇帝时必定与近臣一起,他提的建议,虽皇上的宠臣也有不得与闻之处,人们都很忌妒他。不久因为谈论阿哈玛特而违背了皇上的意思,出守东平。

4314

冬季,十月,庚申(初七),恢复开州建制。

甲戌(二十二日),出现大雷电。赵景纬上疏说:"雷出现得不是时候,我考察今天的事情颇有疑虑。宫内器物过多赏赐则器物就不稀罕,宫闱管理不严则君主的威名就会受到亵渎,恩赏过滥的情况刚刚有所改善,现在又恢复原状,打击贪污的诏令刚刚严厉起来,现在又逐渐松缓。宫中民间的一些法令,是为了提防坏事的发生,但皇上您对犯罪者乞怜的卑辞总是宽大纵容;官员出入宫中的禁令,是为了整肃宫禁,而您有时却听信所谓消灾解难的迷信勾当;以至于弹劾的墨迹未干而收回与修改的旨意已经下去;驳回奏议不久,而后门小道已经打开;命令多疑,凡放开的便无法收回,主意不定,凡密令严禁的却又无法保守秘密。陛下您怎么能不考虑致灾的缘由,而赶快想办法来纠正过失呢!希望陛下您恢复往日的光辉,迈出天下大治的第一步;谨慎地发号施令,整肃国家的纲纪;不要顾及私恩而废除公法;不要迁于近言而乱了旧章;去谗言远女色,贱财货贵德行;则大快人心而顺从天意,可以开创太平之业而达到中兴的局面。"

权中书舍人王应麟说:"十月里响雷,只有东汉时出现过几次。这是命令不一,奸邪并进,卑者凌越尊者之上,外寇侵凌中国的征兆。应当整肃宫中,谨守天命,顺应天德,以使上天回心转意。守成必须效法祖宗,皇上治理天下必须把恩威总揽在手中。"贾似道讨厌他的话,不久让他退奉祠禄。

庚辰(二十八日),蒙古制定品官子孙荫叙制度。

十一月,乙酉(初二),蒙古祭献于太庙。

丙申(十三日),已故左丞相吴潜,被追复为光禄大夫。

庚戌(二十七日),任命常挺为参知政事,马廷鸾同知枢密院事。马廷鸾入奏,说培植国家的命脉和根本,应崇尚宽大之法,实行仁厚之政。又说:"发扬宏大的气度平静地处理事务,虚怀若谷而又长久地保持,推己及人而行宽恕之道,容忍悖逆的行径而能从谏如流,则情无不达,理无不尽,为非作歹之人魂飞胆表,正直坦荡之士扬眉吐气,天下事还可以有所作为。"

蒙古南京宣慰使刘整对蒙古主说:"攻宋的计略,应当先从襄阳开始。襄阳本来就是我们的,由于我们离弃没有派兵戍守,使得宋人得以筑成强大的城堡。如若恢复襄阳,从汉水进入长江,则宋可以平定了。"蒙古主听从了这个建议,下诏征召各路兵马,命令阿珠与刘整进攻襄阳。

十二月,丙辰(初四),着吕文焕改任知襄阳府兼京西安抚副使。

丁卯(十五日),台臣上书叙说重新复职的观文殿学士皮龙荣,贪私倾险,曾勾结投靠丁大全,应收回成命,下诏给予皮龙荣祠禄。

敕诏谢枋得放归田里。

这年,京师粮价太贵,勒令平江、嘉兴大户运米入京,对他们又打又抓,死于非命的十分之七八。太常寺主簿陆逵,说买公田本来用以免去和籴,现在勒令他们运米来,危害比以前严重。贾似道大怒,放逐陆逵知台州,未到任上就因恐惧而死。

司农卿李镛说:"经界曾说已经确定,而确定至今没有实行,曾经下令自己垦田,最终也不了了之,难道不是上面当官的总是想躲避理财之名,下面不想实行的又一直说是扰民的吗!所以他们宁可坐视邑政的败坏,而不敢查问猾吏奸民的欺骗行为;宁可忍心向小户人家

4315

收取苛税,而不敢招来豪家大姓的怨恨。而实行经界之法,必须多差遣官吏,必须召集全部都保,必须遍走田野,必须丈量全部田亩,必须审定田地的等级,必须细折计算,但奸弊转生,很久不能完事。再看推排法,只不过以县统都,以都统保,选家庭富裕且公平的人担任,订下田亩应交税的等级,记载在图册上,使老百姓有定产,产有定税,税有定籍罢了。我守吴门,已曾经看见推排法的施行,现听说绍兴也渐渐有了头绪,湖南漕臣也已大功告成。我私下认为东南各郡,都奉行得很谨慎,有的因田亩不实,就令乡局改正它;图册还没有的,就令县局按程序进行监督。又必定郡守检查县里拖延违反的,监司检查郡里懈怠松弛的,应使其号令严明,赏罚兑现,期望能在秋冬时完成这件事,责令他们每年以收成交课税,按《周官》上的日成、月要、岁会,进行综合考核。"皇帝下诏各路漕帅按此法施行。

蒙古廉希宪,奏对激切,缺少委婉,蒙古主说:"你过去在我王府做事时,常能宽容忍受,现在你为天子的臣下,怎么如此要强啊?"廉希宪回答说:"王府事小,天下事情重大,如果一味听从,天下将受到危害。我不是不自爱。"

有人告发四川帅奇彻,蒙古主诏敕中书省急派使者杀掉奇彻。第二天,廉希宪上奏拟推翻成命,蒙古主愤怒地说:"你怎么上奏得这么晚?"希宪回答说:"奇彻是一大帅,因一个小人的话而被杀,民心必定很恐惧。应把他抓来,与告发者对质,然后把他的罪名告知天下更合适一些。"蒙古主下诏派使者审讯奇彻。后知这些事竟然没有根据,奇彻得以免死。

方士请炼大丹,诏敕中书省供给他们需要的物资。廉希宪陈述秦、汉旧事后又进言说:"尧、舜能够长寿,不是因为大丹。"蒙古主说:"是的。"遂推辞掉这件事。

这时正尊礼帝师,蒙古主命廉希宪受戒,回答说:"我已受过孔子之戒。"蒙古主说:"孔子也有戒?"回答说:"为臣要忠,为子要孝,孔子之戒,就是这些。"

咸淳四年 蒙古至元五年(公元1268年)

春季,正月,癸巳(十一日),对已故守合州王坚,赐庙号为报忠。

庚子(十八日),蒙古于上都建城隍庙。

乙巳(二十三日),枢密使留梦炎被免职,出知潭州。

庚戌(二十八日),下诏说:"近年来近臣不说明原因,动辄以离任以示清高,勉留再三,不近反更远,往往互相推崇,而不知他们是不义的。也有一两个大臣曾经勇而离任赢得众望,相沿至今。孟子没有受到齐王的知遇而离去,是不曾有君臣之情,但仍有三个晚上一直讨论到天亮,期望有所改变。儒学的家法,不是取法于此吗?朕对诸位贤臣,允诺的从没违背,而离任的大臣如此不高尚,使人怀疑是有负于我!"

闰一月,戊午(初六),蒙古命益都没有户籍的四千户,到登州栖霞县去淘金,每户每年交四钱金子。

三月,丙寅(十五日),蒙古禁止民间私自藏有武器,如犯此法则根据私藏多少来定罪。

丁丑(二十六日),蒙古免去各路女真、契丹、汉人担任达鲁噶齐的,回回、辉和尔、奈曼、唐古特人照旧担任。

夏季,四月,庚寅(初九),乾会节,帝驾临紫宸殿接受祝贺。谢方叔因为自己曾经是东宫官,从豫章带来一琴、一鹤、金丹一炉献给皇上,贾似道怀疑他仍想当宰相,就暗中指派谏官赵顺孙,说他不应当以声色之好诱惑人主,帝说:"谢方叔以进香之名,擅自进献金器,且在先帝手稿后面,经常作跋,大多包藏奸心,甚至把先帝的行事据为自己的功劳,有失大臣的身份,应贬去一秩。"这时卢钺等人相继列数谢方叔以前蜀、广败绩,误国殃民,现在又违反制度擅自进献,削一秩的处罚太轻。下诏削去他四秩,剥夺他观文殿大学士、惠国公的称号,免掉他的宰臣恩数,追回《宝奎录》及跋的真本。皇上欲贬谪谢方叔到边远郡去,吕文德请求用自己的官位来赎谢方叔的罪,皇上只取消他的官祠。

丙申(十五日),右正言黄镛说:"现在守边最要紧的事,非兵农合一不可。一曰屯田,二曰民兵。川蜀屯田为首位,民兵为第二位,淮、襄首先是民兵,屯田为第二位。这可作为足食足兵的好办法。"未复。

五月,癸亥(十三日),蒙古都元帅伯嘉努,攻破嘉定的五花、石城、白马三寨。

壬申(二十二日),赐礼部进士陈文龙以下六百六十四人及第、出身。

丙子(二十六日),贾似道称有病在身请求离任,帝泣涕留他,不听从。帝令他六日一朝,一月参加两次经筵。

六月,辛巳朔(初一),下诏:"撤销浙西诸州公田庄,政府招募老百姓耕种,交租时减去十分之三,不要私自相互换田,违者按盗卖官田罪论处。"

下诏让各州守臣不要上殿奏事。叶梦鼎说:"祖宗很重视对牧守的托付,他们赴任前,必定要他们奏事,意思是要察看他们的人品,同时当面告谕他们要以廉律己,爱护养育百姓。他们到了郡里,召见吏民,向他们宣布圣上的旨意,期望不负皇上任命时的嘱托。现在他们不远数千里而来,皇上天颜近在咫尺而不能见到,这并不是立法的本意。"又请求应能容纳直言,没有批复。叶梦鼎请求归故里,皇上抚慰并留下了他,不久被封为少保。

蒙古济南人王保和,妖言惑众,事情被察觉,逮捕了一百多人。丞相安图按照张文谦的话入奏说:"愚民无知,被王保和诳骗诱惑,杀掉首恶就行了。"蒙古主命张文谦前往处理这个案子,只有三个人被杀弃市,其他人都被释放。

甲申(初四),蒙古阿珠说:"我所率领的都是蒙古兵,如若遇到山水、栅栏,没有汉军不行。应命史枢率汉军协力进军。"听从了他的意见。

己酉(二十九日),蒙古封实纳埒为河平王。

蒙古蔡国公张柔去世,追赠他太师封号,谥号武康。

秋季,七月,癸丑(初四),蒙古设立御史台,任命右丞相塔齐尔为御史大夫,并告诫他说:"台臣之职在于直言,我如果有不恰当的地方,你们都要说出来不要隐瞒。不要畏惧他人,我为你们做主。"任命翰林学士真定人高鸣为侍御史,御史台的风纪条例,大多是高鸣所裁定的。

丙子(二十七日),高丽国王王禛派他的臣下崔东秀到蒙古,说他们已备兵一万人,造船一千艘。蒙古主下诏派都统领托济尔前往检阅,顺便察看去黑山、日本的道路,又命耽罗另造一百艘船以等待调用。

八月,乙酉(初六),蒙古程思彬,因为投匿名信斥责乘车的贵族,被杀掉。

蒙古任命刘整为都元帅,与阿珠共同商议军事。九月,刘整到了军中,与阿珠商量说:

4317

"我们精兵快骑,所有阻挡的都被攻破,只不过水战不如宋军。应夺其所长,造战舰,练水兵,那么事情就成功了。"当初,阿珠经过襄阳时,驻扎在虎头山,在汉水东的白河口休整,说道:"如果在这个地方筑城堡,襄阳的粮道可以断绝了。"这时刘整也议论着在白河口及鹿门山筑城堡的事,就派使者上报,获得了允许。于是就在那些地方筑了城堡。

吕文焕很害怕,派人用蜡书告诉吕文德。文德很生气,并且骂着说:"你靠胡说来邀功,即使有,也不过是假城。襄、樊城池坚深,军队储备可以用十年,又有吕六坚守在那里。如果刘整敢筑城,到了春水来时,我前往进攻他,到那时恐怕他就逃走了。"明白的人都暗暗发笑。

阿珠接着又在汉水中筑台,与夹江堡相应,从此宋军增援襄阳的部队就不能进来了。

丁巳(初九),蒙古修建尧届及后土太宁宫。

己丑(疑误),蒙古主从上都回来,命赫迪、殷弘带国书再次出使日本,仍旧下诏高丽让他们派人引送,期望务必到达,不要再像以前那样拖延不前。这天,再次任命史天泽为枢密副使。

蒙古南征之师行军到寿张,士兵中有人撤去百姓的席子,把这家人的儿子摔死在地上,百姓就向东平守臣崔斌告状,崔斌立即赶马到军中对主将说:"没有到达敌境而先杀死我的百姓,国家有固定的刑法,你也应当定罪!"因此把士兵押于狱中,从此以后没有敢再侵犯百姓的。东平今年歉收,而征赋如平常,崔斌又飞骑入奏,再次请求朝廷免去赋税,得到楮币千余贯用来赈济百姓的饥荒。

续资治通鉴卷第一百七十九

【原文】

宋纪一百七十九　起著雍执徐【戊辰】十月,尽玄黓涒滩【壬申】七月,凡四年有奇。

度宗端文明武景孝皇帝

咸淳四年　蒙古至元五年【戊辰,1268】　冬,十月,戊寅朔,日有食之。

〔皇〕子宪生。

参知政事常挺罢,寻卒。

蒙古以中书、枢密事多壅滞,言者请置督事官各二人。高鸣上言曰:“官得人,自无滞政。臣职在奉宪,愿举察之,毋为员外置人也。”己卯,诏:“中书省、枢密院,凡有事与御史台同奏。”

蒙古立河南等路行中书省,以参知政事阿哩行中书省事。庚辰,以御史中丞阿哩为参知政事。

庚寅,蒙古命从臣录《毛诗》《论语》《孟子》。

乙未,蒙古享于太庙。

蒙古中书省言前朝必有《起居注》,故善政嘉谟,不致遗失;诏即以和尔果斯、通呼喇充翰林待制兼起居注。

戊戌,蒙古宫城成。刘秉忠辞领中书省事,许之,为太保如故。

己亥,诏:“四川州县盐酒课再免征三年。”

十一月,癸丑,枢密院言:“南平镇抚使韩宣,筑城于渝、嘉、开、达、常、武诸州县,峡州至江陵,水陆有备。宣尽瘁以死,宜视殁于王事加恩。”诏任其子承节郎。

戊午,〔皇〕子锽生。

庚申,襄阳军攻沿山诸寨,为阿珠所败,被杀甚众。

丙寅,福建安抚使汤汉再辞免,乞祠禄,诏别授职。

辛未,以文武官在选,困于部吏,隆寒旅琐可闵,命吏部长、贰、郎官日趣铨注,小有未备,特与放行,违者有刑。自是隆寒盛暑,申严戒饬。

壬申,行义役法。

癸酉,蒙古御史台言:“立台数月,发摘甚多,追理侵欺粮粟近二万石,钱物称是。”诏褒谕之。

4319

　　蒙古朝仪未立,凡遇称贺,臣庶杂至帐殿前。执法者患其喧扰,不能禁。太常少卿王磐上疏曰:"按旧制,天子宫门不应入而入者,谓之阑入;阑入之罪,由第一门至第三门轻重有差。宜令宣徽院籍两省而下百官姓名,各依班序,听通事舍人传呼赞引,然后进。其越次者,殿中司纠察定罚。不应入而入者,准阑入罪。庶朝廷之礼渐可整肃。"于是议定朝仪。

　　十二月,戊寅,蒙古以中都、南京、北京州郡大水,免田科。

　　丙戌,签书枢密院事包恢罢。

　　辛卯,以夏贵为沿江制置使兼知黄州。

　　戊戌,以汪立信知潭州兼湖南安抚使。

　　咸淳五年　蒙古至元六年【己巳,1269】　春,正月,丁未,以李庭芝为两淮制置大使兼知扬州。州新遭火,公私萧然。庭芝放民负盐二百馀万,又凿河四十里入金沙馀庆场,以省车运。始,平山堂瞰扬城,敌至则构望楼其上,张弓弩以射城中。庭芝筑大城包之,募汴南流民二万馀人以实之,号武锐军。修学赈饥,民德之如父母。

　　甲寅,蒙古刘秉忠、(鄂)〔博〕啰,奉诏命赵秉温、史杠访前代知礼仪者肄习朝仪。秉忠曰:"二人习之,虽知之莫能行也。"诏许用十人。乃访问于金故老乌库哩居贞等,遂偕许衡、徐世隆,稽古典,参时宜,沿情定制而肄习之。秉忠又曰:"无乐以相须,则礼不备。"诏搜访乐工,依律运谱,被诸乐歌。

　　戊午,蒙古阿珠率众侵复州、德安府、京山等处,掠万人而去。

　　右丞相叶梦鼎,扼于贾似道,不得行其志,乃引杜衍故事致仕,单车宵遁。癸亥,诏以少保、观文殿大学士判福州,辞不拜。以马廷鸾参知政事。甲戌,以江万里参知政事。

　　蒙古括诸路兵以益襄阳,遣史天泽与枢密副使呼喇楚往经画之。天泽至,吕文焕遣吏饷以盐、茗。天泽筑长围,起万山,包百丈山,令南、北不相通。又筑岘山、虎头山为一字城,联亘诸堡,为久驻计。

　　蒙古阿哈玛特专总财赋,以新立宪台,言于蒙古主曰:"庶务责成各路,钱谷付之转运;今绳治之,事何由办?请罢御史台及诸道提刑司。"廉希宪曰:"立台察,古制也,内则弹劾奸邪,外则察视非常,访求民瘼;裨益国政,无大于此者。如阿哈玛特所言,必使上下专恣,贪暴公行,事岂可集耶?"阿哈玛特语塞,乃止。

　　二月,己丑,蒙古颁行新字,诏曰:"国家创业朔方,制用文字,皆取汉楷及辉和尔字以达本朝之言。考诸辽、金及遐方诸国,例合有字。今文治寖兴,字书尚缺,特命国师帕克斯巴创蒙古新字,颁行诸路,译写一切文字,期于顺言达事而已。"更号帕克斯巴为"大宝法王"。其字凡千馀,大要以谐声为宗。寻诏诸路蒙古字学各置教授。

　　三月,丙午,蒙古阿珠自白河率兵围樊城,遂筑堡鹿门山。

　　己未,诏浙西六郡公田设官督租有差。

　　辛酉,京湖都统制张世杰,将兵拒蒙古围樊之军,战于赤滩浦,败绩。时群臣多言高达可援襄阳者,御史李旺入言于贾似道,似道曰:"吾用达,如吕氏何?"旺出,叹曰:"吕氏安,则赵氏危矣。"吕文焕闻达且至,亦不乐,以语其客,客曰:"易耳。今朝廷以襄急,故遣达;吾以捷闻,则达(不必)〔必不〕成遣矣。"会获哨骑数人,文焕即以大捷奏,然朝廷实未尝急于援襄也。

戊辰，以江万里为左丞相，马廷鸾为右丞相。廷鸾每见文法太密，功赏稽迟，将校不出死力于边阃，升辟稍越拘挛。贾似道颇疑异己，黥堂吏以泄其愤。

己巳，以马光祖知枢密院事。

夏，四月，辛巳，蒙古制玉玺大小十纽。

高邮夏世贤，七世义居，癸巳，诏署其门。

甲午，蒙古遣使祀岳、渎。

五月，己酉，知枢密院事马光祖罢，提举洞霄宫。

乙卯，少保、观文殿大学士、醴泉观使程元凤卒。元凤之在政府也，一仕者求迁，元凤谢之。其人累请，不许，乃以先世为言。元凤曰：“先公畴昔相荐者，以元凤恬退故也。今子所求躐次，岂先大夫意哉？矧以国家官爵报私恩，元凤所不敢。”有尝遭元凤论列者，后见其可用，更荐拔之，曰：“前日之弹劾，成其才也；今日之擢用，尽其才也。”帝闻讣，震悼，赠少师，谥文清。

蒙古洧川县达噜噶齐贪暴，盛夏役民捕蝗，禁不得饮水。民不胜忿，击之而毙。有司当以大逆，置极刑者七人，连坐者五十馀人。开封判官袁裕曰：“达噜噶齐自犯众怒而死，安可悉归罪于民？”议诛首恶一人，馀各杖之有差。部使者录囚至县，疑其太宽，裕辨之益力，遂陈其事于中书，刑曹竟从裕议。

六月，庚辰，皇子昰生。

高丽国王(植)〔禃〕遣其世子愖朝于蒙古。

秋，七月，辛酉，蒙古制太常寺祭服。

癸酉，蒙古立国子学。降诏，谕宋官民以不欲用兵之意。

蒙古主命诸路决滞狱，释轻罪。

沿江制置副使夏贵袭蒙古阿珠于新郢，败绩。初，贵率众援襄、樊，乘春水涨，轻兵部粮至襄阳城下，惧蒙古军掩袭，与吕文焕交语而还。及秋，大霖雨，汉水溢，贵分遣舟师出没东岸林谷间。阿珠谓诸将曰：“此虚行，不可与战，宜整舟师以备新城。”明日，贵果趣新城，至虎尾洲，为蒙古万户解汝楫等舟师所败，士卒溺汉水死者甚众，战舰五十艘皆没。范文虎以舟师援贵，至灌子滩，亦为蒙古所败，文虎以轻舟遁。

八月，丙申，蒙古诏：“诸路劝课农桑，命中书省采农桑事，列为条目，仍令提刑按察司与州县官相风土之所宜，讲究可否，别颁行之。”

九月，丙(申)〔寅〕，明堂礼成，加上皇太后尊号曰寿和圣福。

辛未，蒙古以呼喇楚、史天泽并平章政事，阿哩为中书右丞、行河南等路中书省事，赛喜谔德齐行陕西五路、西蜀、四川中书省事。

蒙古主归自上都。

高丽权臣林衍废其主禃而立禃弟安庆公淐。〔八月，己卯〕，蒙古遣使往其国详问，条具以闻。

冬，十月，蒙古刘秉忠等奏朝仪已定，请备执礼员；诏丞相安图择蒙古宿卫士可习容止者百馀人肄之。己卯，定朝仪服色。

蒙古鄂尔多布哈、李谔还自高丽，以其臣金方庆至，奉权国王淐表，诉国王王禃遘疾，令弟淐权国事。丁亥,诏遣兵部侍郎赫迪、淄莱总管判官徐世雄召禃、淐及林衍俱赴阙,命国王特默格以兵压其境,赵璧行中书省于东京。仍降诏谕高丽国军民。

十一月,癸卯,高丽都统领崔坦等,以林衍作乱,挈西京五十馀城附于蒙古。丁未,发兵往定。高丽国王禃遣其臣朴烋从赫迪入朝,表称受诏已复位,寻当入觐。乃命止诛林衍,馀无所问。

庚午,蒙古敕:"诸路鳏寡废疾之人,月给米二斗。"

先是蒙古主以安南入贡不时,以同签土番经略使张庭珍为朝列大夫、安南国达噜噶齐,由吐蕃、大理至安南。世子光昞立受诏,庭珍责之曰:"皇帝不欲以汝土地为郡县,而听汝称藩,遣使喻旨,德至厚也。王犹与宋为唇齿,妄自尊大!今百万之师围襄阳,拔在旦夕,席卷渡江,则宋亡矣,王将何恃?且云南之兵,不两月可至汝境,覆汝宗祀有不难者,其审谋之!"光昞惶恐,下拜受诏。既而语庭珍曰:"天子怜我,而使者多无礼。汝官朝列,我王也,相与抗礼,古有之乎?"庭珍曰:"有之。王人虽微,序于诸侯之上。"光昞曰:"汝过益州,见云南王,拜否?"庭珍曰:"云南王,天子之子;汝蛮夷小邦,特假以王号,岂得比云南王?况天子命我为安南之长,位居汝上耶?"光昞曰:"大国何索我犀象?"庭珍曰:"贡献方物,藩臣职也。"光昞无以对,益惭愤,使卫兵露刃环立以恐庭珍,庭珍解所佩刀,坦卧室中,曰:"听汝所为。"光昞及其臣皆服。至是遣使随庭珍入贡。

蒙古筑新城于汉水西。

十二月,癸酉,少师、卫国公吕文德卒。文德以许蒙古置榷场为恨,每曰:"误国家者我也!"因疽发背,致仕。卒,谥武忠。贾似道以其婿范文虎为殿前副都指挥使,总禁兵。

是岁,蒙古益都、淄、莱大水,河南、河北、山东诸郡蝗,恩州、曹州、开元、东昌、大名、东平、济南、高唐、固安饥,赈之。

咸淳六年　蒙古至元七年【庚午,1270】　春,正月,壬寅,以李庭芝为京湖制置大使,督师援襄、樊。时夏贵、范文虎相继大败,闻庭芝至,文虎遗书贾似道曰:"吾将兵数万入襄阳,一战可平,但愿无使听命于京阃,事成则功归于恩相矣。"似道即命文虎为福州观察使,其兵从中制之。庭芝屡约进兵,文虎但与妓妾、嬖幸击鞠饮宴,以取旨未至为辞。

初,蒙古主命刘秉忠、张文谦、许衡定官制,衡考古今分并统属之序,去其权摄、增置、冗长、侧置者,凡省、部、院、台、郡、县与夫后妃、储藩、百司所联属统,制定为图,至是奏上之。使集公卿,杂议中书、院、台行移之体,衡曰:"中书佐天子总国政,院、台宜具呈。"时商挺在枢密,高鸣在台,皆定为咨禀,因大言以动衡曰:"台、院皆宗亲大臣,若一忤,祸不可测。"衡曰:"吾论国制耳,何与于人!"遂以其言质于蒙古主前,蒙古主曰:"衡言是也。"

丙午,蒙古左丞相耶律铸、右丞相廉希宪并罢。时有诏释大都因,西域人伊赞玛鼎,为怨家所诉,系狱,亦被原免;蒙古主自开平还,怨家复诉之。时希宪在告,实不预其事,乃取堂判补署之曰:"天威不测,岂可幸其独不署以苟免耶?"希宪入见,以诏书为言,蒙古主曰:"诏释囚耳,岂有诏释伊赞玛鼎耶?"对曰:"不释伊赞玛鼎,臣等亦未闻此诏。"蒙古主怒曰:"汝等号称读书,临事乃尔,宜得何罪?"对曰:"臣等忝为宰相,有罪当罢退。"蒙古主曰:"但从汝言。"即与铸同罢。

蒙古立尚书省,罢制国用使司,以平章政事呼图达尔为中书左丞相,国子祭酒许衡为中书左丞,制国用使阿哈玛特平章尚书省事。

阿哈玛特多智巧,以功利自负。蒙古主急于富国,试以事,颇有成绩,又见其与史天泽争辨,屡有以诎之,由是奇其才,授以政柄,言无不从,专愎益甚。尚书省既立,诏:"凡铨选各官,吏部定拟资品呈尚书,尚书咨中书,中书闻奏。"阿哈玛特擢用私人,不由部拟,不咨中书。安图以为言,蒙古主令问阿哈玛特,阿哈玛特言:"事无大小,皆委之臣,所用之人,臣宜自择。"安图因请"自今惟重刑及迁上路总管始属之臣,馀并付阿哈玛特。"蒙古主从之。阿哈玛特遂请重定条画,下诸路,括户口,增太原盐课,以千锭为常额。

庚戌,以高达为湖北安抚使、知鄂州,孙虎臣起复淮东安抚副使、知淮安州。贾似道迫于人言,故起用达;达怀宿憾,不为似道用。

甲寅,高丽国王禃遣使诣蒙古言:"臣已复位,今从七百人入觐。"诏令从四百人来,馀留之西京。诏改西京曰东宁府,画慈悲岭为界,以莽赉扣为安抚高丽使,率兵戍其西境。

辛酉,颁《成天历》。

丙寅,以广东经略安抚使陈宗礼签书枢密院事,吏部尚书赵顺孙同签书枢密院事。

故事,宫中饮宴,名曰排当。理宗朝,排当之礼,多内侍自为之,遇有排当,则必有私事密启;帝即位,益盛,至出内帑为之。宗礼尝上疏言:"内侍用心,非借排当以侵羡馀,则假秋筵以奉殷勤,不知费几州汗血之劳,而供一夕笙歌之乐。请禁绝之。"不报。

丁卯,帝制《字民》《牧民》二训,以戒百官。

戊辰,左丞相江万里罢。万里以襄、樊为忧,屡请益师往救,贾似道不答,万里遂力求去,出知福州。时王应麟起为起居郎兼权吏部侍郎,上言曰:"国家所恃者大江,襄、樊其喉舌,议不容缓。朝廷方从容如常时,事几一失,岂能自安?"贾似道谋复逐之,会应麟以忧去。

二月,辛未朔,蒙古前中书右丞相巴延为枢密副使。

甲戌,蒙古筑昭应宫于高粱河。

丙子,蒙古主御行宫,观刘秉忠、(鄂)〔博〕啰、许衡及太常卿徐世隆所起朝仪,大悦,举酒赐之。

丁丑,蒙古以岁饥,罢修筑宫城役夫。

壬辰,蒙古立司农司,以参知政事张文谦为卿,设四道巡行劝农司。文谦请开籍田,行祭先农、先蚕等礼。阿哈玛特议拘民间铁,官铸农器,高其价以配民,创立行户部于东平、大名以造钞,及诸路转运使干政害民;文谦悉极论罢之。

乙未,襄阳出步骑万馀人,兵船百馀艘,攻蒙古万山堡,为万户张弘范等所败。

高丽国王禃朝于蒙古。蒙古令国王特默裕举军入高丽旧京,以托克托多勒、焦天翼为其国达噜(哈)〔噶〕齐,护送禃归国。仍下诏:"林衍废立,罪不可赦;安庆公淐,本非得已,在所宽宥。有能执送衍者,虽其党,亦必重增官秩。"

三月,庚子朔,日有食之。

蒙古改诸路行中书省为行尚书省。

癸丑,诏曰:"吏以廉称,自古有之。今绝不闻,岂不自章显而壅于上闻欤?其令侍从、卿监、郎官各举廉吏,将显擢焉。"

甲寅,蒙古主如上都。

戊午,蒙古阿珠与刘整上言:"围守襄阳,必当以教水军、造战舰为先务。"诏许之。于是造战舰五千艘,日练水军七万人,虽雨不能出,亦画地为船而习之。

蒙古平章尚书省事阿哈玛特,势倾中外,一时大臣多阿附之。中书左丞许衡,每与之议,必正言不少让。已而其子呼逊有同签枢密之命,衡独执奏曰:"国家事权,兵、民、财三者而已。今其父典民与财,子又典兵,不可。"蒙古主曰:"卿虑其反耶?"衡对曰:"彼虽不反,此反道也。"帝以语阿哈玛特,阿哈玛特由是怨衡,欲以事中之。衡屡入辞免,蒙古主不许。

四川制置司遣将修合州城,蒙古立武胜军以拒之。总帅汪惟正,临嘉陵江作栅,扼其水道,夜悬灯栅间,编竹为笼,中置火炬,顺地势转走,照百步外,以防不虞。南师知有备,不敢逼。

廉希宪既罢,蒙古主念之,尝问侍臣:"希宪居家何为?"侍臣以读书对。蒙古主曰:"读书固朕所教,然读之而不肯用,多读何为?"意责其罢政而不复求进也。阿哈玛特因诮之曰:"希宪日与妻孥宴乐尔。"蒙古主变色曰:"希宪清贫,何从宴饮!"阿哈玛特惭而退。希宪有疾,医言须用沙糖,家人求于外,阿哈玛特与之二斤,希宪却之曰:"使此物果能活人,吾终不受奸人所与求活也。"蒙古主闻而遣赐之。

夏,四月,戊寅,以文天祥兼崇政殿说书、直学士院,寻罢。

贾似道以去要君,命学士降诏。天祥当制,语皆讽似道。时内制,相承必先呈稿于宰相,天祥独不循此例。似道见制,意不满,讽别院改作,天祥援杨亿故事,亟求解职,迁秘书监,似道又使台官张志立劾罢之。天祥数被斥,乃援钱若水例致仕,时年三十七。

壬午,蒙古檀州陨黑霜二夕。

己丑,蒙古高丽行省奏言:"高丽林衍死,其子惟茂擅袭令公位,为尚书宋宗礼所杀。岛中民皆出降,已还之旧京。衍党裴仲孙等复集馀众,立王禃庶族承化侯为王,窜入珍岛。"

五月,辛丑,以吴革为沿江制置宣抚使。

癸卯,四川制置司遣都统牛宣,与蒙古陕西签省伊苏岱尔、严忠范等战于嘉定、重庆、钓鱼山、马湖江,皆败,宣为蒙古所获,遂破三寨。

丁未,蒙古以同知枢密院事哈达为平章政事。

丙辰,蒙古尚书省言:"诸王遣使取索诸物及铺马等事,请自今并以文移,毋得口传教令。"从之。

蒙古改宣徽院为光禄司,仍以乌珍充使。

六月,庚午,诏:"《太极图说》《西铭》《易传序》《春秋传序》,天下士子宜肄其文。"

庚辰,〔皇〕子宪薨。

丙申,蒙古立籍田于大都之东南郊,从张文谦之言也。

蒙古禁民擅入宋境剽掠。

秋,七月,复开州,更铸印给之。

蒙古都元帅伊苏岱尔侵光州。

八月,戊辰朔,蒙古筑环城以逼襄阳。

壬辰,诏:"郡县行推排法,虚加寡弱户租,害民为甚。其令各路监司询访,亟除其弊。"

诏贾似道入朝不拜。每朝退,帝必起避席,目送之出殿庭始坐。癸巳,诏十日一朝。

时蒙古攻围襄、樊甚急，似道日坐葛岭，起楼阁亭榭，作半闲堂，延羽流，塑己像其中，取宫人叶氏及倡尼有美色者为妾，日肆淫乐，与故博徒纵博，人无敢窥其第者。有妾兄来，立府门若将入状，似道见之，缚投火中。尝与群妾据地斗蟋蟀，所押客戏之曰："此军国重事耶？"酷嗜宝玩，建多宝阁，一日一登玩。闻余玠有玉带，已殉葬，发冢取之。人有物，求不与，辄得罪。自是或累月不朝，虽朝享景灵宫亦不从驾。有言边事者，辄加贬斥。一日，帝问曰："襄阳围已三年，奈何？"似道对曰："北兵已退，陛下何从得此言？"帝曰："适有女嫔言之。"似道诘其人，诬以它事，赐死。由是边事虽日急，无敢言者。

兰溪处士金履祥，以襄、樊之师日急，进"牵制捣虚"之策，请以重兵由海道直趋燕蓟，则襄、樊之师不攻而自解，闻者以为迂阔。然履祥所叙海舶经由之郡县，以及巨洋、别坞，难易远近，后验之无或爽者。

九月，庚戌，以黄万石为沿海制置使。

冬，十月，丁丑，诏："范文虎总统殿前司两淮诸军，往襄、樊备御，赐犒师钱一百五十万。"台州大水；己卯，诏发仓米赈之。

甲申，以陈宗礼、赵顺孙兼权参知政事。

乙酉，蒙古享于太庙。

己丑，蒙古主归自上都，议立三省。侍御史高鸣上封事曰："臣闻三省设自近古，其法，由中书出，改移门下。议不合，则有驳正或封还诏书；议合，则还移中书。中书移尚书，尚书乃下六部、郡国。方今天下大于古而事益繁，取决一省，犹曰有壅，况三省乎？且多置官者，求免失政也。但使贤俊萃于一堂，速署参决，自免失政，岂必别官异坐而后无失政乎？故曰政贵得人不贵多，不如一省便。"蒙古主深然之。

闰月，己酉，以安吉州水，免公田租。

十一月，丁丑，以嘉兴、华亭两县水，免公田、民田租。

陈宗礼疏言："国所以立曰天命、人心，因其警而加敬畏，天命未有不可回也；因其未坠而加绥定，人心未尝不可回也。"

庚辰，诏犒赏襄、郢屯戍将士。

癸未，蒙古命西夏管民官禁僧徒冒据民田。

壬辰，蒙古申明劝课农桑赏罚之法。

乙未，陈宗礼罢，寻卒。

十二月，丙申朔，蒙古改司农司为大司农司，添设巡行劝农使、副各四员，以御史中丞(鄂)〔博〕啰兼大司农卿。安图言(鄂)〔博〕啰以台臣兼领，前无此例，蒙古主曰："司农非细事，朕深喻此，故令(鄂)〔博〕啰总之。"寻以都水监隶大司农司。

蒙古以赵良弼为秘书监、充国信使，使日本。

丁未，金齿、骠国二部酋长内附于蒙古。

蒙古以董文炳为山东路统军副使，治沂州。沂与宋接壤，镇兵仰内郡饷运。有诏和籴本部，文炳命收州县所移文。众惧违诏旨，文炳曰："第止之。"乃遣使入奏，略曰："敌人接壤，知吾虚实，一不可；边民供顿甚劳，重苦此役，二不可；困吾民以惧来者，三不可。"蒙古主大悟，罢之。

蒙古张弘范言于史天泽曰："今规取襄阳,周于围而缓于攻者,计待其自毙也。然夏贵乘江涨送衣粮入城,我无御之者。而江陵、归、峡行旅休卒,道出襄阳者相继,宁有自毙之时乎?若筑万山以断其西,立棚灌子滩以绝其东,则速毙之道也。"天泽从之,遂城万山,徙弘范于鹿门。自是襄、樊道绝,粮援不继。

是岁,蒙古以应昌府及山东、淄、莱路饥,赈之。南京、河南两路旱,减其赋。

咸淳七年 元至元八年【辛未,1271】 春,正月,乙丑朔,封皇子晸建国公。

召汤汉、洪天锡,不至。

诏戒贪吏。

己卯,蒙古以同签河南行省事阿尔哈雅参知尚书省事。丙戌,蒙古高丽安抚阿哈等略地珍岛,与林衍党遇,多所亡失。中书省臣言,谍知珍岛馀粮将竭,宜乘弱攻之;诏不许,令巡视险要,常为之备。

壬辰,蒙古敕:"诸鳏寡孤独疾病不能自存者,官给庐舍、薪米。"

二月,丁酉,蒙古发中都、真定、顺天、河间、平、滦民二万八千馀人筑宫城。

己亥,蒙古罢诸路转运司入总管府,移陕蜀行中书省于兴元。

癸卯,蒙古以东京行省事赵(壁)〔璧〕为中书右丞。

蒙古(陕西)〔四川〕行省伊苏(尔岱)〔岱尔〕言:"比因饥馑,盗贼滋多。若不显戮一二,无以示惩。"敕中书详议。安图奏曰:"强窃盗贼,一皆处死,恐非所宜。罪至死者,宜仍旧待报。"从之。

甲辰,蒙古命呼图达尔持诏招谕高丽林衍馀党裴仲孙。

乙巳,蒙古大理等处宣慰都元帅保赫鼎、王傅库库岱等,谋毒杀皇子云南王呼格齐,事觉,并伏诛。

辛酉,蒙古敕:"凡讼而自匿及诬告人罪者,以其罪罪之。"

三月,乙丑,蒙古增置河东、山西道按察司,改河东、陕西道为陕西、四川道,山北东、西道为山北、辽东道。

甲申,蒙古主如上都。

蒙古中书左丞许衡上疏论阿哈玛特专权、罔上、蠹政、害民诸事,不报,因以老病请解机务。蒙古主不许,且命举自代者。衡奏曰:"用人,天子之大柄也。臣下泛论其贤否则可,若授之以位,则当断自宸衷,不可使臣下有市恩之渐。"乙酉,拜衡集贤大学士兼国子祭酒,即燕京南城旧枢密院设学。衡闻命,喜曰:"此吾事也。"因请征其弟子王梓、耶律有尚、姚燧等十二人为斋长。时所选弟子皆幼稚,衡待之如成人,爱之如子,出入进退,其严如君臣。其为教,因觉以明善,因善以开蔽,相其动息以为张弛。课诵少暇,即习礼,或习书算,少者则令习拜跪、揖让、进退、应对。或射,或投壶,负者罚读书若干遍。久之,诸生人人自以为得师。

蒙古侍讲学士图克坦公履欲奏行科举,知蒙古主于释氏重教而轻禅,乃言儒亦有之;科举类教,道学类禅。蒙古主怒,召姚枢、许衡与宰臣廷辨。董文忠自外入,蒙古主曰:"汝日诵《四书》,亦道学者。"文忠对曰:"陛下每言士不治经讲孔、孟之道而为诗赋,何关修身,何益治国!由是海内之士,稍知从事实学。臣今所诵皆孔、孟之言,焉知所谓道学!而俗儒守亡国馀习,欲行其说,故以是上惑圣听。恐非陛下教人修身治国之本也。"事遂止。

是月，以和州、吉州、无为、镇巢、安庆诸州、平江府饥，赈之。

夏，四月，壬寅，蒙古经略司实都言："高丽逆党裴仲孙，稽留使命，负固不服，请与浩尔齐、王国昌分道进讨。"蒙古主从之，命高丽签军征珍岛。

戊午，范文虎与蒙古阿珠等战于湍滩，军败，统制朱胜等百馀人为蒙古所获。

五月，乙丑，蒙古以东道兵围守襄阳，命赛音谔德齐、郑鼎率诸将水陆并进，以趣嘉定；汪良臣、彭天祥出重庆，扎拉布哈出泸州，立吉思出汝州，以牵制之。所至顺流纵筏，断浮桥，获将卒、战舰甚众。

辛未，蒙古分大理国三十七部为三路，以大理八部蛮新附，降诏抚谕。

壬申，蒙古造内外仪仗。

己卯，蒙古以史天泽平章军国重事。

蒙古实都言："珍岛贼徒败散，馀党窜入耽罗。"

乙酉，赐礼部进士张镇孙以下五百二人及第、出身。

六月，甲午，蒙古敕枢密院："凡军事径奏，不必经由尚书省；其干钱粮者议之。"

丙申，以诸暨大雨、暴风，发米赈被水之家。

（己酉）〔癸卯〕，范文虎将卫卒及两淮舟师十万进至鹿门。时汉水溢，阿珠夹汉东、西为阵，别令一军趣会丹滩，击其前锋。诸将顺流鼓噪，文虎军逆战，不利，弃旗鼓，乘夜遁去。蒙古俘其军，获战船、甲仗不可胜计。

是月，淮东制置使印应雷城五河口，命镇江转米十万石贮新城，赐名（淮安）〔安淮〕军。蒙古统军司库春、董文炳来争，不能得。

秋，七月，壬戌朔，蒙古设回回司天台官属。

壬午，四川制置使朱禩孙言："五月以来，江水凡三泛溢，自嘉而渝，漂荡城壁，楼橹圮坏。又，嘉定地震者再，被灾害为甚。乞赐黜罢，上答天谴。"诏不允。

乙酉，襄阳遣将（米）〔来〕兴国攻蒙古百丈山营，为阿珠所败，追至湍滩，杀伤二千馀人。

八月，壬辰朔，日有食之。

壬子，蒙古主归自上都。

蒙古（选）〔迁〕成都统军司于眉州。

己未，蒙古圣诞节，初立内外仪仗及云和署乐位。

蒙古东川统军司攻铜钹寨，守寨官李庆降。蒙古以庆知梁山军事。

九月，甲戌，蒙古太庙柱坏，御史劾都水刘聂监造不敬，聂以忧卒。张易请先期告庙，然后完葺；从之。

乙亥，以汤汉、洪天锡屡辞召命，并权华文阁学士，仍予祠禄。

壬午，统制范广攻胶州，为蒙古千户蒋德所败，广被擒。

癸未，蒙古主以四川民力困敝，诏免茶、盐等课，以军民田租给军食。仍敕有司："有言茶、盐之利者，以违制论。"

己丑，皇子昺生。

冬，十月，癸巳，蒙古大司农司言高唐州达噜噶齐呼图纳、州尹张庭瑞、同知陈思济劝课有效，陕县尹王仔怠于劝课，宜加黜陟以示劝惩；从之。

丙申，嗣秀王与泽卒，追封临海郡王。

丁酉，蒙古享于太庙。

十一月，壬戌，蒙古罢诸路交钞都提举司。

己巳，汤汉以端明殿学士致仕。

乙亥，蒙古建国号曰大元，取《易》"大哉乾元"之义，从太保刘秉忠请也。

丙戌，元置四川行省于成都。

元万安阁成。

十二月，辛卯朔，元宣徽院请以阉遗户淘金，元主曰："姑止，毋重劳吾民也。"

辛亥，初置士籍。

贾似道欲制东南士心，乃令御史陈伯大请籍士人，开(其)〔具〕乡里、姓名、年甲、三代、妻室，令乡邻结勘，于科举条制无碍，方许纳卷。又严后省覆试法，比校中省元卷字迹稍异者，黜之。覆试之日，露索怀挟。有李钫孙者，少时戏雕股间，索者视之，骇曰："此文身者！"事闻，被黜。时边事危急，束手无策，而以科举累士人，其谬至此。

初，陈仲微为江西提刑，忤似道，罢去，至是起知惠州，迁太府寺丞，轮对，言："禄饵可以钓天下之中才，而不可以啖尝天下之豪杰；名航可以载天下之猥士，而不可以陆沉天下之英雄。"似道怒，又讽言者论罢其官。

咸淳八年　元至元九年【壬申，1272】　春，正月，庚申，诏曰："朕惟崇俭必自宫禁始，自今宫禁敢以珠翠、销金为首饰服用，必罚无赦。臣庶之家，咸宜体恤工匠，犯者亦如景祐制，必从重典。"

又诏曰："有虞之世，三载考绩，三考黜陟幽明。汉之为吏者长子孙，则其遗意也。比年吏习偷薄，人怀一切，计日待迁，事未克究，又望而之它。吏胥狃玩，窃弄官政，吾民莫赖焉！继自今，内之郎曹，外之牧守以上，更不数易。其有治状昭著，自宜大擢。"时有识者皆以襄、樊为忧，而诏书徒托空言，泄泄如平时。

甲子，元并尚书省入中书省，平章尚书阿哈玛特、张易并为中书平章政事，参知尚书省事张惠为中书左丞，参知尚书省事李尧咨、敏珠尔丹并为参知中书政事。罢给事中、中书舍人、检正等官，仍设左右司。省六部为四，改称中书。

辛未，皇子昺生。

庚辰，元改北京、中兴、四川、河南四路行尚书省为行中书省，京兆复立行省。

壬午，元改山东东路都元帅府统军司为行枢密院，以伊苏尔岱、库春并为副使。

己丑，端明殿学士、致仕汤汉卒，谥文清。

二月，庚寅朔，元奉使日本赵良弼，遣书状官张铎同日本二十六人，至中都求见。

壬辰，元改中都为大都。

癸巳，故左丞相谢方叔卒。方叔相业，无过人者，晚困于权臣，至以玩好、丹剂寿其君，为时论所鄙。

前知台州赵子寅，死无所归，诏："特赠直秘阁，给没官宅一区、田三百(徐)〔亩〕，养其遗孤，以旌廉吏。"

甲午，元命阿珠典蒙古军，刘整、阿尔哈雅典汉军。

庚子，元建中书省署于大都。

戊申，元始祭先农，如祭社之仪。

元诏诸路开浚水利。

元主如上都。

三月，乙丑，元主谕中书省，日本使人速议遣还。安图言："赵良弼请移金州戍兵，勿使日本妄生疑惧。臣等以为金州戍兵，彼国所知，若复移戍，恐非所宜。但开谕来使，此戍乃为耽罗暂设，尔等不须疑畏也。"元主称善。

甲戌，元阿珠、刘整、阿尔哈雅破樊城外郭，守将坚闭内城，阿珠等增筑重围以困之。

元赈济南路饥。

夏，四月，戊子，利路安抚张珏创筑宜胜山城。

元库春侵涟州，破射龙沟、五港口、盐场、白头、河城堡。

甲寅，元赈大都路饥。

五月，辛巳，元敕修筑都城，凡费悉从官给。

乙酉，元宫城初建东、西华、左、右掖门。

襄阳被围五年，援兵不至，吕文焕竭力拒之。城中稍有积粟，乏盐、薪、布帛。张汉英守樊城，募善泅者，置蜡书于髻，藏积草下浮水而出，谓"鹿门既筑，势须自荆、郢援救。"至蛎口，元守卒见积草多，钩为薪，泅者被获，郢、邓之路亦绝。

至是诏(荆)〔京〕湖制置使李庭芝移屯郢州，将帅悉驻新郢及均州、河口以守要津。庭芝闻知襄阳西北一水曰清泥，源于均、房，即其地造轻舟百艘，每三舟联为一舫，中一舟装载，左右舟则虚其底而掩覆之；出重赏，募死士，得襄、郢、山西民兵之骁悍善战者三千人；求得民兵部辖张顺、张贵俱智勇，素为诸将所服，俾为都统，号贵曰"矮张"，顺曰"竹园张"。出令曰："此行有死而已，汝辈或非本心，宜亟去，毋败吾事。"人人感奋。汉水方生，溯(汴)〔流〕发舟。稍进团山下，又进高头港口，结方阵，各船置火枪、火炮、炽炭、巨斧、劲弓，夜漏下三刻，起碇行，以红灯为号。贵率先，顺殿之，乘风破浪，径犯重围。至磨洪滩，元舟师蔽水，无隙可入，顺等乘锐断铁组，攒(椴)〔杙〕数百，转战百二十里，元兵皆披靡。黎明，抵襄阳。城中久绝援，闻顺等至，踊跃过望，勇气百倍。及收军，独失顺。越数日，有浮尸逆流而上，被甲胄，执弓矢，直抵浮梁。视之，顺也，身中〔四枪〕六箭，怒气勃勃如生。诸军惊以为神，结冢敛埋之。

六月，甲午，高丽告饥，元命转东京米以赈之。

丙申，徙皮龙荣于衡州。龙荣，旧宫僚也，知贾似道忌之，家居杜门，不预人事。一日，帝偶问龙荣安在，似道恐其召用，阴讽湖南提刑李雷应诬劾以事，徙衡州居住。龙荣恐不为雷应所容，未至，饮药卒。龙荣少有智略，性伉直，故卒为似道摈死。

丁酉，以吏部尚书章鉴同签书枢密院事。

发钱十万缗，命京湖制置司籴米百万石，转输襄阳积贮。

乙巳，以家铉翁兼权知绍兴府、浙东安抚提举司事，以唐震为浙西提点刑狱。铉翁，眉州人；震，馀姚人也。

辛亥，台臣言江西推排田结局已久，旧设都官团长等虚名尚在，占恡常役，为害无穷；又言广东运司银场病民;诏俱罢之。

高丽国王禃请元讨耽罗馀寇。

秋,七月,丁巳朔,元河南省臣言:"往岁徙民实边屯耕,以贫苦悉散还家。今唐、邓、蔡、息、徐、邳之民,爱其田庐,仍守故屯,愿以丝银准折输粮,而内地州县转粟饷军者,反厌苦之。臣议今岁沿边州郡,验其户数,俾折钞就沿边和籴,庶几交便。"从之。

壬午,元和尔果斯言蒙古字设国子学,而汉官子弟未有学者,及官府文移犹有辉和尔字。诏:"自今凡诏令并以蒙古字行,仍遣百官子弟入学。"

元董文炳迁枢密院判官,行院事于淮西,筑正阳两城,夹淮相望,以缀襄阳。

元大司农司以安肃州被徐水之害,议夺水故道,决使东入清苑。然地势不便,徒使害及清苑而故道必不可夺,清苑县尹耶律伯坚陈其形势,图其利害,要大司农司官及郡守行视可否,事遂得已。清苑西有塘水,溉民田甚广,势家据以为砲,民以失利诉,伯坚命毁砲,决其水而注之田,许以溉田之馀月乃得堰水置砲;仍以事闻于省部,著为定制。

【译文】

宋纪一百七十九　起戊辰年(公元 1268 年)十月,止壬申年(公元 1272 年)七月,共四年有奇。

成淳四年　蒙古至元五年(公元 1268 年)

冬季,十月,戊寅朔(初一),有日食。

皇子赵宪出生。

参知政事常挺被免官,不久去世。

蒙古因为中书、枢密院事情多所积压,进言的人请设立督事官各二人。高鸣上言说:"官只要任用得当,当然就不会妨碍政事。臣职在奉宪,愿意尽力督察他们,不要在定额外再设立二人。"己卯(初二),下诏:"中书省、枢密院,凡有事与御史台一同上奏。"

蒙古建立河南等路行中书省,任命参知政事阿哩行中书省事。庚辰(初三),任命御史中丞阿哩为参知政事。

庚寅(十三日),蒙古命从臣录《毛诗》《论语》《孟子》。

乙未(十八日),蒙古祫于太庙。

蒙古中书省上书说以前各朝必定有起居注,故好的政事好的谋略,不至于遗失。下诏任命和尔果斯、通呼喇担任翰林待制兼记起居注。

戊戌(二十一日),蒙古宫城建成。刘秉忠辞却中书省事,帝同意。刘秉忠依然为太保。

己亥(二十二日),下诏:"四川州县盐酒课税再免征三年。"

十一月,癸丑(初六),枢密院言:"南平镇抚使韩宣,筑城于渝、嘉、开、达、常、武诸州县,从峡州至江陵,水陆都有防备。韩宣鞠躬尽瘁而死,应该看在他为国献身的份上加恩。"下诏任用其子为承节郎。

戊午(十一日),皇子赵镛出生。

庚申(十三日),襄阳宋军攻打沿山诸蒙古军寨,被阿珠打败,被杀的人很多。

丙寅(十九日),福建安抚使汤汉再次辞官,请求祠禄,下诏另外授职于他。

辛未(二十四日),因为文武官正值铨选,被部吏所困,隆冬季节旅居不便,令人怜悯,命吏部长官、副官、郎官每日前往衡量注册,凡准备过程中略有疏忽的,特予放行,违者处以刑罚。从此以后,寒冬酷暑,都要严格训斥部下加紧办理。

壬申(二十五日),颁行义役法。

癸酉(二十六日),蒙古御史台言:"设立御史台数月,揭发摘举之事甚多,追索清理被侵吞和骗取的粮粟近二万石,其他被清理钱物大约与此相等。"下诏褒奖他们。

蒙古没有建立朝仪,凡是遇到庆贺之事,臣民随便乱哄哄地跑到帐殿前,执法者对这类喧哗搅扰早有忧虑,却无法禁止。太常少卿王磐上疏说:"按照旧制,天子宫门不应入而入者,称为阑入;阑入之罪,由第一门至第三门轻重有别。应该令宣徽院登记两省以下的百官姓名,各依位次顺序,听从通事舍人传呼导引然后进见。越位次而入者,由殿中司纠察定罚。不应入而入者,作阑入罪处理。这样朝廷之礼可望渐渐得到整肃。"于是议定朝仪。

十二月,戊寅(初二),蒙古因中都、南京、北京州郡大水,免田租。

丙戌(初十),签书枢密院事包恢被罢免。

辛卯(十五日),任命夏贵为沿江制置使兼知黄州。

戊戌(二十二日),任命汪立信为知潭州兼湖南安抚使。

咸淳五年 蒙古至元六年(公元1269年)

春季,正月,丁未朔(初一),任命李庭芝为两淮制置大使兼知扬州。扬州刚遭大火,官署市井萧条冷落。庭芝免除百姓所欠盐二百余万,又凿河四十里入金沙余庆场,以省去车运。起初,平山堂俯瞰扬州城,敌军到了后架瞭望楼于其上,张弓弩而射于城中。李庭芝修筑大城围住平山堂,招募汴南流民二万余人充实大城,号称武锐军。兴学堂赈饥民,百姓尊他如父母。

甲寅(初八),蒙古刘秉忠、博啰,奉诏命赵秉温、史杠探访前代知礼仪者练习朝仪,秉忠说:"二人学习,即使知道了也不能演示实行。"下诏同意用十人,于是向金朝遗民乌库哩居贞等求教,又同许衡、徐世隆,考查古制,参照现状,酌情制定朝仪并加以操练。刘秉忠又说:"无音乐与之相配,则礼不全备。"下诏搜访乐工,按音律作谱,配在歌词上。

戊午(十二日),蒙古阿珠率众侵复州、德安府、京山等处,掠夺万人而去。

右丞相叶梦鼎,被贾似道所扼制,不能够施展自己的抱负,就援引杜衍的先例辞官,单车夜行而去。癸亥(十七日),诏命他以少保、观文殿大学士为福州通判,辞谢不受。任命马廷鸾为参知政事。甲戌(二十八日),任命江万里为参知政事。

蒙古会聚各路兵以增援襄阳,派遣史天泽与枢密副使呼喇楚前往筹划指挥。史天泽至,吕文焕派吏送去盐、茶。史天泽筑长围,起自万山,包百丈山,隔绝南北交通。又筑岘山、虎头山为一字城,联络修筑各个城堡,作长久驻扎的打算。

蒙古阿哈玛特总管财赋,因新立宪台,就对蒙古主说:"庶务由各路负责,钱粮由转运负责;现在又新设宪台约束他们,事情到底由谁来办! 请罢去御史台及诸道提刑司。"廉希宪说:"立御史台监察,是古制,对内弹劾奸邪之人,对外访察非常之事,访求民间疾苦;对于国政的好处,没有比这更大的了。如阿哈玛特所说,必使上下滥用职权,贪污暴虐无所顾忌,事情还怎么能够办好?"阿哈玛特语塞,事情就此中止。

二月，己丑（十三日），蒙古颁行新字，诏曰："国家创业于漠北，制用文字，都以汉楷及辉和尔字以表达本朝的语言。考查辽、金及远方各国，照例都有文字。现在文化事业渐渐兴盛，蒙古的字书还没有，特命国师帕克斯巴创立蒙古新字，颁行诸路，译写一切文字，期望能顺言达事罢了。"更号帕克斯巴为"大宝法王"。造字千余，以谐声法为主。不久诏诸路各置教授讲授蒙古字。

三月，丙午（初一），蒙古阿珠从白河率兵包围樊城，筑堡于鹿门山。

己未（十四日），诏浙西六郡公田设立官吏督促按田地等级来收租。

辛酉（十六日），京湖都统制张世杰，率军队抵御蒙古包围樊城之军，战于赤滩浦，大败。这时群臣大都认为高达可以援助襄阳，御史李旺前去告诉贾似道，似道说："我用高达，吕氏怎么办？"李旺出来，叹着说："吕氏安全，则赵宋江山危险！"吕文焕听说高达将到，也不高兴，就告诉了他的门客，门客说："这好办！今朝廷因襄阳告急，故派遣高达增援，我们用捷讯向皇上传报，则高达肯定不会被派来。"正好俘获了敌军哨骑数人，吕文焕即以大捷奏报皇上。其实朝廷并没有要急于增援襄阳的意思。

戊辰（二十三日），任命江万里为左丞相，马廷鸾为右丞相。马廷鸾总感觉文牍过分烦琐，奖赏考察迟缓，致使将校在边关不肯出死力，因而提升官员稍微越过规定。贾似道因此怀疑他和自己过不去，给堂吏以黥刑发泄其愤。

己巳（二十四日），任命马光祖知枢密院事。

夏季，四月，辛巳（初六），蒙古制大小玉玺十纽。

高邮夏世贤，七世行善积德，癸巳（初十），下诏在他门上题字以示表彰。

甲午（十九日），蒙古遣使祭祀岳、渎。

五月，己酉（初四），知枢密院事马光祖被罢职，提举洞霄宫。

乙卯（初十），少保、观文殿大学士、醴泉观使程元凤去世。程元凤当官时，有一官员要求升迁，程元凤谢绝了。这人屡次请求，不被允许，就谈到他先世的功绩。程元凤说："你父亲往日推荐我，是因为元凤肯于退让之故。现在你越级求官，难道符合你父亲的意思吗！况且以国家官爵报私恩，这是我所不敢做的。"有曾经遭程元凤批评的，后来程元凤看到他是可用之才，就又推荐选拔他，说："以前弹劾他，是为了他成才；现在提拔他，是为了使他的才能得到发挥。"帝听到讣告，震惊伤心，追赠他为少师，谥号文清。

蒙古洧川县达噜噶齐贪暴，盛夏役民捕捉蝗虫，下令不能饮水。民不胜愤恨，把他打死了，官府认为这是大逆不道，决定对七人处以极刑，五十余人连坐。开封判官袁裕说："达噜噶齐自犯众怒而死，怎可全部归罪于民！"商议的结果诛杀首恶一人，其余各杖数不等。刑部使者到县里审核了犯人的罪状，怀疑判得太宽，袁裕极力辩解，因此把此事报告给中书省，刑部完全同意袁裕的建议。

六月，庚辰（初六），皇子赵昰出生。

高丽国王王禃派其世子王愖朝见蒙古。

秋季，七月，辛酉（十七日），蒙古制太常寺祭服。

癸己酉（二十九日），蒙古立国子学。降诏，将不想用兵的意思告谕宋朝官民。

蒙古主命诸路审理判决积压的案件，罪轻的予以释放。

　　沿江制置副使夏贵,在新郢偷袭蒙古阿珠军,大败。起初,夏贵率众援助襄、樊,乘着春天河里涨水,轻兵运粮到襄阳城下,害怕蒙古军掩袭,与吕文焕交谈后即还。到了秋天,下了很多雨,汉水泛滥,夏贵分派水师出没于东岸林谷间。阿珠对诸将说:"此乃假象,不可与之战,应整顿水师以守备新城。"第二天,夏贵果然去了新城,至虎尾洲,被蒙古万户解汝楫等水师打败,士卒中溺于汉水而死的很多,战舰五十艘全部沉没。范文虎用水师增援夏贵,至灌子滩,也被蒙古打败。范文虎驾轻舟逃跑。

　　八月,丙申(二十三日),蒙古诏令:"诸路劝课农桑,命中书省采集农桑事,列为条目,再令提刑按察司与州县官根据各地农桑风土情况,讨论是否合适,另行颁布实施。"

　　九月,丙寅(二十三日),明堂礼制成,加封皇太后尊号曰寿和圣福。

　　辛未(二十八日),蒙古任命呼喇楚、史天泽并为平章政事,阿哩为中书右丞、行河南等路中书省事、赛音谔德齐行陕西五路、西蜀、四川中书省事。

　　蒙古主从上都回来。

　　高丽权臣林衍废其主王禃而立王禃的弟弟安庆公王淐。八月,己卯(初六)蒙古派遣使臣前往该国详细查问,逐条上报。

　　冬季,十月,蒙古刘秉忠等,上奏朝仪已定,请求配备执礼员,下诏丞相安图选择蒙古宿卫士人中可以操练仪式的百余人进行练习。己卯(初七),选定朝仪服色。

　　蒙古鄂尔多布哈、李谔从高丽回来,因高丽大臣金方庆到,奉代理国王王淐上表,诉说国王王禃生病,让他的弟弟王淐暂掌国事。丁亥(十五日),诏派兵部侍郎赫迪、淄莱总管判

八思巴像

官徐世雄召王禃、王淐及林衍俱赴宫中,命国王特默格派兵压其境,赵璧行中书省于东京。再降诏告谕高丽国军民。

　　十一月,癸卯(初二),高丽都统领崔坦等,因林衍作乱,携西京五十余城归附蒙古。丁未(初六),发兵前往平定叛乱。高丽国王王禃派大臣朴烋跟从赫迪入朝,上表称受诏已复位,不久将入朝觐见。遂命不杀林衍,其余的不问罪。

　　庚午(二十九日),蒙古敕令:"诸路鳏寡残疾之人,每月给米二斗。"

　　早先蒙古主因安南不按时入贡,任命同签吐蕃经略使张庭珍为朝列大夫、安南国达噜噶齐,经吐蕃、大理至安南。世子陈光昞站着接受诏书,张庭珍责问他说:"皇帝不想以你的土地作为郡县,而听任你称藩,派使臣传达旨意,恩德深厚。王还与宋唇齿相依,真是妄自尊大! 今蒙古百万之师围困襄阳,旦夕即可攻克,席卷渡江,则宋亡,王还有什么依恃? 况且云南之兵,不需两月可到达你的境内,倾覆你的江山实在不难,你要慎重考虑!"光昞听说后惶

恐不安,因此下拜受诏。又对庭珍说:"天子怜我,但使者大多无礼。你在朝中做官,我为王也,我们相与抗礼,古代有这种事吗?"庭珍说:"有的。国王虽然衰微,但位序仍在诸侯之上。"光昞曰:"你过益州,见云南王,有没有拜过?"庭珍曰:"云南王,是天子之子;你是蛮夷小邦,仅冠以王号,怎么能与云南王相比?何况天子命我为安南之长,位置应居于你之上吧!"光昞说:"你们为何索求我国犀象?"庭珍说:"贡献土产,这是藩臣的职责。"光昞无言以对,更加怨愤,命令卫兵拿出刀围住庭珍以恐吓他,庭珍解下佩刀,坦然卧于室中,说:"随你的便。"光昞及其臣皆服。至此安南遣使随张庭珍入朝上贡。

蒙古筑新城于汉水以西。

十二月,癸酉(初二),少师、卫国公吕文德去世。吕文德以应允蒙古置榷场为憾事,常说:"误国家的是我。"因为背上长疮,辞去官职。死后,谥号武忠。贾似道委任他的女婿范文虎为殿前副都指挥使,总领禁兵。

同年,蒙古益都、淄、莱发大水,河南、河北、山东诸郡闹蝗灾,恩州、曹州、开元、东昌、大名、东平、济南、高唐、固安饥荒,官府发粮赈济。

咸淳六年 蒙古至元七年(公元1270年)

春季,正月,壬寅(初二),任命李庭芝为京湖制置大使,督师援救襄、樊。这时夏贵、范文虎相继大败,听说李庭芝到,范文虎送信给贾似道说:"我率领军队数万入襄阳,一战可平,但愿不要使我听命于京师军营的指挥,事成则归功于恩相。"贾似道即命范文虎为福州观察使,又暗中派人牵制他的部队,李庭芝屡约范文虎进兵,范文虎只是与妓妾、嬖倖击鞠、饮宴,以取旨未到为托词。

初,蒙古主命刘秉忠、张文谦、许衡定官制,许衡考查古今官制的变化,去除其中权摄、增置、冗长、侧置者,凡是省、部、院、台、郡县与后妃、储藩、百司统属关系确定下来,制成图表,奏于皇上。皇上让他召集公卿,讨论中书、院、台应担负的职责,许衡说:"中书省辅佐天子总揽国政,枢密院、御史台应向他们汇报。"这时商挺在枢密院,高鸣在御史台,皆定为咨禀,用大话劝说许衡:"御史台、枢密院皆宗亲大臣,如违背他们的意愿,祸不可测。"许衡说:"我在谈论国制,怎么能把人掺杂进来呢!"于是拿他的话请示蒙古主,蒙古主说:"许衡的话是对的。"

丙午(初六),蒙古左丞相耶律铸、右丞相廉希宪一并被免职。这时有诏特赦大都囚犯,西域人伊赞玛鼎,被怨家起诉拘于狱中,亦被赦免。蒙古主从开平回来,怨家又重新起诉。这时廉希宪正在休假,确实没有干预这个事情,因此取原来判书补签了姓名,并说:"皇上的恩威难测,难道因为怕怪罪就不签名了吗!"廉希宪上朝见皇上,用诏书作为凭证,蒙古主说:"下诏释放囚犯,难道有释放伊赞玛鼎的诏书吗?"回答说:"不释放伊赞玛鼎,臣等也没有听说这样的诏书。"蒙古主生气地说道:"你们号称读书人,遇事如此办理,该当何罪?"回答说:"臣等愧为宰相,有罪当罢退。"蒙古主说:"就听你的话。"随即与耶律铸同被免职。

蒙古设立尚书省,撤销制国用使司,任命平章政事呼图达尔为中书左丞相,国子祭酒许衡为中书左丞,制国用使阿哈玛特为平章尚书省事。

阿哈玛特老谋深算,以功利自负。蒙古主急于富国,试用他办事,颇有成绩,又看见他与史天泽争辩,屡次使史天泽折服,从此很欣赏他的奇才,授以他权柄,他的话无不听从,阿哈玛特因此更加专横刚愎自用。尚书省建立后,下诏:"凡是考查选取的各位官吏,吏部要拟定各位官员的资历品位呈给尚书省,尚书省向中书省咨询,中书省向皇上奏报。"阿哈玛特提拔亲信的人,不经吏部拟定,不向中书咨询。安图以此奏于蒙古主,蒙古主令安图去问阿哈玛特,阿哈玛特说:"事无大小,皆委托给我,所用之人,当然应当由我自己选择了。"安图于是请求"从今以后只有重刑及迁上路总管才属于这些官员,其余的交给阿哈玛特",蒙古主同意。哈玛特因此请求重定条例,下达诸路,总管户口,增加太原盐税,以千锭为常额。

庚戌(初十),任命高达为湖北安抚使、知鄂州,孙虎臣重任淮东安抚副使,知淮安州。贾似道迫于人言,故起用高达,高达心怀宿怨,不被贾似道重用。

甲寅(十四日),高丽国王王禃遣使前往蒙古说:"臣已复位,今携随从七百人入朝觐见。"诏令带四百人来,其余留在西京。诏改西京曰东宁府,划慈悲岭为界,任命莽赉扣为安抚高丽使,率兵驻扎在高丽西境。

辛酉(二十一日),颁布《成天历》。

丙寅(二十六日),任命广东经略安抚使陈宗礼签书枢密院事,吏部尚书赵顺孙同签书枢密院事。

旧时,宫中饮宴的制度名曰排当。理宗当朝时,排当的惯例,多是由内侍自己安排的,遇有排当,则必有私事秘密启奏皇上;帝即位,排当之风益盛,甚至用宫中钱财来办理排当。陈宗礼曾经上书说:"内侍本来的意思,不是借排当以侵夺宫中的财富,就是假秋宴来向皇上您献殷勤,不知要耗费几州血汗之劳,而供一夕笙歌之乐,请予以禁绝。"没有回复。

丁卯(二十七日),帝制《字民》《牧民》二训令,以训诫百官。

戊辰(二十八日),左丞相江万里被罢。

江万里以襄、樊为忧,屡次请求增兵前去援救,贾似道不予回答,江万里于是坚决要求辞职,离开京师知福州。适时王应麟被起用为起居郎兼权吏部侍郎,上言说:"国家的安危恃靠长江,襄、樊乃其喉舌,援救之事议不容缓。朝廷还从容像往常一样,如果襄、樊失守,岂能自安!"贾似道想再把他赶走,正好王应麟因有丧事而离去。

二月,辛未朔(初一),蒙古前中书右丞相巴延担任枢密副使。

甲戌(初四),蒙古修筑昭应宫于高梁河。

丙子(初六),蒙古主驾临行宫,观刘秉忠、博啰、许衡及太常卿徐世隆所演示的朝仪,非常高兴,举酒赏赐他们。

丁丑(初七),蒙古因年成歉收,免征修筑宫城役夫。

壬辰(二十二日),蒙古设立司农司,任命参知政事张文谦为卿,设四道巡行劝农司。张文谦请求开辟籍田,举行祭祀先农、先蚕等礼。阿哈玛特提议搜集民间的铁,由官府铸农具,以高价配给老百姓;创立行户部于东平、大名以造货币,以至于诸路转运使干预政事危害百姓,文谦全部极力反驳,被废去。

乙未(二十五日),襄阳出步兵骑兵万余人,兵船百余艘,攻蒙古万山堡,被万户张弘范所败。

高丽国王王禃朝见蒙古。蒙古令国王特默格率军进入高丽旧京,任命托克托多勒、焦天翼为高丽达噜噶齐,护送王禃归国。随即下诏:"林衍废立国王,罪不可赦,安庆公王淐,身不

黑地狮子唐草纹刻丝　元

由己,可以原谅。有能够把林衍抓来的,即使与他同党,也必定加官晋级。"

三月,庚子朔(初一),有日食。

蒙古改诸路行中书省为行尚书省。

癸丑(十四日),下诏说:"官吏因为廉洁而被称道,自古就有,现今却很难听到,难道不是自己不彰显而未能上达吗? 命令侍从、卿监、郎官各举廉吏,将给予表彰提拔。"

甲寅(十五日),蒙古主到上都。

戊午(十九日),蒙古阿珠与刘整上言:"围守襄阳,应当首先教习水军、造战舰。"下诏同意。于是造战舰五千艘,每日操练水军七万人,即使天下雨不能出来操练,也划地为船进行练习。

蒙古平章尚书省事阿哈玛特,权倾内外,一时大臣多依附于他。中书左丞许衡,每逢与他议事,必定正言不做丝毫让步。不久阿哈玛特之子呼逊授命同签枢密,许衡独自坚持上奏说:"国家的大权,兵、民、财三者罢了。今其父统辖民与财,子又统兵,不可。"蒙古主说:"你担心他谋反吗?"许衡回答说:"他虽不谋反,但这么做是致反之道啊!"帝把许衡的话告诉阿哈玛特,阿哈玛特由此怨恨许衡,欲以事中伤许衡。许衡屡次请求辞官,蒙古主不许。

四川制置司派将领修合州城,蒙古设置武胜军相抗拒。蒙古总帅汪惟正,靠近嘉陵江作栅栏,以扼守水道,夜间悬灯于栅栏间,编织竹笼,中间放上火炬,顺着地势旋转,照亮百步以外,以防不测。守军知蒙古有防备,不敢进逼。

廉希宪已免职,蒙古主想念他,曾问侍臣:"廉希宪在家里干什么?"侍臣回答说他在家读书。蒙古主说:"读书固然是我所提倡的,但读了书而不肯用,多读何用!"意思是责备廉希宪被免职后不想再当官。阿哈玛特于是上谗言说:"廉希宪每日与妻儿宴饮作乐。"蒙古主面有怒色说:"廉希宪很清贫,拿什么宴饮!"阿哈玛特面带愧色而退。廉希宪有病,医生说必须用砂糖,家人到外面去找,阿哈玛特给他二斤,廉希宪没有接受,并说:"即使此物果然能救活人,我死也不受奸人所给的物品而求得活命。"蒙古主听说后派人赐给廉希宪砂糖。

夏季,四月,戊寅(初九),任命文天祥兼崇政殿说书、直学士院,不久又被免去。

贾似道以离任要挟皇上,命学士降诏。文天祥当制,言谈话语之间无不讥讽贾似道。当时朝廷制度,相承必先呈稿于宰相,文天祥独不循此例。似道看见制诏,意下不满,暗中让别院改作,文天祥援引杨亿的旧例,急求解职,迁秘书监,似道又指使台官张志立弹劾而罢免了文天祥。文天祥数次被贬斥,遂援引钱若水的例子辞官,时年三十七。

壬午(十三日),蒙古檀州天降两夜黑霜。

己丑(二十日),蒙古高丽行省奏说:"高丽林衍死。他的儿子林惟茂擅自承袭他父亲的职位,被尚书宋宗礼所杀。岛中民众都出来投降,已返还旧京。林衍党羽裴仲孙等又聚集余众,立王禃庶族承化侯为王,逃入珍岛。"

五月,辛丑(初二),任命吴革为沿江制置宣抚使。

癸卯(初四),四川制置司派都统牛宣,与蒙古陕西签省伊苏岱尔、严忠范等战于嘉定、重庆、钓鱼山、马湖江、皆败,牛宣被蒙古俘获,三寨被敌军所破。

丁未(初八),蒙古任命同知枢密院事哈达为平章政事。

丙辰(十七日),蒙古尚书省说:"诸王派使者索取诸物及铺马等事情,请从今日起用公文的形式,不得用口头传达教令。"同意了这个建议。

蒙古改宣徽院为光禄司,乌珍仍旧为使。

六月,庚午(初二),下诏:"《太极图说》《西铭》《易传序》《春秋传序》,这些文章天下士人都应当具备。"

庚辰(十二日),皇子赵宪去世。

丙申(二十八日),蒙古在大都东南郊立籍田,这是听从了张文谦的计策。

蒙古禁止百姓擅入宋朝境内剽掠。

秋季,七月,收复开州,重新铸印给他们。

蒙古都元帅伊苏岱尔入侵光州。

八月,戊辰朔(初一),蒙古筑环城以进逼襄阳。

壬辰(二十五日),下诏:"郡县实行推排法,虚加寡弱民户的租税负担,对老百姓危害很大。应令各路监司查访,赶快消除其中的弊病。"

下诏贾似道入朝不必参拜。每次退朝,帝必起身避席,目送他出殿庭才落座。癸巳(二十六日),下诏十日上朝一次。

这时蒙古围攻襄、樊很急,贾似道每日坐守葛岭,建楼阁亭榭,筑半闲堂,邀请通晓音乐的名流,在里面塑造自己座像,娶宫人叶氏及倡尼中漂亮的为妾,日肆淫乐,和一些赌徒赌博,没有人敢窥看他的府第。有妾兄来,站在府门刚要进来,贾似道看见后,把他缚起来投到火中。贾似道曾经与群妾趴在地上斗蟋蟀,门客戏言说道:"这也算是军国重事?"贾似道酷好宝玩,并建多宝阁,每日一次登阁赏玩。听说余玠有玉带,已经殉葬,就发掘余玠的墓冢取出。人只要有宝物,如索求不给,就给人加上罪名。从此以后有时几个月不上朝,即使朝飨景灵宫也不从驾。有谈论边关战事的,就加以贬斥。一日,帝问他说:"襄阳被围已三年,怎么办?"贾似道回答说:"元军已退,陛下从何听说此言?"帝说:"适才听一女嫔所说。"似道查究其人,用其他事情诬陷,赐女嫔死。从此边关事虽一日比一日急,也没有敢说的。

兰溪处士金履祥,因襄、樊之师越来越危急,进献牵制攻打敌军虚弱之处的计策,请求派重兵由海道直接进攻燕蓟,则围攻襄、樊的元军不攻而可自解,听的人都认为不切实际。但金履祥所说海舶经由到郡县,以及巨洋、堡垒、道路的难易远近,后来被验证都没有差错。

九月,庚戌(十三日),任命黄万石为沿海制置使。

冬季,十月,丁丑(初十),下诏:"范文虎总统殿前司两淮诸军,往襄、樊备用,赏赐犒劳军队钱一百五十万。"

台州大水,己卯(十二日),下诏发仓米赈济。

甲申(十七日),任命陈宗礼、赵顺孙兼权参知政事。

乙酉(十八日),蒙古飨于太庙。

己丑(二十二日),蒙古主从上都回来,商议建立三省的事情,侍御史高鸣上封事说:"臣听说三省的设立起自近古,办法是由中书省提议,改移门下省审议,所议不合,则可以驳正或封还诏书;所议相合,则再还移中书省。中书省移交尚书省,尚书省下达给六部、郡国执行。现今天下比古代要大而事情也更繁杂,取决于一省,还有阻塞,更何况三省呢!且多设置官吏,是为了免于失误,如果让贤士良臣集于一堂,参与决策并能不延误时机,自然会免于失误,难道一定要有别官异坐而后才能保证政策上的正确吗?故曰政贵得人不贵多,所以三省不如一省更便当。"蒙古主深以为然。

闰十月,己酉(十三日),因安吉州发生水灾,免去公田租税。

十一月,丁丑(十二日),因嘉兴、华亭两县发生水灾,免去公田、民田租税。

陈宗礼上疏言:"国家所以能够建立是因为天命、人心,因有警戒而更加敬畏,天命没有不可以回转的;因没有失去民心而加以安定,人心未尝不可回复。"

庚辰(十五日),下诏犒赏襄、郢屯戍将士。

癸未(十八日),蒙古命西夏管民官禁止僧徒任意占据民田。

壬辰(二十七日),蒙古申明劝课农桑赏罚之法。

乙未(三十日),陈宗礼被罢,不久去世。

十二月,丙申朔(初一),蒙古改司农司为大司农司,添设巡行劝农使、副使各四名,任命御史中丞博啰兼大司农卿。安图说博啰以台臣身份兼领,以前无此例。蒙古主说:"司农不是小事,我很明白,所以令博啰总领它。"不久以都水监隶属大司农司。

蒙古任命赵良弼为秘书监,充任国信使,出使日本。

丁未(十二日),金齿、骠国二部酋长内附于蒙古。

蒙古任命董文炳为山东路统军副使,治所设在沂州。沂州与宋接壤,守兵依靠内郡运送军饷。有诏书来要在本部调节购入,董文炳命令把传送到下面的文书收上来。众人害怕违背诏旨,文炳曰:"尽管停止。"遂遣使入奏,大意说:"敌人与我接壤,知我虚实,一不可;边民供顿甚为劳苦,此役将加重其苦,二不可;困扰吾民而使之害怕敌人前来,三不可。"蒙古主大悟,免去购粮。

蒙古张弘范对史天泽说:"今谋取襄阳,军队围在城四周而攻打缓慢,是在等待他们自毙。但是夏贵乘着江水涨时送衣粮入城,我方无法防御。而且江陵、归、峡等地行旅及休整的兵卒从襄阳出去的络绎不绝,怎会有自毙之时呢!如筑城于万山以断其西路,立栅栏于灌子滩以绝其东路,则是让他们快速灭亡的计策。"天泽听从他的意见,遂筑城于万山,调张弘范驻扎于鹿门,自此襄、樊道路被隔绝,粮援不能继续。

这年,蒙古因应昌府及山东、淄、莱路饥荒,赈济他们。又因南京、河南两路旱灾,减去他们的赋税。

咸淳七年 元至元八年(公元 1271 年)

春季,正月,乙丑朔(初一),封皇子赵㬎为建国公。

召见汤汉、洪天赐,未至。

诏令惩戒贪官。

己卯(十五日),蒙古任命同签河南行省事阿尔哈雅为参知尚书省事。丙戌(二十二日),蒙古高丽安抚阿哈等进攻珍岛,与林衍余党相遇,伤亡很大。中书省臣说,刺探得知珍岛余粮将竭,宜乘弱攻打,下诏不许,命巡视险要处,经常予以防备。

壬辰(二十八日),蒙古敕令:"各位鳏寡孤独有疾病生活不能自理的,官府配给他们庐舍、柴米。"

二月,丁酉(初三),蒙古调发中都、真定、顺天、河间、平、滦民二万八千余人筑宫城。

己亥(初五),蒙古撤销诸路转运司并入总管府,移陕蜀行中书省于兴元。

癸卯(初九),蒙古任命东京行省事赵璧为中书右丞。

蒙古四川行省伊苏岱尔说:"近来此地因饥馑,盗贼日渐增多,如不当众杀戮一二,无以示惩。"敕令中书省详议。安图上奏说:"强窃盗贼,一律都处死,恐怕不合适,罪至死者,应按以前的办法待批。"蒙古主听从了他的意见。

甲辰(初十),蒙古命呼图达尔持诏书诏谕高丽林衍余党裴仲孙。

乙巳(十一日),蒙古大理等处宣慰都元帅保赫鼎、王傅库库岱等,密谋毒杀皇子云南王呼格齐,事情被察觉,一起被处死。

辛酉(二十七日),蒙古敕:"凡告状而自己隐匿不出及诬告他人犯罪的,按照被诬告人之罪来处置。"

三月,乙丑(初二),蒙古增置河东、山西道按察司,改河东、陕西道为陕西、四川道,山北东、西道为山北、辽东道。

甲申(二十一日),蒙古主往上都。

蒙古中书左丞许衡上疏论阿哈玛特专权、欺上、败政、害民诸事,没有回复,于是以年老病弱为由请求解除自己的职务。蒙古主不许,并且命许衡推举代替自己职位的人。许衡奏曰:"用人,是天子的大权柄。臣下议论所用之人是否贤明是可以的,假如要授以官位,则应

4339

当由帝意来决断,不可让臣下染指于此类施恩于人的事。"乙酉(二十二日),拜许衡为集贤大学士兼国子祭酒,于燕京南城旧枢密院内设学堂。许衡听到任命,高兴地说:"这才是我应该干的事情。"于是请求征用他的弟子王梓、耶律有尚、姚燧等十二人为学舍头目,这时所选的弟子都比较幼小,许衡待之如成人,爱之如子,出入进退,礼仪严格如君臣。许衡为教,以启发自省来明白善,由善而明白事理,根据他们的生活节奏时紧时松。课诵稍有间隙,即学习礼仪或学习书算,年纪小的则让他们学习拜跪、揖让、进退、应付。有时射击,有时投壶,负者罚读书若干遍。时间长了,学生们人人都以为得到了师传。

蒙古侍讲学士图克坦公履想上奏请求实行科举制,知道蒙古主于佛教中重教而轻禅,于是说儒学也有这方面的内容;科举类,教,道学类禅。蒙古主怒,召姚枢、许衡与宰臣在朝廷辩论。董文忠从外面进来,蒙古主说:"你每天读《四书》,也是道学者。"文忠回答说:"陛下每次说到士不研读儒家经书讲究孔、孟之道而作诗赋,对于修身有何用,对治国又有什么好处!从此海内之士才稍稍知道应该做一些实际学问。臣现在所读的皆是孔、孟之言,哪里知道所谓的道学!而俗儒守亡国的旧习,欲实行其说,故以此上惑圣听。恐非陛下教人修身治国之本意呀!"事情就此为止。

这个月,和州、吉州、无为、镇巢、安庆诸州、平江府饥荒,给以赈济。

夏季,四月,壬寅(初九),蒙古经略司实都说:"高丽逆党裴仲孙,扣留使者,依靠险要地形而不服圣命,请求与浩尔齐、王国昌分路进讨。"蒙古主同意,命高丽签军征伐珍岛。

戊午(二十五日),范文虎与蒙古阿珠等战于湍滩,宋军大败,统制朱胜等百余人被蒙古俘获。

五月,乙丑(初三),蒙古派东道兵围守襄阳,命赛音谔德齐、郑鼎率诸将水陆并进,以进攻嘉定;汪良臣、彭天祥出重庆,扎拉布哈出泸州,立吉思出汝州,以牵制宋军,所到之处顺流纵筏,断浮桥,俘获将卒、战舰甚众。

辛未(初九),蒙古分大理国三十七部为三路,因大理八部蛮新近归附,降诏抚谕。

壬申(初十),蒙古造内外仪仗。

己卯(十七日),蒙古任命史天泽平章军国重事。

蒙古实都,讲:"珍岛贼徒已经被击败溃散,余党窜入耽罗。"

乙酉(二十三日),赐礼部进士张镇孙以下五百零二人及第、出身。

六月,甲午(初二),蒙古敕枢密院:"凡军事情报可直接上奏,不必经过尚书省;其他关于钱粮的事还须由尚书省讨论。"

丙申(初四),因诸暨大雨、暴风,发米赈济蒙受水灾之家。

癸卯(十一日),范文虎率卫卒及两淮水师十万人,进军至鹿门。这时汉水涨溢,阿珠在汉水东西岸为阵,另外令一军赶往会丹滩,攻击敌人的前锋。诸将顺流鼓噪,文虎军逆水而战,不利,丢弃了旗鼓,乘夜逃走,蒙古俘虏了他的军士,缴获其船及甲仗不可胜计。

这月,淮东制置使印应雷筑城于五河口,命镇江转运米十万石贮于新城,赐名为安淮军。蒙古统军司库春、董文炳来争夺,没有成功。

秋季,七月,壬戌朔(初一),蒙古设回回司天台官属。

壬午(二十一日),四川制置使朱禩孙说:"五月以来,江水一共三次泛溢,自嘉至渝,漂荡城壁,瞭望楼都被毁坏。又,嘉定再次发生地震,造成的灾害很厉害。乞赐罢黜,以响应上天的责备。"下诏不允许。

乙酉(二十四日),襄阳派将领来兴国进攻蒙古百丈山营,被阿珠打败,一直追到湍滩,杀伤二千余人。

八月,壬辰朔(初一),有日食。

壬子(二十一日),蒙古主从上都回来。

蒙古迁成都统军司于眉州。

己未(二十八日),蒙古圣诞节,开始设立内外仪仗及云和署乐位。

蒙古东川统军司攻铜钹寨,守寨官李庆投降。蒙古任命李庆知梁山军事。

九月,甲戌(十三日),蒙古太庙柱毁坏,御史弹劾都水刘晸监造不敬,刘晸因此忧愁而死。张易请求应先告于太庙,然后再进行修葺,蒙古主同意。

乙亥(十四日),因为汤汉、洪天赐屡次推辞召见命令,一起为权华文阁学士,仍予祠禄。

壬午(二十一日),统制范广攻胶州,被蒙古千户蒋德打败,范广被擒。

癸未(二十二日),蒙古主因四川民力困敝,下诏免去茶、盐等课税,用军民田租供给军队粮食。并敕有司:"有讲茶、盐之利的,以违制论罪。"

己丑(二十八日),皇子赵昺出生。

冬季,十月,癸巳(初三),蒙古大司农司讲高唐州达噜噶齐呼图纳、州尹张庭瑞、同知陈思济劝课有效;陕县尹王仔怠于劝课,应罢黜以示劝惩,听从了这个意见。

丙申(初六),嗣秀王赵与泽去世,追封为临海郡王。

丁酉(初七),蒙古祫于太庙。

十一月,壬戌(初二),蒙古撤销诸路交钞都提举司。

己巳(初九),汤汉以端明殿学士致仕。

乙亥(十五日),蒙古建国号曰大元,取《易》"大哉乾元"之义,是听从了太保刘秉忠的请求。

丙戌(二十六日),元置四川行省于成都。

元万安阁建成。

十二月,辛卯朔(初一),元宣徽院请求用阑遗户淘金,元主曰:"姑且停止吧,不要再加重我的百姓的劳役。"

辛亥(二十一日),开始设置士籍。

贾似道想控制东南地区士人之心,于是命令御史陈伯大向皇上请求为士人另立户籍,开具乡里、姓名、年甲、三代、妻室、令乡邻相互调查,如和科举条制没有什么妨碍的,才允许考试。又严定后省复试法,再比较中省第一次考卷如有字迹稍异的,就贬退他。覆试之日,检查有无挟带东西的,有名叫李钫孙的,小时候游戏时在大腿上雕刻上了花纹,检查的人看见了,害怕地说:"这是文身。"事情被上报告,被贬斥。这时边事危急,朝廷束手无策,却用科举牵制读书人,荒谬到这个地步。

起初,陈仲微为江西提刑,违背了贾似道的意愿,被免去,现在被起用知惠州,升迁为太府寺丞,轮到他奏对,他说:"禄饵可用来钓天下的中等之才,而不能用来引诱天下的豪杰;名利之船可以载天下猥琐的士人,却不能用来沉没天下的英雄。"似道怒,又指使进言的人建议罢去他的官职。

咸淳八年 元至元九年(公元 1272 年)

春季,正月,庚申(初一),诏曰:"朕考虑崇俭必须从宫禁开始,从今以后宫禁敢以珠翠、销金作为首饰配用,必罚无赦。臣庶之家,都应体谅工匠,有违反的也按景祐时的制度,从重处罚。"

又下诏曰:"虞舜之世,任官三年考察一次,经三次考察乃至升迁幽明。汉朝为吏的皆为长官的子孙,那是赠给他们的恩赏。当年吏员们都很轻薄,怀着暂时栖身吏任的想法,数着日子等着升迁的机会,事情还没有成功,就又想着其他的出路。吏胥玩忽职守,盗用职权,老百姓还有什么依赖的呢!到了现在,中央郎曹,地方牧守以上,多年不升迁。他们当中有的政绩显著,应该越级提拔。"这时有识之士都以襄、樊为忧虑,而诏书上仍如平时一样讲的都是空话。

甲子(初五),元把尚书省并入中书省,平章尚书阿哈玛特、张易并为中书平章政事,参知尚书省事,张惠为中书左丞,参知尚书省事李尧咨、敏珠尔丹并为参知中书政事。撤销给事中、中书舍人、检正等官,仍设左右司,减六部为四部,改称中书。

辛未(十二日),皇子赵昺出生。

庚辰(二十一日),元改北京、中兴、四川、河南四路行尚书省为行中书省,京兆复立行省。

壬午(二十三日),元改山东东路都元帅府统军司为行枢密院,任命伊苏尔岱、库春同为副使。

己丑(三十日),端明殿学士、去职官员汤汉去世,谥号文清。

二月,庚寅朔(初一),元奉命出使日本的赵良弼,派书状官张铎带日本二十六人,到中都求见。

壬辰(初三),元改中都为大都。

癸巳(初四),原左丞相谢方叔去世。方叔在宰相任上,没有过人之处,晚年被权臣困扰,及至用玩好、丹剂为君祝寿,为当时的舆论所鄙视。

前知台州赵子寅,死无所归,下诏:"特赠与他直秘阁,赠予没收的官宅一区,田三百亩,养其遗孤,以表彰廉吏。"

甲午(初五),元命阿珠统辖蒙古军,刘整、阿尔哈雅统辖汉军。

庚子(十一日),元建中书省官署于大都。

戊申(十九日),元开始祭先农,如同祭社之礼仪。

元下诏诸路开浚水利。

元主前往上都。

三月,乙丑(初七),元主告谕中书省,日本使者请求商议遣还之事。安图说:"赵良弼请求转移金州戍兵,勿使日本妄生疑惧。我们以为金州戍兵,他们国家都知道,如又转移戍兵,恐怕不合适。只需告诉来使,这些戍兵是为防备耽罗而暂时设置,你们不须怀疑畏惧。"元主称善。

甲戌(十六日),元阿珠、刘整、阿尔哈雅破樊城外城,守将坚闭内城,阿珠等增筑重围围困他们。

元赈济济南路饥荒。

夏季,四月,戊子(初一),利路安抚张珏设计建筑了宜胜山城。

元库春进攻涟州,攻破射龙沟、五港口、盐场、白头、河城堡。

甲寅(二十七日),元赈济大都路饥荒。

五月,辛巳(十二日),元敕令修筑都城,一切费用全由官府供给。

乙酉(十六日),元宫城初建东、西华、左、右掖门。

襄阳被围困五年,而援兵又不至,吕文焕竭方抗拒元兵。城中积粟已不多,并缺少盐、柴、布帛。张汉英守樊城,招募善于泅水者,把蜡书放在发髻里,人藏在积草下游水而出去送信,信上说:"鹿门既已筑好,必须要从荆、郢援救我们。"泅者至隘口,元守卒见积草多,钩上来作为柴草,泅者被俘获,从郢、邓救援之路也被堵绝。

至此下诏京湖制置使李庭芝移屯郢州,将帅全部驻扎新郢及均州、河口以守要津。庭芝探知襄阳西北一水曰清泥,源于均、房,就在这个地方造轻舟百艘,每三舟联为一舫,中间一舟用来装载,左右舟则空其底而掩覆起来。又出重赏,募敢死之士,得襄、郢、山西民兵中骁悍善战者三千人,得知民兵部辖张顺、张贵皆智勇,一向为诸将所佩服,任命他们为都统,称贵曰"矮张",称顺曰"竹园张"。出令说:"此行只有死,你们当中谁不是出于本心,应赶快离去,不要坏了我的大事。"人人都很感奋。汉水刚刚涨水时,溯流发舟,慢慢地行进到团山下,又进高头港口,结为方阵,各船放上火枪、火炮、炽炭、巨斧、劲弓,夜漏下三刻,起碇而行,以红灯为信号,张贵率先,张顺殿后,乘风破浪,直接冲向敌人的包围圈。到了磨洪滩,元舟船军队布满了整个水面,无隙可入,张顺等乘锐气砍断元舟铁索,钻过数百木桩,转战一百二十里,元兵皆溃败。黎明,抵达襄阳。城中已经长久断绝了援助,听说张顺等到了,踊跃过望,勇气百倍。等到收军时,唯独失去张顺。过了数日,有浮尸逆流而上,浮尸身披甲胄,手执弓矢,直抵浮梁,一看是张顺,身中四枪六箭,怒气勃勃像活人一般。诸军惊异以为是神,造好坟墓将他装殓入葬。

六月,甲午(初八),高丽告饥,元命转运东京大米用以赈济他们。

丙申(初十),迁皮龙荣往衡州。皮龙荣,原是宫中的僚属,知贾似道忌恨自己,于是居家谢客,不管世事。一日,帝偶然问皮龙荣在哪里,贾似道恐怕龙荣被召用,暗中指使湖南提刑李雷应以事诬陷弹劾皮龙荣,迁龙荣往衡州居住。皮龙荣恐不为雷应所容,还没到衡州就饮药而死。皮龙荣年轻时有智略,性情刚直,所以最终被贾似道排挤而死。

丁酉(十一日),任命吏部尚书章鉴同签书枢密院事。

发给钱十万贯,命京湖制置司买米百万石,转运送到襄阳积贮。

乙巳(十九日),任命家铉翁兼权知绍兴府、浙东安抚提举司事,任命唐震为浙西提点刑狱。家铉翁,是眉州人;唐震,是余姚人。

辛亥(二十五日),台臣说江西推排田局已经结束很长时间了,原来设的都官团长等官虚名尚在,他们占着位子常常役使百姓,为害无穷,又说广东运司银场损害百姓,下诏都免除掉。

4343

高丽国王王禃请求元讨伐耽罗余寇。

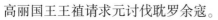

秋季,七月,丁巳朔(初一),元河南省臣上言说:"以前移民充实边塞进行屯耕,因贫苦全都逃散回到原来的家园。现在唐、邓、蔡、息、徐、邳的老百姓热爱他们的田舍,仍守故屯,愿意用丝银按照标准来折成应交的粮食,而内地州县运粮食军饷的人,反而厌倦这样做,认为太苦。臣建议今年沿边州郡,验明户数,让他们折算成。钱钞就在沿边和籴,这样比较方便。"帝听从了他的建议。

壬午(二十六日),元和尔果斯,说蒙古文字的学习设在国子学,而汉官子弟没有学习蒙古文的。官府发公文时仍有用辉和尔文字的。下诏:"从今以后凡诏令统统以蒙古文字行文,继续遣送百官子弟入校学习蒙古文字。"

元董文炳调任枢密院判官,行枢密院事于淮西,筑正阳两城,夹淮河相望,以约束襄阳。

元大司农司因安肃州遭受徐水之害,议定改徐水故道,把水引向东流入清苑。但地势不行,徒使水流祸及清苑而故道必不可改,清苑县尹耶律伯坚陈述了地形,讲明了利害,希望大司农司官及郡守考虑是否可以不改徐水故道,事情由此作罢。清苑西有塘水,灌溉民田甚广,权势之家占据塘水,用来作水磨,老百姓因为失去便利而上诉,耶律伯坚命拆除水磨,放西塘水注入民田,允许灌溉田地之后再拦水置水磨;并把这件事上报给省部,令将此法作为定制。

续资治通鉴卷第一百八十

【原文】

宋纪一百八十　起玄黓涒滩【壬申】八月，尽阏逢掩茂【甲戌】十二月，凡二年有奇。

度宗端文明武景孝皇帝

咸淳八年　元至元九年【壬申，1272】　八月，丙戌朔，日有食之。

乙巳，元主归自上都。

张贵既入襄阳，吕文焕固留共守。贵悮其勇，欲还郢。乃募得死士二人，能伏水中数日不食，持(腊)〔蜡〕书赴郢，求援于范文虎。时元军增守益密，水路连锁数十里，列撒星桩，虽鱼虾不得度；二人遇桩，即锯断之，竟达郢，还报，许发兵五千驻龙尾洲以助夹击。刻日既定，九月，甲子，贵别文焕东下。点视所部军，泪登舟，帐前一人亡去，乃有过被挞者，贵惊曰："吾事泄矣！亟行，彼或未及知。"乃举炮鼓噪发舟，乘夜顺流断纽，破围冒进。夜半天黑，至小新河，阿珠、刘整分率战舰邀击，贵以死战拒，沿岸束获列(烛)〔炬〕，火光如白昼。至勾林滩，渐近龙尾洲，遥望军船旗帜纷披，贵军以为郢兵来会，喜跃而进，举流星火示之。军船见火即前迎，及势近欲合，则来舟皆元军也。盖郢兵前二日以风水惊疑，退屯三十里，而元军得逃卒之报，先据龙尾洲，以逸待劳。贵力困，且出不意，与之战，所部杀伤殆尽。贵身被数十创，力不能支，遂被执，见阿珠于柜门关，欲降之，贵誓不屈，乃见杀。元令降卒四人舁贵尸至襄阳城下，曰："识矮张都统乎？"守陴者皆哭，城中丧气。文焕斩四卒，以贵祔葬顺冢，立双庙祀之。

丁卯，洪天锡以端明殿学士致仕；寻卒，谥文毅。

辛未，有事于明堂，以贾似道为大礼使。礼成，诣景灵宫。将还，大雨，似道期帝雨止升辂，胡贵嫔之兄带御器械显祖，请如开禧故事，却辂，乘逍遥辇还宫。帝曰："平章得无不可？"显祖绐曰："平章已允。"帝遂归。似道大怒曰："臣为大礼使，陛下举动不得预闻，乞罢政。"即日出嘉会门，帝固留之不得，乃罢显祖，涕泣出贵嫔为尼，似道始还。自是专恣日甚，畏人议己，务以权术驾驭上下，以官爵牢宠一时名士，以故言路断绝，威福肆行，相视以目。

冬，十月，丙戌，元封皇子蒙古岱为安西王，赐京兆为分地。

癸巳，元以赵璧为平章政事，张易为枢密副使。

癸卯，元初立会同馆。

己亥，以会稽、馀姚、上虞、诸暨、萧山大水，减其田租。

丁未,以章鉴兼权参知政事。

十一月,马廷鸾挹于贾似道,力辞相位,乙卯,授观文殿大学士、知饶州。入辞,帝恻怛久之曰:"丞相勉为朕留。"廷鸾对曰:"臣死亡无日,恐不得再见君父。然国事方殷,疆圉孔棘,天下安危,人主不知;国家利害,群臣不知;军前胜负,列阃不知。陛下与元老大臣惟怀永图,臣死且瞑目。"泣拜而出。旋命提举洞霄宫。

丁卯,元城光州。

己巳,元发兵伐耽罗。

时朝廷患刘整为元用,(荆)〔京〕湖制置使李庭芝请以整为卢龙军节度使,封燕郡王。帝从之,遣永宁僧赍告身、金印、牙符及庭芝书期致之。僧入元境,事觉,元主敕张易、姚枢杂问,整自军中入见元主曰:"此宋人患臣用兵襄阳,欲以此杀臣耳。臣实不知。"元主赏整,使还军中,诛永宁僧及其党,且令整移书来责执政。

元阿尔哈雅奏言:"襄阳之有樊城,犹齿之有唇也。宜先攻樊城,断其声援。樊城下,则襄阳可不攻而得。"元主以为然。会回回创作巨石炮来献,用力省而所击甚远,命送襄阳军前用之。

元刘整筑新门于鹿头山,使千户随世昌总其役。樊城出兵来争,且拒且筑,不终夜而就。整授军二百,令世昌立炮帘于樊城拦马墙外。夜大雪,城中矢石如雨,军校多死伤,达旦而炮帘立。南师列舰江上,世昌乘风纵火,烧其船。樊城出兵鏖战拦马桥下,世昌流血满甲,气愈壮,南师退入城。

十二月,辛亥,四川安抚使昝万寿遣兵攻成都,元签省严忠范战败,(固)〔同〕知王世英等八人弃城遁,遂毁其大城。元以罪在主将,(元)〔遣〕世英等缚忠范至都治之,罢其官。

甲寅,召叶梦鼎入相,诏加少傅。梦鼎引疾,力辞。使者相继促行,扶病至嵊县,疏奏愿上厉精寡欲,规当国者收人心,固邦本,扁舟径还。使者以祸福告,梦鼎曰:"廉耻事大,死生事小,万无可回之理。"贾似道大怒,勒令休致。

咸淳九年 元至元十年【癸酉,1273】 春,正月,戊午,元宿州万户额森布哈请筑堡牛头山,扼两淮粮运,不允。额森布哈因上言:"前宋人城五河,统军司臣皆当得罪。今不筑,恐为宋人所先。"元主曰:"汝言虽是,若坐视宋人戍之,罪亦不免也。"

乙丑,樊城破。

樊被围四年,(荆)〔京〕湖都统制范天顺及部将牛富力战不为衄。富数射书襄阳城中,期吕文焕相与固守为唇齿。未几,阿尔哈雅以回回新炮进攻,张弘范为流矢中其肘,束创见阿珠曰:"襄在汉水南,樊在其北,我陆攻樊,则襄出舟师来救,终不可取。若截水道,断救兵,水陆夹攻,则樊破而襄亦下矣。"阿珠从之。

初,襄、樊两城,汉水出其间,文焕植大木水中,锁以铁绠,上造浮桥,以通援兵,樊亦恃此为固。元水军总管张禧曰:"断锁毁木,樊城必下。"阿珠以机锯断木,以斧断绠,燔其桥,襄兵不能援,乃以兵截汉,而出锐师薄樊城,城遂破。天顺仰天叹曰:"生为宋臣,死为宋鬼!"即所守地缢死。富率死士百人巷战,元兵死伤者不可计。渴饮血水,转战而进,遇(居民)〔民居〕烧绝街道,富身被重伤,以头触柱,赴火死。裨将王福见之,叹曰:"将军死于国事,吾岂宜独生!"亦赴火死。天顺,文虎之侄;富,霍丘人也。

二月,甲申,诏为鄂州统制张顺立庙荆湖,赐额曰忠显,官其二子。

庚戌,京西安抚副使吕文焕以襄阳叛降元。

襄阳久困,援绝,撤屋为薪,缉关、会为衣。文焕每一巡城,南望恸哭而后下,告急于朝。贾似道累上书请行边,而阴使台谏上章留己。樊城既破,复申请之,事下公卿杂议。监察御史陈坚等以为师臣出,顾襄未必能及淮,顾淮未必能及襄,不若居中以运天下;帝从之。

未几,阿尔哈雅率总帅索多等移破樊攻具以向襄阳,一炮中其谯楼,声如震雷,城中汹汹,诸将多逾城降者。初,刘整常跃马独前,与文焕语,为文焕伏弩所中,幸甲坚不入,至是欲立碎其城,执文焕以快意,阿尔哈雅不可。乃身至城下,宣元主所降招谕文焕诏曰:"尔等拒守孤城,于今五年,宣力于主,固其宜也。然势穷援绝,如数万生灵何! 若能纳款,悉赦勿治,且加迁擢。"文焕狐疑未决,因折矢与之誓。文焕乃出降,先纳筦钥,次献城池,且陈攻鄂之策,请己为先锋。

阿珠入襄阳,阿尔哈雅遂偕文焕入朝,元主以文焕为襄阳大都督。

事闻,似道言于帝曰:"臣始屡请行边,陛下不之许。向使早听臣出,当不至此。"文焕兄文福知庐州,文德子师夔知静江府,俱上表请罪。似道庇之,诏皆不问。

工部侍郎高斯得疏论边事,帝善而不能行。斯得旋出知建宁府。

三月,庚申,四川制置司言:"刘整故吏罗鉴自北还,上整书稿一帙,内有取江南二策:其一言先取全蜀,蜀平,江南可定。其二言清口、桃源,河、淮要冲,宜先城其地,屯山东军以图进取。"帝亟诏淮东制置司往清口,择利地筑城备之。

辛未,元刘整请教练水军五六万及于兴元、金、洋州、汴梁等处造船二千艘,从之。

癸酉,元以前中书左丞相耶律铸平章军国重事,中书左丞张惠为中书右丞。是日,元主如上都。

壬午,诏建机速房于中书。时襄城既失,贾似道复上书言:"事势如此,非臣上下驱驰,联络气势,将有大可虑者。"帝曰:"师相岂可一日离左右!"似道乃建机速房,以革枢密院漏泄兵事、稽迟边报之弊。

太学生郭昌子上守备六策:一曰分游击以屯南岸,二曰重归、峡以扼要冲,三曰备鄂、汉以固上流,四曰调精兵以护汉、江,五曰备下流以绝窥伺,六曰饬隘口以备要害。

元立皇子燕王珍戬为太子,守中书令兼判枢密院事。刘秉忠荐中山王恂以辅之,元主以为太子赞善。敕两府大臣:"凡有启禀,必令恂与闻。"恂言:"太子天下本,付托至重,当延名德与之居处。况兼领中书、枢密之政,诏条所当遍览,庶务亦当屡省。"又以辽、金之事近接耳目者,区别善恶上之。太子问恂以心之所守,恂曰:"尝闻许衡言,人心犹印板然。本不差,虽摹千年,板皆不差;本既差矣,摹之于纸,无不差者。"太子曰:"善!"

夏,四月,诏以范天顺、牛富死节襄、樊,官其二(字)〔子〕,赐土田、金帛。

甲申,以汪立信为京湖制置使兼知江陵。

辛卯,以赵溍为沿江制置使,兼建康留守。溍多献宝玉于贾似道,故有是命。

元将相大臣皆以南伐为请,召姚枢、许衡、图克坦公履等问计。公履等曰:"乘破竹之势,席卷三吴,此其时矣。"元主然之,以史天泽、阿珠、阿尔哈雅行荆州等路枢密院事,镇襄阳;哈坦、刘整、达春、董文炳行淮西等路枢密院事,守正阳。天泽等陛辞,诏谕以襄阳之南多有堡寨,可乘机进取。仍以钞五千锭赐将士及赈新附军民。

五月,壬子朔,元定内外官,复旧制,三岁一迁。

戊辰,元诏:"天下狱囚,除杀人者待报,其馀一切疏放,限以八月内自至大都,如期而至者皆赦之。"

庚辰,诏:"诸人上书,请以丞相贾似道督兵者不允,馀付机速房。"

六月,前四川宣抚司参议官张梦发,上书陈危急三策:曰锁汉江口岸,曰城荆门军当阳界之玉泉山,曰峡州宜都而下,联置堡寨以保聚流民,且守且耕。并图上城筑形势。似道不以上闻,下(荆)〔京〕湖制司审度可否,事竟不行。

左藏东库塞材望,上书言边事大可忧者七,急当为者五,不报。

己丑,刑部尚书兼给事中陈宜中,言襄、樊之失,皆由范文虎怯懦逃遁,请斩之;贾似道不许,止降一官。监察御史陈文龙,言文虎失襄阳,犹使知安庆府,是当罚而赏也。赵潜乳息小子,何足以当大阃之寄! 请皆罢之。似道大怒,黜文龙知抚州,旋又使台官李可劾退之。

癸卯,京湖制置司汪立信奏:"臣奉命分阃,延见吏民,皆痛哭流涕,言襄、樊之祸,皆由范文虎及俞兴父子。文虎以三衙长,闻难怯战,仅从薄罚;其侄天顺守节不屈,或可少赎其愆。兴奴隶庸材,务复私怨,激判刘整,流毒至今;其子大忠,挟多资为父行贿,且自希进,今虽寸斩,未足以快天下之忿。请置之重典,则人心兴起,事功可图。"诏除大忠名,循州羁管。

时国势危甚,太府寺丞陈仲微上封事,其略曰:"襄阳之陷,其罪不专在于庸阃、疲将、孩兵也,君相当分受其责,以谢先皇帝在天之灵。天子若曰罪在朕躬,大臣宜言咎在臣等,宣布十年养安之往缪,深惩六年玩敌之昨非。救过未形,固已无及;追悔既往,尚愈于迷。或谓覆护之意多,尅责之辞少;或谓陛下乏哭师之誓,师相饰分过之言,甚非所以慰恤死义,祈天悔祸之道也。今代言乏知体之士,翘馆鲜有识之人,吮脂茹柔,积习成痼,君道相业,两有所亏。顾此何时,而在廷无谋国之臣,在边无折冲之帅! 监之先朝宣和未乱之前,靖康既败之后,凡前日之日近冕旒,朱轮华毂,俛首吐心,奴颜婢膝,即今日奉贼称臣之人也;强力敏事,捷疾快意,即今日叛君卖国之人也。为国者亦何便于若人哉! 迷国者进惛忧之欺以逢其君,误国者护耻败之局而莫能议,当国者昧安危之机而莫之悔。臣常思之,今之所少,不(至)〔止〕于兵,阃外之事,将军制之,而一级半阶,率从中出,斗粟尺布,退有后忧,平素无权,缓急有责。或请建督,或请行边,或请筑城,创闻骇听,因诸阃有辞于缓急之时,故庙堂不得不掩恶于败阙之后。有谋莫展,有败无诛,上下包羞,噤无敢议。是以下至器仗、甲马,衰飒庞凉,不足以肃军容;壁垒、堡栅,折樊驾漏,不足以当冲突之骑。号为帅阃,名存实亡也。城而无兵,以城与敌;兵不知战,以将与敌;斗不知兵,以国与敌;光景蹙近目睫矣! 惟君相幡然改悟,天下事尚可为也。"似道大怒,黜仲微江东提点刑狱。

元以刘整、阿尔哈雅不相能,分军为二,各统之。

元高丽经略实都等以兵入耽罗,抚定其地。诏以迪里巴为耽罗国招讨使,尹邦宝副之。

初,元赵良弼使至日本,其太宰府官来索国书,良弼曰:"必见汝国王,始授之。"越数日,复来求书,且以兵胁良弼,良弼终不与。后又声言:"大将军以兵十万来求书。"良弼曰:"不见汝国王,宁持我首去,不可得也!"日本知不可屈,乃遣人送良弼至对马岛。及是始还,具以日本君臣、爵号、州郡名数、风俗土宜来上。元主曰:"卿可谓不辱君命矣!"

闰月,丙申,前临安府司法梁炎午陈攻守之要五事,不报。

辛未,元敕翰林院纂修国史,采录累朝事实,以备编集。

元阿哈玛特等屡毁汉法,国学诸生廪食或不继。秋,七月,许衡请还怀孟,元主以问翰林学士王磐,磐对曰:"衡教人有法,诸生行可从政,此国之大体,宜勿听其去。"元主又命诸老臣议其去留,窦默为衡恳请,乃听衡还。刘秉忠、姚枢及磐、默等,复请以赞善王恂主国学,衡弟子耶律有尚、苏郁、白栋为助教,庶几衡之规模不致废坠;从之。

元人城马鬃山,〔戊戌〕,知合州张珏击走之。

初,蒙古兵入蜀,珏副王坚协力战守;坚还,以珏代之。自开庆受兵,民凋敝甚。珏外以兵护耕,内教民垦田积粟;再期,公私兼足。刘整既叛,献计欲自青居进筑马鬃、虎项二山,扼三江口以图合州,遣统军哈喇帅兵筑之。珏闻哈喇至,乃张疑兵于嘉渠口,潜师渡平阳滩,火其资粮器械,越寨七十里,焚船场,由是马鬃城筑卒不就。珏善用兵,出奇设伏,算无遗策。其治合州,士卒必练,器械必精,御部曲有法,虽奴隶,有功必优赏之;有过,虽至亲必罚,故人人用命。

元主以天下狱囚滋多,敕诸路自死罪以下纵遣归家,期仲秋悉来京师听决。囚如期至,元主恻然。八月,庚戌,诏并赦之。既而命词臣作诏戒谕天下,皆不称旨,王磐独以纵囚之意命词,元主喜曰:"此朕所欲言而不能者,卿乃为朕言之。"赐酒嘉奖。

九月,辛巳,以章鉴签书枢密院事,吏部尚书陈宜中同签书枢密院事。

冬,十月,元初建正殿、寝殿、香阁、周庑两翼室。

元西蜀都元帅伊苏岱尔与皇子西平王鄂罗齐合兵攻建都蛮,擒酋长下济等四人,获其民六百,建都乃降。

十一月,壬午,封皇子焐为嘉国公。

以李庭芝为淮东制置使兼知扬州,夏贵为淮西制置使兼知庐州,陈奕为沿江制置使兼知黄州。庭芝请分所部两淮为二司,故以淮西付贵。奕以兄事贾似道玉工陈振民以求进,自小官历显要,遂掌禁兵,擢分阃。

起前直学士院文天祥为湖南提刑。天祥因见故相江万里,万里素奇天祥志节,语及国事,愀然曰:"吾老矣,观天时人事,必当有变。世道之责,其在君乎!君其勉之!"

元大司农司言:"中书移文,以畿内秋禾始收,请禁农民覆耕,恐防刍牧。"元主以农事系民生命,诏勿禁。

是岁,元诸路大水、蝗,赈米凡五十四万馀石。

咸淳十年 元至元十一年【甲戌,1274】 春,正月,己卯朔,元宫阙告成。元主始御正殿,受朝贺。

壬午,城鄂州汉口堡。

戊子,福建安抚使江万里以疾辞职任,诏依旧职奉祠。

庚寅,城鄂州沌口西岸堡。

乙巳,雨土。

丙午,元免于阗采玉。

是月,贾似道母死,似道归台州治丧。诏以天子卤簿葬之,起坟拟山陵,百官奉丧事,立大雨中终日，无敢易位者。既葬，诏似道起复，似道遂还朝。

元阿尔哈雅言："荆、襄自古用武之地，汉水上流已为我有，顺流长驱，宋必可平。"阿珠又言："臣略地江、淮，见宋兵弱于往昔，今不取之，时不能再！"元主趣召史天泽同议，天泽对曰："此国大事，可命重臣一人，如安图、巴延，都督诸军，则四海混同，可计日而待。臣老，犹足为副。"元主曰："巴延可以任此事。"阿尔哈雅因言："我师南征，必分为三。旧军不足，非益兵十万不可。"遂诏中书省签军十万人。

二月，己酉，赵顺孙罢为福建安抚使。

壬申，元造战船八百艘于汴梁。

元主如上都，闻辽阳行省国王特默格扰民不便，乃起廉希宪为北京行省平章政事。将行，命肩舆入见，赐坐。元主曰："昔在先朝，卿深识事机，每以帝道启朕。及鄂汉班师，屡陈天命，朕心不忘。丞相，卿实宜为，顾退托耳。辽沈户不下数万，诸王、国婿分地所在，彼皆素知卿能，故命卿往镇，体朕此意。"

三月，庚寅，元遣凤州经略使实都、军民总管洪俊奇等将兵伐日本，战船凡大小九百艘，军万五千人。元主以讨日本事问赵良弼，良弼曰："臣居日本岁馀，睹其俗很勇嗜杀，不知有父子之亲，上下之礼。其地多山水，无耕桑之利，得其人不可役，得其地不加官田。况舟师渡海，海风无期，祸害莫测。是谓以有用之民填无穷之巨壑也。臣谓勿击便。"元主从之。

辛卯，元改荆湖、淮西枢密院为行中书省。巴延、史天泽并为左丞相，阿珠为平章政事，阿尔哈雅为右丞，吕文焕为参知政事，行省于荆湖。哈达为左丞相，刘整为左丞，达春、董文炳并参知政事，行省事于淮西。

癸巳，元获嘉县尹常德课最，诏优赏。

元翰林学士王磐，尝于会议时数言："前代用人，二十从政，七十致仕，所以资其才力，闵其衰老，养其廉耻之心也。今入仕者不限年，而老病者不肯退，彼既不自知耻，朝廷亦不以为非，甚不可也。"磐先以疾，请断月俸毋给，至是坚乞致仕，元主遣使谕之曰："卿年虽老，非任剧务，何以辞为！"仍诏禄之终身，并还所断月俸。磐不得已复起。

夏，四月，乙卯，封皇子昺为永国公。

五月，丙申，元以皇女下嫁高丽世子王愖。

壬申，张珏表请城马鬃、虎头山，或先筑其一以扼险要。

六月，庚申，元主命诸将率兵南伐，且数贾似道负约执郝经之罪。诏曰："爰自太祖皇帝以来，与宋使介交通。宪宗之世，朕以藩职，奉命南伐，彼贾似道复遣宋京诣我，请罢兵息民。朕即位之后，追忆是言，命郝经等奉书往聘，盖为生灵计也，而乃执之，以致师出连年，死伤相藉，系累相属，皆彼宋自祸其民也。襄阳既降之后，冀宋悔祸，或起令图，而乃执迷，罔有悛心。问罪之师，有不能已。今遣汝等水陆并进，布告遐迩，使咸知之。无辜之民，初无预焉，将士毋得妄加杀掠。有去逆效顺，别立奇功者，验等第迁赏。其或固拒不知及逆敌者，俘戮何疑！"

元廉希宪知北京，民大悦服。异时辽东多亲王使者传令旨，官吏立听，希宪革正之。有西域人自称驸马，营于城外，系富民，诬其祖父尝贷息钱，索偿甚急。民诉之行省，希宪命收捕之。其人怒，乘马入省堂，坐榻上，希宪命捽下跪，而问之曰："法无私狱，汝何人！"惶惧求哀,国王特默格亦为之请,乃稍宽令待对,举营夜通。俄诏国王归国,希宪独行省事。长公主及国婿入朝,于路纵猎扰民,希宪面谕国婿,欲入奏之。国婿惊愕,入语公主,公主出,饮希宪酒曰:"从者扰民,吾不知也,请以钞万五千贯还敛民之直,幸勿遣使者。"自是贵人过者,皆莫敢纵。

秋,七月,癸未,帝崩于嘉福殿,年三十三。嘉国公昺即皇帝位。

帝自为太子,以好内闻;既立,耽于酒色。故事,嫔妾进御,晨诣阁门谢恩,主者书其月日。及帝之初,一日谢恩者三十馀人。及崩,贾似道入宫议所立,众以建国公昰当立,似道主嫡,乃立嘉国公。时年四岁,皇太后临朝听政。

甲申,封皇兄建国公昰为吉王,皇弟永国公昺为信王。

诏贾似道依文彦博故事,独班起居。

丙戌,尊皇太后曰太皇太后,皇后曰皇太后。又诏以生日为天瑞节。

初,京湖制置使汪立信移书贾似道曰:"今天下之势,十去八九,诚上下交修,以迓续天命之几,重惜分阴以趋事赴功之日也。而乃酣歌深宫,啸傲湖山,玩岁愒月,缓急倒施,卿士师师非度,百姓郁怨。欲上当天心,俯遂民物,拱揖指挥而折冲万里,不亦难乎?为今之计者,其策有三:夫内郡何事乎多兵,宜尽出之江干以实外御。算兵帐,见兵可七十馀万人,老弱柔脆,十分汰二,为选兵五十馀万。而沿江之守则不过七千里,若距百里而屯,屯有守将,十屯为府,府有总督,其有要害处,辄三倍以兵,无事则泛舟长淮,往来游徼;有事则东西齐奋,战守并用,刁斗相闻,馈饷不绝,互相应援,以为联络之固。选宗亲大臣忠良有干用者,立为统制,分莅东、西二府。此上策也。久拘聘使,无益于我,徒使敌得以为辞,请礼而归之,许输岁币,以缓师期。不二三年,边遽稍休,藩垣稍固,生兵日增,可战可守,此中策也。二策果不得行,则衔璧舆榇之礼,请备以俟!"似道得书,大怒,抵之地,诟曰:"瞎贼,狂言敢尔!"盖立信一目微眇云。寻中以危法,废斥之。

辛卯,以朱禩孙为京湖、四川宣抚使兼知江陵府。

乙未,元巴延出师,陛辞,元主谕之曰:"古之善取江南者,唯曹彬一人。汝不嗜杀,是吾曹彬也!"

八月,丁未,元史天泽言:"今大师方兴,荆湖、淮西各置行省,势位既不相下,号令必不能一,后当败事。"元主是其言,复改淮西行中书省为行枢密院。天泽又以病,表请专任巴延;乃以巴延领河南等路行中书省,所属并听节制。

癸丑,大霖雨,天目山崩,水涌流,安吉、临安、馀杭民溺死者无算。

元中书省言:"江、汉未下之州,请令吕文焕率其麾下临城谕之,令彼知我善遇降将,亦策之善者也。"元主从之。

元四川总帅汪惟正上言曰:"蜀未下者数城耳,宜并力攻临安。根本既拔,此将焉往!愿以本兵由嘉陵下夔、峡,与巴延会钱塘。"元主优诏答曰:"四川事重,舍卿谁托!异日蜀平,功岂在巴延下耶!"

甲寅,元弛河南军器之禁。

是月,元太保刘秉忠薨。秉忠好学,至老不衰,虽位极人臣,而斋居蔬食,终日澹然。扈从至上都,其地有南屏山,筑精舍居之,至是无疾端坐而逝。元主惊悼,谓左右曰:"秉忠事朕

4351

三十年,小心缜密,不避艰险,言无隐情,其阴阳术数之精,占事知来,若合符契,惟朕知之,它人不得与闻也。"遣官护其丧还葬大都,谥文贞,后改谥文正。

九月,〔癸未〕,元左丞相河南行省巴延会师于襄阳,分军为三道并进。丙戌,巴延与平章行省阿珠由中道循汉水趣郢州,万户武秀为前锋,遇水泺,霖雨水溢,无舟不能涉。巴延曰:"吾且飞渡大江,而惮此潢潦耶?"使一壮士骑而前导,麾诸军毕济。癸巳,次盐山,距郢州二十里。

张世杰将兵屯郢,郢在汉北,以石为城,新郢城在汉南,横铁絚锁,战舰密植,桩木水中,夹以炮弩,凡要津,皆施(栻)〔杙〕,设守具。元军袭城,世杰力战,元军不能前,遣人招世杰,不听。阿珠获俘民,言:"沿汉九郡精锐皆萃于二郢,若舟师出其间,骑兵不能护岸,此危道也。不若取下流黄家湾堡,堡西有沟,南通藤湖,可由其中拖船入湖,转而下汉仅三里。"吕文焕亦以为便,诸将曰:"郢城,我之襟喉,不取,恐为归路患。"巴延曰:"用兵缓急,我则知之,大军之出,岂为一城哉?"遂舍郢,顺流而下,遣总管李庭、刘国杰攻黄家湾堡,拔之。诸军破竹席地,荡舟由藤湖入汉,巴延、阿珠殿后,下不满百骑。

己亥,赐礼部进士王龙泽以下及第、出身。

元主归自上都。时有言汉人殴伤蒙古人,及太府监卢甲盗剪官布,元主怒,命杀以惩众。董文忠进曰:"刑曹于罪囚当死者,已有服词,犹必详谳,岂可因人一言,遽加之重典!请付有司阅实以俟后命。"乃遣文忠及近臣图们分核之,皆得其诬状,遂诏原之。元主因责侍臣曰:"方朕怒时,卿曹皆不敢言,非文忠开悟朕心,则杀二无辜之人,必取议中外矣。"因赐文忠金尊,曰:"用旌卿直。"太子亦语宫臣曰:"方天威之震,董文忠从容谏止,实人臣难能者。"太府监属奉物诣文忠,泣谢曰:"鄙人赖公复生。"文忠曰:"吾素非知子,所以相救于危急者,盖为国平刑,岂望子报哉!"却其物不受。

冬,十月,己酉,元享于太庙。

甲子,诏以明年为德祐元年。

乙丑,以章鉴同知枢密院事,陈宜中签书枢密院事。

元军之去郢也,副都统赵文义帅精骑二千追之。巴延、阿珠还军迎击之,及泉子湖,文义力战而败,巴延擒杀之,其士卒死者五百人,馀众皆溃。

元军进至沙洋,遣俘持黄榜檄文入城,守将王虎臣、王大用斩俘焚榜。巴延复命吕文焕至城下招之,亦不应。丙寅,日暮,风大起,巴延命顺风掷金汁炮,焚其庐舍,烟焰张天,城遂破,生擒虎臣、大用,馀悉屠之。

进薄新城,都统制边居谊力战,文焕列沙洋所馘于城下,缚虎臣等至壁,使招降,居谊不答。明日,又至,居谊曰:"吾欲与吕参政语耳。"文焕以为降已,驰马至;伏弩乱发,中文焕右臂,并中其马,马仆,几钩得之,众挟文焕以它马奔还。会总制黄顺、副总制任宁相继出降,其部曲多欲缒城出者,居谊悉驱入,当门斩之。文焕乃麾兵攻城,居谊以火具却之。己巳,元总管李庭攻破外堡,诸军蚁附而上,居谊度力不支,拔剑自杀,不殊,赴火死。所部三千人犹力战,悉死焉,居谊举家自焚。巴延壮居谊,购其尸观之,遂杀虎臣、大用。居谊,随人,初事李庭芝,积战功擢都统制,至是死节。事闻,诏立庙死所。

闽中地震。

十一月，浙东安抚使马廷鸾力辞去任；戊寅，诏依旧职奉祠。

诏为赵文义与其兄文亮共立庙扬州，赐额曰传忠。

初，李庭芝帅淮南，闻进士盐城陆秀夫名，辟置幕下，主管机宜文字。秀夫性沉静，不求人知，每僚吏至阃，宾主交欢，秀夫独无一语，或时宴集府中，矜庄终日，未常少有希合。至察其事皆治，庭芝益器之，虽改官，不使去己。时称得士多者，淮南第一，号小朝廷。及是以秀夫为淮东制置司参议。

丙戌，以王爚为左丞相，章鉴为右丞相，并兼枢密使，从贾似道请也。

元东川元帅杨文安自达州进趋云安军，至马湖江，与南师遇，大破之，遂拔云安、罗拱、高阳城堡。

元安图奏："阿哈玛特蠹国害民，凡官属所用非人，请别加选择。其营作宫殿，夤缘为奸，亦宜诘问。"元主命穷治，然阿哈玛特委任如故。

元巴延军逼复州，知州翟贵以城降。诸将请点视其仓库军籍，巴延不听，谕诸将不得入城，违者以军法论。阿珠使阿尔哈雅来言渡江之期，巴延不答，明日又来，又不答，阿珠乃自来。巴延曰："此大事也，主上以付吾二人，可使馀人知之乎？"潜刻期而去。乙未，军次蔡店。丁酉，往视汉口形势。

时淮西制置使夏贵，以战舰万艘分据要害，都统制王达守阳逻堡，京湖宣抚使朱禩孙，以游击军扼中流，元军不得进。阿珠部将马福，言自沦河走湖中，可从阳逻堡西沙芜口入江，巴延使觇沙芜口，夏贵亦以精兵守之。乃进围汉阳，声言取汉口渡江，贵果移兵援汉阳。十二月，丙午，巴延乘间遣阿喇罕将奇兵倍道袭沙芜口，夺之。辛亥，自汉口开坝引船入沦河，转沙芜口以达江。壬子，战舰万计相踵而至，以数千艘泊沦河湾（日）〔口〕，屯布蒙古汉军数十万骑于江北。

癸丑，巴延遣人招谕阳逻堡，守将王达等曰："我辈受宋厚恩，戮力死战，此其时也，安有叛逆归降之理！备吾甲兵决之。今日我宋天下，犹赌博孤注，输赢在此一掷尔！"巴延麾诸将以白鹞子千艘攻之，三日不克。巴延密谋于阿珠曰："彼谓我必拔此堡，方能渡江。此堡甚坚，攻之徒劳。汝夜以铁骑三千泛舟直趋上流，为捣虚之计，明日渡江，袭江南岸，已过则亟遣人报我。"阿珠亦曰："攻城，下策也。若分军船之半，循岸西上，泊青山矶下，伺隙而动，可以如志。"

巴延计定，乙卯，遣阿尔哈雅督万户张弘范等进薄阳逻堡，夏贵率众援之。阿珠即以昏时率四翼军，溯流四十里至青山矶。是夜，雪大作，黎明，阿珠遥见（两）〔南〕岸多露沙洲，即登舟，指示诸将令径渡，载马后随。万户史格一军先渡，为荆鄂都统程鹏飞所败，格中三创，丧其师三百，阿珠引兵继之。大战中流，格中流矢，战益力，鹏飞亦却，阿珠遂登沙洲，攀岸步斗，散而复合者数四，出马于岸，力战，追至鄂东门，鹏飞被七创，走。阿珠获其船千馀艘，遂起浮桥，成列而渡，乃遣人还报。巴延大喜，挥诸将急攻阳逻堡。夏贵闻阿珠渡江，大惊，引麾下三百艘先遁，沿流东下，纵火焚西南岸，大掠，还庐州，阳逻堡遂破，王达领所部八千人及定海水军统制刘成俱战死。元诸将请追贵，巴延曰："阳逻之捷，吾欲遣使前告宋人。今贵走，是代吾使也。"遂渡江与阿珠会。

元诸将议师所向，或欲先取蕲、黄。阿珠曰："若赴下流，退无所据。上取鄂、汉，虽迟旬

4353

日,可以万全。"巴延遂趣鄂州。己未,焚战舰三千艘,烟焰涨天,城中大恐。时朱禩孙帅师援鄂,道闻阳逻之败,夜,奔还江陵。庚申,知汉阳军王仪以城叛降元。

鄂恃汉阳为蔽,及禩孙既遁,汉阳复失,鄂势遂孤。吕文焕列兵城下曰:"汝国所恃,江、淮而已。今大军渡江、淮如蹈平地,汝辈不降何待!"权守张晏然度不能守,遂以州降,程鹏飞亦以其军降。幕僚张山翁独不屈,元诸将请杀之,巴延曰:"义士也。"释之。因檄下信阳诸郡,以鹏飞为荆湖宣抚使,撤守兵分隶诸将,取寿昌粮四十万斛以充军饷。命阿尔哈雅以四万人守鄂,而自率大众与阿珠东下趣临安。阿尔哈雅戍鄂,禁将士毋得侵掠,其下无敢取民一菜者,民大悦。

癸亥,诏贾似道都督诸路军马。

时鄂州既破,朝廷大惧。三学生及群臣上疏,以为非师相亲出不可。似道不得已,始开都督府于临安,以孙虎臣总统诸军,以黄万石等参赞军事。所辟官属,皆先命后奏,仍于封桩库拨金十万两,银五十万两,关子一千万贯,充都督府公用。

诏天下勤王。

元赐太乙真人第一区,仍赐额曰太一广福万寿宫。

乙丑,以高达为湖北制置使。

诏:"边费浩繁,吾民重困。贵戚、释道,田连阡陌,安居暇食,有司核其租税,收之。"

庚午,元巴延遣程鹏飞至黄州招谕陈奕,奕使人过江请降,且求名爵。巴延曰:"汝既率众来归,何必虑及名爵!"以沿江大都督许之。奕大喜,遂以城降,仍以书招知蕲州管景模。时沿江诸郡,皆吕氏旧部曲,望风款附。

李庭芝遣兵入援。

是岁,元诸路虫灾凡九所,发米七万五千石、粟四万石以赈之。

元主谓秦蜀行省平章赛音谔德齐曰:"云南,朕常亲临。比因委任失宜,使远人不安。欲选谨厚者抚治之,无如卿者。"赛音谔德齐受命,即访求知云南地理者,画其山川、城郭、驿舍、军屯夷险远近,为图以进。帝大悦,遂拜平章政事、行省云南,赐钞五十万缗,金宝无算。

时宗王托果噜方镇云南,惑于左右之言,以赛音谔德齐至,必夺其权,具甲兵为备。赛音谔德齐闻之,乃遣其子尼雅斯拉鼎先至其所,请曰:"天子以云南守者非人,致诸国背叛,故命臣来安集之,且戒以至境即加抚循。今未敢专,愿王遣一人来共议。"王闻,遽骂其下曰:"吾儿为汝辈所误!"明日,遣亲臣撒满位哈乃等至。赛音谔德齐问以何礼见,对曰:"吾等与尼雅斯拉鼎偕来,视犹兄弟也,请以子礼见。"皆以名马为贽,拜跪甚恭,观者大骇。乃设宴,陈所赐金宝饮器,酒罢,尽以与之,二人大喜过望。明日,来谢,语之曰:"二君虽为宗王亲臣,未有名爵,不可以议国事。欲各授君行省断事官,以未见王,未敢擅授。"令一人先还禀王,王大悦。由是政令一听赛音谔德齐所为。

【译文】

宋纪一百八十　起壬申年(公元 1272 年)八月,止甲戌年(公元 1274 年)十二月,共二年有余。

咸淳八年　元至元九年(公元 1272 年)

八月,丙戌朔(初一),发生日食。

乙巳(二十日),元主从上都回到大都。

张贵既入襄阳,吕文焕极力要他留下共同守城。张贵依仗自己勇敢,要回郢城去。于是,他招募到敢死之士二人,能隐伏水中数日不食,携带蜡丸裹的信件赴郢,向范文虎求援。当时元军加强防守益发严密,封锁水路连绵数十里,遍布木桩密如撒星,连鱼虾也不能通过;两人遇到木桩就把它锯断,终于到达郢城。范文虎答复,应允发兵五千,往驻龙尾洲以助夹击。日期既已确定,九月,甲子(初九),张贵告别吕文焕东下。他点视了所部兵马,到即将上船时,发现自己帐下有一人逃跑了,此人因犯错误而挨过鞭挞,张贵大惊道:“我大事泄露了!赶快走,敌人或许还没那么快就知道。”于是,鸣砲呐喊开船,乘夜顺流而下,一路断索破围,冒险前进。夜半天黑,到达小新河,阿珠、刘整分率战舰前来迎击,张贵拼死抵抗。沿岸元军置列苇束火把,火光照耀如同白昼。前进到勾林滩,渐近龙尾洲时,远远看见军船旗帜缤纷,张贵军队以为是郢兵前来会合,欣喜跳跃而进,举起流星火发送信号。军船看见火光立即迎上前来,到双方势近会合,张贵才发现来船尽是元军。原来,郢兵在前二日因受风水所扰而惊疑,已退驻三十里,而元军则得到那个逃卒的报告,先占据了龙尾洲,以逸待劳。张贵的兵力困乏,且又意外地遭遇这支元军,因而交战结果,其所部兵将伤亡殆尽。张贵自己则身负创伤数十处,体力不支,便被擒捉,被解送到柜门关见阿珠,阿珠要他投降,他誓死不屈,于是被杀。元军令降卒四人把张贵的尸体抬到襄阳城下,喊话道:“你们认得矮子张都统吗?”城上守兵见后都恸哭,城中军民意气颓丧。吕文焕斩掉这四名士卒,把张贵合葬在张顺的墓地,并建立双庙祭祀他们。

双带饰　元

丁卯(十二日),洪天锡辞去端明殿学士的官职退休,不久去世,谥号文毅。

辛未(十六日),皇帝在明堂举行典礼,任命贾似道为大礼使。典礼完毕,皇帝去了景灵宫。将回皇宫时,遇大雨,贾似道希望皇帝等到雨止后上辇车;胡贵嫔之兄带御器械胡显祖,则请皇帝仿照开禧旧例,不要辇车,可乘逍遥辇回宫。皇帝说:“平章没有表示不同意吗?”胡显祖欺哄说:“平章已经允许。”皇帝便乘逍遥辇而归。贾似道大怒说:“臣担任大礼使,陛下的举动却不能预先闻知,请罢免我的官职吧。”当日便出嘉会门而去。皇帝竭力挽留他没能把他留住,只好罢黜显祖,哭泣着贬逐胡贵嫔出宫去做尼姑。这样,贾似道才回来。从此,他专横恣肆日甚一日,然又怕他人议论自己,就想方设法用权术来驾驭上下,用官爵来笼络社会名士。由此之故,人们言路断绝,他则作威作福,为所欲为,以致大家只能相视以目,不敢议论。

冬季,十月,丙戌(初一),元封皇子蒙古岱为安西王,赐给京兆作为他的分封地。

癸巳(初八),元任命赵璧为平章政事,张易为枢密副使。

癸卯(十八日),元初次设立会同馆。

己亥(十四日),因会稽、馀姚、上虞、诸暨、萧山发生大水灾,削减这些地区的田租。

丁未(二十二日),皇帝任命章鉴代理参知政事。

十一月,马廷鸾因受贾似道的扼制,极力要求辞去丞相职位,乙卯朔(初一),皇帝任命他为观文殿大学士、知饶州。他入朝辞行时,皇帝忧伤良久说:"为朕起见,丞相将就地留下吧。"马廷鸾回答说:"臣离死亡日子已不远,恐怕不能再见到皇上了。然而现在正值国家多事,边防形势紧切。天下安危,君主不知;国家利害,群臣不知;军前胜负,将帅不知。只要陛下和元老大臣关心长治久安之计,臣死也就瞑目了。"于是,泣拜而出。随后,皇帝任命他为洞霄宫提举。

丁卯(十三日),元筑光州城。

己巳(十五日),元发兵征伐耽罗。

此时朝廷正以刘整为元所用而忧虑,京湖制置使李庭芝上奏章建议任命刘整为卢龙军节度使,封燕郡王。皇帝同意他的建议,便派遣永宁僧人带着委任书、金印、奖符及庭芝的信函去见刘整,以期招他回来。僧人进入元境,事被元方发觉,元主敕令张易、姚枢会同审问。刘整从军中入都见元主说:"这是宋人怕臣挥兵攻打襄阳,想用此计杀臣罢了。臣实在不知。"元主奖励了刘整,命他仍回军中;诛杀了永宁僧及其随从;还令刘整来书谴责朝廷。

元阿尔哈雅奏称:"襄阳之有樊城,犹如牙齿之有嘴唇一样。宜先攻取樊城,断其声援。取得了樊城,则襄阳可以不攻而得。"元主认为他的意见正确。当时,正巧回回人创制了巨炮送来呈献,此炮用力省而射程却很远。元主便命将这种炮送往襄阳前线使用。

元刘整要在鹿头山上建筑新门,指派千户随世昌总管此事。樊城出兵前来争夺阵地,元军一边抵抗一边建筑,夜未终而新门就筑成了。刘整又拨给随世昌二百士兵,令他前去设立砲帘于樊城拦马墙外。当夜天下大雪,城中矢石如雨,官兵伤亡很多,到天明时,砲帘终于设立了起来。宋军的战船排列在江上,随世昌乘着风势纵火,烧毁了宋军战船。樊城出兵与元军激战于拦马桥下,世昌战得血流满甲,但气志愈壮,宋军只好退回城中。

十二月,辛亥(二十七日),四川安抚使昝万寿派兵攻打成都,元签省严忠范战败,同知王世英等八人弃城逃跑,于是就摧毁了成都城。元认为失城的罪责在于主将,派遣王世英等把严忠范捆押到大都治罪,罢其官职。

甲寅(三十日),皇帝下诏召叶梦鼎入朝为相,加少傅衔。叶梦鼎以自己有病为由,极力推辞。使臣相继催促他起程,他不得已只好抱病上路,到嵊县时,写了一道奏疏说,愿皇上励精图治,节制欲念,规诫主政者应收聚人心,巩固国家根基,便乘小船径自归返。使臣以祸福利害得失劝告他,叶梦鼎说:"廉耻事大,死生事小,万万没有回朝的道理。"贾似道知道后大怒,勒令他退休。

咸淳九年 元至元十年(公元1273年)

春季,正月,戊午(初四),元宿州万户额森布哈奏请在牛头山上修筑堡垒,扼制两淮粮运,元主不允。额森布哈因此又上奏说:"前听任宋人在五河筑城,统军司臣都因罪受罚;现在不去牛头山筑堡,恐怕又会被宋人抢先。"元主说:"你的话虽然有理,但如果你们坐视宋人前去戍守,罪责也是不能免的。"

乙丑(十一日),樊城被元军攻破。

樊城被围困了四年,京湖都统制范天顺及其部将牛富奋力抗战,未被元军所败。牛富曾多次用箭将信射入襄阳城中,期望吕文焕坚决守城,彼此互为唇齿。不久,阿尔哈雅用回回新砲发起进攻,张弘范被乱箭射中臂肘,他裹着箭创去见阿珠说:"襄阳在汉水之南,樊城在汉水之北,我军从陆路攻打樊城,则襄阳会派出水军来救援,如此,我军便将不能取得樊城。如果截住水道,断其救兵,水陆夹攻,则樊城攻破后,襄阳也就拿下了。"阿珠采纳了他的意见。

起初,襄阳、樊城两城,因汉水贯穿其间,吕文焕在水中植立了许多大木桩,并用铁索把它们连锁了起来,还在上面造了浮桥,以便援兵通行,樊城亦凭此以为防固。元水军总管张禧说:"断其连锁,毁其木桩,樊城必能攻下。"阿珠便派兵用机具锯断木桩,用利斧砍断铁索,烧毁浮桥,襄阳的部队无法支援樊城,阿珠用部分兵力阻截汉江水军,同时派出精锐部队进迫樊城,樊城便被攻破。范天顺仰天叹道:"我生为宋臣,死为宋鬼!"便在自己所守的阵地上自缢而死。牛富率领敢死之士百人进行巷战,杀得元军死伤者不可计数。他们渴饮血水,迂回转战而前进,到了一条有片民房被焚烧的街道,牛富身负重伤,就以头碰柱,赴火而死。裨将王福见此情景,叹道:"牛将军死于国难,我岂能独自偷生!"亦赴火而死。范天顺是范文虎之姪;牛富是霍丘人。

二月,甲申(初一),皇帝下诏为郢州统制张顺建立祀庙于荆湖;赐予庙的匾额为"忠显",并任命他的两个儿子以官职。

庚戌(二十七日),京西安抚副使吕文焕献出襄阳城,叛变降元。

襄阳久受围困,支援断绝,守军拆房木为柴,缀纸币为衣。吕文焕每次登城巡视,都南望大哭而后下城。他曾向朝廷告急。贾似道屡次上书请求要亲赴前线督兵,而背地里却唆使台、谏官上奏章挽留自己。当樊城既失,贾似道又提出了申请,皇帝便把此事交给公卿们讨论。监察御史陈坚等人认为京师大臣亲临前线,顾得了襄阳未必能同时顾及淮西,顾得了淮西未必能同时顾及襄阳,不如留居朝中以运筹全国。皇帝采纳了这个意见。

樊城破后不久,阿尔哈雅率总帅索多等把破樊城时用的攻城器具转移来攻打襄阳。有一发炮弹击中了城上谯楼,声如震雷,引起城中混乱,众将中有很多人踰城出去投降。起初,刘整常常跃马独出军前,与吕文焕对话,曾被吕文焕伏兵的弩箭所射中,幸好他的铠甲坚固,未及肌体。为此,他急欲立即打碎城池,捉住吕文焕以称快。阿尔哈雅不同意,便亲至城下,向城上宣读元主所下招谕吕文焕的诏书,诏书说:"你们守御孤城,迄今已有五年,为你们的君主效力,固然是应该的,然而现在你们已经势穷援绝,不能不顾及城中数万生灵啊!你们如能归顺,则可全都赦罪不究,而且还将升级任用。"

吕文焕听了狐疑未决,阿尔哈雅就折箭为誓让他放心。于是,吕文焕就出城投降,首先交纳钥匙,然后献出城池,并且陈述攻郢的策略,请求任命他为先锋。

阿珠入驻襄阳,阿尔哈雅便陪同吕文焕入朝见元主,元主任命吕文焕为襄阳大都督。

吕文焕降元之事传到朝廷,贾似道对皇帝说:"臣当初屡次请求去前线督兵,陛下不许。

假如早让臣出去,当不至此结局。"此时,吕文焕之兄吕文福知庐州,吕文德之子吕师夔知静江府,俱上表朝廷等待治罪。贾似道庇护他们,故诏书不提这事。

工部侍郎高斯得上疏论述边防事务,皇帝认为他的意见不错,却不予实施。不久,任命高斯得出知建宁府。

三月,庚申(初七),四川制置司上书说:"刘整的旧属吏罗鉴从北边归来,献上刘整的书稿一帙,稿中有关于夺取江南的二条方策:其一说先攻取全蜀,全蜀平定,江南也就可以平定。其二说清口、桃源为河、淮要冲之地,应先在其地修筑城堡,驻扎山东军队,以图进取宋地。"皇帝急忙诏令淮东制置司前往清口,选择有利地点修筑城堡以防备元军。

辛未(十八日),元刘整建议训练水军五六万人以及在兴元、金州、洋州、汴梁等处造船两千艘,元主同意他的建议。

癸酉(二十日),元任命前中书左丞相耶律铸为平章军国重事,中书左丞张惠为中书右丞。此日,元主往上都。

壬午(二十九日),皇帝诏令在中书省设立新机构——机速房。此时襄城既已失陷,贾似道又上书说:"局势已到这种地步,如不让臣出去上下奔走,联络各方气势,将会有更加忧虑的问题发生。"皇帝说:"师相岂可一日离朕左右!"于是,贾似道就建立机速房,借以革除枢密院漏泄军事机密和延误边防情报的弊端。

太学生郭昌子上书,提出关于守备的六条策略:一是分派机动部队以屯守长江南岸;二是加强归、峡的军事设施,借以控制交通要冲;三是充实鄂州、汉阳两地的守备力量,借以巩固长江上游防线;四是调集精兵,借以护卫汉水、长江地带;五是配备长江下游守卫力量,借以杜绝敌方乘隙偷袭;六是加固险要关口,借以完备要害地带的防卫。

元立皇子燕王珍戬为太子,署理中书令兼判枢密院事。刘秉忠推荐中山王恂以辅佐太子,元主便任命他为太子赞善,并敕令两府大臣:"凡有启奏告禀,必须让王恂也知道详情。"王恂说:"太子是天下的根本,所负的付托至重,应当延聘德高望重的人与他为伴;何况他兼管中书省和枢密院的政务,诏书、法令都须遍阅,各种事务也要常常审察。"他又将辽、金历史上那些身为帝王耳目、亲信之人的事迹,区别善恶加以编纂,呈献给元主。太子询问王恂关于心术上所应遵守的准则,王恂说:"曾听许衡说过,人心犹如木刻的印版,如果所依据的底本内容没有差错,虽摹印千年,印版都不会有差错;如果底本既已有差错,将它摹印在纸上,就没有不差错的。"太子说:"讲得好!"

夏季,四月,皇帝下诏,因范天顺,牛富节义而战死在襄阳、樊城,授其二子以官职,并赐给田地、金帛。

甲申(初二),任命汪立信为京湖制置使兼知江陵。

辛卯(初九),任命赵溍为沿江制置使,兼建康留守。赵溍多次献珍宝美玉给贾似道,所以才有这一任命。

元将相大臣都请求发兵南征伐宋,元主召集姚枢、许衡、图克坦、公履等征询计策。公履等人说:"乘破竹之势,席卷三吴,现在正是时候。"元主同意他们的看法,便任命史天泽、阿珠、阿尔哈雅行荆州等路枢密院事,镇守襄阳;哈坦、刘整、达春、董文炳行淮西等路枢密院事,镇守正阳。史天泽等人入朝辞行,元主下诏指示他们说,襄阳之南的许多地方都有城堡、营寨,可乘机进取。并拨银钞五千锭赏赐将士及赈济新归附的军民。

五月,壬子朔(初一),元确定内官和外官之别,恢复旧体制,规定官员每三年迁调一次。

戊辰(十七日),元主下诏宣告:"天下在狱囚犯,除杀人犯须待审判之外,其余一律疏放,限定他们在八月份内自行前往大都,按期到达者都赦免其罪。"

庚辰(二十九日),皇帝诏谕:"各人所上奏书,凡是请由丞相贾似道赴前线督兵的不予批准之外,其余都交付机速房处理。"

六月,前四川宣抚司参议官张梦发上书,陈述解救危急局势的三条策略:一说封锁汉江口岸;二说在荆门军和当阳交界的玉泉山修筑城堡;三说在峡州、宜都以下地带,连贯设置堡寨,借以保护和聚集流亡人口,责成他们一边守卫一边耕种。张梦发还画了城堡建筑形势图一并上呈。贾似道没有把此事上奏皇帝,却下交给京湖制司审核可否,这三条建议竟没有得到施行。

左藏东库塞材望上书,说边防问题大可忧虑的有七件事,其中急切要做的有五件。这一奏书被置之不报。

已丑(初八),刑部尚书兼给事中陈宜中说,襄阳、樊城的失守,都是由于范文虎怯懦逃遁所致,请将他处斩。贾似道不允许,只将他的官职降了一级。监察御史陈文龙说,范文虎丢失了襄阳,还委任他知安庆府,这是本当处罚反而予以奖赏了。赵溍不过是一名乳臭未干的小子,有何能力足以担当高级将领的重任!请把他们都罢免掉。贾似道大怒,贬黜陈文龙知抚州,不久又指使台官李可提出弹劾,逼他退休。

癸卯(二十二日),京湖制置司汪立信奏称:"臣奉命分掌一方,接见属吏和庶民,他们都痛哭流涕,认为襄阳、樊城之祸,都是因范文虎及俞兴父子之故。范文虎身为三衙长官,闻危难而怯战,却仅仅给以从轻处罚;其侄范天顺守节不屈,或可少许抵赎他的罪过。俞兴是卑劣庸才,专搞报复私怨的勾当,以致激叛了刘整,流毒至今;其子俞大忠,倚仗自己富有资财,不但为父行贿,并且也为自己谋求晋升,如今即使把他剁成寸寸小段,也不足以消天下大众的愤恨。请处以重刑,则人心振奋,才可望取得抗元的成功。"皇帝下诏将俞大忠开除官籍,押往循州羁管。

此时国家形势非常危急,太府寺丞陈仲微上了一道密封奏章,其大意说:"襄阳的失陷,其罪责不只在于庸帅、疲将和弱兵,君主和丞相也应分担责任,以谢先皇帝在天之灵。天子如果承认罪责在己,大臣们就应该说咎在臣等,宣布十年来耽于安乐的谬误,深惩六年来玩忽敌情的过失。现在,想挽救过失于未形成之时,固然已经来不及了,然而,能追悔既往的错误,总比执迷不悟要好。有人说朝廷为自己护短的辩白多,责过的言辞少;也有人说陛下缺乏恸哭丧师之誓,师相则多文过饰非之言,这实在不是可用以慰恤死难将士、祈天悔祸之道。现在,皇帝的代言机构缺乏谙熟治国之士,翘馆也少有灼见卓识之人;官吏吸吮民脂民膏,欺软凌弱,此种恶习已成社会痼疾;为君之道和为相之责,均有亏欠。看看现在是什么时候啊!然而在朝廷中却无能为国家尽心竭虑之臣,在边防则没有能制敌取胜之帅!鉴于先朝宣和未乱之前和靖康既败之后的情况,凡是原先每日亲近皇上、威仪显赫、对皇上俯首吐心、奴颜婢膝的,即是后来奉贼称臣之人;凡原先被认为能力高强、处事机敏、侍奉皇上能快捷称意的,即是后来叛君卖国之人。为君者也多么便利于这样的人呀!迷国者常用隐瞒真相的谎

4359

言来逢迎君主,误国者掩盖耻败的局势而不许别人议论,执政者昧于安危的机变而不知悔悟。臣常思虑,现今所缺少的,不只是兵力。朝廷之外的事情,应由将军来节制,然而卑小的官职都由朝廷委派,以致同僚不睦,背地里都有忧虑。他们平时没有权力,危急之时却有责任。将帅们有的请求建立督署,有的请求丞相出朝督兵,有的请求修筑城堡,言骇耸听。因他们在缓急之时曾提出过种种建议,所以打了败仗之后,朝廷就不得不掩盖他们的罪责。有谋略的不能施展,打了败仗的也不予诛戮,上下互相包庇丑事,众人嗫口不敢议论是非。因此,以至器具、兵械、盔甲、战马等都衰败杂乱,不足以整肃军容;壁垒、堡栅都毁损残破,不足以抵挡敌骑的冲突。许多地方虽然都有主帅镇守,但已名存实亡。有城池而无兵把守,无异于把城池送给敌人;有兵而不懂战斗,无异于把将领送给敌人;有战斗发生而将领不懂兵法,无异于把整个国家奉送给敌人。危险的形势已迫近眉睫了,惟望皇上和丞相幡然悔改醒悟,国家的命运还可以挽回。"贾似道大怒,便把陈仲微贬黜为江东提点刑狱。

元因刘整与阿尔哈雅不相容,便将他们的军队一分为二,各自统率一支。

元高丽经略实都等凭借武力进入耽罗,抚定其地。元主下诏任命迪里巴为耽罗国招讨使,尹邦宝为其副手。

早先,元赵良弼出使至日本,日本太宰府官来索要国书,良弼说:"必须见到你们的国王时,才能把国书交给他。"过了数日,该官又来求取国书,并且用军队来胁迫良弼,良弼始终不给。该官员随后扬言说:"大将军将派兵十万来取国书。"良弼说:"不见到你们的国王,宁可让你们持我的头颅去,你们也不可能得到国书。"日本认识到良弼不可屈服,便派人送他到对马岛居留。直到现在他才返回,带了一份有关日本的君臣、爵号、州郡、户籍、风俗和土产等情况的资料回来,呈献给元主,元主说:"卿可称得上是不辱君命啊!"

闰六月,丙申(疑误),前临安府司法梁炎午上书陈述攻守要略的五件事,没有上报。

辛未(二十一日),元主敕令翰林院纂修国史,采录元开国以来历朝事实以备编集。

元阿哈玛特等屡次毁弃汉族国家成法,以致国学生员的粮食供给有时也接续不上。秋季,七月,许衡请求辞职回怀孟,元主就此事向翰林学士王磐征询意见,王磐回答说:"许衡教育人有办法,他教出来的生员符合任官从政的条件。培养人才是国家的大计,应不要同意他离去。"元主又命诸老臣讨论许衡的去留问题,窦默为许衡恳求,于是,元主批准了许衡辞职还乡。刘秉忠、姚枢及王磐、窦默等人又奏请由赞善王恂主持国学,由许衡的门生耶律有尚、苏郁、白栋担任助教,这样,许衡所建立的规范、模式才不至于废毁。元主同意他们的意见。

元人在马鬃山修筑城堡,戊戌(十九日),知合州张珏击走了他们。

早先,蒙古兵入蜀,张珏担任王坚的副手,二人协力作战防守;王坚回朝廷后,由张珏接替了他的职务。蜀地自从开庆年间遭受战乱以来,民生凋敝已极。张珏在外防上用军队保卫农耕,在内政上则教导民众开垦田亩、积贮粮食。到第二年,公私双方都得到了丰足的收获。刘整叛变之后,曾献计想从青居进到马鬃、虎项二山修筑城堡,控制三江口以图取合州,元军依计派遣统军哈喇率兵前往筑堡。张珏闻报哈喇兵到,便布置疑兵于嘉渠口,并派兵暗渡平阳滩,烧毁其供应军需的粮秣、器械;又越过砦栅七十里,烧掉元军的船场,因此,元军终究没能在马鬃山筑成城堡。张珏善于用兵,无论派出奇兵进攻或设置伏兵阻击,谋算都无失误。他治理合州时,士卒必定进行训练,器械必定力求精良。他驾驭部属法度严明,即使是奴隶,有功劳也必予以优待奖赏;犯了过错,即使是自己的至亲,也必定予以处罚,因此人人都尽心效力。

元主因天下在狱囚犯增多,敕命各路除了犯死罪者外,统统释放他们回家,要他们以仲秋时节为期限,都来京师听候判决。囚犯们果然按期到达,元主见此情景,恻隐不忍。八月,庚戌(初一),下诏全都赦了他们的罪。事后不久,元主命诸文学侍从之臣各起草一份诏书以诚谕天下,但都不符合元主的旨意,唯独王磐把元主释放囚犯的用意写进诏书,元主喜道:"这是朕想说而又未能说的意思,卿却替朕说清楚了。"便赐酒嘉奖他。

九月,辛巳(初二),皇帝任命章鉴为签书枢密院事,吏部尚书陈宜中为同签书枢密院事。

冬季,十月,元初次建造正殿、寝殿、香阁和周庑两翼室。

元西蜀都元帅伊苏岱尔与皇子西平王鄂罗齐,合兵进攻建都少数族,擒酋长下济等四人,并抓获其居民六百人,建都于是投降。

十一月,壬午(初四),皇帝封皇子赵㬎为嘉国公。

任命李庭芝为淮东制置使兼知扬州,夏贵为淮西制置使兼知庐州,陈奕为沿江制置使兼知黄州。因庭芝奏请把自己所管辖的两淮分为二司,所以把淮西交给夏贵。陈奕用对待兄长的礼节侍奉贾似道的玉工陈振民以谋求进荐,因而从小官逐步做到显要的大官,直至掌管禁兵,又擢为镇守一方的军事长官。

起用前直学士院文天祥为湖南提刑。文天祥因谒见前丞相江万里。江万里一向钦佩天祥的志节,他同文天祥谈及国事时,神色严肃地说:"我已经老了,我观察天象和人事,必将有变故发生。拯救世道的责任,就落在您的身上! 您要奋勉啊!"

元大司农司奏告:"中书省发来公文,认为京畿域内秋熟庄稼才收割完,请求禁止农民覆耕,恐妨碍放牧。"元主认为农事关系到民众的生命,下诏勿禁。

此年,元诸路发生大水和蝗灾,发放赈济米计约五十四万余石。

咸淳十年　元至元十一年(公元 1274 年)

春季,正月,己卯朔(初一),元宫阙落成。元主始驾临正殿,接受朝贺。

壬午(初四),修筑鄂州汉口堡城堡。

戊子(初十),福建安抚使江万里因病辞去职位,皇帝诏令依其旧职供给俸禄。

庚寅(十二日),修筑鄂州沌口西岸堡城堡。

乙巳(二十七日),大降土雨。

丙午(二十八日),元停止到于阗采玉。

本月,贾似道之母去世,似道回台州故里治丧。皇帝下诏:按天子仪仗殡葬其母,仿照皇陵建造坟墓。百官侍奉丧事,在大雨中站立终日,无人敢移动位置。丧事完毕后,皇帝就诏令贾似道起复,似道便回到朝中。

元阿尔哈雅进言:"荆、襄自古以来就是用兵之地,汉水上流已为我方所有,我军顺流长驱而下,宋必可平定。"阿珠也进言:"臣夺取江、淮地区时,见宋兵弱于往昔,现在如不攻取,时机不会再有。"元主即召史天泽前来一同商议,史天泽对答说:"这是国家大事,可命一位重臣,如安图、巴延,统率各军,则天下统一,可计日而待。臣年已老,但尚可充当副手。"元主说:"巴延可以担任此事。"阿尔哈雅接着说:"我军南征,必定分兵三路,原有军队不够,非增兵十万不可。"元主便诏令中书省征兵十万人。

二月，己酉(初二)，赵顺孙被罢免原任官职，任福建安抚使。

壬申(二十五日)，元在汴梁建造战船八百艘。

元主到上都，闻悉辽阳行省国王特默格骚扰居民，民不安宁，便起用廉希宪为北京行省平章政事。廉希宪将起程时，元主命他坐轿入见，并赐他坐。元主说："从前在先朝时，卿深识情势，常用帝王之道来启发朕。及至从鄂汉班师回来，又屡次向朕陈述天命，朕心不忘。丞相之职，卿实可担当，只是卿谦虚推让罢了。辽沈居民不下数万户，是诸王、国戚分封的所在地，他们都素知卿有才能，所以命卿前往镇抚，卿须体会朕的这番用意。"

三月，庚寅(十三日)，元派遣凤州经略使实都、军民总管洪俊奇等领兵讨伐日本，战船大小九百艘，兵将一万五千人。元主就讨伐日本之事征询赵良弼意见。赵良弼说："臣居留日本一年有余，目睹其民俗狠勇嗜杀，不知有父子亲情和上下礼节。其地多山水，无耕种之利。获得其人不堪役使，获得其地增加不了官田。何况水军渡海，海风没有定期，祸害无从预测。这就是所谓以有用之民去填无穷的大坑，臣认为不攻伐日本为好。"元主采纳了他的意见。

辛卯(十四日)，元改荆湖、淮西枢密院为行中书省。巴延、史天泽两人同任左丞相，阿珠任平章政事，阿尔哈雅任右丞，吕文焕任参知政事，行省事于荆湖；哈达任左丞相，刘整任左丞，达春、董文炳同任参知政事，行省事于淮西。

癸巳(十六日)，元获嘉县尹常德考绩最佳，诏命予以优待和奖赏。

元翰林学士王磐，曾在集会议事时批评说："前代用人，二十岁从政做官，七十岁退休，这是为了发挥其才能、怜悯其衰老，涵养其廉耻之心。现在做官的不限年龄，而衰老有病的又不肯退休，他们自己既不知羞愧，朝廷也不认为不对，这是很不合理的。"王磐先前曾因患病，请求停发其月俸，现在则坚决乞求辞职退休。元主派遣使臣告谕他说："卿年纪虽老，但没有担负繁重的政务，为什么要辞职！"仍旧下诏终身供给他俸禄，并补发他先前所停发的月俸。王磐不得已又出来做官。

夏季，四月，乙卯(初九)，皇帝封皇子赵昺为永国公。

五月，丙申(二十一日)，元将皇女下嫁给高丽国世子王愖。

壬申(疑误)，张珏上表奏请在马髻、虎头二山修筑城堡，或先筑一处以扼险要之地。

六月，庚申(十五日)，元主命令诸将率兵南征伐宋，并责备贾似道背弃和约、扣押郝经的罪责。元主下诏说："自从太祖皇帝以来，与宋使臣往来。宪宗在位时，朕以藩王身份，奉命南伐，那贾似道多次派遣宋京前来谒见，请求停战安民。朕即位之后，追忆此言，命郝经等携带国书前往访问修好，那都是为百姓着想。然而贾似道竟然把郝经拘押了起来，以致连年出兵征战，死伤者枕藉遍地，受拘系者联结成群，这都是那宋朝自己祸害其百姓。襄阳既降之后，希望宋方能追悔祸殃，做出妥善谋划，然而他们却执迷不悟，毫无悔改之心，问罪之师已不能不发。现在派遣你们水陆并进，布告远近各地官民，使他们都知道此事。无辜百姓，当初没有参与抵抗，将士们不许对他们妄加杀戮和掠夺。凡有背弃宋逆而归顺我朝而又另立奇功的，当验明其等第予以升迁和奖赏。但有顽固抗拒不知改悔以及前来迎战的，毫无疑问须将他们俘虏或杀掉。"

元廉希宪知北京，民众甚为悦服。前一时期，辽东诸亲王的使者来传达命令，官吏要站

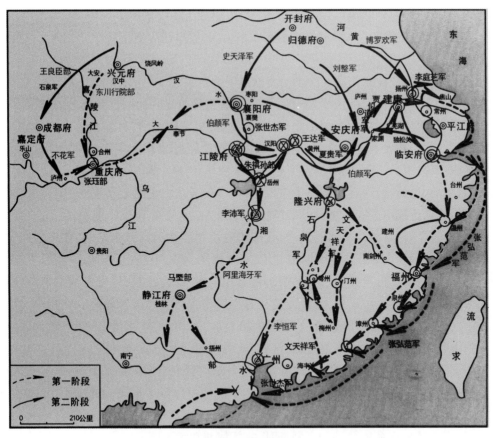

元军灭南宋示意图

立聆听,廉希宪把这种做法革除改正了。曾有一个西域人自称是驸马,扎营在城外。他拘缚了一个富民,诬其祖父欠他一笔计息的贷款,索债甚急。有人到行省控告,廉希宪下令拘捕这个西域人。此人大怒,乘马直入行省大堂,径自坐在榻上。廉希宪命人把他揪下榻来,按他跪下,然后问他说:"国法没有私狱,你是什么人!"此人惶恐求饶,国王特默格也替他求情,廉希宪才下令对他稍加宽待,此人就连夜拔营逃走了。不久诏令国王各回其分封地,廉希宪独揽行省政事。长公主和驸马入朝,沿路任意打猎,骚扰百姓,廉希宪当面告谕驸马,要将此事奏告皇上。驸马惊愕,入内室告诉公主。公主出来,一面请廉希宪喝酒,一面说:"随从们侵扰民众,我不知道,请允许我用钱钞一万五千贯补偿民众的损失,希望您不要派遣使者上奏。"从此,凡过境的贵人都不敢放纵胡为。

　　秋季,七月,癸未(初九),皇帝驾崩于嘉福殿,终年三十三岁。嘉国公赵㬎即皇帝位。

　　度宗帝自当皇太子起,就以喜好女色闻名。做了皇帝后,仍沉湎于酒色。按宫中惯例,妃嫔媵妾奉召侍寝,早晨须到阁门叩谢恩泽,主管登记的太监就将此人侍寝日期登记入册。在度宗帝即位之初,同在一日谢恩的就达三十余人。当度宗帝驾崩后,贾似道入宫商议继承帝位的人选问题。众大臣认为建国公赵罡应当继承帝位,贾似道主张由嫡子继承,于是,众臣拥立嘉国公做了皇帝。当时,新皇帝年方四岁,由皇太后临朝听政。

　　甲申(初十),皇帝封皇兄建国公赵昰为吉王,皇弟永国公赵昺为信王。

皇帝诏命贾似道仿照昔日文彦博的先例,可以单独上朝议事。

丙戌(十二日),皇帝下诏尊原皇太后为太皇太后,原皇后为皇太后。又下诏把把自己的生日定名为天瑞节。

早先,京湖制置使汪立信移送文书给贾似道说:"现在天下大势,十分已去了八、九分,确实是需全国上下共同整治,以延续天命对宋朝的期待,珍惜光阴而为国效力的时候了。然而你们却醉歌于深宫之中,啸傲于湖山之间,旷废岁月,缓急倒施,官员互相效仿不顾法度,百姓忧郁恨怨。你们想要上合天意,下顺民心,从容指挥而折冲万里,不也是很难吗?从现今的情势考虑,其对策有三条:内地郡县何必要那么多军队,应全都派往长江沿岸,以充实外御的力量。计算兵员册籍,现有兵员七十余万人,淘汰十分之二的老弱柔脆者,则可选兵五十余万人。而沿江防线不过七千里,如果每隔百里设屯驻军,每屯有守将,十屯为一府,每府有总督,其中要害之处,则派驻三倍的兵力,无战事时可驾船在长江淮水之间,往来巡逻;有战事时则东西各屯一齐奋力。作战和防卫并用,刁斗相闻,军粮不绝,互相照应支援,互相联络防御,就可巩固防线。再选择宗亲大臣中忠良有才干者,任为统制,分管东西二府。这是上策。长久拘禁敌方使臣,对我方无益,徒使敌方得以作为口实。请对他们以礼相待,放送回去,并答应每年输纳钱币,借以延缓敌方进军的时间。不用二、三年,边境警报稍得休止,边防设施稍得巩固,训练的新兵日益增加,这样,就既可作战又可防守。这是中策。如果二策都不采用,那么,衔璧载棺投降之礼,就请等待准备吧!"贾似道收到此书大怒,把来书扔在地上,辱骂道:"瞎贼,竟敢如此大胆狂言!"原来汪立信一目微盲。不久,贾似道以危害法度为由废黜了他。

辛卯(十七日),任命朱禩孙为京湖、四川宣抚使兼知江陵府。

乙未(二十一日),元巴延起兵南伐,入朝辞行时,元主谕勉他说:"古来善于夺取江南的,唯有曹彬一人,你不嗜杀戮,可算是我的曹彬。"

八月,丁未(初四),元史天泽进言:"现在大军刚开始行动,荆湖、淮西各设置行省,两者权力职位既不相上下,号令必然不能统一,以后将会坏事。"元主同意他的见解,便将淮西行中书省再改为行枢密院。史天泽又以自己有病为由,上表奏请由巴延一人专任左丞相。于是,元主任命巴延兼河南等路行中书省,所属诸处都听他节制。

癸丑(初十),连绵大雨,天目山崩塌,洪水涌流,安吉、临安、余杭居民被淹死者不计其数。

元中书省建议:"江、汉地区尚未攻下的各州,请令吕文焕率其部属前往城下宣谕,使他们知道我们优待降将,这也是一种好策略。"元主采纳了这一建议。

元四川总帅汪惟正上书建议说:"蜀地尚未攻取的只剩几座城了,今应合力攻打临安。只要拔掉宋的根本,蜀地几个守将还能往哪里跑!臣愿率领本部士卒由嘉陵下夔、峡,与巴延会师钱塘。"元主下优诏答复说:"四川事情责任重大,除了卿还有谁可托付!日后全蜀平定,功劳岂会在巴延之下!"

甲寅(十一日),元开放河南军器的禁令。

本月,元太保刘秉忠逝世。刘秉忠好学,到老不懈。虽位极人臣,却斋居蔬食,终日淡然。早先,他随从元主到上都,其地有一南屏山,便修筑了一所精舍,定居了下来,现在他在这里无病端坐而逝。元主惊闻哀悼，对左右说："秉忠侍奉朕三十年，小心缜密，不避艰险，言不隐情。他对阴阳术数非常精熟，占卜事情预知未来，其灵验如合符契。这情况只有朕知道，别人都不知其底细。"于是，指派官员主持丧事，归葬大都，谥号文贞，后改谥文正。

九月，癸未(初十)，元左丞相河南行省巴延会师于襄阳，分兵三路同时并进。丙戌(十三日)，巴延与平章行省阿珠由中路沿汉水奔郢州，万户武秀担任前锋，途中遇到一片水泊，因连日大雨，泊水涨溢，无船不能渡过。巴延说："我尚且要飞渡长江，难道怕这小小水池吗？"便命一壮士骑马在前引导，指挥诸军全部渡过了水泊。癸巳(二十日)，元军止宿于盐山，距郢州二十里。

刘秉忠像

张世杰领兵屯驻在郢城。郢城在汉水之北，城墙用石块筑成，新郢城在汉水之南。两城之间，用铁索横江封锁，战船密布，水中打了木桩，还暗设了石砲机弩。凡险要之处，都设置了带尖木桩，配备了防守器械。元军攻城，张世杰奋力抗战。元军不能前进，派人向张世杰劝降，张世杰不理。阿珠抓获居民，探悉宋军情况，说："沿汉水有九个郡，精锐力量都集中在二郢，如果水军在二郢之间出击，则骑兵不能在岸上掩护，这是危险的办法。不如先取下游的黄家湾堡，该堡的西边有沟渠，南通藤湖，可从其中拖船入湖，然后再从藤湖下汉水仅三里路程。"吕文焕也认为这个方案较为捷便。诸将说；"郢城是我军咽喉之地，不先夺取，恐为退路留下祸患。"巴延说："用兵的缓急之理，我是知道的，大军出征，岂能仅仅考虑一个城市的得失？"便舍弃郢城，顺流而下。派遣总管李庭、刘国杰攻打黄家湾堡，结果攻下了。诸军势如破竹席卷而至，驾船由藤湖入汉水，巴延和阿珠殿后，其随从卫队不足百骑。

己亥(二十六日)，皇帝赐礼部录取的进士王龙泽以下诸人及第、出身。

元主从上都回到大都。此时传说有个汉人打伤了蒙古人，又传说太府监卢甲盗窃官布，元主闻讯大怒，命令将他们处死，以警诫众人。董文忠进谏说："执法官员对于须定死罪的囚犯，尽管已有犯人认罪的供词，尚且必须详加评议，怎可因某人的一句话，就匆忙将他们定以重罪！请将此事交付官吏查实后听候处理。"于是，元主便委派董文忠和近臣图们分头去查核这两件事，结果，都查明事属诬陷，元主便下诏宽恕被诬者。元主为此责备侍臣说："刚才朕发怒时，你们都不敢说话，如果没有文忠启发朕心，则杀了两个无辜的人，就必然会招致朝廷内外的议论了。"于是，赐金樽给董文忠，并说："用以表彰卿的正直。"皇太子亦对东宫诸臣说:"刚才皇上震怒,董文忠从容谏阻,实是一件作臣子者难能做到的事。"太府监属员卢甲备办了礼物来谒见董文忠,哭谢说:"鄙人全赖老大人才得再生。"董文忠说:"我向来不认识你,我所以救人于危急之时,本是为国维护刑法的公平,岂能希图你的报答!"便退还其礼物不受。

冬季,十月,己酉(初七),元祭其祖先于太庙。

甲子(二十二日),皇帝下诏定明年为德祐元年。

乙丑(二十三日),任命章鉴为同知枢密院事,陈宜中为签书枢密院事。

当元军离开郢城时,副都统赵文义率领精锐骑兵二千名追击。巴延、阿珠回兵迎战,及至泉子湖,赵文义奋力战斗却被打败,巴延擒杀了赵文义,其士卒战死的有五百人,余皆溃散。

元军进至沙洋时,派遣俘虏带着黄榜檄文入城,沙洋守将王虎臣、王大用斩杀了俘虏,并烧毁了黄榜。巴延又命吕文焕到城下功降,他们也不搭理。丙寅(二十四日),傍晚,刮起大风,巴延下令顺风发射金汁炮弹,焚烧其房屋,一时间城内烟火漫天,城便被攻破。王虎臣、王大用被生擒,其余兵将全被屠杀。

元军进逼新城,都统制边居谊奋力抵抗。吕文焕将在沙洋所割俘虏的耳朵排列于城下,捆缚王虎臣等人到营门前,令他们向边居谊招降,边居谊不予搭理。第二天,元军又到,边居谊说:"我要同吕参政说话。"吕文焕以为他向自己投降,便驰马来到军前。这时城上埋伏的弩箭乱发,射中吕文焕的右臂,并中其马。马倒地,挠钩手几乎将吕文焕钩获,元众兵扶挟吕文焕骑别的马奔回。恰在此时总制黄顺、副总制任宁相继出城投降,其部属中也有许多人想系绳索从城上下来投降,边居谊统统把他们驱赶入城,于城门处把他们斩首。于是,文焕便指挥部队攻城,边居谊用火器打退了他们。己巳(二十七日),元军总管李庭攻破外城,众军如蚂蚁一般争先而上。边居谊估量自己的兵力不能支持,便拔剑自杀,伤而未死,又跳入火中自焚而亡。他所部的三千人仍奋力战斗,结果全都战死,边居谊全家大小也都自焚而亡。巴延钦佩边居谊死得壮烈,购得他的尸体令人观瞻,便将王虎臣、王大用斩杀。边居谊,随邑人,起初,在李庭芝手下做事,因累获战功而被提升为都统制,直到现在为国殉节。朝廷闻报,皇帝下诏在其死处为他立庙。

闽中发生地震。

十一月,浙东安抚使马廷鸾极力请求辞职离任;戊寅(初六),皇帝下诏依他原任官职,终生给予俸禄。

皇帝下诏为赵文义与其兄赵文亮共同立庙于扬州,并赐庙匾额为"传忠"。

早先,李庭芝统率淮南,闻知进士盐城陆秀夫颇有名望,便聘他来做幕僚,主管机宜文字。陆秀夫性格沉静,不求人知。每当同僚来到厅阁中,宾主交欢,唯独陆秀夫缄默无语;有时府中宴饮,他也终日矜持庄重,毫无希图迎合之意。至于考察他所管之事,则都有条不紊,李庭芝更加器重他,后来陆秀夫虽然做了官,仍不让他离开自己。当时,人们称能广招人才的,以淮南为第一,号称小朝廷。所以,李庭芝任命陆秀夫为淮东制置司参议。

丙戌(十四日),皇帝任命王爚为左丞相,章鉴为右丞相,同兼枢密使。这是依贾似道所请而任命的。

元东川元帅杨文安从达州向云安军进军,抵达马湖江时,与宋军相遇,大败宋军,便夺取了云安、罗拱、高阳三城堡。

元安图奏称:"阿哈玛特祸国殃民,他的官属都是卑庸小人,请另加选择。他负责营建宫殿,拉拢关系狼狈为奸,也应查问。"元主下令追究处治,但阿哈玛特仍受任用如旧。

元巴延挥军进逼复州,知州翟贵献城投降。诸将请求查点城中仓库和军队名籍,巴延不同意,谕诫诸将不许入城,违者以军法论处。阿珠委派阿尔哈雅来和巴延商谈渡江的日期,巴延不作回答,明日又来,又不回答,阿珠便亲自来。巴延说:"渡江是一件大事,主上把这事托付我们二人,能使别人预知机密吗?"二人秘密商定日期,阿珠才回去。乙未(二十三日),军队进驻蔡店。丁酉(二十五日),前往汉口视察形势。

当时,淮西制置使夏贵用战舰万艘分别据守要害之处,都统制王达守阳逻堡,京湖宣抚使朱禩孙用部队扼守中流,元军不能前进。阿珠部将马福建议,从沧河出湖中,可由阳逻堡西部的沙芜口入长江。巴延便派人侦察沙芜口情况,发现夏贵在此处也驻有精兵防守。于是,巴延便进军包围汉阳,扬言取道汉口渡江。夏贵果然调兵来增援汉阳。十二月,丙午(初四),巴延乘夏贵抽调部队的间隙,派阿喇罕率领奇兵兼程奔袭沙芜口,把沙芜口夺下。辛亥(初九),元军从汉口打开坝闸引船入沧河,转由沙芜口抵达长江。壬子(初十),元军数以万计的战舰接连开到,用数千艘停泊在沧河湾口,又将蒙古和汉军的数十万兵马布防在江北。

癸丑(十一日),巴延派人向阳逻堡守军劝降,守将王达等说:"我们受宋朝厚恩,拼力死战,正是报效朝廷的时候,哪有反叛投降之理!我们要整备好铠甲兵器同你们决一死战。今日我宋朝天下,犹如赌博孤注,输赢就在此一掷!"巴延指挥诸将用一种名叫白鹞子的战船千艘来进攻,三日没能攻下。巴延找阿珠密议说:"敌军以为我们必须攻下此堡,才能渡江。此堡防守甚为坚固,攻它白费气力。你今夜派三千铁骑乘船直趋上流,这是乘其空虚攻其无备之计,明日渡江,袭击长江南岸,过江后立即派人报我。"阿珠也说:"攻城是下策,如分出半数军队和战船,循江岸西上,停泊在青山矶下,伺隙而行动,便可实现我们的目标。"

巴延计谋既定,乙卯(十三日),派遣阿尔哈雅统率万户张弘范等进逼阳逻堡,夏贵率众来救援。阿珠便在天刚黑时率领四翼兵力,逆水上行四十里到达青山矶。当夜,下起大雪,黎明时,阿珠远远看见南岸多处露出沙洲,便立即上船,指示诸将下令径直渡江,马匹运载随后。万户史格的部队先渡过江,被荆鄂都统程鹏飞打败,史格身受创伤三处,损失部下三百人。阿珠引兵继进。双方大战于中流,史格被乱箭射中,但作战更加奋力,程鹏飞也引兵退却。阿珠便登上沙洲,攀上江岸徒步战斗,队伍被冲散又聚合,反复多次,出马于岸上,奋力作战,追至鄂城东门,程鹏飞身负七处创伤而败走。阿珠获其战船千余艘,便驾起浮桥,军队成列而渡,于是派人回去报讯。巴延大喜,指挥诸将加紧攻打阳逻堡。夏贵闻报阿珠过江,大惊,便带引麾下战船三百艘率先逃遁,沿江东下,纵火焚烧西南岸,一路大肆抢掠,回到庐州,阳逻堡便被攻破,王达率领所部八千人以及定海水军统制刘成都战死。元诸将请求追击夏贵,巴延说:"阳逻之捷,我本想派人去给宋人报信。现在夏贵逃走,正好代替了我的使者。"便渡江与阿珠会师。

元诸将商议下一步的进军方向,有人想先取蕲、黄。阿珠说:"如向下游进军,则撤退时没有地方可以据守;如向上游攻取鄂、汉,虽迟十多日,却可以万全。"巴延便向鄂州进军。已

4367

未(十七日),烧毁战船三千艘,烟焰漫天,城中大为恐慌。此时朱禩孙正率领军队支援鄂州,途中闻报阳逻堡失败,夜里即奔回江陵。庚申(十八日),知汉阳军王仪献城叛降元。

鄂州依恃汉阳为其屏障,及至朱禩孙既已逃走,汉阳又失守,鄂州便孤立无援。吕文焕布列军队于城下说:"你们国家所依恃的,长江、淮河而已。今大军渡长江、淮河如蹈平地,你们不投降更待何时!"权守张晏然估计无法再守,便献出鄂州投降,程鹏飞也率领部队降元。唯独幕僚张山翁不肯屈服,元诸将请求将他杀掉,巴延说:"他是一名义士。"便释放了他。于是乘胜发檄文告谕信阳诸郡,任命程鹏飞为荆湖宣抚使,撤除守城兵力分归诸将管辖,调取寿昌存粮四十万斛作为军饷。命令阿尔哈雅统兵四万人戍守鄂州,而巴延自己则率领大军和阿珠一起东下,直趋临安。阿尔哈雅戍守鄂州,禁止将士不得侵掠民众,其部下无人敢妄取民家一菜,民心大悦。

癸亥(二十一日),皇帝诏令贾似道都督各路军马。

此时,鄂州既被攻破,朝廷大惧。三学生员和群臣上疏,认为非师相贾似道亲自出马不可。贾似道不得已,才在临安设立都督府,令孙虎臣统领诸军,黄万石等参赞军事。贾似道所任用的官吏,都是先授职而后上奏的。他还从封桩库拨出黄金十万两,白银五十万两,纸币关子一千万贯,充作都督府公用。

皇帝下诏号令全国各地为王事尽力。

元赐给太乙真人府第一座,并赐匾额为"太一广福万寿宫"。

乙丑(二十三日),皇帝任命高达为湖北制置使。

皇帝下诏说:"边防费用繁多,民众负担沉重,贵戚、僧道拥有大量田产,生活安闲富足,官府应核算他们的应纳租税,加以征收。"

庚午(二十八日),元巴延派遣程鹏飞到黄州,向陈奕劝降。陈奕派人过江请求投降,并且要求官职爵位。巴延说:"你既愿率众归降,何必顾虑官职爵位!"便以沿江大都督的职位许诺他。陈奕大喜,便献城投降,还写信招降知蕲州管景模。当时沿江诸郡守将,都是吕文焕的旧部下,他们相继望风归附。

李庭芝派兵救援。

此年,元诸路有九处发生虫灾,发放大米七万五千石、粟四万石赈济灾区。

元主对秦蜀行省平章赛音谔德齐说:"云南,朕曾经亲临,近因用人不当,使边远民众不得安宁。朕想选派谨慎厚道的人去安抚治理,却选不出一个像卿这样的人。"赛音谔德齐接受任命后,立即访求了解云南地理状况的人,画出云南的山川、城郭、驿舍、军屯所处的形势及位置,制成图册进呈元主。元帝大悦,便任命他为平章政事、行省云南,赐钱钞五十万缗,金宝无数。

当时宗王托果噜正负责镇守云南,因受左右僚属的谗言所惑,以为赛音谔德齐到来,必然要夺自己的权,便布置全副武装的军队以作防备。赛音谔德齐闻讯,便派遣自己的儿子尼雅斯拉鼎先到宗王任所,禀告说:"天子因云南守官为人不当,致使诸属国背叛,所以命臣前来安抚团结他们,且诫谕臣说,只要他们回到境内便加以安抚。今我不敢独断专行,希望王爷派一人来共同商议。"宗王听后,即骂其属员说:"我几乎被你们这些人误了大事!"次日,他派遣近臣撒满位哈乃等二人来。赛音谔德齐问他们将按什么礼仪相见,他们回答说:"我们和尼雅斯拉鼎相偕而来,彼此视同兄弟,请以父子之礼相见。"他们都拿名马作为见面礼物,跪拜甚是恭敬,在场观礼者都大为惊讶。于是,赛音谔德齐设宴款待,并陈列出元主所赐的金银珍宝和酒具。酒宴完毕,即将所陈列的这些东西全都送给他们,二人大喜过望。第二日,二人前来道谢,赛音谔德齐对他们说:"你们二位虽然是宗王的亲臣,却没有官职和爵位,不能参加商议国家大事。我想各以行省断事的官职授予你们,只因尚未见到宗王,不敢擅自授予。"便令其中一人先回去禀告宗王,宗王大悦。从此,云南的政令一概听任赛音谔德齐施行。

续资治通鉴卷第一百八十一

【原文】

宋纪一百八十一　起旃蒙大渊献【乙亥】正月，尽七月，凡七月。

帝㬎

帝㬎，度宗第二子，母曰全皇后，咸淳七年九月己丑，生于临安府之大内。九年，封嘉国公。十年七月癸未，即皇帝位。德祐二年三月丁丑，入元，降封瀛国公。

德祐元年　元至元十二年【乙亥，1275】　春，正月，癸酉朔，元兵入黄州。

壬午，葬端文明武景孝皇帝于永绍陵，庙号度宗。

乙亥，元东川副都元帅张德润拔礼义城，杀安抚使张资；继遣元帅张桂孙略地，擒总管郭武及都辖唐惠等六人。

癸未，元兵攻蕲州，知州管景模以城降。

乙酉，以陈宜中同知枢密院事兼参知政事。

初，吕师夔提举江州兴国宫，请募兵以御元，诏与知州钱真孙同募。至是贾似道承制召为都督府参赞，任中流调遣。师夔不受命，与真孙遣人诣蕲，以江州降元。巴延以师夔知江州。

丙戌，元兵侵江州，知安东军陈严夜遁。时知寿昌军胡梦麟寓治江州，自杀；知南康军叶阊，知德安府来兴国，知六安军曹明，俱迎降于江州。

师夔设宴庾公楼，选宗室女二人，盛饰以献巴延。巴延怒曰："吾奉天子命，兴仁义师，问罪于宋，岂以女色移吾志乎！"斥遣之。

丁亥，元枢密院言宋边郡如嘉定、重庆、江陵、郢、涟、海皆阻兵自守，宜降玺书招谕，从之。

初，元人南侵，用吕文焕与刘整为向导，寻别命整出淮南。整锐欲渡江，曰："大军自襄、樊东下，宋悉力西拒，东方虚弱，径造临安，可一鼓而捷也。"巴延不可，曰："吾受诏特缀东兵使无西尔，济江非所闻。"至是整帅骑兵攻无为军，久不克，闻吕文焕入鄂捷至，整失声曰："首帅束我，使我成功后于人。善作者不必善成，果然！"遂发愤成疾，死于无为城下。

壬辰，元以宣抚使贾居贞签书行中书省事，戍鄂州。居贞谓阿尔哈雅曰："江陵乃宋制阃，重兵所屯。闻其诸将不睦，迁徙之民盈城，复皆疾疫，刍薪乏阙，杜门不敢樵采，当乘隙先取之。"阿尔哈雅深以为然。

知安庆军范文虎，遣人以酒馔诣江州迎元军，且谓巴延曰："行枢密院临城招谕，众心不从，愿俟丞相。"巴延初以安庆城在山顶，且兵粮皆足，势不可攻，又虑文虎为劲敌，甚忧之，及闻欲降，大喜，乃使阿珠先造之，文虎遂以城降，通判夏椅仰药死。巴延至湖口，系浮桥以渡，风迅水驶，桥不能成，乃祷于大孤山神，有顷风息，桥成，大军毕渡。巴延承制授文虎两浙大都督。

乙未，以孙虎臣为宁武军节度使。

元使兵部尚书廉希贤、工部侍郎严忠范奉国书来使。

初，贾似道畏刘整，不敢出师，及闻其死，喜曰："吾得天助矣！"乃上表出师，抽诸路精兵十三万以行，金帛辎重，舳舻相衔百馀里。命宰执小事专决，大事则关白督府，不得擅行，又以所亲信韩震为殿帅，总禁兵。至安吉州，似道所乘舟胶于堰中，刘师勇以千人入水拽之，不能动，乃易它舟而去。遂由新安池口以进，次于芜湖，遣人通吕师夔以议和。

二月，夏贵引兵会贾似道于江上，袖中出一书示似道曰："宋历三百二十年。"似道俯首而已。

癸卯，以汪立信为江淮招讨使，俾就建康府库募兵以援江上诸郡。立信受诏，即日上道，以妻子托其爱将金明，执其手曰："我不负国家，尔亦必不负我。"遂行，与贾似道遇于芜湖。似道拊立信背哭曰："不用公言，以至于此！"立信曰："平章平章，瞎贼今日更说一句不得！"似道因问立信何向，立信曰："今江南无寸土干净，吾去寻一片赵家地上死，第要死得分明耳。"既至建康，守兵悉溃，四面皆北军。立信知事不可成，叹曰："吾终为国一死，但徒死无益，以此负国耳！"率所部数千人至高邮，欲控引淮南以为后图。

似道自芜湖遣还元俘曾安抚，且以荔子、黄柑(遣)〔遗〕巴延，复使宋京如元军，请称臣、奉岁币。阿珠谓巴延曰："宋人无信，唯当进兵。若避似道不击，恐已降州郡，今夏难守。"巴延乃令囊嘉特来言："未渡江时，议和入贡则可。今沿江州郡皆已内附，欲和则当来面议。"因索答书，似道不答。囊嘉特归报，京亦还。

甲辰，以黄万石为江西制置使。

元立后土祠于临汾，立伏羲、女娲、舜、汤、河渎等庙于河中、解州、洪洞、赵城。

元主将用兵日本，问王磐以便宜，磐言："今方伐宋，当用吾全力，庶可一举取之。若复分力东夷，恐旷日持久，功卒难成。俟宋灭，徐图之，未晚也。"庚戌，遣礼部侍郎杜世忠、兵部郎中何文著赍书使日本。

元兵攻池州，知州王起宗遁去。通判昌化赵卯发摄州事，缮壁聚粮，为固守计。元游骑至李阳河，都统张林屡讽之降，卯发忿气填膺，瞋目视林，林不敢复言。已而林率兵巡江，阴遣人纳款，而阳助卯发为守，守兵皆归于林。卯发知事不济，乃置酒会亲友与诀，谓妻雍氏曰："城将破，吾守臣，不当去，汝先出走。"雍："君为忠臣，我独不能为忠臣妇乎！"卯发笑曰："此非妇人女子所能也。"雍曰："吾请先君死。"卯发笑止之。明日，乃散其家资与弟侄、仆婢悉遣之。元兵薄城，卯发晨起，书几上曰："国不可背，城不可降。夫妇同死，节义成双。"遂与雍氏同缢死于从容堂。林开门降。巴延入城，问太守何在，左右以死对，深叹息之，命具棺衾合葬于池上，祭其墓而去。事闻，赠华文阁待制，谥文节，雍氏顺义夫人。

元太宗长孙曰哈都，居北方，自定宗以来，日寻干戈。至是诏封诸摩罕为北平王，率诸王兵镇守，而安图总省院之政。

元平章军国重事史天泽，至真定病笃，附奏曰："臣死不足惜，但愿天兵渡江，慎勿杀掠。"语不及它，遂卒。元主闻讣震悼，谥忠武，追封镇阳王。

天泽平居未尝自矜其能，及临大事，毅然以天下自任。年四十，始折节读书，立论多出人意表。拜相之日，门庭悄然。或劝以权自张，天泽举唐韦澳告周墀之语曰："愿相公无权。爵禄刑赏，天子之柄，何以权为？"言者惭服。出入将相五十年，上不疑而下无怨，人以比郭子仪、曹彬。

贾似道以精锐七万馀人尽属孙虎臣，军于池州之下流丁家洲，夏贵以战舰二千五百艘横亘江中，似道自将后军军鲁港。贵失利于鄂，恐督府成功，无所逃罪，又恐虎臣新进出己上，殊无斗志。会巴延令军中作大栿数十，采薪刍置其上，阳言欲焚舟，诸军但昼夜严备而已。巴延分步骑夹岸而进，麾战舰合势冲虎臣军。

时阿珠与虎臣对阵，巴延命举巨炮击虎臣军。阿珠以划船数千艘乘风直进，呼声动天地。虎臣先锋将姜才方接战，虎臣遽过其妾所乘舟，众见之，讙曰："步帅遁矣！"军遂乱。夏贵不战而走，以扁舟掠似道船，呼曰："彼众我寡，势不支矣！"似道闻之，错愕失措，遽鸣钲收军，舳舻簸荡，乍分乍合。阿珠与镇抚何玮、李庭等，以小旗麾将校，左右搘之，杀溺死者不可胜计，军资器械尽为元所获。

似道夜驻珠金沙，召贵计事。顷之，虎臣至，抚膺哭曰："吾兵无一人用命者。"贵微笑曰："吾尝血战当之矣。"似道曰："计将安出？"贵曰："诸军俱胆落，吾何以战！师相惟有入扬州招溃兵，迎驾海上，吾当以死守淮西耳。"遂解舟去。似道乃与虎臣单舸奔还扬州。明日，溃兵蔽江而下，似道使人登岸，扬旗招之，皆莫应，至有为恶语嫚骂者。

壬戌，元军攻饶州，知州唐震发州民城守。时元遣使来取降款，通判万道同阴使于所部敛白金、牛、酒，备降礼，微讽震降，震叱之曰："我忍偷生负国耶！"城中少年感震言，杀元使者。已而元军登陴，众皆散。震入坐府中，元军执牍使署降，震掷笔于地，不屈，遂死之。郴州守赵崇榞寓居城中，亦死之。道同以城降。震始以忤贾似道罢官，家居，久之，起知饶州，至是死节。赠华文阁待制，谥忠介。

初，特进、奉祠江万里，闻襄、樊城破，凿池芝山后圃，扁其亭曰止水，人莫喻其意。及闻警，执门人陈伟器手曰："大势不可支，余虽不在位，当与国为存亡。"至是元军执其弟知南剑州万顷，索金银不得，支解之，万里赴止水死，左右及子镐相继投池中，积尸如叠。翼日，万里尸独浮出，从者敛葬之。寻赠太傅、益国公，谥文忠。

甲子，元兵攻临江军，知军鲍廉死之。

中书舍人王应麟言："图大患者必略细故，求实效者必去虚文。请集诸路勤王之师，有能率先而至者，厚赏以作勇敢之气，并力进战，惟能战斯可守。"因条上求将材、练军实、备粮饷等事，不报。

乙丑，贾似道至扬州，橶列郡如海上迎驾，上书请迁都。太皇太后不许，诏下公卿杂议。王爚请坚跸，未决，以己不能与大计，乞罢政，不待报径去。已而宗学生上言："陛下移跸，不于庆元则于平江；事势危急，则航海幸闽；不思我能往彼亦能往，徒惊扰无益。"乃止。

时方危急，征诸将勤王，多不至，惟郢州守将张世杰率兵入卫，复饶州。陈宜中疑世杰归自元,易其所部军。

元阿尔哈雅言:"江陵,宋巨镇,地居大江上流,屯精兵不啻数十万,若非乘此破竹之势取之,江水泛溢,鄂、汉之城亦恐难守。"元主从其请,仍玺书遣使招降。

丙寅,以文天祥为江西安抚副使,知赣州。勤王诏至赣,天祥捧之涕泣,发郡中豪杰,并结溪峒山蛮,有众万人,遂入卫。其友止之曰:"今元兵三道鼓行,破郊畿,薄内地。君以乌合万馀赴之,是何异驱群羊而(博)〔搏〕猛虎?"天祥曰:"吾亦知其然也。第国家养育臣庶三百馀年,一旦有急,征天下兵,无一人一骑入关者。吾深恨于此,故不自量力而以身徇之,庶天下忠臣义士将闻风而起。义胜者谋立,人众者功济。如此,则社稷犹可保也。"天祥性豪华,平生自奉甚厚,声伎满前,至是痛自抑损,尽以家资为军费。每与宾客、僚佐语及时事,辄抚几曰:"乐人之乐者忧人之忧,食人之食者死人之事。"闻者为之感动。

戊辰,湖南提刑李芾遣将率壮士三千人入援。寻以芾知潭州兼湖南安抚使。

时湖北州郡皆破,其友劝芾勿行,曰:"无已,即以身行可也。"芾曰:"吾岂拙于谋身哉?第以世受国恩,虽废弃中,犹思所以报者。今幸用我,我以家许国矣!"

己巳,以陈宜中知枢密院事,曾渊子同知枢密院事,礼部侍郎文及翁签书枢密院事,倪普同签书枢密院事。召王爚为浙西、江东宣抚使,使居京师以备咨访。

时元行人郝经尚留仪真,元主复使礼部尚书中都哈雅及经弟行枢密院都事郝庸等来问执行人之罪。贾似道大恐,乃遣总管段佑以礼送经归。经道病,元主敕枢密院及尚医近侍迎劳,所过,父老瞻望流涕。

元兵攻嘉定,都统侯兴力御,死之。

庚午,平章军国重事、都督诸路军马贾似道罢。

初,陈宜中附似道,骤得登政府。至是堂吏翁应龙自军中以都督府印还,宜中问似道所在,应龙以不知对。宜中意其已死,即上疏请诛似道以正误国之罪。太皇太后曰:"似道勤劳三朝,安忍以一朝之罪,失待大臣之礼!"诏授醴泉观使,罢平章、都督。凡似道诸不恤民之政,次第除之,放还诸窜谪人。赵与可除名,令临安府捕案之。

辛未,右丞相章鉴闻元兵日迫,托故径遁去。

江淮招讨使汪立信闻贾似道师溃,江、汉守臣望风降遁,叹曰:"吾今日犹得死于宋土也!"乃置酒,召宾僚与诀,手自为表,起居三宫,与从子书,属以家事。夜分,起步庭中,慷慨悲歌,握拳抚案者三。以是失声三日,扼吭而卒。

是月,沿江制置大使、建康行宫留守赵溍弃城南走,都统徐王荣、翁福等以城降元,知宁国府赵与可、知隆兴府吴益亦弃城遁,知太平州孟之缙、知和州王善、知无为军刘权、知涟州孙嗣武相继迎降。

元主如上都。

鄂、汉降臣张晏然等上书于元主曰:"宋之权臣,不践旧约,拘留使者,实非宋主之罪,敢仰祈圣慈,止罪擅命之臣,不令赵氏乏祀。"元主召赴阙,谕之曰:"卿言良是。卿既不忘旧主,必能辅弼我家。已遣巴延按兵不进,仍遣廉希贤等持书往使。果能悔过来附,既往之愆,朕复何尤! 至于权臣贾似道,尚无罪之之心,况肯令赵氏乏祀乎? 若其执迷罔悛,未然之事,朕将何言! 天其鉴之!"

三月,壬申朔,殿前都指挥使韩震,复请帝迁都,如贾似道之议。陈宜中欲示己非似道党,乃召震计事,伏壮士,袖铁椎击杀之。震部将李大时等叛,攻嘉会门,射火箭至大内。急发兵捕之,皆散走,携震母妻及诸子出奔元军。

癸酉,元巴延入建康。时江东大疫,居民乏食,巴延开仓赈之,遣医治疾,民大悦。或以汪立信二策及死告巴延,请戮其孥,巴延叹息久之,曰:"宋有是人,有是言哉!使果用之,吾安得至此!"命求其家,厚恤之。于是金明以立信之丧归葬丹阳。其子麟在建康,不肯从众降元,崎岖走闽以死。

元主诏巴延,以时方暑,不利行师,俟秋再举。巴延奏曰:"宋人之据江海,如兽保险;今已扼其吭,纵之则逸而逝矣。"元主曰:"将在军不从中制,兵法也。"遂诏巴延以行中书省驻建康,阿珠分驻扬州,与博尔欢、达春绝宋淮南之援。巴延分兵四出,镇江统制石祖忠请降。

朝廷以元兵渐逼,命浙西提刑司准备差遣刘经戍吴江,两浙转运司准备差遣罗林、浙江安抚司参议官张濡戍独松关,山阴县丞徐垓、正将郁天兴戍四安镇,起赵淮为太府寺丞,戍银林东坝。濡,俊之曾孙也。

召章鉴还朝。鉴言:"韩震虽请迁都,意实无它,遽置之死,震惊乘舆,似亦太过。"陈宜中衔之。

甲戌,元兵攻无锡县,知县阮应得出战,一军皆没,应得赴水死。

乙亥,诏谕叛将吕文焕、陈奕、范文虎,使通和于元,议息兵。

以王爚为左丞相兼枢密使。

闽中地复大震。

右丞相章鉴为御史王应麟所劾,削官,放归田里,太皇太后命仍与祠禄。鉴居相位,号宽厚,与人多许可,时目为"满朝欢"。

侍御史陈过,请审贾似道,并治其党,翁应龙等不俟报而去,监察御史潘文卿、季可请从过所请。乃命捕应龙,下临安府狱,罢廖莹中、王庭、刘良贵、游汶、朱浚、陈伯大、董朴,谪洪起畏镇江自效。

丙(丁)〔子〕,下诏罪己。

以陈宜中为右丞相兼枢密使。王爚还朝,与宜中论事多不合。宜中请建督府于京,檄召诸路军马勤王,并令溃军各归所部,团结内外兵十七万五千人,分厢,差官督之。

召高斯得权兵部尚书。斯得疏请诛奸臣以谢天下,开言路以回天心,聚人才以济国是,旌节义以厉懦夫,竭财力以收散亡。斯得痛国事之危,激烈言事无所避,擢翰林学士。

御史孙嵊叟请审籍潜说友、吴益等,陈宜中以为簿录非盛世事,祖宗忠厚,未尝轻用。王爚力争,谓当如嵊叟所言,议不决。杨文仲言:"事危且急矣,祖宗所深赖,亿兆所寄命,在乎二相;苟以不协之故,今日不战,明日不征,时不再来,后悔何及!"

丁丑,知滁州王应龙以城降元。

己卯,杖翁应龙,刺配吉阳军。

命王爚、陈宜中并都督诸路军马。

壬午,追复吴潜、向士璧官。

元兵攻常州,知州赵与鉴遁,州人钱訔以城降。

甲申，元兵攻西海州，知州丁顺降。乙酉，知东海州施居文乞降于西海州。

知平江府潜说友以城降元。

诏张世杰总都督府诸军。丙戌，知广德军令狐概以城降元。世杰遣其将阎顺、李存进军广德，谢洪永进军平江，李山进军常州。顺遂复广德军。

丁亥，有二星斗于中天，顷之，一星陨。

己丑，趣五郡镇抚使吕文福将兵入卫，文福杀使者，不受命。

庚寅，元兵既迫，临安戒严，同知枢密院曾渊子、左司谏潘文卿、右正言季可、两浙转运副使许自、浙东安抚使王霖龙、侍从陈坚、何梦桂、曾希贤等数十人皆遁，朝中为之萧然。签书枢密院事文及翁，同签书枢密院事倪普，讽台谏劾己，章未上，亟出关遁。太皇太后闻之，诏榜朝堂曰："我朝三百馀年，待士大夫以礼。吾与嗣君遭家多难，尔大小臣未尝有出一言以救国者，内而庶僚畔官离次，外而守令委印弃城，耳目之司既不能为吾纠击，二三执政又不能倡率群工，方且表里合谋，接踵宵遁。平日读圣贤书，自许谓何！乃于此时作此举措，生何面目对人，死亦何以见先帝！天命未改，国法尚存，其在朝文武，并转二资，其负国弃予者，御史台觉察以闻。"然不能禁也。

辛卯，元使者(康)〔廉〕希贤、严忠范至建康。希贤请兵自卫，巴延曰："行人以言不以兵，兵多反致疑耳。"希贤固请，遂以兵五百送之。巴延仍下令诸将各守营垒，勿得妄有侵掠。希贤等至独松关，张濡部曲杀忠范，执希贤送临安，希贤病创死。

元阿尔哈雅率兵规取荆湖，留贾居贞守鄂。居贞发仓廪以赈流亡，宋宗室子孙流寓者，廪食之，不变其服而行其楮币，东南未下郡县商旅留滞者，给引使归，免括商税及湖荻之禁，造舟数百艘，驾以水军，不致病民，一方安之。

壬辰，元阿尔哈雅攻岳州，安抚使高世杰，会鄂、复、岳三州及上流诸军战船数千艘，扼荆江口。阿尔哈雅督诸翼水军屯东岸，世杰乘夜陈于洞庭湖中。阿尔哈雅追逐世杰，斩之以徇，岳州总制孟子缙举城降。

丙申，以陈合同签书枢密院事。

戊戌，赦边城降将罪，能自拔而归者录之，有能复一州者予知州，复一县者予知县，所部僚吏将卒及土豪立功者同赏。

诏："公田最为民害，稔祸十有馀年，自今并给原主，令率其租户为兵。"

庚子，元从王磐、窦默请，分置翰林院，专掌蒙古文字；其翰林兼国史院，仍旧纂修国史，典制诰，备顾问。

辛丑，元命阿珠分兵取扬州。赵良弼言于元主曰："宋重兵在扬州，宜以大军先捣钱唐。"元主然之。

是月，知滁州王虎臣、知宁国府颜绍卿皆以城降元。

管景模之降元也，其子如德从之入觐，元主问："天下何以得？宋何以亡？"如德对曰："陛下以福德胜之。襄、樊，宋咽喉也，咽喉被塞，不亡何待！"元主曰："善！"旋慰谕之曰："朕治天下，重惜人命，凡有罪者，必令面对再四，果实也而后罪之，非如宋权奸擅权，书片纸数字即杀人也。汝但一心奉职，毋惧忌嫉之口。"旋授如德湖北招讨使。

夏，四月，文天祥兵至吉州。江西制置副使黄万石，与天祥有旧嫌，且忌其声望出己右，言于朝曰："天祥军皆乌合，儿戏无益。"乃诏天祥留屯隆兴府。

乙巳，元兵入广德军，知广德县王汝翼与寓居官赵时敏率义兵战，孟唐老与其二子皆死。汝翼被执，至建康，死之。

丙午，元兵入沙市城，都统孟纪死之，监镇司马梦求自经死。梦求，光五世孙也。

戊申，京湖宣抚使朱禩孙、湖北制置副使高达以江陵降元。达先以贾似道忌其功，怀怨望。及元阿尔哈雅自岳州攻江陵，达累战败，遂与禩孙及提刑青阳梦炎、李湜等出降。阿尔哈雅入城，命禩孙檄所部归附，于是归、峡、郢、复、鼎、澧、辰、沅、靖、随、常德、均、房诸州，相继皆降，阿尔(阿)〔哈〕雅承制并复官守。江陵捷闻，元主谓近臣曰："巴延东下，阿尔哈雅孤军守鄂，朕常忧之。今荆南定，吾东兵可无后患矣。"乃亲作手诏褒之，授达参知政事。禩孙至上都，死。

元阿尔哈雅请命重臣，开大府，镇江陵。元主急召廉希宪于北京，入见，赐坐，谕曰："荆南入奉版籍，欲使新附者感恩，未来者向化，宋知我朝有臣如此，亦足以降其心。南土卑湿，于卿非宜；今以大事付托，度卿不辞。"赐田以养居者，赐马五十以给从者。希宪曰："臣每惧才识浅近，不能胜负大任，何敢辞疾！然敢辞新赐。"复诏希宪承制授三品以下官。

壬子，以高斯得签书枢密院事。

有司议建藩屏以强王室，乙卯，诏以福王与芮为浙东安抚大使、判绍兴，开府，置长史、司马。

甲寅，元谕中书省，议立登闻鼓。

庚申，知金坛县李成大，率义局官合山县尉胡传心，阳春主簿潘大同，濠梁主簿潘大本，进士潘文孙、潘应奎，攻复金坛县。镇江统制侯嵩、县尉赵嗣滨反，助元兵来战，成大被执，不屈，与二子及传心等皆死之。

时元兵东下，所过迎降，李庭芝率励所部，固守扬州。阿珠遣李虎持招降榜入城，庭芝杀虎，焚其榜。总制张俊出战，持叛臣孟子缙书来招降，庭芝焚其书，枭俊首于市。时出金、帛、牛、酒燕犒将士，人人感激自奋。

辛酉，度支尚书吴浚遣人至建康，为陈宜中移书言："前杀廉希贤，乃边将所为，太皇太后及嗣君实不知，当按诛之。愿输币，请罢兵通好。"巴延曰："彼为诈计，视我虚实耳。当择人同往，观其事体，令彼速降。"乃遣议事官秦中、张羽同遣人还临安。羽行至平江驿亭，复被杀。

壬戌，阿珠攻真州。知州苗再成、宗子赵孟锦帅兵大战于老鹳觜，败绩。

癸亥，加知思州田谨贤、知播州杨邦宪并团练使，趣兵入卫。

丁卯，加李庭芝参知政事。

庚午，阿珠乘胜进趣扬州，姜才为三叠阵，逆之于三里沟，败之。阿珠佯退，才逐之，阿珠反战。至扬子桥，扬州拨发官雷大震出战，死之。两军夹水而阵，元张弘范以十三骑绝渡冲才军，才军坚不可动，弘范引却以诱之。才将回回跃马夺大刀，直前向弘范，弘范反礜迎刺之，应手而仆，元兵欢声动地，才军遂溃。阿珠与弘范追之，自相蹂践与陷濠水死者甚众，流矢中才肩。才拔矢挥刀而前，元军辟易不敢逼；遂入城，誓死守。阿珠乃筑长围，自扬子桥竟瓜洲，东北跨湾头至黄塘，西北抵丁村务，欲以久困之。

吏部尚书常楙入见，言："雪川之变，非其本心，置之死过矣，不与立后又过矣。巴陵，帝王之胄，生不得正命，死不得血食，沉冤幽愤，郁结四十五年之久，不为妖为札于冥冥中者几希。愿陛下勿摇浮议，特发神断，宗社幸甚！"于是诏国史院讨论典故以闻。

元遣使召嗣汉四十代天师张宗演赴阙。

五月，癸酉，元兵攻宁国县，知县赵与穗出战，死之。

丁丑，环卫官刘师勇复常州，加濠州团练使，助姚訔守常，以张彦守吕城，兵威稍振，由是浙右诸城降元者复与张世杰军合。师勇，庐州人；訔，希得子也。

己卯，赐处士何基谥文定，王柏赠承事郎；从祭酒杨文仲之请也。

以张珏为四川制置副使。

庚辰，元诏谕参知政事高达曰："昔我国家出征，所获城邑，即委去之，未尝置兵戍守，以此连年征伐不息。夫争国家者，取其土地人民而已。虽得其地，而无民，其谁与居！今欲保守新附城壁，使百姓安业力农。蒙古未之知也，尔熟知其事，宜加勉旃。湖南州郡，皆汝旧部曲，未归附者何以招怀，生民何以安业，听汝为之。"

丁亥，元召巴延赴大都，以蒙古万户阿喇罕权行中书省事。

庚寅，五郡镇抚使吕文福降元。

辛卯，籍潜说友、吴益、吕文焕、孟子缙、陈奕、范文虎家。

丙申，遣使告天地、宗庙、社稷、诸陵、宫观。

时知庆远府仇子真、淮东兵马钤辖阮克己各将兵入卫，诏与张世杰、张彦分道出击元军。台谏请命大臣监护，事下公卿杂议，久而不决。陈文龙上言："三后协心，同底于道。北兵今日取某城，明日筑某堡，而我以文相逊，以迹相疑，譬犹拯溺救焚而为安行徐步之仪也。请诏大臣，无滋虚议。"不报。

己亥，吴继明复蒲圻、通城、崇阳三县。以继明权知鄂州，令择险为寓治。

是月，元廉希宪至江陵，阿尔哈雅率其属望拜尘中，荆人大惊。希宪即日禁剽夺，通商贩，兵民安堵。首录宋故宣抚、制置二司幕僚能任事者，以备采访，仍择二十馀人，随材授职。左右难之，希宪曰："今皆国家臣子也，何用致疑！"时宋故官礼谒大府，必广致珍玩；希宪拒之，且语之曰："汝等身仍故官，或不次迁擢，当念圣恩，尽力报效。今所馈者，若皆己物，我取之为非义，一或系官，（事岂宜盗窃）〔事同盗窃〕。若敛于民，不为无罪。宜戒慎之！"希宪令："俘获之人，军士敢杀者，以故杀平民论；为军士所掳，病而弃之者，许人收养，病愈，故主不得复役；立契券卖妻子者，重其罪，仍没入其直。"先是江陵城外蓄水捍御，命决之，得良田数万（顷）〔亩〕，以为贫民之业，发沙市仓粟之不入官者二十万斛，以赈公安之饥，民悦之。

六月，庚子朔，日有食之，既。昼晦如夜，星见，鸡鹜皆归。王爚言："日食不尽仅一分，阴盛阳微，灾异未有大于此者。乞赐罢黜！"不许。

初，成都安抚使昝万寿守嘉定、兴元，与元赛音谔德齐对垒，赛音谔德齐一以诚意待之，不为侵掠，万寿心服。未几，元召赛音谔德齐还，万寿请置酒为好，赛音谔德齐径往不疑。酒至，左右言未可饮，赛音谔德齐笑曰："若等何见之小耶！昝将军能毒我，其能尽我朝之人乎？"万寿叹服。

至是元主召汪良臣入朝，命之曰："成都被兵久，须卿安集之。"良臣进攻嘉定，万寿坚守不出。良臣度有伏兵，大搜山谷，果得而杀之，进至薄城。万寿悉军出战，大败，遂籍境内三龟、九鼎、紫云诸城降。元以万寿签四川行枢密院事，赐名顺。

辛丑，太皇太后诏削圣福尊号，以应天戒。命侍从官以上各举才堪文武者；虽在谪籍，亦听举之。

庚戌，诛翁应龙，籍其家。

甲寅，留梦炎自湖南入朝，王爚、陈宜中皆请相梦炎而求去，太皇太后曰："二相毋藉此求闲也。"乃以爚平章军国重事，一月两赴经筵，五日一朝；宜中为左丞相，梦炎为右丞相，并兼枢密使，都督诸路军马。爚即日就民居，以丞相府让宜中。宜中言："一辞一受，何以解天下之讥！"因辞去。遣使遮留，乃还。

己未，加李庭芝知枢密院事。

辛酉，潼州安抚使、知江安州梅应春以城降元。

丙寅，扬州都统姜才、副将张林，率步骑二万人乘夜攻元扬子桥木栅。守栅万户史弼告急于阿珠，阿珠率总管管如德等自瓜洲以兵赴之，诘旦，至栅下。才军夹水为阵，阿珠麾骑兵渡水夹击，阵坚不可动，阿珠引却。才进逼之，战不利而走，阿珠麾步骑并进，遂大败。如德生擒林，才仅以身免，士卒死者万馀人。

丁卯，朱禩孙除名，籍其家。

秋，七月，辛未，张世杰与刘师勇、孙虎臣等，大出舟师万馀艘，次于焦山，令以十舟为方，碇江中流，非有号令，毋得发碇，示以必死。元阿珠登石公山望之，曰："可烧而走也。"遂遣健卒善毂者千人，载以巨舰，分两翼夹射，阿珠居中，合势进战，继以火矢，篷樯俱焚，烟焰蔽江，诸军死战，欲走不能前，多赴江死。张弘范、董文炳、刘国杰复以锐卒横冲，世杰不复能军，奔圜山，阿珠、〔弘〕范追之，获白鹞子七百馀艘。师勇还常州，虎臣还真州。世杰请济师；不报。国杰，本女真人，姓乌库哩，后入中州，改姓刘氏。貌魁梧，善骑射，胆力过人，数有军功，蒙古主壮之，诏加怀远大将军，赐号巴图。国杰行二，故呼之曰"刘二巴图"。

甲戌，三学生及台谏、侍从，皆上疏请诛贾似道，太皇太后不许。及贾似道上表自劾，且言为夏贵、孙虎臣所误，乞保馀生，乃削似道三官，令李庭芝津遣似道归越，以终丧制，似道留扬不还。王爚言："似道既不死忠，又不成孝，请下诏切责。"似道乃还绍兴，绍兴守臣闭城不纳。王爚复言于太皇太后曰："本朝权臣稔祸，未有如似道之烈者。搢绅草茅，不知几疏，陛下皆抑而不行，付人言于不恤，何以谢天下！"于是始诏似道婺州居住。婺人闻似道至，率众为露布逐之。

丁丑，复诏徙似道于建宁府。

翁应龙既诛，廖莹中、王庭除名，流之岭南，皆自杀。于是御史孙嵘叟等又以似道罚轻，请斩之以正法。方回复上疏论似道佞、讦、贪、淫、褊、骄、吝、专、忍、谬十罪。太皇太后犹不听。翁合上言："似道总权罔上，卖国召兵，专利虐民，滔天之罪，人人能言，迫于众怒，仅谪建宁。夫建宁实朱熹讲道之阙里，虽三尺童子亦知向方，闻似道名，咸欲呕吐，况见其面乎？宜远投荒服以御魑魅。"庚寅，诏谪贾似道高州团练副使、循州安置，籍其家，遣使监押之贬所。

会稽县尉郑虎臣以其父尝为似道所配，欲报之，欣然请行。似道时寓建宁之开元寺，侍妾尚数十人。虎臣至，悉屏去，撤轿盖，暴行秋日中，令舁轿夫唱杭州歌谑之，每名斥似道，窘辱备至。一日,入古寺,壁上有吴潜南行所题字,虎臣呼似道曰:"贾团练,吴丞相何以至此?"似道惭而不能对。至泉州洛阳桥,遇叶李自漳州放还,见于客邸,李赋诗赠之,似道俯首谢焉。

追复皮龙荣官。

辛卯,陈宜中去位。

初,张世杰之将出师也,王爚谓:"二相宜一人督师吴门,否则臣虽老无能为,若效死于封疆,亦不敢辞。"会世杰败于焦山,爚复言曰:"事无重于兵。今二相并建都督,庙算指授,臣不得而知。比者六月出师,诸将无统。臣岂不知吴门去京不远?而为此请者,盖大敌在境,非陛下自将,则大臣开督。今世杰以诸将心力不一而败,不知国家尚堪几败耶!臣既不得其职,又不得其言,乞罢平章。"太皇太后不许。

京学士刘九皋等伏阙上书,言:"宜中擅权,党贾似道;赵溍、赵与鉴皆弃城遁,宜中乃假使过之说以报私恩;令狐概、潜说友皆以城降,乃受其苞苴而为之羽翼;文天祥率兵勤王,信谗而阻挠之;似道丧师辱国,阳请致罚而阴佑之;元兵薄国门,勤王之师,乃留之京城而不遣;宰相当出督,而畏缩犹豫,第令集议而不行;吕师夔狼子野心,而使之通好乞盟;张世杰步兵而用之于水,刘师勇水兵而用之于步,指授失宜,因以败事。臣恐误国将不止一似道也。"初,宜中事多专决,不关白爚,或谓京学之论,实爚嗾之。书上,宜中径去,遣使四辈召之,不至。

壬辰,太皇太后下刘九皋于临安狱。手诏曰:"给舍之奏,谓爚与宜中必难久处。兼爚近奏乞免平章,辞气不平,诚有如人言者。可罢爚平章军国重事,以少保、观文殿大学士充醴泉观使。"是岁,卒。爚清修刚劲、不阿权势。及为相,属国势危亡,乃不能协谋以济大事,士论惜之。

眘万寿既降,两川郡县多送款,独张珏固守重庆不下。元主建东西行枢密院,会兵围之。

巴延至上都,面陈形势,乞进兵,遂拜右丞相。巴延辞曰:"阿珠功多,臣宜居后。"乃进阿珠左丞相,仍诏巴延直趋临安,阿珠仍攻淮南,阿尔哈雅取湖南,万户宋都木达及武秀、张荣实、李恒、吕师夔等取江西。元主仍诏谕巴延曰:"宋君臣相率来附,则赵氏族属可保无虞,宗庙悉许如故。"

癸巳,诏知庐州夏贵加枢密副使、两淮宣抚大使,与淮东制置副使、知扬州朱焕互调,召李庭芝还朝。贵不奉诏,焕仍还扬,庭芝亦不行。

起复文天祥为兵部尚书。

高斯得罢。乙未,以殿中侍御史陈文龙同签书枢密院事。

丙申,以开庆兵祸,追罪史嵩之,削其谥。

【译文】

宋纪一百八十一　起乙亥年(公元 1275 年)正月,止七月,共七个月。

宋帝赵㬎,宋度宗的第二子,母亲称全皇后,咸淳七年(公元 1271 年)九月己丑(二十八日),降生于临安府的皇宫。九年(公元 1273 年),封为嘉国公。十年(公元 1274 年)七月癸未(初九),即皇帝位。德祐二年(公元 1276 年)三月丁丑(十二日),被掳入元朝,降封瀛国公

德祐元年 元至元十二年(公元 1275 年)

春季,正月,癸酉朔(初一),元军进入黄州。

壬午(初十),葬端文明武景孝皇帝赵禥于永绍陵,庙号度宗。

乙亥(初三),元朝东川副都元帅张德润攻占礼义城,杀死安抚使张资;接着又派遣元帅张桂孙夺取宋地,擒获总管郭武及都辖唐惠等六人。

癸未(十一日),元军攻打蕲州,知州管景模献城投降。

乙酉(十三日),任命陈宜中为同知枢密院事兼参知政事。

当初,江州兴国宫提举吕师夔,向朝廷请求招募士兵以抵御元军,皇帝降旨命他与知州钱真孙一起招募。此时,贾似道却借口秉承皇帝的旨意召调吕师夔为都督府参赞,任中流调遣。吕师夔不肯接受任命,与钱真孙一道派人去蕲州,将江州献给元军。巴延让吕师夔执掌江州事务。

丙戌(十四日),元军攻打江州,知东安军陈严连夜逃走。当时,知寿昌军胡梦麟归江州管辖,自杀身亡。知南康军叶闾,德安府知府来兴国,知六安军曹明,都在江州主动归降元军。

吕师夔在庾公楼设宴,挑选两名宋宗室女子,将她们盛装打扮献给巴延。巴延见后大怒道:“我奉天子之命,兴仁义之师,向宋国问罪,岂能用女色改变我的大志!”斥罢,将二女遣出。

丁亥(十五日),元枢密院向皇帝进言:宋朝边郡如嘉定、重庆、江陵、郢、涟、海都拥兵自守,阻挠元兵进军,皇帝应下达诏书,对他们晓以利害,促使其归降。元帝采纳了此建议。

当初,元军南侵,用吕文焕和刘整为向导,不久另命刘整进军淮南。刘整急欲渡长江,向巴延献策道:“大军从襄、樊东下,宋兵一定会全力在西方抵抗,东方必然空虚,我军出其不意直捣临安,可一鼓作气大功告成。”巴延认为不可,对刘整道:“我受诏只令我阻止东边宋军,不使西进。没有听说叫我渡江。”此时刘整率领骑兵攻打无为军,久攻不下,听到吕文焕入鄂的捷报,刘整顿时失声道!“首帅束缚了我的手脚,使我功落人后。善于谋划者不一定善于成功,果然如此。”于是郁愤成疾,死在无为城下。

壬辰(二十日),元帝任命宣抚使贾居贞为签书行中书省事,驻守鄂州。贾居贞对阿尔哈雅道:“江陵是宋朝的门户,有重兵把守。听说那里诸将不和,城里又住满了迁徙来的百姓,而且疾病流行,柴草缺乏,又不敢开城门去打柴,应当乘机先夺取它。”阿尔哈雅深有同感。

知安庆军范文虎,派人带着酒食到江州欢迎元军,并且对巴延道:“行枢密院临城张贴的招谕我们看到了,但众心还不服,希望等待丞相到来。”巴延起初认为安庆城建在山顶上,而且兵多粮足,怕此城难以攻克,又顾忌范文虎是个劲敌,对此十分忧虑。等到听说范文虎打算归降,喜出望外,便立即派阿珠先去拜访他,范文虎于是就献城投降了,唯有通判夏椅服毒而死。巴延到达湖口,架设浮桥以便部队渡江,但风急浪大,浮桥架不起来,于是就向大孤山神祈祷,一会儿风停了,浮桥架了起来,大军全部渡了过去。巴延承皇旨,授予范文虎两浙大都督之职。

乙未(二十三日),任命孙虎臣为宁武军节度使。

元帝派兵部尚书廉希贤、工部侍郎严忠范奉国书出使宋国。

当初，贾似道畏惧刘整，不敢出师，等听说刘整已死，高兴地说："真是天助我呀！"于是上表请求出师。抽调诸路精兵十三万出发，金帛辎重，舳舻等相互衔接达一百余里。命令宰执遇小事可自行处理，大事则需上报督府，不准擅自行事。又任命自己的亲信韩震为殿帅，总辖禁军。行至安吉州时，贾似道所乘的船在堰中搁浅，刘师勇用一千人下水拉船，船拉不动，贾似道只好换乘另一只船离去。宋军从新安池口进发，驻扎于芜湖，贾似道派人与吕师夔联系，让他帮助调停议和。

二月，夏贵领兵与贾似道在长江上会师，从袖中取出一书给贾似道看，上写："宋历三百二十年。"贾似道看后只是低头不语而已。

癸卯（初二），朝廷任命汪立信为江淮招讨使，令他用建康府库银两招募士兵以援助长江沿岸各郡。江立信受诏后，当日离京上路，将妻子儿女托付给自己信任的爱将金明，拉着他的手说："我不会辜负国家，你也必定不会辜负我。"说完就上路了。在芜湖与贾似道相遇，贾似道拍着汪立信的背哭道："后悔不用你的计策，才到了这种地步。"汪立信道："平章啊！平章！瞎贼今日再没有一句话可说的了！"贾似道接着问他有何打算，汪立信道："现在江南没有一寸干净的土地，我去寻找一片属于赵家的地方，死在那里，但要死得明白。"到达建康后，宋守军已全部溃散，城外四处都是蒙古军队。汪立信自知守卫建康已绝无可能了，叹息道："我终将为国而死，但白白死去，没有益处，只会辜负朝廷的重托。"便率领所部数千人到高邮，想控制淮南，以作后图。

贾似道从芜湖放还元朝俘虏曾安抚，并且让他带去荔枝、黄柑，送给巴延，又派宋京去元军营中，请求称臣，每年奉献贡品。阿珠对巴延道："宋人不讲信义，只应对他们使用武力。如果对贾似道避而不击，恐怕已经投降的州郡，今年夏季就难以守住了。"巴延便命囊嘉特为使，来对贾似道说："没有渡江时，尚可谈议和入贡之事。现在沿江各州郡皆归附我国，要议和，就该当面来谈。"接着索取回书，贾似道不与答复。囊嘉特归去回报，宋京也回归宋营。

甲辰（初三），朝廷任命黄万石为江西制置使。

元朝在临汾设立后土祠，在河中、解州、洪洞、赵城设立伏羲、女娲、舜、汤、河渎等庙宇。

元主想进攻日本，向王磐询问利弊，王磐回答说："现在我国正在伐宋，应当全力以赴，才可一举夺取它。如果又分兵去征东夷，恐怕旷日持久，很难成功，等灭了宋国，再慢慢计划伐东夷也不迟。"庚戌（初九），派遣礼部侍郎杜世忠、兵部郎中何文著携带国书出使日本。

元军攻打池州，池州知州王起宗逃走。通判昌化人赵卯发代理知州事，他修缮加固城池，聚储粮食，做坚守池州的打算。元军游骑到达李阳河，都统张林多次微言相劝赵卯发，叫他投降元军，赵卯发义愤填膺，怒目而视张林，张林不敢再言投降事。不久张林率军巡江，暗地里派人告诉元军已准备归降，而表面上协助赵卯发守城，守军皆归张林指挥。赵卯发知道守城之事难以办到，就设酒宴聚会亲朋好友，与他们诀别。对妻子雍氏道："城池将失陷，我身为守臣，不应离去，你先走吧。"雍氏道："君是忠臣，我难道就不能成为忠臣妇吗？"赵卯发笑道："这不是妇人女子所能办到的。"雍氏道："我请求在你之前去死。"赵卯发笑着阻止了她。第二天，赵卯发把家中资财分送给弟侄们，又将仆人婢女全部遣散。元军逼近池州城，赵卯发早晨起来，在小桌上写道："国不可背，城不可降。夫妇同死，节义成双。"遂与雍氏一同吊死在从容堂中。张林开城门投降元军。巴延入池州城。问太守在哪里，他身边的侍卫告诉他,赵卯发夫妻已死。巴延对此甚为叹惜,命人准备棺木衣衾将赵卯发夫妻合葬于池上,亲自祭奠他们的墓后离去。朝廷听说了此事,追封赵卯发为华文阁待制,谥号文节,妻雍氏追封顺义夫人。

元太宗长孙名叫哈都,居住在北方,自从定宗即位以来,连续不断地出征作战。到此时皇帝降旨封诺摩罕为北平王,统率诸王军队镇守北方,而命安图总管省院的政务。

元朝平章军国重事史天泽,到真定后病重,给元帝捎去奏章道:"臣死没有什么可惜的,只是希望天兵渡江后,千万不要滥杀掠夺。"没来得及谈其他的事就死了。元帝听到他的死讯,深感震惊,赐谥号忠武,追封为镇阳王。

史天泽平时从不夸耀自己的才能,一旦遇到军国大事:就挺身而出,以天下为己任。四十岁时,才开始改变平素志向来读书,立论大多出人意料之外。拜相之日,门前庭院静悄悄的。有人劝他利用权力来扩大自己的势力,史天泽列举唐代韦澳告诉周墀的话答道:"希望相公不要有权。爵位、俸禄、刑惩、奖赏,都是天子掌握的权柄,还要权力做什么?"进言的人听了深感惭愧而折服。史天泽出将入相五十年,皇帝用之不疑,属下亦无怨言,人们都拿他比作郭子仪、曹彬。

贾似道把精锐部队七万余人,全部交给孙虎臣统率,部队驻扎在池州下游的丁家洲,夏贵率战舰二千五百艘横在长江上,贾似道亲率后援部队驻扎在鲁港。夏贵在鄂州失利,深恐督府成功,无法逃脱罪责,又怕孙虎臣刚刚得到晋升,才干高于自己,因此毫无斗志。适逢巴延命令军中作大木筏数十个,把砍伐来的柴草放在上面,扬言要烧毁宋军船只,宋军只好昼夜严密防备而已。巴延分步骑两军沿着长江两岸挺进,指挥战舰合力攻击孙虎臣军。

此时,阿珠与孙虎臣对阵,巴延命令放巨炮轰击孙虎臣军,阿珠率士卒划船数千艘,乘风疾进,喊杀之声惊天动地。孙虎臣先锋将姜才刚与敌人交锋,孙虎臣就跳上他姜所乘的船,众人见到这种情景,起劲地喊:"步帅逃走了!"全军随之大乱。夏贵不战而逃遁,驾驶小船经过贾似道的船,大声呼喊:"敌众我寡,势不可挡!"贾似道听后,惊慌失措,慌忙命令鸣征收兵。宋军舳舻簸荡,忽分忽合。阿珠与镇抚何玮、李庭等,以小旗指挥将校,左右夹击,宋军被杀死、溺死者不计其数,军资器械都被元军缴获。

贾似道夜里驻扎在珠金沙,召夏贵前来商议军务。一会儿,孙虎臣到,贾似道抚着胸胁哭道:"我军无一人肯于效劳。"夏贵微笑着说:"我曾血战抵挡敌军。"贾似道问道:"御敌有何计策!"夏贵道:"诸军都已吓破了胆,我用什么去战呢!师相只有速去扬州招集溃兵,迎驾于海上,我当死守淮西。"说罢解舟自去。贾似道只得与孙虎臣驾了一只大船奔回扬州。第二天,满江溃兵顺流而下,贾似道令人登岸,扬旗招集他们,都无人理睬,甚至还有人恶语谩骂。

壬戌(二十一日),元军攻饶州,知州唐震派遣州民守城。这时,元军派使者前来索取降款,通判万道同暗地里令部下收敛白金、牛、酒等物,准备好降礼,微言隐喻地劝唐震投降,唐震对他怒叱道:"我岂能忍心偷生而有负国家!"城中年轻人被唐震的话所感动,杀死了元军的使者。不久,元军登上城墙,守军都溃散了。唐震进入府衙坐在堂上,元军拿着文书,叫他签署投降,唐震将笔扔在地上,不肯屈服,终于遇害身亡。郴州守赵崇櫏住在城中,也遇害了。万道同献城投降。唐震当初因触犯贾似道而被罢官,久居家中,后起用职掌饶州事务,

4382

到此时守节义死于任上。朝廷追封唐震为华文阁待制，谥号忠介。

当初，特进、奉祠江万里，听说襄阳、樊城被攻破，就在芝山后面的园子里开凿一个池塘，在亭子上挂了一块匾额，上面写了"止水"二字，人皆不知其意。等听到饶州报警，江万里拉着门人陈伟器的手说道："大势已无可挽回，我虽然不在位，仍应当与国家共存亡。"此时，元军捉到他的弟弟南剑知州江万顷，向他索取金银，没能得到，就肢解了他的弟弟。江万里也投止水而死，他左右的人及他的儿子江镐相继投池自尽，真是积尸如叠。第二天，只有江万里的尸体浮出水面，随行者收敛安葬了他。不久，朝廷追封他为太傅，封益国公，谥号文忠。

甲子（二十三日），元军攻临江军，知军鲍廉战死。

中书舍人王应麟向朝廷进言："谋划消除大灾祸的人必然忽略细小的方面，讲求实效者必然抛弃空文。请招集诸路勤王的部队，有能率先到达京师者，就给予重赏以表彰他们勇敢的气概，众将合力作战，只有能战，才可以守住。"奏章上关于求将才、练兵所用之军械、筹备粮饷等事，没有下文。

乙丑（二十四日），贾似道到达扬州，遍贴檄文令各郡长官到海上去迎接圣驾，并上书请求迁都。太皇太后不同意，下诏让公卿大臣共同商议。王爚请求坚决不可迁都，圣驾也不宜轻动，意见不一，没有决定下来，由于王爚认为自己不能参与决策，乞请罢政，不待答复竟自己离去了。不久，宗学生上书道："陛下迁都，不是到庆元，就是到平江，一旦事势危急，则航海移驾入闽。不考虑我们前往，元军也可以前往，白白受到惊扰，实在没有益处。"这才停止争议。

当时形势危急，征召诸将勤王，大多不到，唯有郢州守将张世杰率军前来护卫京师，并收复了饶州。陈宜中怀疑张世杰是从元军中归来的，就调换了他的部队。

元将阿尔哈雅说："江陵，是宋国的大镇，地处长江上游，驻扎精兵不止数十万，如果不乘此破竹之势夺取它，待到江水泛滥，鄂、汉一带的城池也恐怕很难守住了。"元主同意了他的请求，但仍下诏书派遣使者前去招降。

丙寅（二十五日），朝廷任命文天祥为江西安抚副使，知赣州。勤王的诏书到赣州，文天祥捧着诏书恸哭流泪，发动郡中豪杰，并结交溪峒山蛮，共聚集到军队一万余人，遂前来入卫京师。他的朋友劝止他道："现在元军兵分三路击鼓前进，已攻破国都郊区，逼近内地，你带领一万多乌合之众赶去，这何异于驱赶群羊去与猛虎搏斗呢？"文天祥道："我也知道是这样的。但国家养育臣民百姓三百余年，一旦有危急，征集天下兵，竟无一人一骑前往。我对此深感痛心，因此不自量力地前去，自愿以身殉国，希望天下的忠臣义士将闻风而起。义胜者谋立，人众者功成，只有这样，社稷还可以保住。文天祥性格豪放，平生家资丰厚。即使身边有很多歌姬舞女，这时悲愤之情也依然无法减轻，他将全部家资操作军费。文天祥每次与宾客、僚佐谈论到国家时事，总是拍案道："以人之乐为自己的乐者也应以人之忧为自己之忧，吃了人家的东西，就应为人之事去死。"听到的人无不为之感动。

戊辰（二十七日），湖南提刑李芾，派遣部将率领壮士三千人入援京师，不久朝廷任命李芾为知潭州兼湖南安抚使。

这时，湖北各州郡都被元军占领，李芾的朋友劝他不要前去赴任，说道："如果不得已的话，那么你不如只身前去。"李芾答道："我岂能笨到只为自己打算的地步呢！只因世代受国家恩典,即使在废弃不用之时,我还想着如何报效国家。现在,我有幸被朝廷所用,我将把全家性命交给国家。"

己巳(二十八日),任命陈宜中为知枢密院事,曾渊子为同知枢密院事,礼部侍郎文及翁为签书枢密院事,倪普为同签书枢密院事。召王爚为浙西、江东宣抚使,令他留住京师,以备皇帝随时咨询。

此时元朝使者郝经还留在仪真,元主又让礼部尚书中都哈雅及郝经的弟弟行枢密院都事郝庸等来追究宋国扣压使者郝经之罪,贾似道非常惧怕,便派遣总管段佑以礼送郝经回去。郝经在归途中病了,元主敕令枢密院及御医近侍赶去迎接慰劳,郝经一行所过之处,父老乡亲远远地看望,还流着眼泪。

元军攻嘉定,都统侯兴竭力抵抗,终于战死。

庚午(二十九日),平章军国重事、都督诸路军马贾似道被朝廷罢免。

当初,陈宜中依附于贾似道,很快得以进入政府内。此时堂吏翁应龙,从军中将都督府印章送还朝廷,陈宜中询问贾似道在哪里,翁应龙回答不知道。陈宜中估计贾似道已经死了,立即上书奏请朝廷杀贾似道以正误国之罪,太皇太后说:"贾似道勤劳三朝,怎么忍心因一朝的过失,就对大臣失礼呢!"降旨授予贾似道为醴泉观使之职,罢去平章、都督之职。凡是贾似道所设各种不体民情的弊政,依次革除,放还被他流放贬谪的人。把赵与可除名,令临安府缉拿归案。

辛未(三十日),右丞相章鉴,听说元军日趋逼近,竟借故逃走了。

江淮招讨使汪立信,听说贾似道全军溃败,江、汉地区的守臣有的望风投降,有的逃跑,叹息说:"我今日还可以死在宋国的土地上。"于是设酒宴,召来宾客幕僚,与他们诀别,亲手写奏章,向三宫请安。又给他的侄子写信,把家事托付给他。半夜,在庭院中徘徊,慷慨悲歌,屡次握拳拍案,为此失声于恸哭三日,掐住喉咙而死。

此月,沿江制置大使、建康行宫留守赵溍弃城南逃。都统徐王荣、翁福等,献城投降元军。宁国府知府赵与可、隆兴府知府吴益也弃城逃走。太平州知府孟之缙、和州知府王善、无为军知府刘权、涟州知府孙嗣武,都相继向元军投降。

元主到上都。

鄂、汉地区的降臣张晏然等人给元主上书说:"宋国的权臣,不履行过去双方缔结的条约,拘留使者,实在不是宋国皇帝的过失,我们冒昧地乞求您发发慈悲,只降罪于擅违圣命的权臣,不要让赵氏的宗庙绝祀。"元主召张晏然等人到宫廷来,告诉他们说:"你们说得很对。你们既然不忘记旧主,也一定能辅助我朝。我已下令巴延按兵不动,仍旧派遣使者廉希贤等持诏书前往宋朝。如果宋朝真能悔过归降,已往的过失,朕又何必再加追究呢?至于权臣贾似道,尚且没有治罪于他的意思,更何况让赵氏宗庙绝祀呢?但是如若他们执迷不悟,不知悔改,那么往后的事,朕还有什么可说的呢?由上天来裁决吧!"

三月,壬申朔(初一),殿前都指挥使韩震,又提请宋皇帝迁都,与贾似道的建议相同。陈宜中为表示自己不是贾似道同党,就召韩震前来议事,暗中埋伏壮士,用藏在袖中的铁锤击杀了韩震。韩震的部将李大时等反叛,攻打嘉会门,火箭射进禁宫内。朝廷紧急发兵捕捉,他们都四散逃走了,带着韩震的母亲妻子及儿女出城,投奔了元军。

癸酉(初二)，元军首帅巴延进入建康。这时江东发生大瘟疫，居民又缺少食品，巴延开仓救济饥民，又派医生为民治病，百姓非常高兴。有人把汪立信向宋廷所献的二条计策，以及汪立信已死之事告诉巴延，请求诛杀他的妻子儿女。巴延叹息良久，对人道："宋朝有此人才，又有这样的良策啊！假使宋朝廷果真用了此人，我又怎么能到这里啊！"命人寻访他的家人，并给予优厚的抚恤。于是金明才将汪立信的棺柩归葬于丹阳。汪立信的儿子汪麟在建康，不肯随众人投降元朝，历尽艰险逃到闽，死在那里。

元主诏谕巴延，因此时天气炎热，不利于作战，等到秋季再出征。巴延向皇帝奏道："宋人占据江海，就像猛兽凭险自保一样；现在我们已经扼住了他的喉咙，放纵了他，就会逃跑得无影无踪。"元主说："将在外君令有所不受，正合兵法。"遂诏令巴延以行中书省的身份驻扎建康，阿珠分驻扬州，与博尔欢、达春一起断绝宋朝淮南的后援。巴延分四路出兵，镇江统制石祖忠请求投降。

宋朝廷因元军逐渐逼近，命浙江提刑司准备差遣刘经防守吴江，两浙转运司准备差遣罗林、浙江安抚司参议官张濡防守独松关，山阴县丞徐垓、正将郁天兴防守四安镇，起用赵淮为太府寺丞，防守银林东坝。张濡，是张俊的曾孙。

朝廷召章鉴回朝。章鉴道："韩震虽然请求迁都，实在没有什么其他的意思，匆忙置他于死地，还震动惊扰了皇帝，似乎也太过分了。"陈宜中由此对章鉴怀恨在心。

甲戌(初三)，元军攻打无锡县，知县阮应得出战，结果全军覆没，阮应得投水而死。

乙亥(初四)，宋朝廷诏谕叛将吕文焕、陈奕、范文虎，让他们去疏通元军，商议停战。

朝廷任命王爚为左丞相兼枢密使。

闽中地区又发生大地震。

右丞相章鉴被御史王应麟所弹劾，削去官职，放归田里，太皇太后下令仍旧给予祠禄的待遇。章鉴位居丞相时，人皆称他为人宽厚，给人办事多行方便，当时被人视为"满朝欢"。

侍御史陈过，奏请放逐贾似道，并治其党羽的罪。翁应龙等不等朝廷答复就私自离去了，监察御史潘文卿、季可请求朝廷批准陈过的奏请。朝廷下令缉捕翁应龙，并押在临安府监狱；罢免廖莹中、王庭、刘良贵、游汶、朱浚、陈伯大、董朴官职，贬洪起畏去镇江戴罪立功。

丙子(初五)，宋皇帝赵㬎下达罪己自责的诏书。

朝廷任命陈宜中为右丞相兼枢密使。王爚回朝，与陈宜中议论大事，意见多不一致。陈宜中请求在京城建立督府，下檄文征招诸路军马前来援救朝廷，并令溃军各回自己原来所属部队，集结朝廷内外部队共十七万五千人，分厢统辖，朝廷派官员督管。

朝廷召高斯的代理兵部尚书。高斯得上疏请求皇帝：诛奸臣，以向天下人谢罪；广开言路，用以挽回民心；聚揽人才，用以拯救国事；表彰节义，用以激励懦夫；竭尽财力，用以招收散逃的将士。高斯得痛感国事的危急，言辞激烈，论及国事，无所忌讳，被提升为翰林学士。

御史孙嵘叟，请求朝廷放逐潜说友、吴益等人，并籍没其财产。陈宜中认为总是记着别人的过错不是盛世之事，祖宗忠厚，不曾轻易使用。王爚力争，认为应当采纳孙嵘叟的建议，提议无法定下来。杨文仲道："国事万分危急，祖宗所深深依赖，亿万百姓所寄托都在二位丞相身上；假如因为二位意见不合的缘故，今日不战，明日不征，时机就再也不会来了，后悔都来不及了！"

丁丑(初六),滁州知府王应龙献城投降元军。

己卯(初八),翁应龙受杖刑,刺配吉阳军。

朝廷命令王爚、陈宜中共同都督诸路军马。

壬午(十一日),朝廷追复吴潜、向士璧官职。

元军攻打常州,知州赵与鉴逃走,常州人钱訔献城投降。

甲申(十三日),元军攻打西海州,知州丁顺投降。乙酉(十四日),东海州知府施居文去西海州乞求投降。

平江府知府潜说友献城投降元军。

朝廷降旨令张世杰总率都督府诸军。丙戌(十五日),知广德军令狐概献城投降元军。张世杰派遣他的部将阎顺、李存进军广德,谢洪永进军平江,李山进军常州。阎顺遂收复广德军。

丁亥(十六日),有两颗星相撞于中天,瞬间,一颗星坠落。

己丑(十八日),朝廷催促五郡镇抚使吕文福领兵速来保卫京师,吕文福杀死使者,拒不接受诏命。

庚寅(十九日),元军已经逼近京城,临安戒严,同知枢密院曾渊子、左司谏潘文卿、右正言季可、两浙转运副使许自、浙东安抚使王霖龙、侍从陈坚、何梦桂、曾希贤等数十人都逃走了,朝廷中为此显得十分清静冷落。签书枢密院事文及翁、同签书枢密院事倪普,讽喻台谏,弹劾自己,奏章还未呈送上去,人都已迫不及待地出关逃走了。太皇太后听说了这些事,下诏,贴榜于朝堂之上说:"我朝自开国以来已三百余年,礼待士大夫。我与皇帝遭此国事多难之际,你们大小群臣不曾有人说一句话以拯救国家。朝内近臣叛职离去,朝外守令舍印弃城,监察机构既不能为我督察百官,二三执政者又不能自作表率领导群臣,却正在内外合谋,接连乘夜逃走。你们平日读圣贤书,自许的都是什么?却在此时做出这样的举动,活着有何面目见人,死了又怎么去见先帝呢?现在,天命还未改变,国法尚且存在,在朝文武官员,并转告二位资政,若有背叛国家弃我而去者,御史台觉察后告诉我,必严惩不贷。"然而逃跑之事仍然不能禁止。

辛卯(二十日),元朝使者廉希贤、严忠范抵达建康。廉希贤向巴延请求调拨军队给自己来保卫建康,巴延道:"使臣贵在用言而不在用兵,兵多了反而招致对方怀疑。"廉希贤坚持自己的要求,巴延才派五百兵送行。巴延仍下令诸将各守营垒,不允许随意侵掠。廉希贤等行至独松关,张濡的部曲杀死了严忠范,并扣压了廉希贤,将他押送到临安,廉希贤因创伤而死。

元军将领阿尔哈雅率军谋划攻取荆湖,留下贾居贞镇守鄂州。贾居贞发放仓粮救济流亡百姓,那些流落寄居于此的宋宗室子孙也来领取救济粮。此外,不改换服装,依旧穿汉服,使用旧货币。东南一带未被元军占领郡县的商贩滞留于此地者,给予放行,让他们回去,并免除商业税,并解除到湖中收割芦苇的禁令。贾居贞还监造数百艘船只,由水军驾驶着,不让骚扰百姓,鄂州一带得以安定。

壬辰(二十一日),元将阿尔哈雅攻打岳州,安抚使高世杰,会集郢、复、岳三州及上流诸军战船数千艘,扼守荆江口。阿尔哈雅统率诸路水军驻扎在东岸,高世杰乘夜晚布阵于洞庭湖中。阿尔哈雅追逐高世杰,将他斩首示众,岳州总制孟子缙带领全城百姓投降。

丙申(二十五日),朝廷任命陈合为同签书枢密院事。

戊戌(二十七日),朝廷赦免边城降将的罪,能脱离敌营而归来者照常录用。有能收复一州者任命为知州,收复一县者任命为知县,所辖各部中的幕僚、官吏、将校、士卒及土豪能立功者同样奖赏。

皇帝降旨:"公田对百姓危害最大,酿成祸患长达十余年,自即日起将强制征购的土地发还给原主,令他们率领租户前去当兵。"

庚子(二十九日),元军同意王磐、窦默的请求,分置翰林院,专门执掌蒙古文字;其翰林兼管国史院,仍旧负责编纂修订国史,典籍、制诏、诰命等,以备皇帝咨询。

辛丑(三十日),元军命令阿珠分兵夺取扬州。赵良弼向元主进言:"宋国在扬州的军队兵力雄厚,应该先以大军直取钱唐"。元主同意了。

此月,滁州知府王虎臣,宁国府知府颜绍卿,都献城投降了元军。

管景模投降了元朝,他的儿子管如德跟随他去拜见元帝。元主问:"用什么办法可以得到天下? 宋国怎样才能灭掉?"管如德回答道:"陛下依靠福德取胜。襄阳、樊城,是宋国的咽喉,咽喉被卡住了,不灭亡还等待什么!"元主道:"说得好。"随即安慰并告诉他们道:"朕治天下,看重爱惜人命。凡是有罪的人,一定要当面核查对证多次,经核实确实有罪,然后再治罪;不像宋国权奸擅揽专权,只凭片纸数字就随意杀人。你只要一心忠于职守,不要害怕有人妒忌中伤你的话。"不久授予管如德湖北招讨使之职。

夏季,四月,文天祥率军到达吉州。江西制置副使黄万石,与文天祥原来有嫌隙,而且嫉妒文天祥的声名威望在自己之上,就对朝廷进谗言道:"文天祥所率的军队都是一群乌合之众,若用于打仗如儿戏一般,不会有好处。"朝廷便降旨令文天祥部留驻隆兴府。

乙巳(初四),元军进入广德军防区,知广德县王汝翼与寓居官赵时敏率义军出战,孟唐老与他的两个儿子都战死了。王汝翼被俘,押送到建康后,处死了他。

丙午(初五),元军进入沙市城,都统孟纪战死,监镇司马梦求自缢身亡。司马梦求,是司马光五世孙。

戊申(初七),京湖宣抚使朱禩孙,湖北制置副使高达,把江陵献出,投降元军。高达开始因为贾似道嫉妒他的功劳,心怀怨恨,待元将阿尔哈雅从岳州出兵攻打江陵时,高达屡战屡败,便与朱禩孙和提刑青阳梦炎、李湜等出城投降。阿尔哈雅入江陵城,命令朱禩孙张檄文,让其部属归降,此时,归、峡、郢、复、鼎、澧、辰、沅、靖、随、常德、均、房诸州,先后都投降了元军。阿尔哈雅秉承皇帝的旨意让全部降将皆官复原职,就地留守。元主听到江陵的捷报,对身边的近臣说:"巴延挥师东下,阿尔哈雅率孤军守鄂,朕常常为此担忧,现在荆南已定,我东面的部队无后顾之忧了。"于是元帝亲写手诏嘉奖阿尔哈雅,并授予高达为参知政事之职。朱禩孙到上都,死在那里。

元将阿尔哈雅奏请元帝委名一位德高望重的大臣,来设置大府,以镇守江陵。元主在北京紧急召见廉希宪,廉希宪入皇宫拜见元主,元主赐座,告谕道:"荆南现已收入我国的版图,欲使新归降者感恩戴德,使未归附者尽早臣服,让宋国军民知道我朝有如此堪胜重任的大臣,也足以征服他们的心了。南方地势低洼,气候潮湿,对你的身体本不适宜,现在要把镇守江陵的大事托付给你,料想你不会推辞。"元帝赐给廉希宪田产用来养活留下来的人。赐马五十匹给随行人员。廉希宪道:"臣常常担心自己才识浅薄,不能胜任朝廷托付的重任,又怎么敢以病为理由推辞呢?然而恕我冒昧地请求交还新赐的土地和马匹。"元帝又降旨准许廉希宪接受皇命,授予三品以下官职。

壬子(十一日),朝廷任命高斯得为签书枢密院事。

官员们商议保卫并加强王室的权力。乙卯(十四日),诏令任命福王赵与芮为浙东安抚大使,兼任绍兴通判,成立府署,自选僚属,下设长史、司马等职。

甲寅(十三日),元帝告谕中书省,商议悬挂登闻鼓之事。

庚申(十九日),金坛县知县李成大,率领义局官合山县尉胡传心,阳春主簿潘大同,濠梁主簿潘大本,进士潘文孙、潘应奎,攻打并收复了金坛县。镇江统制侯嵩、县尉赵嗣滨反叛,协助元军攻打宋军,李成大被擒,宁死不屈,与两个儿子和胡传心等都牺牲了。

此时元军东下,所过地区的宋国守军都主动投降,唯有李庭芝率领并激励所部,坚守扬州。阿珠派遣李虎拿着招降榜进城劝降,李庭芝杀了李虎,烧毁了招降榜。总制张俊出战,拿了叛臣孟子缙的信来招降,李庭芝焚毁孟子缙的信,在街市上将张俊斩首示众。同时,拿出金、帛、牛、酒,宴请犒劳将士,将士们个个感激涕零,自愿与他誓死守卫扬州。

辛酉(二十日),度支尚书吴浚派人到建康,为陈宜中传递文书道:"以前杀死廉希贤,乃是边防将令干的,太皇太后和嗣君确实不知实情,现已依法判处了他们死刑。我国愿意向你们缴纳贡品,请求停止战争,互相通好。"巴延道:"他们是在使用诈计,试探我军的虚实。应当选择人与他们一同前往宋营,以观察宋军的情况,命令他们尽快投降。"于是就派遣议事官秦中、张羽,同来者一起回临安,张羽行至平江驿亭,又被宋军杀了。

壬戌(二十一日),阿珠进攻真州,知州苗再成、宗子赵孟锦统领军队与元军大战于老鹳嘴,宋军大败。

癸亥(二十二日),朝廷提升思州知州田谨贤、播州知州杨邦宪为团练使,令尽快率军保卫临安。

丁卯(二十六日),朝廷提升李庭芝为参知政事。

庚午(二十九日),阿珠乘胜进军,奔赴扬州,姜才布三叠阵,迎击元军于三里沟,击败元军。阿珠佯装溃退,姜才领军追击他,阿珠回兵再战。到扬子桥,扬州的拨发官雷大震出战,结果战死沙场。两军隔水对阵,元将张弘范率十三骑横渡江水,冲击姜才军阵地,姜才军坚守,岿然不动,张弘范退却引诱宋军出战。姜才手下猛将回回跃马挥刀,直取张弘范,张弘范突然回马猛刺回回,回回应声坠于马下,元军欢呼之声惊天动地,姜才军随之溃败。阿珠与张弘范随后追杀,宋军自相践踏,掉进护城河,溺死者不计其数,流矢射中了姜才的肩膀。姜才拔箭挥刀奋力向前,元军惊退,不敢紧逼,姜才收溃军入城,发誓死守。阿珠在扬州城外筑起长长的围墙,从扬子桥至瓜州,东北方面跨过湾头到黄塘,西北方抵达丁村务,想以此长期围困扬州守军。

吏部尚书常楙朝见皇帝,奏道:"雪川之变,并非他的本意,将他处死是不对的,不让他留有后代也错了。巴陵,是帝王的后代,生不得寿终,死不得祭奠,沉冤幽愤,郁结已有四十五年之久,他既不是妖孽,也不是瘟疫,始终处于昏暗之中,这种情况是极少的。希望陛下不为表面的议论所动,特别给予明断,那么宗庙社稷幸甚!"于是诏令国史院讨论此件旧案,将结果上报朝廷。

元主派遣使者,召请汉朝张天师四十代孙张宗演前往皇宫。

五月,癸酉(初三),元军攻打宁国县,知县赵与糖出战,战死。

丁丑(初七),环卫官刘师勇收复常州,朝廷任命他为濠州团练使,协助姚訔守常州。命令张彦守吕城,军威稍有振奋,从此浙西诸城投降元朝者重又与张世杰军相汇合。刘师勇,庐州人;姚訔,是姚希得的儿子。

己卯(初九),朝廷赐处士何基谥号文定,追封王柏为承事郎,这是根据祭酒杨文仲的奏请赐封的。

朝廷任命张钰为四川制置副使。

庚辰(初十),元主降旨告谕参知政事高达说:"过去我国出征,打下了城邑,很快就离去了,不曾设置军队戍守,因此连年征伐不断。争夺国家,是为了获得其土地和人民而已。虽然得到土地,而没有百姓,又让谁去居住呢?如果想保守住刚归附的城池,就要让百姓安居乐业,努力耕种。蒙古人不晓得怎么办,你很熟悉这方面的事,应更加尽力地去办好。湖南的州郡,都由你的旧部曲掌管,还没有归附者用什么去招抚,百姓用什么去使他们安居乐业,任凭你去办理。"

丁亥(十七日),元帝召巴延回大都,任命蒙古万户阿喇罕代行中书省事。

庚寅(二十日),五郡镇抚使吕文福投降元军。

辛卯(二十一日),没收潜说友、吴益、吕文焕、孟子缙、陈奕、范文虎家产。

丙申(二十六日),派遣使者祈祷天地、宗庙、社稷、诸陵、宫观。

这时,庆远府知府仇子真,淮东兵马钤辖阮克己,分别率军前来入卫京师,朝廷降旨,令他们与张世杰、张彦分道出击元军。台谏请求任命大臣监护诸军,此事下交公卿们商议,很久也决定不下来。陈文龙向皇帝进言道:"夏禹、商汤、周文王时协力同心,志同道合,始终如一。现在北军今天夺取某城,明天筑建某堡,而我们还斯文地以礼相谦让,彼此间却捕风捉影,互相猜疑,这就如同去救即、将淹死的人,去救火,却慢慢行走一般。请下诏大臣们,不要再继续没有意义的商议了。"他的意见没有答复。

己亥(二十九日),吴继明收复蒲圻、通城、崇阳三县,朝廷任命。吴继明代理鄂州知州,命令他选择险要地方设置临时机构。

此月,元军的廉希宪到达江陵,阿尔哈雅率领他的属下远远地跪拜于尘土中,迎接廉希宪,荆人见此大为吃惊。廉希宪到任当天即下令严禁抢劫,允许商人做买卖,军民互不相扰。首先录用宋朝故宣抚、制置二司幕僚中能胜任治事者,以备随时咨询访问,还选择二十余人,根据才能授予不同官职。他身边的人责怪他的这种做法,廉希宪道:"现在他们都是国家的臣子,为什么还要怀疑他们呢?"当时宋朝旧臣以礼拜见大府,必多送珍奇古玩,廉希宪拒绝接受这些礼物,并且告诫他们道:"你们仍任原来的官职,有些人将破例得到升迁,应该感激皇上的恩德,尽力报效。今天所赠送的礼物,如果都是你们自己的,我收下了就叫不义,一旦被朝廷追查,这事岂不就像盗窃一般。如果是从百姓那里搜刮来的,那就不是无罪了。应该引以为戒,谨慎守法。"廉希宪下令:"对待俘虏,军士如敢滥杀者,以故意杀害平民论处;被军

4389

士所抢掠来的人,因生病被抛弃者,允许他人收养,病愈之后,原来的主人不许再寻回为役;立契约卖妻子儿女者,重惩其罪,并没收其所得。"先时江陵城外蓄了水用来抵御元军,廉希宪令人决堤排水,得到良田数万亩,作为贫民的产业。又打开沙市的粮仓,将未登记入官的二十万斛粮食,用来救济公安一带的饥民,百姓对此十分高兴。

六月,庚子朔(初一),出现日食,不久太阳被遮住。白天暗如黑夜,天空中出现星星,鸡鸭都回窝了。王爚奏道:"太阳差一点全部给吃掉了,阴盛阳衰,日后天灾没有比这更大的了,乞请皇帝罢免我的官职。"他的要求未获批准。

起初,成都安抚使昝万寿镇守嘉定、兴元,与元将赛音谙德齐对垒,赛音谙德齐始终以诚意待昝万寿,从不令兵侵掠,令昝万寿心中佩服。不久,元军召赛音谙德齐回朝,昝万寿请求备酒宴送行,并与其通好,赛音谙德齐径直前往,毫不怀疑。酒送上来,侍卫们劝他不要饮,赛音谙德齐笑道:"你们的见识为什么这么短浅啊!昝将军能毒死我,难道他能将我朝人都毒死吗?"昝万寿闻此深为叹服。

这时,元主召汪良臣入朝进见,命他道:"成都遭受战乱已很久了,须你去将它安定下来。"汪良臣进攻嘉定,昝万寿坚守不出。汪良臣推测附近必有伏兵,令大搜山谷,果然发现伏兵,抓获并杀了他们,随后元军进入营垒,逼近嘉定城。昝万寿率全军出战,结果大败,就率所辖境内的三龟、九鼎、紫云诸城投降元军。元主任命昝万寿为签四川行枢密院事,赐名"顺"。

辛丑(初二),太皇太后降旨,削去自己"圣福"的尊号,以应合上天的警告。同时命侍从以上官员可推举文武人才,即使是被贬谪的人,也允许推举。

庚戌(十一日),杀翁应龙,没收了他的家产。

甲寅(十五日),留梦炎从湖南入朝,王爚、陈宜中都请求朝廷任命留梦炎为丞相,而他们主动要求离职。太皇太后道:"二位丞相不要借此机会求清闲。"于是就任命王爚为平章军国重事,一月二次入宫讲读,五日一次上朝议政。任命陈宜中为左丞相,留梦炎为右丞相,并兼枢密院使,都督诸路军马。王爚当日就去民间居住,将丞相府让给陈宜中。陈宜中说:"一个辞让,一个接受,我怎么去解除天下人的非议呢?"于是辞官而去。朝廷派人多次阻拦挽留他,才回朝任职。

己未(二十日),提升李庭芝为知枢密院事。

辛酉(二十二日),潼州安抚使、江安州知州梅应春献城投降元军。

丙寅(二十七日),扬州都统姜才,副将张林,率领步骑兵二万人乘夜攻打元军扬子桥木栅。守栅元将万户史弼向阿珠告急,阿珠率总管管如德等从瓜洲领兵前往救援,次日早晨,赶到栅下。姜才军在两岸布阵,阿珠指挥骑兵渡水夹击,宋军阵地坚不可动,阿珠领兵退去。姜才率军进逼元军,战斗不利而后退,阿珠指挥步骑兵齐头并进,于是宋军大败。管如德活捉张林,姜才只身一人,幸免于难,士卒死者一万余人。

丁卯(二十八日),朱禩孙被除名,并没收了他的家产。

秋季,七月,辛未(初二),张世杰与刘师勇、孙虎臣等,大规模出动水军一万余艘船只,临时驻扎在焦山,张世杰令以十条船为一方阵,停泊在长江中流,没有号令,不许擅自起锚,违令者立斩不赦。元军阿珠登上石公山观望宋军水师,说:"可用火烧的办法打败它。"于是就派遣千名健壮的弓箭手,乘载巨舰,分为两翼夹射宋师,阿珠自率中路,三路军合力进攻,接着又用火箭疾射宋军船只,船上帆和桅杆都燃烧起来,烟雾火焰弥漫,蔽住了江面,宋军各路人马拼死战斗,却因船只拥挤在一起,逃走困难,许多人投江而死。张弘范、董文炳、刘国杰又以精锐部队横冲过来,张世杰溃不成军,只有奔逃圌山,阿珠、张弘范率部紧追不舍,缴获白鹞子船七百余艘。刘师勇率部撤回常州,孙虎臣率部撤回真州。张世杰向朝廷请求援军,这请求未见答复。刘国杰,原是女真族人,姓乌库哩,进入中原后,改姓刘氏。他相貌魁梧,善于骑射,胆力超群,多次立有军功,蒙古主为了激励他,诏令加封他为怀远大将军,赐号为巴图。刘国杰排行第二,因此称他为"刘二巴图"。

甲戌(初五),三学学生及台谏、侍从都上奏章,请求朝廷诛杀贾似道,太皇太后不准奏。待到贾似道上表自己认罪,并说他是被夏贵、孙虎臣所误,乞求保全余生时,朝廷才给予贾似道降官三级的惩处,令李庭芝从水路遣送贾似道回绍兴,去为其母守丧。贾似道滞留扬州不肯回去。王爚向朝廷奏道:"贾似道既不以死尽忠,又不守丧尽孝,请皇帝降旨严加惩处。"至此贾似道才回绍兴,绍兴守臣紧闭城门,拒不接纳他入城。王爚又给太皇太后上奏章道:"本朝权臣造成的灾祸,没有比贾似道再严重的了。上至缙绅,下至百姓,不知上过多少奏疏,陛下都搁置不行,听了人们的议论,也并不忧虑,怎么谢罪于天下?"这时太皇太后才降旨叫贾似道在婺州居住。婺州人听说贾似道要来,领着大家写声讨檄文,驱逐他出境。

丁丑(初八),又降旨迁徙贾似道去建宁府。

翁应龙被杀之后,廖莹中、王庭被朝廷除名,流放到岭南,都自杀身亡了。于是御史孙嵘叟等又以贾似道处罚过轻为由,向朝廷奏请斩贾似道以正国法。他们又上疏,列举贾似道追名逐利、喜爱揭短、贪得无厌、沉溺女色、心地狭隘、骄横跋扈、吝啬、专制、残忍、荒谬等十大罪状。太皇太后还是不听。翁合向朝廷奏道:"贾似道独揽大权,欺君罔上,出卖国家,召来战事,专谋私利,虐待百姓,滔天大罪,人人都能说出来,迫于众怒,才仅仅贬去建宁。建宁正是当年朱熹讲道的阙里,就是三尺儿童也知道善恶,听到贾似道的名字,都想呕吐,更何况还要见他的面呢?应该把他流放到荒无人迹的地方去侍奉魑魅。"庚寅(二十一日),诏令再贬贾似道为高州团练副使、循州安置,没收他的家产,派遣使者监押到被贬的地方。

会稽县尉郑虎臣,因其父亲曾被贾似道刺配,想要报复他,主动请求前往押送。贾似道当时住在建宁的开元寺内,尚有几十个侍妾服侍他。郑虎臣到后,将侍妾全部驱逐,撤去轿盖,让贾似道在秋天的太阳下暴晒,又命轿夫唱杭州民歌戏弄他,每每点名斥责贾似道,贾似道又受窘又受辱。一天,进一古寺,见墙壁上有吴潜南行时所题的字,郑虎臣叫贾似道来看题字,并责问道:"贾团练,吴丞相为什么到这里来的呀?"贾似道羞愧得无言可答。走到泉州洛阳桥,遇见了从漳州放归的叶李,贾似道与他在客邸相见,叶李赋了一首诗,送给他,贾似道谦卑地向叶李道歉。

朝廷追复皮龙荣官职。

辛卯(二十二日),陈宜中离左丞相位。

当初,张世杰领兵出征,王爚奏道:"陈宜中、留梦炎二位丞相中,应该有一位去吴门督师,否则我虽然年老无能,如果要效命死于疆场,也绝不敢推辞。"适逢张世杰败于焦山,王爚又上言道:"事情没有比战事更重要的了。现在二位丞相一起设置都督,国家的重大决策,臣无法知道。比如六月的出师作战,诸将没有统帅。臣怎么不知吴门离京城不远?而为此自请监师,完全因为大敌压境,不是御驾亲征,就是派大臣督师。现在张世杰因为诸将不齐心而招致失败,不知道国家还能经受住几次失败呢?臣既然不能尽职,又不能进言,乞请罢免我的平章之职。"太皇太后不准奏。

京学士刘九皋等跪伏于宫阙上书,奏道:"陈宜中独揽大权,祖护贾似道;赵溍、赵与鉴都弃城逃走,陈宜中却宽容他们的过错用以报答私恩;令狐概、潜说友都已献城降敌,陈宜中还接受他们的贿赂而成为他的羽翼;文天祥率兵救援朝廷,他听信谗言,加以阻挠;贾似道丧师辱国,他明着请惩罚贾似道,暗中却加以庇护;元军逼近国门,救援的部队仍然留在京城,不派去御敌;宰相应当出任督师,而他畏缩犹豫,只令大家商议而不去执行;吕师夔心怀狼子野心,而他却让此人去与元军通好乞盟;张世杰统率的步军,却用于水战,刘师勇统率的是水军,却反用作陆战,指挥失误,因此而战败。臣恐怕误国的不仅仅一个贾似道。"起初,陈宜中遇事大多擅自决断,不通知王爚,有人说京学士的奏章,实际上是王爚唆使写的。奏章已呈上,陈宜中不辞而别,朝廷派遣官员多次地召他还朝,陈宜中却不回来。

壬辰(二十三日),太皇太后将刘九皋投入临安监狱。亲手写诏道:"给舍的奏折,说王爚与陈宜中必定很难长久相处。同时王爚最近奏请免去平章之职,字里行间颇有不平之气,真像人们传说的那样。可以罢去王爚平章军国重事之职,任命他为少保、观文殿大学士充醴泉观使。"这一年,王爚去世。王爚为人品德高尚,意志坚强,不迎合权贵。等他做了丞相以后,正遇国势危亡的时期,竟不能与同僚合计以挽救国家,士人论及此事都为他惋惜。

昝万寿投降之后,两川郡县大多送礼归降,唯有张钰坚守重庆,元军未能攻下。元主令建东西行枢密院,合兵围攻重庆。

巴延到上都,对元主当面陈述形势,恳请进军,于是拜他为右丞相。巴延推辞说:"阿珠功劳多,我应位居他的后面。"元主于是晋升阿珠为左丞相,仍诏令巴延直接前去攻临安,阿珠仍然进攻淮南,阿尔哈雅去夺取湖南,万户宋都木达及武秀、张荣实、李恒、吕师夔等去夺取江西。元主仍下诏告谕巴延道:"宋国君臣如相率来归降,则赵氏宗族可保证平安无事,宗庙全部允许保存如旧。"

癸巳(二十四日),朝廷诏令,知泸州夏贵晋升为枢密副使、两淮宣抚大使,与淮东制置副使、知扬州朱焕互调所任,召李庭芝回朝。夏贵不接受诏令,朱焕仍旧回扬州,李庭芝也不能成行。

起用文天祥为兵部尚书。

高斯得被罢职。乙未(二十六日),朝廷任命殿中侍御史陈文龙为同签书枢密院事。

丙申(二十七日),因开庆兵祸的缘故,追究史嵩之的罪责,削去他的谥号。

续资治通鉴卷第一百八十二

【原文】

宋纪一百八十二　起旃蒙大渊献【乙亥】八月,尽柔兆困敦【丙子】闰三月,凡九月。

帝㬎

德祐元年　元至元十二年【乙亥,1275】　八月,己亥朔,总制毛献忠将衢州兵入卫。

辛丑,疏决临安府罪人。

壬寅,右正言徐直方遁。

加夏贵两淮宣抚大使,李芾为湖南镇抚大使、知潭州。

乙巳,吴继明复平江县,旋加继明湖北招讨使。

己酉,拘阎贵妃集庆寺、贾贵妃演福寺田还安边所。

丁巳,加张世杰(神龙)〔龙神〕卫四厢都指挥使、总都督府诸兵。

庚戌,刘师勇攻吕城,破之;戊午,加师勇和州防御使。

赵淇除大理少卿。王应麟言:"昔内外以宝玉献贾似道,淇兄弟为甚。"己未,罢之。

辛酉,元主归自上都。

甲子,文天祥至临安,上疏言:"本朝惩五季之乱,削藩镇,建都邑,虽足以矫尾大之弊,然国以寖弱,故敌至一州则一州破,至一县则一县破,中原陆沉,痛悔何及!今宜分境内为四镇,建都督统御于其中,以广西益湖南而建阃于长沙,以广东益江西而建阃于隆兴,以福建益江东而建阃于番阳,以淮西益淮东而建阃于扬州。责长沙取鄂,隆兴取蕲、黄,番阳取江东,扬州取两淮;地大力众,乃足以抗敌。约日齐奋,有进而无退,日夜以图之,彼备多力分,疲于奔命,而吾民之豪杰者,又伺间出于其中,如此则敌不难却也。"时议以为迂阔,不报。命天祥知平江府。

元廉希宪既安辑荆南之民,叹曰:"教不可缓也!"遂大兴学校,选教官,置经籍,希宪仍亲诣讲舍以厉诸生。由是思、播田、扬二氏及西南溪峒,皆越境请降。元主闻之,曰:"先朝非用兵不可得地,今希宪能令数千百里外越境纳土,其治化可见也。"

九月,己巳,授陈宜中观文殿大学士、醴泉观使兼侍读,不至。

庚午,元阿哈玛特,以军兴国用不足,请复立都转运使九,量增课程元额,鼓铸铁器,官为局卖,禁私造铜器。

丁丑,元弛河南鬻马之禁。

己卯,陈宜中乞任海防,不允。

辛丑,有事于明堂,赦。先是议以上公摄行,权工部侍郎兼给事中杨文仲曰:"今祗见天地之始,虽在幼冲,比即丧次,已胜拜跪,执礼无违,所当亲飨。"从之。

丙戌,命文天祥为都督府参赞官,总三路兵,仍知平江。

郑虎臣监押贾似道,舟次南剑州黯淡滩,虎臣曰:"水清甚,何不死于此?"似道曰:"太皇许我不死。"至漳州木绵庵,虎臣曰:"吾为天下杀似道,虽死何憾!"遂拘其子与姜于别馆,即厕上,拉其胸杀之。后陈宜中至福州,捕虎臣,毙于狱。

元兵入泰州,孙虎臣自杀,旋赠太尉。

甲午,扬州都统姜才率步骑万五千人攻元湾头堡,为阿珠所败。乙未,元兵攻吕城,张彦被执,降于元。吕城既失,常州势益孤。

丙申,元以伊实特穆尔为御史大夫,括江南诸郡书版及临安秘书省《乾坤宝典》等书。

元兵攻常州,久不下,昭文(殿)〔馆〕大学士姚枢言于元主曰:"陛下降不杀人之诏,巴延济江,兵不逾时,西起蜀川,东薄海隅,降城三十,户逾百万,自古平南未有如此之神捷者。今自夏徂秋,一城不降,皆由军官不思国之大计,不体陛下之深仁,劫财剽杀所致。扬州、焦山、淮安,人殊死战,我虽克胜,所伤亦多。宋之不能为国审矣,而临安未肯轻下。好生恶死,人之常情,惟惧我招徕止杀之信不坚耳。宜申止杀之诏,使赏罚必立,恩信必行,圣虑不劳,军力不费矣。"

冬,十月,戊戌朔,元享于太庙。

己亥,加张世杰沿江招讨使,刘师勇福州观察使,总统出戍兵。

癸卯,玉牒殿灾。

丁未,以留梦炎为左丞相,陈宜中为右丞相,并兼枢密使,都督诸路军马。宜中在温州,被召,以亲老辞。太后自为书遗其母扬州,使谕之,宜中乃赴召。

李芾至潭州,元游骑已入湘阴、益阳诸县。城中守卒不满三千,芾结峒蛮为援,缮器械,峙刍粮,栅江修壁。及元兵围城,芾慷慨登陴,与诸将分地而守,民老弱皆出,结保伍助之,不令而集。芾日以忠义勉将士,死伤相籍,人犹饮血乘城,殊死战,有来招降者,辄杀之以徇。

元阿珠攻扬州,既筑长围,于是城中食尽,死者枕籍满道,而李庭芝志益坚。

元巴延次湾头,阿喇罕自建康来会,巴延令还建康起兵,乃留博尔欢及阿里布守湾头,而自帅众渡江。壬戌,至镇江,分军为三道:阿喇罕帅右军,自建康出广德四安镇,趣独松关;董文炳帅左军,出江入海,以范文虎为乡导,取道江阴,趣澉浦、华亭;巴延及阿塔哈将中军,以吕文焕为乡导,趣常州;期并会于临安。

癸亥,常州告急,朝廷遣张全将兵二千救之,知平江府文天祥亦遣部将尹玉、麻士龙、朱华将兵三千随全赴援。士龙战虞桥,败死,全不救,走还五牧。时朱华驻军五牧,华欲掘沟堑,设鹿角,全皆不许。既而元兵薄华,华率广军与之战,自辰至未,胜负未决。逮晚,元兵绕出山后薄赣军,尹玉力战,杀千人,全提军隔岸,不发一矢,玉遂败。诸败军争渡水,挽全军船,全令其军斩挽者指,于是溺死者甚众。玉收残卒五百人,复鏖战,自夕达旦,杀元军人马,委积田间,玉复手杀数十人,力屈被执,元人恨之,横四枪于其项,以棍击杀之,其部下皆死,无一人降者。天祥欲斩全以警众,帅府不许,宥之使赎。

十一月,丁卯朔,铜关将贝宝、胡岩起攻溧水,败死。

庚午,以陈文龙同知枢密院事,黄镛同签书枢密院事。

癸酉,赠尹玉濠州团练使,麻士龙高州刺史。

戊寅,元阿喇罕破银林东坝,戍将赵淮兵败,与其妾俱被执,妾死之。阿珠使淮招李庭芝,许以大官,淮佯诺,至扬州城下,乃大呼曰:"李庭芝,尔为男子,死则死耳,毋降也!"阿珠怒,杀之。

元兵入广德军四安镇,陈宜中仓皇发临安民年十五以上者,皆籍为兵,号武定军,召文天祥自平江入卫。

壬午,元将宋都木达等长驱而进,所至莫当其锋,隆兴转运判官刘槃以城降。不数日,取江西十一城,进逼抚州。时黄万石为江西制置使,开阃州治,闻兵至,奔建昌。都统密佑率众逆战进贤坪,元兵呼曰:"降者乎?斗者乎?"佑曰:"斗者也。"麾其兵突进,至龙马坪,元军围之数重,矢下如雨。佑身被四矢、三枪,犹挥双刀,率死士数十人斫围南走,前渡,桥板断,被执。宋都木达曰:"壮士也!"欲降之,系之月馀,终不屈。骂万石为卖国小人,使我志不得伸。宋都木达又命刘槃、吕师夔以金符遗之,许以官,佑不受。复令佑子说之曰:"父死,子安之?"佑斥曰:"汝行乞于市,第云密都统子,谁不怜汝?"怡然解衣请刑,遂死,元兵皆泣下。佑之先,密州人,后渡淮,居庐州。

元兵进入建昌,黄万石走入闽。

元改顺天府为保定府。

元枢密院言:"新附郡县,有既降复叛及纠众为盗,犯罪至死者,请从权宜处决。"诏:"今后杀人者死,问罪状已白,不必待时即行刑;其奴婢杀主者,具五刑论。"

癸未,元兵入兴化县,知县胡拱辰自杀。

甲申,元巴延至常州,会兵围城。知州姚訔,通判陈炤,都统王安节、刘师勇,力战固守。巴延遣人招之,譬喻百端,终不听。巴延怒,命降人王良臣役城外居民,运土为垒,土至,并人以筑之,且杀之,煎油作炮,焚其牌权,日夜攻不息。城中甚急,而訔等守志益坚。巴延叱帐前诸军(夺)〔奋〕勇争先,四面并进。攻二日,城破,訔死之。炤与安节犹巷战,或谓炤曰:"城北东门未合,可走。"炤曰:"去此一步,非死所矣!"日中,兵至,死焉。巴延命尽屠其民。执安节至军前,不屈,亦死。师勇以八骑溃围走平江。安节,坚之子也,事闻,赠龙图阁待制,炤直宝章阁,并官其子。

乙酉,升宜兴县为南兴军。

以江东提刑谢枋得为江西招谕使。初,枋得闻淮西、江东、西州郡守将,皆吕师夔部曲,故争降附,自以与师夔善,乃应诏上书,保师夔可信,宜分沿江诸屯,以师夔为镇抚使,使之行成,且请身至江州见文焕与议。朝廷乃以枋得为沿江察访使以往,会文焕北还,不及而反,遂改知信州。

丙戌,礼部尚书兼给事中王应麟,请为济王立后,乃诏赠太师、尚书令,进封镇王,谥昭肃,择后奉祀,赐田万亩。

留梦炎用徐囊为御史,擢黄万石、吴浚等。王应麟缴奏曰:"囊与梦炎同乡,有私人之嫌。万石粗戾无学,南昌失守,误国罪大,今方欲引以自助,善类为所搏噬者,必携持而去。吴浚贪墨轻躁,岂宜用之? 况梦炎舛令慢谏,诶言勿敢告,今之卖降者,多其任用之士!"疏再上,不报,出关俟命,再奏曰:"因危急而紊纪纲,以偏见而咈公议,臣封驳不行,与大臣异论,势不当留。"遂归。

己丑,元兵破独松关,冯骥死之,守将张濡遁。诏赠骥集英殿修撰。

独松既破,邻疆守者皆望风而走,朝廷大惧。时勤王师仅三四万人,文天祥与张世杰议,以为:"淮东坚壁,闽、广全城,若与敌血战,万一得捷,则命淮师以截其后,国事犹可为也。"世杰大喜。陈宜中白太后降诏,以王师务宜持重,议遂止。秘书监陈著上疏请从天祥之议曰:"与其坐以待困,曷若背城借一! 万有一幸,则人心贾勇! 且敌非必真多智力,不过乘胜长驱。若少沮之,则主兵之与悬军,其壮弱即异矣。"宜中不听,出著知台州。

元董文炳破江阴军。

元以高丽国官制僭滥,遣使谕旨,凡省、院、台、郡、官名、爵号与朝廷相类者,改正之。

乙未,左丞相留梦炎遁。

十二月,丁酉朔,诏贾似道归葬,返其田庐。

庚子,以吴坚签书枢密院事,黄镛兼权参知政事。

时陈宜中当国,遭时多难,不能措一策,唯事蒙蔽,将士离心,郡邑降破,方且理会科举、明堂等事及士大夫陈乞差遣,土人觊觎恩例。至是遣柳岳奉书如元军,称"廉尚书之死,乃盗杀之,非朝廷意,乞班师修好。"岳见巴延于无锡,泣谓曰:"嗣君幼冲,在衰绖之中,自古礼不伐丧。凡今日事至此者,皆奸臣贾似道失信误国尔。"巴延曰:"汝国执戮我行人,故我兴师。钱氏纳土,李氏出降,皆汝国之法也。汝国得天下于小儿,亦失之于小儿,天道如此,尚何多言!"遂令囊嘉特偕岳还。

癸卯,以陈文龙参知政事,谢堂同知枢密院事。

丙午,追封吕文德为和义郡王。朝议以吕文焕为元向导,乃追封文德,而以文德子师孟为兵部侍郎,觊成和议。

平江通判王矩之、都统制王邦杰,以城迎降于常州,巴延使吕文焕先往受之。

丁未,巴延入平江,张世杰未至,城已破,乃以兵入卫。

戊申,元右丞相呼图岱尔请上尊号曰宪天述道仁文义武大光孝皇帝,皇后曰贞懿顺圣昭天睿文光应皇后;不许。

庚戌,柳岳至自元军。癸丑,陈宜中复奏遣岳及宗正少卿陆秀夫、侍郎吕师孟等同囊嘉特使元军,求称侄纳币,不从则称侄孙,且敕吕文焕令通好罢兵。秀夫等见巴延于平江,巴延不许。宜中乃白太皇太后,奉表求封为小国,太后从之。

以文天祥签书枢密院事。

黄万石叛降元,都统米立死之。立,淮人,三世为将,初从陈奕守黄州,奕降,立溃围出,万石署为帐前都统。元军略江西,迎战于江坊,兵败,被执,不降,系狱。至是万石举军降,元行省遣万石谕立曰:"吾官衔一牙牌书不尽,今亦降矣。"立曰:"侍郎国家大臣,立一小卒尔。但三世食赵氏禄,赵亡,何以生为! 立乃生擒之人,当死,与投拜者不同。"万石再三谕之,不屈,遂遇害。

元以中兴路行省陈祐为南京总管兼开封府尹,吏多震慑失措,祐曰:"何必若是! 前为盗跖,今为颜子,吾以颜子待之。前为颜子,今为盗跖,吾以盗跖待之。"由是吏皆修饬,不敢弄法。

元赛音谔德齐奏:"云南诸夷未附者尚多,今拟宣慰司兼行元帅府事,并听行省节制。"又奏:"哈喇章、云南壤地均也,而州县皆以万户、千户主之,宜改置令长。"并从之。

潭州被围,湖南安抚使兼知州李芾,拒守三阅月,大小战数十合。至是元阿尔哈雅射书城中曰:"速下以活州民,否则屠矣。"不答。阿尔哈雅与诸将画地分围,决隍水以树梯冲。阿(里)〔尔〕哈雅中流矢,创甚,督战益急,城中大窘,力不能支。诸将泣请曰:"事急矣,吾属为国死可也,如民何?"芾骂曰:"国家平时所以厚养汝者,为今日也。汝第死守,有复言者,吾先戮汝!"

德祐二年 元至元十三年【丙子,1276】 春,正月,丁卯朔,元兵蚁附登城。知衡州长沙尹谷寓城中,时方为二子行冠礼,或曰:"此何时,行此迂阔事?"谷曰:"正欲令儿曹冠带见先人于地下耳!"既毕礼,乃积薪扃户,朝服,望阙拜已,即纵火自焚。邻家救之,火炽不可前,但遥见烈焰中,谷正冠危坐,阖门少长皆死。李芾命酒酹之,字谷曰:"尹务实,男子也,先我就义矣!"因留宾佐会饮,夜传令,犹手书"尽忠"字为号,饮达旦,诸宾佐出,参议杨霆赴园池死。芾坐熊湘阁,召帐下沈忠,遗之金,曰:"吾力竭,分当死。吾家人亦不可辱于俘,汝尽杀之,后杀我。"忠伏地叩头,辞以不能。芾固命之,忠泣而诺。取酒,饮其家人,尽醉,乃遍刃之。芾亦引颈受刃。忠纵火焚其居,还家,杀其妻子,复至火所,大恸,举身投地自刭。幕僚陈亿孙、颜应焱、钟蜚英皆死。潭民闻之,多举家自尽,城无虚井,缢林木者相望。守将吴继明、刘孝(思)〔忠〕以城降。

元兵利于掳掠,欲屠之,行省郎中和尚宣言曰:"拒我师者宋耳,其民何罪?既受其降,即是吾民,杀之何忍?且今列城多未附,降而杀之,是坚其效死之心也。"阿尔哈雅从之,由是袁、连、衡、永、郴、全、道、桂阳、武冈皆降。宝庆通判曾如骥,亦不屈死。

芾为人刚介,不畏强御,临事精敏,奸猾不能欺。且强力过人,自旦治事,至暮无倦容,夜率至三鼓始休,五鼓复起视〔事〕。望之凛然若神明,而好贤礼士,复蔼然可亲,虽一艺小善,必奖荐之。居官廉,家无馀资。

谷性刚直庄厉,士友皆严惮之,居官廉正有声。丁内艰,家居教授诸生,举动有礼。每行市中,市人相谓曰:"是必尹先生门人也。"至是死节,诸生往哭之者数百人。

霆自少以志节闻,辟京湖制置司干官。时吕文德为帅,素侮慢士,常试以难事,霆仓卒立办,皆合其意。一日,谓霆曰:"朝廷有密旨,出师策应淮东,谁可往者?"即对曰:"某将可。"又曰:"兵器粮草若何?"即对曰:"某营兵马,某库器甲,某处矢石刍粮。"口占授吏,顷刻案成。文德大惊曰:"平生轻文人,以其不事事也。君材于若此,何官不可为!吾何敢不敬!"后通判江陵,江陵雄据上流,表里襄、汉,兵民杂处,庶务丛集;霆随事裁决,处之泰然。霆有心计,善出奇应变,故所至有能声。

元吕师夔与万户武秀分定江东地,谢枋得以兵逆之,使前锋呼曰:"谢提刑来!"师夔军驰至,射之,矢及马前。枋得走入安仁,调淮士张孝忠逆战团湖坪,矢尽,孝忠挥双刀击杀百馀人,前军稍却,后军绕出孝忠后,众惊溃,孝忠中流矢死,马奔归。枋得坐敌楼见之,曰:"马归,孝忠败矣!"遂奔信州。师夔破安仁,进及信州,枋得弃妻子,负母,变姓名,走建宁唐石山

4397

转茶坂,每东乡号哭,人不识之,以为被病也。已而去,卖卜建阳市中,有来卜者,惟取米、履,委以钱,率谢不取。其后人稍稍识之,多延至家,使为子弟论学。

〔庚午〕,参知政事陈文龙、同签书枢密院事黄镛遁。

辛未,以吴坚为左丞相兼枢密使,端明殿学士常楙参知政事。日午,宣麻慈元殿,文班止六人。

诸关兵皆溃,〔己巳〕,知嘉兴府刘汉杰以城降元。

元兵围安吉州,知州赵良淳与提刑徐道隆同守。范文虎致书诱良淳降,良淳焚书,斩其使。及元兵迫临安,道隆召入卫,良淳率众独守,夜,芰舍陴上。既而戍将吴国定开门纳元兵,良淳命车归府,兵士止之曰:"侍郎何自苦?"良淳叱去之,闭阁自经。道隆未至临安,元兵追及之,一军尽没。道隆见执,守者稍怠,赴水死;长子载孙亦赴水死。良淳,汝愚之曾孙;道隆,武义人也。

元诸将利掳掠,争欲趣临安。巴延问计于郎中孟祺,对曰:"宋人之计,惟有窜闽耳,若以兵迫之,彼必速逃。一旦盗起,临安三百年之积,焚荡无馀矣。莫若以计安之,令彼不惧,正如取果,稍待时日尔。"巴延曰:"汝言正合我意。"遣人至临安安慰之。

陆秀夫自元军还,言巴延不肯从伯侄之称,太皇太后命用臣礼,陈宜中难之,太皇太后涕泣曰:"苟存社稷,称臣,非所较也。"乙亥,遣监察御史刘岊如巴延军,奉表称臣,上尊号,岁贡绢、银二十五万两、匹,乞存境土以奉烝尝,且约巴延会长安镇以输平。

己卯,参知政事常楙遁,以夏士林签书枢密院事,士林亦遁,独三学士誓死不去。

癸未,进封吉王昰为益王,判福州;信王昺为广王,判泉州。

先是召文天祥知临安府,天祥辞不拜,请以福王、秀王判临安以系民望,身为少尹,以死卫宗庙;又请命吉王、信王镇闽,广以图兴复;俱不许。至是宗亲复以请,太皇太后从之。以驸马都尉杨镇及杨淑妃弟亮节、俞充容弟如珪提举二王府事。

召留梦炎不至,以为江东、西、湖南、北宣抚大使。

陈宜中以元不许和,计无所出,乃率群臣入宫,请迁都,太皇太后不许。宜中恸哭以请,太皇太后命具装。及暮,宜中不入,太皇太后怒曰:"吾初不欲迁,而大臣数以为请,顾欺我耶!"脱簪珥,投之地,遂闭阁,群臣请见,皆不纳。盖宜中实以翼日行,仓卒失于陈奏耳。

元巴延至长安镇,宜中违约,不往议事。甲申,巴延进次皋亭山,阿喇罕、董文炳之师皆会,游骑至临安北关。文天祥、张世杰请移三宫入海,而己帅众背城一战,宜中不许,白太皇太后,遣监察御史杨应奎上传国玺以降。

表曰:"宋国主㬎谨百拜言:㬎眇焉幼冲,遭家多难。权奸贾似道,背盟误国,至勤兴师问罪。㬎非不欲迁避以求苟全,奈天命有归,㬎将焉往!谨奉太皇太后命,削去帝号,以两浙、福建、江东、西、湖南、二广、四川、两淮见存州郡,悉上圣朝,为宗社生灵祈哀请命。伏望圣慈垂念,不忍㬎三百馀年宗社遽至陨绝,曲赐存全,则赵氏子孙世世有赖,不敢弭忘!"巴延受之,遣使召陈宜中出议降事,而使囊嘉特奉玺表赴上都。是夜,宜中遁归温州之清澳。

张世杰、刘师勇及苏刘义,以朝廷不战而降,各以所部去。世杰次于定海,元石国英使都统卞彪说世杰降。世杰以彪来从己俱南也,椎牛享之。酒半,彪从容为言,世杰大怒,断彪舌,磔之于巾子山。师勇至海上,见时不可为,忧愤纵酒卒。

杨应奎自元军还,言巴延欲执政面议。

乙酉,太皇太后以文天祥为右丞相兼枢密使、都督诸路军马。丙戌,以家铉翁签书枢密院事,贾馀庆同签书枢密院事,知临安府。

元巴延下令,禁军士入城,违者以军法从事,复遣吕文焕赍榜谕临安中外军民,俾安堵如故。时三司卫兵白昼杀人,小民乘时剽杀,令下,乃止息。

戊子,命文天祥同吴坚、谢堂、贾馀庆使元军。

先是天台杜浒纠合四千人来勤王,当国者不省;往见天祥于西湖上,天祥奖异之,至是遂随天祥出使。天祥见巴延于明因寺,因说巴延曰:"本朝承帝王正统,衣冠礼乐之所在,北朝将以为与国乎?抑将毁其社稷也?"巴延以北诏为辞,言社稷必不动,百姓必不杀。天祥曰:"北朝若以欲为与国,请退兵平江或嘉兴,然后议岁币与金帛犒师,北朝全兵以还,策之上也。若欲毁其宗庙,则淮、浙、闽、广,尚多未下,利钝未可知,兵连祸结,必自此始。"巴延语渐不逊,天祥曰:"我南朝状元、宰相,但欠一死报国,刀锯鼎镬,非所惧也。"巴延辞屈,诸将相顾动色。巴延见天祥举动不常,疑有异志,留之军中,遣坚等还。天祥怒,数请归曰:"我此来为两国大事,何故留我?"巴延曰:"勿怒。君为宋大臣,责任非轻,今日之事,正当与我共之。"令万户蒙古岱、宣抚索多羁縻之,且以其降表不称臣,仍书宋号,遣程鹏飞、洪君祥偕贾馀庆来易之。

驸马都尉杨镇等奉益王、广王走婺州,杨淑妃、秀王与择从行。

知广德军方回、知婺州刘怡、知处州梁椅、知台州杨必大俱降于元。

辛卯,元张弘范、孟祺、程鹏飞,赍所易宋称臣降表至军前。

甲午,元立随路都转运使。

元穿济州漕渠。

二月,丁酉朔,日中有黑子相荡。帝率文武百僚诣祥曦殿望元阙上表,乞为藩辅。

元巴延承制以临安为两浙大都督府,命蒙古岱、范文虎入城,治都督事,又令程鹏飞取太皇太后手诏及三省、枢密院吴坚、贾馀庆等檄,谕天下州郡降附。执政皆署,家铉翁独不署。鹏飞命缚之,铉翁曰:"中书省无缚执政之理,归私第以待命可也。"乃止。

元巴延进屯湖州市,复令吕文焕及范文虎慰谕太皇太后。文焕因使人上表谢而出,有曰:"兹衔北命,来抗南师,视以犬马,报以仇雠,非臼子弟攻其父母,不得已也,尚何言哉!"巴延令张惠、阿喇罕、董文炳、张弘范、索多等封府库,收史馆、秘省图书及百司符印告敕,罢官府及侍卫军。

壬寅,罢遣文天祥所部勤王兵,以贾馀庆为右丞相兼枢密使,刘岊同签书枢密院事,与吴坚、谢堂、家铉翁并充祈请使,诣元大都。

馀庆凶狡残忍,岊狷邪小人,皆乘时窃美官,谓使毕即归,不以为意。谢堂独纳赂北军,得先归。

元巴延引文天祥与吴坚等同坐。天祥面斥贾馀庆卖国,且责巴延失信。吕文焕从旁谕解之,天祥并斥文焕及其侄师孟父子兄弟受国厚恩,不能以死报国,乃合族为逆。文焕等惭恚,遂与馀庆共劝巴延拘天祥,令随祈请使北行。

是日,元兵屯钱塘江沙上,临安人方幸波涛大作,一洗空之,而潮三日不至。

丁未，元谕临安新附府州司县官吏军民人等曰："间者行中书省右丞相巴延遣使来奏，宋母后、幼主暨诸大臣百官，已于正月十八日赍玺绶奉表降附。朕惟自古降王，必有朝觐之礼，已遣使特往迎致，尔等各守职业，其勿妄生疑畏。凡归附前罪，悉从原免，公私逋欠，不得征理，一应抗拒王师及逃亡啸聚者，并赦其罪。百官有司、诸王邸第、三学、寺、监、秘省、史馆及禁卫诸司，各宜安居。所在山林、河泊、巨木、花果外，馀物权免征税。秘书监图书、太常寺祭器、乐器、法服、乐工、卤簿、仪卫、宗正谱牒、天文、地理图册，凡典故文字并户口、版籍，尽仰收拾。前代圣贤之后，儒、医、僧、道，通晓天文、历数并山林隐逸名士，所在官司以名闻。名山、大川、寺观、庙宇并前代名人遗迹，不许拆毁，鳏寡孤独不能自存之人，量加赡给。"

于是巴延就遣宋内侍王埜入宫，收宋衮冕、圭璧、符玺及宫中图籍、宝玩、车辂、辇乘、卤簿、麾仗等物。

益王、广王自嘉会门出，渡浙江而南。巴延闻之，遣范文虎将兵追之。杨镇得报即还，曰："我将死于彼，以缓追兵。"杨亮节等遂负二王及杨淑妃徒走，匿山中七日。统制张全以兵数十人追及，遂同走温州。

戊午，元主祀先农于东郊。辛酉，如上都。

是月，夏贵以淮西叛降元。

初，阿珠屯淮南东道，其西道属之万户(昂)〔昂〕吉尔，俾驻和州，进攻庐州。贵以书抵巴延曰："毋费国力，攻夺边城。若行都归附，边城焉往！"至是举所部纳款，元以贵为淮西安抚使。

洪福，贵家僮也，从贵积劳知镇巢军。贵既降，招福，不听，使其从子往，福斩之。元兵攻城，久不拔，贵至城下，好语绐福，请单骑入城，福信之，门发，伏兵起，执福父子，屠其城，贵苴杀福一门。福子大源、大渊呼曰："法止诛首谋，何乃举家为戮？"福叱曰："以一命报宋朝，何至告人求活耶？"次及福，福大骂，数贵不忠，请南向死以明不背国，闻者流涕。

元人索宫女、内侍及诸乐官，宫女赴水死者以百数。

三月，丁卯，元以枢密副使张易兼知秘书监事。

元巴延入临安城，建大将旗鼓，率左右翼万户巡视，观潮于浙江，又登狮子峰，观临安形势，部分诸将，以独松关守将张濡尝杀廉希贤，斩之，籍其家。遣管如德招谕诸郡。福王与芮自绍兴至，巴延深慰之。

太皇太后及帝欲与相见，巴延固辞，曰："未入朝，无相见之礼。"明日，发临安，按塔哈、孟祺等入宫宣诏，趣帝及全太后入觐。祺读至"免系颈牵羊"之语，太后泣谓帝曰："荷天子圣恩，汝宜拜谢。"礼毕，帝与太后肩舆出宫。太皇太后以疾留内。与芮及沂王乃猷、度宗母隆国夫人黄氏并杨镇、谢堂、高应松庶僚刘黻然等及三学士诸生皆行。太学生徐应镳与其二子琦、崧、女元娘同赴井死。应镳，江山人。

元巴延北还，承制留阿喇罕、董文炳经略闽、浙，以蒙古岱镇浙西，索多镇浙东。会江西都元帅宋都木达，言宋二王在闽、广聚兵，将攻江西，乃遣达春移军，与李恒、吕师夔会阿喇罕、文炳同取未下州县，以追二王。

闰月，陆秀夫、苏刘义等闻二王走温州，继追及于道，遣人召陈宜中于清澳。宜中来谒，复召张世杰于定海，世杰亦以所部兵来。温之江心寺旧有高宗南奔时御座，众相率哭座下，奉益王昰为天下兵马都元帅,广王昺副之,发兵除吏,以秀王与择为福建察访使,先往闽中,抚吏民,谕百姓,檄召诸路忠义,同奖王室。会太皇太后遣二宦者以兵八人召二王还临安,宜中等沉其兵于江中,遂入闽。

时黄万石降元,以尝为福建漕使,欲取全闽以为己功,汀、建诸州方谋从万石送款,闻二王至,复闭门以拒万石。南剑守臣林起鼇遣军逐之,万石败走,其将士多来归,兵势稍振。

宜中等遂传檄岭海,言夏贵已复濒江州郡。元诸戍将以江路既绝,不可北归,皆欲托计事还静江,独广西宣慰使史格曰:"君等勿为虚声所惧,待贵逾岭,审不可北归,取途云南,未为不可,岂敢辄弃戍哉?"元行省又欲弃广之肇庆、德庆、封州,并戍梧州,亦为格所沮。

全太后与帝随元兵北行,至瓜洲,李庭芝与姜才涕泣誓将士,出兵夺两宫,将士皆感泣。乃尽散金帛犒兵,以四万人夜捣瓜洲,战三时,众拥帝避去。才追至蒲子市,夜,犹不退。阿珠使人招之,才曰:"吾宁死,岂作降将军耶!"真州苗再成亦谋夺驾,不克。

【译文】

宋纪一百八十二　起乙亥年(公元 1275 年)八月,止丙子年(公元 1276 年)闰三月,共九个月

德祐元年　元至元十二年(公元 1275 年)

八月,己亥朔(初一),总制毛献忠率领衢州兵入卫京师。

辛丑(初三),判决临安府的犯人。

壬寅(初四),右正言徐直方逃走。

加封夏贵为两淮宣抚大使,李芾为湖南镇抚大使、知潭州。

乙巳(初七),吴继明收复平江县,不久朝廷加封吴继明为湖北招讨使。

己酉(十一日),收回阎贵妃于集庆寺、贾贵妃于演福寺所占田地归还安边所。

丁巳(十九日),加封张世杰为龙神卫四厢都指挥使,总领都督府诸军。

庚戌(十二日),刘师勇攻打吕城,攻占了它。戊午(二十日)朝廷加封刘师勇为和州防御使。

朝廷授予赵淇大理寺少卿之职。王应麟弹劾他道:"过去朝廷内外官员把宝玉献给贾似道,尤其赵淇兄弟所献最多。"己未(二十一日),被罢职。

辛酉(二十三日),元主从上都回京。

甲子(二十六日),文天祥到达临安,向朝廷上疏道:"本朝鉴于五代之乱的教训,削去藩镇,建立都邑,虽然能够矫正藩镇权力过大,不听从朝廷调遣的弊病,然而国家的实力也因此而被削弱了。故此敌军到一州,则一州被攻克,到一县,则一县被攻克,中原陆续沦陷,实在令人痛悔呀!现在应把国土分为四镇,设置都督加以统御。从广西扩展到湖南,在长沙设立关口;从广东扩展到江西,在隆兴设立关口;从福建扩展到江东,在番阳设立关口;从淮西扩展到淮东,在扬州设立关口。责成长沙军去取鄂,隆兴军去取蕲、黄,番阳军去取江东,扬州军去取两淮;这样地广人多,足以抗击敌军。到时约好日期群起奋战,只许前进不许后退,日夜加紧谋划恢复失地。敌军守备的战线长,必然兵力分散,他们到处应战,疲于奔命,而我国的豪杰之士,又可伺机出击于敌占区之中,这样敌人不难击退。"朝廷认为此论过于迂阔,不

切实际,不予采纳。任命文天祥为平江府知府。

元大臣廉希宪对荆南之民全部安抚平定后,叹道:"教育不可以延缓啊!"于是就大力兴办学校,选择教官,购置经籍,廉希宪还亲临讲习所去勉励学生们。从此,思州、播州田、杨二氏及西南溪峒地区的首领,都纷纷越界前来请求归降。元主听到此事后感慨地说道:"前朝不用兵就不能得到土地,现在廉希宪能令数千数百里外的人越界赶来归降,其教化的作用可以想见了。"

九月,己巳(初二),授予陈宜中为观文殿大学士、醴泉观使兼侍读,但陈宜中拒不赴任。

庚午(初三),元朝阿哈玛特,以军费开支过大和国用不足为理由,奏请重设都转运使九人,根据各地实情,增加商税的基本数额,熔铸铁器,由官府掌管买卖,禁止私人制作铜器。

丁丑(初十),元朝放松了河南地区卖马的禁令。

己卯(十二日),陈宜中乞请朝廷,允许他担任海防的职务,未被批准。

辛丑(疑误),祭祀先帝的仪式在明堂举行,宣布大赦天下。在此之前,商议由太师代理皇帝主持祭祀先帝的仪式,代理工部侍郎兼给事中杨文仲说:"如今我们敬奉皇帝刚刚登上大统之位,虽然皇帝年龄尚幼,但紧接着就要主持先帝的丧礼仪式,皇帝已能够跪拜,执礼无违制之处,就应让皇帝亲自主持祭奠。"太皇太后批准了奏请。

丙戌(十九日),任命文天祥为都督府参赞官,总领三路兵马,仍旧知平江府。

郑虎臣监押贾似道,小船停泊在南剑州黯淡滩,郑虎臣对贾似道说:"水十分清澈,为什么不死在这呢?"贾似道答道:"太皇允许不处死我。"到了漳州木绵庵,郑虎臣道:"我为天下人杀贾似道,虽然死了又有什么可遗憾的呢!"于是就将贾似道的儿子和妾拘禁在住处,就在上厕所的时候,拉着贾似道的胸,杀了他。后来陈宜中到福州,逮捕了郑虎臣,郑后来死于狱中。

蒙古骑兵牵马玉雕　元

元军进入泰州,孙虎臣自杀身亡,不久朝廷追赠他为太尉。

甲午(二十七日),扬州都统姜才,率领步骑兵一万五千人攻打元兵的湾头堡,被阿珠击败。

乙未(二十八日),元军攻打吕城,张彦被擒,投降了元军。吕城失陷以后,常州守军的力量就更加孤立无援了。

丙申(二十九日),元朝任命伊实特穆尔为御史大夫,搜求江南诸郡的书籍及临安秘书省的《乾坤宝典》等书。

元军攻打常州,很久攻不下来。昭文馆大学士姚枢对元帝道:"陛下颁布了不杀人的诏书后,巴延渡过长江,部队没有经过多长时间,西起蜀川,东临海隅,投降的城池就有三十座,户籍超过百万,自古以来,平定南方,从来没有如此神速的。现在从夏季到秋季,没有一城投降,这都是由于军官们不考虑国家的大计,不体察陛下博大的仁爱之心,而抢劫财物滥杀无辜所造成的。扬州、焦山、淮安,人们都殊死奋战,我军虽然能够取胜,但伤亡也很大。宋朝已不能算作一个国家,是很清楚的了,然而临安却不肯轻易为我攻下。喜欢活着,厌恶死去,这是人之常情,只是因为害怕我们说的招降不杀的话不可靠,才拼命抵抗。应该重申严禁杀戮的诏命,使赏罚的制度一定要建立起来,恩信的措施一定要得以执行,这样圣上也不必为战事过虑劳神,军队也可以不必费时耗资了。"

冬季,十月,戊戌朔(初一),元帝在太庙举行祭祀。

己亥(初二),加封张世杰为沿江招讨使,刘师勇为福州观察使,统领出戍部队。

癸卯(初六),玉牒殿遇火灾。

丁未(初十),朝廷任命留梦炎为左丞相,陈宜中为右丞相,并兼枢密使,都督诸路军马。陈宜中在温州,被召入朝,他以侍奉老母为借口推辞不肯入朝。太后只得亲笔写手诏给他在扬州居住的母亲,让他母亲劝他回朝,陈宜中才还朝任职。

李芾抵达潭州,元军游骑已进入湘阴、益阳诸县。城中守军不足三千人,李芾联结峒蛮作为后援,修缮守城器械,储备粮草,又在江上设栅栏,并修筑了城墙。待元军围城时,李芾奋不顾身登上城上矮墙,与诸将分地守卫。百姓不分老弱都前来助战,自发地组织起来协助宋军守城,不用号令,主动聚集。李芾每天用忠义之道勉励将士,宋军虽伤亡惨重,人们依然浴血登城,殊死战斗。有来招降者,全部杀死,用来示众。

元将阿珠攻打扬州,城外全都筑起了长围,于是城中粮食断绝,路上到处尸体压着尸体,然而李庭芝守城的意志更加坚定了。

元右丞相巴延驻扎在湾头,阿喇罕从建康前来会合,巴延命令他回建康,即刻发兵,留博尔欢和阿里布守湾头,自己亲率大军渡江。壬戌(二十五日),元军抵达镇江,分兵三路:阿喇罕统帅右军,从建康出广德四安镇,直赴独松关;董文炳统率左军,出江入海,以范文虎为向导,取道江阴,直赴澉浦、华亭;巴延和阿塔哈统率中军,以吕文焕为向导,直赴常州,约定在临安会师的日期。

癸亥(二十六日),常州告急,朝廷派遣张全率兵二千前往救援。知平江府文天祥也派遣部将尹玉、麻士龙、朱华率兵三千随张全共同奔赴常州救援。麻士龙与元军战于虞桥,麻士龙战败而死,张全见死不救,反而逃回五牧。当时朱华驻军在五牧,朱华打算挖掘沟堑,埋设树枝树干等障碍物,张全都不允许。不久元军逼近朱华防地,朱华率领广军与元军激战,从辰时直打到未时,尚未分出胜负。待到晚上,元军绕出山后,进逼赣军,尹玉与敌力战,杀元兵一千人,张全率军隔岸观望,不放一箭,尹玉后无援军才致失败。诸败军争着渡水而逃,有些士兵拉住张全军的船舫想上船,张全令他的部下斩断拉船者的手指,于是很多人都淹死了。尹玉收集残兵五百人,又去与元军鏖战,从夜里杀到天亮,杀得元军人马尸体,横竖交错地躺在田地之中。尹玉又亲手杀死敌军数十人,直到筋疲力尽才被元军抓获,元人恨他骁勇,用四条大枪横在他的脖子上,以乱棍将他打死。他的部下全部牺牲,没有一个人投降元军。事后,文天祥要斩张全以警告全军,但帅府不同意,饶恕了他的死罪让他戴罪立功。

4403

十一月,丁卯朔(初一),铜关守将贝宝、胡岩起攻打溧水,战败而死。

庚午(初四),任命陈文龙为同知枢密院事,黄镛为同签书枢密院事。

癸酉(初七),追赠尹玉为濠州团练使,麻士龙为高州刺吏。

戊寅(十二日),元将阿喇罕攻破银林东坝,守将赵淮战败,与他的妾一同被擒,他的妾死了。阿珠令赵淮去招降李庭芝,答应事后授予高官,赵淮假装同意,待到扬州城下,就大喊道:"李庭芝,你要是男子汉,死就死,绝不能投降啊!"阿珠听说后大怒,杀了赵淮。

元军攻入广德军四安镇,陈宜中惊慌失措,仓促间征用十五岁以上的临安百姓,都让注册当兵,建军号为武定军。召文天祥从平江赶来入卫京师。

壬午(十六日),元将宋都木达等长驱直入,所到之处,没人能挡住他的锋芒,隆兴转运判官刘槃献城投降。没过几天,宋都木达等就夺取了江西十一座城池,直逼抚州。此时,黄万石为江西制置使,打开州治的城门。听说元军到了,马上逃奔建昌。都统密佑率军迎战元军于进贤坪,元军大声呼叫道:"你们是来投降的呢?还是来较量的呢?"密佑道:"我们是来较量的!"说完,指挥他的部队突然发动进攻,战至龙马坪,元军将密佑所部重重围住,箭像雨点一般射向宋军。密佑身受四箭、三枪,依然挥舞双刀,率领敢死的士兵数十人冲破重围向南撤退,退至前面渡口,桥梁折断,被元军抓获。宋都木达赞道:"真是壮士啊!"想让他投降,关押了一个多月,密佑始终不肯屈服,痛骂黄万石为卖国小人,使我的志向未能得以施展。宋都木达又命刘槃、吕师夔赠送金符给他,并答应授予官职,密佑都不肯接受。后又令他的儿子去劝说他道:"父亲死了,儿子到哪里去呢?"密佑斥责道:"你到街上去要饭,只要说是密都统的儿子,谁不怜悯你?"他神色坦然地解开衣服请求施刑,接着就被杀害了,元军见到这种情况,都流下了眼泪。密佑的祖上,是密州人,后来渡过淮河,定居在庐州。

元军进入建昌,黄万石逃入闽。

元朝改顺天府为保定府。

元枢密院奏道:"新近归附的郡县,有已经投降又反叛的,有聚众为盗的,对于这些犯了死罪的人,请求朝廷授予权限,根据情况处决。"于是下达诏令:"今后杀人者要处以死刑,罪状已经审问清楚,不必等待行刑的季节即可行刑;凡奴婢杀死主人者,按五刑处置。"

癸未(十七日),元军攻入兴化县,知县胡拱辰自杀身亡。

甲申(十八日),元右丞相巴延抵达常州,调集诸军围攻常州城。知州姚訔,通判陈炤,都统王安节、刘师勇竭力战斗,坚守城池。巴延派人招降,虽百般劝谕,但他们始终拒绝接受。巴延非常生气,命令降臣王良臣役使城外居民,运土筑造营垒,土运来了,把人一起筑在垒墙中,而且杀死役民,熬油作炮,焚烧了当地的牌权。元军日夜不停地攻城,城中形势异常危急,而姚訔等人守城的意志却更加坚定。巴延怒叱帐前各军的将领,命令他们奋勇争先,四面并进。连攻二日,常州城被元军攻破,姚訔殉国。陈炤和王安节依然率部与敌巷战,有人对陈炤道:"城北的东门尚未关上,可由此突围。"陈炤道:"离开此处一步,就不是我死的地方。"中午时,元军大部队赶到,陈熠等战死。巴延命令屠杀全城军民。元兵擒获王安节,送到军前,他宁死不屈,也牺牲了。刘师勇率八骑突围奔向平江府。王安节是王坚的儿子。此事传到朝廷,追赠他为龙图阁待制;追赠陈炤为直宝章阁,并且给他的儿子也授了官职。

乙酉(十九日),提升宜兴县为南兴军。

任命江东提刑谢枋得为江西招谕使。

当初，谢枋得听说淮西、江东、西州郡的守将，都是吕师夔的部曲，因此争相降附于他。谢枋得自认为与吕师夔关系很好，就应诏上书，担保吕师夔可以信任，应该分别在沿江各地驻防，任命吕师夔为镇抚使，使他行成，并且请求准许自己亲往江州与吕文焕商议。朝廷于是就任命谢枋得为沿江察访使，前去江州，适逢吕文焕已返回北方，谢枋得没来得及见面，只好返回了，遂改知信州。

丙戌（二十日），礼部尚书兼给事中王应麟，请求为济王立后嗣，朝廷批准了他的奏请，下诏追赠济王为太师、尚书令，晋封为镇王，谥号昭肃，选择后嗣供奉祭祀，赐给田地万亩。

留梦炎任用徐囊为御史，提升黄万石、吴浚等。王应麟上疏奏道："徐囊与留梦炎是同乡，留梦炎有徇私的嫌疑。黄万石为人粗暴无学识，南昌失守，他误国罪大，现在却要召来做自己的助手，善良的人，为免于被他迫害，一定会相互携带，离开他。吴浚贪财图利，轻浮急躁，岂能任用！况且留梦炎违背圣命，扣压谏书，正直的言论都不敢上告朝廷，现在卖国投降的，大多是他所任用的人。"奏疏再次上呈朝廷，不见答复。王应麟出关待命时，再次上疏奏道："因为国事危急而紊乱了朝纲法纪，由于偏见而违逆了公议，臣因此封还失宜的诏命，不能听命，又与大臣的观点不一致，势必不适宜再留在朝廷内。"索性返还故里。

己丑（二十三日），元军攻破独松关，冯骥战死，守将张濡逃走。朝廷下旨追赠冯骥为集英殿修撰。

独松关已经失陷，邻近疆界的守将都望风而逃，朝廷大为恐慌。此时救援王朝的军队仅有三四万人，文天祥与张世杰商议，文天祥认为："淮东防线坚固，闽、广全境完整无损，未被元军染指，如果借此与元军拼死血战，万一得胜，则命淮师截断元军的后路，国事还可以有所作为。"张世杰听罢大喜。陈宜中告知他们太后降诏之事，认为王师务必持重谨慎，文天祥的提议竟然被废止了。秘书监陈著上疏，请求听从文天祥的提议，奏道："与其这样坐以待困，还不如借此背城一战，万一有幸战胜，则人心得以振奋！况且敌人也不一定就真是智勇超人，不过是乘胜长驱而已，如果对他们稍微加以阻止，那么我军与深入我境内的敌孤军，两者之间强弱的位置就会发生变化。"陈宜中不予采纳，调陈著出京师，知台州。

元将董文炳击破江阴军。

元朝廷认为高丽国官制过于混乱，派遣使者去宣谕圣旨，凡是省、院、台、郡，官名、爵号与朝廷的体制相类似的，一律按朝廷现有称谓更改过来。

乙未（二十九日），左丞相留梦炎逃离京师。

十二月，丁酉朔（初一），诏令允许贾似道归葬，返还他的田地房产。

庚子（初四），任命吴坚为签书枢密院事，黄镛兼代理参知政事。

此时陈宜中掌管朝政，正值国家遭遇诸多灾难时，他不能实施一条安国之策，而只知遇事蒙蔽朝廷，因此将士离心，郡邑相继投降元军或被攻破。在此危势之中，他却去关心科举、祭祀等事，以及士大夫陈乞安排职位，士人希望得到非分的恩赐。到这时又派遣柳岳奉国书到元军营中，称："廉尚书的死，乃是盗贼杀害了他，并不是朝廷的旨意，乞请贵军班师回朝，本朝愿意修好。"柳岳在无锡拜见巴延，哭着对他说："嗣君年幼，尚且还在服丧期间，自古按礼不伐举丧之邦。现在事情发展到这样的地步，都是奸臣贾似道失信误国造成的。"巴延道："你们国家扣押杀害我国使臣，因此我国出师。从前吴越国钱氏向你们交纳土地，南唐国李氏向你们献国投降,这些都合于你们国家的法令。你们国家从小儿手中取得天下,也将从小儿手中失去天下,天道如此,还何必多说!"于是就令囊嘉特偕同、柳岳返回临安。

癸卯(初七),任命陈文龙为参知政事,谢堂为同知枢密院事。

丙午(初十),追封吕文德为和义郡王。朝廷商议因为吕文焕是元朝的向导,才追封吕文德,而且任命吕文德的儿子吕师孟为兵器侍郎,希望能借此促成与元朝议和。

平江通判王矩之、都统制王邦杰,在常州献城投降元军,巴廷派吕文焕先行前往受降。

丁未(十一日),巴廷进入平江城,张世杰还未到,城池已被元军攻破,只得领兵入卫京师。

戊申(十二日),元右丞相呼图岱尔请求皇帝加尊号称为宪天述道仁文义武大光孝皇帝,皇后尊号称为贞懿顺圣昭天睿文光应皇后,未被批准。

庚戌(十四日),柳岳从元军中归来。癸丑(十七日),陈宜中再次奏请朝廷派柳岳及宗正少卿陆秀夫、侍郎吕师孟等同囊嘉特出使元军,请求向元朝以侄辈相称,并交纳贡品,如果元朝不同意则以侄孙辈相称,并敕令吕文焕通好罢兵。陆秀夫等在平江拜见巴廷,巴廷不答应宋朝的条件。陈宜中就去请示太皇太后,奉表去元朝请求封为小国,太后准奏。

朝廷任命文天祥为签书枢密院事。

黄万石背叛朝廷,投降元朝,都统米立殉国。

米立,是淮人,三代为将。起初跟随陈奕守卫黄州,陈奕投降元军后,米立突围出来,前往黄万石所部任帐前都统。元军侵入江西,米立率部迎战元军于江坊,兵败被擒,不肯投降,被关在狱中。到黄万石率全军投降后,元行省派黄万石去劝说米立投降,黄万石道:"我的官衔一块牙牌也写不完,现在我都投降了。"米立答道:"你是侍郎,乃是国家的大臣,我米立只不过是一个小卒而已。但是我三代都吃赵家的俸禄,赵家灭亡了,我为什么还要活着呢?我是被敌人活捉之人,理当去死,与向敌人屈膝投降者不一样。"黄万石再三劝谕他,他始终不肯屈服,终于被杀害了。

元帝任命中兴路行省陈祐为南京总管兼开封府尹,他属下的官吏们大多感到震惊恐惧,不知所措。陈祐说:"何必这样呢!你以前是盗跖那样的坏人,现在变成颜渊一样的好人了,我就把你待作颜渊。以前你是颜渊那样的好人,现在变成盗跖一样的坏人了,我就把你待作盗跖一样的坏人。"从此之后,属吏们都自我收敛了,再也不敢渎职违法了。

元朝赛音谔德齐奏道:"云南诸民族未归附的还有很多,如今应授权宣慰司兼行元帅府事,并听从行省指挥管辖。"又奏道:"哈喇章、云南两地大小差不多,州县都由万户、千户主管,应改设令长。"两条奏章都得到元帝的批准。

潭州被元军围困,湖南安抚使兼知州李芾,抗击元军坚守城池达三个月,大小战役数十次。元将阿尔哈雅射信到城中道:"速开城门投降,可留州民活路,否则就将屠城。"李芾不予答复。阿尔哈雅与诸将划分区域分头围攻,决开护城河水以灌城,竖起云梯冲锋。阿尔哈雅身中流矢,伤势很严重,督战却更加紧了,城中守卫越来越艰难,已经力不能支了。诸将哭着请求李芾道:"事态紧急,我们为国家而死,义不容辞,但是对百姓怎么办?"李芾骂道:"国家平时之所以给予你们优厚的待遇,就是为了你们现在为国献身,你们只管死守,有再劝说者,我先杀了你们!"

德祐二年　元至元十三年（公元1276年）

春季,正月,丁卯朔(初一),元军像蚂蚁一般登上潭州城墙。知衡阳长沙尹穀居住在城中,此时刚为他的两个儿子行完成年加冠礼,他的儿子们说:"这是什么时候了? 还做这种迂阔不切实际的事!"尹谷道:"我正是想让你们以成人的身份到地下去见你们的祖先。"冠礼结束后,尹谷将屋里堆上柴火,把门反扣死,身穿朝服,向着朝廷所在的方向跪拜,然后纵火自焚。毗邻人家前来救火,烈火炽热,无法近前,只是远远地看见,在烈焰中,尹谷穿戴整齐,端庄而坐,他满门老少都烧死了。李芾命人以酒祭奠他们,赞叹尹穀道:"尹务实,真男子也! 先我而舍身就义啦!"随后留下宾客僚属宴饮。夜传口令,李芾还以亲手书写的"尽忠"两字为号,饮至天亮,诸宾客僚属辞去,参议杨霆到园中的池塘里投水自尽了。李芾坐在熊湘阁,召来帐下部将沈忠,赠送他金子,对他说:"我已精疲力尽了,按名分应以死报国。我家人也不能被俘,受到侮辱,你把他们全都杀了,然后杀我。"沈忠跪伏在地上叩头,坚辞无法办到。李芾坚令他照办,沈忠哭着勉强答应了。沈忠取酒来,给李芾的家人喝,全家都醉了,李芾令沈忠一一手刃。李芾也引颈受刃,全家俱死。沈忠纵火,焚烧了李芾的寓所,回到家里,杀死了自己的妻子儿女,又回到烈火中的李芾家,大哭,纵身投入火中,自刎而死。李芾的幕僚陈亿孙、颜应焱、钟蜇英都自杀身亡。潭州百姓听说李芾等全家皆亡的消息,纷纷效仿,许多人全家自尽,城中所有水井都有人投井自杀,吊死在树上的人遥遥相望比比皆是。守将吴继明、刘孝忠献城投降了元军。

元军疯狂地掠夺,打算屠城,行省郎中和尚宣进言道:"抗拒我大军的是宋国的将领,他们的百姓有什么罪呢? 既然我们已经接受了他们的投降,那么他们就是我国的臣民,杀他们怎么忍心呢? 况且现在许多城池还未归附于我,潭州百姓投降之后反而被杀,这是坚定未降城池的军民拼死抗击我们的决心。"阿尔哈雅接受了他的意见。由此,袁、连、衡、永、郴、全、道、桂阳、武冈都投降了元朝。唯有宝庆通判曾如骥不肯屈服而死。

李芾为人刚毅忠直,不畏惧有权势的人。他遇事精明机敏,奸诈狡猾的人无法欺骗他。而且他精力过人,从早晨办事,直到晚上,毫无倦容,夜里一般办事办到三更才休息,到五更又起来办事 r。望着他相貌凛然,不可侵犯,像神明一般,而他好礼贤待士,又和蔼可亲,即使别人有一点小才能或者小善行,都一定要加以奖励举荐。他为官清廉,家中没有多余的财物。

尹穀性格刚直严肃,他的下属、朋友都很怕他。他做官廉洁正直,很有声望。家丁们生活艰苦,在家里,尹谷教育弟子们,举止应有礼貌。弟子们每上街,街上的人就会相互议论说:"这一定是尹先生的门人。"这次尹谷为国捐躯,弟子们前往哭悼的,有数百人之多。

杨霆从少年时就以有志节而闻名,被征召授职为京湖制置司干官。当时吕文德为统帅,平日对士兵的态度很轻慢,常以难办的事去试杨霆,杨霆虽在仓促之中,但仍能立即办妥,都符合吕文德的心意。一天,吕文德对杨霆说:"朝廷有密旨,诏令出师策应淮东,谁能前往?"杨霆马上答道:"某将可以胜任。"吕文德又问:"兵器、粮、草情况怎么样?"杨霆又马上答道:"某营有多少兵马,某库有多少器甲,某处有多少矢石粮草。"随口念出,指使属吏去办,顷刻间,事情就办完了。吕文德大惊道:"我平时轻视文人,认为他们什么事情也不做。你有如此的才干,何官不可以作,我怎么敢对你不敬呢?"后来杨霆为江陵通判,江陵雄踞长江上游,与襄、汉互为表里,军民杂处一起,烦琐杂乱的事情很多,杨霆遇事立即解决,处理得十分从容。杨霆素有心计,善于出奇谋以应变,因此他所到之处,皆有能办事的好名声。

元将吕师夔与万户武秀分别去平定江东各地,谢枋得领兵前往迎战,他命前锋高呼道:"谢提刑来此!"吕师夔率部疾驰而来,命放箭,箭射到了谢枋得的马前。谢枋得率部逃入安仁,调遣淮士张孝忠迎战元军于团湖坪,箭射完了,张孝忠挥舞双刀砍杀敌兵百余人,元前军稍稍后退,后军绕到了张孝忠军的背后,士兵们都惊恐地溃逃了,张孝忠身中流矢而亡,他的战马奔回宋营。谢枋得坐在敌楼上见到张孝忠的战马,说道:"马回来了,张孝忠败了!"于是就奔往信州。吕师夔攻克安仁,随后进军到信州,谢枋得抛弃了妻子儿女,背着母亲,更名改姓,逃到了建宁唐石山转茶坂。常常向东方号啕大哭,当地人不认识他,以为他有精神病。不久他离开了那里,在建阳市中占卜,有来占卜的人,他只收米、鞋等物,给他钱,他都辞谢不肯收下。以后渐渐有人知道了他的身份,大多邀请他到家中来,让他教子弟学业。

庚午(初四),参知政事陈文龙、同签书枢密院事黄镛逃走。

辛未(初五),朝廷任命吴坚为左丞相兼枢密使,任命端明殿学士常楙为参知政事。日午时,在慈元殿宣告朝廷任官诏书时,文班官员只剩下六个人。

诸关守军都溃逃了。己巳(初三),知嘉兴府刘汉杰献城投降了元军。

元军围攻安吉州,知州赵良淳与提刑徐道隆共同守城。范文虎去信诱使赵良淳投降,赵良淳烧毁了书信,斩杀了使者。待元军逼近临安,徐道隆被召去入卫京师,留赵良淳率士兵单独守城。夜里,他就住在城墙上。不久,守将吴国定打开城门接纳元军入城,赵良淳命车回府,兵士们劝阻他道:"侍郎何必自找苦吃?"赵良淳大声呵走兵士,紧闭阁门自杀身亡。徐道隆还未到临安,元军就追赶上他的队伍,将他全军歼灭。徐道隆被擒,守卫稍一疏忽,他便投水自尽了,他的长子徐载孙也投水而亡。赵良淳是赵汝愚的曾孙;徐道隆是武义人。

元朝诸将疯狂地进行掠夺,争着想进入临安。巴延向郎中孟祺问计,孟祺答道:"宋人的策略,唯有逃窜入闽,如果用兵逼急了,他们一定加速逃走。一旦群盗抢劫起来,临安三百年积蓄的财富,就会焚烧一空。还不如用计安抚它,令他不必恐慌,正如要摘取成熟的果子,只需稍待几天再摘就可以了。"巴延道:"你说的正合我意。"就派人到临安去安抚。

陆秀夫从元军中回朝,说巴延不肯答应两国君臣以伯侄相称,太皇太后命对元朝使用臣对天子的礼节,陈宜中认为这事很难办。太皇太后哭泣着说:"只要能保住社稷,称臣也不要计较了。"乙亥(初九),派遣监察御史刘岊去巴延军中,奉上奏章请求称臣,尊奉元朝皇帝为天子,每年上贡绢二十五万匹,贡银二十五万两,乞求保存现有国土以用来侍奉祖先宗庙的祭祀,并且约巴延相会于长安镇,商议败输的协约。

己卯(十三日),参知政事常楙逃走了,朝廷任命夏士林为签书枢密院事,夏士林也逃走了。唯有三个学士誓死不离开。

癸未(十七日),晋封吉王赵昰为益王,兼管福州军政事务;晋封信王赵昺为广王,兼管泉州军政事务。

起初,诏令文天祥知临安府,文天祥坚辞,未赴任,请求朝廷委任福王、秀王坐镇临安,以便维系百姓的期望,自己作为少尹,誓死捍卫赵氏的宗庙。又请求命吉王、信王镇守闽、广以图复兴宗室,都未得到奏准。这次皇室宗亲又提出以上奏请,太皇太后才予以准奏。任命驸马都尉杨镇及杨淑妃弟杨亮节、俞充容弟俞如珪主管二王府的事。

召留梦炎,留梦炎不应召,任命他为江东、江西、湖南、湖北宣抚大使。

陈宜中因为元朝不准议和,无计可施,就率领群臣入宫,请求迁都,太皇太后不予批准。陈宜中恸哭着,恳请太皇太后准许迁都,太皇太后才命准备行装。等到晚上,始终不见陈宜中入朝,太皇太后大怒道:"我当初不想迁都,而大臣们多次恳请我迁都,不过是欺骗我呀!"说着摘下头上的簪珥等,狠狠地摔在地上,然后紧闭阁门,任凭群臣求见,一概不见。其实陈宜中确实决定第二天起程',只是因诸事繁多,仓促之间忘记了陈奏而已。

元右丞相巴延守约,如期到达长安镇,陈宜中违背前约,不前往议事。甲申(十八日),巴延率部进驻皋亭山,阿喇罕、董文炳的部队都赶来会师,元军游骑也已经到了临安北关。文天祥、张世杰请求三宫迁移到海上,而自己准备率领军队背城一战,陈宜中不允许,把事情奏明太皇太后,派遣监察御史杨应奎奉上传国玉玺及降表投降元军。

降表道:"宋国君主赵㬎诚惶诚恐,百拜奉表言:㬎年纪幼小,又遇父丧,家中多难,权奸贾似道,背弃盟约,贻误国家大事,以致辛苦你们兴师前来问罪。㬎不是不想迁都躲避,以求得苟全,无奈天命所归,㬎往哪里去呢? 谨奉太皇太后之命,削去皇帝的尊号,以两浙、福建、江东、江西、湖南、二广、四川、两淮现存的州郡,全部奉献给圣朝,并为宗族、社稷及全国百姓祈告,哀求准予保全生命。希望圣上发发慈悲垂念我们孤儿寡母,不思心㬎祖先创业以来三百余年的宗庙社稷,竟顷刻之间如此隔绝,委屈您赐予我们生命,那么赵氏子孙将世世代代有所依赖,我们永远不敢忘记圣恩!"巴延接受了宋国的传国玺和降表,派遣使臣召陈宜中前来商议归降的具体事宜,另派囊嘉特捧着传国玉玺和降表前往上都送予元帝。这天夜里,陈宜中逃归温州的清澳。

张世杰、刘师勇和苏刘义,因为朝廷不战而降,各率本部人马离去。张世杰驻扎于定海,元将石国英令都统卞彪去劝说张世杰投降。张世杰起初以为卞彪是跟随自己一起去南方的,特意椎杀了牛,款待他。酒至半酣,卞彪从容地劝说张世杰归降元朝,张世杰听罢大怒,割断了卞彪的舌头,在巾子山肢解了他。刘师勇到了海上,眼看时局已无法挽回,忧愤纵酒而亡。

杨应奎从元军回来,说巴延想与执政者当面商议归降事宜。

乙酉(十九日),太皇太后任命文天祥为右丞相兼枢密使、都督诸路军马。丙戌(二十日)任命家铉翁为签书枢密院事,贾余庆为同签书枢密院事,知临安府。

元巴延下令,禁止士兵进入临安城,违抗者按军法从事。又派遣吕文焕送榜文入临安城告谕临安内外的军民,使百姓安居如故。当时护卫三司的卫兵在光天化日下杀人,就连普通百姓也乘机抢劫杀人,直至禁令下达以后,混乱局面才得以制止平息。

戊子(二十二日),朝廷委命文天祥和吴坚、谢堂、贾余庆出使元军。

在此之前,天台的杜浒纠集了四千人前来保卫京师,当权者不知其意;他又前往西湖拜会文天祥,文天祥特别嘉奖了他,此次他也随文天祥出使元军。文天祥在明因寺拜见巴延,劝他说:"本朝继承的是帝王的正统基业,是文明礼教之邦,北朝将打算把我们当作国家对待? 还是准备毁灭我国的宗庙社稷呢?"巴延出示元帝的手诏为凭据,解释说,一定不会危及宋朝的社稷,一定不会屠杀宋朝百姓。文天祥道:"北朝要是打算承认我们还是国家的话,请退兵到平江或嘉兴,然后商议每年纳贡以及以金帛、犒劳贵军等事宜,北朝全军班师回朝,这是上策。如果打算毁灭我国的宗庙社稷,那么淮、浙、闽、广等还有许多未被占领的国土,宋军将起而抗击,胜败尚不可预料,从此战事将连绵不断,灾祸会接踵而来。"巴延的语气逐渐强硬起来。文天祥道:"我是南朝的状元、宰相,深受国恩,所欠的只有一死以报效国家,任凭刀锯鼎烹,我都无所畏惧。"说得巴延理屈词穷。诸将相互看着,脸色都变了。巴延发现文天祥的举止不同寻常,非一般人可比,怀疑他另有企图,就把他留在军中,让吴坚等人回宋营。文天祥大怒,多次要求返回宋国,说道:"我此次来是为商议两国间的大事,你们为什么扣留我?"巴延道:"不要生气,你是宋朝的大臣,责任不轻,现在两国之间的大事,正应当由你和我来共同研究。"巴延令万户蒙古岱、宣抚索多看管文天祥。又因为宋朝降表中不称臣,仍旧沿用宋的称号,巴延派遣使者程鹏飞、洪君祥偕同贾余庆前往宋朝更换降表。

文天祥像

驸马都尉杨镇等,奉旨护送益王、广王赶往婺州,杨淑妃、秀王赵与择跟随前往。

知广德军方回、知婺州刘怡、知处州梁梅、知台州杨必大都投降了元朝。

辛卯(二十五日),元朝张弘范、孟祺、程鹏飞、携带已更换的宋朝称臣降表,返回元军大营。

甲午(二十八日),元朝设置随路都转运使。

元朝凿通济州河道。

二月,丁酉朔(初一),太阳中有黑子相互碰撞。宋帝赵㬎率领文武百官到祥曦殿,朝着元朝宫殿的方向上表,乞求被封为附属国。

元朝右丞相巴延秉承元帝的旨意改设宋国都临安为两浙大都督府。命令蒙古岱、范文虎入临安城,执掌两浙大都督府事宜。又命令程鹏飞拿着宋太皇太后的手诏以及三省、枢密院官员吴坚、贾余庆等人写的归降檄文,告谕全国未降的各州郡,令他们投降归附元朝。执掌国家政事的大臣们都在投降书上签了名,只有家铉翁拒不签名。程鹏飞命令手下将家铉翁捆绑起来,家铉翁叱道:"中书省哪有捆绑大臣的道理!等我回到家里可以任你们处置。"程鹏飞才令属下住手。

元朝巴延进驻湖州市,又命吕文焕和范文虎去慰问和告谕宋太皇太后。吕文焕于是就派人上表谢罪后即出宫阙,表中写道:"这次受命于北朝,来抗御南朝的军队,被人看作犬马,为的是报仇雪恨,并不像人们所说是子弟进攻他们的父母,这也是不得已罢了,还有什么可说的呢!"巴延命令张惠、阿喇罕、董文炳、张弘范、索多等前去封存宋朝府库,收取史馆、秘省的图书以及各级政府机构的符印告敕等物,罢免宋朝原设各级官府,并解散侍卫军。

壬寅(初六),文天祥所辖各部救援京师的军队被解散,任命贾余庆为右丞相兼枢密使,刘岊为同签书枢密院事,与吴坚、谢堂、家铉翁一起充任祈请使,到元朝大都去。

贾余庆为人凶悍狡猾残忍,刘岊更是卑鄙邪恶的势利小人,都乘着宋朝国难窃取了高官,他们认为祈请使的差事一完,就可以返回,并不在意其他的事情。只有谢堂靠贿赂元军,得以首先回归。

元右丞相巴延让文天祥与吴坚等人一同落座。文天祥当面斥责贾余庆出卖国家,而且指责巴延不守信用。吕文焕从旁劝解文天祥,文天祥随即斥责吕文焕和他的侄子吕师孟,父子兄弟深受国家的厚恩,却不能以死报国,反而全族背叛朝廷。吕文焕等人恼羞成怒,于是就与贾余庆等共同劝巴延拘留文天祥,令他跟随祈请使一同前往元朝大都。

此日,元军驻扎在钱塘江沙滩上,临安人正希望潮水波涛汹涌而来,将元军一洗而空,但是潮水三天都没有来。

丁未(十一日),元帝下诏书,告谕临安新近归附的府州司县官吏、军民人等道:"近来,行中书省右丞相巴延派遣使者前来奏告,宋朝母后、幼主及诸大臣百官已于正月十八日献上传国玺绶,奉上降表归附我朝。朕以为自古以来降王必定要有朝拜的礼节,现已派遣使者专程前往迎接宋朝母后、幼主及诸大臣百官到来,你们要各守其职,不可妄加猜疑也不要恐慌。凡是归附之前所犯之罪,全部不加追究,予以赦免;公私所欠债务,均不得强行征收;一切抗拒王师及逃亡聚众为盗者,也一并赦免他们的罪责。各级官员,诸王王府、三学、各寺,各监、秘省、史馆及禁卫诸司,都应该安分守己。除去现有的山林、河泊、巨树、花果外,其余的物品暂时免征赋税。秘书监所存的图书,太常寺内所有的祭器、乐器、法服、乐工、卤簿、仪卫、宗正谱牒、天文、地理图册,凡是宋朝、典章制度和掌故方面的文字记载,以及户口、版籍等,全部收归我国所有。前代圣贤的后裔,儒者、医师、僧侣、道士,通晓天文、历数之人以及隐逸山林的名士,所在地区的官府要将他们的姓名上报朝廷。名山、大川、寺观、庙宇及前代名人遗迹不许拆毁,鳏、寡、孤、独不能自己养活自己的人,可根据情况给予赡养的费用。"

此诏令颁布后,巴延就派遣宋朝内侍王埜带人进入宋宫殿内清点接受宋皇家的衣冠、圭璧、符玺,以及宫中的图籍、宝玩、车辂辇乘、卤簿、麾仗等物品。

益王、广王从嘉会门出走,渡过浙江向南而走,巴延听说,派范文虎率军追赶他们。杨镇得到消息后,立即回来告诉了益王等,并说道:"我将死在他们那里,用以拖延追兵。"杨亮节等人就背着益、广二王和杨淑妃一起徒步逃走,藏匿于山中七天。统制张全率兵数十人追上了他们,于是一同奔赴温州。

戊午(二十二日),元帝在东郊祭祀先农。辛酉(二十五日),元帝去上都。

此月,夏贵率淮西守军背叛朝廷,投降元朝。

起初,阿珠驻扎在淮南东道,西道归万户昂吉尔管辖,阿珠令昂吉尔进驻和州,去进攻庐州。夏贵写信给巴延道:"不必耗费贵国的军力去攻夺边城。如果国都都归附了,边城还能往哪里去呢?"至此率领他的部下投降了,元朝任命夏贵为淮西安抚使。

洪福原是夏贵的家僮,跟随夏贵屡立功劳而升为知镇巢军。夏贵已经投降了,派人前去招降洪福,洪福不予理睬;夏贵又派他的侄子前往劝降,洪福斩了他的侄子。元军攻城,很久攻不下来,夏贵来到城下,用好话哄骗洪福,请求洪福允许他单骑入城,洪福相信了他,等到城门打开,元军伏兵突然起来冲入城中,活捉了洪福父子,屠杀了全城百姓。夏贵亲自监斩洪福满门。洪福的儿子洪大源、洪大渊喊叫道:"依法只诛杀首谋,为什么要把全家都杀掉?"洪福斥叱他的儿子们说:"你们理当用自己的生命去报效朝廷,哪里至于乞求敢人饶命呢?"待到要杀洪福时,洪福大骂夏贵,历数他的不忠之罪,请求面向南方,以死表明自己不背叛国家,听到的人都流下了眼泪。

元人搜索宫女、内侍及诸乐官,宫女投水自尽者达数百人。

三月,丁卯(初二),元朝任命枢密副使张易兼知秘书监事。

元相巴延进入临安城,竖起大将旗鼓,率领左右翼万户巡视各处,在浙江岸边观潮,又登上狮子峰,观看临安的地形,部署诸将。因为独松关守将张濡曾经杀死了元朝使者廉希贤,于是将张濡斩首,并没收了他的家产。巴延派管如德去招抚诸郡。福王赵与芮从绍兴返回临安,巴延对他倍加安抚。

太皇太后及皇帝想与巴延相见,巴延坚持推辞道:"还未入朝晋见元帝,我与他们没有相见之礼。"第二天,宋皇室将由临安出发前往北朝,元臣按塔哈、孟祺等人入宫宣读元帝的诏书,催促宋帝及全太后前去朝拜元帝。孟祺读到"免去系颈牵羊"这句话时,太后哭着对宋帝说:"承天子圣恩,你应当拜谢。"礼毕,宋帝与全太后一同坐车出宫。太皇太后因为有病,留在临安宫内。福王赵与芮和沂王赵乃猷、度宗母隆国夫人黄氏并杨镇、谢堂、高应松、庶僚刘哀然等及三学士诸生均同行。太学生徐应镳和他的二个儿子徐琦、徐崧、女儿元娘一起投井而死。徐应镳是江山人。

元右丞相巴延北还,秉承皇帝旨意,留阿喇罕、董文炳筹划闽、浙事宜,任命蒙古岱镇守浙西,索多镇守浙东。适逢江西都元帅宋都木达报告说,宋国益、广二王在闽、广等地聚集军队,企图攻打江西,巴延就派达春改变行军路线,与李恒、吕师夔会合阿喇罕、董文炳共同去攻取尚未投降的州县,以便去追捕益王和广王。

闰三月,陆秀夫、苏刘义等听说益王、广王已逃入温州,随后,在去温州的路上追上了他们,并派人到清澳去召陈宜中。陈宜中前来拜见二王,又派人去定海召张世杰,张世杰也率领所部人马前来。温州的江心寺存放着过去高宗赵构南奔时用过的御座,众人相继哭拜于座下,奉立益王赵昰为天下兵马都元帅,广王赵昺为他的副手,发天下兵马伐元,授予各级官吏以官职,任命秀王赵与择为福建察访使,先前往闽中地区去安抚官员百姓,告谕他们宋室将兴,檄召诸路忠义军,共同辅助王室。适逢太皇太后派遣二位宦官率兵八名,前来召二王还临安,陈宜中等人将八名士兵沉于江中,于是率军入闽。

此时黄万石已投降了元军,他自认为曾当过福建漕使,想夺取全闽献给元朝,作为自己的功劳,汀、建诸州正计划跟随黄万石向元朝投诚,听说宋益、广二王到来,又都关闭城门,抗拒黄万石。南剑守臣林起鳌派军队驱赶黄万石,黄万石战败逃走,他的将士大多来归降宋军,宋军兵势由此稍稍振兴起来。

陈宜中等就传檄文到岭海,说夏贵已收复濒江州郡。元军诸守将认为江路全已截断,不可能还了,都想借故推诿,返回静江,只有广西宣慰使史格力排众议道:"你们不要被宋军的虚张声势所吓倒,待到夏贵越过山岭,我军确实不能北还时,还可以取道云南,也没什么不行,怎么敢轻易地就全部放弃守戍的城池呢?"元行省又打算放弃广东境内的肇庆、德庆、封州,合力守卫梧州,也被史格所阻止。

全太后和宋帝跟随元军北上,走到瓜洲。李庭芝与姜才流着泪与众将士发誓,定要出兵夺回二宫,将士们都被感动得哭了。李庭芝和姜才将家产全部散尽,用金帛等财物犒劳全军,随后率领四万人乘夜直捣瓜洲,战了三个时辰,元军簇拥着宋帝等躲避离去。姜才军一直追杀到蒲子市,厮杀一夜,依然不肯退去。阿珠派人去招降姜才,姜才厉声道:"我宁愿死,岂能作投降将军!"真州苗再成也计划夺回二宫,未能成功。

续资治通鉴卷第一百八十三

【原文】

元纪一　起柔兆困敦【丙子】四月,尽著雍摄提格【戊寅】四月,凡二年有奇。

世祖圣德神功文武皇帝

讳呼必赉,睿宗第四子,母庄圣太后,以乙亥八月乙卯生,实宋宁宗之嘉定八年也。岁辛亥,宪宗即位,以同母弟惟帝长且贤,尽属以漠南汉地。戊午,奉命分道攻宋,次江北,闻宪宗凶问,北还。中统元年三月戊辰朔,至开平,诸王大臣劝进,遂即皇帝位。

　　至元十三年　宋景炎元年【丙子,1276】　夏,四月,庚辰,诏修太庙。

　　郝经入见,帝赐宴大廷,咨以政事,其从行者赏赉有差。

　　先是宋丞相文天祥至镇江,与其客杜浒等十二人,夜亡入真州,安抚使苗再成出迎,喜且泣曰:"两淮兵足以兴复,特二阃少隙,不能合从耳。"时犹未知夏贵纳款,故再成以二阃为言。天祥问:"计将安出?"再成曰:"今先约淮西兵趣建康,彼必悉力以捍吾西兵。吾指挥淮东诸将,以通、泰兵攻湾头,以高邮、宝应、淮安兵攻扬子桥,以扬兵攻瓜步,吾以舟师直捣镇江,同日大举。湾头、扬子桥,皆沿江脆兵,且日夜望我师之至,攻之即下,合攻瓜步之三面,吾自江中一面薄之,虽有智者,不能为之谋矣。瓜步既举,以淮东兵入京口,淮西兵入金陵,要其归路,其大帅可坐致也。"天祥大称善,即以书遗李庭芝,遣使四出结约。

　　初,天祥未至真时,扬有逸卒,言北朝密遣一丞相入真州说降矣,庭芝信之,以天祥为来说降也,使再成亟杀之。再成不忍,绐天祥出相城垒,以制司文字示之,闭之门外。久之,复遣二路分觇天祥,果说降者即杀之。二路分与天祥语,见其忠义,亦不忍杀,导之如扬。四鼓,抵城下,闻候门者谈,制置司下令捕文丞相甚急,众相顾吐舌。天祥乃变姓名为清江刘洙,东入海道,遇北兵,伏环堵中得免,饥莫能起,从樵者乞得馀糁羹。行入板桥,北兵又至,众走伏丛篆中,北兵入索之,虞候张庆矢中目,身被二创,执杜浒、金应以去。浒、应解所怀金与卒,得逸,募二樵者,以箦荷天祥至高邮稽家庄。稽耸迎天祥至家,遣子德润卫送至泰州,遂由通州泛海以求二王,是月,始得抵温州。

　　五月,乙未朔,以平宋,遣官告天地、祖宗于上都之近郊,遣使代祀岳渎。

　　宋陈宜中、张世杰等奉益王昰即帝位于福州府,改元景炎。遥上德祐帝尊号为孝恭懿圣皇帝,又上太皇太后尊号,册杨淑妃为皇太妃,进封广王昺为卫王。升福州为福安府,以大都督府为垂拱殿,便厅为延和殿,王刚中知福安府。金华尉赵孟坒怀太上皇后帛书间道来上,擢孟坒宗正寺簿。是日,有大声出府中,众皆惊仆。福州城南壁忽崩七里。

初,宋吴坚等来使,不得命,留馆中,高应松绝粒不语,七日而卒,贾馀庆病死。家铉翁闻国亡,旦夕哭泣,不食饮者数日。帝高其节,欲尊官之,铉翁辞不受。宋主㬎及全太后至燕,铉翁迎谒,伏地流涕,谢奉使无状,不能保存宋社。宋主㬎及太后遂赴上都。丙申,见帝于大安殿。乙巳,授宋主㬎开府仪同三司、检校大司徒,封瀛国公,从行内人安康朱夫人、安定陈才人,俱自经死,有留题于裙带曰:"誓不辱国,誓不辱身。"

宋以陈宜中为左丞相兼枢密使,都督诸路军马,陈文龙、刘黼参知政事,张世杰为枢密副使,陆秀夫直学士院,苏刘义主管殿前司。宋召李庭芝为右丞相,姜才为保康军承宣使,召故相叶梦鼎为少师,充太一宫使。梦鼎闻命,即航海赴之,道梗不能进,南向恸哭而还。

宋以赵溍为江西制置使,进兵邵武;谢枋得为江东制置使,进兵饶州;李世达、方兴等进兵浙东,吴浚为浙东招谕使,邹㵑副之。毛统由海道至淮,约兵会合。仍诏傅卓、翟国秀等分道出兵。时枋得败走,已不能军。㵑,吉水人也。

宋文天祥至福安,拜右丞相兼枢密使,都督诸路军马。天祥以国事皆决于陈宜中,议论多不合,固辞不拜,乃以为枢密使、同都督。天祥使吕武招豪杰于江、淮,杜浒募兵于温州。

帝召宋降将问曰:"汝等何降之易耶?"对曰:"贾似道专国,每优礼文士而轻武臣,臣等久积不平,故望风送款。"帝遣董文忠语之曰:"似道实轻汝曹,特似道一人之过,汝主何负焉!正如汝言,则似道轻汝也固宜!"

巴延入朝,帝命百官郊迎以劳之。既至,拜同知枢密事,以陵州、藤州户六千为食(巴)〔邑〕。

以董文用为卫辉路总管。

卫辉当要冲,民为兵者十九,馀皆单弱,贫病不任力役。会初得江南,图籍、金玉、财帛之运,日夜不绝于道,警卫输挽,日役数千夫。文用曰:"吾民敝矣,而又重妨稿事,殆不可。"乃言于司运者曰:"郡邑胥役足备用,不必烦民也。"司运者曰:"即如公言,万有一不虞,罪将谁归?"文用即为手书,具官职、姓名保任之。民得以时耕,而运亦济。

宋直学士院陆秀夫罢。陈宜中以秀夫久在兵间,知军务,每事咨访始行,秀夫亦悉心赞之。旋与宜中议不合,宜中使言者劾罢之,谪居潮州。

时衢、婺诸州皆复为宋守,董文炳谓索多曰:"严州不守,临安必危,公往镇之。"未十日,诸州连兵来攻,索多拒战三阅月,复破婺州。衢守备甚严,索多率总管高兴等鼓噪先登,拔其城。宋权知府事萧雷龙脱走,与同里黄巡检起兵,度不能支,与麾下数人奔入闽,未出境,为同安武人徐浚冲获送县,县尹刘圣仲素与雷龙有怨,杀之。

时监军赵孟坒复明州,战败,见获,不屈,磔死。福王与芮从子孟枀,谋举兵绍兴,事泄,被执至临安,范文虎诘其谋逆,孟枀诟曰:"贼臣负国厚恩,共危社稷。我帝室之胄,欲一刷宗庙之耻,乃更以为逆乎?"文虎怒,驱出,斩之。过宋庙,呼曰:"太祖、太宗之灵,何以使孟枀至此!"杭人为之陨涕。

宋故相留梦炎降。

宋广东经略使徐直谅,遣其将梁雄飞请降于隆兴,阿尔哈雅假雄飞招讨使,使徇广东。既而直谅闻闽中颁诏,乃命权通判李性道、摧锋军将黄俊等拒雄飞于石门。性道不战,俊战败,直谅弃城遁。六月,丁卯,雄飞入广州,诸降将皆授以官,俊独不受,被杀。

宋吴浚聚兵于广昌,遂复南丰、宜黄、宁都三县。翟国秀取铅山,傅卓至衢、信诸县,民多应之者。会浚兵战败,国秀引还,卓兵亦败,遂降。

己巳,以孔子五十三世孙曲阜县尹孔治兼权主祀事。

壬申,罢两浙大都督府,立行尚书省于鄂州、临安;设诸路宣慰司,以行省官为之,并带相衔;其立行省者,不立宣慰司。

甲戌,以《大明历》浸差,命太子赞善王恂与江南日官置局更造新历,以枢密副使张易董其事。易、恂奏:"今之历家,徒知历术,罕明历理,宜得耆儒如许衡者商订。"从之。诏衡赴大都。

国子生博果密受学于王恂、许衡,尤为衡所推许,帝尝召试所业,嘉叹之。至是,偕同舍生上疏曰:"王者建国君民,建学为先。自尧、舜、禹、汤、文、武之世,莫不有学,故治隆于上,俗美于下。臣等复取平南之君建置学校者,为陛下陈之:晋武帝尝平吴矣,始建国子学;隋文帝尝灭陈矣,俾国子不隶太常;唐高祖尝灭梁矣,诏诸州县及乡并令置学;太宗增筑学舍,高宗立六学,皆承高祖之意也。然晋之平吴,得户五十三万而已;隋之灭陈,得郡县五百而已;唐〔之〕灭梁,得户六十馀万而已;其崇重学校已如此。况我堂堂大国,奄有江、岭之地,计亡宋之户不下千万,此陛下神功,非晋、隋、唐所敢比也。然学校之政,尚未全举,臣窃惜之!臣等向蒙圣恩,俾习儒学,圣意岂不以诸色人仕宦者常多,蒙古人仕宦者常少,欲臣等晓识世务,以备陛下之任使乎?然学制未定,学徒数少,譬犹责嘉禾于数苗,求良骥于数马,恐其不易得也。为今之计,欲人材众多,通习汉法,必如古昔遍立学校,然后可。若犹未暇,宜于大都弘阐国学,择蒙古人年十五以下、十岁以上质美者百人,百官子弟与凡民俊秀者百人,俾廪给各有定制,选德业充备足为师表者,充司业、博士、助教而教育之。使其教必本于人伦,明乎物理,为之讲解经传,授以修身、齐家、治国、平天下之道。其下复立数科,如小学、律、书、算之类,每科设置教授,各令以本业训导。小学科则令读诵经书,教以应对进退事长之节;律科则专令通晓吏事;书科则专令晓习字画;算科则专令熟娴算数。或一艺通然后改授,或一日之间更次为之,俾国子学官总领其事,常加点勘,务要俱通,仍以义理为主,有馀力者,听令学作文字。日月岁时,随其利钝,各责所就功课,程其勤惰而赏罚之,勤者升之上舍,惰者罚之下舍,待其改过,则复升之,假日则听令学射,自非假日,无故不令出学。数年后,上舍生学业有成就者,听学官保举,蒙古人若何品级,诸色人若何仕进;其未成就者,且令依旧学习,俟其可以从政,然后岁听学官举其贤者、能者,使之依例入仕;其终不可教者,三年听令出学。凡学政因革增减,皆得不时奏闻,则学无弊欺,而天下之材亦皆观感而兴起矣。然后续立郡县之学,求以化民成俗,无不可者。"书奏,帝览之,喜。

戊寅,诏作《平金》《平宋录》及《诸国臣服传记》,命耶律铸监修国史。

壬辰，以户部尚书张澍参知政事，行中书省于北京。

秋，七月，丁酉，宋文天祥开府南剑州，经略江西。天祥欲还温州进取，陈宜中不从。盖宜中弃温入闽，欲倚张世杰复浙东、西以自洗濯，故命天祥开府南剑。

宋涪州观察杨立子嗣荣请降诏招谕其父，从之。

初，临安既破，阿珠以宋太皇太后手诏谕李庭芝使降。庭芝登城，谓使者曰："奉诏守城，未闻以诏谕降也。"及帝㬎次瓜洲，太皇太后复赐庭芝诏曰："比诏卿纳款，日久未报，岂未悉吾意，尚欲固围耶？今吾与嗣君既已臣伏，卿尚为谁守之？"庭芝不答，命发弩射使者，毙一人，馀皆奔去。阿珠乃遣兵守高邮、宝应以绝其饷道，博罗懽又攻拔泰州之新城，驱夏贵淮西降卒至城下，以示庭芝。庭芝幕客或劝为计，庭芝曰："吾惟一死而已！"阿珠复遣使者持诏招庭芝，庭芝开壁纳使者，斩之，焚其诏于陴上。既而淮安、盱眙、泗州以粮尽降，庭芝犹括民间粟以给兵，粟尽，又令官人出粟，又尽，令将校出粟，杂牛皮、麹糵以给之。兵有自食其子者，然犹力战不屈。

姜才闻高邮米运将至，出步骑五千战于丁村，自夜达旦，北兵多败。阿珠使巴延彻尔救之，所将皆阿珠麾下，才军识其旗帜，皆溃，才脱身走。时高邮水路已绝，阿珠复遣将陆路邀击米运，杀负米卒数千，由是饷益不继。

阿珠请于帝，降诏赦庭芝焚诏、杀使之罪，令早归款，庭芝不纳。会福安使至，庭芝欲赴召，命制置副使朱焕守扬，而自与姜才将兵七千趣泰州，将东入海。庭芝既行，焕即以城降。阿珠分道追及庭芝，杀步卒千馀人。庭芝走入泰州，阿珠围之，且驱其妻子至陴下招降。会姜才疽发背，不能战；泰州裨将孙贵、胡惟孝、尹端甫、李遇春，开北门纳外兵。庭芝投莲池中，水浅不死，遂与才俱被执，至扬州，阿珠责其不降，才曰："不降者我也！"愤骂不已。然阿珠犹爱其材勇，未忍杀之。焕请曰："扬自用兵以来，积骸满野，皆庭芝与才所为，不杀之何俟！"阿珠乃皆杀之，扬民闻者莫不泣下。

有宋应龙者，以儒生知兵，出入行陈三十馀年，至是为泰州谘议官。州守孙良臣之弟舜臣，自军中来说降，良臣召应龙与计。应龙极陈国家恩泽，君臣大义，请杀舜臣以戒持二心者，良臣不得已杀之。及泰州降，应龙夫妇自经死。提刑司谘议庐人褚一正，置司高邮，督战，亦被创没水死。淮东地尽归附。

甲寅，以杨村至浮鸡泊漕渠回远，改从孙家务。

丙辰，遣使以香币祀岳渎、后土。

以尚书右丞阿尔哈雅为平章政事，签书枢密院事、淮东行枢密院锡奇里密实为中书右丞，参知政事董文炳为中书左丞，淮东左副元帅达春，两浙大都督范文虎，江东江西大都督、知江州吕师夔，淮东、淮西左副都元帅陈岩，并参知政事。

是月，翰林侍读学士郝经卒。经为人，尚气节，为学务有用，拘宋十六年，从者皆通于学。及卒，官为护丧还葬，谥文忠。

八月，己巳，穿武清蒙村漕渠。

扬州既破，元兵攻真州益急。宋都统司计议赵孟锦，乘雾袭其营，少顷，雾开，营中见孟

4417

锦兵少,逐之,孟锦登舟,失足堕水死,城遂破。安抚使苗再成死之。

召阿珠入朝,赐泰兴户二千为食邑。

宋杨亮节居中秉权,秀王与择,自以国家亲贤,多所谏正,遂犯忌嫉,诸将俱惮之。至是诏出兵浙东,朝臣言:"与择有刘更生之忠,曹王皋之孝,宜留辅以隆国本。"潜者益急,卒遣之。与择围婺州,董文炳拒之,乃还。

宋以王积翁为福建招捕使,黄恮副之。积翁兼知南剑州,备御上三州;恮兼知漳州,备御下三州。

宋张世杰遣都统张世虎与吴浚合兵十万,期必复建昌;与李恒战,兵败,浚奔宁都。

帝归自上都,以鄂啰齐参知政事。

宋太皇太后谢氏,以疾久留临安。至是,遣人自宫中舁其床以出,同侍卫七十二人北赴大都,降封寿春郡夫人。

九月,壬辰朔,命国师作佛事于太庙。

庚子,命姚枢、王磐选宋三学生之有实学者留京师,馀听还家。

癸卯,以平宋赦天下。

丙午,敕常德府岁贡包茅。

阿喇罕、董文炳及蒙古岱、索多以舟师出明州,达春及吕师夔、李恒等以骑兵出江西,分道略闽、广。

东莞民熊飞守潮、惠,闻宋赵潜至,即以兵应之;攻梁雄飞于广州,雄飞遁,飞遂复韶州、新会。会曾逢龙亦率兵至广州,李性道出迎遏,飞与逢龙执性道,杀之,潜遂入广州。

宋知邕州岩昌马塈将入卫,而临安已破,因留静江,总屯戍诸军。阿尔哈雅将进取广西,塈发所部及诸峒兵守静江,而自将三千人守严关。攻之,不克,乃以偏师入平乐,过临桂,夹攻塈,塈退保临江。阿尔哈雅使人招降,塈发弩射之。攻三月,塈不解甲,前后百馀战,城中死伤相藉,迄无降意。

辛酉,诏宋宗臣鄂州教授赵与票赴阙。与票入见,言宋败亡之故,悉由误用权奸,词旨激切。帝为之感动,即授翰林待制。

冬,十月,丁亥,两浙宣抚使焦友直,以临安经籍、图画、阴阳秘书来上。戊子,淮西安抚使夏贵请入觐,乞令其孙贻孙权领宣抚司事,从之。

以淮东左副都元帅阿尔为平章政事,河南等路宣慰使哈喇哈逊为中书右丞。

〔壬戌朔〕,宋文天祥师次汀州,遣赵时赏等将一军趣赣以取宁都,吴浚将一军取雩都,刘洙等皆自江西以兵来会。时赏,和州宗室也。

吕师夔等将兵度梅岭,赵潜使熊飞及曾逢龙御之于南雄,逢龙败死,飞走韶州。进兵围之,守将刘自立以城降,飞率兵巷战,兵败,赴水死。

十一月,阿喇罕、董文炳攻处州,知州李珏以城降。〔甲辰〕,宋秀王与择偕弟与虑、子孟备及观察使李世达、监军赵由璐、察访使林温、知瑞安府方洪被执,皆不屈死。

大兵破建宁府、邵武军,宋陈宜中、张世杰,备海舟奉宋主及卫王、杨太妃等登舟。时军人十七万,民兵三十万,淮兵万人,与北舟相遇,值天雾晦冥,舟得〔以〕进。

宋王积翁弃南剑,走福安,遣人纳款。至是,军集城下,积翁为内应,遂与知府王刚中同降。

宋主行至泉州,舟泊于港,招抚使蒲寿庚来谒,请驻跸,张世杰不可。初,寿庚提举市舶,擅利者三十年,或劝世杰留寿庚不遣,凡海舶不令自随,世杰不从,纵之归。继而舟不足,乃掠其舟,并没其赀。寿庚怒,杀诸宗室及士大夫与淮兵之在泉州者,宜中等乃奉宋主趣潮州。寿庚遂与知泉州田子真以城降。

癸丑,并省内外诸司。

庚申,敕:"管民及理财之官,由中书铨调;军官由枢密院定议。"

高丽国王王愖更名睶。

十二月,辛酉朔,宋江西制置使赵溍弃广州遁,副使方兴亦遁。

降将王世强为乡导,破福安。王刚中既降,使徇兴化军,宋知军事陈文龙斩之而纵其副使,持书责世强、刚中负国,遂发民兵固守。阿喇罕复遣使招之,文龙复斩之。有风其纳款者,文龙曰:"诸君特畏死耳。未知此生能不死乎?"乃使其部将林华御于境上,华反为乡导,引兵至城下,通判曹澄孙开门降。文龙被执,劝之降,不屈,左右凌挫之,文龙指其腹曰:"此皆节义文章也,何相逼耶!"卒不屈,乃械送临安,文龙不食死。其母系福安寺尼,病甚,左右视之泣下,母曰:"吾与吾子同死,又何恨哉!"亦死之。众叹曰:"有是母宜有是子!"为收葬之。

东、西川守将,合兵万人围宋重庆,大肆剽掠,军政不一,城中益得自守。宋制置使张珏领重庆之命,不能赴官,留合州以抗北军,遣帅复泸、涪二州,北军以不和而溃,珏乃得入城,遣将四出,所向俱捷。珏旋遣使访二王所在,时宋主迁播闽、广,号令不达于四川,而川中诸将犹为宋守。

阿尔哈雅致书马墍,许以为广西大都督,墍不听;又请帝亲降手诏谕之,墍焚诏斩使。静江以水为固,阿尔哈雅乃筑堰,断大阳、小溶二江以遏上流,决东南埭以涸其湟,城遂破。墍闭内城坚守,又破之。墍率死士巷战,伤臂被执,断其首,犹握拳奋起,立逾时始仆。墍家世以忠勇为名将,至墍,死节最烈。淮人黄文政,先戍蜀,军溃,走静江,墍邀与同守,城破,亦被执。文政大诟,不屈,断其舌,以次劓、刖之,文政含胡叱咄,比死不绝声。

邕守马成旺及其子都统应麒以城降。墍部将娄钤辖,犹以二百五十人守月城不下。阿尔哈雅笑曰:"是何足攻!"围之十馀日,娄从壁上呼曰:"吾属饥,不能出降,苟赐之食,当听命。"乃遗之牛数头,米数斛,一部将开门取归,复闭壁。北军登高视之,兵皆分米,炊未熟,生脔牛,啖立尽。鸣角伐鼓,诸将以为出战也,甲以待,娄乃令所部人拥一火炮然之,声如雷霆,震城堞皆崩,烟气涨天,外兵多惊死者。火熄,入视之,灰烬无遗矣。阿尔哈雅悉坑其民。民得逃入西山者七百人,阿尔哈雅许以不杀,招之使降,七百人皆自杀,无一降者。阿尔哈雅乃分兵取郁林、浔、容、藤、梧等州。广西提刑邛人邓得遇,闻静江破,朝服南望拜辞,书幅纸云:"宋室忠臣,邓氏孝子,不忍偷生,宁甘溺死。"遂投南流江而死。

宋主在惠州,甲子,遣倪坚奉表,诣军前请降。逾时,索多命其子元帅伯嘉努偕坚赴大都。

以哈坦、奇尔济苏领东川行枢密使,攻合州;布哈、李德辉领西川行枢密院,攻重庆,仍令德辉留成都给军食。

壬申,李思敬告运使姜毅所言悖妄,指毅妻、子为证,帝曰:"妻、子岂为证者耶?"诏勿问。

庚寅,诏谕浙东、西、江东、西、淮东、西、湖南、北府州军县官吏军民:"昔以万户、千户渔夺其民,致令逃散,今悉以人民归之元籍州县。凡管军将校及宋官吏,有以势力夺民田庐产业者,俾各归其主,无主则以给附近人民之无生产者。其田租、商税、茶、盐、酒、醋、金、银、铁冶、竹货、湖泊课程,从实办之。凡故宋繁冗科差、圣节上供、经总制钱百馀件,悉除免之。"

是岁,行省云南赛音谔德齐,以所改郡县上闻。云南俗无礼义,男女往往自相配偶,亲死则火之,不为丧祭,无粳稻桑麻,子弟不知读书。赛音谔德齐教之拜跪之节,婚姻行媒,死者为之棺椁、奠祭,教民播种,为陂池以备水旱,创建孔子庙、明伦堂,购经史,授学田,由是文风稍兴。

云南民以贝代钱,是时初行钞法,民不便之,赛音谔德齐为闻于朝,许仍其俗。又患山路险远,盗贼出没,为行者病,相地置镇,每镇设土酋吏一人,百夫长一人,往来者或遭劫掠,则罪及之。有土吏数辈,怨赛音谔德齐不己用,至京师诬其专僭数事。帝顾侍臣曰:"赛音谔德齐忧国爱民,朕洞悉之,此辈何敢诬告!"即命械送赛音谔德齐处治之。既至,脱其械,且谕之曰:"若曹不知上以便宜命我,故诉我专僭。我今不汝罪,且命汝以官,能竭忠自赎乎?"皆叩头拜谢曰:"某有死罪,平章既生之而又官之,誓以死报。"

交趾叛服不常,湖广省发兵屡征,不利。赛音谔德齐遣人谕逆顺祸福,且约为兄弟,交趾王大喜,亲至云南,赛音谔德齐郊迎,待以宾礼,遂乞永为藩臣。

罗槃甸叛,往征之,有忧色,从者问故,赛音谔德齐曰:"吾非忧出征也,忧汝曹冒锋镝,不幸以无辜而死;又忧汝曹劫掳平民,使不聊生,及民叛则又从而征之耳。"师次罗槃城,三日,不降,诸将请攻之,赛音谔德齐不可,遣使以理谕之,罗槃主奉命。越三日,又不降,诸将奋勇请进兵,赛音谔德齐又不可。俄而将卒有乘城进攻者,赛音谔德齐大怒,遽鸣金止之,召万户叱责之曰:"天子命我安抚云南,未尝命以杀戮也。无主将命而擅攻,于军法当诛。"命左右缚之。诸将叩首,请俟城下之日从事。罗槃主闻之曰:"平章宽仁如此,吾拒命,不祥。"乃举国出降,将卒亦释不诛,遂改为元江府。由是西南诸夷翕然款附。

夷酋每来见,例有所献纳,赛音谔德齐悉分赐从官,或以给贫民,秋毫无所私。为酒食劳酋长,制衣冠、袜履,易其卉服、革履,酋皆感悦。

至元十四年 宋景炎二年【丁丑,1277】 春,正月,丙申,以江南平,百姓疲于供军,免诸路今岁所纳丝、银。

兵下汀关,宋文天祥〔欲〕据城拒战,汀守黄去疾闻宋主航海,拥兵有异志,天祥乃移军漳州。时赵孟滢等军还,吴浚不至。未几,浚与去疾俱降。

嗣汉天师张宗演召至大都,帝命百官郊劳,待以客礼,因赐号演道灵应冲和真人,领江西诸路道教。寻令修周天醮于长春宫，事毕，还龙虎山，留弟子张留孙于大都。

癸卯，复立诸道提刑按察司。先是，监察御史姚天福谓御史大夫伊实特穆尔曰："按察司之设，所以广视听，虞非常，虑至深远，不但绳有司已也，不宜罢。"伊实特穆尔骇然曰："微公言，几失之。"夜，入帝卧内，奏其言，帝大悟，至是复立之。阿哈玛特不悦，左迁天福衡州路同知。

甲寅，敕："宋福王赵与芮家赀之在杭、越者，有司辇至京师，付其家。"

宋知循州刘兴，知梅州钱荣之，并以城降。

二月，癸亥，(慧)〔彗〕出东北，长四尺馀。

广州下，遂破广东诸郡。

吴浚既降，因至漳州说文天祥降，天祥责以大义，斩之。

帝如上都。

南伐之师引还，留潜说友为福州宣慰使，王积翁副之。时北方有警，帝召诸将班师，凡诸将及淮兵在福安者，命李雄统之。

壬午，隳吉、抚二州城，以隆兴滨江，姑存之。

以西僧嘉木杨喇勒智为江南总摄，掌释教，除僧租赋，禁扰寺宇者。

三月，宋文天祥复梅州。

李雄杀潜说友。

宋陈瓒举兵诛林华，复兴化军。瓒，文龙从子也。

帝以去冬无雨雪，春泽未继，问便民事于翰林国史院耶律铸、姚枢、王磐、窦默等，对曰："足食之道，唯节浮费，靡谷之多，无逾醪醴，况自周、汉以来，尝有明禁。祈神赛社，费亦不资，宜一切禁止。"从之。

翰林待制获鹿王思廉，尝进读《通鉴》，至唐太宗有杀魏征语，及长孙皇后进谏事，帝命内官引至皇后阁，讲衍其说。后曰："是诚有益于宸衷。尔宜择善言进讲，慎勿以渎辞烦上听也。"每侍读，帝命御史大夫伊实特穆尔、太师伊彻察喇、御史中丞萨里曼等咸听受焉。

廉希宪在江陵，疾久不愈。董文忠言于帝曰："江陵湿热，如希宪病何？"帝即召希宪还。江陵民号泣遮道，留之不得，相与画像建祠。希宪还，囊橐萧然，琴书自随而已。帝知其贫，特赐金钞。

夏，四月，宋广东制置使张镇孙复广州。

宋文天祥引兵自梅州出江西，吉、赣兵皆会之，遂复会昌县。

宋淮人张德兴，与淮西野人原寨刘源等起兵兴复，司空山民傅高举兵应之，遂复黄州、寿昌军，用景炎正朔。贾居贞使湖北宣慰使郑鼎将兵拒之，鼎言："鄂之大姓皆与高通，请先除之以绝祸本。"居贞不可。鼎将行，留其所善部将曰："闻吾还兵，汝即举烽城楼，内外合发，当尽杀城中大姓。"鼎与德兴遇于樊口，战败，溺死。

五月，癸巳，申严大都酒禁，犯者籍其家资，散之贫民。

廉希宪至上都，太常卿田忠良来问疾。希宪谓曰："上都，圣上龙飞之地，天下视为根本。

4421

近闻龙冈失火,延烧民居,此常事耳,慎勿令妄谈地理者惑动上意。"未几,果有数辈以徙置都邑事奏,枢密副使张易、中书左丞张文谦与之廷辩,力言不可,帝不悦。明日,召忠良质其事,忠良以希宪语对,帝曰:"希宪病甚,犹虑及此耶?"其议遂止。诏征名医于扬州视其疾,希宪服药,能杖而起。帝喜谓希宪曰:"卿得良医,疾向愈矣。"对曰:"医持善药,以疗臣疾,苟能戒慎,则诚如圣谕。设或肆惰,良医何益!"盖以医以讽也。

辛亥,以河南、山东水旱,除河泊课,听民自渔。

乙卯,选蒙古、汉军相参宿卫。

六月,辛酉,宋文天祥军入雩都。

丙寅,宋涪州安抚杨立及其子嗣荣相继降,命立为夔路安抚使,嗣荣为管军都统。

秋,七月,宋文天祥遣赵时赏等分道复吉、赣诸县,遂围赣州。衡山人赵璠、抚州人何时皆以兵应之。

壬辰,敕:"犯盗者皆弃市。"符宝郎董文忠,言盗有强、窃,赃有多寡,似难悉置于法,帝然其言,遽命止之。

漕司议通沁水,使东流合御河以便漕,董文用曰:"卫为郡,地最下,大雨时行,沁辄溢出百十里间,雨更甚,水不得达于河,即浸淫及卫。今又道之使来,岂惟无卫,将无大名、长芦矣。"会朝议遣使相地形,文用上言:"卫州城中浮图最高者,才与沁水平,势不可开也。"事得寝不行。

癸卯,诸王锡里济劫北平王于阿里玛图之地,械系右丞相安图胁诸王以叛,使通好于哈都。哈都弗纳,遂率兵至和林城北。帝命巴延率军往御之。

乙巳,宋张世杰自将淮兵讨蒲寿庚。时汀、漳诸路剧盗陈吊眼及畲妇许夫人所统诸峒畲军皆会,兵势稍振,寿庚闭城自守。世杰遂传檄诸路,陈瓒起家丁,召募五百人应世杰,世杰遣将高日新复邵武军。淮兵在福州者,谋杀王积翁以应张世杰,事觉,皆为积翁所杀。

丙午,置御史台于扬州,以都元帅姜卫为御史大夫,置八道提刑按察司。卫曰:"陛下以臣为耳目,臣以监察御史、按察司为耳目,倘非其人,是人之耳目先自闭塞,下情何由上达!"帝嘉之,命御史台清其选,每除目至,必集幕僚、御史议其可否,不协公论者,即劾去之。

戊申,东川都元帅张德润取涪州。

置行中书省于江西,以达春为右丞,敏珠尔丹为左丞,李恒、蒲寿庚、程鹏飞并参知政事,行江西省事。

丁巳,以参知政事、行江东道宣慰使吕文焕为中书左丞。

诏皇子安西王北征,命王相商挺曰:"关中事有不便者,可悉更张之。"挺进十策于王,曰:睦亲邻,安人心,敬民时,备不虞,敬民生,一事权,清心源,谨自治,固根本,察下情。王为置酒嘉纳。

八月,李恒遣兵援赣,而自将攻文天祥于兴国。天祥不意恒猝至,遣兵战钟步,不利。时邹沨聚兵数万于永丰,天祥引兵就之,会沨兵先溃,恒追天祥至方石岭,及之。诸将巩信以短兵接战,恒疑有伏,敛兵不进。信坐巨石,馀卒侍左右,箭雨集,屹不动,恒从间道就视之,创被体而死不(仕)〔仆〕。天祥至空坑,兵尽溃。时赵时赏坐肩舆,追兵问为谁,时赏曰:"我姓文。"追兵以为天祥,擒之。天祥由是得与杜浒、邹㳘等逸去。至循州,散兵颇集。天祥妻子及幕僚、客将皆被执。时赏至隆兴,愤骂不屈,僚属有系累至者,辄麾去,云:"小小签厅官耳,执之何为!"得脱者甚众。临刑,刘洙颜自辩,时赏叱曰:"死耳,何必然!"于是被执者皆死。恒送天祥妻子、家属于燕,二子死于道。信,安丰人也。

九月,戊申,页特密实破邵武军,入福安。宋主舟次广之浅湾。命达春与李恒、吕师夔等以步卒入大庾岭,蒙古岱、索多、蒲寿庚及元帅刘深等以舟师下海,合追宋二王。

宋张世杰使谢洪永进攻泉州南门,不利。蒲寿庚复阴赂畬军,攻城不力,得间道求救于索多。至是索多来援,世杰解围,还浅湾。刘深言王积翁尝通书于张世杰,积翁亦上言兵单弱,若不暂从,恐为合郡生灵之患,帝原其罪。

昂吉尔等将兵袭司空山寨,破之。黄州复破,杀张德兴,执其子以去。傅高变姓名出走,寻被获,死之。

巴延讨锡里济,遇于鄂勒欢河,夹水而陈,相持终日,俟其懈,麾军为两队,掩其不备,破之。锡里济走,死。

冬,十月,丙辰朔,日有食之。

己未,享于太庙。

宋以陆秀夫同签书枢密院事。秀夫之谪,张世杰让陈宜中曰:"此何如时,动以台谏论人?"宜中惶恐,亟召秀夫还行朝。时播越海滨,庶事疏略,杨太妃垂帘与群臣语,犹自称奴。每时节朝会,独秀夫俨然正笏立如治朝,或时在行中,凄然泣下,以朝衣拭泪,衣尽湿,左右无不悲恸者。

甲申,以行省参政呼图特穆尔、崔斌并为中书左丞,鄂州达噜噶齐张鼎,湖北宣慰使贾居贞并参知政事。

播州安抚使杨邦宪言:"本族自唐至宋,世守此土将五百年,昨奉旨许令仍旧,乞降玺书。"从之。

索多至兴化,宋陈瓒闭城坚守。索多临城谕之,矢石雨下,乃造云梯炮石,攻破其城。瓒以死自誓,巷战终日。获瓒,车裂之,屠其民,血流有声。

十一月,达春令索多取道泉州泛海,会于广之富场。索多取兴化军及漳州,进攻潮州,守臣马发竭力拒守,恐失期,舍之去。至惠州,与吕师夔合军趣广州。〔庚寅〕,制置使张镇孙及侍郎谭应斗以城降,达春遂隳广州城。

元帅刘深攻浅湾,宋张世杰战不利,奉宋主走秀山。山中居民万馀家,世杰买富民宅,以居宋主,军士多病死。世杰复奉宋主赴井澳。陈宜中遁入占城。

诏:"凡伪造宝钞,同情者并死;其分用者减死,杖之。具为令。"

庚子,以吏部尚书巴图鲁鼎参知政事。

命中书省檄谕中外:"江南既平,宋宜曰'亡宋',行在宜曰'杭州'。"

时军士俘温、台民男女数千口,浙东宣慰使陈祐新至,悉夺还之。未几,行省榷民商酒税,祐请曰:"兵火之馀,伤残之民,宜从宽恤。"不报。遣祐检复庆元、台州民田,及还,至新昌,值玉山乡盗,仓猝不及为备,遂遇害。

十二月,庚午,宋梁山军袁世安以城降。

乙亥,以参议中书省事耿仁参知政事。都元帅杨文安攻咸淳府,克之。

丙子,宋主至井澳,飓风大作,舟败,几溺。宋主惊悸成疾。旬馀,诸军士稍集,死者过半。刘深攻井澳,宋主奔谢女峡,复入海。深追至七里洋,击败之,获宋主之舅俞如珪。宋主欲往占城,不果。

是岁,遣使征缅甸朝贡,不从,率众侵扰永昌。云南行省遣兵伐之,降其砦三百馀而还。

至元十五年 宋炎兴〔景炎〕三年,五月后改祥兴元年【戊寅,1278】 正月,癸巳,西京饥,发粟赈之,仍谕阿哈玛特广贮积,以备阙乏。

顺德府总管张文焕,太原府达噜噶齐台哈布哈,以按察司发其奸赃,遣人诣省自首,反以罪诬按察御史。台臣奏:"按察司设果有罪,不应因事而告,宜待文焕等事决,方听其诉。"从之。

己亥,禁官吏、军民卖所娶江南子女及为娼者,卖买者两(从)〔罪〕之,没其直,人复为良。

山东提刑按察使徐世隆移淮东,宋将许琼家僮告琼匿官库财,有司系其妻挈征之。世隆曰:"琼所匿者,故宋之物,岂得与今盗官财者同论耶?"同僚不从,世隆独抗章力辨,行台是之,释不问。

戊申,从阿哈玛特请,自今御史台非白于省,毋擅召仓库吏,亦毋究钱谷数,及集议中书不至者,罪之。

降封宋福王与芮为平原郡公。

布哈督汪良臣等兵入重庆,李德辉遗书张珏曰:"君之为臣,不亲于宋之子孙;合之为州,不大于宋之天下。彼子孙已举天下而归我,汝犹偃然负阻穷山,而曰忠于所事,不亦惑乎?"珏不答,布哈至城下,营造云梯、鹅车,将攻之。珏悉众与良臣鏖战,良臣身中四矢。明日,督战益急。珏与伊苏岱尔战扶桑坝,良臣等从后合击之,珏兵大溃。其夜,都统赵安以城降。珏率兵巷战,不支,归索鸩饮,不得,乃顺流走涪,布哈遣舟师邀之,遂被执。珏,西凤州人。

先是泸州食尽,为万户图们达勒所破,安抚王世昌自经死。东川副都元帅张德润破涪州,守将王明及总辖韩文广、张遇春,皆不屈,被杀。绍庆、南平、夔、施、恩、播诸州相继降。

定武官承袭之制:凡有功升秩者,原职令它有功者居之,不得以子侄代,阵亡者始得袭,病死者降一等。总把百户,老死者不袭。著为令。

二月,戊午,祀先农,命蒙古胄子代耕籍田。

癸亥,赈咸淳等郡饥。

命平章政事按塔哈阿哩选择江南廉能之官,去其冗员与不胜任者。

辛未,以川蜀地多岚瘴,弛酒禁。

吕师夔以张镇孙及其妻子赴燕,镇孙自经死。

宋主舟还广州。达春令索多还攻潮州,宋知州马发城守益备。索多塞堑填壕,造云梯、鹅车,日夜急攻,发潜遣人焚之。凡相拒二十馀日而败,发死之,索多屠其民。

壬午,置太史院,命太子赞善王恂掌院事,工部郎中郭守敬副之,集贤大学士兼国子祭酒许衡领焉。

改华亭县为松江府。

遣使代祀岳渎。

以参知政事夏贵、范文虎、陈岩并为中书左丞,黄州路宣慰使唐古特、史弼并参知政事。

三月,乙酉,诏蒙古岱、索多、蒲寿庚行中书省事于福州,镇抚濒海诸郡。以沿海经略副使哈喇岱领舟师南征,升经略使兼左副都元帅,佩虎符。

甲午,西川行枢密院招降重庆等府。

乙未,命扬州行省选特穆尔布哈所部兵,助隆兴进讨。

丁酉,命达哈毁夔府城壁。

乙巳,广南西道宣慰司招降雷、化、高三州。

宋文天祥以弟璧及母在惠州,乃趋之,行收兵出海丰县,遂次于丽江浦。

宋都统凌震及转运判官王道夫复广州。

宋主迁驻硇洲,曾渊子至自雷州,以为参知政事、广西宣谕使。时渊子起兵据雷州,元帅府谕降,不听,进兵攻之。渊子奔至硇洲,遂有是命。

夏,四月,乙卯,命元帅刘国杰将万人北征。

丙辰,诏以云南疆土旷远,未降者多,签军万人进讨。

戊午,以江南土寇窃发,人心未安,命行中书省左丞夏贵等分道抚治,检核钱粮,察郡县被旱灾甚者。吏廉能者,举以闻;其贪残不胜任者,劾罢之。

甲子,命布哈留镇西川。巡军之戍西川者遣还。

立云南、湖南二转运使。

以时雨沾足,稍弛酒禁,民之衰疾饮药者,官为酝酿,量给之。

戊辰,宋主殂于硇洲,年十一。群臣多欲散去,陆秀夫曰:"度宗皇帝一子尚在,将焉置之! 古人有以一旅以成中兴者,今百官有司皆具,士卒数万,天若未欲绝宋,此岂不可为国耶?"乃与众共立卫王昺,年八岁矣。

方登坛礼毕,御辇所向,有黄龙自海中见,既入宫,云阴不绝。上前主谥曰裕文昭武愍孝皇帝,庙号端宗。杨太妃仍同听政。

时陈宜中入占城,日候其还朝,竟不至。张世杰秉政,而秀夫裨助之。外筹军旅,内调工役,凡有述作,尽出其手,虽匆遽流离中,犹日书《大学章句》以劝讲。

庚辰,遣使至杭州,取在官书籍板刻至京师,从许衡之言也。

壬午,立行中书省于建康府。

【译文】

4425

元纪一 起丙子年(公元 1276 年)四月,止戊寅年(公元 1278 年)四月,共二年有余。

元世祖名讳呼必赉(忽必烈),元睿宗的第四个儿子,母亲庄圣太后,在乙亥年八月乙卯(二十八日)生他,就是宋宁宗嘉定八年(公元1215年)。辛亥年(公元1251年),元宪宗即位,由于同母弟中只有世祖皇帝年长且贤德,将漠南汉地全部委属给他。戊午年(公元1258年),奉命分路进攻宋朝,抵长江北岸时,听到元宪宗去世的消息,向北回还。中统元年(公元1260年)三月戊辰朔(初一),到达开平,诸王大臣功他登基,于是即皇帝位。

至元十三年　宋景炎元年(公元1276年)

夏季,四月,庚辰(十六日),元世祖发布命令修建太庙。

郝经入朝拜见元世祖,元世祖在宫廷赐宴,并向郝经咨询国家大事,他的随行人员都得到多少不等的赏赐。

在这之前,宋丞相文天祥到达镇江,与他的门客杜浒等十二人,夜间逃入真州,真州安抚使苗再成出来迎接,见面时,苗再成高兴得流着泪说:"两淮地区的兵力足可复兴大宋朝廷,只是两位统帅感情上有裂痕,不能联合罢了。"当时还不知道夏贵已经投降,所以苗再成说出"两位统帅"。文天祥问:"那我们有什么办法呢?"苗再成说:"假如我们先约淮西的军队奔赴建康,他们一定会全力抵御我西路军。我们就指挥淮东诸将,用

元世祖忽必烈像

通州、泰州的军队攻打湾头,用高邮、宝应、淮安的军队攻打扬子桥,用扬州的军队攻打瓜步镇,我亲自指挥水军直捣镇江,同一天大举进攻。湾头、扬子桥都是沿江元军的兵力弱点,况且百姓日夜盼望我军到来,一攻就能攻下,三路大军从三面围攻瓜步镇,我再从长江水路一面向瓜步镇逼近,纵使再高明的人,也不能替他们谋划出解围的办法了。瓜步镇一被攻克,用淮东军队进入京口,淮西军队进入金陵,切断元军的退路,便可轻而易举地生擒敌帅。"文天祥非常赞赏苗再成的这个计划,当即给李庭芝送去一封信,并派使者四处联络约定发兵日期。

当初,文天祥未到真州时,扬州有从元军逃回的士卒,说北朝秘密派一丞相入真州劝降,李庭芝相信了这种说法,认为文天祥是来劝降的,就命令苗再成赶快杀了他。苗再成不忍心这样做,骗文天祥出城,把李庭芝命令杀他的公文拿给他看,并把他关在城外。过了很久,又派二路分窥探文天祥,果真是来劝降的就杀了他。二路分与文天祥交谈,见他忠义,也不忍杀他,就领他奔赴扬州。四更天,抵达扬州城下,听守城门的人对话,说制置司下令逮捕文丞相非常急迫,众人听了你看我,我看你,都吓得直吐舌头。文天祥于是更名换姓为清江人刘洙,向东转入海路,途中遇到元军,因藏伏在四围土墙中才免遭被俘,但饿得不能起身,向打柴人乞讨到一点残羹剩饭充饥。走到板桥,元军又追上了,众人跑进小竹丛中藏起来。元军

进入小竹丛搜索,虞候张庆的眼睛被箭射中,身上两处受伤,杜浒、金应被抓走。杜浒、金应拿出身上带的钱给元军士兵,才得以脱身,招募到两个打柴人,用草筐把文天祥抬到高邮稽家庄。稽耸把文天祥迎接到家,又派儿子稽德润护送文天祥到泰州,于是文天祥由通州漂洋过海寻找益王、广王,这个月才抵达温州。

五月,乙未朔(初一),因平定了宋朝,派官员到上都的近郊祭告天地、祖宗,又遣使者代替祭祀山川。

宋陈宜中、张世杰等拥戴益王赵昰在福州府即帝位,改年号为景炎。遥尊德祐帝为孝恭懿圣皇帝,又为太皇太后加了尊号,册封杨淑妃为皇太妃,进封广王赵昺为卫王。把福州升格为福安府,把大都督府改为垂拱殿,便厅改为延和殿,命王刚中出任福安府知府。金华县尉赵孟垒怀揣太上皇后的帛书从小道来福州,赵孟垒被提拔为宗正寺主簿。这一天,福安府中突然发出一声巨响,众人都吓得扑伏在地。原来是福州城的南城墙突然崩塌了七里长的一段。

当初,宋吴坚等出使元,未能完成使命,滞留在客馆中,高应松绝食不语,七日而亡,贾余庆也病死。家铉翁听说国家灭亡后,日夜哭泣,几天不进饮食,元世祖赞赏他的气节,想授予他官职,家铉翁拒不接受。宋恭帝赵㬎和全太后到燕,家铉翁跪迎拜谒,伏在地上痛哭流涕,谢罪说奉命出使无功,不能保存大宋江山。

宋恭帝赵㬎和太后于是前往上都。丙申(初二),在大安殿拜见元世祖。乙巳(十一日),授予宋恭帝赵㬎开府仪同三司、检校大司徒,封为瀛国公,随行的嫔妃安康朱夫人、安定陈才人,一起自缢身亡,在裙带上题有留言:“誓不辱国,誓不辱身。”

宋任命陈宜中为左丞相兼枢密使,统领各路军马,陈文龙、刘黼为参知政事,张世杰为枢密副使,陆秀夫负责直学士院,苏刘义主管殿前司。南宋诏召李庭芝为右丞相,姜才为保康军承宣使,诏召前相叶梦鼎为少师,担任太一宫使。叶梦鼎听到诏命,立即航海前往赴任,由于航道不通不能前进,只得面向南方恸哭而回。

宋任命赵溍为江西制置使,进兵邵武;任命谢枋得为江东制置使,进兵饶州;命令李世迭、方兴等进兵浙东;任命吴浚为浙东招谕使,邹渢为招谕副使。毛统由海路到达两淮,约请诸军会师。又诏命傅卓、翟国秀等分路出兵。其时谢枋得败逃,已溃不成军。邹渢是吉水人。

宋文天祥到达福安,授予他右丞相兼枢密使,统领诸路军马。文天祥由于国事都是陈宜中决策,与他的主张多有不相合的地方,坚辞不受,于是便任命他为枢密使、同都督。文天祥派吕武到江、淮一带招募豪杰,派杜浒到温州招募士兵。

元世祖召见宋降将问他们说:“你们这些人为什么这么容易就投降了呢?”他们回答说:“贾似道把持国政,常常优待文士而轻视武臣,我们心中久积不平,所以望风而降。”元世祖派董文忠告诉他们说:“贾似道真的轻视你们,只不过是贾似道一人的过错,你们的君主有什么对不起你们的呢!确实像你们说的那样,那么贾似道轻视你们本来也应该!”

巴延入朝,元世祖命百官到郊外迎接慰劳。巴延到达之后,便授予他同知枢密事的官职,把陵州、藤州的六千户赐给他作为食邑。

任命董文用为卫辉路总管。

卫辉路地处要冲,百姓中十分之九都被征充军,剩下的全都体质单薄孱弱,贫病交加不能担负劳役。正好刚得到江南地区,图籍、金玉、财帛的运输,日夜不断。每天要役使几千人警卫运输这批物资。董文用说:"老百姓已经疲惫不堪了,且又严重妨碍了农事,这样下去恐怕不行。"于是对主管运输事务的官员说:"郡邑的小吏、差役已经足够使用,不必再烦劳百姓了。"主管运输事务的官员说:"假如照您说的去做,万一发生意外的事,将是谁的罪过?"董文用当即写下字据,一一写明自己的官职、性命担保。百姓才得以按时耕作,而运输任务也完成了。

宋直学士院陆秀夫被罢免。陈宜中因陆秀夫长期在军队中任职,熟悉军务,每做一件事都先向陆秀夫询问后才行动,陆秀夫也尽心帮助他。不久陆秀夫与陈宜中意见分歧,陈宜中就让人弹劾陆秀夫而罢了他的官,贬放潮州。

此时衢、婺各州全又被宋军队驻守,董文炳对索多说:"不守住严州,临安一定有危险,您前往镇守。"不到十天,各州宋军联合来攻打严州,索多抵御抗击了三个月,又攻破婺州。衢州防守戒备很严,索多率领总管高兴等人击鼓呐喊首先登上城墙,攻取了衢州城。宋权知府事萧雷龙脱逃,与同乡黄巡检起兵,估计不能支撑,便与部下几个人一起奔入闽地,还没出境,就被同安勇士徐浚冲俘获押送县衙,县尹刘圣仲一向与萧雷龙有仇,于是把他杀了。

当时监军赵孟垒收复明州,战败,被俘,不屈,遭肢解而死。福王赵与芮的侄子赵孟桀,谋划在绍兴起兵,事情泄漏,被拘押到临安,范文虎责问他为什么谋反,赵孟桀骂道:"你们这些贼臣辜负国家厚恩,一起危害社稷。我是皇室后代,想洗刷宗庙的耻辱,怎么竟反认为我是反叛呢?"范文虎一听大怒,叫人把赵孟桀拉出去,要把他杀掉。经过宋宗庙时,赵孟桀高呼:"太祖、太宗在天之灵,为什么让我孟桀落到这个地步!"杭州人都为他落泪。

宋前丞相留梦炎投降。

宋广东经略使徐直谅,派他的部将梁雄飞到隆兴请求投降,阿尔哈雅授予梁雄飞暂代招讨使的官职,并派他巡行广东。不久徐直谅听说闽中颁布诏书,于是命令代理通判李性道、摧锋军将黄俊等人在石门抵御梁雄飞。李性道不战,黄俊战败,徐直谅弃城逃跑。六月,丁卯(初四),梁雄飞进入广州,众降将都被授予官职,唯独黄俊不接受任命,结果被杀。

宋吴浚在广昌聚集军队,以后就去收复南丰、宜黄、宁都三县。翟国秀去夺取铅山,傅卓到达衢、信各县,当地百姓中响应的人很多。恰巧吴浚的军队战败,翟国秀率军退回,傅卓的军队也战败,于是投降。

己巳(初六),任命孔子五十三世孙曲阜县尹孔治兼代理主祀事。

壬申(初九),撤销两浙大都督府,在鄂州、临安设置行尚书省;设置诸路宣慰司,由行省官员掌管,并带行省丞相衔;凡设置行省的地区,不设置宣慰司。

4428

甲戌(十一日),因为《大明历》逐渐出现误差,命令太子赞善王恂与江南日官置局重新制定新历法,任用枢密副使张易监管这件事。张易、王恂上奏说:"现在的历法家,只知道历术,很少明了历理,应该请像许衡这样的年老学者来商订。"皇帝听从他们的意见。下诏书召许衡赶赴大都。

国子生博果密在王恂、许衡门下接受教育,特别被许衡推重、赞许。为了考查博果密的学业,元世祖曾经把他召来面试,结果大为赞叹。到这时,博果密和其他同学一起向元世祖呈上建议书说:"成就帝王基业的人建立国家统治百姓,开办学校是首要的事情。从尧、舜、禹、汤、文、武这些时代以来,没有哪一个时代没有学校的,所以君主能把国家治理得兴盛,民间也能有美好的习俗。臣等再引平定江南的君主建置学校的例子,向陛下陈述如下:晋武帝曾平吴,创建国子学;隋文帝曾灭陈,使国子学不再隶属于太常寺;唐高祖曾灭梁,下诏书命令各州县及乡都必须设置学校;唐太宗增建校舍,唐高宗设立六学,都是秉承唐高祖发展教育的旨意而采取的具体做法。然而晋平吴,仅得百姓五十三万户罢了;隋灭陈,仅得五百个郡县罢了;唐灭梁,仅得六十余万户百姓而已;而各朝重视发展学校教育就已经到了这样的程度。何况我们这样一个堂堂大国,完全占有了长江、五岭这样广大的地域,粗略计算得到的亡宋民户不下千万,这是陛下的神功,远非晋、隋、唐各代所敢比拟的。可是办学校兴教育这样的政事,至今还没完全实施,臣私下深感惋惜!臣等一向承蒙圣恩,让我们学习儒学,圣意难道不是认为各色人做官的常常很多,蒙古人做官的却常常很少,想使臣等明白世务,以便供陛下任用吗?可是由于学制没有确定,学生人数少,就好像要在几株秧苗中选出嘉禾,从几匹马里面求得良骥,这恐怕是不容易办到的。为当今考虑,要想多出人才,通晓汉法,必须像过去那样普遍建立学校,然后才能够实现。如果还没有空闲做这件事,应该在大都光大阐扬国学,挑选蒙古人年龄在十五岁以下,十岁以上素质好的一百名,再挑选百官子弟和平民子弟中才智杰出的一百人,明确规定由公家给予他们不同标准的膳食津贴,选派道德高尚、学识渊博、足为师表的人,担任司业、博士、助教来教育他们。使这种教育一定从人伦出发,能明白事物的道理,为他们讲解儒家经典著作,教给他们修身、齐家、治国、平天下的原则。在这之下再开设几科,比如小学科、律科、书科、算科等等,每科都设置专业教师,让他们各自以本科课业训导学生。小学科则让学生读诵经书,教给他们应对、进退、侍奉长者的仪节;律科则专门让他们通晓吏事;书科则专门让他们学习写字绘画;算科则专门让他们熟练掌握计算。或者是掌握了一种本领以后再改教另一科,或者是一天之内更换教授几科,让国子学官总管这件事情,时常加以校订,一定要全都通晓,仍旧以掌握义理为主,学有余力的,可以让他们学做文章。按照日月岁时,根据他们聪敏与迟钝的不同情况,分别要求他们完成各自的功课,考核他们的勤奋或懒惰而加以赏罚,勤奋的提升他到上舍,懒惰的惩罚他到下舍,等他改过之后,再把他升到上舍。假日可以让他们到郊外学射术,不是假日,无故不让走出国学校门。几年以后,上舍生中学业有成就的,听凭学官的保举,蒙古人怎样评定。等级,其他各色人怎样晋升为官;那些没完成学业的,且让他们依旧学习,等到他们可以从政的时候,然后每年听凭学官举荐其中品德好有才能的,让他们按照规定入仕做官。那些终归不可教育的,三年后则令他离开国学。凡是督学的留任、罢免、增员、减员,都得随时上奏陛下,那么学校就不会有舞弊的现象,而天下的人才也都会看到而感动奋发。然后接着建立郡县的学校,求得教化百姓使他们形成良好的风尚,就没有什么办不成的了。"这道奏章,元世祖看了之后很高兴。

戊寅(十五日),皇帝下诏命编写《平金录》《平宋录》及《诸国臣服传记》,命耶律铸监修国史。

壬辰(二十九日),任命户部尚书张澍为参知政事,在北京兼管中书省。

秋季,七月,丁酉(初四),宋文天祥在南剑州开建府署,治理江西。文天祥本打算回温州以图进取,陈宜中不同意。因为陈宜中放弃温州退入福建,想倚仗张世杰收复浙东、浙西来洗刷自己,所以命文天祥在南剑州开建府署。

宋涪州观察杨立的儿子杨嗣荣请求降诏招抚他的父亲,元世祖同意。

当初,临安已被攻破,阿珠凭宋太皇太后亲笔写的诏书让李庭芝投降。李庭芝登城对使者说:"我奉皇帝的命令守城,没听说皇帝用诏书指示臣民投降的。"等到恭帝赵㬎北上临时停驻瓜洲,太皇太后又赐李庭芝诏书说:"接连命令你投降,很久没有得到你的回答,难道不知道我的意图,还想坚守边境吗? 现在我和继位的国君既然已经称臣屈服,你还为谁守城呢?"李庭芝不回答,命令发射弩箭射使者,射死一人,其余的都奔逃离去。阿珠于是派兵把守高邮、宝庆以断绝李庭芝补给粮饷的道路,博罗欢又攻克泰州的新城,驱赶已经投降元军的夏贵淮西军士兵到李庭芝固守的城下让他看。李庭芝手下官吏中有人劝他并替他出主意,李庭芝说:"我只有一死而已!"阿珠又派使者带着诏书招降李庭芝,李庭芝打开军营的围墙让使者进来,把他杀了,并在城墙上把使者带来的诏书烧掉。不久淮安、盱眙、泗州都因为粮进而投降,李庭芝还搜求民间的粮食供给士兵,不几天粮食吃完了,又命令官吏交出自家的粮食发给士兵,不几天粮食又吃完了,再命令将校拿出自家的粮食,掺上牛皮、酒曲供给士兵。士兵中甚至有吃自己孩子的,可是还奋力作战决不屈服。

姜才听说从高邮运来的军粮快到了,派出步兵、骑兵五千人到丁村作战,从夜晚打到天亮,元军多被打败。阿珠派巴延彻尔救援,带领的都是阿珠的部下,姜才的军队看出是阿珠的军旗,全都溃退,姜才也脱身逃跑。当时高邮的水路已经断绝,阿珠又派部将阻击从陆路运输军粮的部队,杀死几千名背米的士兵,因此李庭芝部队的粮饷更接不上了。

阿珠向元世祖请求,下诏书赦免李庭芝焚毁诏书、杀死使者的罪行,让他早日投降,李庭芝不接受。恰巧福安府的使臣到达,李庭芝想前往福安应召,命令制置副使朱焕镇守扬州,自己与姜才带领七千士兵奔往泰州,将向东进入海路。李庭芝出发后,朱焕就开城投降了。阿珠带领人马分几路追上了李庭芝,杀死步兵一千多人。李庭芝逃进泰州,阿珠布兵围困,并且驱赶李庭芝的妻儿到城下招降。正赶上姜才背上生了毒疮,不能作战;泰州副将孙贵、胡惟孝、尹端甫、李遇春打开北城门把元军放进城内。李庭芝无奈,投入莲花池中,因为池水浅而没有淹死,于是与姜才一起被捉住,押解到扬州。阿珠责问他们为什么不投降,姜才说:"不投降的是我!"并怒骂不止。然而阿珠还是喜爱他们的才能和勇气,不忍杀他们。朱焕请求说:"扬州自从开战以来,尸骸遍野,都是李庭芝与姜才干的,不杀他们还等什么!"阿珠这才把他们都杀了,扬州百姓听说后没有不落泪的。

有一个叫宋应龙的人，儒生身份而懂得军事，出入军队三十多年，到这时任泰州咨议官。泰州守臣孙良臣的弟弟孙舜臣，从元军中来劝降，孙良臣召宋应龙一起商量。宋应龙极力陈述国家的恩泽，君臣的大义，请求杀死孙舜臣来惩戒怀有二心的人，孙良臣不得已而杀了孙舜臣。到了泰州投降元军的时候，宋应龙夫妇自尽而死。提刑司咨议庐州人褚一正，置司高邮，督战，也受伤落水淹死。淮东地区全归附了元朝。

甲寅（二十一日），因为杨村到浮鸡泊从水路运输粮食的河道迂曲绕远，所以改从孙家务漕运。

丙辰（二十三日），派使臣用香币祭祀山川、土神。

任命尚书右丞阿尔哈雅为平章政事；签书枢密院事、淮东行枢密院锡奇里密实为中书右丞；参知政事董文炳为中书左丞；淮东左副元帅达春，两浙大都督范文虎，江东江西大都督、知江州吕师夔，淮东淮西左副都元帅陈岩，同为参知政事。

这月，翰林侍读学士郝经去世。

郝经为人，崇尚气节，主张学以致用，在宋朝被拘禁十六年，跟他的人都获得了学问。到逝世时，官员都为他护丧送葬，谥号文忠。

八月，己巳（初七），凿通武清蒙村的漕渠。

扬州已经攻破，元兵攻打真州更急。宋都统司计议赵孟锦，乘大雾袭击元军兵营。不一会儿，大雾散开，元军兵营中看清赵孟锦的兵少，就出击追杀他们，赵孟锦急忙登船，失足落水而死，真州城于是被攻破。安抚使苗再成战死。

元世祖召阿珠入朝，把二千户人口的泰兴赐给他为食邑。

宋杨亮节居官朝中执掌大权，秀王赵与择，自以为是国家的宗亲与贤臣，经常直言规劝杨亮节，于是招致猜忌，因此诸将领都怕他。至此时，诏令赵与择出兵浙东，朝臣说："赵与择有刘更生的忠，有曹王李皋的孝，应该留下辅佐皇帝来加强国家的根本。"谗毁赵与择的人更加紧说他的坏话，终于把他派出去了。赵与择围攻婺州，遭到董文炳的抵抗，只得带兵返回。

宋任命王积翁为福建招捕使，黄恮为招捕副使。王积翁兼知南剑州，防御上三州；黄恮兼知漳州，防御下三州。

宋张世杰派都统张世虎与吴浚的军队会合在一起，共计十万人，要求一定收复建昌；他们与李恒作战，结果兵败，吴浚逃往宁都。

元世祖从上都回大都，任命鄂啰齐为参知政事。

宋太皇太后谢氏，因病久留临安，到这时，派人用床从宫中抬着她出来，同侍卫七十二人一起，北赴大都，降封她为寿春郡夫人。

九月，壬辰朔（初一），命令国师在太庙作佛事。

庚子（初九），命令姚枢、王磐从宋的太学生中挑选有真才实学的留在京师，其余的都任凭他们回家。

癸卯（十二日），因平定宋而大赦天下。

丙午（十五日），命令常德府每年进贡祭祀时用来滤酒的菁茅。

阿喇罕、董文炳及蒙古岱、索多率领水军从明州出发,达春和吕师夔、李恒等率领骑兵从江西出发,分路攻取闽、广。

东莞人熊飞镇守潮州、惠州,听说宋赵溍到来,立即派部队接应他;到广州攻打梁雄飞,梁雄飞逃跑,熊飞于是收复了韶州、新会。恰巧曾逢龙也率兵到广州,李性道出城迎见,熊飞与曾逢龙捉住李性道,杀了他,赵溍就进入了广州城。

宋知邕州宕昌人马墍将要领兵保卫都城,而临安已经被攻破,于是留在静江,总领屯戍诸军。阿尔哈雅将带兵攻取广西,马墍派遣部下及当地各路士兵把守静江,自己带领三千人镇守严关。阿尔哈雅攻打严关,未能攻下,于是就用部分部队进入平乐,过临桂,夹攻马墍,马墍退守临江。阿尔哈雅派人招降,马墍发射弩箭射前来招降的使者。阿尔哈雅攻打了三个月,马墍身不解甲,前后打了百余仗,城中死伤的人纵横相枕,却始终没有投降之意。

辛酉(三十日),下诏书命宋宗室之臣鄂州教授赵与票到朝廷来。赵与票入见,谈论宋室败亡的缘故,全由于误用弄权作恶的奸臣,言辞激烈。元世祖听了很感动,当即授予他翰林待制的官职。

冬季,十月,壬戌朔(初一),宋文天祥的军队驻扎在汀州,派遣赵时赏等带领一支军队直奔赣州以攻取宁都,吴浚带领一支军队攻取雩都,刘洙等均从江西带领部队来会合。赵时赏是和州的南宋宗室。丁亥(二十六日),两浙宣抚使焦友直,带着临安的经籍、图画、阴阳秘书到京城来。戊子(二十七日),淮西安抚使夏贵请求入朝拜见元世祖,乞求任命他的孙子夏贻孙暂时代理宣抚司事务,元世祖同意了。

任命淮东左副都元帅阿尔为平章政事,河南等路宣慰使哈喇哈逊为中书右丞。

吕师夔等带兵过梅岭,赵溍派熊飞和曾逢龙在南雄抵御他,曾逢龙战败而死,熊飞跑到韶州。吕师夔进兵围韶州,守将刘自立献城投降,熊飞率兵巷战,失败,投水而死。

十一月,阿喇罕、董文炳攻打处州,知州李珏献城投降。甲辰(十四日),宋秀王赵与择和弟赵与虑、儿子赵孟备及观察使李世达、监军赵由瑂、察访使林温、瑞安知府方洪一起被捉,都不屈而死。

元军攻破建宁府、邵武军,宋陈宜中、张世杰,准备好海船护送宋端宗赵昰及卫王赵昺、杨太妃等上船。当时有军队十七万人,民兵三十万人,淮兵一万人,与元军的船只相遇,正碰上天有大雾,光线昏暗,船才得以前进。

宋王积翁放弃南剑州逃往福安府,派人请降。到这时,元军集结在城下,王积翁为内应,于是与知府王刚中一同投降。

宋端宗走到泉州,船停泊在港口,招抚使蒲寿庚来拜见,请宋端宗在此暂住,张世杰不同意。当初,蒲寿庚任提举市舶,独占其利三十年,有人曾劝张世杰扣留蒲寿庚不让他走,所有的海船不再由他支配,张世杰不听,放他回去了。之后因船不够用,于是就掠走蒲寿庚的船只,并没收他的财物。蒲寿庚大怒,杀死了在泉州的各宗室及士大夫与淮兵,陈宜中等于是才护送宋端宗奔往潮州。蒲寿庚就与泉州知府田子真献城投降。

癸丑(二十三日),合并中书省内外各司。

庚申（三十日），朝廷下令说："管民及理财之官，由中书省选调，军官由枢密院选择确定。"

高丽国王王愖改名为王睶。

十二月，辛酉朔（初一），宋江西制置使赵潽弃广州而逃，副使方兴也逃走。

宋降将王世强为元军向导，攻破福安。王刚中已经投降，派他巡行兴化军，宋知军事陈文龙斩了王刚中却把他的副使放走，带去一封书信斥责王世强、王刚中对不起国家，于是发动百姓和士兵固守城池。阿喇罕又派使者招降，陈文龙又斩了使者。有人含蓄地劝他投降，陈文龙说："各位只不过怕死罢了，岂不知此生能不死吗？"于是派他的部将林华在边境防御敌人，不料林华反倒当了敌人的向导，带引元军到城下，通判曹澄孙打开城门投降。陈文龙被捉住，劝他投降，他不屈服，元军将领的侍从凌辱他，陈文龙指着自己的肚子说："这里都是节义文章，你们为什么逼我！"始终不屈，于是给他戴上脚镣手铐押往临安，陈文龙绝食而死。陈文龙的母亲被拘囚在福安尼姑庵，病得很厉害，身边的人看着她都难过得落泪，陈文龙的母亲说："我和我儿子一道死，又有什么遗恨呢！"说完也死了。众人赞叹说："有这样的母亲应该有这样的儿子！"安葬了她的尸体。

东川、西川守将联合部队一万人围攻宋驻守的重庆，大肆抢掠，军政不统一，使重庆城更能够自保。宋制置使张珏接到兼管重庆的任命，但不能前往上任，留在合州抗击元军，派将领收复泸、涪二州，元军因内部不和而溃败，张珏才能入重庆城，派将士四出作战，所到之处全都告捷。张珏立刻派出使者探寻宋二王所在的地方，当时宋端宗迁移到闽、广一带，发布的号令不能到达四川，而川中众将还为宋室守卫着城池。

阿尔哈雅派人送信给马塈，许诺任命他为广西大都督，马塈不接受；阿尔哈雅又请求元世祖亲下诏书告知他，马塈却焚毁诏书杀掉使者。静江府以江水为险固，阿尔哈雅于是修筑堤堰，截断大阳、小溶二江来阻遏上游的水流，又挖开东南的土坝让护城河水流干，城于是被攻破。马塈关闭内城坚守，又被攻破。马塈率领敢死之士在城内与敌人巷战，手臂受伤被捉住，砍掉他的头，他还握拳奋起，站立了一个多时辰才倒下。马塈的家族世代都因忠勇而成为名将，到了马塈这儿，为节义而死最为壮烈。淮人黄文政，原先戍守蜀地，军队溃败，逃往静江，马塈邀他同自己一起守城，城被攻破后也被捉住。黄文政破口大骂，毫不屈服，被割掉舌头，接着又被削掉鼻子、砍掉脚，黄文政声音含糊不清仍然大声痛骂，一直到死骂声不断。

邕州守将马成旺和他的儿子都统马应麒献城投降。马塈的部将娄钤辖，还率二百五十人死守着月城不投降。阿尔哈雅笑他说："这小城哪里值得我攻打！"围困十几天，娄钤辖从城墙上往下喊话说："我们饿得不能出城投降，如果给我们吃的东西，我们就听你们的命令。"于是就送给他们几头牛，几斛米，一位部将打开城门把那些东西取回去，又关上了城门。元军登高观望他们，士兵都分到米，饭没做熟，大块牛肉还是生的，却立时被吃光。一会儿吹响号角，敲响战鼓，元军众将以为是对方出战的信号，披挂好铠甲等待，娄钤辖于是命令他部下的人推出一门火炮点燃，炮声如雷霆一般，城墙全被震塌，烟雾弥漫天空，外面的士兵被吓死了很多。火熄灭以后，进城一看，全城都变成灰烬了。阿尔哈雅把城内的百姓全活埋了。只有七百人死里逃生进了西山，阿尔哈雅答应不杀他们，招抚他们，让他们投降，七百人全都自杀，没有一个人投降。阿尔哈雅于是分兵攻取了郁林、浔、容、藤、梧等州。广西提刑邛州人邓得遇，听说静江被攻破，穿好朝服面向南方遥拜皇帝诀别，在一张纸上写道："宋室忠臣，邓氏孝子，不忍偷生，宁甘溺死。"于是就投南流江而死。

宋端宗在惠州，甲子(初四)，派倪坚带上降表到元军阵前去请求投降。过了一些时候，索多命令他的儿子元帅伯嘉努同倪坚一起奔赴大都。

任命哈坦、奇尔济苏兼任东川行枢密使，攻打合州；任命布哈、李德辉兼管西川行枢密院，攻打重庆，仍命令李德辉留在成都供给军需。

壬申(十二日)，李思敬告发运使姜毅说的话悖谬狂妄，并指明姜毅的妻、儿可以作证，元世祖说："妻、儿怎么能当证人呢?"下诏书说不要过问了。

庚寅(三十日)，皇帝下诏书告知浙东、浙西、江东、江西、淮东、淮西、湖南、湖北各府州军县官吏军民："过去因为万户、千户掠夺百姓，致使百姓逃散，现在全都让百姓回到原籍州县。凡是管军将校及宋朝官吏，有依仗势力抢夺百姓田地房屋产业的，命他们把这些田地房屋产业归还给原来的主人，没有原主的就拿来分给附近没有产业的百姓。那些田租、商税、茶、盐、酒、醋、金、银、铁冶、竹货、湖泊都按税率收税，依照实际情况办理。凡是过去南宋规定的烦冗的税收差役、皇帝生日要向朝廷交纳的赋税和另立名目的附加杂税一百多种，一概免除。"

这一年，行省云南的赛音谔德齐把更改的郡县报告朝廷。云南的习俗不讲礼义，男女常常自己进行婚配，双亲死后就把遗体火化，也不举行丧祭，不种植粳稻桑麻，子弟不知道读书。赛音谔德齐教他们拜跪的礼节，男女婚姻要有媒人的撮合，人死后要为他准备棺椁并举行祭奠，教给百姓播种庄稼，挖池塘蓄水以防备水旱灾害，创建孔子庙、明伦堂，购置经史书籍，拨给办学用的公田，从此文德教化之风逐渐兴起。

云南百姓用贝壳代替钱币，这时开始实行使用钞票，百姓觉得不方便，赛音谔德齐把这种情况上报朝廷，朝廷允许云南百姓仍沿袭他们的习俗。又忧虑云南山路险远，常有盗贼出没，使过往的行人担心，于是选择适当的地方设镇，每镇设本地的酋吏一人，百夫长一人，往来行人有遭劫掠的，就要惩罚到他们身上。有一些本地的官吏，怨恨赛音谔德齐不任用自己，到京师诬告他在几件事情上超出规定范围擅自行事。元世祖对侍臣说："赛音谔德齐忧国爱民，朕很了解他，这些人怎么敢诬告!"立刻命令给他们加上刑具押送给赛音谔德齐处治。送到之后，赛音谔德齐给他们脱掉刑具，并且告诉他们说："你们不知道皇上命令我斟酌情况自行决断处理事务，所以告我超出规定擅自行事。我现在不惩罚你们，还将任命你们官职，你们能竭尽忠诚赎自己的罪吗?"这些人都叩头拜谢说："我们有死罪，平章大人既救了我们性命又给我们官职，我们发誓以死报答。"

交趾时而叛变时而顺服，反复无常，湖广行省屡次发兵征讨，都不能取胜。赛音谔德齐派人告诉交趾王逆顺祸福的道理，并且说愿意和他结拜为兄弟，交趾王听了很高兴，亲自到云南来，赛音谔德齐到城郊迎接，用贵宾的礼节对待他，交趾王于是请求永远做藩臣。

罗槃甸叛变,赛音谔德齐前往征讨,面带忧虑的神色,跟随的人问是什么缘故,他说:"我不是忧虑出征,而是忧虑你们冒着敌人的兵器,不幸因无辜而死;还忧虑你们劫掳平民,致使民不聊生,到了百姓起来叛乱然后又得去征讨。"军队驻扎罗槃城外三天,叛众不投降,诸将请求攻城,赛音谔德齐不准许,派使者给他们讲道理,罗槃主表示接受命令。过了三天,还不投降,诸将再次奋勇请求进军,赛音谔德齐又是不准许。不久将卒中有人登城进攻,赛音谔德齐大怒,急忙鸣锣命令他们停止进攻,叫来万户叱责说:"天子命令我安抚云南,不曾命令我杀戮。没有主将的命令而擅自进攻,按照军法当斩。"命令身边的人把擅自攻城的将卒捆绑起来。众将叩头,请求等到城降的时候再处置。罗槃主听到这件事情后说:"平章大人这样宽厚仁爱,我再不服从命令,很不吉利。"于是全国投降,那些擅自攻城的将卒也被释放了,罗槃甸于是改为元江府。从此西南各少数民族一致诚心归附。

当地部落的首领每次来拜见,照例都贡献物品,赛音谔德齐全分赐给部下,或者分发给贫民,一点儿都不据为己有。备办酒宴慰劳部落首领,做好衣冠鞋袜,拿来和他们的草衣草鞋交换,部落首领都被感动而喜悦。

至元十四年 宋景炎二年(公元 1277 年)

春季,正月,丙申(初六),因为江南已平定,百姓供给军需十分疲惫,所以免除各路今年应该缴纳的丝、银。

元军攻克汀关,南宋文天祥想据守城池抵抗,汀关守臣黄去疾听说宋端宗已航海南逃,他掌握着军队有叛离之心,文天祥于是就带领部队转移到漳州。当时赵孟濴等部队回来了,吴浚没有到。不久,吴浚与黄去疾一起投降。

汉天师的继承人张宗演被召到大都,元世祖命令百官到城郊慰劳,用对待宾客的礼节对待他,赐给他法号为演道灵应冲和真人,兼理江西各路道教。不久又命令他在长春宫举行周天醮活动,事毕返回龙虎山,把弟子张留孙留在大都。

癸卯(十三日),恢复设立各道提刑按察司。在这之前,监察御史姚天福对御史大夫伊实特穆尔说:"按察司的设立,是借以扩大视听,防备意外,要考虑到深远,不只是监督官吏而已,不应撤销。"伊实特穆尔惊讶地说:"要不是您这番话,几乎造成失误。"夜晚,伊实特穆尔进入元世祖寝宫,报告了姚天福的那番话,元世祖大悟,到这时才恢复设立各道提刑按察司。阿哈玛特却不高兴,贬姚天福为衡州路同知。

甲寅(二十四日),元世祖下令:"宋福王赵与芮在杭州、越州的家产,由有司负责用车运到京师,还给他家。"

南宋知循州府刘兴,知梅州府钱荣之,都献城投降。

二月,癸亥(初四),彗星在东北方出现,长四尺多。

广州投降,于是攻破广东各郡。

吴浚已经投降,因此到漳州劝说文天祥投降,文天祥用大义谴责他,把他杀了。

元世祖到上都。

攻打南方的军队调回来,留下潜说友为福州宣慰使,王积翁为副使。当时北方军情紧急,元世祖命令众将带领出征的军队回来,凡是留在福安的众将部下及淮兵,由李雄统率。

壬午(二十三日),拆毁了吉、抚二州的州城,因为隆兴城靠近江边,暂且保存下来。

任命西僧嘉木杨喇勒智为江南总摄,掌管佛教,免除僧人的租赋,拘禁骚扰寺庙的人。

三月,宋文天祥收复梅州。

李雄杀潜说友。

宋陈瓒发兵讨伐林华,收复兴化军。陈瓒是陈文龙的侄子。

元世祖因为去年冬天没降雨雪,今年春雨又没接上,于是向翰林国史院耶律铸、姚枢、王磐、窦默等人询问对百姓有好处的事有哪些,他们回答说:"满足百姓吃饭的办法,只有节制浪费,浪费粮食之多,没有超过酿酒的了,况且自周、汉以来,都曾有过明令禁止。祈神赛社活动中,消耗的也不可计数,这一切都应该禁止。"元世祖听从了他们的意见。

翰林待制获鹿人王思廉曾给皇帝讲读《资治通鉴》,讲到唐太宗有杀魏征的话及长孙皇后进谏的事,元世祖命内官把王思廉带到皇后内宫,讲解这件事。皇后说:"这确实对皇帝的心意有好处。你应该挑选有益的话讲给皇上听,千万不要用轻慢的话烦扰皇上。"每当王思廉陪侍元世祖读书论学时,世祖都让御史大夫伊实特穆尔、太师伊彻察喇、御史中丞萨里曼等全来听讲受教。

廉希宪在江陵,患病长久不愈。董文忠对元世祖说:"江陵气候湿热,对廉希宪的病怎么行!"元世祖立刻召廉希宪回都城。江陵百姓拦住道路哭号,挽留他又不可能,就共同为他画像建生祠。廉希宪回到都城,行囊空空,只是随身携带琴书而已。世祖知道他清贫,特地赐给他金钞。

夏季,四月,宋广东制置使张镇孙收复广州。

宋文天祥带领军队从梅州出兵江西,吉州、赣州的部队都来与他会师,于是收复了会昌县。

宋淮人张德兴,与淮西野人原寨的刘源等起兵复兴大宋天下,司空山民傅高起兵响应,于是收复了黄州、寿昌军,用景炎年号。贾居贞派湖北宣慰使郑鼎率领军队抵抗,郑鼎说鄂州的世家大族都与傅高有交往,请让我先除掉他们以断绝祸根,贾居贞不允许。郑鼎将要出兵时,留下他亲信的部将说:"你一听说我领兵回来,就立刻在城楼点起烽火,内外一起行动,应能把城中的世家大族杀光。"郑鼎在樊口与张德兴遭遇,战败,被淹死。

五月,癸巳(初五),严令大都实行禁酒令,违犯者没收他的家产,分给贫民。

廉希宪到上都,太常卿田忠良来探问病情。廉希宪对他说:"上都是圣上即位之地,天下人把它看作是根本。最近听说龙冈失火,火势蔓延烧毁民房,这不过是常有的事,千万不要让妄谈风水的人来蛊惑皇上产生迁都的心思。"不久,果然有一些人奏请迁都,枢密副使张易、中书左丞张文谦与他们在朝廷上辩论,极力说不能迁都,元世祖很不高兴。第二天,召田忠良咨询这件事,田忠良用廉希宪的话回答。元世祖听后说:"廉希宪病得那么厉害,还思虑到这事?"迁都的议论于是平息。下诏令从扬州征召名医来诊治廉希宪的疾病,他服药后,能拄着拐杖起来了,元世祖很高兴,对廉希宪说:"你得到良医的诊治,病就要好了。"廉希宪回答说："医生拿好药来治臣的病，臣如能警惕谨慎，就的确像圣上说的那样病就会好起来。如果放肆懈怠，良医又有什么用呢!"廉希宪说这话原来是用医病来讽喻治国。

辛亥(二十三日)，因为河南、山东发生水旱灾，免除鱼税，听任百姓自由捕鱼。

乙卯(二十七日)，选蒙古军、汉军间隔在宫中值宿，担任警卫。

六月，辛酉(初三)，宋文天祥军进入雩都。

丙寅(初八)，宋涪州安抚使杨立及其子杨嗣荣相继投降。任命杨立为夔路安抚使，杨嗣荣为管军都统。

秋季，七月，宋文天祥派赵时赏等人分路收复吉州、赣州各县，于是围困赣州。衡山人赵瑶、抚州人何时都领兵响应。

壬辰(初五)，元世祖下令："犯有偷盗罪的人一律在闹市处死，陈尸街头示众。"符宝郎董文忠上书，说盗有强盗与窃贼的区别，赃物也有多少的不同，似乎难以全都按同一种刑罚处治。元世祖认为他的话说得对，又急忙下令停止执行。

漕司提议沟通沁水，让它向东流与御河会合以便漕运，董文用说："卫州这个郡，地势最低。大雨应时而下，沁水往往溢出百十里，雨下得再猛，水也不能流入河中，就在卫州泛滥。假如现在又引沁水过来，那岂止淹没卫州，大名、长芦也必将淹没了。"恰巧在朝廷商议国政，决定派人去察看地形时，董文用进言说："卫州城中最高的佛塔，才与沁水的水面一样高，这种地势决不能开引沁水。"沟通沁水的事才没能实行。

癸卯(十六日)，诸王锡里济在阿里玛图劫持北平王，拘禁右丞相安图，逼迫诸王叛变，派人与哈都通好。哈都没有接纳他们，于是就带兵到达和林城北。元世祖命令巴延率领军队前往抵御。

乙巳(十八日)，宋张世杰亲自带领淮兵讨伐蒲寿庚。当时汀州、漳州各路大盗陈吊眼及畲族妇女许夫人所统率的当地畲军都会合一起，兵势稍振，蒲寿庚闭城自守。张世杰于是向各路传送檄文，陈瓒发动家丁，招募五百人响应张世杰，张世杰派遣大将高日新收复邵武军。在福州的淮兵企图谋杀王积翁来响应张世杰，事情被发觉，这些淮兵都被王积翁杀了。

丙午(十九日)，在扬州设置御史台，任命都元帅姜卫为御史大夫，设置八道提刑按察司。姜卫说："陛下把臣当作耳目，臣把监察御史、按察司当作耳目。如果任用的人不能起到耳目的作用，是这人的耳目先自闭塞了，那么下情由什么途径上达呢!"元世祖赞赏他的见解，下令御史台清理人选，每当任命名单送到，一定召集幕僚、御史商议能不能通过，与众人意见不一致的，当即去掉。

戊申(二十一日)，东川都元帅张德润攻取涪州。

在江西设置行中书省，任命达春为右丞，敏珠尔丹为左丞，李恒、蒲寿庚、程鹏飞同为参知政事，掌管江西行省事务。

丁巳(三十日)，任命参知政事兼江东道宣慰使吕文焕为中书左丞。

元世祖诏令皇子安西王北征，安西王命令王相商挺说："处理关中事务有不便利的地方，过去的规定全可以改变。"商挺向安西王进献十条谋略，这十条谋略是：亲近邻邦，安定人心，尊重农时,防备意外,厚待民众,独揽职权,纯洁心性,谨慎自理,坚固根本,体察下情。安西王为商挺举办酒宴,赞许并采纳了他这十条谋略。

八月,李恒派兵增援赣州,而亲自带兵到兴国攻打文天祥。文天祥没料到李恒突然而来,派兵在钟步迎战,未能取胜。当时邹凤在永丰聚集了几万人马,文天祥领兵向他靠拢,恰巧邹凤的部队先已溃败,李恒追赶文天祥到方石岭,而且追上了。宋将巩信用短兵迎战,李恒怀疑有埋伏,收兵不再前进。巩信坐在一块大石头上,其余的士卒侍立周围,箭像雨点般密集射来,巩信等屹然不动,李恒从小道靠近察看,他们满身创伤而死身体却不倒下。文天祥到空坑,部队全都溃散了。当时赵时赏坐着轿子,追兵问轿子里坐的是谁,赵时赏说:"我姓文。"追兵以为是文

蒙古人攻城图　伊朗　志费尼

天祥,把他擒获。文天祥因此得以与杜浒、邹凤等人逃走。到达循州后,不少溃散的士兵又聚集起来。文天祥的妻儿及幕僚、客将却都被捉住。赵时赏被押到隆兴,怒骂不屈,他的下属官吏有被捆绑来的,就挥手让他们离开,说:"一个小小的掌管文书的,抓来有什么用!"很多人因此而得以脱身。临刑的时候,刘洙颜为自己辩护,赵时赏大声呵斥道:"不过一死罢了,何必这样!"于是被捉住的人全被杀死了。李恒把文天祥的妻儿和其他家庭成员押送到燕,文天祥的两个儿子死在途中。巩信是安丰人。

九月,戊申(二十二日),页特密实攻破邵武军,进入福安。宋端宗的船停泊在广州的浅湾。命令达春与李恒、吕师夔等率步兵进入大庾岭,命令蒙古岱、索多、蒲寿庚及元帅刘深等率水军下海,合追南宋二王。

宋张世杰派谢洪永进攻泉州南门,没能取胜。蒲寿庚又暗中贿赂畲军,让他们攻城不要尽力,这才能派手下的人出城从小道向索多求救。到这时索多派来援兵,张世杰才解除包围,回到浅湾。刘深说王积翁曾经暗中与张世杰通过信,王积翁也上书说自己的军队势单力弱,若不暂且表示依从张世杰,恐怕要给全郡百姓带来祸患,元世祖原谅了他的罪过。

昂吉尔等领兵袭击司空山寨,结果山寨被攻破。黄州又被攻克,杀死张德兴,捉走他的儿子。傅高更名改姓出逃,不久被抓获,也被杀死。

巴延讨伐锡里济,在鄂勒欢河相遇,双方在鄂勒欢河两岸摆下阵势,相持一整天,等到锡里济的军队稍一懈怠,巴延就指挥自己的人马分成两队,攻其不备,打败了他们。锡里济逃跑中丧命。

冬季,十月,丙辰朔(初一),发生日食。

己未(初四),在太庙举行祭祀。

宋任命陆秀夫为同签书枢密院事。对于陆秀夫的被贬,张世杰指责陈宜中说:"现在是什么时候,动不动就用台谏的名义给人定罪。"陈宜中惶恐,急忙召陆秀夫回到宋端宗身边。当时逃亡海滨,诸事都很简略,杨太妃垂帘与群臣谈话,还自称奴。每当四时节日群臣朝见天子时,唯独陆秀夫严肃庄重,端端正正手持笏板肃立像在盛世之时那样,有时在行列中凄然泣下,用朝服擦拭眼泪,朝服全沾湿了,左右的人见了无不悲恸。

甲申(二十九日),任命行省参政呼图特穆尔、崔斌同为中书左丞,鄂州达噜噶齐张鼎、湖北宣慰使贾居贞同为参知政事。

播州安抚使杨邦宪说:"本族自唐至宋,世代守护这片土地将近五百年,昨天奉旨许令按照先前那样世代守护,请求降下诏书。"元世祖答应了他的请求。

索多到达兴化,宋陈瓒紧闭城门固守。索多亲自到城下喊话让陈瓒投降,城上的箭矢和石块如雨点般打下来,索多便造云梯,用炮石攻破兴化城。陈瓒发誓死守城池,巷战一整天。陈瓒被俘获,遭车裂而死,索多屠杀城中百姓,竟至血流得都能听到声音。

十一月,达春命令索多取道泉州渡海,在广州的富场会合。索多攻取兴化军及漳州,进攻潮州,潮州守臣马发竭力拒守,索多怕误了会合的日期,于是舍弃潮州而去。到了惠州,与吕师夔会师一起奔赴广州。庚寅(初五),宋制置使张镇孙及侍郎谭应斗献城投降,达春于是毁坏了广州城。

元帅刘深攻打浅湾,宋张世杰迎战失利,只得侍奉宋端宗逃往秀山。山中有一万多家居民,张世杰买下一所富人的宅院供宋端宗居住,军士病死的很多。张世杰又侍奉宋端宗奔赴井澳。陈宜中逃进占城。

元世祖颁布诏书:"凡是伪造至元宝钞,同谋者一起处死;分得使用伪钞者免去死刑,处以杖刑。形诸文字作为法令。"

庚子(十五日),任命吏部尚书巴图鲁鼎为参知政事。

命中书省发布檄文晓谕中外:"江南已经平定,宋应称'亡宋',其君所在之地应称'杭州'。"

当时军士俘获温州、台州两地的百姓男女几千人,浙东宣慰使陈祐刚到任,决定把他们全部放回。不久,行省征收民商酒税,陈祐请求说:"战争之后,对伤残的百姓,应该采取宽大体恤的政策。"陈祐的请求没有得到批复。陈祐被派往庆元、台州查核民田,返回时,走到新昌,遇上玉山乡强盗,仓促间来不及防备,结果遇害。

十二月,庚午(十六日),宋梁山军袁世安献城投降。

乙亥(二十一日),任命参议中书省事耿仁为参知政事。都元帅杨文安攻打咸淳府,结果攻克。

丙子(二十二日),宋端宗到井澳,飓风大作,船被毁坏,几乎溺死。宋端宗惊吓出了病。十多天后,众军士渐渐集合起来,死了的超过一半。刘深攻打井澳,宋端宗逃奔谢女峡,又乘船入海。刘深追到七里洋,打败宋兵,俘获了宋端宗的舅父俞如珪。宋端宗想前往占城,终于没能实现。

这一年,派遣使臣向缅甸征取朝贡,缅甸不服从,还率众侵扰永昌。云南行省派兵讨伐,降服了他们三百多个寨子之后才返回。

至元十五年 宋景炎三年,五月后改祥兴元年(公元1278年)

正月,癸巳(初九),西京闹饥荒,朝廷发放粮食救济,仍谕知阿哈玛特要增加储存,以防不足。

顺德府总管张文焕、太原府达噜噶齐台哈布哈,因为按察司揭发他们不法受贿行为,就派人到中书省自首,又反而用其他罪名诬陷按察御史。台臣向元世祖进言说:"按察司假若果真有罪,也不应因为自己的事被揭发而来告状,应该待张文焕等人的案件判决以后,再听取他们的诉讼。"元世祖采纳了。

己亥(十五日),禁止官吏军民卖掉所娶的江南年轻女子及让她们做娼妓,买卖双方都要治罪,没收他们的收入,被卖的及被迫为娼的女子恢复自由清白的身份。

山东提刑按察使徐世隆调任淮东。宋将领许琼的私家奴仆告发他藏匿公家财物,官吏拘传他的妻儿为这件事作证。徐世隆说:"许琼藏匿的是亡宋的财物,怎么能与今天盗窃公物的人相提并论呢?"同僚都不同意他的说法,徐世隆独自一人上奏章极力争辩,行御史台认为徐世隆说的对,便将许琼的妻儿释放,不再审讯。

戊申(二十四日),同意阿哈玛特的请求,从今起御史台没有报告中书省的,不准擅自召见仓库吏员,也不准查问钱粮数,但到中书省集中商议时不来参加的,要予以处罚。

降封宋福王赵与芮为平原郡公。

布哈督率汪良臣等部队进入重庆,李德辉送信给张珏说:"您作为臣下,并不比宋宗室子孙跟国君亲;合州作为一个州,并不比宋的天下大。那些宋宗室子孙已拿整个天下来归顺我朝,你还公然在穷山抵抗,却说是忠于职守,不也太糊涂了吗?"张珏没有搭理,布哈到城下,营造云梯、鹅车,将要攻城。张珏全体将士与汪良臣鏖战,汪良臣身中四箭。第二天,督战更紧。张珏与伊苏岱尔在扶桑坝作战,汪良臣等从后方夹击张珏,张珏的部队大败。这天夜间,南宋都统赵安献城投降。张珏领兵巷战,不能支撑,回府找鸩酒喝,又没找到,于是才顺流而下逃往涪州,布哈派水军阻截他,张珏于是被捉住。张珏是西凤州人。

在这之前泸州粮食吃光了,被万户图们达勒攻破,安抚王世昌上吊身亡。东川副都元帅张德润攻破涪州,守将王明及总辖韩文广、张遇春,都不屈服,被杀。绍庆、南平、夔、施、恩、播各州相继投降。

制定武官承袭的制度:凡是有战功晋级的武将,原来的职位让给别的有战功的人,不能由本人的子侄辈接替,阵亡将领的职位才能由子侄辈承袭,病死的将领子侄辈要降一等承袭。总把百户,老死的不由子侄辈承袭。明文写出作为法令。

二月,戊午(初五),祭祀先农,命令蒙古贵族子弟代耕籍田。

癸亥(初十),救济咸淳等郡的饥民。

命令平章政事按塔哈阿哩选择江南廉洁且有才能的官员,裁减多余的和不能胜任的官员。

辛未(十八日),因为川蜀地区多山林瘴气,所以解除那里的禁酒令。

吕师夔把张镇孙和他的妻儿押赴燕京,张镇孙上吊身亡。

宋端宗乘船回到广州。达春命令索多还师攻打潮州,南宋知州马发守城更加严备。索多填塞壕堑,造云梯、鹅车,日夜加紧攻城,马发暗中派人焚烧索多的云梯、鹅车等战具。一直抵抗了二十多天才失败,马发战死,索多屠杀潮州百姓。

壬午(二十九日),设置太史院,任命太子赞善王恂掌管院事,工部郎中郭守敬为副职,集贤大学士兼国子祭酒许衡兼管太史院事务。

把华亭县改为松江府。

派遣使者代祭山川。

任命参知政事夏贵、范文虎、陈岩同为中书左丞,黄州路宣慰使唐古特、史弼同为参知政事。

三月,乙酉(初二),下诏书命令蒙古岱、索多、蒲寿庚到福州行中书省事,镇抚沿海各郡。命令沿海经略副使哈喇岱率领水军南征,晋升为经略使兼左副都元帅,佩带虎符。

甲午(十一日),西川行枢密院招降重庆等府。

乙未(十二日),命令扬州行省挑选特穆尔布哈统率的军队,帮助隆兴进攻讨伐。

丁酉(十四日),命令达哈拆毁夔府城墙。

乙巳(二十二日),广南西道宣慰司招降雷、化、高三州。

宋文天祥因为弟文璧及母亲在惠州,于是赶往那里,他正从海丰县撤出军队,于是驻扎在丽江浦。

宋都统凌震及转运判官王道夫收复广州。

宋端宗迁驻硇洲,曾渊子从雷州到硇洲,便任命他为参知政事、广西宣谕使。当时曾渊子起兵占据雷州,元帅府劝谕他投降,曾渊子不听从,就进军攻打他。曾渊子逃奔到硇洲,于是才有这项任命令。

夏季,四月,乙卯(初二),命令元帅刘国杰率领万人北征。

丙辰(初三),颁布诏书说,因为云南疆土辽阔,未投降的很多,下令征调万名汉人丁壮进攻讨伐。

戊午(初五),因为江南的反叛者不知不觉地产生,人心不安,命令行中书省左丞夏贵等分几路到各地安抚治理,查核钱粮,视察遭受旱灾最严重的郡县。对廉洁且有能力的官吏,提出加以表彰;对那些贪婪残暴不能胜任的官吏,则揭发他们的罪行予以罢免。

甲子(十一日),命令布哈留驻镇守西川。戍守西川的巡查、捕盗的士卒遣还。

设立云南转运使和湖南转运使。

因为应时的雨水充沛,稍微放松酒禁,凡体衰有病的百姓需饮药酒,由官府酿造按量供给他们。

戊辰(十五日),宋端宗赵昰死在硇洲,年仅十一岁。群臣多数想要离散,陆秀夫说:"度宗皇帝的一个儿子还在,将把他放到哪里呢! 古人有凭着一旅人马由衰落而重新振兴的,现在百官有司都齐全,士卒有几万人,老天如果不想使宋灭亡,这难道不能重振国家吗!"于是就与众人共立卫王赵昺为帝,赵昺当时年仅八岁。

刚登坛受贺典礼完毕,御辇面对的方向,有黄龙从海中出现,入宫后,仍云阴不晴。为前主进上谥号称裕文昭武愍孝皇帝,庙号为端宗。杨太妃仍一起听政。

当时陈宜中奔入占城,众人天天等着他回到朝廷来,他终究没有回来。张士杰执政,陆秀夫辅助他。对外筹划作战,对内调遣工役,凡有著作,都出自陆秀夫之手,即使在仓促流离中,他还每天写《大学章句》来为幼主赵昺讲学。

庚辰(二十七日),派使者到杭州,把官方所藏的书籍及刻版运到京城,这是听从许衡的建议做的。

壬午(二十九日),在建康府设立行中书省。